장길산

2

차례

제2권

제2부 군도

제1장 대소두령(계속) 007

제2장 귀소 564

제3부 잠행

제1장 황민 900

제1권
작가의 말

장산곶 매
서 장 노상
제1장 재인말
제2장 수초
제3장 비승비속

제1장 대소두령

제3권
제1장 황민(계속)
제2장 구월산

제4권
제1장 미륵
제2장 심산대하
제3장 진인
종 장 귀면
운주 미륵

|제1장|

대소두령

大小頭領

(계속)

4

가을로 접어든 금강산은 풍악산(楓嶽山)이란 별칭대로 천산만봉(千山萬峯)이 단풍으로 온통 타는 듯하였고, 골짜기의 깊고 얕음과 봉우리의 높낮이와 하천의 넓고 좁음에 따라서 그 붉은 색깔의 차가 천차만별이었다. 검정에 가깝도록 짙은 색으로부터 놀빛처럼 새빨갛게 타오르다가 엷어져서 노랑빛이 되는 나뭇잎의 변화는 마치, 천상 선녀가 섬세하게 수놓은 옷자락을 펼쳐놓은 것 같았다. 물빛마저 산 그림자에 물들어 속끝까지 젖어든 단풍의 빛이 일그러졌다가 펴졌다가 하면서 흔들거리고 있었다. 길고 짧은 폭포에서 일어나는 물안개가 골짜기의 여기저기 뽀얗게 드리워졌다.

길산은 골짜기가 내려다보이는 절벽 끝에 앉아서 이러한 산수를 하염없이 내려다보고 있었다. 장안사(長安寺)에서 사십 리, 유점사(楡

岾寺)에서 이십 리, 북록으로 들어간 만폭동(萬瀑洞) 골짜기의 아득한 절벽 가에 겨우 주추랍시고 닦아세운 운부암(雲浮庵)에는 이제 추색(秋色)이 완연하였다. 아침마다 좁은 마당에 서리가 엷게 깔렸고, 흩날려 떨어진 낙엽이 발밑에 밟혀 부서지는 것이었다.

몇달 동안이나 길산이 혼자 지내다 보니 스스로도 사람 같지 않아 이제는 제 몸짓마저 구르는 잎새나 이끼 낀 돌이나 산짐승처럼 무심하여진 듯하였다. 처음에 얼마 동안은 나뭇짐을 지며 어이 무거워라든가, 배고프네 밥이나 지을까, 또는 혼자 방 안에 앉았다가 먼 산에서 포효하는 호랑이의 울음소리를 듣고 그놈 참 울음 한번 장하고나, 하는 등으로 제 자신과 얘기를 지껄여보고는 하였던 것이다. 그러나 그짓마저도 어느결엔가 잊어버려 모든 것에 무심하여졌다.

그는 뒷봉 밭에 내려가 조밭을 매거나 마를 캐어다 쟁이면서 하루해를 보내곤 하였다. 가끔은 덫에 걸린 작은 짐승들로 고기맛을 볼 때도 있었건만, 어쩐지 송구하여 암자 아래로 내려가 귀틀집에서 모닥불을 피우곤 하였다. 그는 거의 반년 가깝도록 운부를 대하지 못하였고, 봄에 여기 왔을 때 한 보름 남짓 뵈었을 뿐이다. 운부대사는 언제 온다 간단 말도 없이 홀연히 자취를 감추었다. 길산이 운부에게서 배운 바란 아무것도 없었다. 운부대사는 길산이에게 말도 몇마디 해준 적이 없었고, 처음 며칠은 줄곧 법당에서 참선하다가 뒷봉 너머 밭에 나가 농사일을 며칠 하고는 어느날 밤에 없어져버린 것이었다. 길산은 자기가 제자로 받아들여졌는지 아닌지도 모르는 채, 운부대사가 돌아오면 높은 공부를 배우리라 벼르면서 무작정 기다릴 뿐이었다.

길산이 단발령을 넘어 장안사에 이르러 일여(一如)를 찾으니, 그는 풍열스님의 서찰을 읽고 나서 곧 배례하며 운부암을 일러주는 것이었다.

"대사께서는 산사의 주지들을 싫어하시고, 그들 또한 당신을 기승(奇僧)이라 하여 질시하니 전혀 내왕이 없으시고, 소승 같은 젊은 승려는 몇몇이 가끔 암자를 찾아가 뵙지만, 거동이 과연 구름 같으신 분이라 종종 헛걸음을 치는 적이 많습니다."

만폭동 어귀에서 길산은 운부암을 찾느라고 반나절을 꼬박 허비하고 겨우 절벽 가녘에 아슬아슬하게 올라앉은 퇴락한 암자를 찾아낼 수가 있었다. 길산은 오르는 길을 찾지 못하여 막바로 보이는 절벽에 겁도 없이 대들었던 것이다. 나뭇가지를 휘어잡고 돌부리에 매달리며 주르르 미끄러졌다가 간신히 올라 드디어 암자의 앞마당 쪽으로 기어오르니 팔꿈치는 모두 벗겨져 피투성이가 되었고 얼굴도 나무에 긁혀서 상처가 가득하였다. 숨을 헐떡이며 절의 꼬락서니를 보자니, 진흙에 이겨 바른 구들돌로 지붕을 이었고, 기둥은 껍질이 그대로 붙은 통나무요, 흙벽이 군데군데 떨어져서 다람쥐새끼들이 들락거리고 있었다. 마치 거북의 등껍질 같은 지붕의 구들돌 기와에는 잡초가 무성하게 자라나 고총과도 같았다. 암자는 덩그러니 법당 한 칸뿐인데 불상도 없었고 향로도 없는 토방이었다. 그 토방 한가운데에 지붕 꼴처럼 여러가지 베조각으로 누덕누덕 기운 걸승 차림의 노인이 고요히 앉아 있었다. 흰머리는 뒤로 치렁치렁 늘어졌고, 흰수염이 가슴께에 가지런하였다. 언뜻 보아서는 그가 중인지 속인인지 별 구별이 가지 않았다. 다만 가사 장삼 모양을 한 누더기가 승복 비슷하여 중일 듯하다는 느낌을 갖게 하는 것이었다.

그는 눈을 번듯 뜨고 있건마는 앉아 있는 태가 바위처럼 굳건하고 엄중하여 감히 말을 건넬 기분이 들질 않았다. 길산은 그가 참선에 잠긴 것이라 믿고서 토방 아래 맨땅에 털썩 주저앉아 그가 물어오기까지 기다려보기로 하였다. 그러나 한 식경이나 쭈그리고 기다려보아도 말을 붙여오지 않았다. 길산은 번듯 뜨고 있는 중의 시선을 따라서 그곳에 무엇이 있는가를 바라다보았으나 절벽 앞으로 드높게 펼쳐진 만폭동 위의 빈하늘만이 닿을 뿐이었다.

"스님…… 스님!"

길산이 참지 못하고 불러보았으나 중의 그 바위 같은 앉음새는 고쳐지지를 않았다. 차츰 배가 고파지고 갑갑증이 난 길산은 암자의 주위를 둘러보았는데, 부엌이나 곡간은 물론 화덕조차 보이질 않았다.

"젠장 뭘 먹구 살길래 곡기의 흔적이 없나."

길산은 다시 법당으로 돌아가 안쪽을 기웃해보니 토방 구석에 바랑이 던져져 있는데 나무 탁발이 두 개 놓여 있건만 오래 쓰지 않았음인지 윤기가 없고 먼지만 수북하였다. 하는 수 없이 길산은 뒤편길을 찾아보았는데, 암자 뒤의 보다 높은 바위절벽을 간신히 돌아나가는 조도(鳥道)가 내다보였다. 어찌되었든 먹을 것을 찾아야겠으므로 조도를 따라서 봉우리를 돌아나가니 움푹 꺼진 너른 분지가 나타났다. 그곳은 참으로 으슥하고 은밀한 곳이어서 아래편에서는 다만 사방 주위로 삐죽삐죽한 연봉만이 보일 뿐이었고, 마치 그릇의 안쪽처럼 둥글고 편편하였다. 그 넓이는 가히 한 부락을 이룰 만큼 아늑한 초원지대였다. 거기서 길산은 제법 널찍하게 일구어진 밭고랑들을 발견하였고 나지막한 귀틀집 한 채도 보았다. 화전갈이인지 불탄 자취가 군데군데 검게 나타나 있었고 밭에서는 뭔가 푸릇푸릇 자라나고 있었다.

"화전꾼인가. 어디 찾아가서 뭣 좀 얻어먹을 게 없나 물어봐야겠

다."

하고서 길산은 초원으로 내려갔다. 밭은 사방으로 네모반듯하게 가꾸어졌는데 호미의 자국이 생생하였으며, 골마다 거름도 충실하게 뿌려져 있었다. 길산은 귀틀집으로 가까이 갔으나 인적이 전혀 보이질 않았다. 통나무의 문을 여니 안은 컴컴한데 맨땅바닥이요, 오래된 건초가 수북이 쌓여 있었다. 그러나 벽에는 버섯말림도 걸려 있었고 곡식 자루가 차곡차곡 쌓여 있었다.

자루를 열어보니 기장과 좁쌀이 그득하였고, 그외에도 잣과 밤이며 도토리 또한 독에 가득 차 있었다. 아마도 지난해 가을에 갈무리한 모양이었다. 우선 시장할 대로 시장하였으므로 주인이 돌아오기 전에 밥을 지어 먹을 궁리를 하였는데 오지 그릇과 돌솥이 뒹굴어 있었다. 길산이는 마당에 나와 퍼질러앉아서 밥을 지어 오지 그릇에 우선 한 사발 떠놓고서 맛난 저녁밥을 들었다.

"참으로 이상한 집이로군!"

그렇게 오래 지체하였건만 화전민인 듯한 귀틀집의 주인은 종내 나타나지 아니하였다. 길산이 다시 운부암으로 돌아가보니 대사는 아직도 그 모양으로 움직이지도 않고서 어둠속에 앉아 있었다. 길산이 지어온 밥그릇을 토방 귀퉁이로 내밀면서,

"스님, 공양 드십시오."

라고 불러보았건만 역시 대답이 없었다. 혹시 연로하여 앉은 채 열반하신 게 아닌가 살펴보았으나 아랫배께가 아주 천천히 오르내리고 있으니 숨은 쉬는 모양이었다. 길산은 에라 모르겠다 하고는 법당 아래 자기도 꿇어앉아서 스승이 말을 붙이기를 기다려보았으나 아주 캄캄하여 먼 산사에서 쇠북소리가 들리도록 아무런 변화가 없었다. 길산은 온몸이 근질거리고 답답한데다 수마가 씌어서 눈꺼풀

이 떨어져 들러붙고 도저히 견딜 재간이 없더니, 그대로 모로 넘어져서는 드높이 코를 골면서 잠들고 말았다. 이와 같은 일을 겪기를 사흘이나 계속한 뒤에 길산이 잠을 깨어 일어나보니 그날은 곤했던지 벌써 해가 높직하게 떴는데 마루 위에는 말뚝처럼 박혀 있던 대사가 보이질 않았다.

"어이쿠…… 이 어른이 날 떼칠려구 몸을 피하셨고나."

길산은 허둥지둥 일어나 운부암의 둘레를 휘둘러보기도 하고 뒷길로 해서 골짜기를 내려가 만폭동 어귀까지 달음질쳐보기도 하였으나 운부대사는 온데간데가 없었다. 길산은 울화가 치밀기도 하였고 또한 낙심이 되어서, 제미랄 것, 이놈의 땡초를 붙잡기만 하면 아예 허리뼈를 분질러주리, 수없이 중얼거리면서 암자로 되돌아왔다. 점심때가 가까웠는데 아직 식전이었으므로 문득 귀틀집 생각이 나서 그날도 다른 때처럼 밥을 해먹으러 뒷봉을 넘어서 분지로 내려갔다.

귀틀집에 이르러 역시 좁쌀을 푸짐하게 내어 밥을 지으려고 불을 지피는데 문득 뒷전에서 불이 번쩍하는 것 같더니 정신이 아득하여졌다. 몽둥이로 사정없이 얻어맞았던 것이다. 길산의 성질로는 당장에 한주먹으로 때려눕힐 것이로되 돌아보니 누더기의 대사가 눈을 부릅뜨고 서 있었다.

"네 이 버러지보다두 못한 놈! 어찌 곡식을 축내려느냐?"

대사의 첫 번째 말이 바로 그러한 일갈이었다. 길산은 하도 어이가 없어서 입을 딱 벌리고 그 초라한 노인의 완고한 표정을 올려다볼 뿐이었다.

"일두 하지 않는 놈이 처먹으면 그 곡식은 누가 길러내겠느냐. 이놈…… 썩 없어져라."

길산은 다시 호미자루를 쳐드는 운부대사의 손짓을 피하여 냉큼 달아나면서 대답하였다.

"소인은 주인의 응낙을 받고자 하였습니다만, 주인이 돌아오질 않아서요."

대사는 흙이 묻은 제 옷을 털면서 중얼거리는 것이었다.

"이 밭의 임자는 운부이니라."

"어이구 대사님, 그렇다면 진작에 제가 밭을 매어드렸을 겝니다."

운부는 다시 아무 말 없이 돌아서서 호미를 들고 밭 가운데로 들어가는 것이었다. 길산이도 함께 김을 매려고 뒤를 좇으니, 운부는 다시 호통을 쳤다.

"이건 내가 일군 밭이니라. 네놈은 네 밭을 일구어라."

"예?"

"저어쪽 풀밭을 들어내고 흙을 일구어서 네가 먹을 곡식을 가꾸어라."

길산은 멍청해 있다가 그제야 운부대사가 하는 말의 뜻을 뒤늦게 깨닫고, 귀틀집으로 돌아가 농기구들을 꺼냈다. 오랜만에 허리를 구부리고 땅을 파헤치며 농사일을 하자니, 원래가 훨훨 싸돌아다니며 재간이나 팔던 광대 성질에 참으로 배겨나기가 힘들었다. 정오가 되니 배는 고프고 허리가 짓눌린 듯하였고, 땡볕에 땀이 비 오듯 하였는데, 건너편의 운부대사를 돌아보니 이제는 재와 거름을 지고 밭고랑 사이를 내왕하고 있었다. 길산이 당장에 호미를 내던지고 욕설이나 퍼붓고 돌아서고 싶었으나, 아무리 야속하다 하여도 만폭동 운부암을 찾았을 때는 단단히 결심했던 바가 있는지라 감히 운부에게 밉보일 짓은 할 수 없었다.

"대사님, 소인은 아직 식전인데 밥이라두 지어 먹구 일을 하지요."

운부가 밭에다 거름을 뿌리면서 중얼거렸다.

"한 끼니 먹기두 어려운 세상인데 꼬박 세 때를 찾아먹으려느냐. 하루에 두 번 먹어두 사느니라. 두어 사래 더 갈구 나서 밥을 짓도록 하여라."

길산은 별수 없이 일을 계속하였고, 밥을 짓기 시작했을 때에는 거의 배고픔을 잊을 정도로 허기가 졌다. 밥을 지어 운부대사와 마주 앉아 먹는데, 운부는 아까보다는 훨씬 고집이 풀린 듯한 표정이었다.

"어때…… 일을 하구 밥을 먹으니 좀 맛이 있느냐?"

길산은 워낙에 양이 큰데다 허기가 졌으므로 조밥 한 그릇을 게눈 감추듯이 하고는 다시 솥바닥에 남은 누룽지까지 긁었다. 운부는 바윗돌에 앉아서 길산의 그런 양을 웃음기 어린 시선으로 바라보았다.

"저쪽에는 차를 심어야겠구나. 아직도 이 묵정밭을 옥토로 만들려면 품이 많이 들어야겠다."

길산과 운부대사는 서로 어디서 온 누구임을 밝히지도 못한 채 자연스레 한식구가 되었으니, 길산이 자신도 운부대사에게 그런 말조차 꺼낼 것을 까맣게 잊어버리고 있었던 것이다. 길산이 문득 생각이 난 듯 입을 열었다.

"대사님, 큰절루 내려가셔서 젊은 것들의 공양이나 받으시든지, 아니면 행자 두엇 데려다가 인가에 내려가 시주를 거둬오게 하시지요."

운부는 아까처럼 노염을 보이지는 않고 고개만 흔들었다.

"일을 하지 않는 자는 먹어선 안 된다. 승려가 참선을 하더라도 일을 하지 않고 한다면, 그것은 참선이 아니라 도적질이니라. 송홧가루 한 줌이라도 거저 먹어선 안 된다. 모두 하늘이 낸 것이니 수고 없이 어찌 공으로 먹을 것이냐. 너는 무엇으로 생업을 삼았는고?"

"예…… 저 재간을 팔았습니다."

"음, 창우였더냐?"

"예, 문화 고을서 살다가 구월산에 있습니다. 풍열선사께서 대사님을 찾아가 공부하라 하셨습니다."

"풍열은 아직 월정사에 있는가?"

"저희들을 늘 염려해주시지요."

운부는 별로 유념하지도 않는 듯이 보였다. 운부대사는 자기가 먹은 식기를 들고 도랑물로 내려가 씻는 것이었다. 그러다가 무슨 생각이 났는지 불쑥 말하였다.

"내게 배울 것이 뭐 있겠느냐. 예서 배곯지 말구 내려가 농사나 짓거라."

그러잖아도 허송을 하는 듯하여 답답하던 길산은 무슨 검술이라든가 기운 쓰는 비결이라도 얻어들을까 하였더니 점점 맹랑한 말이 나오는지라 역증이 발칵 치솟았다.

"농사요? 아니 농투성이가 되러 금강산 만폭동 골짜기루 찾아오겠습니까?"

하니, 운부는 대답이 없었다. 니미랄 것. 농사를 배우려면 어루리벌을 찾아가 머슴을 살 일이지, 얼턱이 빠졌다고 금강산을 찾아왔겠나 싶었다. 제 따위 쇠어빠진 늙은이가 무엇을 가르쳐줄까 의심스럽더니, 불목하니로 부려먹으려는 수작이 분명하다고 길산은 생각하였다.

"일손이 늘었으니 아주 잘되었다. 이 뒷봉 풀밭을 올해에는 모두 개간해놓을 참이다. 내년부터는 사람이 많아질지두 모를 테니……"

운부는 다시 거름 바가지를 들면서 일어섰다.

“자아, 그만 쉬었으면 일을 시작해라. 네 밭을 일굴 때까지는 내게 얻어먹는 격이니까.”

길산은 혼자서 한숨을 푹 내쉬고는 호미를 들다가 참지 못하고 말을 뱉었다.

“대사님…… 저는…… 높은 공부를 배우고자 여기에 찾아온 거올시다. 저는 맨손으루 댓 놈은 상대할 재간두 있습니다.”

운부는 못 들은 체 밭고랑 사이로 걸어가고 있었다. 길산은 밭 가녘에 서서 계속 이야기하였다.

“실은 제 동무들은 모두 구월산 화적당이우. 소인은 그냥 도적놈이 되기보담은 대적이 되어 큰일을 해보겠다구 여길 왔는데, 묵정밭이나 개간하며 허송세월을 하란 말이우?”

운부는 드디어 걸음을 멈추고 돌아섰다.

“어리석은 놈…… 예서 썩 내려가거라.”

운부는 밭고랑에서 천천히 걸어나오면서 중얼거렸다.

“나는 또 일꾼이 온 줄 알았더니 아주 못된 도적놈이 왔구나.”

길산이 비록 성품은 좋은 바탕을 갖고 있었으나, 운부의 뜻을 헤아리지 못하니 그저 의심스럽기만 하였다. 마음은 성급하였고 무엇인가 자기를 이루려는 욕심만 급급하였던 것이다. 운부대사의 단호한 말에 길산은 예도 올리지 않고서 돌아섰다. 그는 투덜대면서 법당으로 돌아가 봇짐을 찾아들고 운부암을 내려왔다. 운부암을 내려와 만폭동의 귀를 가득 채우는 물소리 가운데 잠깐 앉았으니 심경이 착잡하였다. 어디로든 찾아갈 데가 없었고, 구월산에 이 꼴로 되돌아가 동무들을 대하기도 쑥스러운 노릇이었다.

“정학이나 찾아가서 이 울적한 심사를 풀고, 북관으루 올라가볼까."
하는 생각이 들었다. 그가 단발령을 넘을 때 만났던 고성(高城) 사는 정학이 제 동네 자랑을 하던 일이 생각났던 것이다. 서로 힘자랑 내기로 맞붙었다가 사귀게 되었던 터이다. 그는 만폭동 계곡을 내려와 유점사 쪽으로 트인 길로 걸었다. 고성 수자리골〔鎭村〕의 정학을 찾아가보려는 것이었다. 산길 팔십 리를 걷기에는 해가 짧았으나 길산은 유람이나 나온 기분으로 느릿느릿 걸었다. 금성산 아랫녘을 지나노라니 해는 뉘엿뉘엿 넘어가고 숲 가운데는 벌써 어둠이 가득 차기 시작하였다. 그러나 혼자서 걸어오는 동안에 길산의 마음속에는 차차 운부대사의 백발이 또렷하게 떠오르고 있었다.

"땡초 같으니라구…… 가르칠 게 없으니까 농사나 지으라구?"

투덜거리는 길산이었으나, 한편으로는 월정사 풍열선사의 일러준 말이 떠올라 운부의 괴이한 언행을 웃어넘길 수가 없었다. 어딘가 알 수는 없지만, 마음에 걸리는 구석이 있었다. 고성포로 흘러가는 남강(南江)이 지는 해에 곱게 물들었는데 벌판에는 인적이 없고 해송들이 구불구불한 자태로 드문드문 서 있었고 단정학이 흰 나래를 펴고 내려앉곤 하였다. 멀리 고성 외곽의 작은 마을들이 보이기 시작했는데, 우선 한동안 민가를 보지 못하였던 길산은 반가워하였다.

"에라! 오랜만에 술이나 실컷 퍼마셔야겠다."

길산이 비록 옥에 갇혔을 때 천한 백성들의 고난을 보고 깨달은 바도 많았으며 그런 이유로써 입산하였던 것이나, 어찌 갑작스런 깨달음이 일관될 수가 있으랴. 생각은 앞서 있고 몸은 따르지 못하니, 대개 제 스스로를 다스린다는 것은 뜻에 합당하게 사는 일 말고 무엇이 있겠는가. 용기가 있으나 너그러움이 없고, 어질지만 지혜가 없으며, 절개가 있으나 남을 포용 못 하고, 신의가 있으나 여럿을 다스리지 못하고, 충절은 있으되 경륜은 없는, 이러한 넘치고 처지는 사람의 일들은 모두가 제 뜻과 사는 일이 한결같지 않음에 연유하는 것이다. 마치 앞다리가 길고 뒷다리가 짧은 낭(狼)이란 이리와, 그와는 정반대인 패(狽)라는 이리가 서로 부축하고 걷다가 사이가 떨어지게 되면 서지 못하는 관계와도 같다.

길산이 수자리말을 찾아가려고 길 물을 사람을 찾느라 두리번거리는데 마을 어귀에서 울고 섰는 아이를 만났다. 큰 소리를 내어 우는 것은 아니지만 길가에 주저앉아 연신 소매로 얼굴을 닦아내며 어깨를 떠는 것이었다.

"총각, 말 좀 물어보세."

했으나, 아이는 고개를 파묻고 쳐다보지도 않았다. 길산이 더 묻기도 민망하여 잠시 서 있는데 아이는 한참 뒤에 젖은 얼굴을 들었다.

"왜 그러우?"

"수자리말이 어느 쪽인가?"

"저쪽 삼일포 쪽으로 나가오."

하고는 다시 고개를 떨구는데, 길산은 그냥 돌아서서 가지도 못하고,

"무슨 일로 그리 울고 있나?"

묻고 말았다. 아이는 대답 대신에 빈 자루를 쳐들어 보이면서 푸념을 터뜨렸다.

"아이구, 이젠 우리 식구 어찌 살거나, 꼼짝없이 죽게 되었네."

"총각, 무슨 일인가, 혹시 내가 도움이 될지 아나?"

"예, 우리 아버지는 지난해에 고기잡이를 나가셨다가 폭풍을 만나 돌아가시고 모친과 어린 동생과 제가 밭 몇뙈기와 고공(雇工)살이로 연명하여왔는데, 지금 보리가 여물기도 전에 양식이 간데없수.

종자까지 죽 끓여 먹고 나서 굶은 지가 이미 사흘째인데, 구휼미(求恤米)라두 얻어볼까 하여 관가에 갔더니 호적에 들어 있지 않다고 주지를 않습니다. 그러니 호적이 있는 강릉까지 가려면 도중에서 모두 굶어죽게 되었고 또한 곡식을 조금 타낸다 한들 여기 있는 밭농사는 누가 짓습니까?"

때는 바야흐로 진달래 먹고 목이 멜 보릿고개였던 것이다. 길산은 왠지 모르게 가슴 언저리께가 써늘해지는 것이었다. 누구보다도 굶주림의 고통을 잘 아는 길산이었다. 굶은 배를 간장을 탄 냉수로 채우고서 탈박 속에서는 울음이 나오는 채로 온 기력을 다하여 춤을 추던 저잣바닥이 한꺼번에 지나쳐가는 듯하였다. 길산은 두말 않고 보퉁이에서 엽전꿰미를 꺼내어 총각의 발 아래 던져주었다. 그러곤 휘적휘적 걸어가는데, 아이가 꿰미를 주워들고 그의 뒤를 쫓아왔다.

"이렇게 많은 돈을 거저 받을 수 있습니까. 은인의 함자라두 알아얍죠."

"나는 그저 놀러 다니는 놈이니 자네가 알 거 없네. 쌀이 되나 반찬이 되나 그걸루 가족 부양하구 연명하게."

자꾸 붙드는 총각을 뿌리치고 걷는 길산은 어쩐지 부끄러워져서 귀밑이 뜨뜻하였다. 급한 마음으로 운부가 글이나 무술이나를 가르쳐주지 않는다고 성을 냈던 자기가 참으로 운부의 말대로 버러지보다도 못한 놈인 듯이 여겨졌다. 길산은 굶주림을 알지언정 곡식을 얻기 위하여 땀을 흘리는 일의 고된 것은 채 느끼지 못하였고, 수업에는 몸공부와 마음공부가 있음을 알지 못하였고, 따라서 운부의 뜻을 헤아리지 못했던 것이 아닌가. 광대란 흘러다니는 자이니 몸도 마음에도 뿌리가 없으며, 살기 괴로우면 훌쩍 떠날 따름이었고, 따라서 울음보다는 냉소가 어울리는 셈이었다. 광대란 유동하는 자이니 굳건한 땅과 이웃이 있는 마을을 알 리가 없었다. 그가 밥 먹고 잠자는 방 안 또한 저잣바닥과 무엇이 다르랴. 우선 농군이 되는 수업을 하여야만 마을의 사정을 알고, 마을의 사정을 알아야만 백성의 참사정을 겪어서 아는 것이 아닌가. 광대에게도 고통은 있으되 자기를 파는 자로서의 씁쓸한 자조가 있을 뿐이다.

"운부대사는 내 궁둥이를 꾹 눌러두려는 모양이여……"

길산은 수자리골에 이르러 정학(鄭涸)의 집을 쉽게 찾을 수가 있었다. 벌써 저녁때가 지난 즈음이라 관솔불이 기둥에서 까물대며 타고 있었고 웬 건장한 사내가 외양간 앞에서 쇠죽을 쑤고 있었다.

"여기가 정학이란 사람의 집이우?"

길산이 묻자, 그는 여전히 쇠죽을 저으면서 대꾸했다.

"우리 가형(家兄)이신데, 왜 찾수?"

"동무 되는 사람이우."

"읍내 나가셨는데…… 뉘십니까?"

"길산이라구 허우. 금강산에서 왔다면 알 게요."

떠꺼머리는 벌떡 일어서더니 주춤거리며 되물었다.

"운부암 기신다는 길산이 성님이슈?"

하고 나서 떠꺼머리는 마당에 넙죽 엎드렸다.

"우리 언니가 성님 말씀을 여러 번 하셨습니다. 저는 신(愼)이라구 하우."

길산이 당황하여 함께 엎드리려다가 그의 손을 맞잡아 일으켰다.

"언니께 성님뻘 되시니 제게는 큰성님 되시지요. 제가 얼른 읍내 나가서 모셔오겠수."

"아닐세…… 그럴 건 없구 함께 가보지."

"그게 더 좋겠군요. 학이 성님은 포구에 계실 거유."

길산이 정학의 아우 정신의 모습을 보니, 학이처럼 기골이 장대한데 그의 형보다는 훨씬 쾌활해 보이며 아우답게 가벼운 데가 있는 듯하였다. 두 사람이 포구로 나가자니 어촌이 나오는데 어딘가 주막이 있는지 왁자지껄한 사내들의 떠드는 소리가 들려왔다.

"어디 주막이 있는가?"

길산이 물으니 정신은 바닷가에 외따로 떨어진 기다란 초가집을 손가락질해주었다.

"저어기 어계방이 있수. 뭐 주막이나 매한가지유."

그들은 고성포의 어계방으로 들어갔고, 안에는 칠팔 인의 사내들이 떠들썩해서 탁주를 돌려 마시고 있었다. 가보잡기를 했는지 지패(紙牌)가 어지럽게 널려져 있었고, 그 가운데서 정학의 걸걸한 목소리가 들려왔다.

"헌경이 성님, 그 구수한 얘기나 소리 한 가락 해보우."

"아따, 투전판에서 무슨 옛말이여?"

"최서방이 안 왔다면 모를까, 기왕에 어려운 걸음 했는데 그냥 보내?"

"허긴 그렇군. 원주에서두 이름난 전기수(傳奇叟)를 공으루 보낼 수야 있는가."

이런 말들이 시끄럽게 오가는데 신이가 나서면서 말하였다.

"언니…… 길산이 성님이 왔수."

정학은 술잔을 쳐들다 말고 아우의 등 너머로 고개를 기웃해보더니,

"아이구, 이게 누구요. 아니, 성님이 산에서 공부는 않구 어찌 이런 속세엘 다 내려오셨수?"

법석대면서 일어나 길산의 손목을 덥석 잡아서는 좌중의 가운데

로 질질 끌어가는 것이었다.

"농번기에 팔자들 늘어졌네."

"어촌에서야 농사철 따루 있습니까. 고기떼 몰려올 때가 제철입지요. 인석들아, 인사들 올려라. 내가 늘 얘기하던 천하장사 길산이 성님이여."

"장사는 무슨…… 내 기운이야 아우님보다 훨씬 못 쓰지."

하며 대강들 인사치레를 차리고 나니 길산이보다 방금 앞서 들어왔던 갓 쓴 자는 덤덤히 말이 없었다.

"참, 두 분 인사허슈."

정학이 나서서 소개를 시키는데, 길산은 그자의 머리에 쓴 갓이 고까워서 선선히 인사를 나누기가 힘들었다. 그러한 눈치를 채고서 학이는 웃으면서,

"하하, 이제 보니 갓 쓴 양반인 줄 알구 그러시우. 고작해야 『소학』권이나 뗀 불상놈이우. 소싯적에 양주목에서 통인 노릇을 한 적이 있어서 관가 냄새가 조금 배었지."

사정 두지 않고 지껄여대니 갓 쓴 사내는 열쩍게 웃으며 말하였다.

"과연 정서방 말이 맞소. 나는 작년에 삼일포에 이사온 최헌경(崔憲卿)이란 사람이우."

"장길산이오."

최헌경과 길산이 인사를 하고 나니, 곧 다른 사람들이 떠들썩하며 최헌경에게 얘기를 하라고 성화였다.

"세상에 공것이 어딨나?"

"제길…… 아, 얘기를 팔면 우리가 산다는데 그러슈."

최헌경은 살집이 좋고 코는 감자처럼 둥글고 투박해 보이는데 작은 눈이 영리하게 반짝이고 있었다. 나이는 서른댓쯤 되었을까?

"내가 다른 일루 여길 찾아오긴 했지만, 그러면 딱 한 자리만 하구 말 테요."

"에이, 기왕에 보따리를 풀려면 세 자리는 하셔야지."

잠깐 좌중이 가라앉기를 기다리던 최헌경은 몇년 동안 전기수의 노릇을 해본 입담으로 얘기를 풀어나가는 것이었다.

"객주라면 저어기 송파 거여 객주가 제일이지. 추석 대목이 코앞에 있는지라 손님들이 갯것전에 쉬파리 끓듯 하였지. 그래놓으니 나중에는 청마루에까지 손님을 받았는데, 늦게서야 신혼으로 보이는 남녀가 또 객주를 찾아왔거든. 방 있습니까, 하룻밤 묵어갑시다, 하니까…… 아이구, 방이 다 찼소이다. 요즘 추석 대목장이라 그렇지요. 내외분이시니 청에서는 주무시지 못할 테고, 하면서도 손님을 놓치기는 싫었단 말이여. 아니나다를까, 거여거리의 객점이 모두 그러하니 신랑 되는 자가, 청에서라두 자구 가겠소, 병풍이 있거든 하나 가려주시우, 이부자리하구요."

하고 나서 최헌경은 탁주를 부어 한잔 마시면서 이야기의 뜸을 들이는 것이었다. 사내들은 킬킬 웃기 시작하였다.

"객점 주인은 손님이 그렇게 청하는 바에야 마다할 수가 있나. 그래서 병풍을 마루 구석에 둘러쳐주니까, 젊은 내외는 그 병풍 뒤에 이부자리를 깔고 들어간단 말이렷다."

"거 요정 낼 판이로군."

"허허, 병풍 안으로 들어가더니 이것들이 옷을 척척 벗어서 병풍 밖으로 걸어놓는데, 아낙네의 속치마까지 걸리는 게 아닌가. 이러니 집 떠나 고적하기가 이를 데 없던 봇짐장수 생홀아비들이 참을 도리가 있어야지. 그중 숫기 좋고 장난 좋아하는 보상 두엇이 서로 눈을 끔쩍이더니 모기작모기작 병풍 곁으루 기어갔거든."

최헌경은 얘기를 끊고 담배 한 죽을 담는데, 듣는 사람들은 재촉도 못 하고 침만 꼴깍이고 있었다.

"그러니까 온 마루에 있던 사내들이 한 놈 두 놈씩 기어가서 병풍 밑틈으로 들여다보질 않겠나. 그뿐야, 무슨 구경거리가 있는가 싶어서 이 방 저 방 누웠던 젊은 사내들이 이놈 저놈 또 기어와서 병풍 아래를 들여다보려고 서로 머리를 들이미니, 어깨가 부벼지고 다리가 뒤엉켜 병풍 밑은 틈도 없이 대만원이 되었거든. 그때 가장 늦게야 알고선 한 놈이 저두 좀 구경해볼까 하여 기어왔는데, 이놈이 아무래도 주변머리가 없었지. 병풍 밑에는 아무리 끼일려두 비좁아서 못 끼겠으니, 에라 모르겠다, 체면 불구하고 벌떡 일어서서 병풍 너머로 넘어다봤네그려. 그러니 아래서 대가리 싸움하던 놈들은 참지 못해 킥킥거리고, 서로 더 많이 보려고 어깨를 부벼대니 그만 병풍을 밀어서 사정없이 자빠져버렸단 말이지. 젊은 내외가 한창 재미를 보려다가 병풍이 내리덮쳐 파홍이 되니 자네들이라면 성이 안 날 텐가? 사내가 벌떡 일어났지. 제 서슬에 놀란다고, 병풍 밑에서 들여다보던 놈들이 모두 그 자리에 발딱 뒤집혀서 자는 척하노라고 코를 더럭더럭 골았거든. 코 고는 놈들을 바라보고 사내가 더욱 성이 났지. 이놈들아, 병풍 쓰러뜨리고 무안해서 자는 척하려고 생코를 고는구나, 하는 중인데 아까부터 서서 병풍 너머로 들여다보던 놈은 하두 갑작스런 일이라, 넘어질 사이가 없어가지고 그만 그 자리에 선 채로 눈을 감고 코를 골거든."

어계방에 모였던 자들은 모두 배를 잡았고, 길산이도 마음껏 웃음을 터뜨렸다. 그러나 최헌경 본인은 멀뚱하니 과연 전기수의 능청은 대단하였다.

"그래 사내가 서서 코 고는 놈에게, 너는 왜 서서 코를 고는가 물었더니 서 있던 놈이 입맛을 다시면서, 나는 내일 아침에 갈 길이 바빠서 일찍 떠나려구 서서 잔다, 왜 잘못되었냐? 하더라네."

어계방의 분위기는 점차로 무르익어가고 있었다.

"거 이야기 한 자리 더 하세."

"투전돈 걷어드리께."

하며 제각기 떠드는데, 최헌경은 담배만 빼끔대며 태우더니 놋재떨이에 탕탕 떨고는 앉음새를 고쳤다.

"실은 내가 여러분 손을 좀 빌릴려고 찾아온 겔세. 꽃재〔花峴〕에서 괴질이 발생하였다네. 우리 마을에두 한 집에 환자가 생겼는데, 우선 꽃재마을에 불을 지르고 성한 사람은 이주를 시켜야겠는데, 모두 한식구들이니 쉬쉬하구 있단 말여."

"소문 비슷이 듣긴 하였으나, 꽃재에는 경친 놈들이 내쳐서 저희끼리 살아가는 부곡(部曲)이나 진배없는데, 누가 갈려구 하겠나."

"관가에는 알렸수?"

"며칠 전에 아전 몇이 둘러보구 갔다지만 별 대책은 없구, 동구 밖에 번을 드는 나졸 두엇이 통행을 막는다네."

정학이 최헌경에게 말하였다.

"그럼 성님은 뭘 바라는 게요. 우리가 도와드릴 일이라두 있겠수?"

"음, 우선 환자네 가족들을 산으루 내몰구 마을에 불을 지르기 전에 환자들만 추려서 움에다 몰아넣고, 시체는 집과 함께 태워버리잔 말일세. 그냥 두었다가는 고성 일대는 아주 쑥밭이 될 테니까."

"관에서 못 한 일을 우리라구 해서 뭣 하게?"

"그래야 고장을 지키지. 한 사날 앓다가는 열이 가라앉으면서 피를 토하구 죽는데 한번 걸렸다 하면 가망이 없는 모양이여."

"우리까지 옮으면 어쩌게……"

"그야, 다 예방이 있으니 내 말만 듣소."

최헌경은 끝내 꽃재말을 쓸어버려야 고성이 안전하다고 우겨댔다.

"가십시다. 까짓 것, 인명은 재천이라는데 설마 뒈어질까."

정학이 선선히 말하였고, 몇사람도 쾌히 응낙을 하였다. 달리 더 사람들을 모아보기로 하고서 두엇은 포구마을로 풀려나갔다. 정학이 길산에게,

"성님은 우리게 사람이 아니니 어서 우리집에 가셔서 신이하구 놀다가 올라가슈. 내 변변히 대접두 못 해서 죄송허우. 만폭동으로 놀러갈 테니."

길산은 차마 운부대사께 꾸중을 듣고 하산하였다고 말을 할 수가 없었다.

"아니…… 나두 가보겠네, 도울 일이 있으면 도와야지."

길산이 말하니, 최헌경은 감자코를 만지작거리며 사람 좋게 웃었다.

"그럼, 하나라두 더 손이 필요한 판인데, 모두들 관솔 횃불을 준비들 하게. 그리구 무명 수건으루 입들을 막고, 시체는 절대루 다쳐선 안 되어. 환자들도 손대면 안 되네."

마당에 어계 사람들과 농부들이 모이니 여남은 명은 족히 넘을 듯하였다. 저마다 무명 수건으로 입을 가리고 손에 손에 싸리나 관솔의 횃불을 들었다. 그러고는 작대기며 낫이며를 들었으니, 누가 보기에도 그 서슬이 무서운 화적떼들 같았다. 그들은 최헌경을 앞세우고 괴질이 발생한 꽃재말로 몰려들 갔다. 꽃재말은 불빛 한 점 없이 캄캄하였고, 번을 드는 군사들도 어디로 꺼져버렸는지 동구 밖은 쥐

죽은 듯하였다. 마치 도깨비가 나올 듯싶은 마을에는 질병의 암울하고 음산한 그림자가 짙게 드러워진 듯하였다. 최헌경이 말하였다.

“장로(長老)네 집으루들 가세.”

그들은 마을로 들어갔다. 마을의 골목길에 횃불빛이 휘황해지니 놀란 마을 사람들이 뛰쳐나옴직도 하건만, 집집마다 불이 꺼진 채 적막하기만 하였다.

“누가 촌장의 집을 아나?”

“아무 집에나 들어가 끌어내어 인도하랍시다.”

“넨장할, 이렇게 괴괴할 수가 있나.”

그들이 마을 복판에서 술렁대고 있는 참인데, 드디어 골목에서 사람의 그림자가 하나둘씩 나타났다. 그들도 수군거리며 접근을 꺼려하였고 이쪽에서는 더욱 가까이 가기를 두려워하여 한참 동안이나 말없이 서 있을 뿐이었다. 최헌경이 횃불을 들어 그들을 비춰보면서 몇걸음 나아가 외쳤다.

“우리는 포구 어계 사람들인데, 이 마을 장로를 만나야겠소.”

그들이 다시 수군대더니, 한 사람이 맥없는 소리로 대답하였다.

“촌장께서는 어제 작고하셨소이다.”

“그러면 아무나 마을을 대표할 사람과 의논을 좀 해야겠소.”

다시 그들끼리 뭔가 수군대는 것 같더니 질문에 응하였던 자가 물어왔다.

“어계 분들이 꽃재엔 무슨 일루 오셨소이까?”

최헌경은 헛기침을 하고 나서 누누이 일러주었다.

“우리 고장에서 꽃재말이라면 수자리 따라왔다가 면천한 사람들이 모인 동네인데, 하여간에 내왕이 없었다손 치더라도 고성 땅의 같은 백성일세. 이제 듣자하니 이 동네서 괴질이 창궐한다는데 관가에서도 속수무책이요, 의원도 기피한단 말을 들었네. 고뿔이나 배탈도 아니요 역병임이 적실한즉, 꽃재만의 화가 아니라 우리 고성의 화라 할 게여. 아무 방비두 없이 있다가는 다른 마을로 번져갈 것인데 이 마을을 폐하려고 왔네. 의논이 정해져야 할 테니 어서 마을 총대 될 사람과 만나게 해주소."

그들은 말없이 횃불 든 사람들 앞에 서 있었다. 그들의 등뒤로 아낙네들의 그림자가 어른거리고 있었다.

"의논을 않겠다면…… 우리 뜻대루 할 테여."

일행 중의 누군가가 거칠게 말하자, 마을 사람 하나가 대답하였다.

"사람을 부르러 갔수."

이쪽은 일렁이는 불빛 아래 몽둥이며 농기구를 들었으니, 모양이 더욱 험상스럽지만 어둠속에서 산 송장처럼 흐늘거리며 움직이는 듯한 꽃재말 사람들이 더욱 흉하게 느껴졌고 오히려 건장한 사람들 쪽에서 두려워할 만하였다. 이제 꽃재말은 캄캄한 명부(冥府)와도 같았던 것이다. 잠시 후에 노인 한 사람이 그들 속에서 걸어나왔다.

"의논할 말씀은 무엇인지요?"

"마을의 촌장 되시우?"

"나이로는 제가 기중 연장이오만……"

최헌경은 횃불을 들어 그를 비춰보았다. 수족이 삭정이처럼 깡마른 노인이 잔약한 몰골로 그를 바라보고 있었다.

"역병에 죽은 자가 몇이나 되오?"

노인은 잠시 뒷전에다 묻는 듯하더니,

"오늘까지 스물둘이외다."

"시방 환자는 몇이오?"

"우리네가 서른두 가호인데 한 마흔 명은 되는갑소. 한 사람두 앓는 이가 없는 집두 있소."

"장사는 어찌 지냈소?"

"집집마다 다르긴 하오만 뒷산에다 버려두었지요. 바람맞이를 해줘야 된다기에…… 역병도 역병이지만 이젠 꼼짝없이 굶어죽는 판이외다. 화전갈이두 못 했거니와 관가의 구호도 없지요."

"어떻소? 우리가 십시일반(十匙一飯)으로 구호곡도 거둬 내고, 나중에 마을도 다시 세워줄 터이니 여길 떠나겠소?"

"여길 떠나서 어디루 간단 말입니까. 우리 말이 한두 해에 생겨난 것두 아니오."

"우리게에서 모두 의논이 정해져서 이렇게 몰려온 게요. 이 마을은 이미 괴질의 병독이 속속들이 범하였으니 태워버려야겠소. 그리구 환자들은 나을 때까지 식구들과 따로이 지내게 해야 됩니다. 마을 사람들께 이 뜻을 알리고 우리 의논에 따르시우. 만일 듣지 않으면 이 사람들은 사정없이 불을 지를 테니깐."

최헌경이 조금치의 틈도 보여주질 않고서 단호하게 말하는데, 곁에 섰던 포구의 장정들이 제각기 으르딱딱였다.

"다 죽게 되는 판인데 사정 볼 거 있나. 타죽기 싫으면 몰려나올 테지."

"말 안 들으면 아주 물고장을 내버릴 테여."

이렇게들 두런대니, 맨주먹으로도 맞서지 못할 판에 굶주리고 병약한 사람들로서 뭐라고 대꾸할 엄두가 나지 않는 모양이었다. 저희끼리 둘러서서 얘기하는데 따르자거니 못 한다거니 제법 격론이 오갔고, 아낙네들의 울음소리가 처량하게 들려오기 시작하였다. 이쪽의 뒤편에 서 있던 길산은 그 울음소리를 듣자 어쩐지 낯익은 기분이 들었고, 설움이 척추 끝까지 스며오는 듯하였다. 그러나 한편 생각해보면 최헌경의 처사가 이치에 닿는 일이라, 역병을 막자는 뜻이고 보면 매정하달 수도 없는 일이었다. 다만 꽃재말 사람들이 당한 환난이 지겹도록 싫어지는 것이었다. 길산은 이 자리에 잘못 끼여들었다고 후회하였다.

"어서 결정을 하시우."

최헌경이 재촉하자, 아까 그 노인이 나서더니 말하였다.

"따르겠습니다. 그러나 환자들에게는 간호할 식구나 남도록 해주시오."

"안 되오. 성한 사람들은 모두 마을을 나와서 꽃재 위에 모이고 환자들은 우리가 집 하나를 정하여 따로 모아두겠소. 그리고 버린 시체는 당신네들 중에 몇이 나서서 화장하고, 집들은 그런 일이 모두 끝난 다음에 우리가 태워버릴 테요. 구호곡은 우리두 낼 터이오만, 관가에 진정하여 구휼토록 하겠소."

하고 나서 최헌경은 정학 형제를 불러 마을의 성한 사람들을 모아 꽃재로 데려가도록 지시하였다. 그들은 한밤중이 되어서야 간단한 짐을 꾸려가지고 나왔는데, 반수 정도만이 마을의 공의에 겨우 따른 눈치였다. 그러니 나머지는 제 집에 눌러 있거나, 환자와 더불어 떠나지 않을 뜻을 고수하는 모양이었다. 따라나선 사람들 중에도 아낙네들은 서로의 딱한 사정을 하소하였다. 그들이 정학 형제와 몇사람을 따라서 꽃재로 오른 뒤에 어게 사람들은 집뒤짐을 시작하였다. 두셋씩 짝이 되어 집들을 뒤지는데 길산이도 최헌경과 더불어 한 집에 들어가게 되었다. 입에는 수건을 두르고 횃불을 들고서 싸리문을 밀치고 들어가니, 주인 되는 남자는 마루에 큰대자로 넘어져 있었고, 계집아이 둘과 사내아이가 토방에 나란히 누웠는데, 아낙네는 앓는 아이를 안고서 소리를 죽여 울고 있었다.

"모두 끌어내세!"

최헌경이 말하였으나 그들은 서로 선뜻 나서지를 못하였다. 주인 사내는 목을 간신히 쳐들고 그들을 바라보았다.

"여보, 너무 그러지들 마우. 아무리 꽃재말이지만 같은 백성들 아니우."

"병이 퍼지면 온 고성 고을이 결딴날 판인데 우리 원망 말게."

주인 사내는 일어나 앉아 울먹이면서 항의하였다.

"당신들이 관원이요? 나졸이라두 이리 심하진 않을 게요."

"관에서 방치하니 할 수 없이 우리가 나선 게야. 우리 어계가 고성에서는 유일하니 이건 향법이여!"

아이들이 말다툼 소리에 놀라 깨어서 울고 그 어미까지 통곡을 하였다.

"아이고오, 이 어린것이 무슨 죄가 있다구 버리구 가란 말유. 난 내 집에서 병들어 죽을 테요. 내 집에서 내가 죽는단데 웬 참견들이어요."

최헌경과 다른 사람이 아이를 빼앗아 밀어놓고 아낙네를 끌어내는데 아이들이 울면서 기어 붙으니 좀체로 손을 쓸 수가 없었고, 길산은 비틀거리는 주인 사내의 허리를 깍지껴서 쳐들어 집 밖으로 몰아냈다.

"에잇, 빨리 불을 붙여버리게."

최헌경이 아낙네를 끌어내며 소리치자 장정이 횃불을 초가에 댕겨버렸다. 연기를 올리며 지붕은 타들어가기 시작하였고, 제 집이 타는 꼴을 본 주인이 쇠잔한 기력을 다하여 돌을 싸쥐고 덤벼드는 것을 길산은 하는 수 없이 한주먹에 때려눕혔다. 실신한 가장 옆에 모인 식구들이 악머구리 끓듯 울어대는 사이로 그들은 앓는 아이를 안고 빠져나갔다. 사방에서 화염이 오르고 있었다. 마을 사람들 가운데 격리되기를 원하였던 자들을 동원하여 환자들을 한 집에다 운반하여 모아두게 하고서는 그들은 계속하여 집뒤짐을 하고 불을 질러나갔다. 한두 집에서는 그래도 인정이 발동하였으나 서너 집을 거치게 되니 자연히 정이 마르게 되어, 우선 불을 질러놓고 가족들이 다급하여 뛰쳐나오게끔 하였던 것이다. 그러니 자연히 병자의 식구들과 충돌도 일게 되어 어계 사람 하나가 돌에 맞아 상하자, 상대를 몽둥이로 타살하게 되는 불상사까지 일어났다. 길산과 헌경이 어느 집엘 들어가니 다른 가족은 모두 피하였건만, 노파가 죽은 노인의 시신을 지키고 앉아 있었다. 방금 숨을 거둔 모양이었다. 온 얼굴에 반점이 돋아나 있었고 열에 떴던 안색은 옹기처럼 탔는데 백태가 잔뜩 낀 입이 흉측하게 벌려져 있었다. 헌경이 노파를 떼어내려니 노파는 막무가내로 시신의 뻣뻣한 두 손을 잡고 놓지를 않았다.

"주인을 혼자 두고 나는 못 간다. 곁에서 같이 죽을 테야. 놓아라, 이놈들아."

"살구 싶으면 어서 나오시오."

길산이 보다 못하여 노파를 번쩍 들어 마당을 지나는데, 장정이 집에 불을 질렀다. 불길은 금방 대들보와 벽을 태우더니 곧 시체가 있던 방 안에 가득 찼다. 길산이 한눈을 파는 사이에 어디서 그런 힘이 솟았는가 싶도록 재빠르게 노파는 곧장 집을 향하여 뛰더니 불길 속에 몸을 던져버리고 만다. 길산은 불길 속으로 뛰어들듯이 서두르는데 최헌경이 그의 소매를 잡았다.

"그만두오. 거기가 바루 극락이우."

길산은 험상궂은 시선으로 헌경을 흘겨보다가 소매를 탁 뿌리쳤다.

"이거 놓아! 단매에 대갈통을 부숴버릴 테여."

헌경이 소매를 놓으며 혀를 끌끌 차는 것이었다.

"이제 보니 마음보가 참새보다두 작구먼."

길산은 더 대꾸하기도 피로하여져서 터덜터덜 골목을 걸어나오는데, 길 양쪽에서 집들이 타느라고 열기가 후끈후끈하였다. 드디어 매운 연기로 눈을 뜰 수가 없는 지경에 이르러 그는 발을 돌려 되돌아왔다. 사람의 나고 죽음이 어찌하여 이다지도 참혹한가. 굶주림은 고사하고 또한 병고는 무엇 때문에 이렇게 혹독한 것일까?

"여보 장서방, 장서방 나 좀 보우."

최헌경이 뒤따라오다가 멈춰서서 길산을 부르고 있었다. 길산은 천천히 그에게로 걸어갔다.

"활인(活人)에는 인도(仁道)두 있구, 권도(權道)두 있는 법이랍니다."

길산은 말없이 서 있었고, 이어서 최헌경이 그의 어깨를 짚으며 말하였다.

"남은 식구들이 몹시 험악해진 모양인데, 데리구 꽃재로 올라갈 테요? 우리는 뒷산에 버려진 시체를 모아 화장하고 그리루 가겠소."

길산은 역시 최헌경에게 아무 대답 없이 동구 밖으로 나갔다. 먼저 와 있던 장정들이 마을 사람들을 모아놓고 기다리고 있었다. 군중 가운데서는 나직한 오열과 호곡소리가 잔잔하게 일어나고 있었다. 길산과 댓 명의 장정들은 그들을 억지로 일으켜세워 꽃재로 올라갔다. 꽃재 위에서는 밤새껏 마을이 타는 불빛과 연기가 내려다보였다.

날이 밝자, 폐허가 된 마을에서는 불터에서 끊임없이 흰 연기가 올랐고, 나뭇가지마다 송장 타는 냄새로 모여든 까마귀들이 음산하게 앉아 있었다. 하늘에는 뒤이어 모여드는 까마귀들의 무리가 점점이 떠 있었다. 최헌경은 마을 장로를 데리고 고성군수에게로 진정을 하러 갔고, 몇몇 사람은 어계에서 당분간의 끼니를 때울 양곡을 거두러 갔으며, 나머지는 마을 사람들과 더불어 괴질이 물러갈 때까지 기거할 움을 파는 일을 도왔다. 오후가 되어 군수가 아전을 데리고 와서 먼 곳에서 마을과 이재민을 둘러보고 간 뒤에 구휼미가 몇섬 나왔는데, 무엇보다도 환자를 돌볼 의원이 문제였다. 어계 사람들은 밤새 시달리고 이제는 병에 대한 공포가 되살아나서 모두들 포구로 돌아가기를 원하였다.

"사또는 구휼미 내는 것이 아까워 더이상 관심을 쓰려 하지 않을 게요."

최헌경은 간밤의 일도 있고 하여 그냥 손을 털어내고 돌아가기도 개운찮은 모양이었다. 정학은 말하기를,

"그러니…… 이런 보릿고개에 우리 같은 사람들도 간신히 농량이나마 축내구 있는 판에 남 줄 것이 있을 리가 없지."

"어찌어찌 연명을 한다지만, 의원이 오려 하질 않으니 걱정이네. 역병을 막는다구 일을 저질러놓았으나 책임이 없달 수야 있겠는가."

이때 어계 총대가 나섰다.

"내가 적당한 이를 아네. 안창(安昌) 고을에 설선비라구 계신데, 의술을 깊이 아신다네."

"설선비? 그런 이가 안창에 있었던가?"

토박이인 정학이 고개를 흔들었고, 어계 총대는 다시 말하였다.

"그이는 원래 강릉분이신데, 안창이 처가라고 하데. 내 어찌 아는고 허니, 우리가 송도(松島)서 상한 고기를 먹고 모두 복통이 일어나 죽을 판에, 그이가 약초를 달여주어 마시고는 토하고 씻은 듯이 나

은 적이 있지."

"헛, 그 참 잘되었군. 자네가 가서 모셔오겠나."

모두들 걱정거리 하나가 줄어든 것 같았다. 꽃재에서는 해금강의 기암괴석들이 아침햇빛을 받아 바닷물에 기다란 그림자를 던지고 있는 광경이 훤히 내다보였다. 금강산의 뻗친 줄기가 붓끝의 마지막 획처럼 동편으로 그어져서 그 끝이 고성의 금성산(金城山)으로 이어졌다가 꽃재에 가서 끊기면서 남은 힘이 바다에 돌출하였으니, 바로 해금강이었다. 죽음과 병고만이 뒤덮인 폐허의 마을과 아침햇빛에 찬란하게 드러난 해금강의 경치는 참으로 묘한 조화를 이루어 길산의 피로한 심신에 이상스런 감동을 주었던 것이다. 길산은 간밤에 동네에서 빠져나온 사람들을 돌아보았다. 그들은 삭정이와 솔방울들을 그러모아 불을 지피고 아침밥을 짓고 있었다. 죽은 사람은 불에 타고 병마가 깃들인 집도 타버렸건만, 살아 있는 사람들의 생명력은 끈질긴 것이기도 하였다.

다시 어제와 같은 구휼이 시작되는 중이었다. 환자를 돌보러 내려가기를 원하는 가족들이 많이 있었으나, 최헌경은 그들 중에 서너 명을 뽑고 다시 어계 사람 둘을 보태어 하루씩 일을 보게 하였다. 무엇보다도 의원을 부르는 일이 시급한 일이었다. 최헌경은 어계 사람들의 반수를 돌려보내면서 옷을 벗어서 빨고 개천에서 깨끗이 목욕하도록 당부하였다. 최헌경이 길산에게로 다가와서 말을 걸었다.

"어떠우…… 암자로 돌아가실라우?"

길산은 그때 운부대사의 노한 얼굴을 떠올려보았다. 민생을 모르는 자가 한갓 칼재주나 손재주를 익혀서 무엇에 쓰랴. 다시 운부를 뵐 수도 없을 것만 같았다.

"활인하는 사업이나 구경해볼라우."

통명스러운 길산의 대답에 최헌경은 그 엇구수한 얼굴을 온통 일그러뜨리며 껄껄 웃어대는 것이었다.

"말로는 그럴듯이 활인이라 하지만, 우리가 무슨 성인이우? 해를 버려두면 그 독이 우리에게까지 미치는 일을 막아내잔 것이지."

"이런 일은 세상공부두 되우."

"암, 그렇구말구. 허나 어제 내가 일렀듯이 권도를 잊으면 송양지인(宋襄之仁)이 되고 마는 법이우."

길산은 무슨 소린가 하여 의아한 눈빛으로 최헌경을 올려다보았다.

"대적이 강을 건너올 제 한 번 쳐서 이길 수 있음을 간했는데도, 그것은 어진 일이 아니라 하여 적이 대오를 정비할 때까지 기다려서 싸웠다가 패망했다는 옛말이 있소이다. 인정에 맺고 끊음이 없으면 바른 인정이 아니오, 세상 사람 모두 그렇지요."

길산은 묵묵히 앉아 있었다. 그릇된 정에 치우치는 것도 실수요, 정이 고갈되어서도 안 된다는 것은 참으로 큰 덕을 갖추어 행하는 자만이 알 수 있는 뜻일 것이었다. 최헌경이 비록 도방(道傍) 저자의 얘기꾼으로 떠돌던 자라 하나 필시는 매우 지혜 있는 자일시 분명하였다.

일찍이 운부가 아무런 내색 없이 농지 개간을 지시하였을 때는 몸으로 그 고와 충을 알라는 말없는 가르침이었을 것이다. 이런 환난 앞에서 자신은 침착하지 못한 광동(狂童)이 되어서 공연한 칠정의 노리개가 되었다. 길산은 스스로를 깊이 반성하였다. 그러나 어찌 사람이 제 자신을 속속들이 알아채랴. 길산이 세상사에 총명한 것은 사실이어서 잘못을 뉘우침이 그리도 빠르건만, 우직한 기가 없고 그만큼 경활하다는 것은 역시 저자에서 자라난 광대 근본의 성품이랄까. 운부가 첫눈에 길산을 몰라보았을 리 없었을 것이다. 어계 총대는 설선비를 찾으러 떠나려는 참이었다. 어계 총대가 꽃재를 내려갈 때 길산이도 따라서 뒤좇아갔다.

"의원 부르러 가시우?"

"예, 갯가에서 배를 내어 송도까지면 삽시간에 이르지요."

"나두 갑시다."

"그러지요. 마침 혼자 가기가 객쩍은 판인데."

길산과 총대는 그대로 꽃재의 동편으로 내려가 꽃재말의 고깃배들이 늘어서 있는 갯가로 내려갔다. 과연 우환 중이던 마을이라 배들을 오랫동안 손보지 못하여 널판이나 돛대가 성한 것이 없었다. 돛을 올리고 용총줄을 고물에 친 다음에 총대가 익숙한 솜씨로 아딧줄을 틀어쥐어 방향을 정하니, 아침바람을 받은 배가 해금강 기슭을 헤치며 내닫기 시작하였다. 길산은 선수의 덕판 위에 앉아서 옆으로 스쳐가는 뾰족뾰족한 바위 봉우리들을 바라보았다. 백구가 해송 끝머리에서 바위 사이로 어지럽게 날아다니고 있었다.

해가 높직이 뜬 오정 채 못 미친 시각쯤에 그들은 울모래에 닿아서 안창 고을의 설유징(薛有澄) 유학(幼學)의 집을 찾았다. 그들이 집 앞에 이르러 삽짝 안을 들여다보니, 바깥사랑 비슷이 꺾어진 초가 마당에서 유건을 쓴 사내가 말린 갈대를 흐트러놓고 자리를 엮고 있었다. 그의 등뒤에는 꽃무늬를 넣은 돗자리 두어 장이 완성되어 있었다. 선비치고는 얼굴이 검게 그을었고 몰골이 구차해 보였으나, 다만 몸매가 가냘프고 눈빛에 총기가 있어 먹물이 든 것처럼 보일 뿐이었다. 그의 아내인 듯한 아녀자가 젖먹이를 등에 업고서 나무절구에 공이질을 하고 있었다. 처가살이가 신통치 않음을 한눈으로 알아볼 수 있었다. 총대 사내가 머뭇거리다가 삽짝 안으로 들어서며 허리를 굽혔다.

"유학어른 평안하십니까?"

설유학은 문득 일손을 멈추더니 바지에 묻은 검불을 털어내며 일어서서,

"자네가 뉘시더라?"

"고성포 어계 총대 되는 원가올습니다."

"오오, 자넨가? 그래, 계원들 모두 무고한고?"

"예예, 염려 덕분에 모두 건강합지요. 그때 송도에서 복통 구완을 해주지 않으셨다면 모두 저승객이 될 뻔하였습죠."

설유학은 총대와 인사말을 나누면서도 그 뒷전에 섰는 키가 크고 눈이 뚜릿뚜릿한 길산을 쏘아보곤 하였다.

"그래, 무슨 일인가?"

"급히 유학어른을 뫼셨으면 합니다. 저희 고성포 꽃재말에서 괴질이 발생하여 수십 인이 병사하였습니다. 헌데 관에서는 접근을 꺼려하여 인근 동민들이 모두들 걱정하던 차에, 의논이 정해져서 환자와 식구들을 격리시키고 마을에는 방화하여 예방을 대략 해놓았습니다. 일을 저질러놓았는데 군내 의원은 아무도 오려 하질 않으니 속수무책이올시다. 남은 환자를 버려두었다가 역질이 창궐할까 근심거리지요."

설유학은 고개를 끄덕였다.

"거 참 큰 우환이로군. 허나 내 따위가 무슨 의술을 알아야지. 처방이나 좀 아는 걸 가지구 무슨 도움이 되겠나?"

"아유, 겸양의 말씀이 지나치시오. 일찍이 저희들을 활인해내지 않으셨습니까."

"글쎄…… 좌우간 내게 온 손님들이니 점심에 박주나 한잔 하구 기다려보우. 나두 무턱대구 떨치구 갈 수야 있겠는가. 무슨 방처를 하구 가야지. 어디 그럼 그 괴질의 내력이나 한번 들어볼까?"

설유학은 두 사람에게 토방으로 들어갈 것을 권유하였다. 설유징의 방에는 건재 약초들이 정성껏 포장되어 그 품목이 씌어져서 천장마다 가득히 매달려 있었고, 윗목에는 침쌈지며 작두며 탕기가 놓여 있었다. 그리고 아랫목에는 거적을 깐 이런 방에는 어울리지도 않을 오동나무 자줏빛 문갑이 놓였고, 구서랍(具舌盒) 책상 위에는 지필묵과 호남간지가 펼쳐져 있었다. 그을음이 가득 찬 등잔의 화선을 보아하니 그가 밤늦게까지 무엇인가 하고 있음을 알 수 있었다.

"온, 방을 아직 치우지 못해서 앉을 자리가 없구려. 거기 잠깐 섰지."

"예, 저희는 아무 데나 관계없습니다요. 마당이면 어떻겠습니까?"

설유징은 방바닥에 널린 한서와 종이들을 차곡차곡 챙겨서 문갑 안에 넣었다.

"과거 준비를 하십니까?"

어게 총대가 그런 방 안 모습을 둘러보면서 아는 체를 하자, 설유징은 빙그레 웃었다.

"글쎄…… 그것보다 더욱 긴한 일이 있지. 까짓 썩어빠진 조정에 나가면 무얼 할 건가. 강릉서 이리루 떠나올 제 그런 생각두 모두 털어내버렸네."

"그럼 이 무슨…… 글공부를 허시우."

"음, 내가 도모하는 일이 있어서 그러지. 어디 거기 씌어진 글들이 진서(眞書)인가 보게나. 나는 성인의 도를 읽구 있는 게 아니야."

길산과 총대가 기웃하여 들여다보니 역시 종이에 자디잘게 씌어진 것은 아녀자들의 내간(內簡) 비슷하여 보이는 언문체였다.

"어디 영매씨(令妹氏)라두 기십니까. 먼 데루 시집을 가셨나요?"

하면서 글자를 짚어보다가 총대는 고개를 끄덕이는 것이었다.

"농사잡록이라…… 어이구, 이건 편지가 아니라 농사책이 아닙니까?"

설유징은 책상 위에 펼쳐져 있는 종이들을 마저 곱게 접어서 문갑에 넣었다.

"강희맹(姜希孟)의 『사시찬요(四時纂要)』는 사실은 중국의 한악(韓鄂)의 그것을 가려서 엮은 것인데, 근년에 신속(申洬)의 『농가집성(農家集成)』도 훑어보았건만 시대적으로두 뒤떨어졌을 뿐만 아니라 우리 실제의 농군들 사정과도 다르고, 또 지세 산세에 따라서 달라야 할 텐데 한결같이 취급하구 있네. 그래서 내가 전에 정선(旌善) 살 적부터 직접 농사를 지으면서 유의해 보았지."

총대는 이해할 수 없다는 듯이 머리를 기우뚱하였다.

"유학어른께서 의리 염치에 대한 공부는 않으시구, 뭣 하러 그런 농투성이의 일에 골몰하십니까?"

"자넨 흙 먹구 사는가? 농자천하지대본이란 말두 몰라."

총대는 자기도 모르게 방자한 콧소리를 내고 말았다.

"풋, 예가 어디라굽쇼. 전장이 드넓은 고장두 아니구 비옥하긴커녕 바닷바람과 소금기에 제대루 되는 곡식이 있나요. 그저 산간에서 화전갈이 하여 조나 서속밥 먹는 것이 고작인뎁쇼. 고성서 철에 따라 이밥이라두 놓치지 않구 먹는 건 둔전(屯田)붙이 해주는 작인들 몇일 게유. 정학이네가 대대루 둔별장하구는 가까웠으니까. 딴 놈들은 모두 명태잡이나 나가면 풀칠은 합니다."

"음, 그래서 내가 논을 산간에다 만드는 법과 척박한 땅에 콩과 보리를 심을 궁리를 하구 있었네. 책이 묶어지면 몇권 더 베껴서 동계(洞契)마다 돌릴 작정일세. 그래, 이젠 어디 그 괴질 내력이나 듣지."

"예, 실은 깜박 잊구 있었구먼요."

총대도 그가 안창골에 왔던 이유를 그제야 깨닫고 제 무릎을 두드렸고, 설유징은 농을 던졌다.

"사람이 실없기는…… 꼭 중하구 옷 바꿔입은 과객 본새로군. 어계의 계장 되는 이가 그러하니 독 있는 고기를 먹구 모두들 그 고생을 했지."

"어유, 우리네는 얘기에 팔리다 보면 정신이 이렇게 대추를 홀딱 삼키듯 하오. 헌데 거 무슨 약인지 신통두 합디다. 복통을 일으켜서 우리 어계서 떼과부가 날 뻔했습죠."

"별게 아닐세. 까막사리 열매를 우황(牛黃)에 개어 환을 만든 게야. 육류해독의 처방이라구 『본초강목』에두 나와 있지. 그나저나 도대체 괴질 내력은 언제 꺼내려는가?"

"어…… 또 대추씨를 넘겼네!"

이제까지 뒷전에 물러앉아 입을 다물고 있던 길산이 얘기를 꺼내었다.

"처음에는 고뿔처럼 앓다가 차츰 열이 나고 피를 쏟으면서 헛소리를 하다가 죽는다고 합니다."

설유징이 눈에 긴장의 빛을 띠며,

"입에 허연 백태가 끼고 아구창이 터지며 목이 부어서 말을 못 하고 토하고 설사하지 않던가?"

"예, 그런 사람을 보았습니다."

설유징은 눈살을 찌푸리고 입맛을 다셨다.

"허허, 그 참 탈이로구나! 보통 역질이 아니라, 그게 바루 염병이여. 올 여름까지는 고성에 큰일이 나겠구먼."

두 사람 모두 놀랐다. 염병이라면 가족의 씨를 말리고 사방 십 리에 인적을 끊어놓는다는 무서운 재앙이 아니던가. 총대는 말이 떨어지자 더듬더듬 중얼거렸다.

"여…… 염병이라면…… 이거…… 우리는 손으로 만지구 끌어내구 하였습니다."

"그 동네에서 뭘 먹은 건 없겠지?"

"그러믄요. 저희는 모두 식전이라 시방 아귀가 될 판이올시다."

"하면…… 그 옷을 벗어서 마당에 널어두게. 아예 삶아도 좋을 것이고. 그리구 앞내에 가서 말끔히 씻구들 오게."

두 사람은 엉거주춤 서 있었다. 설유징은 갑자기 엄하게 소리를 질렀다.

"이 자들이 지금 얼이 있는 게야 뭐야. 귀신 붙었으니 빨리 부정을 떨어내야 한다!"

퇴창문을 밖으로 차면서 설유징이 다시 외쳤다.

"부인 거기 있으면 다른 데루 좀 피하시오."

길산이와 어계장은 엉거주춤 마당 가운데로 쫓겨났다. 설유징이 다시 쫓아나오더니 마당에서 그가 짜두었던 자리를 걷어 세워주면서 재촉했다.

"어서 바지두 저고리두 벗으라니……"

길산이와 어계장은 귀신의 부정이 붙었다는 기분 나쁜 말만을 듣고서, 후닥닥 몸놀림도 잽싸게 저고리를 벗었다. 상놈의 의복이니 바지와 저고리를 벗어젖히면 속곳뿐이라 금방 덜렁 두 쪽이 되어버린다. 설유징은 나무엮음 송곳으로 중간에 두 번 찢고서 두 사람의 머리 위에다 헐렁하니 씌워버렸다.

“어여 앞내에 그대루 뛰어가서 말끔하게 씻구 와.”

총대가 앞에 서고 길산이 뒤를 따르니 돌연한 메 남생이 한 마리가 웅기적웅기적 기어가는 꼴이었다. 둘은 우선 하반신을 감추는 일이 급하여 수초 사이로 풍덩 뛰어들자마자,

“에구구구, 차거워라!”

하며 자지러지고 말았다.

“사내 대장부들이 까짓 봄개천이 무에 차거워. 냥심을 차게 해주면 양기에두 좋은 게야.”

따라나온 설유징은 너털웃음을 웃는 것이었다. 아무튼 기왕에 옷 벗고 개천에 뛰어들었으니 목욕을 않을 재간이 있나. 퉁탕거리며 개천에 잠겨 있자니 제법 신명이 나기도 하였다. 이번에는 아까보다는 조금 숫기가 생겨서 두 사람은 천천히 설유학의 집으로 되돌아갔다. 방 안에 들어서자 설유징이 또 밖에다 외치는 것이었다.

“거 밖에 벗어놓은 옷들은 푹 삶아주오. 그리구 농에서 내 헌옷가지 있으면 두 벌 꺼내오구.”

마당에서 웃음소리가 들리는 듯하였다. 벌거숭이 몸으로 방 안에 섰자니 송구하기도 하고 우선 체면이 말이 아니라 두 사람은 은근히 부아가 치밀어 있었다. 설유징은 연신 즐거운 모양이었다.

“이 사람들 귀신에 부정이 붙었다니까 돌집 하인 뒷간 가듯 하데그려.”

“우리가 무슨 콩가루나 훑은 줄 아십니까. 뒷간엘 가게요.”

밖에서 미적미적하더니 자신 없는 목소리가 들려왔다.

“옷이 여벌루 딱 한 벌 있기는 한데요, 너무 누추해서……”

선비의 아내가 문틈으로 밀어넣는 옷을 보니 누덕누덕 기웠는데 너무도 낡아서 손가락만 닿아도 푸석 하며 찢어질 듯하였다.

"음, 이건 아주 훌륭한 옷이고, 또 없소?"

"예, 베잠방이가 있어요."

"그거라두 가져오시오."

"요즘은 입을 수가 없습니다."

"어 괜찮아. 아무래두 저녁녘에 나갈 테니 춘풍에 다 마르겠지."

베잠방이가 또 들여졌다. 둘이서 제각기 주워입은 꼴을 보니 참으로 가관이었다. 그래도 손위라고 어계장이 바지저고리를 입었는데 어깨가 좁아서 가슴은 곧 터질 듯하고 소매가 팔굽 근처에까지 껑충 올라갔다. 그 대신에 기장은 늘어져서 사타구니까지 덮을 만하였고, 바지는 숫제 몇걷이를 해야만 되었다. 마치 막대기에 끼운 개꽁지 빗자루 꼴이었다. 그래도 그 몰골은 조금 나은 것이, 길산의 모양은 더욱 꼴불견이었다. 달랑 잠방이뿐이라 무릎 위로 올라간 바짓가랑이는 다리 근육에 찢어질 듯하였고, 속곳이 없는지라 밑천이 훤히 들여다보일 지경이다. 웃통은 아예 벗었으니, 더구나 체모 있는 선비의 공부방에서 결례가 이만저만이 아니었다. 둘이 어리둥절 서 있는 사이에서 설유학이 먼저 폭소를 터뜨렸고 급기야는 길산과 어계총대도 서로 손가락질을 하며 웃었다.

"자, 이쯤 되었으니 벌써 이놈에 방 안은 잡놈의 방이 되었네."

"너무 그러지 마십시오, 유학어른."

"어허, 이 사람아, 잡놈의 동무는 잡놈이 아니라던가. 자아, 이젠 슬슬 요기나 해볼 참인데 이거 우리가 이런 꼴이니…… 내 집이 집이 아니로구먼. 내외 술집해야겠어."

설유징은 다시 밖에다 대고 외쳤다.

"이보우 부인, 요기는 뭐가 있수?"

"나물죽이나 끓일까요?"

"아니야, 모밀이 있을 게요. 그걸루 국수나 눌러주오. 술은…… 가만있자, 당신 안집에 가서 소주 한 병만 걸러오구려."

"집에두 탁주가 조금 있어요."

"글쎄, 그건 의당 내오구. 소주두 가져오라니까요."

"아버님만 드시는 걸, 집안 어른들 눈치두 있는데 어떻게 내옵니까?"

"글쎄 가져오라면 가져와요."

설유징의 아내는 딱했던지 머뭇거리더니 한숨을 쉬고 돌아서는 기척이 들렸다. 입장이 난처했던 둘 중에 어계장이 말하였다.

"아니 저희 같은 불상놈이 술의 청탁을 가려서 마십니까. 너무 그러시면 황공합니다."

"그따위 술 가려먹을려구 무리한 일을 시키는 게 아닐세. 자네들 독을 씻어줘야 되니까 그러네."

둘은 역시 잠자코 앉아 있었다. 한참 기다리자니 모두 말이 없는데, 설유징은 딴에는 좀 서운한 생각이 들었던 모양이다.

"처가살이가 할 짓이 못 되는 건 누구나 잘 알 게야. 더구나 장인 어른께서는 아직두 나를 모르시는 겔세. 얼마 전에는 돈 삼십 냥을 내주시면서 행상이나 나가보라구 하데. 허나, 내가 물화를 팔아서 상리를 남겨 돈푼이나 쥐었다구 해서 무슨 큰 이익이 되겠나. 글 읽는 자는 글 읽은 구실이 있는 법일세. 나두 자리를 짜다 내다 팔아서 근근이 양식두 보태구 처갓집 담배밭을 매어주기도 하네만, 도무지 사나이로는 불편한 살림이라네."

"그만한 학문을 꿰시구 어찌 과거를 안하십니까?"

하는 어계 총대의 맹한 물음에 침울해 보였던 설유징은 빙긋 웃었을 따름이다. 점심상이 들어왔는데, 방금 목판틀에서 빼낸 메밀국수가 비벼져 나왔고, 무우짠지와 탁주 한 동이, 그리구 소주 한 병이 얹혀 있었다. 설유징이 빈 대접을 달래서 갖다놓고는 소주를 콸콸 부어놓고 약봉지를 내려 백반 한 덩이를 꺼내서는 옴폭 팬 박달나무 음판에 양바퀴로 눌러서 빻았다. 곱게 빻은 백반가루를 소주에 타서 한참 젓고 나서 두 사람에게 내밀었다.

"자, 한 모금씩 물고 양치질을 하게. 넘기지 말고 목 넘어 턱까지 보냈다가 다시 입안에 물고 흔들기를 다섯 번 하게."

둘은 시키는 대로 하는데 소주의 쏘는 맛과 백반의 신맛으로 온 입안이 우그러지는 듯하였다. 그리고 설유징은 깨끗한 백지를 네모 반듯하게 접어서 대접의 것을 흠뻑 묻혀서는 두 사람의 손을 깨끗이 닦아내었다. 그리고 자기도 그렇게 했다.

"이젠 예방이 다 되었네. 귀신 부정은 멀리 달아났을 게여."

설유징과 길산과 어계장은 국수에 탁주를 들면서 뒤늦게 각각의 말들이 나오게 되었다. 길산이 통성명 뒤늦은 것을 사과하고 내력 없이 그저 금강산의 운부 앞에 공부하러 와 있단 말을 비치자, 설유징은 수저를 멈추었다.

"운부라고…… 운부대사!"

하고는 그는 잠깐 천장 쪽에 시선을 두고 몇번 더 중얼거려보았다. 길산이 말 꺼냈음을 후회하며 머뭇거리는데 설유징은 생각에 잠겨 있었다. 어계장은 자작하여 마시느라고 그들 사이에 무슨 이야기가 오고 가든 아랑곳하지 않았다.

"전부터 잘 아나?"

설유징이 묻자, 길산은 부끄러움을 참으며 시원하게 대답해버렸다.

"아니오, 이제 금강산에 들어간 지 열흘도 못 되어 제가 어리석은 탓으로 쫓겨서 내려오구 말았수."

그러나 설유징은 혼자 중얼대는 것이었다.

"그렇지…… 내 스승에게서 들은 적이 있다. 그때에는 소백산에 계신다더니…… 내가 그분의 내력을 조금 아네. 자네들이야 붕당(朋黨)이 무엇인지 모르겠지만."

설유징은 문득 탄식하면서 한숨을 깊이 내쉬었다.

"대저 세상이 암울할수록 숨어 있는 인재가 많은 것은 고금에 걸친 일이어니와, 더욱 지금 세상이 그러하네! 웅대한 포부와 경륜을 지닌 채로 산간에 숨어 헛되이 일생을 마친 이들이 얼마나 되었을꼬…… 말 좋아하는 자들 중에는 그런 이들의 은거를 가리켜 명리를 바라는 짓이라거나, 보명(保命)의 나약한 처세라고 비웃기도 하지. 하나 그러한 포부를 지닌 이가 그릇된 제도 속에 들어가 어찌 살기를 바라며, 경륜을 펴지 못하고 절개나 버려져서 드디어는 썩은 제도의 제물로 되고 마는 것이 통례인즉, 차라리 초야에 앉아 백성의 고락에 동참하는 편이 깨끗하지. 선비로서 말을 달리고 칼을 뽑아 구세하는 길은 택할 수가 없으니, 민생을 위해서 학문을 쓰고 펴갈 수밖에 없구먼."

설유징은 두 사람이 전혀 안중에 없는 것만 같았다. 그는 천장을 우러르며 혼자 중얼거리는데 눈시울이 붉어지는 듯하더니 곧 뺨을 타고 눈물이 흘러내리는 것이었다. 길산은 설선비의 말이 무엇을 뜻하는가를 분명히 알 수는 없었으나 뭔가 깊은 인상을 받게 된 것이었다. 더구나 운부에게 쫓겨내려온 그로서는 설유학이 운부의 속세 내력을 안다 하니 귀가 번쩍 트일 정도로 이야기에 집중되었다.

"운부대사님을 아신다구 했수?"

"그이가 강진 사람이고 전에 소백산에 계셨다면 틀림없을 걸세."

길산은 풍열선사가 일러주던 말을 기억해내어 맞장구를 쳤다.

"본향이 강진이랍디다. 소문에는 당사람이라구두 한다지요. 대명이 망한 뒤에 배를 타구 건너왔다구 하데요."

설유징은 고개를 끄덕였다. 그는 단숨에 술을 들이켜고 나서,

"오랑캐가 중원을 유린한 뒤 대명의 망국민을 자처한 이가 하나 둘인가. 그이가 워낙에 재주 있는 기인이라서 수도승이 된 뒤에 기담 좋아하는 이들이 조작해낸 이야기일세. 나는 정선 살 제 내 스승님을 찾아오신 그분을 먼발치서 뵈온 적이 있었네. 그때 이미 누더기 장삼에 송낙을 쓰고 계셨지."

설유징은 거기서 말을 끊고 한참 동안이나 고개를 숙이고 앉아 있었다. 그의 스승 이수(李洙)는 환로에 나갔던 초년에 주상께 직소하여 삭탈관직되어 귀양을 갔다가 낙향해서 끝내 벼슬에 다시 나가지 않았다. 설유징의 외가 쪽과 연줄이 닿아서 그의 조부가 교육을 부탁했었고, 그에게 과거의 무망함을 깨우쳐주었으니 기실은 부모가 바라던 스승은 아니었던 셈이다. 설유징과 동접으로 용인(龍仁) 사는 조종석(趙宗碩)이 있었는데 두 사람 모두 과거에 실패하였으나, 그들을 아는 선비들은 모두 재주가 아깝다고들 소문이 자자하였던 것이다. 운부의 속명은 아무도 모른다. 다만 그가 김(金)씨라는 것만 알려져 있을 뿐이다. 그의 조부가 서애(西厓) 대감 쪽의 사림(士林)에 들었었고, 왜란 때에 의병으로 분기하였다가 순사하였는데 부친은 광해조에 벽지인 강진으로 이사를 왔다 한다. 강진은 즉 격변의 시기에 벼슬길에서 쫓겨나 귀양 온 자들이 한 번씩 거쳐서 가는 고장이 되었으니, 그들과의 교류가 또한 없었다고는 할 수 없는 일이었다. 설유징의 스승 이수가 그때로부터 강진에 묻혀 있던 선비의 풍문을 들었는지는 알 수 없었다. 그러나 참으로 한통속이라는 말이 있듯이,

남인(南人)계의 인맥이 닿았는지도 모르는 일이었다.

설유징의 스승 이수가 정선에 틀어박혔을 때 태호(太湖) 이원진(李元鎭)과의 교류가 있었고 원진이 삼사(三司)를 거쳐서 부사로 오를 적에도 인편으로 가끔씩은 안부를 물을 정도였던 것이다. 설유징은 가끔 그의 스승이 몰하기 전까지 얘기해주던 것을 기억하고 있었다.

"내 환로에도 나가보고 여러 사림의 인물됨도 접하여보아 알지만, 일찍이 놀랍고도 두려운 수재들은 두 사람이 기억에 남는다. 하나는 태호의 조카 되는 유형원(柳馨遠)이라는 선비와 강진 출생의 승려 운부(雲浮)이니라."

유형원이 광해군 십사 년 임술(壬戌)에 나고 운부가 인조대왕 사년 병인(丙寅)에 났으니, 네 살 차이가 되는 셈이었다. 그런데 이수같이 의(義)를 신조로 살아온 대쪽 같은 선비의 눈에 당대의 천재로 비쳤던 두 사람은 과연 어떠하였는가. 유형원은 서른두 살의 젊은 나이로 과거를 퇴하고 전라도 부안(扶安)에 숨어 살다가 책을 쓰는 것을 유일의 일로 삼아 깨끗이 목숨을 거두었다. 운부는 삼십여 세가 되도록 지사(地師) 노릇으로 연명하다가 삼 년 동안을 전국 각지를 방랑한 뒤에 예송이 벌어지던 경자(庚子)년에 입산, 승려가 되었으니 그때가 삼십오 세였다. 일찍이 승려로서 양생을 잘했던 탓이었을까, 그러한 울분의 세월 속에서 기맥을 잃지 않아 수를 누리는지도 몰랐다. 설유징은 그러한 얘기를 밖으로 꺼내어 할 수가 없었다.

이러한 세상의 얘기를 하자면 그들에게 조정의 얘기를 해야만 되었고, 썩어빠진 구중궁궐의 탐욕스런 권세다툼에 관하여 얘기해주기에는 너무도 순박하고 무지한 사람들이었기 때문이다. 그들은 양반의 연원이 무엇인가를 알지 못하고 붕당의 유를 모르는 것이다. 그저 태어나면서부터 엄청나게 짓누르는 신분의 숙명적인 중압에서 헤어나지 못한 채, 꿈결처럼 나라의 소문에 접할 뿐이다. 그러나 문제는 그들 대부분이 자기의 나라가 아니라는 느낌을 가진 데에 있었다. 난리가 터지면 벼슬아치의 집과 왕궁에 불을 지르는 백성들이 었다. 이게 어디 내 나라냐, 양반놈들의 나라지 하는 감정은 변방에 이를수록 더욱 심하였다. 마치 조정에 있는 자들이 백성들의 나라를 독점하고 빼앗은 것과도 같았다. 글 아는 자의 소임이 있으니, 백성들이 빼앗긴 나라를 그들에게로 되돌려주어야 할 것이 아닌가.

설유징이 정선에서 농사를 지을 적에, 벼슬아치의 핍박을 받았고 심지어는 수세하러 온 나졸에게서 모욕까지 받았으니, 땅 파먹는 일반 백성의 억울하고 슬픈 원한을 어찌 모르랴. 강릉으로 이사할 때 의생(醫生)으로 직을 바꾸면서 다시 과거공부를 해보기도 하였다. 선비로서의 대우라도 받으면서 응시라도 해야겠지만, 정작 기일이 닥쳐서는 상경하는 것을 포기하고 말았다. 헛되이 마흔줄로 접어들어 진사나 따낸다고 그의 여생이 값어치 있을 듯하지는 아니하였다. 그는 그때로부터 무엇인가 글을 아는 자로서 백성들에게 돌려줄 일거리를 찾게 되었으니, 산간에서 계곡의 물을 둑으로 막고 수차로 물을 대어 층으로 논을 개간하는 것과, 에우디며 구뢰찰이며 하는 왜품종을 자채(自蔡), 저광(著光), 차한도(次旱稻) 등의 조기 재배에 적당한 것에 대치하는 것이며, 보리와 벼를 번갈아 두 번 심어 먹는 삼남쪽의 이앙법을 자세히 고구하여 처갓집 담배밭 귀퉁이에 자그마한 종전(種田)을 갈아두었던 것이다.

그러한 일이 과연 얼마나 백성들을 돕게 되는지는 모르되, 스승 이수께서 언제나 한탄하시기를 유자(儒者)는 유자(遊者)이니 그들의 생업을 돕는 유자(儒者)라야만 유자(遊者)가 아니니라 하셨던 말을 잊을 수가 없는 설유징이었다. 그가 의술을 널리 아는 바 아니로되, 지금도 틈틈이 갈대나 왕골을 꺾으러 가거나 산에 나무를 하러 가면 약초 모으기에 보다 더 치중하여 모아두고 말려서 간직함은 인근 이웃 촌민들을 활인할 기회라도 있을까 해서였다. 그러한 설유징이 아무리 심성이 고매하다 한들 가난의 핍박을 어찌 다 견디랴. 더구나 처가 식구들과 알력이라도 있으면 더욱 외롭고 약해져서 홀로 산에 올라 시경(詩經)을 암송하곤 하였다. 암송하다 보면 저 기천 년 전에 잘못된 제도의 그늘에서 백성을 근심하고 자기의 나약한 외로움을 달래며 분노를 씹던 선비들의 끈질긴 힘이 되살아나곤 하였다. 그러한 설유징에게 스승이 그리도 말씀하시던 운부라는 이가 바로 지척에 있다는 것은 마음을 뜨겁게 하는 일이기도 하려니와, 새삼 스승과 동접들의 생각이 나서 눈물이 솟구치는 것을 어쩔 수가 없었다. 스승의 임종 때 마지막 외우던 말은 끝내,

"아, 답답하다."

라는 부르짖음이었다. 당신이 숨을 거두실 제 아무도 들이지 말라던 것은 욕되게 살고 가는 자의 죽음을 배웅할 필요가 없다는 뜻이었을 것이다. 운부께서 강진에 살았고 반계(磻溪) 선생께서 부안에 계셨는데 생전에 두 분이 만나셨는지도 모를 일이었다.

"유학어른, 어째 그리 애통해하십니까?"

설유징이 얼핏 눈을 떠보니, 길산의 순박한 눈동자가 자기를 똑바로 쳐다보고 있었다. 그는 그제야 소매를 들어 볼에 가득한 눈물을 씻었다.

"아닐세, 내 잠시 스승의 생각을 하니 자신이 너무 부족하게 살아와서……"

하고 나서 설유징은 길산에게 물었다.

"아까 잠깐 들으니 자네가 운부대사님께 공부를 하러 왔다지?"

"예, 그러하우."

"뭘 배워가려나?"

길산은 겸연쩍어서 제 뒤통수를 몇번 긁적이고 말았다.

"글 같은 것 배우지 말게. 식자에 밝으면 교(巧)해지느니."

길산은 고개를 떨구고 잠자코 앉았다. 설유징이 다시 말하였다.

"자네 뼈대를 보니 힘깔이나 쓰겠군. 장서방 같은 이가 우리네보다 많아야 허네. 생업이 무엇인가?"

길산은 광대임을 밝히기가 싫어졌다. 그는 잠깐 사이를 두었다가 무뚝뚝하게 뱉어냈다.

"화적질이우."

"아니, 이 사람이……"

하는 것은 술을 마시던 어계 총대였고, 의외로 설유징은 놀라는 기색이 아니라 오히려 고개를 끄덕이는 것이었다.

"예로부터 대적이란 궁핍한 양민들의 울화(鬱火)일세. 기가 격하여 몰린 불덩이란 말여. 자, 피곤들 할 텐데 잠깐 쉬구들 있게나. 내가 나가서 고성포에 갈 준비나 해가지구 깨우러 올 테니까."

설유징은 술상을 들고 밖으로 나가면서 길산에게 말하였다.

"산에 다시 올라가야지?"

"예…… 그럴밖에요."

"갈 때 함께 가세나. 이것두 참으로 기연일세."

설유징은 다시 담담한 얼굴이 되어 있었다. 두 사람이 잠깐 낮잠 든 사이에 설유징은 대략 필요하리라 짐작되는 승마(升麻)와 백작약(白芍藥), 갈근(葛根), 감초(甘草), 생강, 계지(桂枝) 등등의 약재를 내다가 달이기 좋도록 작두에 썰었다. 대개 열이 심하고 오한이 나며 두통이 심한 염병의 처방으로 설유징이 가지고 있는 약재 중에서 급히 취한 것들이었다. 백반과 화주는 고성에 가서 구하기로 하였고, 그 밖에 염병이 창궐했던 꽃재말 부근을 소독할 방법은 쑥불을 지른 뒤에, 조개껍데기를 구워서 빻아 고운 석회를 내어 쓰리라 생각해두었다. 이런 일들을 준비하며 마당에 헛간을 오락가락하는 설선비는 어느덧 몸에 활기가 가득하였다. 앞의 채전에 나가서 밭일을 하고 들어오던 아내가 그의 돌연한 활기를 보고 말하였다.

"무슨 좋은 일이라두 있으셔요?"

약재를 통틀어 내다가 일일이 섞고 나누던 설유징은 그런 소리가 귀에 들어오지 않는 모양이었다.

"저 손님들은 오래 유하실 건가요?"

"응? 우리는 곧 고성포루 나갈 게유. 며칠 동안 나가 있게 될 테니, 아이들 잘 보살피고 안에다가는 잠깐 동접들을 만나러 출타했다고 말해두시오."

설유징의 아내는 아직 영문을 모르는 모양이었다.

"모레에 아버님 모시구 강릉 나가기루 하시구선 어쩔 작정이셔요?"

"그건 장인어른 당신 혼자의 생각이시구…… 나는 애초부터 강릉 나갈 생각이 없었소. 그보다 더 중요한 일이 생겼소이다."

장인이 설유징을 데리고 강릉에 가려는 것은, 강릉 토호의 십육 세짜리 아들의 독선생(獨先生)으로 일자리를 구해주겠다는 생각에서였다. 그쪽에서는 일 년에 쌀 스무 섬과 무명 한 동을 주리라 하였으니, 그만큼 설유징의 문자속에 대하여 은근히 존중해오던 까닭이었다. 설선비의 처가에서는 인편으로 그런 제의가 왔을 때 딸을 불러다가 남편은 훈장질로 양식을 벌고, 아내는 삯바느질을 하여 가산을 일으켜서 살아갈 것을 엄중하게 타일렀던 것이다.

이제 날짜까지 정하여둔 이상, 만일 기일을 어기게 되면 처가에서의 입장도 몹시 난처해질 설유징이었건만, 난데없는 상한들의 방문으로 생각을 바꾸었으니 그 아내는 가슴이 철렁할 노릇이었던 것이다.

"강릉 나가실 일 말구 또 뭐가 중요하단 말입니까?"

"허허……"

설유징은 손을 털고 일어나며 혀를 찼다.

"고성포에서 역질이 창궐하여 사람이 죽어간다는데, 의서깨나 읽었다는 내가 그냥 앉아서 고갯짓이나 하란 말이오?"

아내는 한숨을 쉬며 툇마루에 걸터앉았다.

"글쎄, 당신의 뜻을 모르는 배 아니지만 아버님께서 자꾸만 몰아대시니 그게 걱정이어서 그래요."

"허긴 치가를 못 하면 치세도 못 한다 하지만, 우리 식구가 부황이 들어 죽을 정도는 아니요, 처갓집두 안창서는 굶지 않구 살 만하니 설마 아이들과 당신을 모른 성이야 하겠소. 더욱 급한 측은지경이 있으니, 만사 제치고 그곳을 돌보는 것이 바루 꼭 들어맞는 치가올시다."

설유징의 아내는 이런 일이 한두 번 있는 일이 아닌지라, 역시 부부는 닮는다는 말처럼 제 남편의 의사에 순종하는 뜻을 보였다.

"하긴, 저두 당신이 강릉 나가서 헤어져 살게 될 것이 걱정스러웠어요. 까짓 부잣집 독선생보다야 심산의 화전민이 낫겠어요. 그러니 제발 고성포 가셨다가 돌아오시면 여기서 나갈 작정이나 해두셔요."

"음, 그건 차차 생각해봅시다. 나두 안창서 오래 있을 생각은 없으니까. 아이들은 밭에 나갔소?"

"큰애는 밭에 나갔구요, 둘째는 나무하러 갔어요. 그리구 계집아이는 안방서 자구 있어요. 양식 준비 안 해두 될까요?"

"그렇지, 양식 준비를 해야지. 공연히 환난 중에 빈촌에 가서 활인한답시고 군입이나 더 늘면 안 되지요."

"콩이 서너 되 있으니 아껴 잡수셔야 해요."

"그건 너무 많아, 반만 주시오. 여기 먹을 양식은 충분하오?"

"예, 조가 반 뒤주 있으니 햇곡 나오기까진 이럭저럭 연명이 되는 걸요 뭐. 아버님께서 여름 전에 양식을 끊겠다 하셨어요."

"장인께서 반년이나 우리 식구를 살리셨으니…… 이제 내가 다른 이들의 환난을 구할 수라도 생기게 된 게요. 그러게 내가 뭐라고 했소. 작은 음덕이 모여서 대덕이 된다지 않았소?"

설유징이 껄껄 웃으니, 빈처는 잠깐의 시름을 잊고서 조용하게 웃었다. 그녀도 제 지아비의 쾌활한 모습을 대하니 폭풍우 전에 둥지를 튼 제비처럼 작은 가슴이 푸근하게 가라앉는 것이었다.

"그러면 집 걱정은 마시구 잘 다녀오셔요. 참, 손님들의 옷은 다 말랐습니다. 아버님께 선비님들 시회에 함께 나가셨다구 해두지요."

그러자 설유징은 고개를 흔들었다.

"시회 따위의 말씀은 하지 마오. 장인어른께서 그런 말을 들으시면 혹시 잘못 생각하시겠소. 그렇지 않아도 우리 식구 때문에 심려가 많으신 터에, 이제 아주 잊어버린 벼슬에 대한 미련을 돌이키신다면 또한 효도가 아니외다."

아내는 채소를 다듬다 말고 어깨를 늘어뜨리며 하는 수 없다는 듯이 웃었다. 설유징은 공연히 촌에서 밥술깨나 먹는다는 자들이 너덧씩 무리를 지어 몰려다니며 답청이다, 화전이다, 시회다 하여 풍류를 즐기고 돌아다니는 것을 몹시 고까워하는 터였다. 촌것들이 어깨너머 글줄이나 읽어가지고는 아득한 한양 세도가들의 풍문에 관하여 소갈머리 없는 입담이나 나누며 원님이다 좌수다 진사다 하는 것들의 사랑을 기웃거려 지방에서 행세나 하려 하고, 죄 없는 양민들에게는 근거없는 상전 노릇으로 하정배나 받으려 하니 이런 자들은 노중에 선 말뚝장승보다도 필요 없는 물건들이 아니던가. 풍류라는 것은 제가 가꾼 뒤꼍의 채마밭에서 아침이슬을 함빡 받고 열린 외를 따서 안주로 하여 소주 한잔을 든다든가, 풀어놓은 소를 타고 돌아오며 퉁소라도 한 가락 분다든가, 사이참을 들다가 논두렁에서 농주에 흥이 나서 꽹매기라도 한 가락 돌린다든가, 글 읽던 밤에 달이 떠 있는 우물물을 깨뜨리고 정갈하고 시원한 냉수를 뜨며 마당가에서 잠시 바람을 쏘인다든가, 이를테면 물이 맑아 갓끈을 빨고, 물이 흐리면 발을 담그는 그런 것이다.

한가함이 따로 없고, 풍류가 남의 것을 빼앗거나 집어삼켜서 생겨나는 것이 아닐진대 선비의 풍류라 함도 제 독서하는 방과, 제 집 마당과, 제 일을 넘어서는 것이 아님에도…… 못된 습속은 저와 같아서 풍류 다니는 자에 권세가 붙어 있게 되고, 모르는 사람들은 이런 것이 곧 과거 하는 자들의 사교라 여기는 것이었다.

설유징과 길산과 어계 총대는 오후 느지막하여 배를 타고 고성포로 올라갔다. 꽃재 위에 올랐던 마을 사람들은 어계 사람들과 합력해서 움집을 팠고, 최헌경은 환자의 식구들을 데리고 마을에 내려가서 환자를 돌보는 중이었다. 설유징은 마을에 들어서자 공중에 가득찬 까마귀의 떼를 볼 수가 있었다. 그리고 송장을 태운 노린내가 아직도 마을 주변에 남아 있었다.

타버린 마을의 집에서는 연기가 오르고 있었는데 깨어지고 그을린 세간들이 보기에 매우 참혹하였다. 그들은 마을 가운데 덩그러니 홀로 남은 촌장의 집으로 갔다. 최헌경이 환자들을 거두기 위하여 남겨놓은 집이었다. 마침 그들이 다가가는데 토담 안에서 들것을 앞뒤로 들고 나오는 사람들이 있었다. 고개를 푹 처박았는데 입에다 수건을 친친 동여매어 누군지 알아볼 도리가 없었다. 나뭇가지와 멍석으로 엮은 들것 위에 얹어놓은 시체의 뻣뻣한 팔다리가 땅으로 늘어져서 꺼덕거리고 있었다.

"인제들 오슈?"

앞섰던 자의 목소리가 바로 정학이었다. 그는 수건을 풀지 않고서 주춤하니 서 있었다. 총대가 말했다.

"죽었는가?"

"벌써 여섯 번째요."

하는 소리가 학의 아우 정신이다.

"어디다 버리는가?"

설유징이 묻자 이미 들은 말이 있는 정학이는 입막음한 채로 꾸뻑하면서 말하였다.

"의원이슈? 저쪽 어젯밤 화장한 곳에 구덩이를 팠수."

"그 수건 필요 없네. 공연히 숨만 가쁠 테니."

설유징은 주위를 둘러보고 나서 더러운 물이 괴어 있는 웅덩이와 사방에 널린 인분을 가리켰다.

"시체를 태우고…… 저런 것들도 태워야지. 그리구 자네들은 재 위에 올라가 사람들을 시켜서 갯가에 나가 조개껍데기를 많이 주워 오도록 하게. 그리구 아낙네들은 쑥을 캐오도록 시키고."

정학 형제는 분부를 알겠다고 한 뒤에 시체를 맞들고 언덕으로 올라갔다. 길산이 앞서서 촌장 집으로 들어가니, 마당에 여남은 명의 환자가 때묻은 이불을 둘러쓰고 늘어져서 서로 고함을 지르고 있었다. 꺾쇠 모양의 집인데 왼편에 나란히 두 칸의 방이 붙었고, 그 다음엔 부엌이요, 그리고 안방, 안방과 건넌방의 두 칸 붙은 방들 사이에는 맨봉당 위에 거적을 깔아놓았다. 방마다 서넛씩 누워 있고, 봉당에도 대여섯 명이 나란히 누워서 헛소리를 하고 있었다. 환자들의 머리맡에마다 토해놓은 토사물들이요, 방분하여 냄새가 고약스러웠는데 가족들이 그것을 치우고 있었다.

"물…… 물 좀 주오."

"아이구, 내 골이 깨어지네. 저놈…… 저놈이 내 골을 빼개려 하는고나."

"아버님 아니시오. 날 데려다 어찌할려구 이리 잡아당기나요. 날 놓아주오."

환자들의 헛소리들이 비통하였다. 마당에서는 열을 내리게 하려고 석간수를 길어다가 환자들의 머리에 얹을 수건을 적시고 있었다. 웅크리고 앉아 있던 최헌경이 그들이 들어서는 것을 보자 녹초가 되어버린 얼굴로 마주 일어섰다. 어게 총대가 먼저 나서며 말하였다.

"안창골의 설유학 어른이시네."

"최가에 헌자 경자 쓰옵니다."

최헌경이 차림새는 비슷하나 중인짜리이니 설유징에게 하정배를 올렸다. 설유징은 고개만 끄덕하고서 말하였다.

"우선 일을 나눠야겠네. 예방을 하고 재민을 돌볼 사람들과 환자를 구완할 사람들을 엄격히 구분해야지 아무나 들락거리고 섞이우고 하다간 모두 죽고 마는 판일세. 어찌 이리되도록 관가에서는 아무 조처도 없었는가?"

"조처가 다 무업니까. 처음에는 풍문만 들리더니 차츰 병자가 많아져서 바로 이웃 마을에서는 당분간 마을을 비우겠다는 공론까지 있었소이다. 저희 계서 참다못하여 이러다가는 온 고성 군내가 쑥밭이 되고 말겠기에 작당하여 일을 저질러버린 게올시다."

"쓸개 빠진 놈들 같으니! 백성의 딱한 정경은 바로 고을 수령의 죄인데 이럴 수가 있나. 병 구완도 구완이지만, 먹지 못하면 죽는 자가 더 늘어날 게야. 구휼미가 얼마나 되나?"

"아침에 아전이 와서 닷 섬을 떨궈주고 갔습니다."

"안 되겠군. 오늘밤만 어찌 보내고서 내가 직접 군수를 만나러 가야겠네."

설유징은 중치막을 벗고 길산과 총대에게 지워온 약재 보퉁이를 끄르도록 하였다. 최헌경이 물었다.

"이걸 달여 먹이면 곧 낫습니까?"

"아니야, 역병이란 보통 병과는 달라서 일단 들러붙으면 사람의 기맥이 완전히 쇠잔할 때까지 떨어지지 않는 법일세. 병마와 싸우는데 그 기력을 좀 도와줄 뿐이지. 운이 나쁘면 죽는 수도 있고, 제 몸이 강인하고 돌보는 이가 끈기가 있으면 많이 살려낼 수 있을 거야. 모두 몇명인가?"

"서른여덟이올시다. 오늘 여섯 죽고, 둘이 늘어났소."

설유징은 잠깐 동안 궁리해보았다.

"여기 장서방과 계장은 내 일을 좀 돕고, 한 두엇만 더 붙여주게. 그리고 병자의 가족은 필요 없고, 아낙네 두 사람만 있으면 될 게야. 최서방은 우선 마을 사람들을 모아다가 예방을 해주게. 쑥불을 지펴서 그 연기를 쐬고, 목욕을 깨끗이 하고 마을 근처의 물은 절대로 먹지 말고 흐르는 물을 식수로 쓰도록 하며, 구덩이나 우물마다 회와 백반으로 독을 없애놓도록 하게. 그리고 전할 일이 생길 적마다 다른 자가 드나들게 하지 말고, 최서방이 직접 와서 의논하도록 하게."

최헌경이 대강의 뜻을 이해하고 말하였다.

"시방 나가서 모두 시행하여놓겠습니다. 헌데 어게 사람들 중에 돌아가려는 자가 많습니다."

"예방을 끝낸 뒤에 돌려보내두 좋을 게야. 여기 필요한 것은 모두 사람을 시켜서 전할 테니 좀 구해주게."

그들이 얘기를 하는 도중에도 환자들의 앓는 소리와 헛소리하는 부르짖음이 지옥의 아귀들처럼 들끓었다. 풍로를 내어 세 개의 약탕관에 계속해서 약을 달이도록 하고 부엌에는 쇠솥을 걸어 물을 끓이도록 하였다. 설유징이 오자 일에 구분이 생기고 조리가 서게 되어 혼잡스럽던 구완 일이 차차 바로잡아졌다. 길산은 마당의 환자를 맡고, 총대는 방 안의 환자를 맡게 하였으며, 아낙네 두 사람은 부엌에서 물과 죽을 끓이고 약 달이는 일을 담당하였고, 정학 형제는 물을 긷거나 주변을 치우거나 잔심부름을 하게 되었다. 설유징은 그중 증세가 악화된 환자들 곁에 붙어앉아 먼저 달인 발한하열탕(發汗下熱湯)을 넘겨주었다. 그러고는 끓인 물로 환자의 몸을 씻겨주고 백반 섞은 소주로 아구창과 입안을 닦아내었다.

저녁때가 되어 마을의 사방에서는 쑥불의 매캐한 연기가 타올랐다. 구덩이와 뒷간마다 조개껍데기를 태워서 빻은 생석회가루와 재가 뿌려졌고 뒷산 등성이에서 화장한 시체들도 모두 땅속에 깊이 묻었다. 저녁이 되자 환자들의 열은 급히 올라가 앓는 자들의 신음이 더욱 높아졌다. 배가 팽팽하게 불어난 사람, 열에 들떠서 연신 물을 달라고 조르는 사람, 환청으로 광증을 보이는 사람들로써 촌장네 여섯 칸 초가는 음산하게 들떠 있었다. 기둥마다 꽂아놓은 관솔 횃불이 휘황하건만 오히려 널브러진 병자들로 해서 집안은 어쩐지 썰렁해 보였다. 길산이 환자를 간호할 때, 냉수에 적신 수건을 갈아주기도 하고, 하열탕도 먹였고, 방뇨한 자리를 치우기도 하였다. 환자 하나가 제 옆을 다릿짓하면서 열에 뜬 목소리로 중얼거렸다.

"여기…… 죽었수. 부정 타지 않게…… 좀 빨리 치워주오."

길산이 홑이불을 들춰보니 동공이 멎어 있고 벌린 입에는 백태가 두껍게 끼었는데, 안색은 완전히 흑색이고 가슴과 목 언저리에는 울긋불긋한 두드러기가 돋아나 있었다. 길산은 죽은 자의 몸 위에 홑이불을 똘똘 감아서 방 밖으로 끌어냈다.

"정서방, 어디 있나?"

정학이 달려왔다.

"또 한 사람 나가네."

"이거 의원두 소용없으니…… 이러다간 모두 죽고 말겠군. 혹시 우리까지 고택골 가는 거 아니우?"

"신이는 어디 갔어?"

"헌경이 아저씨께 유학님 분부 전달하러 갔는데."

"하는 수 없지. 나하구 같이 들구 나가세."

길산이 거적과 나뭇가지로 엮은 들것 위에 시체를 누이고 앞에서 들었으며 정학이 뒤를 들었다. 토담 안으로 최헌경이 들어섰는데, 그뒤에는 사람을 등에 업은 정신이 보였다. 최헌경은 마루 위에서 조제를 하고 있던 설유징에게 말하였다.

"유학어른, 야단났소이다. 어계원들이 모두 돌아가버려서 꽃재엔 마을 사람들뿐입니다. 모두들 마을로 내려오겠다면서, 집에다 불을 지른 놈들에게 앙갚음을 하겠다구 야단입니다."

설유징은 침착하게 물었다.

"어찌하다 일이 그리되었소?"

"예, 아까까지두 아무 일이 없었는데, 저녁나절에 환자 한 사람이 생겨났지요. 시름시름 오한이 있다고 드러눕더니 갱신을 못 하구 앓기 시작했소. 모두들 귀신이 꽃재까지 붙어 올라왔다구 소란이 일어나 계원들은 말릴 새두 없이 하나둘씩 빠져 달아났습니다. 그리구 마을 사람들두 기왕에 병에 걸려 죽을 것을 집 잃고 한데서 고생하지 않겠다며 술렁입니다."

"그 사람이 오늘 앓기 시작한 환자인가?"

설유징은 정신이 업고 들어왔던 자를 바라보며 물었다.

"예…… 그런데 또 누가 앓게 될지 모를 일이올시다."

"예방을 철저히 하고 조금만 조심하면 걱정 없네. 병독이란 입으루 들어가는 게니까."

하고 나서 설유징은 바깥을 내다보았다. 그는 다시 토담 밖으로 나갔다 들어오더니,

"몰려들 오는군. 어리석은 사람들 같으니……"

하는 설유징의 말을 듣자 최헌경과 정학 형제와 길산은 모두 담 밖으로 나가보았다. 어둠속에서 움직여오고 있는 무리들이 보였다. 설유징이 말하였다.

"내가 저 사람들이 알아듣도록 얘기하지. 만일 듣지 않으면 장서방하구 정서방 형제가 맡아서 적당히 몽둥이찜질을 해줘두 좋아."

설유징은 벗어두었던 중치막을 입고서 꾸역꾸역 몰려오고 있는 마을 사람들에게로 걸어갔다. 그 뒤를 길산이와 정학 형제가 뒤따랐고, 최헌경은 설유징의 왼편에 나란히 따라갔다. 설유징이 그들을 막아서서 말하였다.

"왜들 내려오나?"

꽃재말 사람 중에서 누군가가 외쳤다.

"우리는 이미 살기는 틀린 사람들이우. 병독이 퍼져서 모두 앓아 누울 판인데 이제 이슬을 피할 집까지 잃었으니, 어디 타다 남은 집에라도 찾아들어가야겠소."

"식구들을 데려갈 테야요."

"이러다간 모두 죽고 맙니다."

제각기 왁자지껄 떠드는 소리를 잠잠히 듣고 있던 설유징이 고함을 크게 내질렀다.

"예끼! 이 어리석은 놈들 같으니. 염병이란 병독이 옮아서 퍼져나가는 병이니 성해 보이던 자도 갑자기 앓게 마련이다. 또한 앓던 자도 병마와 싸워 이기면 살아날 수가 있지. 이제 너희들이 이렇게 동네루 내려와서 섞이면 그야말루 모두 병에 걸려 죽게 될 게야. 활인은 우리에게 맡기고 한 달포쯤만 동네에서 떠나 있으라구 그랬잖느냐."

"달포 동안 뭘 먹구 살란 말이우?"

"내가 내일 여기 최서방과 함께 관가에 가서 군수를 만나 구휼미를 더 풀어내도록 할 터이다. 어서들 올라가지 못하겠느냐!"

마을 사람들이 술렁이는데 그중 제법 혈기 남은 자가 있었던지 불끈거리며 나섰다.

"우린 못 올라가겠소. 죽어도 동네에서 죽을 테유."

"어째서 남의 동네에 들어와서 감 놓아라 배 벌려라 한단 말이우. 염병두 우리가 걸려서 우리가 죽을 텐데……"

"당신들이 무슨 관원이요, 상전이요?"

설유징은 앞에 선 마을 젊은이들이 떠들어대는 것을 보자, 옆으로 물러서면서 중얼거렸다.

"장서방, 치도곤이를 좀 해주게."

정학이 먼저 나서더니, 그중 시끄러운 자의 멱살을 잡아서 벽에다 힘껏 밀쳐버렸다.

"말 안 들을 테여? 정말 죽구 싶다면 내 보내주까."

길산도 옆에 섰던 자의 가슴팍을 거세게 밀어내었다.

"말 듣구 올라들 가시게."

굶주림과 병고에 시달린 자들이 더구나 힘깨나 쓰는 정학 형제와 길산을 어찌 당하랴. 슬금슬금 눈치를 보다가 물러가버리고 만다.

"어서 안심들 하구 며칠만 올라가서 고생들 하게. 이제 두고 보아, 모레쯤 되면 여기서 다 나아서 그리루 올려보낼 사람들이 많이 나올 테니까."

마을 사람들은 다시 꽃재 쪽으로 물러갔다. 설유징은 그들을 안돈시키기 위해 최헌경을 보내어 잘 타이르도록 하고서 정학 형제를 딸려보냈다. 길산과 어계 총대가 교대로 밤을 새우면서 환자들을 돌보았고, 설유징은 마루 끝에 기대어앉아 졸다가는 증세가 나쁜 환자를 돌보고는 또 잠들면서 밤을 지새웠다. 아침에 설유징은 진미(賑米)를 청원하러 관가에 가기 전에 최헌경과 의논을 하였다.

"내가 안창 고을에서 왔으니, 군수가 나의 청원을 몹시 고까워할지두 모르겠네. 그렇지만 드러내놓고 화를 내거나 하지는 못할 터이지."

"저희 같은 상한이 얘기하는 것보다야 낫겠습지요. 고성군수는 부임 이래 선정은 하나두 하지 못한 아주 용렬한 사람이올시다. 송사(訟事)를 가리지 못하여 처리에 공평하지 못하였고, 공연히 가벼운 죄를 범한 양민을 끌어다가 장형을 가하여 몇명이 목숨까지 잃었다는 것입니다. 특히 환곡(還穀)을 빌려주었던 일이 트미하고 구휼미도 쓸데없는 일에 낭비한 것이 틀림없소이다. 그리고 꽃재말 사람들께 들으니, 진영(鎭營)의 수군역(水軍役)이 혹심하여 돈으로 무명을 사서 대납한다는 것이오. 이러한 비위 사실이 있으니, 낱낱이 알아두셨다가 만약에 군수가 구휼미를 낼 뜻을 보이지 않으면 은근히 뒷전으로 협박을 해두 좋을 듯합니다."

설유징은 고개를 끄덕였다.

"그렇게 용렬한 자일수록 뒤는 질긴 법이니, 만약에 구휼미를 내어주고 나면 동네 사람들을 시켜 선정가라도 지어 부르게 하지. 겉으로 모른 성싶어도 뒤에 가서 까탈을 부릴지두 모르잖겠나. 꽃재말 말고도 산협(山峽)에 기민(飢民)은 많을 걸세. 자네두 함께 가겠나?"

"그러지요. 이 마을 촌장두 데리구 가도록 하시지요."

구휼미를 더 청원하기 위하여 설유징과 최헌경과 촌장이 관가로 나갔고, 길산과 총대와 정학 형제는 하루종일 환자들을 돌보았다. 열이 내린 환자가 있더니 저녁나절부터는 차츰 원기를 회복하기 시작하였다. 꽃재에서 가족을 데려다 상면시키니, 죽은 줄로만 알았던 사람이 병이 나은 듯한 모양을 보고는 기뻐서 부여잡고 우는 것이었다. 두어 사람이나 열이 내려서 모두 가족을 데려다 뵈었다.

저녁때가 다 되어서야 설유징 일행이 돌아왔는데 의외로 일은 수월히 해결된 모양이었다. 총대가 물으니 최헌경은 대답하였다.

"조목조목 따져들어가니 사또가 좌불안석이더구먼. 설유학 어른이 참…… 말씀은 청산유수더라구. 사또가 책방을 시켜서 군내 부호들을 모두 끌어들여 진미를 재량껏 내게 하더군. 지필묵을 내어놓고 적어대라 하니 허는 수 있는가. 모두들 적어내데. 내일 아침까지 하인들을 시켜서 미곡을 보내올 걸세. 사또 눈치가 진미를 낼 것이 창고에 있긴 하지만 부호들에게서 빼내구 관곡은 제가 착복할 기미더군. 우리야 무슨 상관 있나, 구휼미만 타내면 되었지."

"어이구, 공연히 성님께 부추김당해 쫓아와가지구 제대루 좋은 일두 못 하구, 오늘은 여차직하면 괭개치구 달아날 참이었소."

정학이 한시름 놓았다는 듯이 말했고, 길산은 설유징에게 오늘 원기를 회복한 환자들이 있어 분부대로 가족을 데려다 보여주었다고 말하였다. 설유징은 그자들에게 가서 진맥을 해보고 나서 사람들을 향하여 말하였다.

"이제 병후 조리만 잘해낸다면 이 사람들은 완전히 쾌차한 사람들일세. 내가 독서하는 틈틈이 익힌 의술이지만 이처럼 보람을 느낀 적이 없었네. 참으로 좋은 일을 시켜주어 자네들이 얼마나 고마운지 모르겠군."

열흘쯤 지나서 네댓 명이 더 죽었으나 시초부터 병을 이겨내지 못한 사람들이었고, 대부분이 쇠약해진 대로 염병을 떼쳐버린 듯하였다. 아직 앓는 이들은 채 열 명도 되지 않았으니, 병후 조리를 제대로 못 해낸 탓인 듯하였다. 그동안 함께 활인에 나섰던 설유징과 최헌경과 길산과 정학 정신 형제들 사이에는 각별한 정이 생겼다. 꽃재말 사람들도 설유징을 유학어른이라 부르며 무슨 일이든 가지고 와서 상의하였고, 최헌경은 특히 노인네와 아이들이 좋아하였으니 옛말 재조가 구수했기 때문이다. 원근 사방에는 꽃재말에 역병 돌았단 말과 도사가 와서 활인했다는 과장된 소문까지 떠돌았다. 처음에 내빼버렸던 고성포 어계 사람들도 나중에는 하나둘씩 되찾아와 마을에 새 집을 세우는 일을 도왔다. 정학 형제는 그냥 헤어지기가 못내 섭섭하다며 길산과 최헌경과 설유징을 수자리골 제 집으로 데려갔다.

간혹 형제가 집에 왕래는 하였어도 농사일은 돌볼 겨를이 없었건만, 사정을 아는 어계 동무들이 품을 내어 밭을 갈고 두엄도 내고 하였다. 정신이 먼저 가서 어머니를 도와 닭을 잡고 소주를 걸러 손님맞이 준비를 했고, 점심때쯤하여 그들은 수자리골로 나갔다. 집에 당도하니 오랜만에 맡아보는 고기 냄새라 그들은 회가 동하였다.

"살진 마늘에다 톡 쏘는 소주를 마시면 장내가 시원히 뚫리겠네."

하면서 최헌경은 주먹코를 킁킁거렸고, 설유징도 술 생각이 간절한 모양이었다.

"허허, 술 냄새를 맡아본 지가 벌써 십 년은 되는 것 같군."

부엌에서 도마질을 하던 학의 모친이 바깥을 기웃이 내다보니 하나는 유건 쓴 선비 행색이요, 또 하나는 갓 쓴 양반 차림인지라, 주눅이 들어 뭐라고 맞이할 말을 찾다가 얼버무리고 말았다. 그 눈치를 채고서 최헌경이 주변 좋게,

"자당께서 이런 걸귀들 치레하시노라 욕보십니다."

라고 풀어놓았다. 그제야 학의 모친은 웃음기가 돌며 건성 치마를 싸쥐고 물 묻은 손을 닦는 시늉이었다. 설유징이 두 손을 맞잡고 공손히 인사 올리니, 모친은 매우 당황하였다.

"태산 같은 아드님을 둘이나 두셔서 얼마나 믿음직하십니까."

"아직 철이 없지요. 나으리께서 꾸짖구 가르쳐주셔요."

설유징은 아직도 그 공손한 태도를 고치지 않고서 말하였다.

"저는 정서방의 동무 되는 사람입니다. 비록 먹물은 조금 먹었다 하나, 나으리란 말씀을 들을 위인이 아니올시다."

설유징이 껄껄 웃자, 정학의 모친은 더욱 송구스러워서 연신 허리를 구부렸다. 정학이 다시 길산의 어깨를 밀면서 말하였다.

"어머니, 들으셨지요? 지난번에 공수원서 매부를 살려주신 성님입니다. 왜 나허구 기운자랑 했다구 그랬지요?"

"옳아, 장서방이로구나."

하는데, 길산은 맨땅에 넙죽 엎드려 문안인사를 드렸고 모친은 고개를 끄덕였다.

"어서 오게. 땅바닥에서 큰절은 원……"

이렇게 수월하고 편하게 인사가 오가는 모습을 보고 최헌경과 설유징은 얼결에 눈을 맞추었다.

"얘야, 그런데 아까 관가에서 나졸이 왔더라. 꽃재에서 아직 안 돌아왔느냐구 묻던데……"

"제놈들이 우릴 왜 찾어. 자, 어서 안으로 들어가 앉읍시다. 어머니, 아무거나 빨리 좀 주시우. 출출해서 회가 요동이우."

"너는 나와서 물 좀 길어라."

모자간의 오가는 말을 들으며 그들은 형제의 방에 들어가 앉았다.

"헛허, 뭐니뭐니 해두 효도하려면 우리 정서방 얼른 장가가야겠군."

최헌경이 그리 깨끗하지 못한 방을 두리번거리면서 말하였다.

"밥 잘 먹구 일 잘하겠다, 인물 훤칠하구 기운이 장사요, 사내 중에 사내인 학이를 내가 중신이나 좀 들까아?"

빈 상을 들고 오던 정신이 최헌경의 말을 듣고 끼여들었다.

"어유, 말씀 마시우. 우리 언니는 처자만 보면 염라국의 귀졸이 되지요."

"아니…… 그러면 정서방이 부끄럼을 탄다는 말인가?"

설유징도 웃으며 한마디 하니 정신은 손을 홰홰 내저었다.

"그 반대입죠. 우리 언닌 여자를 뱀보다두 싫어합니다. 그래서 애꿎은 저까지 몽달귀신 될 모양이우."

물을 긷고 손을 닦으며 들어와 앉던 정학이 아우를 타박하였다.

"얘, 참말 내 평생에 어디 너 장가드나 두구 봐야겠다."

술과 안주와 밥이 들어와 객쩍은 농담이 잠깐 끊기는데 밖에 더그레 자락이 보이더니 나졸이 쑥 들어선다. 뒤를 따라서 갓 쓴 채수염쟁이가 헛기침을 하면서 들어섰다.

"정서방, 책방어른 오셨네."

정학이 한참 국밥을 뜨다가 엉거주춤 일어나면서 허리를 굽신해 보였다.

"아니, 어르신이 우리집엔 웬일이슈?"

책방은 다시 밭은기침을 하고 나서,

"손님이 오셨다지?"

"그러우. 이거…… 올라와 점심 좀 드시지요."

"손님들 중에 어느 어른이 유학님이십니까?"

하다가 책방은 설유징의 머리에 얹힌 유건에 눈이 멎자 허리를 급히 숙이고 머리는 치키면서 말하였다.

"문안이오. 소생 이 고을 사또의 책방으루 지내는 송가올습니다."

설유징은 소주잔을 기울이면서 말하였다.

"그런가? 자네가 어째 나를 찾나?"

"예, 다름이 아니라 이번에 꽃재에서 병자를 진휼 활인하신 것을 사또께서 아시고 좀 뵙자 하십니다. 관의 일로 그리하는 것이 아니고, 그냥 시회나 함께 하며 뱃놀이를 가시자는 것입니다."

설유징은 멋쩍게 픽 웃었다.

"모를 일이로군. 사또께서 이미 내 청원을 들으시고 구휼미까지 거두어주신 터에 부르실 일이 어디 있겠나?"

"그저 샌님과 교유를 하자는 뜻입니다."

"내야 원래 안창에 잠시 머물고 있지마는 글이나 읽는 사람이 고을 수령과 교유하다니…… 안 될 말일세. 사또의 후의를 감사드린다구 자네가 잘 아뢰어주시게."

책방은 기분이 언짢은 모양이었다.

"글쎄요, 사또께서 요즘 군내에 돌아가는 공론을 들으시고 샌님께는 공명의 계자(階資)를 내리신답니다. 그리고 저희를 비롯한 향리들이 이번 진휼에 관한 사또의 선정을 기리는 비를 세울까 하여……"

책방의 말이 거기까지 갔을 때 설유징은 갑자기 폭소를 터뜨렸다. 최헌경도 빙긋 웃고 있었고, 책방은 영문을 모르겠는지 멀뚱한 시선으로 설유징을 쳐다보았다.

"그래! 내게 계자를 내린다면 직함은 무엇이라던가?"

웃음을 그치지 않고서 설유징이 묻자, 책방은 얼김에 따라 웃으며 말하였다.

"예, 풍헌을 드린다 하옵니다."

"그리고 사또께는 선정비를 세워드린단 말이렷다."

"지금 좌수와 아전들이 전곡을 염출하구 있습니다. 선정비에는 샌님과 최서방 등의 일도 올라갈 것입니다."

거칠게 어깨를 떨며 웃어대던 설유징이 웃음을 뚝 그쳤다. 그는 눈을 크게 뜨고 책방을 노려보았다.

"이리 좀 가까이 오게. 내 자네에게 줄 것이 있어."

책방은 가까이 다가가서 상놈들 사이에 동저고리 바람으로 동석하여 술을 마시고 있는 이 괴이한 선비 곁에 고개를 내밀었다.

"네 이놈!"

다짜고짜로 욕설이 떨어지며 설유징이 책방의 채수염을 힘껏 쥐어 잡았다.

"아…… 아…… 이게 무슨……"

책방은 하도 놀랍고 창피하여 눈을 희뜩이며 입을 벌렸다.

"네 이놈 듣거라. 이 설유징이가 꽃재말에 가서 진휼한 것은 한 고장 사람 사이의 의리로 한 짓이요, 전혀 허명을 탐한 일이 아니었다. 더구나 환로에 나가는 것조차 버린 내가 글깨나 읽은 유자로서 공명의 계자를 얻겠느냐. 내가 무슨 초상집 개라더냐. 이것은 필시 너희 사또의 생각이 아니라 너 같은 쥐새끼들의 간계이리라. 나라의 하늘 같은 녹을 받고 백성을 자식같이 아실 관장께서 그런 용렬한 안을 내실 리가 없다."

"아…… 이것…… 놓구 말하시우."

"가만히 있거라. 더구나 선정비를 세운다고? 아무리 명관이 다스리는 고을이라 하더라도 폐단이 있게 마련이다. 이미 관장 된 자는 자기의 잘못을 드러내어 고치고 잘한 것은 스스로 감추는 법이다. 어버이가 자식 사랑한 것을 자랑삼는 꼴을 보았느냐. 대개 선정비나 세우는 짓은 백성들의 피와 땀을 그것으로 가리워보고자 함이다. 벌거벗고도 제 눈만 가리면 수치스럽지 않다는 어리석은 짓이다. 너희 아전 향품배들이 쥐새끼처럼 나서서 남징(濫徵)하려는구나. 이것도 필시 사또의 뜻이 아닐 게다. 위로 임금을 섬기고, 학문을 쌓아 관직에 오른 사람이 그렇게 뻔뻔할 수는 없다. 내가 네놈의 똥이 가득 찬 뱃속을 청정한 샘물로 씻어줄 터이니, 보약인 듯이 좀 마시구 가거라."

하고 나서 설유징은 곁에 놓였던 대접을 들어 책방의 수염을 힘껏 당긴 뒤에 벌려진 입에다 사정없이 부어버렸다. 꿀꺽이며 묘한 소리를 내면서 냉수 한 사발이 책방의 목구멍을 넘어갔다. 설유징이 수염을 탁 놓아주니 책방은 얼른 소매로 입언저리를 닦아내고 숨이 찼는지 열이 났는지 거칠게 헐떡이더니 재빠르게 달아나버렸다. 이윽고 여럿의 웃음이 한꺼번에 터져나왔다.

"보았나, 보았어? 꼭 홍수 때 건져낸 새앙쥐 꼴이더라. 눈알도 동글동글하고 코는 뾰족, 수염은 성긋성긋, 영락없는 쥐새끼여."

"쥐가 아니라 고게 여우요."

최헌경과 정학이 주고받았다. 설유징이 술잔을 학이에게 건네주면서 말하였다.

"내 분김에 욕은 주었으나, 자네네를 해코지하려 들지 않을까 그게 걱정일세."

"아닙니다, 고성서는 저희 어계를 그리 깔보지 못하지요."

"아따, 큰소리치기는…… 그야 우리끼리나 그렇지."

최헌경이 장담하는 정학에게 말하였고, 신이가 되받았다.

"우리 언니하구 나하구 둘이서 벌써 정수리에 쇠똥두 떨어지지 않았을 제, 진의 수군 장교놈들을 두드려 잡았습니다. 우리가 심하게 말썽만 피우지 않으면 대개 관원이란 왈짜에게는 너그러운 법이유."

설유징이 웃음을 머금었다.

"허긴 그럴 법하이. 그게 너그러운 것이 아니라 화근이 될까 귀찮아서일세. 내가 강릉 있을 제도 감영진의 군문을 도끼루 뽀갠 자가 있었는데 취중이라 하여 곤장 십 도루 방면되었네. 관이 백성들께 떳떳하면 그렇지두 않지. 오히려 어둡고 허술한 관장일수록 그런 사람들에겐 별로이 까다롭게 하지 않네. 자네처럼 생업에 힘쓰며 양순하면 모르되 공연히 마을 사람들께 행패나 하러 다니는 놈들도 대개는 나졸배나 비장 무리들과 한통속이지. 그러니 완력이라두 있어야지."

최헌경이 말하였다.

"유학어른, 이제 저희 집으로 가셔서 저녁 들고 밤새 술 먹으며 세상 이야기나 해주시지요."

"뭐 기왕에 주저앉았는데…… 우리집서 푹들 주무시구 가시우."

정학은 손님들을 놓칠까 조바심하는 것이었다. 그때 잠잠히 앉아서 술만 마시던 길산이 불쑥 말하였다.

"나는 산에 오를랍니다."

"아니, 게가 어디라구 이맘때에 오른단 말이우?"

"아무래두 걱정이네. 대사님께서 워낙 정처가 없는 분이고 보니 지금쯤 암자를 비우고 어디론가 떠나셨을지두 모르지. 내 광동 같은 꼬락서니를 보셨으니 용서를 해줄 리가 없지."

길산이 운부암을 뛰쳐내려오던 전말을 꽃재말에서 함께 밤새우며 들었던 설유징이 말하였다.

"그분은 자네가 돌아오기를 기다리구 계시네. 아마 속으로는 장서방보다두 애를 태우실지 모르지."

"우리두 찾아가 뵈올라네."

최헌경이 그렇게 말하자, 설유징은 고개를 저었다.

"대사님께 여쭙고 허락하시면 가뵙도록 하게나. 이번에는 나하구 장서방만 올라가 뵙지. 장서방은 게서 뫼시구 몇년을 지날지 모르지만 내게두 기연이 있어서 예전 스승님의 일도 있고 하여 꼭 뵈어야겠네."

길산이 말하였다.

"그러지요. 유학어른과 함께 가십시다. 나두 혼자 올라가서 대죄하기두 그렇구…… 곁에 계시면 좀 낫겠지요."

그들은 정학의 집에 술이 떨어지자 정신을 보내어 읍내까지 나아가 탁주를 받아오도록 하였다. 최헌경은 술이 거나해지자 계속 우스갯소리를 하여 사람들을 웃겼다. 설유징은 그들과 동석하여 차차 기탄없는 말들이 오가게 되자 몇년 동안의 외로움이 씻은 듯이 가셔지는 것만 같았다. 설유징은 패설에도 한몫을 거들었다. 드디어 최헌경이,

"유학어른이 이제 보니 학문은 안 하시구 저자의 음담만 귀동냥한 모양일세."

하게끔 되었는데, 설유징은 그 말이 더욱 기분에 맞았던지 껄껄 웃었다.

"고린내나는 한서를 읽어 뭘 해. 나는 이제부터 이따위 유건은 쓰지 않겠네."

설유징은 흥이 났는지 유건을 벗어 마당으로 던져버리는 것이었다.

길산과 설유징은 함께 금강산 만폭동으로 올라갔다. 유점사 계곡의 물빛과 산색은 길산이 내려올 때와 다름이 없었건만, 길산의 발걸음은 만폭동 어귀가 가까워올수록 점점 무거워지기만 하였다. 무슨 낯으로 운부대사를 다시 대하랴 싶었다. 운부암의 가파른 절벽 가녘을 돌아 올라가니 토방에는 아무도 보이질 않았다. 이번에는 뒷봉 귀틀집에 가셨나 하여 암자 뒤편의 조도를 돌아나가니 길산이 처음에 헤쳐 일구었던 밭에는 고랑이 정연하게 패어 있었고 뭔가 자라나고 있었다. 운부가 그 밭의 나머지를 개간했던 것이다. 길산은 귀틀집에 들어가보고서 곡식자루가 많이 없어져 있음을 발견하였다.

"대사님께서 출타하셨나?"

힘없이 법당으로 돌아오는 길산에게 설유징이 물었다. 길산은 한숨을 쉬며 고개를 끄덕여 보였다.

"한번 휙 나가시면 언제 돌아오실지 모르는 분이니…… 아무래도

나는 대사를 뫼실 놈이 아닌가 보우."

설유징은 고개를 갸우뚱하며 손가락질을 하였다.

"헌데…… 저것 보게."

토방 구석에 구겨져 놓여 있는 바랑과 탁발이 눈에 띄었다. 설유징이 말하였다.

"운부의 성미를 모르긴 하여도, 승려가 먼길을 떠날 젠 저 바랑과 탁발을 지니는 법일세. 아마 인근에 출타하셨는지두 모르겠네. 너무 낙심 말어, 이 사람아. 자네가 암자에 하루이틀 기거하려구 금강산에 온 사람두 아니잖나."

"그러우. 설사 운부께서 암자를 버리구 떠나셨을 리는 없겠지요."

그들은 귀틀집에서 저녁을 지어 먹고 법당으로 되돌아와 그날 밤을 함께 지냈다. 설유징이 여러가지 얘기 끝에,

"뒷봉을 둘러보니 매우 은밀하구 맞춤한 곳일세. 만약에 저쪽의 땅을 모두 개간해놓는다면 한 부락이 충분히 웅거할 만하더군."

길산도 대사 말이 생각났다.

"운부대사께서 올해 안으루 저 풀밭을 모두 개간하시겠다 하셨수. 내년부터는 사람이 많아질지두 모른다구 그러십디다."

"음, 내가 보기에두 이곳은 사람을 기를 만한 곳일세."

설유징은 운부의 궁량을 헤아려볼 수 있을 것만 같았다. 밭을 개간하여 식량을 구하고, 그를 찾는 인재들을 가르쳐서 무엇인가 큰일을 도모하려는 것이 분명하였다. 아마 병(兵)을 기르려는 뜻이 아닐까? 백성들의 참상을 도와주는 것에서 더욱 한걸음 나아가, 이런 세상을 혁파해보려는 뜻은 아닌지. 결국 운부의 숨어 사는 연유가 이러하다면, 세상을 등지고 홀로 앉아 글이나 읽으며 세월을 보내는 자기와는 다를 것이 분명하였다.

"어쨌든 하루가 되든 열흘이 되든 운부를 만나구 내려가겠다."

라고 설유징은 중얼거렸다. 며칠 동안 그들은 함께 기거하며 뒷봉밭의 풀밭을 개간해나갔다. 일손이 서툴던 설유징도 차차 익숙해져서 보름이 지나자 두 사람의 일손은 척척 맞아돌아갔다. 밥을 먹으면 꿀맛이요, 밤에 토방에 와서 쓰러지면 수심걱정 없이 대번에 잠이 들어 평화로운 밤을 보내곤 하였다. 설유징의 창백하던 얼굴은 볕에 그을었고 단정하던 상투도 봉두난발이 되었다. 하루는 그들이 저녁을 늦게 지어 먹고 어둑어둑해져서야 법당으로 돌아오니, 토방에는 희미한 관솔불이 켜져 있었다. 길산의 가슴은 두근거리기 시작하였다. 법당에 누군가의 기척이 있었기 때문이다. 희미한 불빛 아래 반백의 머리를 늘어뜨린 운부의 자태가 보였다. 길산은 그대로 땅바닥에 엎드리면서 문안인사를 올렸다.

"대사님, 기간 평안하셨습니까?"

"그래, 저녁 먹구 오는 길이냐?"

운부의 첫마디는 마치 엊저녁에 헤어졌다가 만난 동네 사람끼리의 말투처럼 범상하였다. 길산의 뒤에서 머뭇거리던 설유징도 함께 엎드려서 인사를 드렸다.

"인사 올립니다. 안창 사는 설유징이올시다."

운부는 그저 무심하게 끄덕일 뿐이었고, 길산에게 손짓을 하였다.

"이리루들 올라오너라. 어디 네 얘기나 좀 들어보자."

길산은 토방 위로 올라가 단정하게 무릎을 꿇고 앉았으며 설유징도 섬돌에 올라 방 덕에 비스듬히 걸터앉았다.

"그래…… 산을 내려간 뒤 한 달이 되어 돌아왔으니 그동안 어디서 뭘 했느냐?"

운부는 미소를 띄우고 길산에게 다정히 물었고, 길산은 뒤통수를 긁으며 우물쭈물하다가 대답하였다.

"예…… 저, 고성에 나갔었습니다."

운부는 길산의 겸연쩍어하는 표정을 찬찬히 들여다보다가,

"고성 나가서 좋은 일이 있었던 모양이로다. 네 얼굴에 길기(吉氣)가 떠 있는 것이……"

라고 중얼거렸다. 운부는 잠시 눈을 감고 묵주를 헤아리고 있더니, 설유징을 향하여 불쑥 물었다.

"그래, 고성서 이 아이와 사귄 동무냐?"

"예…… 저……"

하면서 설유징이 머뭇거리는데, 길산이 말하였다.

"아닙니다, 이분은 선비님이십니다. 대사님을 뵙겠다구 해서 소인과 동행했지요."

운부는 설유징을 물끄러미 바라보았다. 유징이 길산의 도움을 얻어 말을 넣을 틈을 잡으니 다소 성급하여졌다.

"예전에 정선에서 대사님을 뵈온 적이 있습니다."

"정선에서?"

"예, 먼발치루 뵈었습니다."

운부가 눈을 감은 채로 중얼거렸다.

"월초(月草) 선생 문하인가?"

"그렇습니다. 스승님은 저희들에게 늘 반계 선생과 대사님의 말씀을 하셨지요. 그때엔 소백산에 계시다구 들었습니다."

"반계…… 그이두 이미 작고했지. 그래 월초 선생은 혹시 아직 살아 계시는 것은 아니겠지?"

"벌써 오래되었습니다. 아무도 들이려 하시질 않아서 식구들까지 그 임종을 지키지 못하였지요."

운부는 다시 아무것도 물으려 하지 않았다. 염주를 헤아리고 앉은 그의 얼굴에는 아무런 미동조차 엿보이질 않았고, 손가락만이 규칙적으로 염주알을 넘기고 있었다. 길산과 설유징은 그렇게 앉았기가 몹시 무료하였다.

"대사님, 저희들은 이만 물러가겠습니다."

하면서 길산이 드디어 일어나려는데, 운부가 눈을 감은 채로 말했다.

"그냥 앉았거라. 길산아, 너는 고성에서 뭘 했느냐?"

길산은 다시 제 뒤통수를 긁었다.

"예…… 저…… 고성 꽃재말이란 데에 역병이 돌아서 어계 사람들과 활인하는 사업을 도와주었습니다."

"그래, 지금은 역질이 돌기를 멈추었느냐?"

"다행히 여름철이 아니라서 많이 번지지는 않았습니다."

설유징이 대신 대답하였다.

"길산이는 어찌 생각하느냐?"

운부가 물었으나, 길산은 어리둥절해서 멀뚱하게 바라볼 뿐이었다.

"꽃재말에 가서 활인을 해본즉 무슨 생각이 나더냐?"

"사람이 할 수 있는 일이 있고 없는 일이 있다구 여겨졌습니다."

길산은 제가 느낀 대로 말하였건만 운부는 그때 눈을 번쩍 뜨고 재우쳐 물었다.

"무엇 때문에 그런 생각을 했느냐?"

"소인이 여기 유학어른과 함께 밤을 새우며 간호를 했건만, 기력이 남은 자들은 병고와 싸워서 회생되었고, 쇠잔한 자는 죽었습니다. 애를 써서 살려보려고 하여도 죽는 이는 어쩔 수가 없었습니다."

운부가 빙그레 웃음을 머금었다.

"몇사람이나 죽었는고?"

"한 여남은 명이 치유 도중에 절명했지요."

설유징의 대답에는 아랑곳없이 운부는 계속해서 길산에게만 말을 던졌다.

"길산아, 네 일찍이 광대의 업으로 살아왔다 하니 잘 알겠구나. 빈촌에서 굶어 부황이 들어서 죽는 자들이 어떻더냐?"

길산이 잠깐 자신이 어릴 적부터 각처를 흘러다니며 굶주림에 시달렸던 일과 산골 곳곳에서 목격한 기민들의 참경을 떠올려보았다.

"흉년은 물론이어니와, 대풍이 들었다는 해에도 봄부터 여름까지에 노인과 아이들이 많이 죽습니다. 산에서 풀뿌리를 캐다가 그대로 절명하기도 하며, 냇가에서 붕어를 잡다가 혼절하는 것두 보았는데, 어찌 다 말을 할 수가 있겠습니까."

운부가 한숨을 길게 내쉬었다.

"봐라, 굶주림이란 가장 혹심한 역질이니라. 지난 계묘(癸卯)년의 역질에 겹친 기근 때에는 수만 명이 죽었다 한다. 이것이 어찌 하늘이 내리는 재해라구 하겠느냐, 오히려 사람이 내린 재해이다. 가렴주구의 폐해는 고쳐지지 않고서 다만 환난 때에 죽을 끓여서 구호한다며 나누어 먹이니 이것은 독약과 같은 것이니라. 오히려 죽을 얻어먹기를 바라는 백성들은 거의가 목숨을 잃고 만다. 애초부터 주린 창자라 텅 비었는데 묽은 죽이 무슨 활인을 해내겠느냐. 심사원려(深思遠慮)라는 것은 바른 정사와 뚜렷한 제도가 쌓여야만 이루어지는 것이고, 그 근본이 엄중히 서 있지 않으면 이루어지지 않는다. 잉어가 자라는 연못에서 가물치가 함께 자라면 잉어는 목숨을 부지하지 못한다. 연못 모두가 가물치의 연못이 되는 것이다. 그럴 적에 한두 마리를 잡아 없앴다 하여 달라지겠느냐. 모두 남김없이 잡아내야 하느니라. 더러운 옹기를 씻지 않고 샘물을 길어다 부으면 그 물은 더러운 물이니라. 물이 깨끗해지려면 먼저 그 담는 곳을 깨끗이 하여야만 한다. 그처럼 죽이나 끓여 먹이는 활인은 아무것두 바꾸지 못하는 법이다. 죽을 얻어먹느라고 분주하여 밭고랑을 갈 겨를이 없게 되면, 금년에 비록 살아남을지라도 명년의 기근을 넘길 수가 없음과 같다. 꽃재말의 재난만을 보고 흔해빠진 빈촌의 굶주림을 잊어서는 안 되느니라. 그러나 역시 활인은 좋은 일이다. 제 식구를 도운 듯이 여겨야 할 것이다. 절대루 뽐내는 마음이 있어선 안 된다."

길산이 고지식하지만 순박하게 말하였다.

"헌데 담부터는 그런 일 안 할랍니다."

운부는 껄껄 웃었다.

"허허, 그 녀석…… 농투성이가 되러 금강산에 오지 않은 것과 마찬가지루, 의원이 되려 고성에 내려간 것은 아닐 텐데, 게서두 성깔을 부렸느냐?"

"진휼미가 안 나올 적에는 마음 맞는 동무들만 있었다면 관아를 들이치구 싶었습니다. 까짓 불을 싸질러버리지요."

운부는 법당 밖의 어둠속을 내다보았다.

"이제 세상은 너무 낡아서 못쓰게 되어버렸다. 사람이 만든 것은 무엇이나 못쓰게 되고 부서지도록 인과가 정해져 있느니라."

운부는 설유징에게 말하였다.

"월초 이수는 청정한 선비였으나, 조정에 대하여 삐쳤던 분이다. 받아들여지지 못하므로 원망하는 기색이 있었다. 그러나 반계 유형원은 내가 만났던 어떤 선비보다도 높은 뜻을 가졌던 사람이다. 대저 글 읽는 자들의 양심이란 한편으로는 세상을 원망하는 마음이 그 원천이 되는 것이다. 그러니 허심탄회할 수가 없다. 그들이 바라는 것은 자기가 내놓은 안을 통하여 제도만을 바꾸어보자는 데에 있다. 그들이 기대는 것은 끝까지 백성이 아니라 임금이다. 그러니 애처롭게 꺾어져 숨어서 사는 일로 그치느니라. 그대가 날 찾아온 것은 숨어서 사는 도리를 물으러 찾아온 것인가?"

설유징은 한참이나 머뭇거리다가 대답하였다.

"아니올시다, 그저…… 이 사람에게서 대사님의 말씀을 듣고 전에 스승님께서 늘 하시던 말씀도 생각났고, 요즈음 제 살림살이가 매우 적막합니다. 스승님 뵈옵듯이 간절하게 뵙고 싶었을 뿐입니다."

"음, 정선에서 월초 선생을 찾아갔던 것은 부안 소식을 들어볼까 해서였지. 그때에 자네는 홍안 소년이었겠군. 물론 과거는 오래 전에 폐하였겠군."

"예…… 강릉 살 제 이미 치웠습니다. 스승님의 영향두 많았습니다만 그뒤로는 집에서 농사잡록이나 한 책 꾸며볼까 하여 종묘판을 꾸미고 그런 것에 소일하구 지냅니다. 실은 이번에 고성 나와서 활인을 해보게 된 것도 틈틈이 약재를 모아두고 의서를 보아두었기 때문이올시다. 이제 남은 세월은 헛되이 보내다 죽고 싶지는 않습니다."

운부는 고개를 끄덕였다.

"우선 상놈이 되어야 하지, 유생의 버릇이 추호라도 남아 있어선 안 되어. 자네 같은 이는 상인 동무를 많이 사귀어야 하네. 백성들의 순박한 뜻을 배우지 않으면, 농사잡록이든 의술이든 활인이든 아무 쓸모가 없네."

"대사님은 어찌 불가에 드셨습니까?"

운부는 대답을 않다가 다시 길산에게로 말을 돌렸다.

"그래…… 올라와서 밭은 좀 둘러보았느냐?"

"예, 유학어른과 둘이서 한 두락을 개간해놓았습니다."

"내일부터는 내가 몇가지 일러줄 테니 그대루 시행하도록 하여라."

운부는 더이상 입을 떼지 않고 고요히 앉아만 있었다. 운부가 다시 입을 떼지 않으니, 두 사람은 더이상 할말이 없었다. 설유징도 욕심 같아서는 밤새껏 운부대사의 말씀을 듣고 싶었으나 얘기를 할 기색이 엿보이질 않았다. 드디어 길산과 유징은 서로 눈을 맞추고 나서 길산이 말하였다.

"저희는 이만 물러가겠습니다."

"음…… 어디서 자겠느냐?"

"뒷봉 귀틀집서 쉬겠습니다."

운부는 고개를 끄덕였다. 한 칸 토방에서 운부와 함께 잠자리를 같이하기도 두 사람에게는 오히려 송구스러웠던 것이고, 운부도 그들을 만류하지 않았다. 길산과 유징이 나간 다음에도 운부는 한참 동안이나 눈을 감고 생각에 잠겨 있었다.

강진의 쓸쓸한 바닷가가 운부의 뇌리에 떠올랐다. 낮은 산과 좁다란 들판, 밑바닥에 펼쳐지던 남해의 쪽빛 물결, 그리고 탱자나무들. 운부의 부친은 가끔 그를 찾아든 한양 손님들과 박주를 나누며 시를 짓고는 하였다. 강진에 귀양 와서 동네를 격하여 지내는 이들도 있었고, 제주로 귀양 가는 길에 거쳐서 가는 이도 있었다. 배다리내에 있던 그의 집은 언제나 손님으로 들끓었다. 조부가 왜란 때에 강진, 장흥, 영암 등지에서 십여 인의 유생들과 거병하였고 정유년에 장렬히 산화하였으니, 강진 일대에서는 일컬어 충신열사의 집안이라 하여 선비들의 왕래가 잦았다. 운부의 부친은 광해조 때에 천거가 되었으나 사양하고 나아가지 않았으니, 이미 조정은 권세다툼에 의한 혈족의 살육장으로 화하여 있었던 것이다.

따라서 많은 양심적인 관료들이 벽지로 귀양 올 때 자연히 강진에 오거나, 거쳐가는 자들은 운부의 부친과 친교를 가지게 되었다. 월초 이수가 태호 이원진과는 같은 문하였는데, 우연히 운부의 부친 김유학을 알게 되어 그의 해박한 지식과 재주를 흠모하게 되었다. 태호 이원진은 그중에서는 가장 현실적인 사람이었다. 당대의 낙백하였던 선비들 중에 몇사람만이 벼슬길에 올랐는데, 그중에서도 이원진의 출세는 감사에까지 오를 정도로 으뜸이었다. 반계 유형원은 네 살 적부터 삼촌 이원진으로부터 글을 배웠다. 운부가 일곱 살 적에 부친의 친구들이 찾아왔을 때 큰사랑에 불려나가 경서의 문답을 했고, 시를 지었는데 운자를 불러주던 선비들이 모두들 신동이라고 혀를 찼다.

"내 여지껏 재주 있는 아이들을 여럿 보았으나 그 이치의 깊이까지 꿰뚫는 소년은 역시 태호의 조카와 이 아이로다. 유도령은 일곱 살 적에 이미 『서경(書經)』의 우공기주(禹貢冀州)편을 읽으며 무릎을 쳤다지만, 이 아이의 문장과 해박한 견해는 또한 조숙한 경지를 넘어섰으니 놀랄 만한 일이다."

하며 이수는 감탄하였던 것이다. 운부가 소년 유형원의 재주를 풍편으로 들었던 것은 그때가 처음이었다. 그가 아홉 살 적에 호란이 일어나매 운부의 부친 김진사 역시 전라도의 유생들과 힘을 합쳐 임금을 구하기 위하여 의병을 일으키고 북상하다가 남한산성이 함락되었다는 말을 듣고 허탈하게 돌아왔다. 김진사는 임금이 청태종으로부터 받은 모욕을 국치라 하여 화의를 주장하는 일파들은 오랑캐에게 간을 떼어준 자들이라고 타매하였다. 운부 십오 세 때에 김진사가 세상을 떠났고, 운부는 그의 유언대로 학문에 정진은 할지언정 벼슬길에는 나아가지 않았다. 운부는 삼년상을 벗던 십구 세 때에 부안(扶安)의 유생 집안의 장녀인 한(韓)씨와 결혼하였다.

운부는 어찌하여 출사하지 않은 선비로서 그치지 않고 불승이 되는 것으로 철저하게 세상과 인연을 끊게 되었는가. 효종 육년 을미(乙未) 팔월께에 그는 강진에서 홀연 자취를 감추게 되었고 소백산과 지리산을 넘나들며 홀로 수도의 길에 나섰던 것이다. 그에게는 가친이 물려준 전장이 얼마간 있어서, 그것으로 굶지는 않을 정도의 생계가 되었다. 그러나 둘째아이가 태어나던 스물여섯 살 적에 지팡이 하나만을 들고 팔도 섭렵에 나섰으니, 그 기간은 이 년간이었다. 누구든지 젊은날은 고뇌의 세월이요, 더군다나 큰 뜻과 재주를 가슴에 간직한 운부로서는, 책상물림으로 세상에 이름 없이 살다가 돌아간 수많은 선비의 한 사람이었던 부친의 생애를 뛰어넘고 싶었을 것이다. 이것은 어린시절부터 그의 집 사랑에 몰려와 울분의 술잔을 기울이며 세상을 비관하던 선비들의 영향이 더욱 깊어졌던 것이라 아니할 수 없다. 운부는 우선 팔도 섭렵을 통하여 백성이 무엇인가를 알고자 하였고, 세상을 개혁하는 것은 어디서부터 어떻게 해야 될 것인가를 배우고자 하였다. 방랑의 이 년 동안 그는 시골 향반의 집 사랑에 식객으로 얹히기도 하고, 풍수질도 하였으며, 사군자를 쳐서 밥값을 때우기도 하였다. 그가 돌아왔을 때 세상을 보는 눈은 원숙해 있었고, 그런만큼 집에서 농사나 짓고 있을 적보다는 훨씬 강경해져 있었다. 전에는 눈에 띄지 않았던 아전 서리배들의 횡포가 너무나 잘 보였고, 고향땅의 주민들이 시달리고 있는 사정을 피부로 느끼게 되었던 것이다. 상기 을미년 유월께에 때는 큰 가뭄이 겹쳐서 온 마을 사람들이 타들어가는 벼를 보고 망연히 한탄만 하고 있을 적에, 공물 진상을 서두르던 관헌과 몇몇 의기 있는 상민들 간에 작은 충돌이 있었다. 이것은 뒤에 반계도 그의 책에서 날카롭게 지적한바, 지방 향촌에서는 공공연한 횡포였던 것이다.

"우리나라의 진상(進上)이란 일정한 기준이 있는 공납(貢納)도 아니요, 그것을 맡고 있는 관청이 따로 있는 것도 아니어서, 매일 차려 올리는데 서울의 각 관청이 저마다 나서고, 달마다 진상을 하는데 외방(外方)의 각 고을이 저마다 분주하여, 국가 만사에 진상 관계의 사무가 십중팔구는 될 법하다. 임금으로서 구중궁궐 고운 담요 위에 앉아, 내가 임금이라고만 생각한다면 어떻게 이런 진상의 폐단을 아실 것인가. 거기에 눈앞에 얼씬거리며 아첨이나 하는 신하들은 우리만큼 임금을 공경하는 사람들이 어디 있겠는가라고 생각들을 하는 것이다. 만일 어느 누가 이런 말을 내어 그런 짓이야말로 나라를 병들게 하고 덕을 망치는 일이라고 하는 이가 있다면, 당장에 임금께 불경한 짓이라고 지목을 할 것이다."

반계도 저와 같이 왕권에 대한 비판을 서슴지 않았는데, 백성들의 뜻은 바로 이대로였다. 공납 진상물을 점고할 때, 이서배가 점퇴의 권한을 쥐고 있으니 퇴당하지 않으려면 공물 이외의 뇌물을 따로 준비하여야 되었고, 흉년에 앞날이 감감한 터에 아무리 순박한 사람들이라 할지라도 참지는 못하였다. 여럿이 달려들어 농기구를 들어 아전들을 두들겨 몰아내니, 그 책임은 모두 운부가 자청하게 되었던 것이다. 이리하여 운부는 고향의 전장을 버리고 어디론가 피하지 않을 수 없었는데, 가솔들은 부안의 처가로 보내고 자신은 다시 정처 없는 방랑의 길을 떠났던 것이다.

이후 운부는 그의 김아무개라는 속명을 버리고 스스로 하늘 위에 정처 없이 떠서 흘러가는 구름임을 자처하여 운부(雲浮)라는 호만을 가지게 되었다. 운부는 충청, 전라도의 여러 고을을 전전하며 지사 노릇을 하였는데 이때로부터 장발에 남루한 도포를 걸치고 불승들이 쓰는 송낙을 깊숙이 눌러쓰고 다녔으니 모두들 그를 도사라고 여겼다. 운부는 많은 사람들이 있는 자리에서는 절대로 입을 열지 않았고, 피할 수 없으면 지필묵을 청하여 필담을 하였다. 그리고 명당의 터를 잡아준다든가, 도가에 대한 얘기 외에는 일체의 답변도 언급하지 않았다. 이른바 청맹(靑盲)이나 청농(靑聾), 청광(靑狂)은 세상을 거역하여 피해 살려는 선비들의 소극적인 편법이었으니, 청맹은 눈뜬 장님이요, 청농은 거짓 귀머거리요, 청광은 생으로 미친 짓을 하는 것을 가리킨다. 조선 초에 이성계의 입국에 대하여 스스로 저항하였던 정온(鄭蘊)은 진주에서, 조운흘(趙云仡)은 광주에서 장님 노릇을 하였다. 이미 후한(後漢) 시대에 이업(李業)이 청맹을 자청하며 숨어 살았으니, 이것은 일종의 선비들의 고독한 항거였을 것이다. 특히 조운흘의 침묵으로 일관한 생애에서 남겨진 절명시는,

누런 소를 타고 청산 옆에 있으니 추하고 추한 그 풍신은 베 한 필의 가치도 없구나.

라고 읊었으니 스스로 오욕의 일생임을 뼈저리게 한탄하였던 것이다. 그러한 행동은 식구들에게는 물론 자기 자신까지도 잊어버릴 정도로 철저하게 지켜져서 임종 때에나 가서야 밝혀지곤 하였다. 청농의 전통을 이은 사람은 이조절의팔현(李朝節義八賢)으로 불린 김시습, 남효온, 원호, 이생전, 조려, 정보, 성담수, 권절 등이었으니, 수양이 득세 집권하고 단종을 죽인 뒤에 스스로 숨어 살았던 선비들이었다. 특히 김시습은 청농에 청광까지 겸하여 베옷에 산발을 하고 세상을 비웃으며 살아갔다.

절개를 굳건히 지켜나가기 위한 방편으로서 제 육체의 어느 곳을

자해하여 스스로 그런 정신을 잃지 않으려는 형태였던 것이다. 벙어리나 장님이나 미친놈의 행세가 자기 보존에만 있음이 아니라, 그런 짓을 지켜나가는 사이에 절개도 잃지 않을 수 있었다.

운부가 귀머거리 행세를 하며 필담이나 하였으니, 자연히 이 기이한 도사를 사람들은 제각기 상상하였다. 멸망한 명나라의 학자로서 우리나라에 표류하여 왔다고 여기거나 권토중래를 꿈꾸는 명의 유신들이 많이 입국하였는데, 그중의 한 사람으로 다른 패거리들과 모인다거나 하는 소문이 따라다녔다. 더구나 언젠가 남원 고을에 머물렀을 때 한밤중에 일어나 한어로 한시를 노래한 일이 있었는데, 소문은 더욱 확실한 것이 되고 말았다.

실상 명이 망한 뒤에 중국에서 표류해왔던 중국 사람들이 많았는데, 세상의 분위기가 또한 오랑캐에 대한 적개심과 대명에 대한 왜란 때의 의리 감정이 점증하여 그들을 대하기를 잃은 형제 반기듯 하였다. 서해안에는 가끔씩 명나라의 표류민들이 상륙하였고 관에서도 몹시 동정적이었다. 그래서 운부는 그 기이한 행색으로 알려지게는 되었으나, 명나라의 유신이라는 설이 굳어지게 되었다.

효종 십 년 기해(己亥)에 운부는 드디어 반계와 만나게 되었으니, 그가 처가에 머문 식구들을 상면코자 부안에 들렀던 것이다. 운부의 처가는 부안 한씨네 종가로서 배벌(梨坪)에 너른 장토를 가지고 있었다. 운부의 장인은 다행히도 너그러운 사람이어서 운부의 출사하지 않음에 대하여 그리 섭섭히 여기지는 않았다. 다만 처자식을 버려두고 강산을 헤매다니니, 전답을 넉넉히 떼어주고 노비도 붙여주겠는데 이젠 그만 정착함이 어떠하냐고 조심스럽게 운부를 달래었다. 운부는 짐짓 못 들은 체하며,

대풍이 일어나니 구름이 날리도다. 위력이 해내에 더하여 고향으

로 돌아오다(大風起兮雲飛揚威加海內兮歸故鄕).

라고 읊으니 한고조(漢高祖) 유방(劉邦)이 천하를 정복한 뒤에 고향에 돌아가서 여러 어른과 형제와 식구들을 모아놓고 술을 마시며 부른 시였다. 즉 천하를 평정한 제왕의 시였으니, 방랑하던 운부가 읊기에는 너무나 호방한 시였다. 운부는 즉 사나이가 집을 떠나 흘러다님은, 바르지 못한 세상을 평정해보려는 포부 때문이다라는 뜻을 장인에게 전하려는 은근한 의도가 숨어 있었다. 운부는 집안 식구들에게까지 전혀 대꾸를 하지 않았다. 장인은 운부에게 부인 한씨를 통하여 몇번이나 주유천하(周遊天下)의 생활을 간곡히 만류하였으나 운부는 돌로 깎은 불상처럼 단정히 앉아만 있었다. 드디어 장인은 운부가 일을 저질러 집안을 망칠지도 모르는 놈이니 절연하자며 노기를 터뜨렸다. 그의 본심을 아는 사람은 역시 부인 한씨뿐이었다. 남편의 정경을 보다 못하여 노자와 길양식을 챙겨서 서둘러 떠나도록 해주었다.

"출사하시란 건 아닙니다. 저 변산(邊山) 아랫녘에두 반계라는 높은 선비가 계신다는데 당신은 굳이 집을 떠나 객지 사방을 떠돌아다니실 필요가 무에 있습니까?"

운부는 변산 아랫녘의 반계라는 말을 듣고는 귀가 번쩍 틔었다. 그는 말없이 아내의 손을 꽉 잡아주고는 아내가 지어준 새옷에 역시 송낙을 쓰고 대지팡이 짚고 부안 한씨네 종가를 나섰다. 이것이 운부와 가족의 마지막 상면이었다.

운부는 처음에 전주 쪽으로 가려던 발길을 돌려 서해를 향하여 치달린 변산을 바라고 걸었다. 배벌서 변산까지는 이십 리 상거였으니 반계의 집을 찾는 것은 너무도 쉬운 일이었다. 운부가 물으니 들에서 일하던 농부는 공손히 하정배를 드리며 가르쳐주었다. 반계 유형원은 보안(保安)에서 변산 쪽으로 나아간 우반골(愚磻洞)의 삼간초가에 살고 있었다. 붉은 흙이 말끔하게 다져진 소로가 솔숲 사이에 뚫렸는데 집 뒤편은 굵기가 두어 뼘 되어 보이는 울창한 대숲이 빽빽하였고 참새들이 요란하게 지저귀고 있었다. 가끔씩 서해의 바닷바람이 대나무의 가지 사이를 스칠 적마다 싱싱한 푸른 잎사귀들이 팔랑거리면서 솨아 하는 소리를 냈다.

반계가 부안에 칩거한 것은 계사(癸巳)년이었으니, 나이 이미 삼십팔 세요, 칩거한 지는 육 년이 되는 셈이었다. 반계는 스물세 살 적에 조모상, 스물일곱에 모친상을 당한 뒤 탈상되면서 연이어 두 번이나 과거를 보았으나 모두 실패하고, 서른 살 되던 해에 조부상을 당하여 탈상된 이듬해인 서른세 살에 다시 과거를 보아서 겨우 진사과에 급제하였다. 그러나 그뒤로는 과거를 단념하고 선비의 최하 직함인 진사로서 만족하여 일찌감치 세속의 출세와 명예에 등을 돌려버렸던 것이다. 반계(磻溪)란 옛날, 시대를 기다리던 태공망(太公望)이 곧은 낚시를 담그던 곳의 지명이었으니, 유형원에게는 꼭 들어맞는 호였다.

운부는 닫혀 있는 사립문 밖에서 잠깐 서 있었다. 대숲이 바람에 휘날리는 소리와 집 앞을 휘돌아 흘러가는 시냇물 소리가 들리는 가운데 집 주위에는 청정한 기운이 감도는 듯하였다. 운부가 울타리 사이로 안을 살피니 따로 지은 마구간이 보였고, 하인인 듯한 자가 말털을 빗겨주고 있었다. 조랑말이 아니라 다리가 길고 가슴이 떡벌어진 준총이었다. 선비의 집안에 준마가 매어져 있으니 기이하게 보였다. 운부는 헛기침을 하고 나서 하인을 불렀다.

"주인장 계시느냐?"

"예, 어디서 오시는 뉘시옵니까?"

"지나가던 나그네인데 너희 주인의 함자를 듣고 만나뵈러 왔다고 여쭈어라."

하인이 들어가서 아뢰는데 잠시 후에 유건 쓰고 도포 입은 준수한 선비가 방문을 열고 나왔다. 키는 후리후리하게 컸고, 넓은 이마와 정기에 넘치는 눈과 칠흑처럼 윤기나는 수염이 가슴에 드리워졌는데, 첫눈에 보기에도 비범한 인물이었다. 그는 몸소 삽짝문을 열고, 바깥에 서 있는 괴이한 차림의 운부를 내다보았다. 넓은 이마 아래서 빛나는 안광이 마치 운부의 속을 꿰뚫는 것만 같았다.

"무슨 일로 이런 천유를 찾으셨습니까?"

공손히 말하는데 목소리는 부드럽지만 힘이 있었다. 운부도 예의를 갖추어 고개를 숙이면서 말하였다.

"전부터 반계 선생의 덕망을 듣고 한번 뵈오려 하였더니, 이제 우연히 처가에 들렀다가 소문에 접하였습니다."

"어서 들어오시오."

반계의 안내로 운부는 그의 서재에 들어갔다. 사방 벽에 서가가 올려져 있었는데 책이 빈틈없이 쌓였고, 한쪽에는 거문고가 기대어져 있으며 어옹이 강심에 배를 띄우고 앉아 있는 산수화 한 폭이 걸려 있었다. 그리고 또한 강궁(强弓)이 전통(箭筒)과 함께 걸렸다. 책과 거문고와 활은 그의 드넓은 관심을 말해주는 듯하였다. 서로 맞절을 하고 나서 좌정하자 운부가 자기 소개를 한다.

"저는 아이 때부터 선생의 학문에 대하여 여러차례 들었습니다. 본가가 강진에 있었는데 태호 선생이나 월초 선생께서 저희 부친과 교유가 있었지요. 부안에 칩거하신단 얘기는 전혀 몰랐소이다."

"강진에 사셨다면 저두 삼촌과 월초 선생께 들은 적이 있습니다. 운부 선생이시지요?"

"천학을 기억해주시니 부끄럽습니다."

반계는 몸소 화로에 불을 붙여 차를 달여서 내었다. 차를 마시면서 그들은 처음에는 각자의 생활에 대하여 이야기를 나누었다. 반계가 책상 위에 펼쳐진 것들을 바라보며 자탄하였다.

"여기에 머문 지 벌써 여섯 해가 되었건만 하나두 제대루 이루어 놓은 것이 없소이다. 진리는 무궁하고 세월은 한도가 있는데 옛사람들은 무슨 정력으로 저 같은 업적을 이루었는지 실로 놀랄 뿐입니다. 저야말로 밥버러지입니다. 이렇게 나날을 허송하구 있지요."

"저두 고향을 떠나 단신으로 객지를 헤맨 지 어언 반십 년이올시다."

"왜 방랑하십니까?"

"선생께서야 마음이 침잠되어 이렇게 고요히 앉아 저술에 힘을 쏟으시지만, 저 같은 천학은 성품이 조야하여 한곳에 칩거하지를 못합니다. 세상공부두 할 겸 지기두 만날 겸 하여 팔도 섭렵을 하는 중입니다."

반계는 웃음을 머금었다.

"실은 저두 모양이 머물렀을 뿐이지 이미 떠난 사람이올습니다. 부안은 제 고향두 아니지요. 다만 저와 같이 당세에 대하여 낙을 잃은 사람이 숨을 만한 외진 곳이어서 잠시 의탁하고 있소이다. 이미 칠 년 전부터 쓰기 시작한 책이 있는데 생전에 완성하게 될지 모르겠습니다."

"그것은 어떤 책입니까?"

운부의 물음에 반계는 슬며시 웃으면서 대답하였다.

"무슨 주장을 세상에 내세우는 게 아니라, 그저 혼자서 생각하는 바를 기록해두어 스스로 검토해보려는 뜻으로 적고 있습니다."

"임금께 상주하실 책입니까?"

"저는 왕권에 대하여는 잘 모르겠소이다. 이렇게 초야에 파묻혀 숨어 사는 자가 무슨 자격으로 그런 일을 하겠소. 그저 백성의 복리에 조금이라도 보탬이 되었으면 할 뿐이외다. 제가 촌에서 살며 느낀 바대로 적을 뿐이지요."

그 무렵 반계는 수록(隨錄)을 칠 년째 집필하고 있었는데, 틈틈이 농사일을 돌보고 마을 사람들에게 만일의 일을 당하여 대비할 수 있도록 활과 조총 쏘는 법을 가르쳤던 것이다. 뿐만 아니라 청의 지리 요새 등을 기록한 『중흥위략(中興偉略)』을 쓰기도 하였다.

"제 집에는 낮에도 인기척이 없으면 사슴이 울안으로 찾아들어오고, 밤에는 거문고를 뜯기도 하는데, 선조의 공음(功蔭)으로 이나마 독서에 풍류에 편안히 지냅니다. 그러니 공밥 먹는 버러지가 되지 말아야겠는데…… 백성들이 땀 흘려 일하는 동안 저는 책을 써야지요. 선비가 무엇 때문에 글을 읽는 자인가 하는 것이 희미해진 세상입니다."

운부는 반계가 그저 은사인 체하며 사실은 허명을 바라는 그런 유의 선비가 아님을 느낄 수 있었다. 그의 얘기를 듣는 동안에 운부는 반계의 원대한 경륜에 접할 수가 있었다. 선비들은 저마다 시문이나 공부하여 과거를 보아 관직에 등용되는데, 관리가 되면 실제의 정사는 서리나 아전에게 맡기고, 스스로는 허망한 수신만을 중시하였던 것이다. 그래서 선비들은 으레 성리학(性理學)이나 논하며 실제로는 대체(大體)만을 강구하면 된다는 것이 일반 사류들의 태도였다.

"독서를 하는 자들이 고담준론은 그럴듯하고 도(道)니 이(理)니 다 퉈대지만, 실제로 사람과 물건의 일에 적용하지 않으면 모두 허황한 물거품이 아니겠습니까. 저울이나 자의 눈금이 올바로 찍혀지지 않았다면 제아무리 훌륭한 대목이 집을 지어도 기둥이 서지 못함과 같지요. 선비는 백성을 위하여 이러한 눈금을 정해주는 일을 해야만 합니다. 그러니 선비가 독서한 것을 남을 위하여 쓰지 못한다면 그는 남에게서 곡식을 빼앗아먹는 도적놈이지요. 놀고 먹는 한유(閑遊)의 선비는 농업이나 상공업에 종사시켜야 합니다."

반계의 얘기는 선비들의 소명에 대한 것에서 곧 국정으로 옮아갔다. 나라의 법과 제도가 백성을 위한 것이라기보다는 권력을 차지한 자들 자신의 사리사욕을 위한 것이라서, 그것이 오래되어 돌이킬 수 없도록 혼란되었으니 뿌리부터 뒤흔들어 바꾸지 않으면 안 된다는 것이었다.

"백성의 대부분이 농군인데 땅의 경계를 바로잡지 못하면 민산(民産)이 떳떳해지지 못할 것이며 부역(賦役)이 끝내 고르지 못할 것이요, 호구(戶口)가 끝내 밝혀지지 않을 것이요, 징병이 정비되지 않을 것이며, 송사가 끊이지 않으니 형벌이 그침 없을 것입니다. 자연히 뇌물을 막을 수 없고, 풍속이 후하지 못하겠고, 이런 처지에 정치와 교화가 있을 수 없으니, 그 까닭은 땅이 대본이기 때문이지요."

운부도 고개를 끄덕이며 반계의 말에 찬동하였던 것이다.

"그렇지요. 대저 아조의 붕당이란 것이 그런 세도의 혼란으로 생긴 것이죠. 관직의 수는 정해져 있는 터에 벼슬을 살았던 사대부들만 늘어가니, 그들은 모두 드넓은 전장을 마련하여 제 혈족의 연이 닿는 고장을 만듭니다. 자연히 유파가 생겨서 밀고 당기는데, 이가 적고 취할 자는 많으니 싸움이 생기는 게 아니겠습니까."

"능력이 없는 자가 너른 땅을 물려받고 계속하여 불려나가니 소작하는 자들은 물론이요, 땅 한 뙈기 붙여볼 수 없는 무전지민(無田之民)은 기근 때마다 수없이 죽어갑니다. 부자의 땅은 경계가 서로 닿아 끝이 없고, 빈자는 송곳 하나 세워놓을 만한 땅도 없게 되어, 부익부 빈익빈으로 모리하는 무리들이 땅을 모두 차지하며 양민은 식솔을 이끌고 저자를 구걸하며 헤매거나 남의 머슴살이로나 들어갑니다. 양반과 천인은 갈수록 많아지고 양인은 점점 줄어 십에 일이 되는 괴이한 형편이지요. 그 다음엔 공납을 고르고 가벼이 해주어야 합니다. 진상 때문에 빈한한 촌락에 관리들이 들이닥쳐 남녀 불문코 묶고 때리고 아우성을 쳐도 어디 호소조차 할 수 없으니, 이런 실정을 임금이 안다면 아무리 마음에 합당한 진상물이라도 두려운 생각에 그것이 목으로 넘어가지 않겠지요. 수세가 문란하니 지방 사창의 고지기가 일 년만 술수를 쓰면 곧 삼사십 석의 횡령을 하고, 둔별장이 백여 석을 남긴다 합니다. 서리의 횡령 부정은 또한 수령이 조종하는지라 기탄이 없어 민생은 그야말로 암흑과도 같소이다. 또한 역은 어떻소이까. 군병을 보비하는 남은 군사는 보포(保布)를 내어 병의 비용을 대고, 출병자도 군포(軍布)를 내어 출병을 면하는데 이것이 문란하여 군역이 가장 썩어서 혹독한 부역이 되었습니다. 양병(養兵)이 너무 적으면 유사시에 쓰기가 부족하지만, 반대로 너무 많으면 백성이 멍들어 나라가 무너지게 됩니다."

한참이나 잠잠히 듣고 있던 운부가 고개를 번쩍 들더니 반계를 똑바로 노려보면서 물었다.

"선생께서 그러한 경륜을 가지셨는데, 세상에 널리 펴서 시행시켜야 되지 않겠소이까?"

"글쎄요…… 제 생전에 그러한 모든 제도의 혼란을 수습할 방책이나 마련할까 하지요."

"반계 선생! 아무리 광대한 포부가 있다 한들 시행치 못하면 뭣에 씁니까. 나는 이제 글을 버릴 작정입니다."

반계는 잔잔한 목소리로 되물었다.

"글을 버리시면 무엇을 하시렵니까?"

"백성들과 더불어 세상을 바꾸겠소이다."

반계가 고개를 떨구며 깊은 한숨을 내리쉬었다.

"그것은 운부 선생의 길이올시다. 비록 천학이나마 죽을 때까지 글이나 쓰다가 가는 것도 또한 제 길입니다."

운부는 말하였다.

"선생의 경륜은 오래 남을 것입니다. 그러나 백성에게는 두루 미치지 못하겠지요. 선생을 따르는 선비들 사이에서만 이어질지도 모릅니다. 선생께서 계시니, 운부 같은 자도 있어야 되겠습니다. 제도는 소처럼 나아가고 인간세는 바람같이 달립니다. 혁파의 길을 가는 사람이 많아질 것입니다."

운부의 단호한 말에 반계는 잠시 침묵하였다. 대숲 사이를 지나가는 바람소리가 마당을 가득 채우고 있었다. 한참 동안이나 눈을 감고 있던 반계가 운부와는 정반대로 부드러운 어조로 입을 떼었다.

"무엇을 이루어낼 수가 있을까요? 아마도 이 천유의 몫이 있다면, 보를 터서 물줄기를 바꾸는 데나 비할 겝니다. 아무튼 누구든지 물길을 내어야 하지 않겠소이까. 나는 살아 있는 날까지 저술을 할 작정입니다만, 그것이 허송이 되고 말지도 모르지요. 오직 하늘 같은 백성의 마음만이 그 성패를 알려줄 따름일 게요. 내가 글을 쓰는 자로 있는 것이 어느 경우에나 세상을 가장 이롭게 하는 일인 듯합니다. 늘 생각됩니다만, 경륜은 근본을 백성에 두었다면 드러나지 않을 수가 없습니다. 내가 출사를 않는 것은 아직 혁파할 시류가 아니기 때문입니다. 좀전에 선생께서 말씀하신, 제도는 소처럼 나아가고 인간세는 바람같이 달린다는 뜻과 같지요. 정사로써 베풀어지지 않는다면 당세의 문란은 종내에 빈핍한 민생을 낳고 세상이 끝없이 어지러워질 것입니다. 백성이 거역하는 일이 반복되겠지요. 그런 실제의 민생과 더불어 선비들의 경륜도 함께 자라날 것입니다."

운부는 다시 의미심장하게 말하였다.

"도탄에 빠진 백성들의 원망과 함께 서 있는 신하라면, 이미 불충이 아니올시다. 그것은 하늘의 뜻이니까요. 오랫동안 선생의 서재를 시끄럽게 하였습니다. 이만 물러가겠습니다."

송낙을 머리에 깊숙이 눌러쓰고 일어서는 운부를 반계는 말리지도 않고 따라서 일어섰다. 운부가 방에서 나가는 걸음을 그치지 않고 삽짝 밖으로 나서려는데 반계는 그의 소맷자락을 가만히 잡아당겼다. 운부가 돌아보니 미목이 수려하고 풍채가 좋은 반계는, 이글거리는 안광으로 운부를 깊숙하게 들여다보면서 중얼거렸다.

"신민(新民)에는 교(敎)가 방편이외다. 우선 화목해져야 마음을 얻지요."

운부는 방랑 중에 작심한 바 있었으므로 말하였다.

"그래서 저는 속명도 버리고 이제는 글도 버립니다."

"어디루 가실 작정이오?"

"행운유수(行雲流水), 발 가는 대루 갑니다. 불자가 되려 합니다."

운부는 우반골의 송림을 휘적휘적 헤치고 나왔다. 사립문 밖에는 키 큰 반계가 수염을 날리며 서 있었는데, 운부를 전송하는 것인지, 아니면 껍질이 벗어진 듯한 모랫벌과 서해바다를 내다보는 것인지 알 수 없었다. 그뒤 십사 년 동안 반계는 변산반도 부안의 우반골을 떠나지 않고 청정하게 책 속에 파묻혀서 살아갔다. 그의 생활은 비록 유유자적한 전원생활이었으나, 그가 부안 시대의 전 기간을 통하여 십구 년 동안 저술한 수록(隨錄)에는 치열한 개혁의 의지가 번뜩이고 있었다. 그는 스무 가지가 넘는 책을 썼고 수십여 문집을 써냈는데, 한유 선비로서의 자책과 각고의 나날 끝에 해놓은 업적이었다. 운부는 그 길로 소백산으로 들어가 삭발하고 불문에 들었다. 처음에 그의 뜻은 불도를 빌려, 천민들과 가까운 승려로서 무리들의 마음을 잡는다는 생각이었으나 차츰 고승으로서의 수도생활에 더욱 깊이 몸담게 되었던 것이다. 그는 차츰 종단 내의 젊은 승려들에게 알려지기 시작하였으나 운부는 언제나 객승일 뿐이었다. 그가 묘향산에 있다가 해남 대흥사로 내려갈 때 드디어 반계가 이미 작고하였음을 알게 되었던 것이다. 반계의 말년에 대하여 사람들은 이렇게 전하였다.

"고사(高士)께서는 부안에 계시는 이십여 년 동안을 한결같이 학문과 저술에 전념하셨습니다. 그리고 부근의 백성들을 제 혈육처럼 아끼셔서 관과의 쟁송에 늘 나서시곤 하셨지요. 그뿐입니까, 중원을 정벌할 적에는 몸소 나서시겠다며 마을 사람들과 더불어 군사 조련도 하셨는데, 언제나 대의명분에 좇아서 언행을 하셨습니다. 마흔네 살 되던 해에는 재상들의 묘당천(廟堂薦)으로 벼슬에 나가도록 천거되었으나, 단호하게 거절하셨습니다. 말씀하시기를, 내가 재상들을 아지 못하는데 그들은 어찌 나를 안다는 것인가,라는 것이었지요. 이듬해에 다시 별천(別薦)이 되었으나 끝내 나가시지 않으셨습니다. 부안에 칩거한 지 이십 년 되던 계축(癸丑)년 삼월이었지요. 선생께서는 쇠잔한 병석의 몸을 일으켜 깨끗이 목욕하시고 옷을 갈아입으시더랍니다. 그러고는 아직 이루지 못한 초고(草稿)를 가져오라셔서 태워버리고는 그대로 운명하셨습니다. 끊임없는 방대한 저작생활이 건강을 해치신 게올시다."

운부는 그 소식을 듣자마자 넋을 잃은 듯이 방성통곡을 하였다.

장시간의 곡을 하고 나서 운부는 목욕재계한 뒤에 백일기도에 들었던 것이다.

"그는 이루고 갔다. 허나 나는 지금 준비조차 못 한 채 득도하지도 못하고, 백성의 생활 바깥에서 한없이 맴돌기만 하였고나!"

운부는 법당에 가부좌하고 앉아 참선 대신에 반계의 평생을 되새기면서 한탄하였다.

"나는 부처님에게도 중생들에게도 마땅하지 않은 가승(假僧)이다."

그러나 운부가 자신의 한탄대로 헛되이 세월을 보낸 것만은 아니었다. 그는 소백산의 오 년 참선을 통하여 자신의 길이 보살행임을 깨달았고, 당시에 두 차례의 전란을 통하여 팔도도총섭(八道都摠攝)으로 삼천 의승(義僧)의 대장이었던 벽암(碧巖)대사를 지리산 화엄사로 찾아가 문하에 들었다. 벽암은 고승이었으나, 백성의 참상보다는 왕실에의 충성을 더욱 중하게 알았던 사람이었으니 운부와는 애초 출발부터가 달랐던 것이다. 그러나 벽암은 운부의 뛰어난 재주를 아껴서 문하에 두려 하였고, 운부는 학문, 병법, 무술의 다방면에 걸친 편력으로 당시에 이미 와룡 선생의 현신이라는 찬사를 들었다. 운부가 후세에 위로는 천문에 통하고 아래로 지리에 통하며, 가운데로는 인간세를 꿰뚫는다는 말을 들었던 것은 사실 수십여 년에 걸친 정진 연마의 결과였던 것이다.

그가 승병 도감(都監)으로 있을 때 어찌나 젊은 승려들에게 엄격하였는지 추상천왕(秋霜天王)이라는 별호를 얻었을 정도였다. 그러다가 홀연히 벽암 문하를 떠나 전국의 명산 대찰을 찾아다니며 각 선방마다 활기를 불어넣고 구태의연한 승려들의 수도를 질타하였으며, 물처럼 흐르는 강론으로 청년 승려들을 매료시켰다. 일컬어 조선 십이

대 명산이라는 금강산, 설악산, 오대산, 태백산, 소백산, 속리산, 덕유산, 지리산, 칠보산, 묘향산, 가야산, 청량산 등지를 두루 섭렵하며, 특히 불법에 영험이 있다는 금강산과 지리산과 구월산과 묘향산에 오래 머무니 철저한 객승으로 일관하였던 것이다. 그가 금강산에 들어온 지는 오 년째이지만, 그를 흠모하는 청년 승려들은 모두들 운부 문하에 모이기를 원하고 있었다. 그래서 유점사의 일여는 운부와 승려들 간의 유대를 맺어주는 다리역할을 하고 있었다.

운부가 고승들로부터 외면되고, 오히려 소장 승려들 사이에서 흠모를 받았던 것은 그가 조선 불교의 나태한 전통을 뒤집으려 했던 데에 있었다. 운부는 백성들이 바라는 바가 무엇인지를 자세히 살펴서 부처님도 바꾸어야 한다는 생각을 가지고 있었다. 세상 도회로부터 쫓겨나서 천민들의 정신적인 지주가 되어 있는 부처를 유현한 극락세로부터 생생한 현실세로 끌어내려야만 하였다. 언제로부터 연유하였는지는 알 수 없으되, 백성들 사이에서는 정진인(鄭眞人)에 대한 믿음이 널리 퍼져가고 있었다. 연달은 외침으로 혹심한 고난에 시달리고 부패한 관료제도에 의하여 수탈당하고 정치에서 소외된 양민들은 제각기 이러한 고난의 삶을 견디기 위하여 선경비향(仙境祕鄕)을 정하여 꿈꾸더니 남조선(南朝鮮)이라는 낙토가 있다고 믿게 시리 되었던 것이다. 미래의 영원한 조선을 이룩할 구세자는 정씨 성을 가진 진인이라는 것이었다.

그뿐이랴, 도선국사로부터 비롯된 갖가지 비기가 나돌아서 함께 어우러졌으니 이 모두가 호랑이보다 더욱 무서운 압정의 고통에서 정신으로만이라도 해방되어보려는 백성들의 덧없는 희망이었다. 운부는 그 점을 잊지 않았고, 그러한 백성들의 뜻에 부응하여 미래에 말세를 건지러 나타난다는 구세불 미륵에 대하여 깊이 생각하게 되었다. 바로 지금이 말세라면 미륵이 나타나는 시기는 오늘이다. 기다리던 미륵이 낡은 세상 멸하고 새 세상을 세우기 위하여 나타났다 하자마자 이제까지 제 거울 닦아 제 혼자의 모습이나 자세히 들여다보겠다던 수도의 자세가 곧 생생한 중생의 그것으로 바뀌는 것이었다. 의외로 소장 승려들 가운데는 그런 생각을 가진 수도자들이 많이 있었으니, 그는 두 차례의 난리 속에서 저마다 고난을 겪었고 또한 종이나 천역에 있던 자들이 산간으로 숨어 흡수되면서 은연중에 퍼졌던 것이다. 운부에게는 극락을 현세화하겠다는 뜻이 시대적인 요구로 비쳐졌던 것이다. 그는 반계가 헤어지기 전에 해주던 말을 뇌리에 깊이 새겨 잊지 않고 있었다. "신민에는 교가 방편입니다." 교란 무엇인가, 그것은 백성들의 기원과 소망이 뭉쳐진 것 자체이다. 운부는 서낭목과 돌무더기와 빈촌의 솟대와 신당 모두를 이 땅의 소산으로서, 백성들의 기원의 덩어리로서 귀히 여겼다. 그 가운데서 소용돌이쳐서 뭉친 덩어리가 뜨겁게 폭발할 것이었다. 운부는 느닷없이 찾아온 낙백 선비 설유징의 방문으로 해서 젊은날의 강진 시절과 부안의 반계를 떠올렸고, 끝내는 잠들지 못하여 앉은 채로 밤을 새웠다.

이튿날 아침이 되어 길산과 설유징이 뒷봉에서 암자로 내려오니 운부의 자취는 보이질 않았다. 그의 탁발과 바랑도 없었다.

"대사님께서는 우리가 귀찮으신 모양이우."

길산이 낙담하여 투덜대니 설유징은 조용히 말하였다.

"대사께서는 이미 자네를 받아들이셨네. 계신 것으로 알고 혼자 수도하시게. 나두 틈나면 가끔씩 올라오겠네."

설유징이 내려간 뒤에 두어 달쯤 지나 최헌경과 정학 형제가 방문하기도 하였으나 길산은 그해 가을이 깊을 때까지 홀로 암자를 지키고 있었던 것이다.

5

강선흥(姜善興)은 가을 들어서는 장사를 나갈 수가 없었다. 함께 장사를 나가던 형이 앓아눕게 되어 그가 대신 장산곶(長山串)으로 나무 베는 역을 지러 나갔던 참이었다.

장연은 읍내의 판도가 적지만 열한 방(坊)으로 나뉘어 있었으니, 대개 관할 관청이 많아서 그럴 수밖에 없었다. 수어청(守禦廳), 총융청(摠戎廳), 어영청(御營廳), 금위영(禁衛營), 훈련도감(訓鍊都鑑), 감영(監營), 병영(兵營) 등의 일곱 영에서 둔전(屯田)을 설치한데다가 또 서울의 여러 궁가(宮家)에서 절수처(折受處)를 설치한 곳이 열세 군데나 되었다. 수령인 장연현감말고도 백령첨사(白翎僉使), 오차포만호(吾叉浦萬戶), 풍천감목관(豐川監牧官) 들도 모두 이곳에 있으니 각 아문에서 소용되는 둔전과 절수처마다 제각기 백성들을 모집하여 부리는 것이었다.

따라서 어느 집에도 역을 짊어지지 않은 백성들이 없을 지경이었고, 생업에 종사하랴 부역에 나가랴 혹심하게 시달려야만 하였다. 게다가 일 년에 두 차례씩 신곶(薪串)과 장산곶의 재목을 벌채하는 일에 겹치기로 동원되어 가을이면 눈코 뜰 새가 없었고, 허리가 부러지도록 노역에 종사하였다. 장연의 부역이 심하여 일찍이 타읍으로 이사 나가는 자들이 많더니, 감영에서도 요해지의 부역은 감할 수 없다 하여 타읍에로의 이사를 엄금시키는 형편이었다. 장연이 일찍이 중국에서 막바로 내다뵈는 곳이니 황당선(荒唐船)의 출몰이 잦은 때문이었다. 해상에 출몰하는 낯선 선박들은 무시로 포구를 드나들며 해물을 도적질할 뿐만 아니라 가끔은 외떨어진 마을을 침범하여 노략질도 하였던 것이다.

강선흥의 집안은 일곱 식구였는데 노부모와 형 부부와 조카가 둘이었다. 아버지와 큰조카는 만석골 궁방전에 가을걷이하는 부역에 나가 있었고, 강선흥은 형의 역으로 장산곶에 나가 재목 베는 일을 하는 중이었다. 자신의 역으로는 원래 염장의 염간(鹽干)들 모두가 수군의 역을 지고 있었으니 멍구미〔夢金浦〕로 나아가 추기(秋期) 훈련을 받아야 했지만, 군포(軍布)를 대납하여 모면했던 것이다. 선흥이는 이까짓 못살게 구는 고장을 떠나 어디 구월산이라도 들어가 박히고 싶었지마는 역을 버리고 달아났다간 가족이 받게 될 곤경 때문에 그럴 수도 없는 일이었다. 선흥이는 소금짐을 지고 훨훨 나다니며 여러 고장을 떠돌 때가 가장 좋았다. 어쨌든 역이 끝날 때까지는 장연에서 꼼짝할 수가 없었던 것이다.

장산곶은 곧 불타산(佛陀山)의 서쪽 지맥이니 돌로 이루어진 봉우리가 뾰족뾰족 높게 치솟아 구름 사이를 이어서 바다 가운데로 처박힌 곳이었다. 고산(孤山)서 곶의 끝까지의 연봉이 백여 리나 되는데, 조수를 따라서 들쑥날쑥한 바위벽 때문에 물길이 거슬러 휘돌고 부딪치고 깨어져서 배가 감돌아들 수가 없었다. 깊은 골짜기와 산간에는 아름드리 소나무들이 빽빽하여 낮에도 햇빛 한 점 들 새 없이 어두컴컴하였다.

선흥이는 여러 사람들과 더불어 감영에서 나온 관리 아래 소속되어 다섯이 한 오(伍)가 되어서 하루종일 톱질을 하고 나무를 날랐다. 둘씩 짝지어 앉아 긴 톱을 맞붙잡고 톱질을 하여 밑동이 거의 잘렸을 무렵에 반대편을 쳐서 넘어뜨리는 것이었다. 이렇게 해서 열 둥치 한 뭇이 되면 아래의 벌채장 마당에 끌어내려 쌓아놓았다.

대개는 세 뭇이 하루의 몫이었으니, 벌채의 양은 막대한 것이었다. 따라서 장산곶 초입서부터의 울창하던 송림은 누에 먹은 뽕잎처럼 잠식되어 있었다. 선흥이 워낙에 기운이 장사인지라 밑동이 웬만큼 잘리면 줄을 걸거나 여럿이 달려들 것도 없이 두 팔로 밀어 넘어뜨리니 일손이 수월하고 빨랐다. 또한 잘린 나무들을 벌채장 마당에 끌고 내려가는 일이 나무를 베는 일보다 더욱 고된 일이었지만, 선흥이 혼자서 작대기 끌듯 하여 내려다 쌓으니 그와 한동아리가 된 오부(伍符) 사람들은 몹시 다행으로 여겼다.

"슬근슬근 톱질이여 시르릉 화릉 톱질일세. 접군님네 일심동력하다 말면 허사로다. 먹통줄을 선생 삼아 요 산중에 놀던 나무 세상천지로 내보낼 제, 서른닷 자 장근목을 나라에 진상하고, 강태공 서목시는 이친정에 오각집에 연주문을 지어 달고 인간 백성 집을 지어 천대 만대 유전하고 날아가는 뻐꾹새야 주작이나 좇아가라. 슬근슬근 톱질이여 시르릉 화릉 톱질일세."

나무 베는 활목꾼들은 이렇게 타령을 읊조리며 가락에 맞추어 앞뒤로 톱을 밀고 당겼다.

"여보 오백(伍伯), 여기 나무 다 켰으니 밀어 넘어뜨리소."

"예에, 갑니다."

동아리 사람들은 모두들 선흥을 다섯의 우두머리로 뽑았다. 일의 순서는 먼저 둘씩 짝지어 나무를 켜고 선흥이 혼자서 밀어내어 넘어뜨린 다음 한쪽에다 한 뭇으로 모아놓는 것이었다. 열 둥치가 이루어지면 다시 선흥이 혼자서 산비탈 아래로 굴려 내려가 벌채장에 쌓아놓는 것이었다. 벌채 감관은 숫자를 헤아리고 바를 정(正) 표시로 뭇을 적어놓는 것이었다. 삼십 뭇이면 그들 다섯 사람의 역은 끝나는 것이니 일손이 다른 오보다 빨라서 하루에 여섯 뭇은 해낼 수가 있었다. 선홍이가 두 손에 침을 퉤 뱉어내고 나무를 밀어내는데 곧 우지직거리며 장척의 나무가 쓰러졌다. 선홍이는 앞쪽을 끄응 하며 쳐들어서 기운을 쓰며 끌어다가 나무둥치 모인 곳에 굴려놓았다. 또 한 나무를 넘어뜨려 옮기고서 통나무의 숫자를 헤는데 스물두 개였다.

"두 뭇이 넘었수."

"허허, 벌써 두 뭇이란 말여?"

"한 뭇 더 해놓고는 슬슬 밥이나 먹으러 내려가지."

"그러면 몇둥치 더 하면 되겠나?"

"여덟이우."

"자, 그럼 담배나 한 죽씩 돌려 태우구 일 마치지."

"그리합시다."

의논이 되어 웃통을 벗은 장정들은 제각기 잘린 밑동에 걸터앉아 한 사람이 쌈지에서 부시와 죽을 내어 담배를 담아 태우기를 기다렸다. 한 모금씩 태우며 죽을 돌렸다.

"그래두 우리가 일이 가장 먼저 끝나겠네."

"감관이란 놈두 우리께는 별 잔소리가 없습디다. 다른 데서는 굵기가 틀리고 굽었다고 퇴가 심하여 헛수고가 많은데 우리는 모두 점고에 합격이오."

"열흘 부역이 댓새면 끝나겠는걸."

하며 얘기들을 주고받는데 작년에도 나왔었다는 솔내 사람이 말했다.

"부역이 끝나면 또다른 일거리를 지울 텐데 뭣 허러 빨리 돌아갈려구 허우. 끝판에는 슬슬 놀기나 해야지."

"하긴 둔전에 내보낼지두 모르지. 서둘 것 없겠소."

"궁방전에 나가면 마름들 성화에 어디 견디겠어? 그래두 감영 감관이 점잖지."

"저어쪽 벼릇돌 캐는 녘에서는 둘이 빠져죽었다구 그럽디다."

"좌우간에 우리 고을만큼 진상 품목이 많은 데는 없을 게여. 재목에 녹용에 벼루에 해삼까지 모두 바치라니 차라리 특산물이 안 나는 게 낫지."

"오늘밤에는 우리 멍구미로 나아가 꽃게를 잡아 술이나 먹읍시다."

"자네는 기운이 넘치는 모양이군."

강선흥의 술 먹자는 말에 연장자인 중년 사내가 말하였다.

"나는 며칠 동안 밤이슬을 맞구 노숙을 했더니 온 삭신이 저린걸."

담배 한 죽을 더 담아서 돌려 태우고 다시 일들을 시작하는데, 선흥이는 모아두었던 통나무들을 양 겨드랑이에 끼고 벌채장까지 날랐다. 선흥이가 역사임은 장연 고을 사람 모두가 다 아는 처지라서 그의 기운에 새삼스레 놀라는 사람은 없었다. 비탈에서는 한꺼번에 굴려버리는데,

"저리 비키시오, 나무 내려가우!"

하고는 한 뭇의 통나무들을 와르르 밀어내는 것이었다. 굴려 내려진 통나무들을 양쪽에 껴들고서 벌채장 앞에까지 가는데, 보통 사람들은 한 오가 모두 달려들어 비지땀을 흘려야만 하였다. 선흥이가 한 뭇을 시원스레 쌓아놓고는 두 손을 털어댔다. 감관하는 장교가 점고를 하다 말고 혀를 내둘렀다.

"강총각네는 벌써 세 뭇인가?"

"예, 하루 일 다 끝냈수."

"아니…… 아직 점심 전인데……"

"일 끝내구 멍구미 나가서 술이나 좀 먹을라우."

"그건 안 되겠네. 부역 나온 놈들이 무슨 놈의 술이여."

"부역 나와서 남만큼 일을 못했단 말유, 빈둥거렸단 말유? 여하간에 우리 몫의 일이 끝나면 집에 보내주슈."

"아, 그야 일이 끝난 다음이지."

감관과 선흥이 수작하고 있는데, 숲속에서 누군가가 다급하게 외치면서 뛰어왔다.

"강총각 어디 있소?"

"무슨 일인가?"

감관이 묻자, 그 사내는 숲속을 손짓하며 말하였다.

"나무가 넘어져서 사람이 깔렸습니다. 우리 힘으로는 들어낼 수가 없습니다."

"가십시다."

선흥이가 따라나섰고 그들은 사내와 함께 숲으로 뛰어들어갔다. 두 아름은 되어 보이는 소나무가 넘어져 있는데 솔잎 사이로 깔린 사람이 버둥거리고 있는 것이 보였다. 선흥이가 달려들어 나무둥치 밑에 손을 넣어 기운을 썼으나 워낙에 굵기가 두 아름이라 힘쓸 곳이 잡히질 않았다. 하는 수 없이 곁가지를 잡고 당겨올리니 나무가 쳐들렸고 쳐들린 나무 아래로 선흥이는 등판을 밀어넣었다. 끙, 하면서 상반신을 일으키는데 밑에 깔렸던 자의 몸집이 드러났다. 깔렸던 사람의 가슴에는 소나무의 굵다란 가지가 박혀 있었고 거기서 피가 울컥울컥 솟아나오는 중이었다. 모두들 얼굴을 돌리는데 선흥이가 나무를 등에 짊어진 채로 외쳤다.

"아니 뭣들을 하는 게여, 끌어내잖구."

"틀렸구먼 뭘."

"아직 숨통은 붙었는가 부네."

제각기 수군거리며 사내를 끌어냈다. 상처가 깊은데도 아직 절명하지 않은 사내는 눈을 멀뚱히 뜨고 있었다. 장산곶 부역장에서도 이제 죽는 사람이 생길 모양이다.

모두들 상한 사내를 앞에 두고 망연히 서서 내려다볼 뿐이었다. 감관이 고개를 기웃이 해보다가 침을 뱉으며 중얼거렸다.

"쳇, 밥숟갈 놨군!"

사내의 가슴에서뿐만 아니라 입에서도 피가 덩어리져서 솟아나왔다. 벌채를 처음에 시작했을 때에는 비교적 널따란 평지라서 별반 사고가 없었건만, 굵은 나무를 찾아 골짜기로 파고들고 비탈을 오르다 보니 차차 일하기가 까다로워졌던 것이다. 선흥이가 보다 못하여 찢어진 저고리 앞섶을 헤쳐주려는데 기침을 나약하게 내뱉던 사내가 입을 벌린 채로 움직이질 않았다.

"부정은 탔으니, 인제 산신이 발동할 때가 되었지."

"뭘 차라리 편허게 되었구먼. 철철이 부역두 안 나오것다, 식구들께 진미 양식두 내주것다. 죽은 사람이 편한 게야."

"자아, 뭣들 구경하구 섰어. 빨리들 가서 일하잖구."

일손을 멈추고 여기저기서 꾸역꾸역 몰려드는 사람들을 향하여 감관이 떠들었다. 그러나 한 입 건너 두 입이라, 사람 죽었단 말이 삽시에 퍼져서 구경꾼이 자꾸 늘어갔다. 한양서 온 내수사(內需司)의 서리도 사공들을 데리고 올라와서 시체를 구경하였다. 시체는 일단 솔잎으로 가려놓았고, 오전 일은 마무리가 되었다. 벌채장 노천에 커다란 쇠솥을 몇군데 걸어놓았는데, 인근에서 역시 부역 나온 아낙네들이 점심을 짓는 것이었다. 부역 나올 때 저마다 양식을 가져와 내었으니 장산곶서 멀리 떨어진 사람들이었다. 원래는 인근 부락에서 나오게 되어 있었지만, 워낙에 장연은 부역의 종류가 많고 이리저리 겹쳐 사람 수가 모자란 까닭이었다.

특히 해안지방일수록 수군의 역이 가장 혹심하였다. 제 땅을 가졌던 자들도 가혹한 조세에 못 이겨 궁방전이나 내수사 장전에 올려버리니, 이제는 제 땅을 가진 자가 거의 없다시피 되어버린 것이었다. 벌채장에는 이곳 저곳에 임시로 지어놓은 막들이 세워져 있었다. 네 귀에 나무기둥을 세우고 벽 대신에 생솔가지를 얼기설기 둘러놓고 잇달아 지붕을 얹은 꼴이었다. 관원들은 통나무 귀틀집을 지어놓고 철마다 거기서 기거하였다. 인근에서 나온 사람들은 해질녘에 일이 끝나면 모두들 집으로 돌아갈 수 있었으나, 강선흥은 용우물서 왔으니 근 팔십 리 길을 오갈 수도 없는 형편이었다. 그러나 아무도 겉으로 드러내놓고 불평하는 사람은 없었다.

아낙네들이 밥을 푸는데, 식기가 따로 있을 수 없으니 모두들 두어 오가 합하여 소쿠리에다 밥과 장을 받아다가 나뭇가지 젓가락으로 식사를 하는 것이었다. 낱낱이 흩어지는 조밥이건만 오전 내내 일한 사람들에게는 꿀처럼 달았다.

"어이, 이거 갯가에 사는 놈들이 비린 반찬 하나 없이 되겠나. 다른 데서는 일짬을 내어 갯가에 나가 꽃게라도 주워오던데."

"반찬 타박이야 해서 뭘 해. 것보다는 이거 술 마시구 싶어서 목젖이 곤두서는 판이로군."

오후에 다시 일이 계속되었는데, 비탈 쪽에서 사고가 났던 것을 아는 사람들은 산으로 오르려 하질 않았다. 그러니 자연히 아래쪽의 가느다란 나무나 베어내는 것이 고작이었고, 감관 서리들의 점고가

까다로워 장작감으로 퇴를 당하는 오(伍)가 많아졌다. 일을 하여도 헛수고였으니, 부역 나온 사람들은 위험하더라도 다시 산 위에 오를 수밖에 없었다.

산 위로 오를수록 벌채장 빈터가 멀어지니, 또한 자른 나무를 끌어내리기가 수월한 일이 아니었다. 그래서 오마다 벌채장이 가까운 곳의 나무들을 베려 하였고, 따라서 자기네끼리 그어놓은 판에 다른 오부(伍符)가 들어오지 못하게 하느라고 경쟁이 치열하였다. 선흥이네 오부 사람들도 자꾸만 그를 부추겼다.

"여보게 강총각, 이쪽 골은 우리가 맡아두었으니 다른 사람들이 오면 좀 쫓아내어."

"어서 서른 뭇을 해놓아야 집에 가서 가을걷이라두 해놓지."

"염려 마우, 설마 내가 섰는데 누가 덤벼들어 베겠수."

선흥이네가 맡은 곳은 둥치가 굵고 곧은 나무들이 빽빽했는데, 두 언덕 사이에 끼여 있는 제법 너른 골짜기의 저지대였다. 나무를 두어 그루 베어내고 선흥이가 넘어뜨려서 열 둥치 한 뭇을 쌓으려고 끌고 가는 중인데, 등성이에서 외치는 소리가 들렸다.

"야, 여기 좋은 나무들이 많으이."

"전부 아래루 내려오게나."

선흥이네가 치켜다보니 십여 명이 뛰쳐내려오고 있었다. 다른 이들은 모두 선흥이만 바라본다.

"여보, 뭣들 하는 거유?"

선흥이가 위를 쳐다보며 묻자, 맞춤한 장소를 발견하여 가장 먼저 외치던 자가 무심하게 대꾸하였다.

"뭣 하긴…… 나무 베려 하우."

"올라들 가슈, 어서 올라가."

"허, 거 무슨 말인지 통 못 알아듣겠구먼."

선흥이는 일부러 통나무를 머리 위에 번쩍 쳐들어 쌓아놓은 재목 위에 쿵 내던지고 말하였다.

"여긴 우리가 맡아논 골이니 딴데 가서 베란 말요."

다른 오 사람들이 못 들은 체하고 제각기 짝지어 나무그루를 끼고 앉더니 톱날을 들이대는 것이었다.

"거 톱날 치우지 못해?"

선흥이의 말씨가 거칠어졌고, 그쪽에서도 뭔가 믿는 구석이 있었는지 피식거리며 서로들 스리슬쩍 뭉개버리는 눈치였다. 이윽고 역시 선흥이 또래의 건장한 녀석이 두 손바닥에 침을 퉤 뱉어내고 쓱쓱 비비면서 일어섰다.

"이 산 임자 따루 있단 소리는 못 들었는데?"

하긴 그 말도 일리가 있었으나, 선흥이는 은근히 배알이 섰다.

"이거 보우, 모두들 끌려나와 고생하는 건 피차에 같은 신세지만, 일에는 구분이 있는 게야. 우리는 이 골을 첫날부텀 골라잡구 일했어. 댁네들 일하던 데서 베란 말여."

사내는 코를 헹 풀어서 바지에다 문대는데 선흥이의 말 따위가 우습지도 않다는 투였다.

"여기가 무슨 사냥터야. 뛰어댕기는 사슴이나 토끼새끼두 아니구 혼자서 땅에 백혀 있는 나무를 맡아놓았다니…… 공연히 억지쓰지 말어."

선흥이가 다른 때 같았으면 그 말에 선선히 수긍하고 너털웃음이나 날렸을 터이나, 여럿이 지켜보고 있으니 욱하는 총각 결기를 누를 수가 있나, 금방 볼을 부풀리며 욕설이 터졌다.

"아니 저 자식이 내가 그렇대면 그런 줄 알구 순순히 물러날 것이지, 어디서 턱을 주억이며 곤댓짓이야."

상대편은 목덜미를 한번 으쓱하고는 슬슬 걸어내려왔다.

"촌개가 건성 짖는다더니, 시끄러 죽겄네."

"뭐…… 촌개?"

같은 무리끼리 이런 일이 났다면, 곁에서 끼여들어 뭘 그러나 어쩌고 하면서 말려놓기도 하련만, 오가 다르고 역을 진 부담이 다르니 서로의 잇속대로 맞설 수밖에 없었다. 그만큼 사람들은 고통스럽고 지리한 부역에서 놓여나 하루라도 빨리 생업으로 돌아가고 싶었던 것이다.

"용우물 선흥이를 모르는가베."

"남대천서 소뿔 뽑았단 소문을 못 들어서 저러지."

선흥이의 뒷전에서 그의 오부 사람들이 기세를 꺾어주느라고 부추겼는데, 저쪽에서도 몇마디가 건너오는 것이었다.

"한양서 온 사람이 시골 김풍헌을 모른다고 대술까?"

"대갈통으루 솟을대문을 부수는 장산데 큰코 다치겠군."
하는 꼬라지가 역시 뒷대는 느낌이 애초부터 있었던 것이다. 어슬렁대며 내려온 사내가 두어 발짝 앞에서 팔을 벌리고 섰다.

"너 같은 놈이 있을까봐 전화(典貨)나으리가 뭇을 잡아주라구 딸려보내더라. 내가 부역 나온 줄 알았니?"

선흥이가 화난 김에 알지도 못할 관명을 중얼거리는 자의 말을 새겨들을 사이가 없어 다짜고짜로 어깨와 허리를 끼어 잡으니, 사내는 이마빡으로 선흥이의 가슴팍을 처박아들어왔다. 숨통이 컥 막혀 주저앉는 것은 정말로 장터의 촌개나 그럴 법한 일이지 선흥이가 끄떡할 리 없었다. 선흥이는 곧이어 사내의 목덜미를 팔꿈치로 죄어 잡았다.

"아이구, 하마터면 요놈의 뿔상투에 오랏줄 나올 뻔했네!"

자신만만하게 상대의 목덜미를 휘어감은 강선홍이 여유작작 농담 한마디를 날리고, 별 기운도 쓰지 않으면서 이리로 비틀고 저리로 비틀었다. 죽는 듯한 비명은 참지만 그래도 견디기는 대견한지 목에 걸린 신음을 내면서 사내는 마주 기운을 썼다. 선홍이가 몇번 좌우로 비틀다가 주먹을 들어 정수리를 가볍게 내지르니 사내는 손바닥 짚을 새도 없이 땅 위에 꼬라박혔다. 선홍이가 더이상 손도 대지 않고 팔짱을 끼고 내려다보는 사이에 사내가 얼굴을 쳐들고 두리번거렸다. 코와 입에서 피가 흘렀다. 그는 갑자기 후닥닥 일어나 등성이를 바라보고 냅다 뛰었고 나무그루를 차지했던 사람들도 덩달아 뛰어 달아났다. 그들의 등뒤를 향하여 선홍이가 외쳐주었다.

"웬만하면 자리를 내주고 싶지만, 내 코가 석 자니 안되었수."

그들이 몰려가버린 다음에 선홍이네 오의 연장자가 걱정스런 듯이 말하였다.

"가만 듣자니까 저쪽 패는 내수사 부역인 모양일세. 전화나으리가 어떻구 하는 말본새가 내수사 종놈인 모양인데 말썽 없을까."

"젠장할, 종놈을 패줬다구 무슨 일이 있을까. 다같이 부역 나와 시달리는 판인데."

선홍이는 잠자코 있는데 사람들은 제각기 걱정들을 하였다. 아니나다를까, 등성이 위에 감영 장교의 융복자락이 어른거리더니,

"여, 거기 선홍이 있는가?"

"왜 그러슈. 나 여깄수."

"이리 올라와, 어서……"

사람들은 서로 얼굴을 마주 보았다. 선홍이가 아직 결기가 삭지 않은데다 오라 가라 하는 것이 못마땅하여 코대답을 하였다.

"올라가면 집에 보내줄 테유?"

"이 자식아, 올라오라면 올 것이지 감히 누구 말이라구 대꾸야."

감영 장교가 성을 벌컥 냈고, 선흥이는 제미, 하면서 등성이로 올라갔다. 선흥이가 곁으로 다가가자마자 장교는 우선 귀싼을 한대 올려붙였다.

"부역 나왔으면 고분고분 일이나 할 것이지, 왜 사람은 패구 난리냐?"

선흥이가 얼얼한 뺨을 매만지면서 눈을 부릅떴다.

"다 쳤수? 예가 해주 바닥인 줄 알아, 장산곶 벽처요. 그러잖아두 애꿎은 부역에 끌려나와 심화가 죽 끓듯 하는 판인데…… 수틀리면 다 때려엎겠수."

선흥이가 장연서도 이름난 장사인 줄 아는 감관은 조금 수그러지면서 말을 돌렸다.

"이놈아, 내수사 노비는 왜 두들기구 지랄이여?"

"내수사 노비인지 뭔지 내가 알 게 무어요. 망할 자식이 오에 끼여들어 일을 훼방놓길래 꿀밤을 한 대 주었을 뿐이우."

장교는 답답하다는 듯이 손가락질을 하였다.

"허허, 참으로 네놈은 망종이여. 내수사에서 조선목이며 정자목을 구한다구 직접 사람을 내려보냈는데, 비록 우리하구 역은 같지만 관할은 다른 법이다. 전화라는 이가 네게 형장을 메긴다구 불러오라는구나."

전화는 궁에서 쓰는 여러 잡화와 일용품을 구하고 관리하는 직함이나, 대개는 직권을 남용하여 왕실을 대고 적당히 벼슬아치들과 결탁하여 사복을 채우기도 하는 것이다. 장산곶 활목장에서도 그들은 백성들을 동원하여 좋은 재목을 벌채하여 가는 것이지만 반쯤은 궁가에 올리고 나머지는 장산곶 재목이 전국에 으뜸이니 저희들이 나누어 팔아 쓰려는 것이었다. 전화와 서리가 내수사 노비랍시고 장정 몇을 데려왔으나 기실 그들은 한양 세도가들의 사노였다. 일찍이 벼슬아치들이 이재를 취할 때 사노를 지방에 내려보내어 부리는 것은 흔한 일이었던 것이다. 선흥이가 그런 까닭을 알 리 없었고, 그저 부역 나온 놈들끼리 목 다툼을 하였기로 무슨 형장이냐 싶었다. 그들이 벌채장 빈터로 넘어 내려가니 전화라는 자가 기다리고 있었고, 그와 동행인 서리가 장정 몇명을 거느리고 둘러서 있었다.

"그놈을 꿇려라."

갓 쓴 자가 말하자 두어 놈이 달려들어 선흥이를 앉히려고 어깨를 눌렀다. 선흥이는 눈 하나 깜짝하지 않고 뻣뻣이 서 있는데, 매달린 자들이 기를 쓰는 것이었다.

"어허! 저놈이 죽지 못해 안달이로구나. 그놈을 때려서 꿇려라."

양쪽에서 선흥이를 향하여 몽둥이가 날아드니, 그는 두 손을 척 올려서 손바닥에 받아쥐고는 잡아당겨버렸다. 몽둥이를 빼앗아쥔 선흥이는 무릎에 대고 단숨에 꺾어서 뒤로 팽개쳤다.

"내가 꿇겠소."

강선흥이 스스로 무릎을 꿇고 앉았는데, 이미 그의 기운을 보았던 자들은 은근히 기가 죽어 있었다.

"이놈, 부역을 나왔으면 고분고분 일이나 할 것이지 네 무엇인데 감영과 내수사의 구역을 따지며 일을 못 하게 하느냐. 너 같은 놈은 버릇을 고쳐주어야 일이 고르게 될 것이다."

"몇대 치시려우?"

선흥이가 고개를 뻣뻣이 쳐들어 물었고, 전화는 몹시 화가 나서 손으로 선흥이를 가리키며 외쳤다.

"그놈의 등판을 사정없이 매우 쳐라."

전화의 말이 떨어지자 내수사에서 나온 자들이 달려들어 꿇어앉은 강선흥의 등에 몽둥이를 내려치기 시작했다. 강선흥은 눈을 부릅뜬 채 입을 꾹 다물고 매를 견디었다. 몽둥이질 서너 번에 애고 소리를 내지르며 엎어질 줄 알았던 사람들은 그가 버티는 모양을 보자 은근히 두려워진 모양이었다.

"이젠…… 고만 때리시우."

강선흥이 벌떡 일어서버리자, 둘러섰던 자들이 사방으로 멀찍이 비켜섰다.

"어허, 저놈이 아직두……"

"나 매 못 맞겠수."

강선흥이 제 벗겨진 등과 어깨를 쓰다듬으면서 돌아섰다. 전화가 일어나서 소리를 질렀다.

"어딜 가느냐?"

"집에 가우."

장교는 강선흥의 말을 듣자 전화에게 속삭였다.

"저 자는 장연서두 이름난 장사랍니다. 섣불리 다루다가는 오히려 관의 체면이 말이 아닙지요. 그보다는 잘 꼬드겨서 복종을 시키구 위엄을 보이는 게 나을 겝니다."

"뭐라구…… 제깐 놈이 시골 무뢰배인 주제에 관노를 함부로 패는데, 역을 감독하러 나온 자네까지 두둔하는 건가?"

"두둔이 아니라, 다스리자면 그렇단 얘기올시다."

전화는 더욱 울화가 치솟는 모양이었다.

"어디 내 말을 듣나 안 듣나 두고 보자. 초죽음을 시켜서 하옥시키리라."

멀찍이 걸어가는 강선흥을 손짓하면서 전화가 장정들에게 지시하였다.

"저놈을 붙잡아다가 형장을 주어라."

장정들이 전화의 지시로 몰려가기는 하면서도, 한편 마음 구석으로는 붙잡혀서 어디 꺾어지거나 터지지 않는가 두려웠다. 선뜻 달려들지는 못하고 선흥이를 에워싸는데, 이 소동을 알아챈 부역 나온 백성들이 숲의 어귀마다 몰려나와서 지켜보고 있었다. 선흥이가 처음에는 꾹 눌러 참고 일이나 무사히 끝내고 가려 하였건만, 큰 죄도 없는 터에 몽둥이로 마구 두드려대니 참을 재간이 없었던 것이다. 에라, 이왕 내친 판이니 그냥 부역 때려치우고 집에 가는 길로 봇짐을 꾸려서 송도 박대근에게나 갈 셈이었다. 저지른 죄는 나중에 받더라도 예서 아니꼬운 일을 당하기는 싫었다. 그래서 소란을 피울 생각보다는 빠져나갈 생각이 앞섰던 선흥이는 그를 에워싸는 장정들을 보자, 피할 수 없다는 생각을 하였다. 싸움꾼이란 상대방이 싸울 기세를 드러내면 드러낼수록 전의가 북돋워지게 마련인지라, 에워싸고 몽둥이를 치켜든 자들을 본 강선흥은 열기가 머리에 뜨겁게 솟아올랐다.

"흥, 나를 둘러싸구 어쩌겠다는 게야?"

"어서 가서 전화나으리의 형장을 받아라."

"안 가면 우리가 두들겨서 끌고 갈 테다."

"순순히 포승 받구 꿇어앉아라."

선흥이는 우선 앞에 서 있던 자의 멱살을 와락 잡았고, 그자를 번쩍 치켜들어 저희 패들에게 던졌다. 세 놈이 한꺼번에 땅에 넙죽 주저앉는데 선흥이의 등뒤로 몽둥이가 빗발치듯 날아들었다. 선흥이가 몇대는 피하고, 또한 몇대는 맞으면서 돌아서서 양손에 한 놈씩 상투를 그러쥐니, 다른 자들이 비켜섰다. 선홍이는 상투꼭지를 잡아 힘을 주어 뺑뺑이를 시켜주었다. 선홍이를 에워쌌던 자들이 그를 잡기는커녕 좌우로 패대기쳐지자 비슬비슬 일어나서 감히 달려들지 못하였다.

"비켜라. 다시 막아서면 이번에는 참말 모가지를 뽑아놓는다."

강선홍이 두 팔을 우악스럽게 펼치며 나아가니 그를 막아서던 장정들은 얕은 물에 송사리 흩어지듯 하였다. 선홍이가 벌채장 빈터를 떠나 산 아래로 가는데 등뒤에서 함께 일하던 오부 사람이 쫓아왔다.

"강총각, 내 말 좀 듣구 가게."

"무슨 말이우?"

"부역을 버리구 갔다가는 나중에 온 식구들이 달달 볶일 텐데 어디루 간단 말인가."

"그럼 죄 없이 형장을 맞구 있으란 말유? 나중에사 어찌되건 드러워서 못 참아내겠수. 나는 조니포(助泥浦) 나가서 놀다가 집으루 돌아갈라우."

"허허, 그 사람 성미두…… 내수사 관인이 그냥 둘 성싶나."

"그냥 안 두면 대수요. 그러잖아두 일 년에 서너 달 집에서 보내는 놈인데, 봇짐 꾸려서 장사 나갔다면 제놈들이 어디서 잡을 게요?"

힝하니 코웃음을 날리며 강선홍은 장산곶 벌채장을 떠났다.

"어이구, 착한 백성이랍시구 부역질 참아내노라구 목구멍에 때 한번 못 벗겼구나."

선홍이는 멀리 멍구미가 내다보이는 해변길을 신이 나서 걸어갔다. 때마침 불어오는 바닷바람에 멍구미의 가는 모래가 뽀얗게 일어나고 있었다. 선홍이는 한편 마음속으로 꺼림칙한 구석이 없는 것도 아니었다. 자기야 장연서 떠나버리면 되지만, 애초부터 형 인홍의 역을 대신하여 나온 것이었으니 그가 몹시 추궁을 받게 될 일이 걱정이었다.

선홍의 형 인홍은 이름 그대로 어질고 착한 사람이었다. 원래 그의 집안은 장연서 대대로 살아온 중농이었는데, 선대에 용우물 만석골에 궁방전이 생겨나고 점점 지역을 넓혀가매, 조세는 혹심하고 농경이 안 되어 논밭을 궁가에 흡수시키고 소작농으로 떨어지게 되었던 것이다. 인홍은 선홍이보다 열 살이 위였다. 어째서 이렇게 나이 터울이 큰가 하면 가운데 남매들이 둘이나 있었건만 하나는 수군역을 지던 중 연지봉 앞바다에서 황당선을 쫓다가 침몰되어 죽었고, 또 하나는 풍천으로 시집가서 살고 있었다. 소작질로는 형네 식구들과 부모와 선홍이 간신히 기한이나 면할 뿐이었으므로, 인홍은 아내의 권유를 따라서 염장에 나가 소금꾼이 되었다. 그리고 그의 처는 손톱에 피가 맺히도록 길쌈을 매었고, 늙은 부모님들도 밭두렁에서 허리 한번 제대로 펼 수 없이 농사를 지었다. 선홍이도 철들기 전부터 초군 어부질로 인근 산과 해변을 싸다니며 일을 하였다. 그런데 호란 때에 성고개서 혼자 바윗돌을 굴리며 버티었다는 조부를 닮았는지 형제들 중에서 기운이 으뜸이었던 것이다. 선홍이의 힘이 알려지게 된 것은 남대천 모랫벌에서 싸움하는 소의 뿔을 잡아뽑았다는 일이 처음이지만, 그전에도 사람들을 놀라게 한 적이 있었다. 소래에 들어온 중국 장삿배와 싸움이 났을 적에 선홍이는 혼자서 닻줄을 당겨 배를 끌었던 것이다. 장연 고을 수령과 관아 아전들도 은근히 선홍이를 두려워하고 꺼림칙하게 여기게 되었고 반대로 시골의 왈짜패들은 선홍이와 말이라도 한마디 붙여보기를 원하였다. 선홍이도 철을 따라 인홍이처럼 염장에 나가게 되었다.

선홍이가 원래 성미가 쾌활하고 사람 사귀기를 좋아하니 산지사방을 떠돌며 장사하는 것에 이력이 나서, 말수가 적고 소심한 인홍이보다 상리가 많았다. 소금과 어물을 지고 내륙의 고을을 돌아다니며 직전을 받기도 하고 외상을 놓기도 하여 이르는 곳마다 친지가 생겨나니 모두들 장연 강총각의 물건을 기다리는 단골도 생겨났다. 또한 그뿐이 아니라 산골 처처에 목을 잡고 들어앉은 도둑들도 장연 강선홍의 기운을 직접 당하고서는 그와 교유가 있게 되었고 아무도 감히 빼앗으려 드는 자가 없었다. 강선홍이 박대근을 통하여 구월산 패거리들과 형제지의를 맺게 된 것은 실로 그의 전력이 이러함에 연유하는 것이었다. 선홍이는 이미 수상한 녹림처사들과 마음 놓고 사귀고 다툼질해오며 장삿길을 다녔으므로 박대근이 구월산 두령들의 얘기를 해주었을 적에 별로 거리끼지도 않았다. 더구나 갑송이의 기운을 보고 그가 제 윗길이라는 것을 알고는 더욱 마음이 흔쾌했던 것이다. 하나 선홍이는 혈육과 식구들에 대한 정이 두터운 사람이었다. 차마 가족들을 내팽개치고 녹림에 들어갈 수는 없는 일이었다. 그가 집을 떠나면 우선 가족들은 양식 벌어오는 사람을 하나 잃게 되고 늙은 부모와 처자식 봉양에 인홍이는 견디지 못할 것이었다. 인홍이의 소망은 조랑말 한 필을 사서 짐을 지워 장사를 다니는 일이었는데 그렇게 하면 등짐보다 각 해물과 소금을 많이 실을 수 있을 뿐만 아니라 원행도 할 수 있었기 때문이다. 박대근이 선홍이의 기운에 탄복하여 송도 상단 차인으로 들어오라고 권유하였으나 선홍이가 선뜻 나서지 못했던 것은 부모가 대대로 살아온 장연을 떠나려고 하지 않았던 까닭이다. 그들 형제에게 철마다 근심이 있었으니 바로 장연 백성 누구나가 시달리는 부역이었다. 장사 다니기에 맞춤한 때마다 부역 탓으로 짧으면 보름, 길면 한 달 이상씩 각종 부역에 동원되는 것이었다. 더구나 훨훨 나돌아다니기를 천성으로 아는 선홍이에게는 참으로 못 견딜 고역이었다.

강선홍은 조니포의 첫봉이네로 가볼 참이었다. 첫봉이는 선홍이보다 나이가 다섯 살이나 많았건만, 염장의 거간꾼이었고 또한 다른 이들 말대로 술 먹으면 개차반인 왈짜였다. 선홍이에게 한번 두들겨맞은 뒤로 사화(私和)술을 먹고 동무가 되었던 것이다. 첫봉이 밑에 둘봉이, 세봉이 들이 선홍이 또래였고, 네봉이는 그들 말처럼 아직 쇠똥이 떨어지지 않아 나무나 하러 다닐 소년이었다. 첫봉이네도 부역은 나갔겠지만, 워낙에 살림에 기름기가 돌아가니 돈으로 대납하고 형제들 중에 한두엇은 집에 남았을 것이다. 첫봉이네 형제들은 낮에는 염장에 나가서 소금을 부리고 내주고 하지만, 역시 밤의 밀상(密商)질이 그들 생업의 중요한 일거리였다. 조니포 맞은편에는 멍구미섬(夢金島)이 송낙처럼 떠 있었다. 멀리 금사(金沙) 해변에 일어난 모래바람이 조니포의 북편에 안개처럼 뽀얗게 떠서 흘렀다. 해변에는 황포의 돛배와 나룻배 몇척이 모래톱과 해중에 얹히고 떠서 철썩대는 물결에 흔들거렸다. 나지막한 어촌의 지붕들이 내려다보였고, 포구는 한산하였다. 선홍이가 첫봉이네 집으로 들어가니 마당에서 작살을 벼리고 있던 둘봉이가 반색을 하였다.

"아이구, 선홍이가 웬일이냐? 부역 나갔다면서……"

"첫봉이 집에 있니?"

"시방 뒷방에서 한잠 자구 있어. 간밤에두 꼬빡 새웠거든. 부역이 다 끝났냐?"

선홍이는 볼멘소리로 말하였다.

"부역인지 뭔지 드러워서 그냥 내빼오는 길이다. 느이 수군역은 어찌됐니?"

둘봉이가 작살을 쳐들어 뾰족한 끝을 벼리어보면서 말하였다.

"대납했다. 무명을 사다가 냈어."

"허긴 나두 대납했는데, 언니가 아파서 할 수 없이 나갔지. 장산곶 벌채장에 갔었는데, 내수사 관아 부스러기들이 어찌나 사람을 업수이여기는지 몇대 패주고 오는 길이여."

둘봉이가 깜짝 놀랐다.

"아니, 그러면 관리들을 때렸단 말인가. 거 큰일냈군. 부역에서 빼쳐나온 것만두 죽을 죄인데 관원을 두들겼으니 몹시 시끄럽겠는걸."

강선홍은 마루에 가서 털썩 주저앉으면서 말하였다.

"제길, 시끄러워봤자 나는 장연서 떠날 텐데, 맘대루들 하라지."

"자네야 훌쩍 없어지면 괜찮지만, 자네 부친이며 인홍이 언니는 곤경을 치르게 될걸."

걱정스럽게 말하는 둘봉이의 입을 막듯이 강선홍이 대뜸 말을 바꾸었다.

"이런…… 남의 초상에 효자 난다더니, 느이들 걱정이나 해둬라. 요즘 밤장사는 잘되냐?"

"당인들두 요새는 약아서 값이 그리 후하질 않다."

"여러 말 말구 탁주나 한잔 있으면 마시게 해주어."

선홍이의 재촉에 둘봉이가 작살을 놓아두고 일어섰다. 그는 뒤꼍으로 돌아가서 열린 방문으로 고개를 내밀면서 첫봉이를 불렀다.

"언니, 선홍이 왔수."

첫봉이는 깊이 잠들었는지 끙 하면서 돌아누웠다. 선홍이가 다가와서 버럭 고함을 쳤다.

"이 자식아, 아주 염라 태수짜리 해먹기 싫으면 눈을 떠라."

"어유, 시끄러……"

첫봉이가 게게 풀린 눈을 간신히 열어 선홍이를 올려다보았다.

"니가 불쑥…… 웬일이냐?"

"야, 나 느이 집에 한 이삼 일 신세 지러 왔다."

선홍이가 방으로 들어가 웃통을 훌떡 벗고 앉으니, 첫봉이는 기지개를 켜면서 일어나 앉았다.

"쌀 귀하고 돈 귀한 세상에 너 같은 밥장군이 오면 우리 식구는 어쩌니? 무슨 일이 났구나."

"벌채장에서 내수사놈들을 두들겼대는군."

곁에서 둘봉이가 대신 말하였다.

"잘했다. 그러잖아두 밤에 배 부릴 일손이 하나 필요하던 참인데."

"장사는 잘되니?"

첫봉이는 싱글싱글 웃었다.

"뭐 그럭저럭…… 나 따라와봐라."

첫봉이의 뒤를 따라서 강선홍은 뒤꼍에 따로 지어진 광으로 갔다. 광문을 여는데 허공에 기다란 줄이 매어져 있고 말린 해삼이 다닥다닥 붙어 있었다.

"저게 뭐야…… 해삼인가?"

첫봉이는 다시 버들광주리에 가득 담긴 말린 해삼을 만져보면서 말하였다.

"이게 전부 돈이여. 한철 열심히 캐내면 이쯤은 장만할 수 있지. 당인들이 흑충(黑蟲)이라구 해서 가장 좋아하는 해물이란 말이야. 그뿐인가 다른 물건두 있거든."

첫봉이가 부담을 들어내더니 뚜껑을 여는데, 나무뿌리 같은 것이 스물 남짓 들어 있었다.

"이게 뭐냐?"

"인삼이다. 강계(江界)에서 온 것을 간신히 받아놨지. 이걸 당인들께 넘겨주면 대금이 들어오지. 아마 오구쌍대나 네닢붙이 정도로 보아줄 게다. 너두 할 일 없이 무거운 소금짐 지구 산간으루 헤매지 말구 나하구 밀상이나 하자."

"소문났다간 코를 베일 텐데, 조심해야지."

강선흥이 순박하게 말하니 첫봉이는 그의 어깨를 치는 것이었다.

"돈버는 일이 술 먹기처럼 쉽다면 온 천지에 부가옹이게? 여기서 거래만 잘 트이면 오히려 의주(義州)나 동래(東萊)보다두 짭짤하다. 청국이 바루 코앞이여."

두 사람은 광문을 닫고 나섰다. 첫봉이의 말에 의하면 중국 배가 해삼 채취를 할 수 없어서 가끔 연안에 대었다가 수군에 쫓겨가고 잡혀가고 하는데 이제는 상인들이 장삿배를 타고 와서 거래를 하자고 거간을 넣는다는 것이었다. 이를테면 첫봉이네 형제들이 하는 일은 내륙 쪽 잠상들의 거간 노릇인 셈이었다. 선흥이가 첫봉이에게 물었다.

"거래를 해주면 구전은 넉넉히 받니?"

"받다뿐이냐. 내게 밑천만 조금 있다면 직접 배를 타구 청국으루 건너가볼 텐데……"

둘봉이와 첫봉이 선흥이 셋은 점심을 함께 들고 나서 우선 잠을 자두기로 하였다. 물때가 밀리는 자정 무렵에 깨어나 밤일을 해야 되었기 때문이다. 그날 밤에 배가 오기로 약속이 있었던 것이다.

밀물때가 되어 그들의 모친이 형제들을 깨우러 왔다. 셋은 일어나야참으로 술과 밥을 든든히 먹고 갯가로 나갔다. 말린 해삼이 가득 들어 있는 광우리와 부담을 짊어지고 있었다. 첫봉이가 배를 끌어내어 짐을 싣고 나서 둘봉이에게 말하였다.

"나머지 물건들은 차례로 바위틈에 박아놔라. 선홍이가 와서 실어갈 테니까."

둘봉이는 집으로 되돌아가고 첫봉이와 선홍이만 배를 타고 멍구미섬으로 나아갔다. 첫봉이가 후미에서 노를 저었다. 나룻배보다도 훨씬 작은 편주인데 물결에 끊임없이 뒤뚱거리고 있었다. 노도 앉아서 젓는 짤막하고 넓적한 것이었다.

"노 저을 줄 알지?"

"얘, 아무리 장사질 다녔어두 장연서 갯장구치고 자란 사람이다."

"수군 진의 기찰선에게 들키면 막바로 감영에 압송되어 옥귀신 되구 만다."

그들은 멍구미섬을 돌아나갔는데, 워낙에 바위를 때리는 물결이 거세어 배가 앞으로 나아가지를 못하였다. 선홍이가 캄캄한 섬의 숲 사이를 살피면서 물었다.

"거간패는 느이뿐이냐?"

"몇무리가 있었지만, 외방 머슴이 동네 개 등쌀에 동구 밖 출입이라지 않더냐? 우리가 쫓아버렸다."

그들은 배를 저어 섬의 뒤편으로 돌아나갔다. 첫봉이는 노를 올리고 삿대를 들어 좁은 바위틈을 요리조리 빠져나갔고, 이윽고 비좁은 모래사장이 나왔다.

"물길 잘 봐두었겠지?"

"대강은 봤는데…… 오늘밤 잘못하면 물귀신 되겠구나."

그들은 배를 뭍에 끌어올렸다. 선홍이와 첫봉이는 배에 실었던 짐을 모래밭에다 차례로 운반해놓았다.

"아무두 없잖아."

"저어기 어디엔가 있을 게다."

첫봉이는 캄캄한 바다 쪽을 가리켰다.

"그믐이라 다행이지 달이 뜰 적엔 새벽장사가 기중 낫다. 안개가 자욱이 끼니까……"

첫봉이가 쌈지를 꺼내어 부시를 쳤다. 그리고 준비해온 기름먹인 솜뭉치에 불을 붙였다. 그는 횃대를 들어서 머리 위에 쳐들고 천천히 흔들었다. 몇번을 그러고 나서 불을 모래 속에 푹 박아서 꺼버렸다.

"너는 어서 가서 남은 짐들을 날라와라."

선홍이는 첫봉이가 시킨 대로 배를 띄워 물길을 찾아나갔다. 역시 첫봉이보다는 길눈이 어두워서 바위에 부딪치곤 하였으나, 삿대로 버티어 뒤집어지는 것은 간신히 면할 수가 있었다. 선홍이가 멍구미 섬을 돌아서 갯가에 닿으니 둘봉이가 짐을 모아다 놓는 중이었다. 둘봉이는 짐을 배에 실으면서 말하였다.

"어쩐지 기분이 매우 켕기는데……"

"왜 무슨 일이라두 났니?"

"그게 아니라, 보통땐 인적이 끊긴 곳인데 오다 보니 발자국이 어지럽게 찍혔더라."

"뭘 고기잡이 나온 사람들이 지나갔겠지."

둘봉이는 자기도 배에 올라타면서 말하였다.

"아무래두 첫봉 언니께 말해줘야 되겠어. 멍구미 밀상질 목이 짭짤하단 것은 불한당들끼리 대략 눈치들을 채구 있단 말이거든. 다른 패거리일지두 모르지."

"까짓 거 모조리 오라구 그래, 내가 하백이 사촌을 만들어줄 테여."

"환도라두 가지구 나올 걸 그랬군."

그들은 배를 저어 다시 섬의 뒤로 돌아나갔다. 그들이 물길을 찾아서 모래사장으로 들어가는데 뒤편에서 노 젓는 소리가 들려왔다. 그리고 앞에도 먼저 닿은 중국인들의 배가 보였다. 아마도 큰 배는 멀찍이 바다 가운데 떠 있는 모양이었다. 첫봉이는 세 사람의 사내와 함께 물건을 살피는 중이었다. 그들이 배를 대어 광우리들을 내려놓았고 뒤에 따라오던 배도 대어져 두 사람이 작은 상자를 옆구리에 끼고 사장에 올랐다. 그들 중에 한 사람은 서투른 조선말을 지껄이며 첫봉이와 흥정을 하였다. 말린 해삼은 적정가격이었는지 수월하게 타협이 되었으나, 역시 인삼 흥정이 오래 걸렸다. 그들은 기름등을 켜서 발 아래 내려놓고 일일이 인삼들을 살펴보았다. 흥정이 이루어졌는지 상대방이 작은 상자를 첫봉이에게 건네었다. 첫봉이가 상자를 열고 절편만 한 은자를 꺼내어 수효를 헤아렸다. 그들은 서로의 배를 끌어내어 짐을 싣고 있었고, 첫봉이가 서둘렀다.

"얼른 가자. 다음 기일은 내달 그믐이다."

첫봉이가 거래한 상대도 큰 상인은 아니고 또한 상대를 유일하게 첫봉이로만 정하고 있는 모양이었다. 그러니 첫봉이 외에는 아무도 믿지 않는 듯하였다. 첫봉이가 바라는 것은 다른 잠상들과도 거래를 트는 일이었으나 그들은 첫봉이와의 관계를 독점하려 하였던 것이다. 따라서 첫봉이는 그들의 신임을 얻고자 성실하게 거래에 응하였다. 그들이 배를 띄우려는데 모래사장 뒤편의 숲속에서 나무를 헤치는 듯한 여러 사람의 인기척이 들렸다.

"이놈들, 꼼짝 말아라!"

그들의 등뒤에서 고함소리가 들리면서 여러 놈들이 모래밭으로 뛰어내려왔다.

"어……?"

첫봉이는 순간적으로 생각하였다. 지금 배를 띄워 달아나버리면 돈냥은 무사하게 보존할지 모르나 당인들에게 신용을 잃게 되어 밀상질은 다해먹는 것이었다. 비록 불리하여 돈을 빼앗기더라도 거래자들에게 이것이 계획된 것이 아니요, 패가 다름을 보여주어야만 하였다. 뒷전에 섰던 청인들도 놀라서 제각기 비수를 빼어들었다. 그러나 선흥이와 첫봉이 형제는 셋 다 맨몸이었다. 둘봉이가 재빨리 배에서 해삼 캐는 작살을 집어서 제 형과 나누어 가졌다. 그들은 물을 등지고 숲을 향하여 활처럼 둥글게 막아섰다. 숲속과 바위 뒤에서 몰려나온 놈들이 칠팔 인은 되는 것 같았다. 첫봉이가 작살을 쳐들고 물었다.

"웬놈들이냐?"

"느이 밀상질을 단속하러 나온 어른들이다. 물건과 돈을 이쪽으루 던지면 무사히 돌려보내주지."

"어디 빼앗아보아라!"

어둠속에서 껄껄 웃는 소리가 들려왔다.

"허 그놈, 아무리 돈이 귀신을 부린다지만 싸워서 이길 것 같으냐. 우리가 누군 줄 알고……"

강선흥이 두 팔을 벌리고 앞으로 나가면서 을러댔다.

"누구긴…… 네깐 놈들이 누구겠니. 고작해야 좀도적놈들이겠지. 어디 나는 맨손 들구 바람을 쥐는 사람이니 덤벼보아라."

외치던 사내가 좌우를 둘러보면서 중얼거렸다.

"안 되겠다. 얘들아, 콩알을 먹여줘야겠다."

양쪽 끝에 섰던 자가 동시에 앞으로 불쑥 나서는데 그들을 겨눈 작대기의 끝이 보였다.

"칼이구 뭐구 다 귀찮다. 움직거리는 놈은 사정없이 구멍을 뚫는 총포란 게여."

총에 장사가 따로 없으니 선홍이도 감히 달려들 수가 없었다.

"손에 가진 걸 모두 버려라!"

첫봉이 형제가 하는 수 없이 작살을 모래밭에 힘없이 내던졌다. 청인들도 눈치를 챘는지 짜른 칼들을 떨어뜨렸다. 첫봉이가 말하였다.

"부탁이 한 가지 있다. 당사람들은 그냥 보내다우."

"어째서……"

"남의 밥줄까지 끊어놀 테냐? 물건을 빼앗았다간 거래는 끊기구 만다."

"그런 걸 우리가 알 게 뭐냐?"

일당들 중에서 두 놈이 나와 물가에 대어진 첫봉이네 배에서 은자가 들어 있는 상자를 날라갔고, 다시 해변에 쌓아놓은 부담과 광주리를 운반하여갔다. 그러고는 가라고 청인들의 등을 떼미니, 그들은 황급하게 배에 올라 뭍을 떠났다. 첫봉이가 애가 달아서 미칠 지경이었지만 총포가 계속 겨누고 있으니 달싹할 수가 없는 노릇이었다. 그자들은 배를 타고 오지 않은 모양이었다.

"저놈들을 묶어라."

우두머리인 듯한 자가 지시하여 선홍이와 첫봉이 형제는 밧줄에 꽁꽁 묶여서 숲속으로 끌려갔다. 그들은 세 사람을 이끌고 섬의 소나무숲으로 가서 다시 나무에 한 무더기로 묶어놓고는 이리저리 흩어져 앉았다.

선흥이는 실로 가소로웠다. 총포에 움찔하여 주먹 한번 제대로 쥐어보지도 못한 채 산짐승처럼 묶이고 말았으니 두고두고 웃음거리가 될 판이었다. 선흥이는 묶인 팔과 등판에 은근히 힘을 주어보았다. 되시근하기는 하였으나 일시에 힘을 주면 끊길 듯도 하였다. 그는 틈만 엿보면서 나란히 양옆에 묶인 첫봉이와 둘봉이의 발등을 가만히 밟았다. 밀상 목을 덮친 사내들은 흡족했는지 제각기 떠들었다.

"이제 썰물때만 되면 슬슬 떠나기루 하자."

"내가 뭐랍디까. 기일을 맞추어 배가 들어오는 걸 봤다고 안 합디까. 어제 해질녘에 덮개를 씌운 청국배가 먼 데 떠 있는 걸 봤지요. 좌우간 이번 일엔 내 공이 가장 큽니다."

"자아, 이젠 물이 썰 때까지 한숨 자둡시다."

"저놈들 괜찮을까?"

곁에서 주억거리던 자가 냉소를 날리는 것이었다.

"금강역사라 할지라두 저 구렁이 같은 바를 어찌 끊겠수. 틈틈이 살펴볼 것두 없겠네."

그들은 나무에 한 놈씩 기대어 다리를 길게 펴고 앉았다. 짙은 안개가 섬 주위에 펴져나가기 시작하였다. 총총하던 별빛이 차차 빛을 잃어가는 참이었다. 건너편 산에서 밤새들이 고즈넉하게 울고 있었다. 선흥이는 그들이 누구인가를 대략 눈치챌 수 있었다. 그들은 불타산 심백이네 일당들이 분명하였다. 그들 중에 서넛이 먹물 들인 중옷을 입고 있었으니 천불사에 있는 놈들인 모양이었다. 심백이라면 선흥이가 벌써 오래 전에 혼을 내준 일이 있는 자였다. 심백이는 선흥이를 몹시 두려워하여 남대천 항우라고까지 불렀던 것이다. 그의 졸개들이니 더 말할 나위도 없는 노릇이었다. 선흥이는 몇번 힘을 넣다가 일시에 팔굽에 힘을 모으면서 위로 쳐들고 어깨를 부풀려 앞으로 당겼다. 팽팽한 그의 근육 위로 밧줄이 쓰라리게 파고들었다. 계속 힘을 쓰며 어깨를 좌우로 뿌리치니 팔 근처의 줄이 느슨해졌고 이어서 두어 가닥이 툭 끊어져버린다. 다시 한번 힘을 쓰니까 줄이 스르르 풀어지며 흩어져내렸다. 선흥이는 잠깐 그러고 서서 잠자는 도적들을 내려다보았다.

그들을 감시하고 앉았던 자도 무릎에 화승총을 얹은 채로 고개를 처박고 있었다. 선흥이가 첫봉이 형제의 줄을 풀어주려 하나 칼이 보이질 않았다. 더듬더듬 나무에 기댄 자들 앞을 앉은걸음으로 살피면서 다니는데 한 녀석이 등에 환도를 차고 있는 것이 보였다. 선흥이가 호흡을 삼키고 슬그머니 자루에 손을 대어 뽑아내는데 그놈은 뭐라고 중얼거리면서 오른쪽으로 넘어진다. 다시 느긋하게 다져먹고 선흥이는 환도를 뽑았다. 뽑자마자 재빨리 되돌아가서 첫봉이와 둘봉이가 묶인 밧줄을 끊었다. 형제들이 나무에서 몸을 막 떼어내는 찰나인데 등뒤에서 누군가 부르짖었다.

"저놈들 봐라!"

선흥이가 돌아서니 도적들이 우르르 일어나고 있었다. 앞뒤 챙길 것 없이 한달음에 달려들어 화승총 가졌던 자의 가슴팍을 발길로 내차고 총을 집어들었다. 그러고는 그의 등뒤를 덮치려고 칼을 휘두르며 달려들던 우두머리 사내의 면상을 총대로 후려갈겼다.

"에쿠!"

소리를 내지르며 그자는 얼굴을 감싸고 뒤로 넘어졌다. 선흥이가 어둠속에서 닥치는 대로 총대를 휘두르는데, 워낙에 도적들이란 형세 판단에 빠른지라 뿔뿔이 흩어져서 섬의 언덕을 넘어갔다. 첫봉이도 환도로 한 사내를 베어넘겼다. 첫봉이는 우선 물건 찾는 일이 급하여 주위를 더듬거려보는데 해삼을 담았던 광주리가 엎어져서 뒤죽박죽이 되어 있었다. 그러나 인삼이 들어 있을 부담과 은자가 든 상자는 보이질 않았다. 도적들이 달아나면서 챙겨가지고 뛴 모양이었다.

선홍이가 씨근거리면서 도적들의 뒤를 쫓아갔다. 언덕을 넘어서니 이미 그들은 섬을 빠져나가는 중이었다. 바닷물이 제법 썰었는데 섬에서 사선 방향으로 모래톱이 쌓여 있었고, 도적들은 모래톱을 따라서 뛰는 것이었다. 물이 겨우 정강이에 찰까 말까 하였다. 선홍이가 뛰쳐내려가는데, 방포소리가 들려왔다. 탄환이 귓전을 스치고 지나는 듯한 날카로운 소리가 들려왔다. 뒤미쳐 따라오던 첫봉이가 언덕 위에서 외쳤다.

"선홍아…… 이리루 올라와라."

선홍이는 물에 내려서지 못하고 멈칫 서서 뒤를 돌아보았다. 첫봉이의 고함소리가 들려왔다.

"그만 쫓아라."

선홍이는 다시 섬의 언덕으로 올라갔다. 첫봉이는 급히 말하였다.

"빨리 예서 빠져나가야 한다. 우리두 이젠 저놈들과 마찬가지다."

"곧 쫓아가서 뒷덜미를 덮치려는 참이었는데……"

"아니야, 방포소리가 들렸으니 수군 진에서 들었을 게다. 아마 장교가 군사를 인솔해서 기찰을 나올 게다. 그러잖아두 멍구미섬이 의심을 받던 터였다."

그들은 섬 뒤편의 모래사장으로 되돌아왔다. 둘봉이가 우두머리 사내를 밧줄로 단단히 비끄러매고 있었다.

"몇놈이냐?"

"네가 때려잡은 놈이 소두령인 모양인데, 나두 한 놈 베었다."

첫봉이의 말에 둘봉이가 침을 탁 뱉으면서 덧붙였다.
"살펴보니 어깻죽지에서 허리까지 깊숙이 베었어. 버얼써 고택골 갔는데……"
선흥이는 소두령의 머리를 발로 건드려보았다.
"이놈은……?"
"비슬비슬 일어나는 걸 메어치구 묶어두는 중이야."
"빨리 서두르자. 의논은 집에 가서 천천히 하기루 하구…… 관군이 오기 전에 얼른 없어져야 해."
첫봉이가 배를 끌어올렸고, 둘봉이는 모래밭에 사방으로 흩어진 물건들을 그러모아다가 광주리에 담고 배에 실었다. 선흥이가 잡힌 소두령을 번쩍 들어 배에 태우고 뭍에서 밀어냈다. 그들은 곧 섬을 벗어나, 이제는 바닥이 얄아져서 모래에 가끔씩 쓸리는 배를 삿대로 밀고 나갔다. 거의 뭍에 이르러 선흥이가 배를 끌고 갔다.
"저 봐, 진에 불이 휘황하다. 곧 기찰선이 뜰 거야."
그들은 재빨리 포구를 벗어나 집을 향해 발걸음을 빨리했다. 첫봉이네 집에 이르니 노모는 잠이 깨어 두 아들을 기다리던 중이었다. 첫봉이가 말했다.
"이제부터 저놈에게 일의 속내를 캐어보자."
"정신 차릴까 모르겠군."
그들은 광문을 따고 들어갔다. 선흥이가 묶인 소두령을 사정없이 내던졌다.
"어, 그놈 뭘 처먹었는지 똥집 한번 무겁네."
끄응 신음소리를 내고 나서 사내가 눈을 가늘게 떴다. 그는 관솔불빛이 눈에 거슬리는지 자꾸만 고개를 돌렸다. 첫봉이가 비수를 뽑아서 그자의 살에 슬슬 비벼보면서 말했다.

"우리가 누군 줄 아니. 아마 모를 게다. 이쪽 분은 남대천 항우 되시는 강총각이시고, 나는 조니포의 봉이 형제 중 맏이 되는 사람이다."

소두령은 고개를 주억거렸다.

"강장사님과 첫봉이 성님 선성은 산채에서두 압니다. 살려주오."

"느이들 멍구미 밀상 목이 누구 밥줄인지 알구 왔겠지."

소두령 사내가 말을 못 하고 고개를 푹 박았다. 첫봉이가 칼끝으로 사내의 턱을 치켜올리자, 사내는 안면을 잔뜩 찡그리고 그를 마주 보았다.

"우리 목인 줄 알았지?"

"예……"

"심백이가 느이보구 시키더냐?"

소두령이 고개를 끄덕이자 첫봉이는 이를 갈았다.

"죽일 놈…… 감히 나를 넘봐? 여기는 갯가인데, 녹림패가 산을 버리구 남의 구역으루 들어와 분탕질을 했것다. 그래 거래가 있을 줄은 어찌 알았느냐?"

"예, 정탐꾼을 내려보내어 멍구미섬을 지켜보게 하였습니다."

"물은 어찌 건넜느냐?"

"밝을 때 조개 줍는 사람들인 척하구 섬에 들어가서 기다렸지요. 물이 썬 뒤에 모래톱을 건넜습니다."

첫봉이는 더욱 화가 치밀었다.

"흠, 여우 같은 놈들!"

하고 나서 첫봉이가 선흥이에게 말하였다.

"애, 내가 네 동무인 줄 번연히 알면서 심백이놈이 이럴 수가 있냐?"

선흥이도 그 말에는 은근히 불쾌하였는지 두 주먹을 불끈 쥐었다.

"글쎄나 말이다. 당장 산채루 쳐들어가서 모조리 때려죽이구 말아야지."

첫봉이가 사내의 얼굴을 다시 치켜들었다.

"어쩔테? 여기서 물고기 미끼가 될래, 아니면 순순히 산채까지 우리를 모셔갈 테냐."

"살려주신다면 여부가 있겠습니까. 불타산까지 모셔드립지요."

"만일 부담과 은자를 찾으면 네게두 두둑이 나눠주겠다. 이 길루 산채에 가는 거다. 그리구…… 느이들 화승총은 어디서 생겼지?"

"예, 몇달 전에 심두령이 양주에 장물을 넘기러 갔다가 비싸게 주고 구했답니다."

첫봉이는 고개를 끄덕였다.

"몇자루나 있느냐?"

"다섯 자루가 있는데, 일을 나올 때만 두령이 한두 자루씩 내줍디다."

"하나는 내가 부숴버렸다."

강선흥이 아쉬운 듯 말했으나, 첫봉이는 별 관심이 없는 듯하였다.

그들이 광문을 굳게 잠가놓고 마당으로 나서보니 과연 멍구미섬을 한 바퀴 돌아나오는 기찰선의 횃불빛이 일렁거리고 있었다. 그러고는 모래톱 가까이 대어진 배에서 군사들 여럿이 내려서 해변으로 건너오는 것이었다.

"이쪽에두 꼭 올 게다. 선흥이 너는 안방에 들어가 있어."

둘봉이가 곁에서 투덜거렸다.

"드럽게 됐네. 벌이두 없이 상납전 내게 되었는걸."

선흥이는 안방으로 들어가 봉이네 모친이 시키는 대로 이불을 들쥐쓰고 누워 있었다. 한참 뒤에 밖에서 두런대는 소리가 들리더니 아니나다를까, 삽짝 밖에서 외치는 소리가 들려왔다.

"첫봉아, 첫봉이 자느냐?"

그러나 방에 몰려들어간 형제는 일부러 코를 드높이 골면서 못 들은 체하는 모양이었다.

"애 첫봉아, 진에서 나왔다."

한동안 떠들썩한 뒤에 먼저 둘봉이가 나가서 일부러 어물쩍하게 물었다.

"제미헐! 어느 시러베아들놈들이 아닌밤중에 몰려와서 동네 워리새끼 찾듯 하누?"

"허, 그놈 잠이 덜 깼군."

"웬일이슈……"

"느이들 멍구미섬에 갔었지?"

둘봉이는 볼멘소리로 혼잣말하듯 씨부렁거렸다.

"쳇, 수군이라면 최하천인데 제가 장교면 장교지 누구게 놈자 붙여 해라야, 해라가……"

"멍구미에 갔었느냐구."

"갔었수."

둘봉이의 대답이 너무도 태연자약하니, 오히려 말문이 막힌 것은 장교 쪽이었다. 그는 우선 삽짝을 와락 밀고 마당으로 몰려들어갔다. 이리저리 군사들이 흩어졌다. 이때에 코를 골고 있던 첫봉이가 제 방문 고리를 잡아당긴 군사에게 벌떡 일어나서 불문곡직하고 주먹다짐으로 받아쳤다. 군사가 얼결에 궁둥방아를 찧는데 무르팍에 코피가 주르르 흘렀다.

"흥, 아무리 약한 백성이라지만, 이거 너무 행패가 자심하구나. 야반에 집뒤짐을 하다니……"

"첫봉아, 느이들 멍구미섬에 갔었다구?"

"갔었수."

"누가 총을 놓았느냐?"

"언제요?"

"조금 전에 총 놓는 소리며, 고함소리를 여럿이서 들었단 말이야."

첫봉이는 완전히 동문서답에 견이서풍(犬耳西風)이었다.

"우리는 초저녁부터 술 먹구 세상모르게 잤는걸."

"그럼 왜 섬에 갔다구 했니?"

"사흘 전에 게 잡으러 갔었수. 왜, 게두 조세 물구 잡아야 허우?"

장교는 갑자기 맥이 풀렸다. 그렇다고 조니포 토박이요 주먹깨나 날리는 봉이네 형제를 막볼 수는 없는 노릇이었다. 군사 하나는 코가 터져서 얼굴을 싸쥐고 있건마는 제 상관의 눈치만을 살피고 있을 뿐이었다.

"못된 자식 같으니…… 그럼 그렇다구 진작 말해줘얄 거 아냐."

"아니, 조니포 사람들치구 멍구미섬에 안 가본 놈 어딨수. 공연히 남 잠두 못 자게 들볶지들 말구 어서 가서 번이나 잘 스슈. 또 알우? 황당선을 잡아 포상을 받을지."

하면서 첫봉이는 슬그머니 허리춤에서 엽전을 꺼내어 장교에게 찔러주었고, 장교는 공연히 헛기침만 터뜨리는 것이었다.

"좌우간에 수상한 놈들을 보면 알려주어."

장교가 어물쩍 넘기면서 말하였다.

"염려 마슈. 내 눈에 띄기만 한다면 작살루 산적꽂이를 해서 끌어다 줄 테요."

"얘들아, 포구 안을 샅샅이 살펴보구 돌아가자."

장교가 첫봉이의 밀상질을 눈치 못 채는 바 아니로되 평소부터 수시로 뇌물을 받아왔으니 겉으로 드러내기도 난처한 노릇이었다. 하룻밤 기찰 나와서 한 꿰미를 얻어냈으니 별 군소리가 있을 수 없었다.

"잘 자게."

"네, 내일 낮에 번이 빠지면 놀러들 오슈."

첫봉이가 시큰둥하니 군사와 장교를 배웅하였다. 그들의 인기척이 멀리 사라지자, 안방에서 이불을 들춰쓰고 숨어 있던 선홍이가 뛰어나왔다.

"어이, 졸려 죽겠네. 하마터면 코를 골구 잠들 뻔했어."

둘봉이가 광을 살피고 나와서 말하였다.

"어쩔 테유? 저 자식을 바다에 쓸어넣어버릴까."

"아니야, 저놈을 앞잡이로 세워서 산채루 숨어드는 게다."

"산채에는 패거리가 많은데 우리 셋이서 대적하긴 힘들걸."

둘봉이가 말하자 선홍이가 껄껄 웃었다.

"걱정 없다. 심백이만 잡아서 족치면 물건을 찾을 수 있어. 심백이 놈은 내게 맡겨두어라. 헌데 언제 올라갈려구?"

"날이 밝는 대루 곧장 올라갈까……"

둘봉이의 말에 첫봉이가 반대하였다.

"아니다, 저녁때가 좋아. 아무래두 밤에 두령의 침소를 덮쳐야 할 테니까."

"그럼…… 나는 용우물 집에 다녀와야겠는걸."

선홍이가 아무래도 집 걱정이 되어서 집에 들를 것을 비쳤다.

"부역을 빼쳐 달아나왔으니, 어쩌면 인홍이 언니가 곤욕을 당하게 될지두 모르겠다. 관아에 줄을 넣어 돈냥이라두 주고 수습을 해 봐야 되겠어."

"그렇게 해라. 이놈아, 그럴 일을 뭣 허러 저지르구 다녀. 너는 네 성깔하구 기운 땜에 늘 골칫거리다. 내가 열 냥을 줄 테니 잘 수습해 놓구 저녁때까지 돌아와라."

"스무 냥만 다우. 아무래두 내가 장연서 당분간 떠나야 되겠으니, 식구들 양식이라두 넉넉히 팔아주구 가야겠어."

첫봉이가 두말 없이 스무 냥을 꺼내주었다. 그들은 저녁때에 다시 모여서 불타산에 오르기로 단단히 약속을 하고서, 선흥이만 첫봉이네 집을 나섰다.

조니포에서 게나루 쪽으로 사십여 리를 가면 왜성(倭城)과 용우물(龍井)로 갈리니, 용우물은 해변을 낀 너른 들판의 한가운데 자리 잡고 있었다. 만석골은 특히 사방 십여 리에 가로 거칠 데가 없는 들판인데, 그 들판의 끝에 성곽과도 같은 불타산의 이빨이 아득하게 섰는 것이었다.

선흥이가 새벽녘에 용우물로 들어가 퇴락한 집으로 찾아들어가는데, 원래가 선흥이 인흥이 형제가 행상아치이니 농사꾼들처럼 집안을 가꾸거나 돌보지 않아서 집 꼴이 말이 아닌 것이었다. 집안은 괴괴하였다.

"용선아, 용선아."

선흥이 문득 불안하여 큰조카의 이름을 부르는데, 안방문과 건넌방 문이 동시에 열어젖혀지고 아버지의 노한 음성이 들려왔다.

"너는 도대체 정신이 있는 놈이냐? 아예 집에서 없어져버리든지, 죽어서 꼴을 안 보면 다른 식구들 속이나 편하겠다."

안방에서는 아버지와 어머니가 고개를 내밀고 있었고, 건넌방 문을 열고 나오는 것은 형수였다. 형수는 아마도 근심 끝에 밤을 새운 듯 두 눈이 새빨갛게 충혈되어 있었다.

"아이, 무슨 일을 저질렀어요? 용선이 아부지가 나졸들에게 끌려가셨답니다."

강선흥은 식구들께 면목이 없어서 마루에 고개를 푹 수그리고 앉아 있었다. 아버지가 혀를 찼다.

"네 형이 앓아 드러누워 있는 걸 보구 부역을 대신 나갔으면, 일이 끝날 때까지 착실하게 일하구 돌아와얄 거 아니냐. 차라리 수군역이야 군포를 내어 면했다지만, 장산곶 벌목 부역을 어찌하겠느냐. 도무지 빠질 길이 없어 너를 보냈는데, 어디 네 몸이 네 몸인 줄 알았니. 느이 형의 몸이여."

선흥이가 풀이 죽은 목소리로 형수에게 물어보았다.

"언제 잡혀가셨수?"

"어제 한밤중에 나졸들 서넛이 나왔습디다. 앓는 사람이니 어찌 사정 좀 보아달라구 애걸했지만 부역 나가서 관원을 두드리고 빼쳐 왔으니 본을 보여야 된다구 한대요."

"그럼 날 잡아가지, 어째서 언니는 잡아가구 법석이람."

"이 녀석아, 그 역이 인흥이 역이 아니냐. 그러잖아두 앓느라구 심기가 쇠잔한 사람이 태형이라두 맞아봐라."

어머니가 선흥이에게 핀잔을 주었다. 아버지는 더이상 꾸짖는 대신에 스스로 한탄하듯 중얼거렸다.

"장연 고을을 떠나든지 해야지 그놈의 부역 등쌀에 이거 살 수가 있나. 농사라야 궁방전에 붙여 겨우 끼니를 에우고, 자식놈들은 타관객지에 보내어 행상아치를 시키니 어디 가선들 요따위 살림보다 못할라구."

선흥이가 한편 마음으로는 후회가 되면서도, 평소부터 관아 알기를 도야지 우리쯤으로 알고 있던 판이라 절로 코웃음이 터져나왔다.

"쳇, 쫓아가서 아예 삼문을 와그르르 무너뜨리구 언닐 업어오지요."

"허어!"

어이가 없는지 선흥의 아버지는 마루를 연신 두드리며 앉았다.

"이놈아, 약한 백성이 죄가 없어도 간이 두 근 반 세 근 반 하는 터인데, 자수를 하여 벌받을 생각은 않구 집안 망칠 궁리나 하구 앉았어?"

"죄두 없이 벌을 받는단 말여요?"

"니 아비는 그럼 너보다 못해서 마름놈의 사나운 닦달을 받으며 용선이랑 추수 부역을 나가는 줄 아냐. 다 살자니 어쩔 수 없어 그러는 게야. 늙은 아비는 하루종일 낫질을 하느라구 허리앓이에 잠들지 못하고, 어린 조카는 곤하다 못해 입술에 헌데가 가득한 판에 너는 뉘 댁의 도령이길래 그나마 부역을 못 참아서 말썽을 부려."

선흥이가 묵묵히 앉았더니 무슨 생각이 들었는지 마루에서 내려 미투리를 꿰었다.

"어디 가니?"

"관가에 가우."

"거긴 뭣 하러 가?"

선흥이가 투명스럽게 말하였다.

"언니가 잡혀갔다니 개청을 하면 형을 받을 거 아니우. 그래 빨리 쫓아가서 내가 벌을 받겠수."

가족들은 잠시 아무 반응이 없었다.

"애, 잠깐 내 말 좀 들어라."

선홍의 어머니가 말했다.

"느이 형이 잡혀가서 하룻밤을 새웠는데 혹시 아니? 아픈 사람을 설마 태장이야 치겠느냐. 형방이나 이방이나 모두 생각은 있는 이들이니 방면해줄지두 모른다."

선홍의 어머니에겐 손가락처럼 사랑이 더하고 덜함 없는 내 살이요 내 자식인 것이었다. 일단 인홍이가 잡혀갈 때 애간장을 태웠던 마음은 이제 또 둘째아들이 형장을 맞으러 가겠다니 더욱 애처롭고 안쓰러웠다.

"기다려보았다가, 용선이를 보내어 관가의 형편을 살피구 나서 은밀히 이방어른을 뵙구 사정해보려무나."

"그렇지만…… 매를 맞으면 그분이 기가 쇠하여 견디지 못할 텐데……"

하면서 형수는 그 나름대로 나서지는 못하고 은근히 선홍의 등을 밀어내듯 말하였다. 하나 역시 아버지의 생각이 늘 공평한 법이라서, 그는 절충한 생각을 끄집어냈다.

"용선이를 데리구 가거라. 둘이서 관가 사정을 알아보고, 그저 무마될 일이라면 무명이라도 갖다 바치고 인정을 통하여볼 것이요, 만약 형편이 급박해서 느이 형이 매를 맞게 되면 지체없이 자수를 하여라."

"알겠습니다."

선홍이는 가족들의 애정에 갑자기 송구스럽고 격한 느낌이 들어 코허리가 시큰하여 고개를 수그린 채 마당에 서 있었다. 말이 떨어지자마자 형수가 쫓아들어가 부리나케 용선이를 깨웠다. 용선이가 할아버지와 함께 만석골 궁방전에 나가 노역에 시달린 태가 역력하여 선홍이는 가엾어서 똑바로 바라볼 수가 없었다. 입술이 부르터서

딱지가 더덕더덕 앉았고, 어린것이 새까맣게 그을린데다 바싹 여위어 있었다. 아직 곤한 잠이 덜 깼는지 마루 끝에 다시 걸터앉아 끄덕끄덕 조는 놈을 선홍이가 덥석 끌어다 등에 업었다. 그런데도 용선이는 부끄러워하기는커녕 정신없이 매달려 잠을 자는 것이었다. 선홍이가,

"그냥 자게 내버려두고 혼자 갈 테요."

하였으나 식구들이 모두 데려가라고 권유하여 그대로 업고 나설 도리밖에 없었다. 게나루 갈대밭을 지날 때 용선이가 서늘한 강바람에 잠이 깨어 그의 등뒤에서 미끄러져내렸다.

"삼춘, 어디 가는 거유?"

"응, 잠이 깼구나. 읍내 나간다."

"아부지가 어젯밤 잡혀갔어요."

"그래서 관가에 가는 길이다."

선홍이는 용선이에게 이방에 통기할 방법을 가르쳐주었다. 남대천의 자갈밭에는 물이 썰기 시작하여 젖은 바닥이 널따랗게 드러나 있었다. 방게가 이리저리로 그들의 발길을 피해 달아났다. 그들은 배를 타고 남대천 건너 읍내로 들어갔다.

우선 객사 부근의 주막에 선홍이 혼자만 남고 용선이가 길청을 찾아갔다. 개청이 일러서 아전들은 아직 보이지 않았는데, 용선이가 오락가락하노라니 때마침 형리가 들어서는 중이었다.

"나으리, 이방어른 아직 안 나오셨습니까?"

"음, 안 나오셨다. 무슨 일루 찾누?"

"예, 저희 아비가 걱정이 되어 왔습니다."

"느이 아비가 누군데 여기 잡혀왔느냐?"

"어젯밤에 부역 까탈로 잡혀오셨습니다."

"강인흥이 말이로구나."

형리는 어제 저녁때에 장산곶 벌채장에서 내수사 전화가 장연현감께 올린 보장(報狀)을 접수하여 이방에게 올렸던 것이다. 관내에서 일어난 일이라면 간단히 처리할 수가 있었으나, 주무가 다른 곳에서 올라온 것이니 현감께 보고하고 명에 따라 강인흥을 잡아들였던 것이다. 인흥은 관가 옥에 하옥되어 앓고 있었다. 용선이는 형리에게 매달렸다.

"나으리, 죄를 진 사람은 우리 아비가 아니라 대신 부역을 나갔던 삼촌이 저지른 짓이올시다."

"알구 있다, 느이 삼촌이 시방 어디 있느냐?"

"이방어른을 은근히 만나고자 하십니다."

"이방어른두 별루 손을 쓸 수가 없을 게다. 우리 관내 일이라면 사또께서 모르시니 소리들이 적당히 해서 넘기겠으나, 다른 부처에서 넘어와 우리는 하명대루 봉행할 뿐이다. 그래, 느이 삼촌이 어디 있느냐?"

용선이가 대답을 망설이는 중인데, 이방이 길청에 들어섰다. 그는 관가에 아이가 들어와 있는 것을 보자 대뜸 형리를 쏘아보며 물었다.

"웬 아인가?"

"어젯밤에 잡혀온 강인흥이의 자식이랍니다."

"죄인의 자식이 뭣 하러 관부에 와서 기웃거리는가?"

용선이가 머뭇거리는데, 형리는 수리(首吏)의 의심을 덜고자 말하였다.

"강선흥이의 전갈이 있는 듯합니다."

"흠…… 그래?"

이방은 아직 청탁이 받아들여지거나 돈냥을 주고받은 것이 아님을 눈치채고 적이 마음을 놓았다.

"오늘 중으로 온 고을에 나졸을 풀어 잡아들이려 했는데, 제 발루 찾아왔군."

용선이가 꺼림칙하면서도 제 아비의 일이 오로지 걱정인지라 말을 꺼냈다.

"혹시 자수를 하면 저희 아비가 풀려나오겠는가 삼촌이 여쭈라고 하셨습니다."

이방은 고개를 끄덕였다.

"선흥이가 근처에 와 있느냐?"

"예, 객사거리 주막에서 기다리십니다."

"어디 만나볼까. 앞장서라."

용선이는 이방을 데리고 객사거리로 나아갔다. 주막집의 술청 구석에 앉았던 선흥이가 주뼛거리며 일어나 인사하였다.

"나으리, 평안합쇼?"

"오냐…… 이놈아, 부역 나간 놈이 관노들은 왜 두들기구 내수사 전화어른께는 어째서 행패를 놓았느냐."

선흥이는 묵묵히 도로 주저앉았다.

"고을에서 일반 왈짜들과 주먹다짐 벌인 것과는 경우가 다르니, 자네두 이젠 정신 바짝 차려야 되여."

"그래 선처하여줍시사구 이렇게 달려오지 않았수."

"허어! 내가 다른 일이라면 장연서 못헐 일이 없지마는, 내수사라면 왕실에서 쓰는 각종 재물을 관리하는 곳인데 더구나 재목 조달을 나온 전화에게 내 따위의 허통이 닿겠는가. 상대가 안 되네. 하여튼지 이 골 이방 노릇은 골치가 아파서 못 해먹겠군. 도무지 상전이 많아서 땅에 떨어진 밥알 하나 줏어먹을 수 없으니……"

"우리 언니는 어찌됩니까?"

"벌을 받아야지."

"어찌 빼낼 수 없습니까? 죄는 모두 제게 있는데요."

"인흥이두 죄가 있어. 부역에 아우를 대신 내보냈으니 신역의 율을 문란시켰거든."

강선흥은 애가 달아서 자기 가슴을 연신 두드렸다.

"이렇게 자수를 하러 왔는데두 언니가 벌을 받아야만 합니까?"

"자네가 벌을 받는 건, 관노를 치고 관원을 욕보였으니 마땅한 일이고, 인흥이 죄는 또 따루 있단 말일세. 자네에게 벌을 내리지 못하면 아마두 전화가 펄펄 뛸 게여. 더구나 내수사 관노처럼 따라온 자들은 한양 대갓집에서 내려보낸 겸인이나 사노란 말이거든. 그자들의 입방아란 나 같은 아전은 말할 것두 없고, 현감도 앉아 계신 자리가 들썩들썩하는 판이란 말이야. 만약 판서나 대감들께 저기 장연 고을에서는 백성의 기강을 잡지 못하여 제 마음대루 부역에서 빠지고 관원을 능멸합니다라구 여쭤보란 말이지."

이방은 자상히 얘기하고 나서 꾸짖었다.

"무지한 것이 힘만 믿구 날뛰니까 그렇지. 이젠 자네두 세상이 무섭다는 것두 알구 좀 느긋해져야겠어."

"젠장할…… 약한 놈들은 꼼짝없이 죽을 고장이로군!"

"하긴 타도보다두 이 골엔 궁의 입김이 드세어서 고을 수령들 모가지가 추풍에 떨어지는 알밤이여."

선흥이가 만약에 제가 받는 형벌뿐이라면, 까짓 거 매맞아 죽을 셈치고 떳떳이 큰소리를 칠 수가 있었겠으나 우선 앓는 몸으로 갇힌 인흥이가 태형을 받지 않고 무사히 나오는 것이 중요하여, 보통때의 선홍이와는 달리 여물 먹는 소처럼 양순한 것이었다.

"어찌…… 안 되겠습니까? 언니만 빠지면 저야 걱정 없습니다."

"나두 자네 형제들과는 원래 안면이 두터우니 보아주고 싶으이."

선홍이가 허리춤에 두르고 왔던 돈꿰미를 풀어서 상에 올려놓았다.

"제발 부탁이우. 우리 언니는 시방 병고에 시달려 기력이 없습니다. 저 같은 놈이야 글도 모르고 머리엔 똥만 들었다 하지만, 우리 언니는 글두 알고 우리 집안의 기둥이지요. 비록 잘못 태어나 해물행상을 다닙지요만 천하 군자입니다. 만약 태형을 받아 돌아가시면 나는 조상 뵐 면목은커녕, 당장에 부모님들께 막심한 불효를 저지르는 것입지요."

이방은 잠깐 돈꿰미를 내려다보았다. 그가 큰 소리로 주모를 불렀다.

"여보 주모, 이 돈 맡아놓게. 술값은 거기서 제해두어."

"예예, 술값이 닷 푼이올시다."

이방이 먼저 일어섰다.

"자아, 가지. 내 어떻게 해봄세. 인홍이는 환자니까 돌려보내구, 자네가 대신 태형을 맞도록 해주지. 견딜 수 있겠는가?"

"매 따위야 뭐 대숩니까?"

선홍이는 이방의 뒤를 따라갔다.

"삼춘, 어쩌시려구 관가엘 들어가우?"

용선이는 제 아비 나올 기미를 알고 기쁘기는 하면서도, 한편으로는 선홍이의 태형 맞는단 말에 풀이 죽은 모양이었다. 선홍이가 말하였다.

"너는 삼문 밖에서 기다렸다가 아부지 모시구 돌아가거라."

“그래두…… 태형은 어찌 받아요?”

“아부지가 집에 못 가시면 어머니가 걱정하시구, 할머니 할아버지두 심려하신다. 내 저녁때나 내일 아침쯤에 돌아갈 테니 술이나 듬뿍 걸러놓으라구 전하여라.”

뒤를 따라오던 용선이는 관가 솟을대문 앞에서 할 수 없이 걸음을 멈추었다. 선흥이가 이방을 따라 들어가니, 삼현육각 치고 나서 이내 개청이 되어 있었다. 동헌에서는 각종 쟁송과 원소를 판결하느라고 정신이 없었고, 판결받은 자들은 뒤뜰에 나가 형리와 집장사령에 의하여 곤장을 맞는 것이었다. 이방이 선흥이를 뒤뜰로 데리고 가서 형리에게 뭐라고 이르자, 사령들이 달려들어 선흥이를 형틀에 매었다.

“그냥 엎드릴 테니 치시우.”

선흥이가 바지를 까내리고 형틀 위에 올라 엎드렸고, 형리가 말하였다.

“용우물 만석골 강인흥이 곤장 십 도요.”

능장과 곤장을 골라내어 집장사령이 매를 후려치기 시작하였다. 매 때리는 소리와 검장(檢杖) 소리에 에구구 하는 비명소리가 나올 법도 하건만 선흥이는 잠잠하였다. 그도 그럴 것이 혹독한 매가 떨어졌다 하여도 견딜 선흥이었으나 대신 맞는 매임을 아는 형리인지라 눈짓으로 가벼이 치라 이른 것이었다. 매 십 도를 순식간에 맞고 나니 뒤에도 선흥이처럼 부역 까탈에 잡혀온 백성들이 줄을 잇고 있었다. 선흥이는 형리에게 물었다.

“인제 우리 언니는 나가게 되우?”

“이방나리가 이미 방면하였네. 헌데 이제부터는 자네 벌을 받아야지.”

"어서 시행하여줍시오."

그러나 형리는 대꾸 없이 사령들에게 일렀다.

"여봐라, 전화나으리께서 직접 오실 때까지 이 죄인을 엄중히 가두어두어라. 내수사에서 다스릴 것이다."

사령들이 선흥이께 달려들어 이리 감고 저리 묶어 결박을 지었다. 그러고는 옥으로 끌어갔다. 형리의 말이,

"우리두 이 일을 어찌할 수가 없네. 전화가 보장을 올려 엄중히 다루도록 해달라고 고을 수령에게 공문까지 띄웠고, 잡히면 통기를 해달라 하였으니, 곧 장산곶에서 내수사 사람들이 몰려올 걸세. 글쎄 어느 안전이라구 그이들을 건드리는가. 형국을 받게 되면 그저 목숨만 살려주십사 빌게나."
하는 것이었다.

선흥이가 텅 빈 옥방에 앉았으려니, 새삼 분노와 서러움이 밀려오는 것이었다. 아직 총각 혈기에 울뚝불뚝 싸움질도 벌일 만하건마는 권부의 체통은 그만큼의 아량도 허용하지 않는 듯하였다.

"내 이 더러운 장연골서 사나 봐라. 제길…… 한 놈씩 때려죽이구 달아날까."
하는 것은 어쨌든 기분으로 그럴 뿐이었고, 식구들 뒷감당할 걱정이 더욱 커져서 선흥이는 마치 함정에 빠진 호랑이처럼 이만 갈고 앉았을 뿐이었다.

선흥이는 그날 밤을 옥에서 새우게 되었다. 그러니 첫봉이와의 약속은 어그러지게 되었던 것이다. 이튿날 정오 무렵이나 되어서 전화가 말을 타고 관노들을 거느리고 장산곶 벌채장에서 장연 관가에 도착하였다. 전화가 비록 관직은 장연현감의 아래이나, 내임직인데다가 왕실의 주요직이니 현감께 은근한 자세가 대단하였다. 전화가 선

흥이를 다루려고 동헌에 드니, 현감도 동석하지 않을 수 없었고 관내에서 일어난 일이라 전화의 심기를 살피느라고 여념이 없을 정도였다. 선흥이가 결박 지어져 동헌 댓돌 아래 끌려나왔다. 전화는 별로이 흥분하지 않고 현감과 조정 일을 이러쿵저러쿵 수작하다가 끌려나온 선흥이를 보자 말을 던졌다.

"내가 누군지 알아보겠느냐?"

선흥이는 불량한 눈길을 들어 전화를 흘깃 노려보고는 대답이 없었다.

"저놈의 목자 부라리는 꼴을 봐라."

"뭣들 하느냐. 어서 형틀에 달아매라."

곁에 앉았던 현감이 자리를 들썩이며 외쳤다. 사령들은 선흥이의 성미를 아는지라 곁에서 부축하는 시늉만 해 보이니 선흥이는 투덜투덜 뭐라고인가 연신 중얼거리면서 형틀에 올라 엎드렸다.

"맞아죽을 놈이 무슨 소리를 그렇게 중얼거리는가."

전화는 역시 침착하게 물었다. 선흥이는 고개를 떨구고 땅바닥을 들여다보고 있었는데,

"그놈의 머리꼭지를 잡아 치켜라!"

하는 호령이 떨어지고 선흥이는 사령에게 머리끄덩이를 잡혀 고개를 번쩍 쳐들었다.

"네 이놈, 뭣 때문에 태형을 받는지 한번 네 입으루 들어보자."

전화가 선흥이의 뻣뻣한 태도에 드디어 침착했던 마음이 흐트러져 눈꼬리가 빳빳해졌다. 선흥이는 역시 불량한 눈길로 동헌의 두 관리를 노려보며 퉁명스럽게 내뱉었다.

"어서 치시우."

"네 죄를 알구 벌을 받아야 한다. 만일 입을 다물고 버티면 압슬

(壓膝)에다 단근질루 다룰 테여."

보다 못한 집장사령이 관장의 앞이라서 한마디 거들었으나, 선홍이는 또 뭐라고 투덜투덜하였다.

"그자가 뭐라구 그러느냐?"

"한주먹감두 안 되는 것들인데, 벼슬이 아까워 참구 있다구 말했수."

선홍이가 말하자 전화는 턱을 부르르 떨더니 한참 만에 진정을 하고서,

"내수사 아이들을 불러들여 집장하게 해주시오. 내가 친국했으면 싶소이다."
하고 현감에게 진정하였고, 현감도 이 자리가 몹시 민망하여 자리를 뜨고 싶어 안달하던 참이라, 아뢴 대로 거행하라 하고는 곧 동헌에서 나가버렸다. 선홍이가 손이 발 되도록 빌었어도 일단은 악형을 면할 수가 없던 터에 겁없이 입놀림까지 하였으니 꼼짝없이 관부 귀신이 되어버릴 모양이었다.

득달같은 하명을 받든 내수사 노비들은 그러잖아도 갈아마시고 싶던 참이라, 얼씨구나 하며 동헌 마당으로 몰려들어온다. 거의 반나마가 한양 대감댁 사노들로 내수사 관노를 빙자하고 영업행위를 하던 자들인데, 원래가 한양 대가의 사노라면 대처 무뢰배나 다름없는 자들이다. 저자 뒷마당에서 지방 무뢰배에게 치도곤을 올리던 솜씨에, 이제 관가의 동헌 마당까지 빌렸으니 악형에 기탄이 있을 리가 없었다. 선홍이에게 호감을 가진 장연의 이서배들은 모두 아까운 장사 하나가 숨지겠다며 가슴을 졸였다.

"곤장이구 형틀이구 소용없다. 난장으루 다루어라."

전화가 이르자 둘러섰던 관노들이 사령의 능장을 골라잡고서 강

선홍이께 달려들었다. 선홍이가 그런 경황 중에도 벌떡 일어서며 사람들의 울타리를 빠져나가려고 머리를 숙이고 꼬라박았으나 날아든 능장 하나가 선홍이의 뒤통수를 후려갈겼다. 선홍이가 앞으로 고꾸라지자마자 등과 허리와 다리에 매타작이 우박 쏟아지듯 하였다. 선홍이는 두 팔이 등뒤로 바짝 묶였으나 아직 다리는 자유로워서 몇 번이나 매를 맞받으며 무릎을 세워보았으나 발길질에 다시 넘어지곤 하였다. 아무리 천하장사라 한들 십여 인의 매를 어찌 견디랴. 이윽고 맥을 잃어 풀썩 꺾어지고 만다. 그뒤에도 뭇발은 그치질 않았으며 선홍이의 꿈틀거리던 몸이 축 늘어져버리자 전화가 당 아래로 내려왔다.

그는 선홍이의 목숨을 빼앗아버릴 수는 없는 일이라고 생각한 것이다. 전화는 선홍이의 머리털을 잡아 치켜들어보았다. 선홍이가 정신을 차리려는지 안면을 일그리고 좌우로 거칠게 흔들었다. 선홍이는 희미한 눈을 들어 그를 바라보았다.

"네 죄를 알겠느냐?"

"모…… 모르우."

"허, 이놈 봐라. 매에 장사 없다던 말을 모르는 모양이로다. 모르쇠에게는 몽둥이가 약이다."

전화는 물러났고, 다시 둘러섰던 자들이 개 잡듯이 두드려팼다. 선홍이의 옷은 뭇발에 갈가리 찢기고 터진 상처에서 흐른 피가 등과 다리에 흠뻑 젖어 있었다. 그러나 끝내 비명을 지르지 않으니 매를 치는 쪽에서도 고역이었던 것이다. 맞는 놈이 비명이라도 지르며 펄펄 뛰어야 매를 든 놈도 활기가 돌련마는, 너무나 참는 정경이 악착스러우니 가슴이 섬뜩해질 만도 하였다. 선홍이는 기절하지 않으려고 애를 썼다. 드디어 때리는 놈들도 땀으로 흠뻑 젖었으며 하나둘씩 능장을 늘어뜨리고 숨을 몰아쉬며 서 있게 되었다.

"그놈을 젖혀봐라."

관노들이 달려들어 발길로 선흥이의 몸을 뒤집어놓았다. 선흥이는 눈꺼풀을 반쯤 내리깔고 입은 벌린 채 잔약한 숨을 토해내고 있었다. 부채로 얼굴을 가리고 넘어다보는 전화에게 관노들이 제각기 말했다.

"나으리, 이러다간 물고장을 내버리겠습니다."

"보통 사람 같았으면 벌써 세 번은 혼절했을 겝니다."

"우리두 무뢰배를 적잖이 다루어보았으나, 이런 놈들은 죽어두 께름칙합니다."

전화가 내려다보자니 거의 반죽음이 되었는데, 놈이 아직도 수그리지 않는 기색에 처음보다 더욱 부아가 치밀었다. 그러나 관노들의 말이 맞는 성싶은 것이 죽이면 속만 꺼림칙할 것이고, 이런 자의 원한이란 앙화가 된다는 세간의 말도 떠올랐다.

"어, 그놈 참 모질구나."

"더 두드릴깝쇼?"

전화는 선흥이의 발치로 눈을 거두면서 헛기침을 하였다.

"그만하면 다시는 주먹다짐할 생각이 가셨을 게다. 이곳 관장께 처분 맡기구 우리는 돌아가자."

전화가 이방을 불러 장연현감께 선흥이의 뒤처리를 넘겨준다는 뜻을 말하였다. 그들은 장연 관가를 뒤숭숭하게 뒤집어놓고는 장산곶으로 돌아갔다.

선흥이 형제가 이미 벌을 받았고, 선흥이가 내수사 사람들에게 반죽음이 되었으므로 관가에서는 방면하도록 영이 떨어졌다. 이방이 그래도 돈 먹은 의리도 있고, 선흥이에게는 동정적이라 삯꾼 하나를 사서 선홍이를 그의 집까지 업어다 주도록 하였다. 삯꾼이 선홍이네 집으로 가는데 벌써 들판에서 일하던 농부들이 알아보고는 몇은 선홍이네 집에 알려주고, 두엇은 달려와 선홍이를 받아서 떠메었다. 이제나저제나 관가로부터 하회를 기다리던 선홍이네 식구들은 그가 맞아서 초주검이 되어 업혀온단 말을 듣고는 모두들 삽짝 밖으로 뛰어나왔다. 선홍이의 모친은 허위허위 두 손을 내저으면서 마주 달려왔고, 부친은 체통이 있는지라 울 앞에 서 있는데 용선이와 형수가 모친의 뒤를 따랐다. 선홍의 어머니가 그의 찢어진 옷자락과 피범벅인 상반신을 보자 통곡을 터뜨렸다.

"아이고오, 우리 선홍이가 이게 무슨 꼴이란 말이냐. 느이 형 대신 곤장이나 두어 대 맞구 올 줄 알았더니 어느 야차를 만나 포쌈이 되었고나. 이 끔찍한 몰골을 어느 귀신에 하소할꼬."

선홍이는 희미하게 앓는 신음소리만 간간이 내뱉을 뿐이었다. 그가 집안에 들어서자 어느정도 기력을 회복한 인홍이가 방에서 기어나와 마루를 두드리며 울음을 터뜨렸고, 형수는 가장을 다시 누이려고 겨드랑이를 낀 채 숨죽여 울었다. 온 집안이 가위 초상난 집의 초혼제하듯이 되어버렸다. 선홍이의 아버지는 사람들께 부탁하여 점심참 뒤의 궁방토 부역에서 빠지기로 하였다. 모두들 선홍이가 장산곶 부역 때문에 관가에 가서 곤죽이 되도록 맞아 병신이 되어 돌아왔다고 수군수군하였고, 용우물의 궁방전에 제 땅을 넣어버린 약한 백성들은 저마다 남의 일 같지 않다며 수군거렸다.

선홍이를 안방에 뉘어놓고서 식구들은 모두들 갈팡질팡 어찌 손쓸 바를 몰랐다. 장독(杖毒)이란 과연 무서운 것이어서 선홍이의 몸은 통통 부어 상한 자반비웃처럼 되었다. 동네 사람들이 하나둘씩 찾아와 위로의 말을 하는데 소주를 가져오기도 하였고, 달걀이나 백미 한 주발을 들여밀기도 하는 것이었다. 용우물서 아이들이 아프거나 아낙네가 해산할 적에 곧잘 불려다니는 마마할미가 쫓아왔다. 예전에 해주 양반댁의 유모였다는 마마할미는 곧잘 병자를 구완해내어 용우물서 추수 뒤에는 동네에서 떡을 한 시루 하여다가 행하조로 치르기도 하였다. 마마할미가 와서 인사불성인 선흥이를 이리저리 살펴보더니,

"응…… 한 사나흘만 잘 넘기면 기력을 찾을 걸세. 워낙 기운이 장사인데 상처야 무슨 문제가 되겠냐마는 오직 홧병으루 도질까 그것이 염려로구먼. 멍울이 진 곳이며 뼈가 상한 곳에는 팥을 삶고 파를 잘게 썬 다음에 식초에 하룻밤 담가두었다가 뜨겁게 국물을 끓여내어 그 물에다 찜질을 하면 되네. 그리구 우선 터진 상처가 급하니 들깻잎을 따다가 볶아서 칡뿌리와 함께 붙이도록 하구."

일러주었다.

마마할미의 지시대로 형수는 부엌에서 찜질시킬 물을 우려내고, 용선이와 아버지가 칡을 캐러 갔다. 선흥이는 열이 높아졌고, 얼굴에 열꽃이 피어 입을 벌리고 뜨거운 호흡을 간신히 토해내는 것이었다. 마마할미가 돌아가며 일렀다.

"오늘밤이 고비여. 내일부터는 차츰 미음이라두 쑤어 먹이게."

조니포 첫봉이 형제들은 불타산에 잠입하여 심백이를 혼찌검내주자 약속한 선흥이가 밤을 넘기도록 오지 않자, 일단 산에 오르는 일은 중지하기로 하였다. 그러나 광에 가두어둔 소두령이란 자가 골치였으니, 화승총에 깨어진 머리에 두창이 번져가기 시작했던 것이다. 우선 임시로 된장을 퍼다가 머리에 싸매어주기는 하였으되, 매끼마다 굶길 수는 없는지라 귀찮은 노릇이었다. 세봉이도 수군역을

끝내고 돌아왔고, 이제는 선홍이만 오면 곧 입산을 할 계획이었으니 첫봉이가 은근히 조바심치는 것은 당연하였다.

"선홍이 자식이 아무래두 집에 가서 무슨 일을 당했나 보다. 약조를 어길 놈이 아닌데……"

"그건 어쨌거나 저놈을 어쩔 작정이우. 공연히 광 속에 터줏대감이나 하나 더 늘리는 건 아닌가 모르겠네."

세봉이도 말하였다.

"언니들…… 저 자식 밥수발은 이젠 도저히 못 하겠수."

첫봉이는 곰곰이 생각하더니 아우들에게 말하였다.

"자, 이거 큰 낭패로구나. 저놈을 놓아보내자니 가는 즉시루 우리 모의를 알릴 게 아니냐. 심백이가 그런 말을 듣구 가만히 자빠져 있지는 않을 게다. 그리구 없애버리자니 불타산 산채를 영 모르게 된단 말이야. 이번에 잃은 물건을 되찾기는커녕, 앞으루 밀상질은 번번이 저놈들 때문에 파탄이 날 게여."

"수군 진영에 가서 알릴까……"

세봉의 옅은 말에 둘봉이가 코웃음을 쳤다.

"얘얘, 하나는 알구 둘은 모르누나. 도적을 잡았다구 발고하면 저놈이 수걱수걱 우리 시키는 대루 말할 듯싶으냐. 대번에 멍구미 밀상 목에 대해서 발설할 게다."

"오늘 하루 더 기다려보자꾸나. 내일두 오지 않으면, 내가 선홍이네 집으루 찾아갔다 와야겠다."

"관밥을 먹거나 곤장에 몸을 못쓰게 되어버렸는지두 모르우."

첫봉이와 둘봉이는 애가 달았다. 그도 그럴 것이 강계에서 삼장수 거간이 돈을 받으러 올 날짜가 임박했던 것이다. 물론 뜨내기 장사꾼이 아니요, 저들 나름대로 뒷보도 든든하고 패거리도 있으니 첫봉이네 형제의 실책을 그냥 보아넘기지 않을 것이 분명하였다. 물주와 거간에 당할 핍박쯤이면 까짓 거 두 번 저녁 짓고 밤도망을 해버려도 되겠으나 아까운 장삿길은 아예 끊기고 마는 것이 아닌가.

이튿날도 선흥이는 조니포 첫봉이네 집에 오질 않았다. 첫봉이는 용우물까지 선흥이를 찾아나섰다. 밤 이경이 되어 둘봉이는 포구의 주막으로 수군들과 돌려태기를 하러 가서 돌아오지 않았는데, 멍구미 앞바다 갯벌에는 한 무리의 사내들이 다가들고 있었다. 그들은 제각기 환도와 몽둥이를 들고 있었는데 대략 칠팔 인은 되어 보였다.

인삼과 은자를 빼앗아갔던 불타산 패거리들은 아무래도 첫봉이네에 잡혀 있는 자가 걱정이었고, 감히 불타산 패거리에 맞서 싸운 그들을 내버려둘 수가 없었다. 후환은 물론이요, 불타산 인근 마을에 위세를 보이려는 뜻도 있었다. 심백이가 친히 팔팔한 자들만을 골라 산을 내려왔던 것이다. 그들은 산골짜기에서 노숙하였다가 한밤중에 깨어 일어나 조니포를 향하여 내려왔다. 심백이는 삭발한 머리에 회색 승복을 입고 한 손에는 화승총 잡고, 허리에 짜른 칼을 차고 있었다.

"바로 저 집이우."

일행 중의 하나가 심백이에게 첫봉이네 집을 가리켜 보였다.

"불이 꺼졌군."

"지금쯤 곯아떨어졌겠지요."

그들은 잠깐 해변가의 바위 뒤에 몰려서서 부근에 인적이 없는가를 살피고 의논들을 하였다.

"여기서 진영이 가깝다며?"

"예, 장교 한 놈이 나와 있습니다만 모두 허재비 같은 것들입죠."

"하여간 부딪치면 낭패 보기 십상이니 아뭇소리 들리지 않도록 해라."

심백이가 한 사람을 뽑아내 첫봉이네 집을 염탐하라 일렀다. 그자는 어두운 해변을 따라 조니포마을 어귀로 스며들어갔다.

"오장(伍長)을 구해내구 형제놈들을 어찌할라우?"

"그 녀석들이 완력깨나 쓴다며? 그냥 앉아서 당하지는 않을 터이니 대적하려 들겠지. 모조리 죽여버려. 그리구 선흥이란 놈두 여태 함께 있으면 몽치로 때려서 기절시키구 사로잡아라. 내가 몸소 모가지를 베어낼 테니까. 그놈께는 빚이 많단 말이야."

"자칫 실수하면 도리어 우리가 큰코 다치기 쉽습니다."

"염려 없다. 이게 무슨 지겟작대긴 줄 알았니. 기운 믿구 날뛰는 놈의 뒤통수에 한 방만 놓으면 되는 게야. 콩알에 장사 없지. 너희 셋이서 선흥이놈을 맡고 너희들은 첫봉이네 형제를 맡아라. 나는 삽짝을 부수구 들어가서 선흥이놈이 설치기만 하면 총을 놓을 테니까."

이윽고 어둠속에서 부엉이 우는 소리가 들려왔다. 정탐 갔던 자의 군호소리였다. 그들은 숨을 죽이고 몸을 낮추어 재빨리 외떨어진 첫봉이네 집으로 다가들었다. 울 밖에 모여서자 기다리고 있던 정탐자가 속삭였다.

"울을 뜯구 들어가보니 식구들이 모두 있는 것 같지 않습니다. 안방에는 늙은이가 있고, 윗방은 비었습니다. 뒷방에서 코 고는 소리가 들리는데 누군가 있는 듯합니다. 아마 오장은 광에 갇힌 것 같소이다."

심백이가 졸개들을 나누는데 셋은 울타리 뒤쪽으로 들어가 뒷방을 덮치게 하고 하나는 안방의 노모를 맡고 심백이 자신과 두 부하들은 광과 윗방 사이의 좁은 길목 양편에 숨었다가 뒷방에서 앞마당으로 나오는 자를 급습하기로 하였다. 먼저 세 놈이 울타리를 뜯고 뒤꼍으로 들어가서 뒷방의 문을 막아섰고, 심백이와 부하들은 삽짝문을 조심하여 뜯어낸 뒤에 마당으로 들어섰다. 심백이는 화승총을 거머쥐고 광 뒤에 붙어섰는데, 하나는 툇마루에 올라섰으며, 두 놈은 윗방 앞에서 뒤꼍을 노리고 서 있었다.

그때에 어린 네봉이는 뒷간에 앉아 있었다. 초저녁부터 배가 살살 아파오는 것을 참고 잠이 들었는데, 한밤중에 설사가 터지게 된 것이었다. 네봉이는 두 번째로 일어나 뒷간에 갔고, 앉아서 끄덕이며 졸고 있었다. 그러다가 울의 싸릿가지가 버석이는 소리에 번쩍 눈을 떴다. 희끄무레한 사람의 모습이 보였는데 가끔씩 번쩍이며 빛을 내는 환도를 알아볼 수가 있었다. 네봉이는 숨이 턱 막혔다. 떨리는 다리를 버티고 일어서서 간신히 옷단속을 하고는 흙과 돌로 쌓은 뒷간의 토담벽을 돌아보았다. 천상 빠져나갈 데라고는 짚이엉을 얹은 지붕 쪽밖에 없었다. 괴한들이 뒷방 문을 살그머니 열어젖히는 것이 보였다.

네봉이는 이미 사태가 글러버린 것을 알아채고 울 바깥쪽을 향하여 지붕의 이엉을 헤쳐놓았다. 그들은 뒷방으로 올라서자 자고 있는 세봉이를 사정없이 칼로 쑤셨다. 세봉이가 기다란 비명을 내지르자 도적들은 제각기 세봉이의 가슴과 배를 난자하였다. 비명소리를 신호로 하여 안방 앞에 섰던 자가 달려들어가 비명소리에 놀라 깨어나는 노모를 간단히 해치웠다. 뒷방에서 세봉이의 처참한 시체를 끌고 앞마당으로 돌아나오는 자들을 보자 심백이는 당황하여 외쳤다.

"아니…… 이놈뿐인가?"

"혼자 자구 있습디다."

"형제가 넷이구 선홍이놈까지 와 있다더니 설건드렸구나!"

졸개들이 광 속에서 앓고 있는 오장을 업어왔다.

"집안을 샅샅이 뒤져라. 자칫하다간 우리가 오히려 당하겠다. 인기척을 알구 빠져나갔는지두 모른다."

심백이는 초조하여 안달하는 기색을 감추지 못하였다. 이미 가족을 몰살시키기로 작정은 하였으되, 씨를 말리지 못하였으니 남은 자들이 가만있을 리 없는 노릇이었다. 첫봉이와 선홍이가 장연서는 세상이 다 아는 막역지우이니 가장 골칫거리가 선홍이었다. 설마 산채에까지야 쳐들어오랴마는 언제 노리고 몰래 스며들지 알지 못할 일이므로 공연히 불안하였다. 집뒤짐을 하던 자들이 돌아와 다급하게 말하는데,

"누군가 달아난 듯하우."

"뒷간 지붕이 뻥 뚫렸습디다."

"방금일 테니 뒤쫓아가봐라. 잡을 수 없으면 총을 놓아버려."

"군졸들이 총소리를 듣고 달려올 게요."

"달려와봤자 산마루가 지척이다. 일단 솔밭으로 들어서면 감히 뒤따르지 못한다. 어서 잡아 죽여!"

졸개들이 집밖으로 뛰쳐나가 조니포의 풀밭 사방으로 흩어졌다. 네봉이는 모래밭을 뛰고 있었다. 둘봉이가 노름하러 간 진영 앞의 주막을 찾아가는 것이었다. 멍구미 앞의 움푹 팬 좁다란 만을 빙 돌아서 뛰는데 드디어 그를 따라잡은 도적들이,

"저기다, 저기!"

"이놈, 게 섰지 못할까."

외치며 달려왔다. 한 놈이 무릎을 꺾고 총을 받쳐 겨누고 한 방을 놓았다. 총소리의 여운이 포구 안에 기다랗게 울려퍼져갔다. 네봉이는 폴짝 뛰었다가 이번엔 물을 바라보며 절뚝이며 뛰었다. 도적들이 서

른 발짝 가까이 다가들었으나, 네봉이는 주저하지 않고 곧장 바닷물에 뛰어들었다. 아무리 아이라지만 멍구미섬을 여러차례 오가는 머구리이니 헤엄질에는 자신이 있었다. 이미 총소리를 내어버린 도적들은 물 위로 재빠르게 사라져가는 네봉이를 안타깝게 바라보기만 하다가 되돌아섰다.

“갯가놈들이니 헤엄질을 따라잡을 수가 있겠수. 놓쳐버렸습니다.”

“어서 내치자.”

기왕에 임집을 덮쳤으니 맨손은 불타산 패거리의 체통에 관계되는 일이라, 칫봉이네 장롱을 뒤져서 돈냥과 쓸 만한 가재들을 추리고, 광에서는 장사하다 남은 해물 부스러기들을 거두어 봇짐을 꾸려서 제각기 메고 나섰다. 가위 칫봉이네 집은 쑥밭이 되어버린 것이다. 심백이 일행들은 조니포를 빠져나가 불타산에 연이어 닿은 갈재마루를 타고 올랐다. 그러나 심백이는 어쩐지 뒤가 미적지근하여 못내 개운하지를 않았다.

네봉이는 정신없이 헤엄을 쳐서 진영 근처의 주막 쪽으로 올라갔다. 뭍에 올라서서 걸음을 걸으려 하니 발에 힘이 없고 시큰거려서 디딜 수가 없었다. 네봉이는 그제야 왼쪽 허벅지가 쑤셔오는 것을 깨달았다. 총에 맞았던 것이다. 방금 셋째 형과 모친이 한꺼번에 살육당하는 자리에서 빠져나온 그는 제정신이 아니었다. 네봉이는 주막을 향해서 절뚝이며 뛰다가 넘어지고 다시 일어나곤 하였다. 그때 어둠속에서 몇사람이 마주 걸어오다가 고함을 질렀다.

“웬놈이냐?”

이젠 다 틀렸다고, 네봉이는 기운이 쭉 빠져서 그 자리에 주저앉아버렸다. 그러고는 벌렁 드러누워서 죽기를 기다렸다. 그들은 조심

조심 네봉이의 곁으로 다가섰다.

"아니…… 이게 누구냐, 네봉이로구먼."

그들은 총소리를 듣고 포구로 나온 군졸들이었다. 네봉이가 고개를 들어 살피니 벙거지에 더그레 차림인지라 벌떡 일어났다.

"우리 둘째언니가 어딨어요?"

"응, 시방 돌려태기하느라구 정신이 없더라. 무슨 일이 났니?"

"도적들이 몰려와서…… 식구들을 쳐죽였어요. 나는 다리에 총을 맞았어요."

그들은 네봉이를 업고 주막으로 갔다. 주막 문을 열어젖히자, 호롱불 밑에서 지패를 펴들고 노려보던 사내들이 모두 고개를 돌렸다.

"아이구, 둘째언니!"

방문턱에 엎어지면서 네봉이가 울음을 터뜨렸다. 몰골을 보니 옷은 흠뻑 젖은데다 왼쪽 다리는 흘러내린 피로 벌겋게 물들어 있었고 머리는 산발이었다. 어린 네봉이의 끔찍한 몰골에 둘봉이는 놀라서 우선 부축하여 어깨를 끌어안기부터 하였다.

"이게 도대체 어찌된 일이냐?"

"도적들이 몰려와서 셋째언니와 어머니를……"

"뭐라구?"

"방금 총소리가 들렸길래 나가봤더니 저 모양이여."

네봉이는 곧 기진하여 혼절해버렸다. 둘봉이가 아우를 주막에 부탁해놓고서 수군 진영의 군사들과 함께 조니포 끝쪽의 집으로 달려갔다. 집 모양은 그대로였으나 마당에 들어서자마자 둘봉이는 심장이 멎는 듯하였다. 광문이 열려 바람에 흔들흔들 삐꺽이고 있으며, 안방의 미닫이가 열렸는데 어둠속에서는 피비린내가 전해져왔다. 장교가 횃불을 밝혔고 집안에는 음산한 불빛이 일렁이며 내리덮였다. 안방의 문께로 다가섰던 둘봉이가 태산이 무너지는 듯한 탄식을 첫마디로 하여 꺼이꺼이 울기 시작했다.

모두들 그의 등뒤로 몰려서서 구경을 하는데 불에 비친 안방에는 이불이 온통 피칠이 되어 있었다. 첫봉이네 모친은 눈을 번듯 뜨고 있었으며, 어깨에서 허리로 깊숙이 베어진 상처에서는 피가 흘러나와 방바닥에까지 번져 있었다. 인기척에 놀라서 깨어 일어나는 것을 위에서 칼을 그어내린 모양이었다. 뒤꼍을 살피러 나갔던 군사들이 이번에는 세봉이의 난자된 시체를 이불에 싸서 마당으로 들고 나왔다. 한참이나 방성대곡을 터뜨린 둘봉이는 멍청하게 아우의 시체를 내려다볼 뿐이었다.

"도적들의 행방을 살펴보아라."

장교는 그렇게 외쳤으나, 소용이 없는 짓인 줄은 너무도 잘 알고 있었다. 이 너른 천지에 어느 산 어느 골짜기로 숨어버렸는지, 그들을 찾는 일은 전혀 가망 없는 노릇이었던 것이다.

그러나 어쨌든지 사람이 둘씩이나 처참하게 죽었으니 모두들 병장기 꼬나잡고 인근 산과 숲으로 몰려갔다. 한참 뒤에 첫봉이네로 장교와 군사들이 되돌아가보니, 둘봉이와 네봉이가 대강 시체 수습을 끝내고 마을 아낙네들을 불러다 수의를 짓고 음식을 장만하는 중이었다.

"사방을 다 찾아보았건만 종적이 묘연하네그려."

"그만두슈. 불타산 패들인 모양인데 만났자 대적하지두 못할 게요."

둘봉이가 은근히 결이 나서 장교에게 통명스레 말하자, 장교는 눈을 번쩍 떴다.

"불타산 놈들인 걸 자네가 어찌 아나? 아무래두 무슨 사단이 있긴 있었구먼."

둘봉이는 실언했나 싶어서 더이상 말을 꺼내지 않고 묵묵히 앉아 있었다.

"여보게, 어떻게 된 거야. 불타산 패들이 그 많은 임집들은 버려두고 하필이면 자네 집을 야습한 이유가 뭔가?"

"아 시끄럽소. 환난당한 집에 와서 왜 이리 보채시우."

둘봉이의 꽥하는 소리에 장교는 찔끔했다가 다짐을 두고 돌아갔다.

"하여튼지 날이 밝으면 진영으루 좀 나오게. 우리두 보장을 올려야 할 테니 자네가 이실직고를 해야지."

그날 둘봉이는 뜬눈으로 날을 밝혔다. 이튿날 해가 높직이 떠서야 용우물 나갔던 첫봉이가 돌아왔고, 첫봉이는 거지반 미친 사람이 된 것처럼 눈에 핏발이 섰다.

"음…… 심백이놈, 사노(寺奴)질해서 연명하던 놈이 이제 내 식구들을 죽이구 얼마나 사는가 보자. 심백이놈의 간을 꺼내어 씹지 못하면 구구히 밥알이나 넘기며 살지는 않을 테다."

서둘러서 모친과 아우의 장사를 지내니 졸지에 당한 변인지라, 첫봉이네 집은 더욱 을씨년스럽고 황폐하였다. 관가에서 자꾸만 오라 가라 하여 그때마다 구변 좋은 첫봉이가 가서 그럴듯이 둘러대었다. 만약 관에다 이실직고한다면 첫봉이네 형제의 밑구린 사연만 드러날 것이요, 실제로 불타산에 군병을 보내어 도적들의 산채를 토벌할 기미라곤 없기도 하였다. 저쪽에서는 백성들의 가산이나 털고 가끔 행인을 뒤짐하는데, 관군과 부딪친 적이 없으니 건드려서 터뜨리지 않겠다는 눈치가 보였다. 거병하면 감영을 거쳐 보고해야 하며, 일단 거병하여 도적을 친다는 것이 알려지면 승패가 어찌됐거나 장계를 올리지 않을 수 없는 노릇이었다. 다행히 토벌한다면 모르되, 오히려 패한다면 상부의 문책은 물론이려니와, 수령의 치적에는 지울 수 없는 오점이 찍히게 마련이었다. 불타산은 깊은 산이요 멀리 달마산(達摩山)까지 그 능선이 백여 리에 잇닿아 있었다. 산채를 안다 하여도 협공을 도모하려면 해주와 문화 관계(官界)에서 서로 막아주어야 할 테니 병이 한 고을의 군노 사령만으로는 어림도 없는 노릇이었다. 도둑놈 하나에 잡는 놈은 열 놈이라는 얘기가 맞는 말이었다. 그러니 관가에서 이실직고하라는 것은 형식일 뿐이요, 첫봉이 쪽에서도 그런 것을 모를 바보가 아니었다. 어느 고을에나 깊은 산이 있으면 수상한 녹림처사가 있는 것은 당연하게 아는 세상이 아니던가.

첫봉이는 제 나름대로 생각이 있었고 강선흥과도 의논할 일이 있었다. 그래서는 부글부글 끓는 속을 드러내지 않고 갯가에 게나 주우러 다니는 것으로 매일을 소일하였다.

선흥이가 매를 맞고 자리에 드러누운 지 달포가 지났다. 과연 체력이 있는 사람인지라 상처의 회복이 빨랐고, 뼈를 상한 것처럼 보이던 곳도 대개 아물고 거뜬해졌던 것이다. 그러나 선흥이는 앓고 누워 있던 사이에 다른 사람처럼 과묵한 자가 되어버린 것이었다. 그는 이제는 눈치나 보면서 죽지 못해 살아가는 양민의 삶을 내던지기로 작정하였다. 그가 우대용과 더불어 구월산에서 내려올 적에도 자기가 녹림당의 일원이 되었다는 생각은 털끝만큼도 없었다. 그저 저자의 왈짜패로 자라난 제 성깔에 맞는 이들과 의리지정을 맺었거니만 여겼던 것이다. 그리고 그때까지만 하여도 국법을 등지고 살아가는 자들에 대해서 이해하려는 마음보다는, 어쨌든 잘못이라고 여기기도 하였다. 선흥이는 여태까지와 같은 비굴하고 천대받은 생활을 감내할 듯싶지 않았다. 다행히 관가에서 뭇매를 맞고 나오는 것으로 그쳤지만, 어느때에 자기 성미를 못 이겨서 큰일을 내게 될지 모르는 일이었고, 설혹 자신만은 몸을 빼쳐 고향을 등진다 하더라도 남은 식구들에게는 화가 미칠 것이었다. 기왕에 양민의 생활을 견디어낼 자신이 없으면 일찌감치 사라져버리는 것이 상수일 듯싶었다. 그러나 강선흥은 장사치로 떠돌기 이전부터 농부의 자식이었고, 그 자신이 넓은 들판 끝에 초가삼간을 짓고 소를 몰아 밭을 갈고 김을 매는 농군의 생활을 원해오던 터였다.

『소학』권이나마 떼어 나라가 무엇이며 임금이 무엇인지를 제법 조리 있게 말할 줄 아는 형인 인흥이보다는 못했으나, 선흥이는 그런대로 충효가 어떤 것이라는 것쯤은 알고 있었다. 이제 충효 따위는 속임수에 지나지 않음을 선흥이는 깨달았던 것이다. 사람다운 생활을 하고 사람다운 대접을 받는 이들에게나 가당한 것이리라 느껴졌다. 다시는 고향땅에 발길을 내딛지 않겠다고 작정하였다. 땅은 모조리 궁방전에 흡수되어 땅임자는 궁의 환관과 계집들이 차지하였고, 이제는 그들의 먹다 남은 찌꺼기나 핥는 노비와 마찬가지가 되어버린 고향 사람들이었다. 실상 기부(畿府)에서 멀리 떨어진 북변이나 산골짝에 은거하기를 대부분이 바라고 있었으나 마음대로 이사를 할 수도 없었고, 그나마 정들었던 산천과 조상이 물려주었던 땅뙈기를 잊을 수가 없는 사람들이 아닌가. 왕실의 사돈의 팔촌이 되는 것들까지가 해서 곳곳에 전장을 마련하고 있었으니, 평생을 부역의 빼저린 노역에서 벗어날 수가 없었다. 어느결에 중농이었던 선흥이네는 궁의 소작인으로 떨어져버린 것이다. 그의 아버지나 형은 마치 그런 사실을 당연한 듯이 받아들이고 있었고, 오히려 선흥이의 울뚝불뚝하는 짓을 철없다고 핀잔하는 것이 아니었던가. 선흥이가 마당에 나와 앉아 장작을 패고 있는데, 그 사이에 수척해지고 폭삭 늙어버린 것 같은 둘봉이가 울 너머로 기웃이 들여다보았다.

"이제 좀 나았냐?"

"응…… 어서 와라. 조니포엔 별일 없지?"

선홍이도 도끼를 내려놓고 웃으면서 안부를 묻는데, 곁에 와서 털썩 주저앉은 둘봉이는 공연히 나뭇조각을 만지작이면서 대답이 없었다. 선홍이가 찬찬히 살펴보자니 녀석이 콩알만 한 눈물을 두 발 사이에 뚝뚝 떨어뜨리고 앉았다.

"얘, 왜 그러니. 무슨 일이 생겼구나?"

둘봉이가 고개를 끄덕였다.

"소문두 못 들었니? 심백이놈들이 와서…… 세봉이하구 어머니를 해치구 갔단다. 우리 언니 여기 오던 날이다."

둘봉이는 한참이나 말을 못 하고 소리 없이 눈물을 흘린 연후에 거칠게 코를 풀어 땅에다 뿌리쳤다. 그러고는 담담하게 그날 밤의 일을 얘기하였다. 선홍이는 눈을 부릅뜨고 그 얘기를 듣더니,

"그 돌중놈이 이제는 아예 사람 백정으로 나섰구나. 느이들 조니포를 정 못 떠나겠니?"

하고 입을 떼었다.

"떠나다니……"

"나는 이따위 장연엘 다시 발 들여놓지 않을라구 작정했다."

"그럼 어디루 갈 테냐?"

"글쎄 차차 생각해봐야지."

"구월산에 의형들이 있다며?"

"거긴 안 간다. 남의 마당에 불쑥 끼여들어 공연히 눈치 대접 받기 싫어."

선홍이는 둘봉이를 데리고 집을 나섰다. 아무래도 형수나 모친이 있으니 마음 놓고 얘기할 수가 없는 까닭이었다. 그들은 텃밭 가에 서로 쭈그리고 앉아서 의논을 하였다.

"우리끼리 밤에 잠입해서 심백이놈의 모가지를 도려낼 수는 없을까."

"요행히 성사하면 몰라두, 그르치면 개값두 안 되는 게다."

"하여간에 우리두 조니포를 떠야겠어. 어디 뭐 맘붙일 구석이 있어야지."

선홍이가 둘봉이를 밀어내며 말하였다.

"오자마자 냉수 한 그릇 못 먹이구 보내어 안되었다. 허지만 오늘 밤에 집을 떠나려는데 어머님께 눈치를 채이기 싫어서 그래. 내가 집으루 간다구 첫봉이한테두 얘기해두어라."

"아직 몸이 불편한 건 아니냐?"

"이놈아, 까짓 몽둥이 매 몇대에 강선홍이 삭신이 녹을 줄 알았니? 며칠 누워 지냈더니 뼈마디가 부대껴서 몸살이 날 지경이여."

강선홍은 어깨를 부풀려 보이며 껄껄 웃었다. 둘봉이가 다짐에 또 다짐을 두고 선홍이와 헤어져 간 뒤에, 그는 한참이나 밖에 앉아서 생각에 잠겨 있었다. 형수가 물동이를 이고 오는 것이 보였으므로 그는 재빨리 일어나 마주 달려가서 물동이를 받아 끼었다.

"아이…… 몸두 불편하신데."

"허허, 형수님두 나를 아주 병신 취급 하시는구려."

"어서 어서 한 바퀴 빙 돌구 오셔요. 용선이 아버지두 삼춘을 어서 장삿길에나 내보내신다구 오늘 염장에 나가셨어요."

"응, 언니가 염장에 나가셨구먼. 된병을 치르셨으니 당분간 집에 계셔야 할 텐데. 그나저나 제 병치레 하느라구 형수님께서 고생이 많으셨수."

선홍이는 가난에 찌든 형수의 몽당치마 자락이 갈가리 해어진 것을 보고 몹시 송구스러웠다. 어머니는 텃밭에 웅크리고 앉아서 김을 매고 있었다. 용선이가 나무를 높직하게 한짐 그득히 짊어지고 돌아왔고, 아버지는 읍내에 환자를 갚으러 갔다가 녹초가 되어서 돌아왔다. 선홍이는 그날따라 온 가족들과 둘러앉아 저녁을 먹으면서 어쩐지 목이 자꾸만 막히는 것이었다.

저녁을 먹고 나면 금방 밤이 깊어지게 마련이었다. 기침소리가 들리고 나직한 말소리가 들리는데 인홍이는 제법 기분이 좋은지 소리를 나직하게 흥얼거리고 있었다. 아마도 염장에 나가 염꾼들과 탁배기라도 한잔씩 돌려 마신 모양이었다. 선홍이는 잠들지 않고 밤이 깊어지기를 기다렸다. 선홍이는 뒷방에 홀로 누웠다가 부모님들이 계시는 안방의 동정을 살핀 뒤에 건넌방 앞으로 갔다. 그는 목소리를 낮추어 인홍이를 찾았다.

"언니, 언니…… 주무시우?"

"음…… 선홍이냐?"

"좀 나와보우. 할말이 있소."

인홍이가 미닫이를 열며 고개를 내밀었다.

"낼 아침에 얘기하자. 밤이 늦었는걸."

하면서도 인홍이는 돌아서지 않는 선홍이를 바라보다가 저고리를 걸치며 나왔다. 그들은 선홍이 기거하는 뒷방에 마주 앉았다.

"실은…… 저, 나는 집을 떠나려구 하우. 언니한테만 알려드리구 갈까 했지요."

"떠나다니……"

"집에 다신 돌아오지 않을 작정이우. 느긋이 눌러배길 팔자가 아닌 모양입니다. 내 까짓 게 집에 있어봤자 식구들께 걱정이나 끼치구요. 어디 산골에 들어가 살든지, 대처에 나가서 장사나 해볼라우."

인흥이는 잠시 말이 없었다. 그에게는 단 하나밖에 없는 아우였고, 부모님들이 선흥이가 없어지고 나면 얼마나 낙망하실지를 잘 알고 있었다.

"너 지난번 관가 일루 그러는 모양이로구나. 다 참구 살아야지, 어딘들 네 성미대루 살 고장이 있겠느냐. 가산두 없구 뒤댈 친척두 없으며 근근이 나라의 땅이나 매어 먹구 사는데, 이제 너의 행상벌이마저 끊어지게 되면 부모님께서 얼마나 걱정하시겠니. 관가에 가서 매를 맞은 것은 올해 신수가 나빠서려니 여기구 잊어버려라. 내 오늘 염장에 나갔더니 직전 없이 한 해 동안 소금을 내주겠다더라. 그리구 열 냥짜리 암말 한 마리 있는데 배내기를 시켜준다 하니 우리가 맡아다 기르면서 세를 조금만 물면 새끼를 낳을 게다. 그것이 성마가 되면 등짐을 지지 않아두 행상을 다닐 수 있지 않니. 일 년만 참구 있자. 나두 이젠 몸이 꽤 좋아졌으니 장사를 바꿀란다. 면화를 사서 북관이나 나다녀야겠다. 그래두 우리는 소작붙이 외에 형제가 행상을 다닐 수 있으니 얼마나 다행이냐. 식구들이 그나마 굶주리지 않구 살아가는데 어찌 너만 빠져나가기를 바라겠니."

인흥이 간곡하게 만류하였으나 선흥은 이미 결심이 굳어진 터여서,

"당분간 어려우시더라두 나는 찾지 마십시오. 내가 어디엔가 자리를 잡게 되면 부모님을 편안히 모시겠습니다."

하며 잘라서 말하였다. 인흥이는 마음씨가 부드럽고 연한 사람이었으므로, 아우의 끊어내는 듯한 말에 대번 마음이 상하여서 눈물을 글썽거리는 것이었다.

"이 녀석아, 네가 집을 나간다면 필시 날불한당들과 어울릴 테고, 아예 세상을 등지구 살아갈 게 뻔하구나. 우리는 대대루 양인을 면치 못하구 살아왔지만, 국법을 등지는 사람은 하나두 나오지 않았다. 할아버지는 남대천 밖에서 왜구들의 목을 십여 급이나 베어 나라에서 시호까지 내렸던 분이시다."

"하여간…… 나는 장연서 못 살아요. 그러잖아두 관가를 싹 쓸어버리구 싶은 걸 참구 있단 말유. 도대체 언니는 어릴 적에 서당이라두 댕겨서 글을 배웠다지만 성은을 입은 적이 있습니까. 해마다 봄가을로 부역에 시달리구, 환자 갚기가 늦든지 세포 바치는 것을 미루든지 하면 느닷없이 잡혀가 옥에 갇혀 굶주리고, 이놈 저놈에게 천대받구 능멸이나 당하며 살았지요. 차라리 산속의 적당이나 대처의 돈많은 상놈들은 이따위루 살지는 않습니다. 그저 약하구 용기 없는 놈들이나 소처럼 미욱하게 살구 있단 말이우."

인홍이가 아우의 말에 답답함을 참지 못하여 칼칼한 목소리가 되면서 방바닥을 두드렸다.

"그래서 너는 도적이 되겠단 말이냐?"

"아무거나 되려오."

"이 자식!"

선흥이의 뺨에서 찰싹 하는 소리가 들렸다. 인홍이가 귀쌈을 호되게 후려갈긴 것이었다.

"남은 식구는 어찌 살라구 너 혼자 도적이 되어? 누군 산속에 들어가 부잣집 재물이나 털어 배불리 먹고 편안히 살구 싶지 않아서 철철이 원행장사루 병을 얻어 고생하는 줄 아느냐. 그래두 우린 이 나라의 백성이구 임금의 은혜루 쌀알을 넘긴다. 집안을 망칠 작정이면 어서 의절하구 나가거라."

"쳇…… 도적놈들께 시달리면서 무슨 임금의 은혜람. 산속의 도적은 부자나 노리니 그래두 분별이나 있지. 언니는 그럼 내가 억울하게 내수사놈들에게 반죽음이 되어 돌아온 것두 나라의 은혜란 말이우?"

선홍이도 지지 않고 대드는데, 인홍이가 한숨을 내쉬면서 고개를 떨구었다.

"언니, 대답해보시우. 나두 황소보다 힘이 세단 말을 듣는 장사요. 한번 힘만 불끈 주었다면 그따위 형틀은 반진고리 밟아뭉개듯 했을 터이고, 오랏줄은 지푸라기 끊어내듯 했겠지요. 내수사 노비들이나 전화 따위는 한 주먹 두 발길질에 피곤죽이 되었을 겝니다. 나두 가슴에 몽아리져서 올라오는 울분을 씹어삼키느라구 매가 아픈 줄을 몰랐수. 오죽하면 내 성미루 그 모진 매를 맞으며 참았겠수. 이젠 이런 살림은 정이 뚝 떨어졌어요. 내 마음대루 살아갈 테니 언니두 참견 마시구, 그저 부모님들 걱정이나 안 하도록 해주시우."

선홍이는 맨몸 그대로 문을 열고 방을 나섰고, 인홍이는 아직도 고개를 푹 숙인 채 말리지도 못하고 말도 못 하였다. 선홍이가 미투리를 신고서 다시 돌아서더니 허리를 굽혔다.

"하직인사 올립니다. 언니, 부모님들 모시구 부디 무사허시우."

인홍이가 고개를 들더니 이제껏 참아왔던 격한 감정이 터져서 눈물을 줄줄 흘리며 쫓아나왔다. 인홍이가 덥석 달려들어 아우의 손을 잡았다가 어깨를 안았고, 선홍이는 형의 등을 툭툭 두드리면서 낮게 말하였다.

"언니, 이 아우가 죄가 많소. 부모님들 깨시지 않게 슬그머니 나갈라우."

"이 녀석아, 노자두 한 푼 없이 어디루 가려느냐. 내일 떠나거라.

내일 염장에 나가서 네 노잣돈이나 몇냥 돌려오마."

"집에 계신 분들이 걱정이지, 나야 기운 펄펄하것다 나이 젊것다 무에 걱정입니까. 어서 들어가요. 밤공기가 찬데 고뿔 드시겠수."

선홍이는 형을 밀어내고 달음질하듯 삽짝을 빠져나와 동구 밖을 향하였다. 형제의 작별이 어려워 뒤통수가 간질거리고 명치가 무둑하였으나 집을 떠나는 선홍이의 발걸음은 역시 가벼웠다.

선홍이는 첫봉이네 집에서 이틀을 보내었다. 그리고 그들은 심백이 들이칠 일을 벌이기 전에 우선 달마산 수돌이네 산채를 방문하기로 의논이 되었다.

"심백이를 죽이구 나서 나두 불타산에 들어앉을란다."

첫봉이가 말하였고, 선홍이는 고개를 끄덕였다.

"우선 집을 떠나야지. 여기서야 눈이 많으니 아무 짓두 할 수 없잖아."

첫봉이가 말하였다.

"오늘 떠나자. 네 말대루 장연을 넘어서 백운산에 오르지."

둘봉이가 말하였다.

"언니, 저 네봉이는 어떻게 하우. 어린것이 다리를 다치구 누웠으니 끌구 다니기두 애처롭구 어디 맡기기두 안쓰럽소."

"네봉이는 당분간 금사사(金沙寺) 원주스님께 맡겨놓았다가 나중에 데려가기루 하자꾸나. 우리는 짐을 꾸릴 테니 네가 업어다 맡기구 오너라. 한 스무 냥 내어주면 아마 상방에 모셔줄 게다."

둘봉이가 네봉이를 금사사에 데려다주러 간 동안에 선홍이와 첫봉이는 작은 봇짐 셋을 꾸렸다. 그리고 포구에 나가서 기다렸다가 돌아오는 둘봉이와 만났다. 세 사람은 산으로 곧장 오르지 않고 들판을 따라서 걸었다. 원통산 아래 사금터에 도착하여 지척에 보이는 백운산에 오르지 못하고 그 밤을 금골(金洞)서 묵었다. 이튿날 새벽에 이슬을 가득 머금은 풀숲에 바지를 흠뻑 적시면서 그들은 백운산으로 올랐다. 선흥이는 언젠가 학령을 넘으면서 혼찌검을 내주었던 세 도적을 찾으려는 것이었다. 그들만 수하에 넣으면 달마산 산채는 물론이거니와, 불타산 심백이네 산채의 허실까지도 소상히 알아내겠기 때문이었다. 수돌이에게 가서 도움을 청하고 심백이네를 들이치자고 할 수도 있었지만, 제 산채를 차지한 두령이란 흔히 권세를 빼앗길까 두려워하게 마련이었으며, 강선흥을 기피할 것은 당연한 이치였다. 선흥이가 안면은 있으되 수돌이를 믿지 않는 것은 바로 자기 자신이 적당의 두령이 되려는 생각 때문이었다.

그는 첫봉이의 말대로 우선 형세가 기중 약한 백운산의 좀도적들을 수하에 넣기로 하였다. 백운산은 산줄기도 장하지 못하고 그리 깊지도 않건만 유리한 점이 있었다. 즉 송화와 해주와 장연의 세 관계가 갈리는 지점에 놓여 있었기 때문이다. 그러므로 뚜렷이 어느 고을의 관할인지 분간이 안 되어 세 군을 수시로 넘나들 수가 있었다. 백운산은 동편이 울창한 숲이요, 서쪽에는 바위와 황토가 드러난 곳과 사태 난 등성이가 길게 뻗쳤다가 툭 잘라지며 원통산에 잇닿아 있었다. 세 사람은 안개가 자욱이 발 아래 깔린 백운산 정상에 닿은 능선을 한 줄로 서서 걸었다. 한참 걷다가 경계가 한눈에 펼쳐지는 곳에 이르면 차례로 절벽 끝으로 나아가 후미진 골짜기들을 살펴보고는 하였다. 백운산 연봉의 세 번째 능선을 타고 넘어가며 다시 아래를 살피던 첫봉이가 손가락을 쳐들었다.

"저게 뭐냐?"

둘봉이와 선흥이가 시선을 모아 내려다보았다. 동편 숲 사이로 한

줄기의 파아란 연기가 바람 없는 공중에 길게 피어올라가고 있었다. 선흥이가 내려다보다가,

"분명히 인가가 있겠구먼."

"혹시 사냥꾼이나 초동이 아닐까?"

"어쨌든 헛걸음할 셈치구 내려가보자."

하니 첫봉이가 먼저 비탈을 내려갔고 두 사람도 그 뒤를 따라갔다. 차차 다가가니 역시 인가가 있는데 갈라진 두 바위 사이에 흙으로 개어올린 집 비슷한 곳이 보였으며, 그 주위에 서너 채의 움집이 낮게 꺼져서 자리를 잡았다. 척 보기에도 바위와 숲과 물뿐이니 농사를 짓는 이들로는 보이질 않았다.

아낙네가 두엇이 나와 나물을 시냇물에 씻으면서 재잘거리고 있었다. 선흥이는 서슴지 않고 아래로 갔고 물가의 아낙네들이 제각기 뭐라고 고함을 치면서 집 쪽으로 달아났다. 아니나다를까 바위 밑 토굴과 움집에서 몇몇 사내가 고개를 내밀었다. 세 사람은 그들을 향하여 천천히 다가갔다. 사내들이 제각기 몽둥이며 쇠스랑이며 무기를 집어들고 달려나오는데 토굴 앞에서 환도를 빼어들고 나오던 자가 걸음을 멈추었다. 선흥이가 멀찍이 떨어져 서서 외쳤다.

"나를 알아보겠느냐. 학령에서 만났던 장연 강선흥이가 바로 내다."

그러나 그는 경계를 풀지 않고 되물었다.

"헌데 여긴 어쩐 일이슈. 피차에 원한이 없소이다."

"느이를 해코지할려구 온 게 아니다. 바루 입산할려구 왔다."

두목은 칼을 거두어 집에 꽂으면서 다시 말하였다.

"거 뒤에 두 사람은 뭐요. 혹시 기찰포교가 아니우?"

"내 동무들이다. 느이들하구 의논할 일이 있어서 그런다. 봐라, 우

리는 모두 맨손이다."

두목은 학령에서 묘옥이를 덮쳤다가 때마침 행상길을 가던 선흥이의 눈에 띄어 혼찌검을 당한 일을 잊지 않고 있었다. 아무리 으르렁거려보았자 자기네 같은 오합지졸의 적수가 아니었다.

"이리 들어오시우."

그들 세 사람은 두목의 안내로 토굴로 향하였고, 늘어섰던 자들 중에서 두 놈이 고개를 비쭉 내밀더니 선흥이께 아는 체를 하였다.

"어서 오슈."

"음, 잘 있었느냐. 요새두 학령에 목을 잡으러 나가니?"

낯익은 졸개 대신에 두목이 말하였다.

"웬걸요, 수돌네 식구들 행패에 그만 학령을 빼앗기구 말았습니다."

"그럼 무얼 해서 먹구 사나?"

"그러니 이렇게 죽을 맛이지요."

두목의 뒤를 따라 들어가니 안은 컴컴하였다. 아이들 둘이 윗목에서 칭얼거리고 있었다. 어울리지 않는 부담롱 몇짝과 원앙이불 한 채가 구석에 놓여 있었고 열두 폭 병풍이 반쯤 펼쳐진 채 아무렇게나 세워져 있었다.

"이거 원 산살림이라 뭐 대접할 게 없습니다. 조반들은 드셨습니까?"

"천천히 먹기루 하지. 그보다 어째 산채의 형세를 늘릴 생각은 없는가?"

강선흥이 말하자 두목은 놀랐다.

"형세를 늘려요? 그렇지 않아두 이나마 식구들이 간신히 입에 풀칠을 하는데요. 좌편에는 수돌네가 달마산을 차지했고, 우편에는 불타산을 점거한 심백이가 있는데 저희들 따위야 정말로 개뿔에 보리알이올시다. 겨우 탑벌이나 금동에 내려가 밥술 먹는 농군들의 나락이나 거두어오는 게 고작이지요."

"그래서 내가 왔다네. 수돌네 달마산을 함께 빼앗아보자는 게여."

두목은 뛸 듯이 기뻐하며 선흥이의 무릎을 와락 부여잡는다.

"참말…… 강장사께서 우리를 통솔하신다면야 달마산쯤 문제겠습니까."

"달마산 패는 몇이나 되는가?"

"예, 한 이십여 명이 됩니다. 모두들 제법 병장기를 다룰 줄 아는 모양입디다."

"까짓 작대기 따위는 문제가 없네. 자네는 졸개가 몇이여?"

"네, 모두 여섯입니다. 군식구들이 여덟인데 모두 아내와 식솔들이니 어디 한 군데두 쓰잘데가 없지요."

강선흥이 옆에 앉았던 첫봉이와 둘봉이를 돌아보았다.

"우리들 셋에다 여섯이면 합이 아홉이로군."

첫봉이는 고개를 흔들었다.

"아니다, 그 아홉에 여덟을 더 보태야지. 모두 자그마치 열일곱이여."

백운산 두목은 상대방이 말귀를 잘못 알아들은 줄로 믿고서 다시 말하였다.

"여덟은 저희 식솔들이라니까요. 여자가 셋에 늙은이 하나 그리구 갓난애와 아이들이우."

첫봉이가 말하였다.

"싸우는 데 병장기만 쓰란 법은 없소. 속임수에 여기 식구들을 씁시다."

"좋은 꾀가 있습니까?"

"이제 차차 안이 나오겠지."

백운산 두목이 먼저 방바닥을 짚으며 인사를 건넨다.

"탑벌 두내리 살던 변(邊)가올습니다. 앞으루 잘 부탁허우."

"허초봉(許初峯)이우. 얘는 내 아우 이봉(二峯)이라구 허우."

강선흥이 백운산 변가를 안심시키느라고 곁에서 덧붙였다.

"이 사람들은 지난번에 식구들을 잃었네. 불타산 심백이네가 야습하여 살육을 하구 갔지."

"아이구, 저런……"

"그래서 우리 의논이 처음에는 달마산 수돌이를 찾아가 합세하여 심백이를 들이치자구 그럴까 했었네. 허나 가만 생각해보니 수돌이란 놈이 호락호락 남의 일에 나서서 의리를 앞세울 듯싶지도 않고 무엇보담두 큰일을 저지르구 나서 우리두 산채에 주저앉아야 되지 않겠나. 그놈의 소갈머리를 내 아는데…… 오래 붙여줄 것 같지 않더군."

변가가 연신 맞장구를 쳤다.

"아무렴입쇼. 그 수돌이란 놈이 저희 같은 오갈 데 없는 놈들의 목까지 빼앗아가구, 늘 정탐꾼을 보내어 감시를 하구 그럽니다. 아주 째째한 놈입니다."

"졸개들을 이십여 명이나 거느리구 산주 노릇을 한다니 그냥 우습게 보아넘길 놈두 아닐 듯한데……"

첫봉이가 신중하게 한마디하였고, 변가는 코웃음을 쳤다.

"누군들 손발 맞는 이들만 있다면 그만한 통솔을 못 하겠소이까. 입산한 놈들이란 모두가 살 방도를 잃고 못 먹어 배곯고 오도 가도 못하게 된 놈들입지요. 이판사판에 어찌됐든 밥이나 한번 배불리 먹어보자구 올라온 놈들입니다. 산채 두령이란 안을 잘 내구 좋은 목을 잡아서 졸개들의 배를 곯리지 않으면 그만이지요. 달마산 수돌이가…… 강장사두 알다시피 어디 몇년 전만 하여도 이름이나 있었습니까."

"그렇지, 가끔 사금터에 나와서 행패나 놓던 왈짜였지."

"놈이 사금터에서 잠채를 따라다니다가 관에 쫓기기 시작했지요. 수돌이가 다른 건 몰라두 꾀가 많습니다. 소문나지 않는 벌이만 골라서 할 뿐만 아니라, 크게 털구 나면 각군의 장교들께 사람을 보내어 은밀히 선사품을 보냅니다. 그러니 보장이 대수롭지 않게 올라가거든요. 헌데 여우는 꼬리 감추기가 고역이라고, 약점이 있다구 합디다."

첫봉이가 문득 눈을 빛내며 고개를 들었다.

"그게 뭐라던가?"

변가는 낄낄거리며 혼자서 한참이나 웃었다.

"새벽 물건 꼴리는 건 애비두 못 막는다는데, 그 자식은 바루 끓는 물에 데친 무를 달구 있습지요. 무골(無骨) 대감입지요."

변가의 말을 되씹던 첫봉이도 빙그레 웃으면서 덧붙였다.

"그래, 수돌이가 고자란 말이로군."

"예, 우리네두 계집이라면 저잣바닥의 홍합만 봐두 고이춤이 보릿자루가 되지만서두…… 그 자식은 못쓸 것 중의 바닥 첫쨉니다. 어린애 배 큰 것, 노인 부랑한 것, 처녀 발 잰 것, 맏며느리 입빠른 것, 사발 이 빠진 것, 중 술 취한 것, 지어미 거기 헐렁한 것, 그리구 바루…… 고자가 계집 밝히는 거올시다."

변가의 말에 모두들 껄껄대며 배를 잡고 웃었다. 변가는 이어서 말하였다.

"놈이 깐에는 장가를 들구 싶어서 몇번 계집을 들인 모양이오만, 첫째는 샛밥 먹다가 들켜서 수돌이 칼날에 죽었고, 둘째는 산채를 비운 사이에 패물을 챙겨가지고 졸개와 달아났답디다. 그러고도 수돌이가 계집을 잊지를 못한다구 합디다. 며칠 데리구 살다가 밤 사이에 죽여 암장해버린다지요. 생각이 나면 마을에 나가서 업어오기를 하거나, 목을 지켰다가 길 가는 여인네들을 잡아가기두 하는데 달마산의 큰 일거리가 되구 말았지요."

"그것 참 우리에게는 달마산이 거저먹기의 논두렁 콩이로다!"

첫봉이가 무릎을 치고 나서 이리저리 하자며 의논을 내니 모두들 고개를 끄덕였고 변가는 입이 함지박만큼 벌어졌다. 준비하랴, 일을 꾸미랴, 한 닷새 걸릴 터인즉 마을에도 내려갈 일이 있고 정탐꾼도 뽑아야 하였다. 변가가 나가서 제 졸개들 다섯을 모두 들어오게 하고 대략 이야기를 해주니 도적들은 희희낙락이었다.

"여기 이 둘은 저희 탑벌 두내리 한 고장 사람들이구, 나머지 셋은 노비 노릇 하다가 도망친 사람들입니다."

"자네들 병장기 다룰 줄 아나?"

첫봉이가 물으니,

"그저 우격다짐으로 두들겨팰 줄은 압니다."

하며 자신들이 만만해 보였다. 둘봉이가 말하였다.

"언니, 뭐 힘쓰기가 꾀쓰기를 당합니까. 시골 왈짜 무뢰배라는 것이 부딪치면 다 어슥만 하지요."

"허긴 그렇다."

"자아, 그런데 대접해드릴 게라곤 산채와 서속밥뿐이니 장사님들께 죄송해서 어쩌우?"

하며 변가가 인사치레를 하자 첫봉이가 선뜻 봇짐에서 열 냥을 꺼내고 둘봉이는 삼목을 한 끝동 내주었다.

"이걸루 준비두 하구…… 그러구 술에다 돼지 한 마리 사올려오시우. 실컷 먹구 놀면서 운기 조섭두 해야지."

그때부터 한산하던 오두막집들에서는 부산한 활기가 감돌았고, 아래로 서넛이 물품을 구입하러 내려갔다. 다시 첫봉이 둘봉이 선흥이 변가 네 사람이 토굴 밖에 자리를 깔고 나앉아서 점심상을 받는데, 상을 맞들고 오는 아낙네 중에 한쪽의 얼굴이 제법 해끔하였다. 비록 누더기옷에 뒤꼭지 없는 미투리를 끌고 있었으되 눈이 검고 콧날이 오뚝하며 입술이 쫑긋한 것이 마치 산에 핀 도라지꽃같이 함초롬하였다. 상을 받으니 서속밥에 더덕구이와 고사리에 마른 자반이 곁들여졌다. 첫봉이가 찬물에 서속밥을 말아 흩어지지 않도록 그릇에 대어 떠먹다가, 슬쩍 고개를 들어 계집의 뒷모습에 눈을 견주었다.

"저게 누구요?"

변가는 싱긋 웃었다.

"아까 제가 말했던 고만이라구 합니다."

변가의 말에 의하면 고만이는 그의 졸개 중의 하나인 칠성이의 누이였다. 고만이는 탑벌 두내리에서 시집가서 살다가 남편을 여의고 칠성이를 따라서 입산해 들어온 여자였다. 변가가 그런 얘기까지는 하지 않았으나, 고만이는 칠성이네 집에 돌아오기 전까지는 장연 장터에 나가 앉아 들병장수를 하였다. 장터에서 들병에 술을 담아 한두 잔씩 장꾼들에게 파는 것인데, 파장될 적에는 꼭 먼 곳에서 온 차인들을 후려내어 두견산 깊은 숲에 끌어들여 실컷 사내를 녹여서, 취하여 잠든 사내의 봇짐을 털기도 하였다. 고만이가 칠성이를 따라서 산채로 올라와서도 남의 눈을 피하여 변가와도 지분거렸고, 졸개들 몇과도 그런 짓을 벌였으나 아무런 말썽이 없었다.

그 연유란 고만이 자신이 늘 치맛귀가 너른 것과 마찬가지로 마음보가 소탈하여, 남자와 몇판을 얼려도 도무지 마음을 한군데에 모아주지 아니한 때문이었다. 따라서 고만이가 다른 놈과 그짓을 벌이고 볼따구니와 귀밑이 발그레해져서 숲속을 나오면 모두들 저 녀석이 또 양기를 빨리었거니 우스개로 넘기고 말던 것이었다. 변가가 실실 웃으면서 칫봉이께 물었다.

“허서방, 고만이와 정분 한번 맺어볼라우?”

칫봉이도 빙글빙글 웃었다.

“그럴까…… 아무래두 수돌이네로 갈려면 저애와 내가 부부궁합을 맞춰야겠으니 실지 겪는 것이 이롭겠지.”

“이 자식아, 공연히 사타구니가 근지러우면 버젓하게 드러내고 긁어라. 핑계는 그럴듯이 돌려대누나.”

강선흥이 칫봉이를 놀렸으나, 칫봉이는 한참이나 고만이의 호리호리한 허리께에 눈을 박고 떼지 않다가 부지런히 밥술을 떠넣었다.

저녁때가 다 되어 아래로 내려갔던 졸개들이 제각기 커다란 짐들을 지고 올라왔다. 수돌이네를 치러 갈 때 쓸 물건들과 술과 돼지 한마리를 짊어졌으니 고기에 주리던 판이라 모두들 군침을 삼켰다. 돼지를 잡고 칼질을 하고, 음식을 부치느라고 백운산 골짜기에 갑자기 대갓집이 선 듯하였다. 그 소란 중에도 칫봉이가 놓치지 않고서 아낙네들 틈에 섰는 고만이를 노리고 다가갔다. 고만이는 쌀을 일어 함지에 담아 절구로 찧을 자세를 하다가 칫봉이가 다가들어 말을 붙이는데,

“그 아주머니 태 한번 곱소이다.”

하니까, 눈을 흘깃 떠서 연신 추파를 흘리면서 대꾸하였다.

"고우면 뭘 하우, 임자 없는 개꽃이라 나비두 없는데……"

첫봉이가 속으로 허허 그넌 말 받는 솜씨로 보아하니 보통 자지간 나희가 아니로다 하며 감탄을 하였다.

"얘기나 좀 물읍시다."

첫봉이가 고만이의 뒷전에 다가서니, 고만이는 떡쌀을 턱 내려놓고는 공연히 나물 담은 바구니를 들고는 쫄랑쫄랑 시냇가로 내려가는 것이었다.

"음! 날더러 따라오라는 수작이렷다."

첫봉이도 이름난 왈짜패라 고만이의 샐쭉거리는 짓에 더욱 몸살이 날 지경이다. 큰기침 공연히 두어 번 뱉고 나서 고만이의 뒤를 따라 시냇가로 내려갔다. 고만이란 년이 나물을 시냇물에 담가 씻었다가 건져내는데, 치마를 무릎 위로 넌지시 끌어올려 백옥 같은 속살을 드러내어 물에다 척 담그는 것이었다. 첫봉이는 서슴지 않고 바로 곁의 바윗돌에 가서 걸터앉았다.

"이 사람은 아직 총각이라 그렇지만 댁은 꽃다운 나이에 홀몸이라니 참으로 가긍하오."

첫봉이가 능글맞게 후리는 말을 던지니 고만이가 아미를 들어 곁눈으로 곱게 흘기면서,

"내 홀몸 걱정해주시니 어디…… 중신 서줄라우?"

하였다. 첫봉이가 음심을 참지 못하여 시냇가로 내려와 고만이의 곁에 바싹 붙어앉는 것이었다.

"중신할 틈이 있나, 그만 내가 직접 나서기루 함세."

첫봉이가 고만이의 물 묻은 손을 잡고 한 팔로 잘쏙한 허리를 덥석 안으니 고만이는 방긋 웃으면서 궁둥이를 빼었다.

"아이 차암…… 백주에 이게 무슨 황당한 짓이오."

허리를 틀면서 두 손을 들어 칫봉이의 가슴을 밀치는데 이것은 사뭇 잡아당기는 것보다 더하게 보였고, 칫봉이는 끙 하는 신음소리 내고서 더욱 억세게 고만이의 허리를 휘감았다.

"아이…… 정말 이이가……"

고만이는 숨을 발딱이며 칫봉이의 거친 손을 허리에서 잡아떼느라고 몇번 꼬집고 할퀴는 시늉을 하였다. 칫봉이는 총각이니 여유가 있을 리가 있나, 겁없이 치마를 걷어올리면서 고만이를 쓸어넘기려고 힘을 주었다. 그러자 고만이가 칫봉이의 등을 두 손으로 안고서 다리는 꼭 오므린 채 뒤로 넘어갔다. 고만이는 칫봉이의 등을 토닥토닥 두드려주면서 달랬다.

"급히 먹는 밥이 체한다우. 이곳은 자리가 합당치 않으니…… 저쪽에 조용한 곳이 있어요. 응? 잠깐만 참아요."

칫봉이는 머릿속에 열기가 터질 듯이 찼지만, 조용한 곳으로 가자는 말에는 귀가 번쩍하여 힘을 풀고 반신을 일으켰다.

"다른 데루 가자구?"

고만이가 검은 눈을 똑바로 뜨고 머리를 끄덕여 보였다. 칫봉이가 엉거주춤 일어나는데, 잽싸게 몸을 추스르고 일어난 고만이가 느닷없이 칫봉이의 사타구니 아래로 손을 넣었다. 고만이는 칫봉이의 물건을 둘 다 한꺼번에 움켜잡고 놓지를 않았으며, 칫봉이가 때리려고 주먹을 쳐들자 그것을 쥔 고만이가 사정없이 힘을 주면서 좋알거렸다.

"흥, 손을 내려, 내리라구. 어디서 함부로 내대는 거야?"

"아아아…… 에구구구."

칫봉이는 꼼짝 못 하고 신근을 잡힌 채로 두 손을 축 늘어뜨리고 입을 쩍 벌리며 아픔을 참고 있었다.

“내가 누군 줄 아니? 아무리 양물이 좋다 하나 차서가 있는 법이야. 누가 생쌀 씹는대? 떡 해 먹는댔지. 네 따위는 공연히 나대다가 문전이나 어지럽히기 똑 알맞겠다. 어찌…… 아예 터쳐줄까, 아니면 한 달포 그 맛이 싹 달아나서 오줌두 못 싸게 해주랴.”

“하, 한 번만…… 놓아다우. 제…… 제발이다.”

“한 번에 놓지 그럼 두 번에 놓아? 놓아주자마자 달려들려구.”

“아아…… 아니여, 사내가 한 입 갖구 두말하겠니. 노, 놓아다우.”

“생각 있으면…… 이따 어두울 적에 내가 찾아가 부르면 고분고분 따라나와. 노는 계집이라구 그릇 마음먹구 설치면 아예 쌍둥해버릴 테야.”

그때 뒷전에서 변가의 목소리가 들려왔다.

“고만아, 그 손 못 놓겠니?”

고만이는 연신 코웃음을 치는 것이었다. 과연 장연 저자에서 원방 차인배들을 두견산으로 끌어들이던 솜씨가 있었던지라, 고만이가 남자 다루기를 마치 관운장이 청룡도 휘두르듯 하였다.

“옜다, 뜨거울 젠 식혀야 오래 사느니.”

하면서 고만이가 첫봉이의 사타구니를 놓아주는 것과 함께 가슴팍을 억세게 떠밀어냈다. 첫봉이는 뒤로 벌렁 나자빠지면서 무릎까지 오는 시냇물에 풍덩 빠지고 말았다. 변가가 황급히 내려오는데 웃음을 참느라고 입은 꾹 다물었고, 콧날개가 연신 벌죽거렸다. 고만이는 나물 담긴 바구니를 옆에 끼고 태연히 일어나 돌아섰다.

“그래두 서루 아는 처지라길래 그만이나 하였지…… 두견산 기슭에서 만났더면 장도루 싹 잘라버렸을걸.”

하는 말을 종알거렸고, 변가는 고만이에게 노한 기색을 보이지 않을 수가 없었다. 산채 두목의 체면이었던 것이다.

“예끼 년, 그분이 뉘시라구 감히 어디를 잡아당기느냐. 네 이제 죽음을 면치 못할 게야.”

그러나 고만이는 깔깔대며 웃음을 터뜨렸다.

“두령님, 양물두 양물 나름입디다. 길고 굵어야 할 것은 작아서 쓸데가 없구요, 마땅히 크지 않아야 할 발은 나날이 크니 어디에 쓴단 말이우. 그러니 똑 도적의 팔자지.”

고만이가 계속 깔깔대며 달아나는 꼴을 변가는 더 나무라지 못하고 겸연쩍게 서 있었다. 변가는 고만이와 두어 번 어울렸으나 늘 시시껍절하게 해내어 주눅이 들어 있던 참이었다. 그때 첫봉이가 엉기적거리며 시냇물 속에서 일어나 오만상을 찌푸리며 물가로 걸어나왔다. 그는 한숨을 푹 내리쉬며 땅바닥에 주저앉아버린다. 온몸이 물에 젖은 것은 고사하고, 도무지 아랫도리가 뻐근하고 맥이 풀려서 걸을 재간이 없는 것이었다. 변가는 웃음을 간신히 참고 첫봉이를 일으키려고 팔을 겨드랑이에 끼는데, 그가 가까스로 뿌리쳤다.

“아이구, 이제야 좀 정신이 드는군.”

“허, 참으로 죄송허게 되었수, 이런 봉변을 당하시다니! 그 고만이란 년이 합환에만 능수가 아니라…… 아예 여우인 걸 몰랐구려.”

첫봉이는 대꾸할 기운도 없어서 한참이나 사타구니를 잡고 헐떡이고 있었다. 지분덕거릴 때 몰려왔던 정기가 마치 가물 만난 보릿대처럼 새까맣게 죽어버린 것은 물론이요, 자라 모가지가 좀처럼 빠져나오지 않듯이 사타구니 깊숙한 곳으로 잦아들어 잔뜩 움츠러들어 있었다. 첫봉이가 마냥 그러고 앉았기도 쑥스러워서 일어나는데, 역시 걸음이 벌려져서 여덟팔자 모양이었다. 보기 딱해진 변가가 그를 곁에서 부축하고,

“여럿을 불러모은 뒤에 그년을 치죄하실라면 하시우.”

하며 위로하니 첫봉이는 더욱 맥살이 빠지는 것이었다. 어찌 남들의 앞에 드러내어 자기의 부끄러운 봉변을 광설하랴 싶었다.

"내버려두우. 조금 있다 술이나 한잔 들어가면 낫겠지. 그보다는 고만이란 년이 아무래두 일을 잘해낼 듯싶소."

"아무렴입쇼. 그러게 내가 뭐랬소. 저애만 잘해주면 수돌이를 수중에 잡아넣는 것은 그저 누워서 떡 먹기라니까요. 어쨌든 저년두 허서방께 마음이 있어놓으니 이런 장난질을 했을 테지요. 오늘밤쯤에 흐드러진 일이 있을 것이니 봉변당한 것은 그때 가서 때우시우."

변가는 연신 웃음을 실실 흘리면서 첫봉이를 달래었다.

날이 어두워지자 토굴 앞마당에 멍석이 깔리고, 산사람들에게는 과분하리만큼 떡벌어진 상이 차려졌다. 선흥이와 변가가 함께 마주보고 앉았으며, 첫봉이, 둘봉이와 변가의 졸개들, 칠성이와 개바우를 비롯한 나머지 세 명의 졸개들도 차례로 끼여앉았다. 변가의 아내가 돼지고기를 삶아 내왔고 떡에 산나물에 화주가 한 동이나 나왔다. 변가가 화주를 연거푸 들이켜서 불콰해진 얼굴로 큰 소리를 질렀다.

"어이, 이제는 모두 한식구가 되었으니 이만한 형세라면 우리두 수돌이놈께 학령을 빼앗기지 않겠네."

칠성이와 개바우도 옆에서 장담을 하였다.

"학령이 다 뭐유. 아예 달마산이며 어루리벌을 우리 구역에 넣어야지."

"강장사님만 계시면 항우나 장비가 쳐들어와두 겁날 게 없지요."

"이 사람들아, 강장사가 아니여. 이제부터는 우리 두령님이시다."

변가가 먼저 나서서 술잔을 치켜들며 강선흥을 추켜댔다. 선흥이는 첫봉이를 돌아다보며 말하였다.

"제기…… 집 떠난 지 사날 만에 적괴가 되다니."

"우리가 집이 어디 있나. 인제는 산 높고 물 좋은 데가 모두 우리 집이지."

그들이 얘기를 나누는 중에 화주가 가득 담긴 술항아리를 이고 왔던 고만이에게 변가가 일렀다.

"고만아, 여기 강두령부터 차례루 술 한잔씩 따르어라."

고만이는 방글거리며 술상머리에 앉더니, 일당들의 사발잔에다 화주를 떠서 차례로 부었다.

"사내 식구가 늘어서 고만이가 가장 좋겠구나."

개바우가 킬킬거렸고, 칠성이는 제 누이인지라 떨떠름하게 앉았는데, 변가가 비워진 첫봉이의 잔을 턱짓해 보이며 한마디 던졌다.

"얘, 저 허서방 잔은 왜 채우지 않느냐?"

고만이는 손을 탈탈 털고 일어나며 종알거렸다.

"이따 야참을 드실 텐데 초반에 만취하시면 나는 어찌해요."

첫봉이는 공연히 콧잔등을 쓸며 앉았는데, 좌중에 웃음이 터지는 것이었다. 선홍이가 첫봉이를 놀려대었다.

"이 자식아, 신근을 뽑힌 고자가 대장부들 술자리엔 어찌 어울렸니? 달마산 수돌이는 아무리 고자라지만 덜렁 달구 있다는데, 너는 이제 두 다리뿐이니 오줌 눌 때는 꼭 앉아서 싸질르렴."

"내 온 참! 재수 옴 붙었어."

하며 입맛을 쩝쩝 다시는 첫봉이를 그의 아우 둘봉이도 내버려두지 않았다.

"언니, 장손이 조상 뵐 면목이 없게 되었으니…… 후사는 내나 바라구 사시우."

변가가 첫봉이에게 잔을 권하면서,

"이 잔 마저 드시구 어서 쫓아가보슈. 저애가 아마 안달이 나서 허서방을 기다릴 게요."

하자, 핑곗김에 잘되었다 싶었는지 칫봉이는 침을 탁 뱉으면서 일어섰다.

"엥이, 술맛 떨어져 못 앉아 있겠다. 가서 일찌감치 잠이나 자야지."

칫봉이가 술상머리를 떠나 어둠속으로 사라지자, 화제는 다시 강선흥이 부역 나가 일 치르던 얘기로 돌아갔고 해서지방의 부역이 역시 혹심하던 판이라 모두들 입을 모아 땅 빼앗기던 얘기들을 나누었다. 칫봉이는 고만이의 자태를 찾으면서 움집 쪽으로 내려갔다. 칫봉이가 움집이 있는 쪽으로 어슬렁어슬렁 내려갈 때, 아낙네와 아이들은 이미 집집으로 들어가 초저녁잠을 청하는지 가끔 어린애 달래는 소리만이 들렸다. 그가 두리번거리는데 뒷전에서 속삭이는 소리가 들렸다.

"뭘 찾어?"

칫봉이가 돌아다보니 고만이는 움집에 드리운 거적을 들치고 밖을 내다보고 있었다. 칫봉이가 우물쭈물하자, 고만이가 손을 내밀어 칫봉이의 저고리를 잡아당겼다.

"밤참 생각이 났으면 어서 들어올 것이지, 포도청에 송사 구경 왔나, 어째서 주뼛거리는 게야."

칫봉이가 움집에 들어가니 거적이 깔린 방 안은 말끔히 치워져 있고, 구석에 관솔불이 까무룩하니 타오르고 있었다. 고만이가 머리를 쓰다듬어 올리고 넌지시 칫봉이를 끌면서 뒤로 반듯이 자빠져버렸다. 칫봉이가 서슴지 않고 고만이의 치마를 걷어올리려니 고만이도 가쁜 숨을 몰아쉬며 살짝 밀어냈다.

"아이 참…… 내가 벗을게."

첫봉이가 저고리를 훌훌 벗어 내던지고 중의를 끌러 덥석덥석 뭉쳐서 저쪽 구석으로 던져버렸고, 고만이도 홑것뿐인 저고리와 몽당치마를 훌훌 벗어버렸다. 워낙에 첫봉이가 색주가 출입은 장삿길에 가끔 해보았으되 아직 내로라 하는 오입쟁이는 아닌지라, 벌써부터 마음이 급하여 숨이 턱에 닿아 덜덜덜 떠는 것이었다. 그러나 고만이는 침착하게 손을 놀려 첫봉이의 양물을 잡으며 우스갯소리를 하였다.

"아이구, 네나 있으니 내가 살지, 우리 주장군이 없었드면 어이 살았을꼬."

첫봉이가 고만이와 어울려 대사를 치르는데 아래 깔린 고만이가 그래도 제 성에는 흡족한 사내인지라 좋은 김에 마음 놓고 요분질과 감창이 대단하여 그런 법석이 없었다.

첫봉이와 고만이가 연거푸 두 차례를 뛰고 나니 둘 다 온몸이 땀으로 젖어버렸다. 첫봉이는 갈증을 이기지 못하여 소반을 끌어다가 술을 병째로 들어 꿀꺽이며 마셨고, 고만이는 눈자위와 볼이 발갛게 상기되어 서서히 밀려나가는 색정을 간수하는 모양이었다. 첫봉이가 안주를 집는데, 고만이는 다시 뒤에서 치근덕거렸다.

"어찌 그리 장사야? 까무러칠 뻔하였네."

"야야, 이러지 마라. 이제 탕정이 되었으니 숨 좀 돌려야겠다."

"아이, 한창때의 총각이 무슨 고따위 두 번으루 탕정이 되어. 내가 오늘밤에 잠을 재울 줄 알아."

첫봉이가 다시 곁에 드러눕자, 고만이의 팔과 다리가 뱀처럼 휘감기며 아랫배를 찰싹 붙여오니 첫봉이는 어쩌지 못하여 다시 손으로 가슴을 만져주고 궁둥이를 쓰다듬었다. 첫봉이가 아무리 한창때라고는 하나, 아직 정기가 오를 때까지는 생각이 없었다. 고만이의 손이 슬슬 자신의 사타구니로 파고들자, 첫봉이는 고만이의 손을 우악스레 쥐었다.

"저리 치워라. 그 손버릇 고치지 않았다간 아예 부러뜨릴 게여."

"술도 많이 남았고 밤도 깊지 않았는데 벌써 식었수."

"네 궁둥이가 촛궁둥이가 아니라, 네 손찌검 탓에 지레 겁먹은 탓이여. 끄떡하면 양물을 잡아뽑으니 색정은 고사하고 지레 풀이 죽는단 말이야."

"살살 부추겨주려구 그러는데……"

하고는 고만이가 한숨 푹 몰아쉬며 다시 발랑 자빠져버렸다. 불도 끄지 않은 방에서 두 남녀의 음탕한 장난이 그칠 줄을 모르는데, 고만이가 다시 한숨을 쉬며 이불자락을 발끝에 걸어 주욱 밀어내버리니 알몸이 훤히 드러난다.

"고뿔 들겠다."

"몸으루 덮어주어."

"온 제기랄……"

고만이의 가무잡잡하고 팽팽한 몸이 좌우로 뒤틀리는데, 가랑이를 벌렸다가 오므리기를 몇차례 하였다. 저도 모르게 발동해버린 첫봉이가 다시 이번에는 서두르지 않고 천천히 고만이를 올라탔다. 고만이가 다리를 활짝 벌려 첫봉이의 허리께를 휘감고 삭신을 부숴버릴 듯이 억세게 조이면서 장딴지 아래로 훑어내렸다. 둘의 두덩이 서로 부딪쳐 뜨거워졌고 숨결이 턱에 닿았다.

"아이구, 나 죽는구나!"

고만이가 땀범벅이 된 첫봉이의 등판을 손톱으로 찍어누르면서 열에 뜬 소리를 냈다. 첫봉이의 머리통은 곧 터져버릴 듯이 팽창되었고, 발끝에서부터 뿌리끝까지 신기운이 퍼지기 시작했다. 첫봉이는 궁둥이를 조여 힘줄에 정기를 모으며 더욱 거세게 두드려댔다.

그날 밤이 거의 새도록까지 두 연놈은 밀린 색정을 모조리 탕진하는데, 첫봉이는 사추리가 뻐근하고 눈이 가물가물하여 오랜만에 죽은 듯한 깊은 잠이 들었고, 고만이도 의외로 흡족한 상대를 만나 십여 차례 가까이 풀고 나니 더는 생각이 없으되 첫봉이의 살에 정이 붙어 가슴에 기대어 잠이 들었다. 선흥이 일행이 백운산에 머문 동안 첫봉이와 고만이는 드러내놓고 움집을 함께 썼으니, 자기들도 모르는 결에 부부지간처럼 되고 말았던 것이다. 칠성이는 원래 제 누이의 음탕함을 아는지라, 오히려 첫봉이를 제 식구같이 대하였다.

6

해주서 신천, 송화 방향으로 넘어가는 학령 못 미쳐 해지점에는 주막이 서너 채 있었는데, 그중에 마방까지 달린 나무리집이 가장 컸다. 나무리집에는 특히 중화참에 손님이 많이 끓었으니, 해주서 오다 보면 그때가 맞춤하였기 때문이다. 봇짐장수, 등짐장수는 물론이요 마바릿짐을 실은 상고들이 들락날락이며 술과 밥을 청하였다. 그들은 한둘씩 학령을 넘지 않고 스물 남짓 모여서 학령으로 출발하는 것이었다.

“어이, 떠날 동무들 안 계시우?”

“예, 여기 나갑니다.”

“거긴 몇이우?”

“다섯이외다.”

"아직…… 좀더 기다립시다."

등짐장수들 한 패거리가 지게를 모아놓고 길동무들을 모으는 중이었다. 누군가 초행인 듯한 괴나리봇짐의 나그네가 궁금한 듯 물었다.

"아니, 어째서 사람들을 모으구 그러시우. 범이라두 나옵니까?"

"허허, 이 사람이 아직 어둡구먼. 학령에 도적이 나온단 말이우."

"그럼 한 열 명쯤이면 되었지 까짓 길도적이 무서워 스무 사람이나 모은단 말이우?"

"그저 작대기나 휘두르는 놈들이 아니랍디다. 너덧 명이서는 대적도 못 하고 열 사람쯤이래야 우리는 오합지중인데 칼이나 한번 휘두르면 모두 쫓겨 흩어지게 되지요. 그러니 한 스무 사람이 되고 보면 감히 건드리지는 못한답디다."

"허…… 그 참 말세로다. 도대체 여기 포교들은 안 나오우?"

"왜요, 장교가 나와 있지마는 오히려 두려워서 학령까지 나갔다가 도적들이 모두 사라진 뒤에 쫓아오는 시늉이나 보이군 합디다. 아니면 돈을 거두어 포졸들과 동행할 수도 있지요. 도적들두 벙거지를 보면 감히 덤벼들지는 못하니까요. 허나 헛돈을 쓸 수야 있겠수."

장사치들은 중화가 끝난 패거리들과 합대하여 드디어 학령으로 떠나갔다. 잠깐 사람들의 무리가 끊기고 주막 안이 한산해졌는데 조촐한 내실 행차가 도착하였다. 앞에는 말 탄 선비가 끼끗한 도포에 부채 펴들고 가죽신 신고서 점잖게 앉았고 뒤에는 번쩍이게 옻칠한 부담롱이 두 짝이나 실린 말이 마부에 견마 잡혀서 따라왔다. 그리고 이인교에는 발이 쳐져 있었고 가마 옆으로 늙수그레한 여종이 따르는 것이었다. 주막 주인이 눈썰미 빠르게 뛰쳐나와 선비의 말고삐를 쥐며 꾸벅하였다.

"나으리, 어서 오십시오."

"음, 느이 주막에 술맛이 어떠하냐?"

"예, 인근에서는 저희 나무리집을 모두들 감로정이라구 합지요."

"마방이 있는가?"

"예…… 꼴을 배불리 먹이고 솔질 솰솰 하여드립니다. 아주 순종입니다그려."

"내행이 들 만한 곳두 있는가?"

"염려 마시구 뒤채루 들어가십시오."

곧 마부며 중노미가 호들갑을 떨면서 달려나왔고, 마부가 먼저 부담롱을 내리려 하니 구종한 마부가 가슴을 밀어냈다.

"어, 이 사람이 어디다 손을 대어. 이게 모두 은자 만 전이여."

하고는 간신히 부담롱을 내려놓고 이인교를 메고 뒤채로 돌아 들어간 보꾼들이 오기를 기다리며 지키고 섰다. 마부는 만 전이라는 바람에 감히 뭐라고 대꾸하지 못하고는 말을 끌고 마방으로 갔다. 이윽고 보꾼들이 돌아와 합세하여 부담롱을 끙끙대며 메고 갔다. 그들 행차가 모두 뒤꼍으로 사라지자, 술을 먹고 있던 장사꾼 패거리 중의 누군가가 말했다.

"들었나, 은자가 만 전이라네."

"행차의 규모를 보아하니 보통 양반이 아닌 모양이지. 정승판서의 혈육붙이는 되겠구먼."

"말로만 들었지 만 전을 본 적은 없는데, 구경이라두 했으면 좋겠다."

"대상들끼리 주고받는 어음쪽은 본 적이 있지."

중노미가 돌아나오며 젠척하였다.

"말두 마슈. 아마 채금터에 권리 가진 양반일 게유. 시시때때루 수금하여 가거든. 내실을 뵈오니 정말 끼끗하고 예쁘게 생기셨습디다."

아까부터 행차가 들이닥치던 것이며 그들의 오가는 수작을 지켜보고 앉았던 장정 서넛이서 서로 눈짓들을 하였다. 그들도 행색은 장사치 차림이었으나 모두들 기골이 떡벌어진 것이 졸연치 않아 보였다. 나무리집 주인이 나오면서 그들 곁을 지나는데, 장정 중의 하나가 거친 목소리로 불렀다.

"어이, 나 좀 보세."

주막 주인은 금방 얼굴에 핏기가 가시면서 주춤 섰다.

"언제들 내려왔어……"

"쉬이, 요즘 산에 기별두 않구 소식이 감감이더니 배지에 기름이 많이 오른 모양인걸."

"추수기라 요즘은 손님이 더욱 많아서 그간 뜨막하였네."

"음, 그래서 우리가 자릿세두 받을 겸 마실삼아 왔는데…… 저어기 도포짜리는 어디까지 가는 것들이여?"

"왜들 그래, 점잖은 선비신데……"

주인이 얼버무리자 장정 중의 하나가 멱살을 턱 잡아 조이면서 씹어뱉었다.

"오밤중에 식구들 몰살당하구 불에 타죽구 싶어?"

"그 댁 가형이 평안감사라네. 섣불리 건드렸다가 어쩌려구 그러나."

"뭐, 병장기 가진 거 없지?"

주인이 고개를 끄덕이자, 그들은 주인을 놓아주었다. 양반댁 행차는 다시 나무리집을 나섰는데, 그때에 모두들 만류하며 구종배들에게 말하였다.

"학령을 넘으려면 좀 지체해서 묻어가시게. 도적이 출몰헌다우."
"더구나 내행이 기신데 봉변당하시면 어쩌려구 그러시나."
구종배들은 코웃음을 날렸고, 선비까지도 오히려 재촉하여 말했다.
"지금 같은 태평성대에 백주 도적이라니 가당치도 않다. 설사 있다 한들 감히 양반을 어쩌랴."
모두들 선비의 헛기개를 비웃으며 쑤군덕거렸다. 그들의 행차가 멀찍이 간 뒤에 주막에 남았던 장정들이 슬슬 일어나 뒤따라 걸었다.
학령이 보이는 숲 어귀에서 그들은 빠른 걸음으로 양반의 행차로 접근하였다. 그중의 하나가 교꾼에게 말을 걸었다.
"어디서 오시는 행차길래 이 험한 고개를 단출히 넘으시려우?"
"한양서 송도 들러 평양으루 가우. 댁네들은 뭣 하는 사람들요?"
"우리는 장사 다니는데 송화장을 보러 갑니다. 감히 고개를 넘지 못하다가 높으신 양반의 행차를 보고 따라나선 것이올시다. 서로 상조하여 위협이 오면 물리칠까 하지요."
선비가 말께서 돌아보며 고개를 끄덕였다.
"응, 잘되었네. 하나라두 많으면 든든하이. 고개를 넘어가서 술잔 값이나 후히 줄 테니 가마를 잘 지키게."
"예, 그리하겠소이다."
장정들은 그들 일행 모르게 서로 흡족한 눈웃음을 나누었다. 그들이 해지점에서 학령으로 출발한 지 활 세 바탕 간격쯤 떨어져서 등짐과 봇짐을 멘 두 사람의 장사치가 주막을 나서서 뒤를 따랐다. 그들은 멀리 보일락말락하는 가마 행차와 길동무가 된 네 사람의 장정들을 조심스럽게 간격을 두어 쫓아가고 있었다. 멀리 달마산의 연봉이 구름에 휩싸여 떠 있었으며 학령에서 뻗어내린 골짜기 계곡으로는 며칠 사이에 내린 비로 불어난 벽계수가 우당탕 퉁탕대며 흘러내렸다. 학령을 넘어가는 고개 초입은 짙은 녹림으로 길이 묻혀 어두컴컴해 보였는데, 내왕이 끊긴 숲에는 떨어진 나뭇잎들이 두껍게 깔려 있었으며, 헝클어진 나뭇가지들은 음산하게 보였다.

양반은 역시 맨 앞에서 말을 타고 갔으며, 그 뒤로 부담롱을 실은 말을 끌고 마부가 따랐고 가마를 멘 두 사람의 교꾼 옆으로는 늙은 종이 따라갔는데, 장정들 네 사람은 가마와 부담마 사이에 바싹 붙어서 걸어갔다. 그들이 쉬지 않고 학령의 고갯마루에 오르니 멀리 용문산으로 뻗은 구이령의 맥이 북으로 줄을 이어 뻗쳐 있고 동으로는 탁 트인 어루리벌과 장재이벌이 펼쳐졌는데, 서편으로는 짙푸른 서해바다가 보였다.

"허, 장관이로다. 이제는 산바람이 제법 싸늘하군. 인마가 모두 곤하였으니 좀 쉬어서 가자."

하며 선비가 말에서 내렸다. 그가 다가가 가마의 발을 걷어올리니 흰 저고리에 남치마를 받쳐입은 젊은 부인이 밖으로 나왔다. 장사치들은 저희끼리 섰더니 은연중에 부담마와 사람들을 둘러싸는 기색을 보였다. 그리고 양쪽의 산등성이에서 사람들이 뛰어내리는 듯한 인기척이 들려오는 것이었다.

"저게 무슨 소리인가?"

선비가 놀라서 주위를 둘러보자, 이미 짜른 칼이며 몽둥이를 봇짐에서 꺼내는 장정들이 그들을 둘러싸고 있었다.

"꼼짝 마라. 죽고 싶지 않으면 그 자리에 꿇어앉아라."

그러나 선비는 어디서 기운이 솟았는지 앞에 섰던 자의 배를 발길로 차올렸고 마부와 교꾼들도 제각기 이놈 저놈을 잡아 옥신각신하다가 뿌리치고는 학령의 북쪽 고갯길로 달아나는 것이었다. 장정들이 그들을 쫓았으나, 멀찍이 달려내려가면서 돌팔매질을 하였다.

"얘들아, 올라오너라."

뒤에서 이르는 말대로 그들이 뒤쫓기를 멈추고 돌아왔는데 빈 가마가 놓여 있고 부담마는 목을 지키던 일당들이 거두어 잡아놓았다. 일당들을 거느린 자는 두건을 질끈 동이고 장창을 비껴든 작달막한 사내인데, 패거리의 우두머리인 듯하였다.

"부두령님, 여기서 계집을 못 보셨수?"

"계집이 있었는가?"

"예, 틀림없이 저쪽으로 달아나지 못하였습니다. 근처에 숨어 있을게요."

장정들 여남은 명이 이리저리 숲 사이를 뒤지는데, 여자의 비명소리가 들려왔다. 모두들 그쪽으로 몰려가 보니, 여자가 장도를 빼어들고 흙투성이가 되어 넘어져 있었다. 먼저 발견했던 자가 말하였다.

"원, 계집이 어찌나 독살맞은지 손만 대이려 해두 칼로 제 몸을 막그어댑니다."

부두령은 혀를 끌끌 차면서 말하였다.

"꽃을 꺾는 놈이 닭 모가지 비틀듯 해서야 되겠느냐. 잠깐 내버려두어라."

하고는 멀찍이 물러나서 뺑 둘러싸고는 노를 잘 쓰는 졸개를 불러 뭔가 귓속말로 일러주었다. 명주 노를 손에 펼쳐든 졸개가 나와, 여자에게로 다가들더니 매듭을 지은 올가미를 휙 던졌다. 손목에 걸리는가 싶었는데 재빨리 당기는 바람에 여자는 손을 앞으로 쳐들고 넘어졌다. 졸개는 노를 잡은 힘을 늦추지 않고 사정없이 당기고, 부두령이 달려가서 팔을 지끈 밟고 장도를 빼앗았다. 여자가 비명을 내지르며 꿈틀거리자, 부두령은 껄껄 웃으면서 여자를 잡아일으켰다.

"두령께서 간밤에 무릉도원을 봤고나. 서리 맞은 연시 같은 계집이로다."

그는 여자의 팔을 비틀어잡고서 학령 고갯마루로 올라왔다.

"어찌할깝쇼. 오늘은 벌이가 컸으니 그만 들어갈까요. 이제 곧 인적이 끊어질 모양이우."

"그래라. 은자 만 전에 선녀 같은 계집을 얻었으니, 잉어를 낚을 적엔 미꾸리는 버리는 법이다. 자, 모두들 산채루 돌아가자."

그들은 결박 지은 여자를 가마에 밀어넣고 부담마를 이끌고 달마산 연봉을 타고 넘었다. 그들이 능선을 넘어갈 때, 아까부터 은밀하게 뒤를 따르던 두 사람의 장사치들은 숨어 있던 풀숲에서 기어나와 적당한 거리를 두고 산줄기를 타고 올랐다. 그것은 강선흥과 백운산 두령 변가였으니 여태껏 벌어진 일들은 모두 그들이 모의한 것이었다. 선비는 첫봉이었고, 마부는 둘봉이, 교꾼들과 여종은 각각 변가의 졸개와 모친이었으며, 그리고 잡혀간 부인이란 다름 아닌 고만이었다. 두 사람은 도적들의 뒤를 밟아 달마산 연봉을 넘어 성터가 있는 곳까지 나아갔다. 가파른 산길 끝에 두 골짜기가 토성으로 막혔는데 활 모양의 문 구멍이 보였다. 변가가 선흥이의 등을 쳐서 함께 엎드리도록 하였다. 엎드려서 자세히 살펴보니 토성 위에 사람의 머리가 두엇쯤 보였다. 토성의 양끝에 두 놈이 망을 보고 서 있었다. 그곳은 비탈이 가파른 쪽이니 아래편에서 올라오는 것이 있으면, 개새끼 한 마리도 놓치지 않고 살필 수가 있었다.

"달마산이 철옹 산채라더니 과연 듣던 대로군!"

하며 변가가 혀를 내둘렀다. 선흥이도 감탄을 하였다.

“내가 수돌이를 만날 적엔 구이령에서 졸개들 너덧 명과 작대기 들고 설치더니, 어느결에 형세가 저리되었군. 저 토성을 쌓으려면 한 달은 족히 걸렸겠는걸.”

“아니우, 원래 토성의 기초는 있던 데요. 저것이 해서 북편을 가리는 병풍 같은 지점이란 말요. 산채 자리로 저만한 데가 없습니다.”

변가와 선흥이는 숲에서 비탈 쪽으로는 더이상 나가지 못하고 지형을 살피고만 있었다. 변가가 오른쪽의 숲이 연이어진 등성이를 살폈다.

“저쪽으로 올라가봅시다. 혹시 벽 너머를 내려다볼 수 있을지두 모르오.”

변가를 따라서 선흥이도 잽싸게 숲속을 뛰어서 오른편의 능선으로 올랐다. 역시 그쪽은 눈에 뜨이지 않을 만큼 숲이 깊고 후미졌으나 아래로 내려갈 수는 없게 되어 있었다. 산의 아래 부분은 딱 끊긴 듯한 바위절벽이었다. 그러나 골짜기 안이 훤히 내려다보였는데, 문을 통하여 숲 사이로 제법 훤한 길이 뚫려 있었고 절터 비슷한 곳에 웅기중기 초가지붕들이 보였다. 초가를 감도는 계곡의 물이 신천 방면으로 흘러내려가는데 제법 물살이 빠르고 깊어 보였다. 산채는 저절로 천험의 요새지가 되어 있었다.

“저쪽은 툭 틔었으니 못 가고, 이쪽은 올라와봤자 절벽이라 내려가지 못하우. 반대편에서 오를려면 저쪽 내를 건너야 하는데, 물이 제법 깊은 모양이우.”

변가가 혀를 차면서 달마산 산채의 든든함에 새삼 감탄을 하였다. 강선흥은 한참이나 내려다보고 있더니 내를 따라서 고개를 올렸다.

“물이란 원래가 높은 곳에서 낮은 데루 흘러내려가겠군.”

변가도 그 뜻을 알아채고,

"위쪽으로 갈수록 내가 얕고 좁아지겠지요. 가만있자, 구이령을 넘어서 저 반대편 산등성이를 돌아오면 쉽게 들어오겠군."
하며 수를 냈다.
"우리가 학령에서 예까지 뒤를 밟아 왔으니까 그렇지, 아예 초입부터 방향을 반대쪽에 잡으면 길은 영 딴판이라니까."
"자, 이젠 묘안이 섰수. 길잡이는 내가 할 테니 염려 놓으슈. 어서 내려가봅시다. 허서방이 큰어미고개(大母峴)서 아이들이랑 기다리구 있을 게요."
변가와 강선흥은 산을 내려와 오던 길을 되짚어 구이령(仇耳嶺) 줄기를 타고 들판을 향하여 내려갔다.
달마산 패거리들은 가마를 앞세우고 기세등등하여 산채로 들어갔다. 그중 복판에 자리 잡은 초가의 번듯한 마루 위에 수돌이가 앉아 있었다. 얼굴이 창백하고 눈이 날카로웠으며 얇은 입술이 몹시 붉었다. 끼끗한 무명 바지저고리에 윤기 도는 가죽 배자 입고 팔목에 토시 끼고 행전을 날렵히 둘렀으며, 고개를 갸우뚱 눈썹은 잔뜩 찌푸렸는데 가느다란 수염이 길게 위쪽으로 뻗쳐 있었다. 졸개들이 가마를 내려놓자, 수돌이는 여자처럼 낭랑한 목소리로 물었다.
"그 가마는 웬거냐?"
"예, 지나는 양반의 내실 행차를 덮쳐서 잡아온 마님짜리올시다."
수돌이는 빙긋 웃었는데 얼굴은 잔뜩 찌푸린 채였다. 부두령이 졸개들에게 손짓하며 말하였다.
"그뿐이 아니올시다. 부담에 은자 만 냥이 들어 있지요."
"응, 수고했다, 수고했어. 당분간 벌이는 폐하기루 하자. 방귀가 잦으면 똥 나온다구, 너무 수지를 맞추다간 화가 되는 법이다. 어디 부담을 이리 가져오너라."

졸개들이 끙끙대며 부담을 들어다가 수돌이 앞에 내려놓았다. 수돌이는 놋쇠 고리를 젖히고 부담 뚜껑을 열었다. 붉은 보자기가 나왔다. 수돌이가 칼로 보자기를 찢어 헤치다가 눈을 번쩍 떴다.

"이게 뭐냐?"

"은절편을 보셨구먼요. 그게 모두 은입지요."

부두령이 부담 속은 들여다보지도 않고서 히죽거리자, 수돌이가 그의 상투를 덥석 잡아당겨 부담롱에다 머리를 끌어박았다.

"그래, 나는 이런 은자는 본 적이 없으니 네놈이나 실컷 봐두어라."

모두들 놀라서 들여다보니 붉은 보자기에 몇겹으로 싼 물건은 다름 아닌 돌멩이였다.

"이놈들 모두 참새 골을 삶아먹었고나. 대개 거금을 가지고 원행하는 자들이란 피화할 방책을 도모하는 법이다. 일부러 부담을 드러내어 한눈을 팔게 하고서 돈은 다른 곳에 숨겼을 것이다. 이게 은자만 냥이란 것은 어찌 알았더냐?"

딴은 수돌이의 말을 듣고 보니 구구절절이 지당 부처님 말씀이라 모두들 고기눈이 벙벙하여 쓸개 씹은 것처럼 입맛을 다시고 서 있었다.

"은자 만 냥이 들었다고 광을 친 것은 물건 임자가 분명하렷다?"

"예…… 그러하오."

주막에서 행객의 동정을 살폈던 자가 풀이 죽어서 대꾸하였다.

"모두들 녹림처사는 그만두고 기방에 나가 창기년들 속고의나 빨아주고 연명하여라."

졸개의 뺨을 서너 차례나 후려치고서도 수돌이는 성이 가라앉지를 않는 모양이었다. 이어서 부두령의 귀쌈까지 후려갈겼다.

"이놈아, 너는 일찍이 재령서 군노로 있을 제 살인하여 갈 곳이 없다가 내가 거두어 살려주었거늘, 하는 짓이란 게 매양 이 꼴이냐."

"두령, 계집에게 물어보시우. 무슨 사정이 있는 듯하오."

여하튼 수돌이가 계집이라면 빡하고 밝히는 것은 분명한 모양이라, 노기가 좀 수그러졌다. 가마의 발을 들치고 여자를 끌어내는데 고만이는 속으로 이제부터 수돌이를 녹여야겠다 싶어서 곱게 고개를 숙이고 눈을 내리깔고 미태를 부렸다. 수돌이가 입이 저절로 벌어졌다.

"허! 이게 누군가. 작년 그러께 상제께서 내치신 항아가 바로 자네로다."

고만이는 설핏 눈을 들어 곱게 흘기고는 다시 머리를 아래로 처박았다. 수돌이가 안달이 나서 턱을 치켜들려는데, 고만이는 찬바람이 쌩하니 불도록 머리를 휘저어 뿌리치며 종알거렸다.

"흥, 저리 옹졸한 것두 사내라구 수염이 났네."

말본새로 보아하니 계집이 안방마님짜리는 아닌 것이 분명하였고, 어디 기방물림이나 여비 출신으로 작은집 구실에 아직 물이 완전히 빠지지 않은 양이었다. 수돌이도 슬쩍 농치는 기분이 되어 한결 마음을 놓고 수작을 붙였다.

"내가 어찌 옹졸하냐?"

"약한 아녀자를 이리 칭칭 묶어놓구 희롱하는 사내가 어찌 대장부여요?"

"그 참 말은 바른 말이로다. 애들아, 이 마누라님 결박을 풀고 상방에 모셔들여라."

졸개들이 줄을 풀자, 고만이는 팔을 몇번 움직여보고 나서 흐트러지지 않은 매무새로 사뿐히 마루에 올라섰다. 수돌이가 그만 정신이 아뜩하여 고만이의 가무잡잡한 얼굴을 보느라고 정신이 없는데, 그녀는 한숨을 폭 내리쉬더니만 구슬 같은 눈물을 똑똑 떨어뜨리는 것이 아닌가.

"주위를 물려주셔요."

눈물에 홀림목(目)까지 써서 아뢰니, 수돌이가 아무리 천성이 잔인한 자라 할지라도 계집 앞에 온 삭신이 사그라지는 판이라 다급하게 말하였다.

"얘들아, 너희들은 물러가서 약주나 들어라. 그리구 술상 좀 보아 오너라."

수돌이는 그가 기거하는 방으로 고만이를 데리고 들어갔다. 도둑의 두령 방치고는 제법 호사스러워 어느 대갓집 사랑채 못지않았다. 한쪽에는 열두 폭 병풍이요, 그 아래 보료와 안석이 있고 벽에는 대궁과 환도가 나란히 걸렸으며 미끈한 세목 돗자리가 거적 대신 깔려 있었다. 오동 화로는 물론이려니와 은주전자에 오소리 가죽의 털요가 개켜져 있으며, 삼층장이 놓여 있고, 사방탁자 위에는 산과와 떡이 그득 담겨 있었다. 과연 달마산 두령 수돌이는 고을 원님을 부러워하지 않을 만도 하였다. 수돌이와 고만이가 마주 앉자, 고만이는 다시 눈물을 찍어냈다. 그러고는 묻지도 않는 말을 쫑알대는 것이었다.

"이내 팔자가 이리도 기박할 줄이야 뉘 알았겠습니까. 기왕에 하늘의 비단이 이리로 풀어져서 두령님과 상면케 되었으니 내 더이상 무얼 주저하겠습니까. 저는 주인으로부터 버림을 받은 것이올시다. 일찍이 해주 교방에서 관기로 불려나가 있었는데, 수청 든 진사와 연이 닿아 관아를 사하고 물러앉았지요. 한 석삼 년 살림을 보았는데 자식이 없었지요. 그 가형이 평안도 관찰사라 하여 엄히 이르기를 식솔을 데리고 평양으로 오되 소실을 거느린다는 것은 유생으로서 용납 못 할 일이라 하여 주인이 좌불안석이시더니, 드디어 계교를 낸 것이올시다. 이제 생각해보니 만 전은커녕 아예 나를 노중에다 내칠 수는 없으니 적환을 자초한 것입지요. 저두 애초에는 일부종사 먹은 마음 피가 맺히도록 다져두고 있었사오나, 이제 모든 형편을 알아채고 보니, 의리지정이 쓸데없소이다. 두령께서 이 미거한 계집을 거두어주신다면 기박한 팔자를 고쳐볼까 하여요."

수돌이가 듣고 보니 입끝 말끝에 조리가 서 있고 앞뒤 순서가 맞아 떨어지는지라, 별반 의심 없이 흡족하여 고만이의 손목을 턱 잡아끌어 어깨를 안았다.

"거 듣던 중 반가운 말이로고나. 그따위 졸장부 사낼랑은 미투리 벗어던지듯 팽개치고 나와 살자꾸나. 비록 도방 대처와는 달리 한가하여 답답하기는 하겠지만, 여기에 없는 것이 뭐 있겠느냐. 원하는 대로 털어다가 호강을 시켜주마. 그러면 그렇지, 노장(老將)은 병담(兵談)을 아니하고 양고(良賈)는 재물을 심장(深藏)한다는데, 만 전을 지녔다고 장광설하였으니, 실로 보물이 자네임을 몰랐구나. 나도 그동안 염복이 박하여 늘 홀로 지내기가 가을걷이 뒤의 허재비만 같더니 이제 짝을 만나 화락하게 되었다. 이 아니 경사냐."

수돌이가 양물이 말을 듣지 않아 계집이라면 은근히 겁을 집어먹으면서도, 그럴수록 늘상 원망스럽고 오매불망하는 것이 역시 계집의 속살이라 이런 반갑고 흐뭇할 데가 없었던 것이다. 대번에 미단이를 드르륵 밀어젖히고 냅다 고함부터 내질렀다.

"얘들아, 이리 좀 오너라!"

졸개가 달려오니 수돌이는 한바탕 깔깔대며 웃고 나서,

"내 오늘 가인을 만나 속현(續絃)하게 되었으니, 술 내고 음식 장만

하여 오늘밤을 흐벅지게 놀도록 준비해라."

졸개들이 그런 말을 전해듣고, 술 먹고 질탕하게 논다는 말만 반가워서 모두들 환성을 지르고 부산하게 일들을 벌였다. 술을 거른다 전을 부친다 밥을 한다 떡을 한다 하여 산채의 아낙들은 모두들 제 세상 만난 듯 정신들이 없고, 수돌이는 새옷을 꺼내 입고 역시 새옷 입고 곱게 화장한 고만이와 상을 마주하여 술을 들었다. 산채에서 별다른 격식이 있을 리 없어 음식상을 벌여놓고 차서를 정하여 둘러앉은 뒤에 수모의 부축으로 맞절을 하고 나서 술 석 잔을 음복하는 것으로 성혼이 대략 치러졌다. 수돌이는 그러나 못내 밤을 치를 일이 걱정이다. 연신 색시 쪽을 돌아보며 기색을 살폈고 모두들 철모르는 계집이 고자를 만나 비뚤어진 마음보를 잘못 덧들이고는 곧 수돌이의 칼날에 비명횡사할 것을 염려하였다. 부하들은 내 모른다 네 방귀, 하는 식으로 법석대며 술을 퍼마시고 타령에 잡가에 춤까지 추어, 어느덧 삼경 어름이 되니 떠올랐던 반달도 산마루로 잦아들고 야기가 썰렁하였다.

"밤이 깊었는데 들어가 주무시지요."

고만이가 은근히 잡아끄는데 수돌이는 그럴수록 난감하였다. 음심은 용연처럼 깊었으나 양물은 아이들의 고추만이나 하게 움츠려 있으니 어찌하랴. 짐짓 만취한 체 비틀거리며 일어나 안방에 깔아놓은 금침 위에 가서 엎어져버린다.

"아이 서방님, 이러시면 저는 첫날밤부터 앉은말뚝이 되오리까. 옷을 벗겨주셔얍지요."

하면서 고만이가 수돌이의 손을 끌어다 제 가슴에 넣어주는데, 팽만한 젖을 손에 쥐고 심장이 무사한 사내자식이 있겠느냐. 수돌이가 취한 체했던 태도를 싹 바꾸어 오랫동안 주려왔는지라 물컹 젖가슴을 잡으면서 달려드는데 고만이는 다시 제풀에 자빠지며 다리로 수돌이의 아랫도리를 휘감았다. 수돌이가 한 손은 가슴에 두고 한 손으로는 치마솔기를 더듬어 귀를 찾아 쑥 집어넣고는 고쟁이 위로 그곳을 더듬는데, 고만이는 에구머니 속삭이며 허리를 비틀어 들어온 손을 사타구니로 꽉 물어버려 놓아주지를 않았다. 수돌이가 양물에 약간의 힘이 올랐다고는 하나 역시 크기에는 별반 차이가 없고, 공연히 아랫배가 흐물흐물하더니 곧 무골이 되어버리는 것이었다. 고만이가 바지춤을 더듬다가 그만 소스라치며,

"애고 서방님, 이게 뭣이오니까."

외마디 소리를 지르자, 수돌이는 제풀에 탁 나가자빠져 천장을 바라보며 멋쩍게 대꾸하였다.

"신근에 병이 들어 합환의 정을 나눠본 지가 벌써 수삼 년이 지났네."

하고는 다시 고만이에게로 덤벼들어 목을 죄어 잡고서 야무지게 새된 목소리로 을러댔다.

"만약에 이 일로 나를 조롱하거나 피한다면 가죽을 벗기고 거기를 오려내어 씹을 테여!"

보통 계집 같았으면 첫 번 실망에 정이 뚝 떨어지고 두 번 협박에 소름이 끼쳐서 곧 진저리를 쳤겠으나, 고만이도 내심으로는 벌레가 몸에 붙은 것 같았지만 꾹 참아 겉으로 내색은커녕 슬픈 목소리를 꾸며대어 달랬다.

"서방님두 어쩌면 그리두 소갈머리가 밥주발만 하오. 비록 양물이 작다 하나 귀를 후빌 적에 못 보셨수. 이자(耳子)는 가늘어도 구석구석을 비벼주지요. 절구가 넓고 공이가 작다 하여 곡식을 못 찧는 바 아니요, 돌리고 부딪쳐서 구하는 것을 얻지요. 주눅이 드셔서 이

제 운우지정까지 못 하게 되셨으니, 이는 매정하고 성급한 계집들만 을 만난 탓이어요. 오늘은 이만 주무시고 낼부터 소첩이 지성으로 모셔서 천하의 오입장 기술을 알려드리리다."
하며 부드럽게 빰도 치고 귓밥도 만져주고 입술도 대어주니, 생전에 수돌이란 놈이 이러한 노숙한 계집은 만난 적이 없는지라 그만 봄볕에 응달 얼음이 풀리듯 슬근슬근 녹아버리고 말았다. 이어서 고만이는 윗목에 준비해둔 술상을 끌어다가 화주를 그득히 부어 권하였다.

"어서 이 술 드시구 푹 주무셔요. 오늘은 저도 피곤하여 서방님 팔을 베고 세상모르고 자고 싶어요."

"과연 백년해로할 연분일세."

수돌이가 자기 제삿날이 될 줄도 모르고 두꺼비 벌레 삼키듯 널름 널름 받아서는 한 잔이 석 잔이요 석 잔이 열두 잔이 되도록 들이켰다. 드디어 눈빛이 게슴츠레해지고 혀가 굳어서 힘이 축 늘어질 즈음 되어서 수돌이는 그만 마른 짚단 바람에 넘어가듯 금침 위에 코를 박고 넘어져 일어날 줄을 몰랐다.

강선흥과 첫봉이 형제와 변가 일당들을 합하여 아홉 명의 백운산 패거리들은 토성이 막아선 학령 쪽으로 오르지 않고, 큰어미고개에서 구이령 줄기를 타고 달마산의 북록으로 올라갔다.

그들은 초저녁부터 오르기 시작하여 삼경 어름에는 탄다릿내를 따라서 상류 쪽으로 올라가 토벽(土壁)이 끝난 곳의 얕아진 계곡을 건넜다. 토성 위에 번을 서는 자들의 눈을 피하여 산채로 들어가는 오솔길 양편 숲속에 그들은 숨어서 기다렸다.

"저 토성에 있는 놈들은 변서방이 맡소. 우리는 산채로 기어들 테니까."

"산채 앞의 외나무다리에도 번 서는 놈이 있을 게요."

첫봉이와 변가가 말하는데 선홍이가 나섰다.

"수돌이는 내가 때려잡지."

의논이 정해지기를, 변가는 칠성이를 데리고 토벽을 기어올라 망지기 두 놈을 해치우기로 하였고, 둘봉이가 졸개 한 명을 데리고 숲속을 기어가 다리 앞의 망지기를 덮치기로 하였으며, 첫봉이는 나머지 졸개 세 사람과 더불어 달마산 졸개들이 제각기 잠든 집에 불을 싸지를 작정이었다. 강선홍은 먼저 수돌이를 잡아놓기로 하였다. 선홍이는 굵직한 참나무 몽치를 가졌는데, 변가는 환도, 칠성이는 짜른 비수, 첫봉이는 역시 환도, 둘봉이는 시퍼렇게 갈아놓은 낫을 작대기에 매어 들었으며, 졸개들도 제각기 쇠스랑이나 장창을 지녔다. 모두들 어둠속을 노려보는데 이윽고 캄캄한 가운데 불빛이 나타나며 좌우로 서너 번 오락가락하였다.

"고만이가 성사하였구나!"

선홍이는 몸을 잔뜩 구부리고 어둠속으로 잦아들었고 분담했던 패거리들도 제각기 상대를 찾아서 바삐 흩어졌다. 선홍이는 길을 피하여 초가가 네 채나 옹기중기 모여앉은 마당을 멀찍이 돌아서 불빛이 보이는 맨 위쪽 초가로 접근하였다. 마루에 등잔을 손등으로 가리우고 섰는 고만이가 보였다. 선홍이가 나직한 목소리로,

"날세."

하자, 고만이는 등잔불을 훅 불어 껐다. 선홍이는 고만이의 뒤쪽에 활짝 열어젖혀진 미닫이로 주저하지도 않고 성큼 들어갔다. 선홍이가 어둠에 눈이 익었던 터이라 이불 위에 큰대자로 자빠진 수돌이에게 달려들었다. 아무리 술에 취하여 곯아떨어졌다 한들 명색이 화적의 두령인 수돌이는 인기척에 놀라 상반신을 벌떡 치켜드는데 선홍이가 참나무 몽치를 휘두를 것도 없이 맨주먹으로 수돌이의 이마

빡을 보기 좋게 후려갈겼다. 수돌이는 걷어챈 삽사리마냥 뒤로 발랑 까져버린다. 선흥이가 놈의 행전을 벗기고 바지까지 훑어내린 다음에 그것으로 입막음과 뒷손결박을 지었다. 그러고는 수돌이의 이마가 깨져서 끈적이며 주먹에 묻어나온 피를 그의 가슴팍에다 쓱쓱 문질렀다. 고만이가 들어와서 곁에 쭈그리며,

"우리 허서방은 어디 있수?"

하면서 첫봉이의 계집 행세를 하는 꼴이 같잖아서 선흥이도 오입쟁이의 말투를 써보았다.

"제미…… 언놈의 골즙은 뭐 꿀물이나 감홍로라두 된다던가, 아무거나 내어 먹지."

고만이가 웃음이 나오려는 것을 억지로 참고 짐짓 토라져서 받아넘겼다.

"가이새끼도 생피〔相避〕하고 상놈도 항렬이 있는 터에 말인가 떡인가, 흥 참 별꼴이 각색일세."

그러나 고만이는 속곳 바람인 채 옷을 입을 기색이 아니었다. 고만이가 열려진 미닫이를 닫으려는데 선흥이는 발을 쳐들어 막았다.

"놔두오. 불을 지르자마자 뛰어나갈 판이니."

고만이는 죽은 듯이 엎어졌던 수돌이가 조금씩 꿈틀거리자 그의 벗겨진 궁둥이를 토닥이며 종알거렸다.

"에구, 가엾어라. 그러게 계집 후릴 근력이 없으면 밀구렁〔麥穴〕에 달래든지, 흐물대는 건 쭉 뽑아서 포도청에 쇠좆매 대신 바치든지, 아니면 꼬치에 꿰어 말렸다가 한양 구리개에다 팔아두 돈냥이나 받지 않아."

선흥이가 보통때 같았으면 방바닥을 두드리며 허리를 꺾을 법도 하건만 참으로 고만이의 농지거리가 때와 장소를 가리지 않고 거침

이 없으니 혀를 찰밖에 없었다.

"첫! 옥문도 시냇물 건널 적엔 쪽, 한다더니 말이 되우 많네. 지금 어느 경황이라구 음기를 돋구구 지랄이람."

고만이는 선홍이의 시큰둥한 반응에 그제야 팽하니 돌아앉아 속곳 위에 주섬주섬 옷을 챙겨입었다. 선홍이는 어둠속에 화광이 비치기만 기다리며 미단이 앞을 지키고 앉아 있었다.

변가는 칠성이를 데리고 토성의 왼편 등성이로 올라갔다. 사람 두어 길 높이의 토성은 아래가 두루뭉술하였으나 위에는 간신히 둘이서 끼여 설 만하였으니, 양편에 통나무에다 나뭇가지를 엇갈려 묶은 외사다리를 놓아 오르내리게 되어 있었다. 망지기는 등을 토담에 기대고 앉아 졸고 있는 모양이었다. 맞은편에도 희끗한 사람의 자취가 보였는데, 그쪽이라고 눈을 뜨고 지키고 있을 리가 만무하였다. 변가가 이쪽 놈을 덮치는 동안 칠성이도 오른편 망지기를 향하여 쪼르르 달려갔다. 변가가 대번에 환도를 두 손에 잡고 상대의 배에 박았고, 그자가 목구멍에 걸린 듯한 낮은 신음소리를 지르면서 앞으로 쓰러졌다. 칠성이가 제 먹이를 들이칠 찰나인데 놈은 급히 깨어나 장창을 곧추 겨누었다. 칠성이가 비록 급습은 하였으나 짜른 비수로 어찌 대적하랴, 미처 찔러들어가지 못하고 주춤거리며 서버렸다.

"저…… 저 밥쇠 같은 자식!"

변가가 시체에서 칼을 뽑으면서 당황하여 부르짖으니 망지기는 곧 자세를 바로잡아 장창을 수평으로 겨누고 좁은 토벽 위의 두 사람을 내몰았다.

"어어…… 애개개."

칠성이가 뒤로 몇걸음 물러나며 짜른 비수를 속절없이 휘저어대는데, 막무가내로 파고든 창날이 사정없이 칠성이의 배와 등판에 맞창을 내버렸다. 칠성이는 산속이 떠나가라고 고함을 지르며 쓰러지고, 변가는 과감하게 칠성이의 허우적거리는 몸을 젖히고 달려들어가면서 장창 가진 자의 어깨를 비스듬히 베었다. 칠성이와 망지기가 함께 토벽 아래로 굴러떨어졌다. 변가는 이미 습격이 들통났음을 깨닫고 재빨리 성벽을 뛰어내려 첫봉이들과 합세하려고 오솔길을 뛰었다.

계곡 앞의 다리에서 번 서는 자를 노리던 둘봉이가 바위 뒤에 숨어서 상대를 노리는데, 워낙에 사방이 트인데다 아래는 자갈이라 대뜸 달려들지 못하고 틈만 노리는 중이었다. 그때 이상한 신음소리가 들려왔고, 상대는 두리번거리며 잠깐 주위를 살피는데 곧 뒤이어서 골짜기가 울리도록 높다란 비명이 들려오자, 그자는 창을 들고 산채 쪽으로 뛰어오는 것이었다. 그가 막 지나자마자 둘봉이가 치솟으며 작대기에 잡아맨 낫으로 등을 찍어넘겼다.

망지기들을 해치우기는 하였으나, 이미 산채를 누군가 습격한다는 것은 탄로가 난 일이라 졸개 셋을 거느린 첫봉이는 불을 지르고 기다리고 할 여유가 없었다. 우선 눈에 띄는 대로 병장기 거머쥐고 쫓아 나오는 두 녀석을 칼로 베었다. 졸개들은 미처 막지 못하여 우르르 쏟아져나오는 달마산 패거리들에 둘러싸였고, 그중 하나가 쇠몽치에 결딴이 났다. 어둠속에서 이리저리 무리를 이루어 몰리고 쫓기고 하는 중에 변가와 둘봉이와 졸개도 섞여들었다. 그러나 도적들은 저희 마당이고 수도 훨씬 많았다. 누가 붙여놓았는지 관솔 횃불이 훤하게 타올라 상대를 알아보기가 훨씬 쉬웠다. 첫봉이네가 더욱 불리해졌다. 그들은 모두 다섯 사람으로 줄어 있었다.

초가집들이 세 채가 나란히 있었는데 그 양쪽 가녘에 횃불을 비춰든 놈이 둘이 서 있었고, 가운데 마당에는 활 모양으로 벌려선 달마산 패들이 번득이는 환도며 장창이며 쇠몽치들을 겨누고 다가들었다. 백운산 패 다섯은 첫봉이가 정면 가운데 서 있는데, 오른편에 변가 왼편에 둘봉이 그리고 양쪽 가녘에 두 사람의 졸개가 허술한 농기구를 잡고 막아섰다. 달마산 패거리의 부두령은 드디어 마음이 놓였는지 껄껄 웃어젖혔다.

“허허허, 난 또 저승사자가 온 줄 알았더니, 백운산의 들쥐새끼들이구나. 그 뒤에 제법 깊은 골짜기가 있으니 하나씩 뛰어내려 육젓이나 되어라.”

하면서 좌우에 손짓하여 벌려진 열을 죄었다.

“모두 무기를 버리구 그 자리에 꿇어앉으면 살려주겠다.”

부두령이 자신만만하게 을러댔는데, 그때 뒤쪽에서 찌렁찌렁한 호통소리가 들려왔다.

“그래, 누가 살려달라는가 두구 보자.”

모두 고개를 돌려 바라보니 거구의 장정이 저희 두령 수돌이의 목덜미를 빈 자루 잡듯이 가볍게 쳐들고 한 손에는 몽둥이를 건들거리면서 섰다.

“모두 항복하지 않으면 이놈을 선 채루 꺾어버릴 테여.”

수돌이는 아랫도리를 벌거벗었고 뒷결박에 입막음을 하고 있었는데, 장정이 덜미 잡은 손을 우쭐거릴 적마다 발끝이 달싹달싹 쳐들리는 것이었다. 부두령이란 자, 하 어이가 없어져서 멀거니 바라보다가 그래도 병장기 잡고서 한번 휘두르지도 못한 채 내던지기는 싱거웠던지 담보도 크게 열에서 빠졌다.

“이놈은 내가 맡을 테다, 너희는 저놈들을 밀어붙여라.”

“어, 그놈 과연 배알이 있는 놈이로다.”

선흥이가 아직도 몽둥이를 건들거리며 태연히 선 채로 중얼거렸고, 부두령은 장창자루를 쥔 양손에 침을 한번 뱉고서는 슬슬 겨누면서 걸음을 떼었다. 마당에서 첫 합이 붙는지 환도가 서로 부딪는 쇳소리가 들렸다. 그 소리에 격려라도 받은 듯이 부두령이란 놈이 장창을 좌우로 무지막지하게 휘두르며 선흥이에게 달려들자 횃불 들고 쇠몽치 들었던 양편의 두 놈도 한꺼번에 덤벼들었다.

병장기 들었으되 무술이 따로 있나, 그저 휘두르고 찌르고 내려치는 것이 고작인 바에야 힘센 놈이 염라 태수렷다. 선흥이가 휘두르는 참나무 몽치가 어찌나 세었던지 회오리바람이 일어나는 듯하며 허공에서 빽 하는 소리가 들리는데 부두령의 펄떡거리던 몸짓이 보이질 않는다. 그자는 벌써 면상을 얻어맞고 박살이 나서 땅에 처박혀 있었다.

"또 덤빌 테냐?"

선흥이가 고함을 지르니 달마산 패들은 모두 멈칫하였다.

"대항하는 놈들은 모두 이 꼴이 될 게다. 내가 누군지 아느냐? 장연의 강선흥이란 사람이다."

도적들 사이에 웅성거리는 소리가 일어났다. 선흥이는 참나무 몽둥이도 땅에다 내던지고 두 손을 툭툭 털고는 대수롭지 않게 말하였다.

"손에 든 걸 모두 내버려라."

하나씩 둘씩 환도와 장창이며 몽둥이를 발 아래 떨어뜨린 달마산 패들 사이로 칫봉이와 변가가 헤치고 들어가 그것들을 거두어들였다. 선흥이가 말하였다.

"나두 일찌이 양민으로 굽히고 살려구 애를 쓰다가, 관의 침탈을 피하여 만부득이 세상을 등지게 되었다. 몸 붙일 곳을 찾던 중에 너희 산채가 기중 든든하고 포실하다기에 주인이 되러 올라왔으니, 내수하가 될 놈들은 여기 남을 것이요, 싫은 놈은 다른 곳으로 떠나거라. 해치거나 막지는 않을 터이다."

병장기를 모두 내던진 달마산 졸개들이 우물쭈물하더니 뭔가 얘기가 오가는 모양이었다. 이윽고 하나둘씩 무릎을 꿇었고 그중에 하나가 앞으로 나와서 다시 절하며 말하였다.

"저희들은 이미 식구들과 이별하고 고향을 떠난 지가 수삼 년이 되었습니다. 아니면 죄를 짓고 경을 친 놈들이라 다시는 양민이 될 수 없습니다. 저희 중에는 남의 사노로서 주인집을 도망 나온 놈들도 많습니다. 모두 근거를 잃은 사람들이니 이제 어디루 누굴 찾아가겠습니까. 바라옵건대 강장사께서 우리를 거두어주신다면 모두 수하가 되어 산채에 살고자 합니다. 저희 두령이 되어주신다면 기꺼이 모시겠습니다."

선흥이가 만족하여 고개를 끄덕이고 다시 물었다.

"모두의 생각이 그러한가?"

이어서 예, 하며 달마산 졸개들은 소리를 합하였다. 선흥이는 다시 앞으로 나섰던 자를 가까이 오도록 불렀다.

"네 이름이 무엇인가?"

"업복이라구 합니다."

업복이란 사내는 제법 나이끌이 들어 보였는데 아직 소두령인 모양이었다.

"양식은 충분한가?"

"예, 두어 달치는 장만되어 있습니다."

"학령말구 또 목 지키는 데가 있나?"

"신천 다락내 못 미쳐서 한 군데가 있고, 해주 지경 문산(文山) 고개에 또 한 군데가 있습니다만, 역시 학령 목이 가장 짭짤합지요."

첫봉이와 변가가 선흥이 곁으로 올라왔다. 선흥이가 업복이에게 일렀다.

"아직 날이 새지 않았으니 모두들 재우도록 하여라. 인사는 나중에 서루 나누기로 하고……"

"이놈들이 두 마음을 품지 않을까?"

변가가 아무래도 마음이 놓이질 않는 모양이었다. 곁에서 업복이가 흘리는 말이었다.

"이제 산채가 장사님들 손에 쑥밭이 되어 임자가 바뀌는 판인데, 어느 누가 감히 대적하려 하겠습니까. 모두들 직심은 있는 아이들이니 염려 놓으십시오."

뒷전에 나와서 서성대던 고만이가 첫봉이를 발견하고 반색을 하며 달려들어 소매를 부여잡았다.

"어디…… 다친 데 없수?"

"응, 임자는 수돌이허구 신접살림 재미를 좀 보았는가."

"아이, 이런 능청 보아. 제 계집을 써서 묘안을 내고서도 미안하단 말은 없구……"

지분덕거리는 고만이를 밀어세우며 첫봉이가 중얼거렸다.

"가만있자, 이 사람이 안 보이는걸."

"누구요…… 아니, 그러구 보니까 우리 오라버니가 어디 가셨나?"

첫봉이가 변가에게 다그쳤다.

"변서방, 칠성이는 어찌되었수?"

변가는 할말이 없는지 돌아서면서 중얼거렸다.

"당했소이다."

"뭐예요, 어찌되었다구요?"

고만이가 갑자기 변가에게 달려들어 저고리 자락을 잡아당겼다. 선흥이가 고만이를 떼어 첫봉이에게로 밀어주었다.

"죽은 사람이야 지금 와서 애통해해두 소용없어. 자, 업복이하구 몇이서 시체를 수습허지."

고만이가 몸부림을 치면서 곡을 터뜨리고 첫봉이는 위에서 꽉 껴안아 움직이지 못하도록 하고서 연신 달래는 것이었다.

"이 사람아, 다 험한 산사람 노릇을 하려니 저승이고 이승이고 창졸간에 오락가락하지 않아. 내가 있잖어. 나두 식구를 하룻밤 사이에 잃은 사람이여."

첫봉이는 고만이를 껴들고 초가의 뒤꼍으로 데리고 갔다. 선흥이가 결박된 채로 마당에 나둥그러져 있는 수돌이를 내려다보면서 걱정하는데 변가가 불쑥 나섰다.

"그 자식일랑 내게 맡기시우. 내가 그놈께 포한이 많소이다. 온갖 설움을 당하며 쫓겨다녔으니 이번엔 내 손으로 목을 쳐야겠수."

"허…… 벌써 반죽음이 되어 손대구 뭐구 할 필요가 없겠네."

선흥이가 그래도 보기 딱하여 한마디 던지자 변가는 환도를 주욱 뽑았다.

"아니오, 이놈은 성정이 간사하여 그냥 두었다가는 화근이 되고 맙니다."

"둘봉아, 네가 데리고 가서 계곡에다 던지구 오너라."

선흥이가 이르니 둘봉이는 짜른 칼을 집어들고 다가서서 수돌이의 결박을 풀었다. 그리고 뒷덜미를 잡아 일으켜세우니 수돌이는 비틀거리면서 걸었다. 둘봉이는 수돌이의 꼴을 보니 차마 칼날을 날릴 생각이 사그라지는 것이었다. 수돌이는 달마산 산주라기엔 너무 초라하였고, 머리가 깨져서 처참한 몰골이 되었으니 그냥 내버려두어도 성한 몸이 될 것 같지는 않았다. 둘봉이는 수돌이를 앞장세워서 계곡의 끝에 보이는 풀숲으로 데려갔다. 다리 옆에 서서 발길을 한 번 냅다 지르면 수돌이는 낙석 구르듯이 떨어져 급한 물살에 쓸려 내려갈 것이었다. 그는 칼을 이손 저손으로 옮겨잡으면서 망설였고, 고개를 돌려서 그런 양을 보던 수돌이가 목이 콱 잠긴 소리로 애원하였다.

"살려주."

"나두 내 뜻이 아니니 원망 말어라."

"그냥 보내주시면…… 다시는 산채에 얼씬을 않겠습니다."

둘봉이가 칼을 내려뜨리고 스스로 혀를 찼다.

"젠장할, 나두 모르겠네."

하는데 수돌이가 어디서 그런 기운이 솟았는지 둘봉이의 아랫배를 무릎으로 쳐올리고는 외나무다리를 향해 뛰었다. 둘봉이는 숨이 턱 막혀서 뒤로 넘어졌다가 간신히 일어났다. 그가 칼을 집어들고 쫓으려는데 벌써 수돌이는 외나무다리의 중간을 뒤뚱거리며 건너는 중이었다. 둘봉이가 이제는 놓쳤구나 하는데 뒤에서부터 장창이 날아가 수돌이의 등을 꿰었고 그는 소리를 지르며 다리 아래 어둠속으로 먹히어들어갔다.

"하마터면 놓칠 뻔했군."

둘봉이의 뒷전에서 변가가 말하였다.

"아무래두 아우님이 살려보낼 것 같아서 내가 뒤를 따라나왔소. 탑벌서 백운산에 올라온 이래로 우리가 저놈 등쌀에 하루도 편하게 발뻗고 자지 못했고, 학령 같은 좋은 목까지 빼앗겼지. 칠성이두 목숨을 잃었는데 수돌이놈을 살려보낼 수야 있나."

그날부터 달마산에는 주인이 바뀌었건만 누구도 선흥이에게 대적하거나 모반하려는 눈치는 보이질 않았다. 졸개들은 그야말로 천하에 몸 붙일 데 없이 세상을 등진 자들이라 누가 통솔을 하건 관계하지 않았으며 또한 선흥이가 성질이 수더분하고 마음 씀새가 굵직하여 졸개들께 너그러웠기 때문에 모두들 그를 미더워하였다. 선흥이와 첫봉이들은 애초부터 계획해왔던 불타산의 심백이네 산채를 들이칠 날만 고대하고 있었다. 선흥이네는 이제 백운산과 달마산 식구들을 합하여 그 가솔까지 친다면 근 삼십 남짓 되는 도당을 이루게 되었다. 비록 작은 형세라 할 수는 없으되 불타산의 심백이네 일당은 그래도 사노(寺奴)와 중놈들이 반이 넘으니 기강이 제법 서 있었고, 또한 심백이가 두령 통솔을 잘하였으므로 섣불리 넘볼 수는 없는 노릇이었다. 불타산 지리와 사정을 잘 아는 달마산의 소두령 업복이와 백운산 변가가 선흥이, 첫봉이에게 많은 허실을 알려주었다. 특히 첫봉이와 변가는 함께 이마를 맞대고 계교를 짜내는데 둘의 묘안은 속내가 잘 맞아떨어졌다.

일찍이 불타산에는 견불사(見佛寺), 천불사(千佛寺), 해림사(海林寺), 자비사(慈悲寺), 임해사(臨海寺), 칠봉사(七峯寺) 등의 절이 있었는데, 특히 임해사는 청석산 봉수대에서 고산 사거리에 이르는 너른 들을 사찰 전장으로 소유하고 있어서 부유하였고 천불사는 불타산 기슭 창암골에 있었는데 목감원(牧甘院)과 용두원 근처에 토지가 있었다. 그러니 자연히 주지들은 고을 수령의 눈치를 보지 않을 수가 없었으며 몰락한 사류나 향족보다는 제법 권세가 있었다. 창암골 서쪽 불타산의 높다란 바위 봉우리가 모여서 대(臺)를 이룬 곳에 불타산성의 유지(遺址)가 남아 있었다. 산성 안쪽에는 임진란 때에 많은 사람들이 피난하였던 깊숙한 바위굴이 있었으며, 곁에 천년암(千年庵)이라는 작은 암자가 있었다.

물론 인근 사람들은 그곳에 수상한 자들이 살고 있음을 눈치채고 있었다. 산성 가운데 통나무를 잘라 칡덩굴과 진흙으로 세운 귀틀집들이 몇채 서 있었고, 암자에서는 가끔 법석이는 가무 소리가 들릴 뿐 예불을 드리는 기색은 없었다. 이곳이 바로 심백이 일당의 산채였던 것이다. 관에서도 소문에만 접하였을 뿐 실제로 충돌을 일으키거나 관인을 상해한 적이 없으므로 오히려 덧들일 것만 걱정한 터수여서 심백이네는 옹진, 강령 등지로 나아가서 부잣집 털이를 하였고, 백주에도 가사 장삼을 하고 노상에 섰다가 등짐장수나 차인패를 벗겨먹기도 하였다.

심백이에게는 실로 중요한 자가 있었으니, 일찍이 수양산 망해사의 보경선사 밑에서 행자 노릇을 때려치우고 떠날 때 짝패가 되었던 십 년 연상의 법호(法皓)라는 걸승(乞僧)이었다. 심백은 여환, 묘정과 더불어 보경선사의 제자였다. 묘정만이 불가의 정도(正道) 수행에 들어섰고, 여환은 민간의 잡도라 하는 것과 섞여들어갔으며, 심백은 스스로도 파계승임을 자처하였던 것이다.

심백이 사노의 소생임은 이미 알려져 있거니와, 보경선사는 특히 도망쳐나온 노비들을 불제자로 많이 거두었는데 묘정이 그러했고, 여환 역시 사노였으며, 훨씬 전부터 종적을 알 수 없는 길산의 친아비 보라는 이도 그의 구제를 받았던 것이다. 심백이 행자 노릇을 때려치운 것은 보경선사가 지적한 대로 속계에 대한 원한이 깊이 사무쳐 있기 때문이었다. 그는 어느 중이 민가에 재를 올린다는 구실로 드나들며 젊은 과부와 사통하여 생겨난 생명이었다.

그들은 갓난 심백이를 절에 맡기고 행방을 감추어버렸는데 절의 밥붙이들이 천덕꾸러기로 길렀다. 그러나 심백이는 자라나면서 눈치가 빠르고 행동이 조심스러워서 곧 노승들의 사랑을 받게 되었으며, 말년에 쓸쓸히 보내는 노스님들께 어리광을 부리며 손자처럼 자라나다가 자연스럽게 동승이 되었던 것이다. 그러나 같은 승려들로부터 그 몸이 원래 불륜의 씨요, 천한 사노들에게서 자라났다 하여 조롱과 멸시를 받았고, 철이 들면서는 아무와도 친분을 나누지 않는 음울한 자가 되어갔다. 심백이는 그러나 겉으로는 조용하고 행동이 조심스러운 승려였다. 그가 수양산 망해사에서 수양 중에 보경선사께서 그를 평하기를,

"심백은 총명하여 화두를 던지면 즉시로 깨닫고 답하는 듯하나, 실지로는 겉으로만 그럴듯 꾸밀 뿐이요 알맹이가 없다. 진심이 빠져 있으니 법의를 걸치고는 있으되 그것도 시늉뿐이로다. 원한이 가시면 크게 깨우칠 것이요, 그대로 지닌다면 스스로에게나 중생에게나 독약과 같은 자가 될지도 모른다."

하였다는 말이 있었다. 과연 그 평은 심백에게 꼭 들어맞아서 재령 묘음사(妙音寺)의 태자원(太慈院)에서 주승을 살해하고 재물을 탈취하여 법문을 일단 떠났던 것이다.

그와 짝패가 되었던 걸승 법호는 일종의 기인이었으니 체구가 왜소하여 팔다리가 짧고 머리는 앞뒤로 튀어나와 남보다 컸으며, 늘 말없이 염주알만 헤아리고 있었다. 그러나 가늘고 긴 눈은 언제나 반짝이며 주위를 끊임없이 살피는 듯하였다. 그가 겉으로 드러내지는 않았으나, 관북의 세습 무녀의 자식이라는데 대단한 야심을 품은 사람이었다. 그는 언제나 두통을 앓고 있어서 뒤로 벌렁 자빠져 발작을 일으키고 몸서리를 치다가 깨어나곤 하였으니, 이런 고질병이 법호가 한군데 몸담고 수행하지 못하고 객승으로 떠돌아다닌 이유가 되었을 것이다. 그러나 어찌된 일인지 음울한 성정이 서로 통하였던지, 심백이는 법호가 발작을 일으킬 적마다 곁에 붙어앉아 간

병을 극진히 해주곤 하였다. 심백이 걸승과 사노 몇명을 이끌고 불타산 계곡을 찾았을 적부터 법호는 그의 뒤에 그림자처럼 따라붙어 있었다. 심백이는 우선 천불사 주지를 찾아가서 도끼로 대웅전의 기둥을 찍어대며 협박하였다. 주지라는 자가 도가 높거나 바르게 수행하였다면 그런 일이 없었겠으나, 자기도 밑이 구리고 불자로서 차마 하지 못할 부녀자 사통을 하고 있었으니 어쩌지 못하고 심백의 행패를 감수하였다. 심백은 천불사의 암자인 창암골 천년암의 승려들을 쫓아 내려보내고 들어앉아, 한편으로 법호를 보내어 주지를 달래었다. 탐욕스런 주지는 법호의 권유대로 심백을 절 장토의 마름으로 삼았다. 천불사의 토지를 소작해 먹는 양민 가호가 용두원(龍頭院)에서 마리포(頭浦)까지에 삼십여 호나 되었으니 수완 있는 마름이 필요하기도 하였다.

심백이는 다시 임해사 주지에게도 같은 방법으로 한편 핍박하고 법호를 보내어 구슬려서 고산 사거리 근처의 사찰 장토를 관할하게 되었다. 심백이는 그로부터 천불사, 임해사 두 주지들의 멱통을 딱 움켜쥐었고, 불타산 기슭의 양민들까지 그 생살여탈권을 손아귀에 넣게 되었다. 그야말로 불타산의 천왕이 된 심백이는 천년암을 본거지로 하여 옹진, 강령 등지를 드나들며 벌이를 하였고, 장물을 처분하기 위해 송도나 양주까지 원행을 나가는 형세를 이루었다.

법호가 지난번에 마바릿짐을 싣고 양주로 나갔다가, 화승총 다섯 자루를 구입하여 왔으니 활이나 창, 칼 따위가 고작인 예사 화적패와는 비교가 안되게 병장기를 갖춘 셈이었다. 심백이는 이제 비좁은 산골짜기를 벗어나 해안으로 뻗어나가기를 원하고 있었고 조니포와 소래골이 밀상의 목임을 알고는 우선 첫봉이네를 덮쳤던 것이다. 그는 법호의 권유대로 마리포 쪽에 배를 대어놓고 송도의 예성강과 강화의 경강 어귀와 평양의 대동강 어귀를 오르내리는 주상(舟商)들을 덮칠 궁리를 하고 있었다. 아직 형세를 불리기에는 불타산은 별로 좋은 자리가 되지 못하는 것 같았다. 동서를 달리는 연봉은 해서에서 가장 길었지만 골이 깊지 못하고 높은 주봉이 거의 없었다.

그에 비하면 달마산은 그 연봉이 동서로는 장산곶에서 재령까지 이르고 남북으로는 해주 문산에서 구월산의 꼬리인 추산 마루턱에까지 닿았다. 또한 월당강의 지류인 돌여울만 건너면 바로 멸악산에 이르니 이것이 멸악산맥의 잔등을 타는 까닭이었다. 불타산도 그에 잇닿아 있기는 하나 워낙 장연 읍치에 가까운 것이 흠이었지만, 달마산은 그 줄기가 장연에도 닿아 있고 해주계에도 닿아 있으며 송화계 신천계 재령 쪽으로까지 뻗쳤으니 관할이 애매한 것이 이점이었다. 해서에서 구월산은 골짜기가 깊고 험하여 유리하고, 멸악산은 외진데다 연봉이 많아 유리하지만 달마산은 바로 너른 어루리벌 나무리벌 등을 끼고 있으며 감영 관역에 닿아 장사치의 발길이 그침이 없어 화적의 소굴로는 가장 포실한 곳이기도 하였다. 심백은 서쪽으로 달마산 수돌이를 내쫓고, 동으로는 마리포까지 나아가면 일세의 대적당을 이룰 수 있으리라 생각하였다. 그러나 달마산 산채의 주인이 이미 바뀌어버렸다는 것은 심백이네서도 아직 모르는 사실이었다. 그는 다만 무뢰배 출신의 수돌이란 자가 매우 용렬하여 졸개들의 기강도 형편없다는 소문은 듣고 있었다.

차디찬 늦가을 비가 추적지근하게 내리고 있는 후선방(候仙坊)의 원마을(院村)에는, 툇마루를 길 밖으로 낸 작은 주막이 한 채뿐이었고 행객은 뜨막하여 쓸쓸하기 그지없었다. 워낙에 한적한 곳인데도 해주로 나가는 이끼여울 나루터가 시오 리 밖에 있어서 하루 건너 두어 패거리 지나치는 행객이라도 주워볼까 하여 생겨난 주막인 듯싶었다. 하기는 원이 있으니 주막이 없을까. 주막에는 늙수그레한 사내가 곰방대를 물고 한가하게 앉아서 비 내리는 길을 내다보고 있었다. 그는 곰방대를 빼어내고 부엌에서 군불을 넣고 있는 아내에게 말하였다.

“허…… 모를 일일세. 때아닌 엽사(獵師)가 오는군.”

검댕 묻은 얼굴로 눈을 비비면서 주막집 여자도 함께 길 쪽을 내다보았다. 머리에 두건 질끈 동이고 가죽 배자에 행전 날렵히 쳤으며 어깨에 전통 메고 창을 든 장정 두 사람이 걸어오고 있었다.

불타산 산중에는 사슴이 많아서 약재인 녹용과 그 가죽 때문에 겨울철에는 엽사들이 원마을이며 남창방에 모여들었다. 그리고 원마을 사람들은 겨울에 다른 백성들이 하지 않는 부역이 있었으니 바로 사슴몰이에 동원되는 일이었다. 이를테면 그러한 부역은 오차포에서도 있었는데 매잡이에 동원되었던 것이다. 주막집 사내가 놀라는 것도 무리는 아니었다. 눈이 아니라 비가 질척하게 내리는 날에 때이른 엽사가 보였기 때문이다. 덫을 치기도 하고 총을 놓기도 하여서 사슴을 잡는데 몰이꾼도 없이 활과 창을 든 엽사가 사슴사냥에 익숙한 원마을 사람의 눈에는 더욱 이상하였다.

“패거리 없이 다니는 사람들두 있습디다 뭐…… 무슨 수로 잡든지 우리가 상관할 게 무어야?”

아낙네는 주인에게 그렇게 대꾸하였다. 이윽고 두 사냥꾼이 다가서더니 아니나다를까 마루 쪽으로 걸어오는 것이었다.

“여보슈, 예가 주막이우?”

“예, 그러하오.”

“어이구, 추워. 온몸이 다 젖어서 뼈까지 얼었겠다.”

그들은 이빨을 부딪치며 마루에 쭈그려앉으려다가 한 사람이 부억을 넘겨다보았다.

"저기…… 불 좀 쬐지. 우선 옷을 말려야겠어."

"그럽시다."

"방으루 들어가시지요. 군불을 때서 뜨뜻할 텐데."

주막 주인이 말했지만,

"아니우, 옷을 말려야지. 그동안에 탁주하구 뜨거운 국밥이나 좀 말아다 주시오."

하며 부엌으로 웅숭그리고 들어갔고, 주막 아낙은 깔깔대며 웃었다.

"아이고, 우리 조왕대감님께서 오랜만에 남정네를 들이시니 별일이우. 그대신 불이나 좀 때슈. 너구리 잡겠어."

"잡긴 뭐든지 잡아야지."

"자아, 곰이 되나 범이 되나 아무거나 한 마리만 잡아보세."

그들은 시시덜덜하게 농을 하면서 불가에 쪼그리고 앉았다. 하나는 사십이 넘어 뵈는 중년의 엽사이고 또 하나는 아직 장가도 안 든 떠꺼머리였다. 아낙네가 국밥을 말고 대접에다 탁주를 가득 따라 소반에 올려놓고 부르는데 그들은 연신 솔가지를 넣으면서 손짓을 하였다.

"이리로 가져오시우. 한번 불을 보니 우리 마누라보다두 떨어지기가 힘드네."

"날씨두 젠장할……"

주모가 소반을 들어다 아궁이 앞에 놓으면서 다시 수다를 떨었다.

"참 살다 보니 또 이런 손님들은 처음 겪네. 부엌 봉당에 상을 내기두 처음이려니와 비 오는 가을에 엽사란 더더욱 처음이우."

"아픈 이가 있어서 용을 급히 구할 일루 그리되었소."

"그래 사슴은 보았어요?"

"웬걸요, 산에 나무가 성벽처럼 섰는데 어디 뚫고 들어갈 길이 보여야지. 물가에 덫만 쳐놓구 내려오는 길이오."

"그럼 천상 묵으셔야겠수."

"술 좀 더 주오."

"넉 잔이우. 방 좀 치워놔야겠네."

아낙네가 밖으로 나가려고 돌아서다가 에구머니 하면서 주저앉았다. 박박 깎은 중머리에 수염만 잔뜩 기르고 기골이 떡벌어진 녀석의 상판이 쓱 들이밀어졌던 것이다. 그는 부엌 바닥에 웅크린 두 사냥꾼을 험상궂게 훑어보았다.

"뭐야……?"

그는 헛기침을 하면서 아낙네에게 물었다. 주모는 저도 따라서 힐끗 뒤돌아보고 나서 대답한다.

"보면 모르슈? 스님 때문에 간이 떨어질 뻔했어요."

"애는 안 떨어지구?"

"망측해라……"

그의 뒷전에서 웃음소리가 들리는데 두엇이 더 있는 성싶었다.

"여보, 댁들 어디서 왔수?"

텁석부리의 중이 엽사에게 물었다. 나이 든 축이 대꾸하는데,

"건 알아 뭣에 쓰시려우. 스님은 어느 절에 기신데?"

중이 송충이 같은 검은 눈썹을 쓱 치키며 콧바람을 몇번 킁킁거렸다. 아마도 전의가 생기면 그러는 버릇인 모양이었다.

"때아닌 사냥질이 괴이하여 묻는데…… 원산 말뚝처럼 뻿뻿해, 어디서 왔느냐니까?"

"행패를 놓는군. 여보, 남이야 지게를 지구 제사를 지내든 무슨 참견이우? 우리가 무슨 지렁이 갈빗대루 보이슈, 함부루 내대지 마

우.”

“허허허……”

어이가 없는지 중대가리는 수염이 가득 덮인 입을 주욱 찢고 너털웃음을 터뜨렸다. 그러고는 뒤를 돌아보고 제 일행들에게 의향을 물었다.

“어찌…… 소매를 걷어봐?”

그의 어깨 너머로 기웃이 넘겨다보던 상투잡이가 깔깔 웃으면서 만류하였다.

“그만둬, 어서 가서 갑리(甲利)나 받아와야지. 공연히 용두원서 시끄럽게 할 거 뭐 있나.”

하고는 이맛살을 찌푸리고 말하였다.

“물을 만하니까 물어본 거야. 남의 골에 들어왔으면 물정두 좀 알아보구 고분고분해야지. 공연히 귀때기라두 맞아 볼따구니나 터지면 행로에 밥 먹기두 귀찮구, 어디 과객질하려도 면상 불량하여 낭패여. 어디서 왔어?”

총각이 중년 엽사의 옆구리를 꾹 찌르고는 공손히 대답하였다.

“스님의 말씀이 거칠어 좀 놀란 김에 실례를 하였습니다. 저희는 옹진서 왔는데 저의 혈족의 존장어른께서 지병으루 돌아가시게 되어 녹용을 급히 구하려고 찾아나선 길이올시다.”

“진작 그럴 것이지.”

그들은 심드렁하게 고개를 끄덕이고 제각기 껄껄대며 사라졌다. 아낙네가 그제야 기를 펴고 숨을 푸면서 중얼거렸다.

“애고, 이 고장서 살려니…… 천불(千佛)이 아니라 천마(千魔)라니까.”

중년 엽사가 물었다.

"저 자들이 도대체 뭣들이오. 중이요, 관헌이오?"

아낙네가 눈을 동그랗게 뜨고 숨을 죽여서 소곤거렸다.

"중두 아니고 관리두 아니라오. 저이들이 바루……"

하는데 마루에 앉았던 주인이 꽥 고함을 질렀다.

"입 조심해여, 뭘 조잘거리는 거야!"

아낙네가 찔끔해서 되돌아나갔다. 엽사들은 잠자코 술만 마시더니, 이윽고 총각이 음성을 낮추어 말하였다.

"변두령, 저것들이 불타산 패거리가 틀림없수. 뒤를 따를까……"

"아니, 그냥 내버려두지. 오가는 소리를 들으니 이 마을에 용무가 있는 모양인데 다시 돌아올 듯하군. 우리가 달마산 정탐이 오늘루 사흘째인데 이젠 뭣 좀 얻어걸리겠지."

"그럼요, 오늘 같은 날씨에 나라두 술을 안 넘기면 오금이 쑤실 게요."

변가는 둘봉이에게 일렀다.

"아우님은 방에 들어가서 자는 척하구 엿들어보우. 내가 슬그머니 뒤쫓아가 살피구 올 테니."

변가는 바깥으로 나서면서 제 고이춤도 쓸어보고 길바닥도 살펴보며 중얼거렸다.

"가만있자…… 전대를 빠뜨렸으니 산에다 두고 온 모양이군!"

변가의 능치는 소리에 주모가 실색을 하며 혀를 찼다.

"온 저런, 노자 잃구 타처에서 걸식하려구 그러시나. 어서 냅다 쫓아가 봐요. 초동이라두 어슬렁대다가 줏어가지나 않았는지 야단났네."

"술값 안 떼어먹을 테니 조바심치지 마슈."

변가는 일부러 퉁명스레 내뱉고는 그자들이 올라간 마을길로 바삐 걸었다. 그는 얼마 안 가서 두리번거리며 찾지 않아도 되었으니, 그 중놈의 거친 목소리와 아낙네며 아이들의 울음소리가 떠들썩했던 것이다. 이엉이 아예 잿빛으로 바래고 폭 주저앉은 두어 칸짜리의 초가집 울타리 밖에는 조심스럽게 모여든 동네 사람들이 기웃거리며 서 있었다. 변가도 어렵잖게 그 틈에 끼여들어 울타리 틈으로 마당을 살폈다. 중대가리는 그 집 가장인 듯한 허약한 사내의 상투를 잡아흔들며 호통을 내지르고 있었다.

"그래, 시작(時作)을 지어 처먹었으면 땅세도 내야 되거니와 곡식은커녕 쭉정이조차 바치질 않은데다, 벌써 상달이 넘어 한 해가 다 가도록 장리빚을 갚지 않으니 그 불어난 갑리는 장차 어찌할 터이냐? 갑자기 도주공이 현신하여 금덩이라도 내려준다더냐?"

사내는 얼굴이 새카맣게 그을고 볼이 패어 병색이 완연하였는데 그가 이리저리로 상투를 당길 적마다 머리를 내돌리면서 두 손을 모으고 애걸하는 것이었다.

"그러게 제가 지난봄에 뭐라 하였습니까. 작인으루 계속 땅을 부치게 해줍시사구 주지스님께두 간청하였는데 작년 빚을 채 갚지 못하였다 하여 땅의 진전만 남겨두고 절반은 쇠똥이네루 떼어주지 않았습니까. 묵정밭만 가지고는 저희 식구가 먹지도 못할뿐더러 농량도 대일 수가 없습니다. 저 혼자 허리가 부러지도록 농사를 지어보았으나, 지난 여름 내내 앓느라고 소출도 형편없어 올해 농사는 폐한 것이나 다름없습니다. 제발 덕분 살려주시려거든, 명년까지만 기한을 주십시오."

중놈은 여전히 상투를 잡아 슬슬 흔들면서 말하였다.

"어, 그놈 중생이 고해에 든 것을 언제는 몰랐던 모양이로구나. 네 전생에 죄가 많은데다 더욱 같잖게 해사한 계집을 거느린 탓이다.

여편네를 원으로 보내라구 몇번이나 주지스님께서 이르셨는데 듣지 않았으니 농지를 떨구었지."

"애 에미를 보내면 아이들은 누가 기릅니까?"

"잠깐 올려보내랬지, 누가 네 계집을 빼앗는다구 하더냐. 그저 식전에 올라와 밥짓고 빨래하고 허드렛일이나 시키려는 게여. 그걸루 빚을 탕감해준다는데…… 그놈 참 까다로운 팔자소관은 어쩔 도리가 없구나. 여하튼 우리는 땅세도 못 받았고 장리빚도 받지 못하였으니 검징해서 가져가야겠다."

나머지 두 사내들은 우는 아이들과 방에 엎드린 아낙을 밀치고 초라한 세간살이들을 뒤지기 시작하였다. 사내 중의 하나는 다시 마당으로 나와 부엌의 봉당을 이리저리 굴러보고 귀를 기울이며 돌아다녔다. 물독이 세워진 곳을 살펴보고 힘을 넣어 독을 옮겨놓고는, 그곳이 다른 봉당 바닥처럼 딴딴하지 않고 흙덩이가 일구어진 것을 보자 고개를 끄덕이는 것이었다.

"음, 여길 팠구나. 어디 두드려볼까."

발로 몇번 굴러본 그자가 외쳤다.

"여기다 묻었군. 찾았네, 찾았어."

다른 자가 달려들어 호미로 그 자리를 파려 하자 아낙네가 뛰쳐나와 그들의 바짓가랑이를 잡으며 일방 빌고 일방 울고 애걸하여 그런 참상이 없었다.

"이걸 파가시면 우리는 겨울에 시래기죽도 끓여먹지 못하구 굶어죽습니다. 제가 원으루 스님을 찾아가 뵙겠습니다."

"우린 몰라. 그때 가서 곡식을 달라구 직접 말해."

구경하고 섰는 변가도 도적놈이기는 매일반이었으되, 원래가 탑벌 두내리의 농투성이가 전신이라 놈들이 검징을 하여도 야차와 같이 하는구나 싶었다. 또한 변가도 계집 밝히는 데에는 남에게 그리 뒤지지는 않는 터에, 울며 애처롭게 몸부림치는 아낙네를 보아하니 들춰진 치맛자락 사이로 속살이 뽀얗고 목소리가 높다란 것이 제법 눈에 뜨이는 인물이라 한결 분심이 일어났다. 그러나 이런 판국에 뛰어들었다가는 일은 모조리 박살이 나는지라 지켜볼밖에 별수가 없었다. 좌우간 불타산 놈들은 그 아낙을 발로 차서 뿌리치고 호미를 날리었고, 한 뼘 깊이도 채 안 되어 짚더미가 더부룩이 솟아나왔다.

"장미(藏米)가 여기 있었구나. 이놈아, 쥐새끼처럼 제 먹을 것만 챙겨두고, 작료를 안 내구 버틸 작정이었더냐."

곡식자루를 파내자 온 가족이 초상을 만난 듯 눈물과 곡성이 낭자한데, 중 차림의 도적은 솥을 떼어내며 걸걸한 목소리로 대수롭잖게 지껄였다.

"이 고장서 밥알 넘기구 살구 싶으면 느이 마누라를 원으루 보내라. 그러면 무슨 방도가 생길 게다."

그러나 사내는 대꾸 없이 마당에 퍼질러앉아서 진기가 죄다 빠진 듯이 허공만 바라볼 뿐이었다. 그들이 몰려나오는 기미가 보이자 마을 사람들은 일시에 흩어지더니 제 집 안으로 자취를 감추었다. 그 자들은 텅 빈 길로 낄낄거리며 몰려나왔다. 변가도 잠시 집 뒤편에 은신하여 그들이 지나가기를 기다렸다가 한참 뒤에 그 집 안으로 들어갔다. 두 양주가 넋을 잃고 마당에 주저앉아 있는데 아이들이 악머구리 들끓듯 울어댔다. 변가가 헛기침을 하고 기다렸으나 그들은 아무것도 보이지 않는 모양이었다.

"이런 딱할 데가 있나."

하면서 변가는 허리춤에 차고 있던 전대를 끌러서 주인 사내에게 내밀었다.

"이걸루 우선 지내보시우."

사내가 눈이 번쩍, 귀가 움찔하여 전대를 잡고 이리저리 매만졌다.

"두어 냥은 될 게요."

"아니, 이런 고마울 데가, 손님은 뉘십니까. 뭣 때문에……?"

"나는 아우와 함께 불타산에 사슴잡이를 하러 왔지요. 우연히 지나다가 딱한 모양을 보게 되었소이다. 아니…… 포악한 수령이 있는 고을의 나졸 사령들도 저보다야 나을 테지요. 도대체 저 자들이 무얼 하는 사람들입니까?"

변가의 물음에 사내는 한숨을 깊이 내쉬었다.

"이 고장에 처음 오셨다니 모르시는 것이 당연하지요. 우리게서는 거의가 불타산 천불사의 사찰 장토를 부쳐먹구 살지요."

"저 사람들이 포악을 부리는데도 관가에서는 가만있단 말요?"

"세곡 외에도 상납 진상이 한두 가지가 아니니 당연히 모른 척합지요. 실상 관전을 부친다 한들 별반 다를 것이 없습니다. 전에는 그래두 원지기가 나와서 독촉을 하고 대개 딱한 사정은 보아주기도 하였지요. 그러나 천년암에 불한당들이 몰려오고부터는 작폐가 극심해졌습니다. 관에서두 대강 알지만, 수령의 임기 동안에 별일 없으면 모른 성하고서 지나려는 것입지요."

사내가 장황하게 늘어놓았으나, 변가의 귀에는 그런 하소가 들어올 리 없었다. 변가는 가장 궁금한 것이 있었다.

"헌데…… 듣자하니 천불사 주지라는 자가 세간에 살림집이 있다면서……?"

"예, 용두원 원사 담을 사이에 두고 바로 뒷집이 살림집입니다. 계집이 둘이나 되지요. 이 도적놈이 색심이 그치지 아니하여 이제는 유부녀 겁간까지 서슴지 않는 게올시다."
하고 나서 사내는 하늘을 우러러 한숨을 길게 내쉬는 것이었다.
"사내자식이 정말 무슨 꼴이란 말입니까. 처자식을 고생시키는 것두 못 할 짓이려니와 항차 남의 탐욕의 핍박까지 받아야 하니…… 하늘 아래 얼굴을 들고 살 수가 없습니다그려."
변가가 다시 물었다.
"그래, 주지라는 놈이 시방 원의 뒷집에 내려와 있수?"
"예, 큰 재가 있거나 여기서 권세 있는 토반 향족이 온다면 반드시 절에 올라가지만 한 달에 달포쯤은 여기 머물지요."
"천년암에는 불한당들이 몇이나 되우?"
"스물 남짓 된다 하는데, 몇몇은 승적을 가졌던 놈들이라 합디다."
변가는 고개를 끄덕이며 혼자서 한참이나 생각에 잠겼다가,
"우리가 오늘 아무래두 사처를 잡아야 할 터인데, 돈을 낼 테니 하룻밤만 재워줄 수 있겠수?"
사내는 연신 머리를 조아렸다.
"저희 식구가 굶어죽을 지경에 이렇게 큰 돈까지 거저 내주셨는데, 주무시는 것이 별 대수입니까. 불편하시겠지만 저희 염려는 마시구 오십시오."
변가가 사내의 귀에다 대고 속삭였다.
"내가 시키는 일을 하면 열 냥을 드리리다. 조금 궂은 일이라두 하겠소?"
"암, 하다뿐입니까. 뭐든지 시켜주십시오."
변가가 다시 말하였다.
"거기가 좀 죽어줘야겠소이다."

"예……?"

사내가 갑자기 느닷없는 소리에 겁에 질려서 뒤로 물러나 앉았다. 변가는 그의 등을 툭툭 두들겨주면서,

"허허, 이 사람…… 누가 정말로 죽으라는 게요. 실은 나는 저 달마산에서 온 사람이오."

"달마산에서 오셨다니요?"

변가가 그의 귓전에 대고,

"화적 몰라? 우리는 대적당인데 천불사를 도모하려구 내려온 게야."

라고 속삭여주었다. 사내는 잠깐 입을 벌리고 뻥한 표정이더니 간신히 알아들었는지 애매하게 에 하며 얼버무렸다. 변가가 말하였다.

"그러니 댁이 손 좀 써줘야 되겠소. 우리가 일만 성사한다면 톡톡히 보답하지. 내가 자세히 가르쳐줄 테니까 시키는 대로 해주오."

사내가 열이 나서 내대는 것이었다.

"그 도야지 같은 땡초놈을 요정을 낼 수만 있다면 무슨 일이든지 하겠습니다."

"내 주막에 다녀와 자세히 일러줄 터이니 바깥 출입을 삼가구 기다리시우. 누가 찾아와두 사립을 잠그고 안에 들어앉아 있으슈."

변가는 사내에게 단단히 다짐을 두고 주막으로 돌아갔다. 불타산패들은 술잔을 걸치고 주막을 떠났는지 툇마루에는 주인집 사내만이 앉아 있었다. 변가가 둘봉이를 찾으니 방에 들어가 구들장을 지고 있던 그가 고개를 내밀었다.

"어, 한숨 잘 잤네. 어서 들어오슈. 불알이 녹적지근하고 배가 부르니, 염병난 동네에 도깨비 팔자요."

변가는 우선 묻기부터 하였다.

"불타산 아이들은 들렀다 갔소?"
"그놈들 선 채루 몇주발씩 들이켜구 방금 일어서는갑디다."
"뭣 들은 말 없지?"
"처음에는 저희끼리 갑리가 어떠니 계집이 어떠니 하며 중구난방으루 떠듭디다. 그러다가 수군거리는데, 오늘밤에 천년암 작은스님이 내려온다구 그럽디다. 용두원에서 주지와……"
변가가 둘봉이의 말을 끊고 다그쳐 물었다.
"방금 뭐라구 그랬소. 천년암 작은스님이라니?"
"낸들 어떤 중놈인지 압니까?"
변가가 고개를 끄덕였다.
"지랄병이 있다는 난쟁이 중놈 말이로군. 옳지, 이놈들 이제는 댓진 먹은 뱀이로구나!"
"무슨 좋은 수라두 났단 말요?"
"불타산에서 심백이를 때려잡으려면 그 중놈을 먼저 해치워야 하우. 제 발로 인가에 내려온다니 일은 벌써 반나마 성사된 거나 다름없소."
"하여튼 내가 듣기로는 그 중이 주지하구 용두원서 만나기루 된 모양입디다. 말을 끌구 와야겠다구 투덜거리는데, 마리포까지 길이 멀다구 불평을 하더군요."
"음, 장토의 수세가 끝나 시작세의 셈을 하려는 게로군. 그자들은 오늘 용두원에서 묵을 게요."
둘봉이가 연신 문을 빠끔히 열고 길 쪽을 내다보며 조바심을 치는 것이었다.
"이 사람이 올 때가 되었는데 걸음이 늦군."
변가도 함께 기웃거리며 걱정을 하였다.

"남창방(南倉坊)까지 오지 못한 모양이로군."

"달내방(達內坊)에서두 아무 기별이 없으니 차질이 날까봐 걱정이우."

"오는 날이 장날이라구 기회는 이만한 날이 없을 텐데……"

변가는 입맛을 다시며 앉았고 둘봉이는 벌렁 누워버렸다.

"잠이나 한숨씩 자둡시다. 까짓 안 오면 내일루 미뤄두 되겠지."

"허…… 물론 의논이 정해지겠지만 내게 좋은 생각이 있는데 이거 낭팬걸."

그들은 누구인가를 기다리는 눈치였다. 을씨년스러운 비가 계속해서 추적추적 내리는데 원마을에는 청솔가지 타는 매캐한 연기가 뽀얗게 싸고 돌았다. 어둑어둑해져서 봇짐을 멘 나그네가 비에 후줄근히 젖어 주막을 찾아들었다.

"에이, 몹쓸 날씨로다. 걷이 끝난 뒤의 비는 병드는 액우라더니 참으로 모질게 춥네."

일부러 큰 소리로 중얼거리는데 두 사람이 안에서 듣자하니 첫봉이의 목소리가 틀림없었다. 둘봉이도 헛기침을 하면서 방문을 열고 가래 뱉는 시늉을 하였다.

"낭패로세. 비가 그치질 않으니 꼼짝없이 일박하겠군."

"주모, 여기 술하구 요깃거리 좀 내주오."

나그네 행색의 첫봉이가 둘봉이를 모른 체하면서 외쳤다. 안방에서 이른 잠을 자던 주모가 눈을 비비면서 나왔다.

"예예, 어서 오셔요. 밥은 없으나 술하구 장떡이 남았어요."

"아무거나 따끈히 데워만 주오."

주모가 둘봉이와 변가가 배를 깔고 엎드린 방을 들여다보았다.

"손님들 주무시구 가시려우?"

"아따, 누가 밥값 안 낸다우. 아까부터 두 양주가 자꾸만 캐구 야단일세."

"예…… 여기 손님 한 분이 또 오셨으니 동석하시지요."

"그야 어렵지 않지. 봉노에 내 자리 네 구들이 따루 있나. 어서 들어와 섞이시우."

"실례하우."

짐짓 예를 나누면서 첫봉이가 들어왔다. 주모가 관솔불을 켜서 들여주었다. 셋은 아무 말이 없다가 주모가 술상을 들여놓고 안방으로 물러간 뒤에 목소리를 낮추어 얘기를 시작하였다.

"어디 와 있수?"

변가가 물으니 첫봉이는 첫 잔을 달게 마시면서 말하였다.

"우리는 남창방에서 몇명씩 나누어서 임집을 찾아 과객질을 하였소. 나는 궁둥이두 붙이지 않구 내쳐서 오는 길이오."

"강두령네두 달내방에 닿았는지 모르겠네. 그쪽은 머릿수가 많으니 아마 과객질두 못 하구 산에서 비를 만났을 게요. 고생이 심할 텐데."

변가가 생각한 대로 안을 내어보았다. 그는 아까 불타산 패거리들이 시작세를 받으러 마을에 내려와 민가에서 행패 놓던 일이며, 봉두원에 법호가 내려온다는 것과 마을 사내를 끌어들일 계획을 말하였다.

"아무래두 우리는 타처의 객이니 꾀를 쓰기가 불리하겠소. 그자를 앞잡이 세워서 두 중놈을 사로잡읍시다."

"좋은 생각이오."

"사내가 스스로 목을 매어 자진한 것으로 꾸미고는 초상집을 만든단 말이우. 초상집에 동네 사람들이 모이는 거야 누가 뭐라겠소."

첫봉이가 생각을 이리저리 굴려보더니 드디어 무릎을 치는 것이었다.

"음, 그렇게 도모하면 되겠군. 내가 가서 아이들을 데리구 올 테니까 그동안에 변두령은 문상객 노릇을 허슈."

그들이 얘기를 나누는 중인데, 밖에서 주인을 찾는 소리가 들렸다.

"이제 오는군."

주막 여자는 오늘따라 늦손님이 모여드는 것만 반가워서 늦게 도착한 업복이도 봉놋방으로 들여밀었다. 선홍이네는 모두 열댓 명이나 되어서 달내방 어름의 세 마을에 분산하여 상단 패거리 행세를 하고 있다는 것이었다.

"큰두령께서는 원을 치든지 불타산을 덮치자구 하십니다."

업복이가 말하자 첫봉이는 고개를 내저었다.

"물론 불타산을 차지하자면야 아무래두 무슨 대순가. 야습을 해버리면 되지. 허나 이번 일은 심백이를 사로잡자는 것이니 실수가 없어야지. 심백이를 산 채루 잡으려면 함정을 파구 덫을 놔야지 몰이를 해서는 놓치거든."

"심백이놈 잡히기만 해봐라. 내 손으루 심장을 헤쳐서 어머니 원수를 갚을 테다."

둘봉이가 이를 갈았고, 첫봉이도 눈을 빛내면서 중얼거렸다.

"어머니하구 세봉이 산소 앞에서 그놈의 목을 벨 테다."

첫봉이가 남창방으로 되돌아가서 기다리는 칠팔 명의 졸개들을 초상집으로 데려오기로 하였고, 업복이는 선홍이가 거느린 졸개들을 주막에 대기시켜놓기로 하고서 제각기 왔던 길을 되짚어갔다. 변가와 둘봉이는 우선 할 일이 있었다. 발소리를 죽여 안방문 앞에 가서 귀를 기울여보니 사내의 코 고는 숨소리가 드높았는데, 아마도 두 양주가 초저녁잠에 곯아떨어진 듯하였다. 변가가 먼저 방문을 슬그머니 열고 들어섰고 둘봉이도 뒤를 따랐다. 변가가 주막집 사내를 덮쳐서 버선으로 입을 틀어막고 이불 홑청을 좔좔 뜯어내어 북북 찢어서는 손목과 발목을 단단히 동여맸으며, 둘봉이도 아낙네를 결박하였다. 이불을 들씌워놓으니 꿈틀거리는데 변가가 지끈 밟아주며 나직하게 을러대었다.

"가만히 잠자면 모르되 공연히 애달캐달 수를 썼다간 창날 맞구 뒈어지는 게여. 사정이 있어 이러는 것이니 하룻밤만 고생하시게."

그들은 방을 나와서 문고리를 걸고 굵은 나뭇가지를 두어 개 겹쳐서 끼워놓았다.

"우리가 옆방에서 새우는데 꿈쩍하면 댓바람에 쫓아들어와서 창으루 쑤셔버릴 테다. 거푸 말해두지만 잠이나 자란 말이야."

변가가 다시 다짐을 두었으니 그들이 빠져나오려면 날이나 새어야 엄두를 내어볼 것이었다. 두 사람은 변가가 마음을 잡아둔 사내의 집으로 찾아갔다. 변가가 삽짝 앞을 돌아 안방을 눈짐작하고서 가까이 다가가서 조용히 불렀다.

"여보슈, 문 좀 열어."

아낙네가 재빨리 문을 열고 내다보았다.

"내요, 아까 왔다간 사람이우."

아낙네가 종종걸음으로 뛰어나와 삽짝을 열어주었고 그들은 건넌방으로 들어갔다. 사내는 이 궁리 저 궁리로 간을 졸였는지 곰방대를 연달아 피워대어 방 안에 담배 연기가 가득 차 있었다.

"아주머니두 좀 뵙시다."

여자가 수줍은지 입을 가리고 들어와 윗목에 앉는데, 과연 가난한 농투성이의 아낙으로는 아까울 만큼 절색이었다.

“다름이 아니고 오늘 이 집에서 초상을 좀 치러야겠소이다.”

영문을 몰라하는 그 부부에게 변가가 이러저러한 안을 내어 설명해 주고 나서,

“그리된 연후에 댁네들은 여길 떠나서 우리 달마산 아랫녘에다 그럴싸한 주막을 내어줄 테요. 이젠 아이들도 주림을 면하게 되겠구려.”

하면서 달래었다. 부부는 캄캄칠흑에 일점 광명을 만난 듯이 서로 마주 보며 기뻐하였다.

과연 일이 시작되는데 우선 낭자한 곡성이 조용한 원마을에 퍼져 나갔다. 아낙네는 아예 집 밖의 마당으로 나와 퍼질러앉아서 땅을 두드리며 푸념 사설을 섞어서 늘어놓는 것이었다.

“아이고오, 모질어라, 이내 신세가 모질구나. 언제는 이밥에 고기 반찬으루 살았나, 한 칸 두옥 비바람에 북풍한설 겨우 가려 조밥에 나물죽으루 오순도순 살았더니 그나마도 터주가 새암하여 이 횡액이 웬말인가. 목을 매잤드면 말이나 남기구 갈 것이지 새끼들은 어찌하고 혼자만 간단 말요. 모질어라 모질어라, 이년의 팔자가 모질어라.”

방성대곡을 하는데 이곳 저곳에서 동네 사람들이 몰려나와 쑥덕쑥덕하며 혹은 눈물을 적시고 혀를 두드리며 울타리 가녘으로 둘러서는 것이었다.

후선방의 용두원으로 내려오는 삼거리 길에 장정 세 사람을 거느린 승려가 나타났다. 키는 작달막하고 눈은 길고 가늘어 뱀과도 같은데 미간이 잔뜩 찌푸려져 있었다. 회색 승복에 긴 염주 드리우고 주홍빛 가사를 걸쳤다. 그의 곁에는 화승총을 가진 장정이 하나 따

르고 나머지 둘은 늘어뜨린 손에 환도를 들고 있었다. 그들은 삼거리에 이르러 곧장 용두원의 고설대문 안으로 들어갔다. 먼저 와 있던 불타산 졸개들이 마루에서 저녁을 먹다가 모두들 일어나서 그들을 맞이하였다.

"법사님, 오십니까?"

그는 댓돌에 올라서지 않고서 주위를 둘러보았다.

"주지스님은 안 나왔는가?"

"예, 뒤채에서 기다리구 계십니다. 셈을 맞출 준비가 다 되었습니다."

법호가 고개를 끄덕이며 뒤채로 돌아가려니 졸개들이 물었다.

"법사님, 오늘밤 예서 묵을 겁니까?"

"음, 늦을 것 같다. 너희들은 납료(納料)를 받으면 곧 산으로 올라야겠다. 두령께서 기다리신다."

법호는 뒤채로 갔고, 기다리던 상노아이가 그를 맞아들였다. 주지는 승복 대신에 어울리지도 않는 끼끗한 학창의를 입고 갖은 음식을 통영반 위에 그득히 벌여놓았는데, 곁에서는 소실 행세하는 과수댁이 앉아 술잔 시중을 들고 있었다. 어느 호족이나 고을 수령에 못지않은 호사였다.

"허허허, 어서 오시오. 좀 늦으시길래 먼저 실례하였소이다."

"날씨가 궂어서 계곡이 미끄럽더군요."

"자아, 우선 한잔 쭉 하시고 속을 푸시지."

법호는 뻣뻣하게 마주 앉아 소매를 들어 일단 사양하였다.

"그보다두 납료 셈을 끝내야겠습니다. 아이들을 올려보내야 하오."

"허, 내가 잊고 있었구려."

하면서 주지가 문권이며 장부를 꺼내어 펼쳐놓았다. 법호는 그것을 한 장씩 살피면서 소출과 시작료와 납세액을 따지고 붓을 들어 계산을 해보았다.

"소출이 천칠백 석(石)이면 돈으로 팔백오십 냥이요, 면포로는 백 스물한 필이오. 따라서 우리에게 줄 납료가 이백오십 냥이로군."

주지는 펄쩍 뛰었다.

"시작료를 빼긴 하였으나, 그 팔백기십여 냥에서 납세액을 제하고 원의 관리비를 빼고 사찰수리비며 경비를 제하면 별로이 남는 것두 없는 터에 다만 시작 관리한 수고료 이백오십 냥은 너무 과하오."

법호는 눈을 깜박이면서 주지를 지그시 노려보다가 귀찮은 듯이 입맛을 다시는 것이었다.

"우리의 납료를 얼마쯤 준비했소이까?"

"글쎄…… 뭐 백 냥에다 무명 오십 동(同)을 쳐두었습지요."

법호는 피식 웃음을 터뜨리더니 손끝으로 상머리를 잡아 슬쩍 치켜들었다. 상 위에 그득히 놓였던 술병이며 주전자, 주발, 대접, 양푼 등속이 와르르 몰리면서 주지의 무릎 위로 쏟아져내려갔다. 주지는 당황하여 얼굴이 시뻘겋게 상기되어 뒤로 물러나 앉았으나 그의 새하얀 학창의는 얼룩얼룩 더럽혀졌다. 법호가 웃음을 그치지 않으면서,

"스님은 성급하기두 하십니다. 이 많은 것을 한꺼번에 자시려 하니, 그 좁은 입으루 다 들어가겠소이까. 적게 마시고 조금 드셔야 양생(養生)에 좋습니다."

어르듯 말했다.

"허…… 이 아까운 음식을……"

주지는 과수댁이 쓸어담는 음식들을 낭패한 기색으로 내려다보

았고, 법호가 펼쳐놓았던 문권들을 간추리면서 은근히 힘을 주어 말하였다.

"우리 천년암에는 입이 많소이다."

과수댁이 짜증 섞인 목소리로 대꾸하였다.

"저희 성님께서 원으로 진작 큰상을 내보냈어요."

"보살님, 소승은 곡주를 못하오니 꿀물이나 한 대접 타다 주시지요. 그리구 주지스님께는 따로이 새 주안상을 차려다드리십시오. 새 자리가 될 것이니 주안상두 바꿔야지요."

하며 법호는 싱긋이 웃었다. 주지는 어쩌지 못하고 안절부절못하다가,

"임해사와는 어찌하기루 되었소?"

물으니, 법호가 거침없이 지껄였다.

"원래 절이 망하려면 새우젓장수가 먼저 길을 낸다 하옵니다. 바른 승려라면 모르되 구천 지옥에 떨어져 억겁을 보낼 더러운 중놈들이 가련하여 부처님께 공양을 드려주기로 하였지요. 남의 살을 부비며 허벅지에 코를 박구 지내는 값은 따루 쳐서 받아야지요. 즉 몫이 세 가지이니 한 몫은 탐욕스런 재주(財主)의 것이요, 하나는 수도하는 승려의 몫이며, 또 하나가 부처님 몫이올시다."

주지는 법호의 뜻을 알아듣고 있었으나, 응낙하면 거의 반타작이 되겠는지라 모면할 길을 궁리하느라고 좌불안석이었다. 소실과 처가 아까보다 더욱 떡벌어진 주안상을 차려 맞들고 들어왔다. 주지가 준비해두었던 돈 열 꿰미와 무명 오십 동을 내어 방에다 쌓으니 제법 큼직한 무더기가 되었으나 법호는 힐끗 바라보고 말하였다.

"우선 이것만 받아두고…… 열흘 안으로 공양미를 받으러 오겠소이다. 미곡 일백오십 석과 무명 스무 동을 준비해두십시오. 대자대

비하신 석존께서 스님의 재물을 너그러이 받아들이실 게요. 우리 천년암의 부처님은 특히 영험이 있으시니까."

주지는 얼결에 법호가 내어민 약조장에다 수결을 하였다. 법호가 술을 따라주면서 물었다.

"여기 내려보낸 저희 아이들이 곧 쓸 만하시지요?"

"글쎄 뭐…… 수세는 잘하는데 좀 난폭하여 걱정이우."

"그놈들이 다 스님의 덕을 믿고 그러지 않습니까. 듣자하니 꽤 아리따운 유부녀가 있답디다."

주지는 겸연쩍은지 안주를 집적이며 우물우물하였다.

"뭘 공연히 그 사람들이 내게 연분을 맺어준다구 나서서 설치는구려."

법호가 미닫이를 열고 내다보았다.

"여봐라……"

그러나 마당에 섰을 상노는 보이질 않았고 대문 밖에서 뭔가 시끄러운 소리들이 전해왔다.

"저게 무슨 소리요."

여자들도 마루로 나와서 귀를 기울이더니,

"저게 무슨 방정맞은 곡성일꼬."

"누가 우는 모양이어요."

하며 제각기 신을 꿰는 것이었다. 한참 뒤에 상노아이가 쫓아들어왔다. 주지가 물으니, 웬 여인이 문밖에 와서 머리를 풀고 몸부림을 치며 통곡을 하고 있다고 아뢰었다.

"웬년이 여기가 어디라구 찾아와서 감히 방자한 울음소리를 낸단 말이냐?"

주지가 노하여 고함을 버럭 질렀고, 상노가 다시 말하였다.

"아까 산어른들이 시작세를 내지 않는 집에 검징을 나갔다가 겨우살이하려고 숨겨둔 곡식을 빼앗아왔답니다. 그래서 그 집 사내가 목을 맸는데 여인네가 하소하러 온 것이라구 합니다."

"그년이 제 발루 찾아왔단 말이냐?"

주지가 금방 알아듣고 오만상을 찌푸렸다. 벌써부터 그가 욕심을 품어왔던 계집인데 지아비가 있는지라 감히 어찌할 도리가 없더니, 불타산 패거리의 무지막지한 행패가 주효했던 모양이다. 그러나 그리 개운한 기분은 아니어서 주지는 혀를 차며 도로 주저앉을 뿐이었다. 그때에 마을 사람 하나를 앞세우고 험상궂게 생긴 중놈이 뒤채로 들어왔다.

"이 사람이 우리에게 헐말이 있다구 합니다."

주지와 법호는 원주가 앞세워 들어온 마을 사람을 내려다보았다. 그자는 가장 장한 듯이 떠벌리는데,

"아무래두 어딘가 이상합니다. 갑자기 초상이 나자마자 웬 낯선 사내들이 너덧 명이나 모였는데 시방 저 문밖에 구경꾼들과 함께 섞여 있습니다. 일가 친척이 초상난 줄 알고 일시에 모여들 리두 없잖습니까?"

"정녕 이 마을에서 처음 보는 자들인가?"

법호가 묻자, 마을 사람은 분명히 그렇다며 고개를 끄덕였다. 법호는 친히 소매를 떨치며 일어났다. 그가 앞채로 돌아나가니 대문간에 졸개들이 몰려서서 음담으로 농을 던지고 있고, 여자의 행역(悻逆)하는 소리가 떠들썩하였다.

"비켜라……"

법호가 날카로운 눈으로 밖을 살피는데, 어둠속에 구경꾼들이 몰려서 있었다. 여인은 더욱 악을 썼다.

"이놈들아, 하늘 같은 가장을 죽여놓구, 너희들이 얼마나 잘사나 두구 보자. 이 야차 같은 놈들아, 무도한 놈들아, 피를 빨아두 유분수지 허리가 부러지도록 일 년 농사를 지어 흉작이 되었는데 쌀 한 톨 남기지 않구 긁어갔으니 너희가 인두겁을 쓴 마군(魔軍)이지 어찌 불자란 말이냐. 천벌이 무섭지 않느냐."

법호가 뒤에 서 있는 사람들의 모습을 살피고 침착하게 말하였다.

"저년을 잡아들여라."

졸개들이 히히거리며 여인을 붙잡으려고 하자 여인은 펄쩍 일어나더니 바로 그때를 기다리기나 한 것처럼 뒤에 섰는 군중들 속으로 달아나는 것이었다. 졸개들이 여자의 뒤를 따라서 우우 몰려갔고 마을 사람들은 놀라서 이리저리 흩어졌다. 법호가 대문 쪽에 다가섰던 장정의 그림자를 보고 마음속으로 아차 했을 때는 이미 늦었다. 바짝 다가선 그의 손에는 비수가 쥐어져 있었다. 법호는 칼끝이 옆구리로 아프게 파고드는 것을 느꼈고, 여자를 잡으려고 몰려든 졸개들의 뒤에 사내들 몇이 달라붙는 것을 보았다. 법호의 옆구리에 칼을 댄 장정이 그의 등을 밀었다.

"입 딱 막구 안으루 들어가시게."

법호가 옆걸음으로 대문간에 들어서니 장정은 그를 으슥한 그늘 속으로 끌어들였다.

"자네가 누군지는 모르지만 여긴 용두원이다. 살아서 돌아갈 수 있을까?"

법호가 끌려들어가며 슬쩍 건드려보았으나 장정은 대답 대신 칼을 더욱 아프게 몇번 쑤셨다.

"잠자쿠 있지 않으면 산적꽂이가 되는 게여!"

달아나는 아낙네를 쫓아 밖으로 몰려나간 심백이네 졸개들은 용두원 건너편 소나무숲 가에 이르러 넘어진 여인을 막 잡아채려는 중이었다. 구경꾼들 틈에 섞였던 장정 몇사람과 숲에 숨어 있던 몇사람이 일시에 몰려나와 그들을 앞뒤로 둘러싸고 몽둥이를 휘둘렀다. 맨손에 여인을 희롱하려고 방심해 있던 터이라 손을 휘젓고 발을 들어 막는 시늉으로 뒷걸음질해보건만 오래 노리던 자들의 예기를 꺾을 수가 있나. 어깻죽지며 머리를 호되게 얻어맞고 뒤로 넘어지거나 무릎을 꺾고 주저앉았다. 여인은 흐트러진 머리를 쓸어올리며 일어났고, 칠팔 명의 장정들은 널브러진 자들을 일으켜 옆에 끼고 원의 고설대문 안으로 조용히 들어갔다.

마을 사람들은 어둠속에서 툭탁거리는 소리를 듣고 멀찍이 달아나버린 뒤라 용두원 앞길은 괴괴하였다. 원의 안채 쪽에서도 뭔가 수런대는 소리가 들리며 한떼의 사내들이 몰려나왔다. 뒷담을 넘어 들어와 뒤채를 이 잡듯이 뒤지고 원의 안채까지 뒤짐을 하고 나오는 모양이었다. 그들은 먼저 대문을 닫고 빗장을 단단히 질렀다. 어둠속에 은신했던 자가 법호의 등덜미를 호되게 밀어내니, 법호는 제풀에 앞으로 고꾸라지며 안에서 밀려나오던 사내들의 발 아래 엎어졌다. 강선홍이 법호를 발로 툭툭 건드리며 중얼거렸다.

“이놈이 누구냐, 심백이는 없는가?”

법호를 잡았던 첫봉이가 말하였다.

“지랄병 들린 중놈인데, 심백이의 오른팔이다. 주지는 어떻게 되었니?”

“두 계집과 주지를 잡아서 대들보에다 나란히 매달아두었다.”

“여기 졸개들 네 놈을 끌어왔수.”

변가와 둘봉이가 묶인 놈들을 가리켰다. 업복이들은 안채에 있던 두 졸개를 묶어서 끌고 왔다. 그들은 졸개를 굴비두름 엮듯 하여 광에다 처박아두고 지기를 세워두었다. 첫봉이가 말하였다.

"용두원을 소리 없이 덮쳤으니 이제 반쯤 성사한 셈이다."

"여기서 불타산으로 바루 쳐들어갈까?"

"그럴 필요 없다. 그놈을 이리로 불러 내려오게 해야지."

"원은 아이들께 맡기구 우리는 뒤채루 갑시다. 요기 좀 해야지, 하루종일 비 맞구 저녁까지 설쳤더니 새벽 호랑이 몰골일세."

업복이가 말하여 그제야 그들은 서성대기를 멈추고 머릿수를 헤어보고 일을 나누는 등 싸움의 끝막음을 해두었다. 원에 졸개들이 들어가 쉬도록 해주고 큰 소리로 잡담하지 못하도록 단속을 하고 나서, 선흥이며 첫봉이 등등의 두령급들은 뒤채로 법호를 끌고 갔다. 주지의 어울리지 않던 학창의는 찢겨져 뒷결박이 되어 있고 발이 동동 마루 끝에 뜨도록 대들보에 매달려 있었다. 계집들도 함께 매달렸는데 치마를 머리 위까지 들씌워서 묶어버렸으므로 고쟁이 바람의 두 다리만 달랑 떠 있었다. 첫봉이가 말하였다.

"계집들은 건넌방에 처박아두고, 그 중놈은 이리로 끌어오너라."

모두들 방 안에 들어서자 떡벌어진 다담상을 대하더니, 걸귀들린 듯이 달려들어 닭다리도 뜯고 전도 움켜넣으며 한동안 희희낙락하였다.

"어 그 자식, 이렇게 처먹으니 중놈이 수신할 생각은 않구 계집 밝힐 생각이나 하지."

변가는 역시 취재에 밝아서 이방 저방을 돌아다니며 재물을 걷는데, 마침 시작세의 셈이 있던 때이라 원의 곳곳마다 돈과 곡식이 쏟아져나왔다.

"변두령 눈이 과연 부엉이 밤눈보다두 밝구려."

재물을 보자 첫봉이도 즐거워서 이리저리 돈꿰미를 헤아리고 무명도 풀어헤치면서 말하였다. 선흥이는 코가 쑥 빠져서 고개를 숙이고 앉은 법호에게로 술을 따라 내밀어주었다.

"자네두 한잔 들게."

그러나 법호는 고개를 주억이며 대답하였다.

"곡차는 못하오."

"어 그놈 과연 법도를 아는 놈이로구나. 불자가 모름지기 그래야지."

"보아하니…… 어느 산에들 계시우?"

"그래, 꼴이 화적당이란 말이렷다. 범 잡는 담비요 구렁이 성님에 이무기라고, 우리는 느이 같은 좀도적들을 잡으러 다니는 분들이다."

선흥이와 법호가 수작을 나누니, 첫봉이가 재물 살피기를 멈추고 돌아앉았다.

"나는 조니포의 허초봉이란 사람이다. 느이 일당들께 아우와 모친을 잃었단 말이야. 원한은 심백이놈에게 있지, 너하군 상관이 없다. 그러니 심백이만 잡게 해주면 재물도 나누어주려니와 무사 방면할 테니 시키는 대루 하겠느냐?"

법호는 고개를 숙인 채 묵묵부답이고 앞에 꿇어앉은 주지가 입을 떼었다.

"저놈과 심백이는 등과 가슴 같은 사이인지라 안되오. 내가 도와드리리다."

첫봉이가 잠시 생각해보더니 손수 주지의 결박을 풀었다.

"과연 대사의 말이 옳소. 스님은 이들과 아무 관계가 없으니 우리들과 동모하면 이득이 있을지언정 해가 되지는 않으리다."

주지는 풀린 손을 매만지며 법호를 두려운 듯 힐끔거리는 것이었다.

"후환만 없다면야…… 관에다 발고하기두 어려운 일은 아니었소. 허나, 사찰의 장토에 묶인 몸이니 이럴 수도 저럴 수도 없이 갖은 핍박을 당해왔소이다. 장사들께서는 어디서 오셨습니까?"

"그런 건 자세히 알 필요가 없구…… 심백이를 끌어내릴 수를 생각해보우."

주지가 다시 우물쭈물하더니 첫봉이에게 바짝 다가앉아 귀에다 입을 대고 속삭였다.

"심백이가 저놈을 친삼촌같이 여깁니다. 저놈이 변고를 알려 내려오라면 틀림없이 올 것입니다. 서신을 쓰도록 하십시오. 소승이 보아드리리다."

첫봉이 생각에 글을 아는 자가 일행 중에 한 사람도 없으니 그것은 불리하였다.

"우리가 대사를 믿어두 좋을까."

"아니, 올해의 소출을 다 바쳐두 저놈들만 여기서 내몰아주신다면 바랄 것이 없소이다."

첫봉이가 이 궁리 저런 꾀를 생각해보고 나서,

"오며 가며 사십 리 길인데 곧 날이 새버리겠는걸. 그리구 날이 새면 동네것들 중에 은밀히 가서 고하는 자가 있을 게란 말이지."

하면서 변가와 선홍이를 불러 의논들을 하였다. 변가가 말하기를,

"아무래두 민가 근처에 어물거리다가는 우리에게 불리하우. 이왕 내친걸음이니 원이나 털어먹고, 아이들을 깨워서 일방 산을 타고 산채로 돌아가고 심백이는 강두령과 우리 몇이 꾀를 써서 잡읍시다."

하고 안을 내었다.

"심백이가 워낙에 의심이 많구 의뭉한 놈이우. 또한 졸개들두 조

련이 잘되어 만만치가 않소."

용두원을 덮치는 데는 성사하였으나, 심백이를 끌어낼 의견은 좀체로 모아지지 않았다.

"우리끼리 조용히 얘기하자."

첫봉이가 선홍이와 변가를 따로 밖으로 불러내어 은밀히 수작을 하는데 먼저 변가가 말하였다.

"허서방은 너무 저 주지놈을 믿지 마우. 우리는 남의 동네에 와 있단 말유."

첫봉이가 고개를 끄덕였다.

"아무러면 내가 그런 궁리가 없겠수. 양수겸장을 불러야지. 턱없이 믿을 수야 있나. 주지는 후환이 두렵기는 하지만 심백이네가 패망하는 것을 원하기는 할 게요. 그러나 그것은 승산이 훤히 내다보일 때까지이고 불리하면 곧 저쪽을 돕겠지."

"뭘 콩이야 팥이야 하구들 있어. 까짓 심백이란 놈은 내 밥인데 그냥 불타산으루 올라가자니까."

선홍이가 못내 답답하여 투덜거리자 둘봉이는 조금 서운해진 모양이었다.

"사로잡아야지 손가락 하나 다쳐선 안 된다. 산 채루 조니포루 끌구 내려가서 제사를 지내야겠다."

"적당히 때려잡고 한편은 꾀를 써서 놓치는 일이 없도록 해야겠군."

첫봉이가 말하였다.

"아무래두 이건 우리 식구로 말미암은 거사이니 몸 좀 버릴 각오를 해야겠네. 지난번 달마산 때에는 고만이가 수고를 하였고, 이번엔 내가 하지."

"네가 하다니, 무슨 얘기냐."

"심백이네 천년암으루 찾아올라갈 작정이다."

변가가 어이없는지 너털웃음을 터뜨렸다.

"게가 무슨 사돈댁이라두 되는 줄 아시우. 실은 우리가 정면으루 맞서서 쳐들어가두 피차에 살상이 큰데다 지세 불리하여 이길 둥 말 둥이오. 저쪽에는 아직두 화승총이 세 자루나 있습니다."

"땅꾼이 뱀을 무서워하면 개구리 무엇보다두 못하다오. 내가 짐짓 잡힌 체하여 심백이를 끌어내릴 테니, 이렇게 하여보자."

첫봉이가 차근차근 얘기를 꺼내었고, 선흥이는 그의 고육지책(苦肉之策)을 듣고 나서 걱정이 되었는지 말리는 것이었다.

"내가 올라가구 사로잡는 것은 네가 하여라. 심백이가 너를 그냥 두지는 않을 게다."

"아니여, 너는 장연서두 소문난 장사요 네가 잡혔다면 심백이가 분명히 의심을 할 게다. 자, 서둘러야지 새벽닭이 울기 전에 산채에 닿아야 된다."

결국 첫봉이의 안을 따라서 주지와 첫봉이가 먼저 산에 오르기로 하였다. 그들은 주지의 진심을 알 수가 없으니 우선 용두원에 잠복할 뜻을 보였고, 만일 주지가 변심하여 심백이에게 사실을 고하면 그의 살림집은 물론이요 원을 불사르고 두 계집들도 살아남지 못하리라고 단단히 협박을 해두었다. 변가가 첫봉이를 결박 짓는데 둘봉이는 이것이 혹시 가형과의 마지막 작별이나 아닌가 하여 안절부절못하면서 안을 바꿀 것을 몇번이나 권하였다.

"얘, 조니포에서 그래두 이 첫봉이가 대국인들과 거래하며 잔뼈가 굵은 놈이다. 까짓 사노의 새끼가 절밥을 먹어 염불이나 배웠다구 나보다 세사(世事)를 알랴. 두고 보아라. 동래서 의주 가는데 정주

(定州)서 새 말 탄 격이다. 내일은 금사사에서 네봉이도 데려다가 어머님과 세봉이 산소에 가는 게야."

"그렇게 묶여서 어찌 산길을 올라가려우."

"단단히 묶어주게."

변가는 밧줄을 첫봉이의 몸에 꽁꽁 둘러 결박의 매듭을 맺었다. 선흥이가 법호의 목에 걸린 염주를 벗겨서 결박 지은 첫봉이의 목에다 걸어주면서 동행할 주지에게 주의를 주었다.

"날이 밝을 때까지 여기서 대사를 기다릴 테지만, 만약에 중화참까지 심백이나 거기가 오질 않으면 두 보살짜리는 하는 수 없이 베일 테유."

"여부가 있겠습니까마는, 소승도 전정을 고치는 일이온데 사력을 다하겠소이다."

첫봉이와 대사가 용두원을 나선 뒤에 한 식경쯤 지나서 선흥이네들은 원에다 불을 밝혀놓은 채로 몇사람씩 나누어 조용히 원마을을 빠져나갔다. 선흥이 일당은 법호와 그 졸개의 한 놈만을 포박하여 앞세우고 길을 더듬어 올라갔다.

후선방을 지나니 청석산(靑石山) 봉수대로 나아가는 산줄기와 불타산의 줄기가 만나는 가파른 비탈길이 나왔다. 비탈길을 넘으면 곧 성제골(聖齊洞)인데 골짜기가 후미지고 상수리나무와 소나무가 빽빽하여 바윗돌과 물뿐인 험한 길을 행로로 할 수밖에 없는 곳이었다. 계곡을 건너 천불사와 임해사로 갈리는 산등성이 아래 노루목이라는 좁다랗고 긴 샛길이 있었는데 양쪽은 잔솔밭이 우거진 급경사의 비탈길이었다. 변가와 둘봉이가 정탐을 해두었던 길목이고 끌고 온 졸개에게 확인하니 그 역시 노루목이라는 대답이었다. 노루만이 다녀서 생긴 길이라는 곳인데 잡초가 무릎께에 오도록 무성하여 길인지 냇물인지 분간이 되질 않았다. 그들은 물이 불어난 계곡을 간신히 건너 노루목 채 못 미쳐서 숲속에서 다리쉬임을 하며 후리채를 치기로 하였다. 비는 그쳤건만 하늘에는 별 한 점 보이질 않았다.

"아무래두 노숙할 일수인데……"

"따져보랴 준비하랴 가며오며 시간이 걸릴 터인즉, 어두워도 좋고 밝아져서 와도 좋소. 천불사에서 용두원으로 내려오려면 이곳이 지름길입니다. 일전을 겨루기엔 이만큼 유리한 곳이 없겠소이다."

변가와 선흥이가 얘기를 나누는데, 이상한 소리가 들리더니 결박지어져 앉았던 법호가 뒤로 벌렁 나자빠지는 것이었다. 그러고는 굶주린 역마처럼 발길질로 땅을 헤집고 몸을 뒤틀면서 목구멍을 쥐어짜는 듯한 소리를 내었다. 차차 가래질이 잦아지면서 발을 주욱 뻗고 무릎을 덜덜 떨다가 딱 그쳐버리는데 혼절한 모양이었다. 어두워서 표정이나 눈알딱지가 보이지는 않지만, 발광을 일으킨 듯하였다.

"지랄병에는 매가 직효라는데 올라타구 따귀를 올려붙일까요?"

졸개 하나가 아는 체를 하였으나,

"느이 조상 중에 의원 해먹다 죽은 귀신이 씌었니? 곰의 발바닥 티눈 뽑을 걱정이나 하여라."

하며 변가가 코방귀 면박을 주었다.

"또 깨어나서 소리 지를지두 모르니 입막음이나 해두지."

선흥이가 졸개의 두건을 풀어 법호의 입에다 묶어놓는데 그는 말뚝처럼 굳어 있다. 그들은 각기 진을 벌이는데 물살 사나운 계곡 건너편에 활 가진 자를 네댓 명 박아두고 양편 등성이에는 장창이며 병장기 가진 자들을 열댓 명 벌여놓았는데 선흥이와 둘봉이가 멀찍이 앞을 질러가 역으로 들이치기로 하였다. 앞은 거꾸로 겨눈 궁시의 촉처럼 그들의 등뒤를 예리하게 노리며, 뒤는 멀찍이 틔워놓았으니 물살 빠른 계곡 안으로 몰기 위해서였다. 달마산 산채의 노를 잘 던지는 자를 궁수들과 함께 붙여두는 것을 잊지 않았다. 선흥이와 둘봉이가 무슨 남다른 병법이나 설진(設陣)을 알까마는 싸움판에는 여러차례를 겪은 놈이 상수인 까닭이었다.

결박된 첫봉이와 주지가 불타산 창암골에 도착한 것은 거의 오경(五更) 무렵이었는데, 그들이 올라가는 도중에 딱딱이 치는 소리가 들린 것 같더니 여러 초소로 전해져서 횃불이 천년암 주변의 곳곳에서 일렁거렸다. 그들의 등뒤와 앞으로 거뭇거뭇한 그림자들이 나타나 수하를 하는 것이었다.

“내다, 덕현이다.”

“그 옆은 누구요?”

“심두령을 바삐 뵈어야겠다. 큰 우환거리가 생겼다.”

그들은 수군수군하며 그들을 데리고 산성 안쪽의 천년암으로 데리고 갔고, 발짓 빠른 자가 달려가 전했는지 심백이가 암자 밖에 마중을 나오고 있었다.

“주지께서 웬일이시오?”

주지는 슬그머니 첫봉이의 뒷결박 지은 손을 꾹 눌렀다 놓으며,

“시방 밑에서는 야단법석이 났소이다. 이 자를 아시겠소?”

하는데, 심백이는 졸개가 들려준 횃불을 쳐들고 첫봉이를 보자마자 과연 눈을 둥그렇게 뜨는 것이었다.

“하…… 이놈은 멍구미에서 밀상질해먹는 놈인데.”

“이놈과 남대천의 강선흥이란 놈이 짝패가 되어 읍내 왈짜들 몇을 거느리고 용두원을 습격하기루 하였답니다. 초저녁부터 또 한 놈과 주막에 들어 염탐을 하다가 주모의 고경으로 원의 아이들이 잡아 문초하였지요.”

"납료를 받으러 간 법호가 소식이 감감하기에 혹시나 무슨 일이 생겼나 하였더니……"

심백이는 물끄러미 첫봉이의 얼굴을 들여다보며 중얼거렸다.

"그놈 참 운수치고는…… 시래기 스무 동두 못 먹구 황천에 멱감을 팔자로구나. 예가 어디라구 얼씬대는 게냐? 불타산이 무슨 시골 저자의 어물전인 줄 알았군. 갯가놈이 산에 올랐으니 안줏감밖에 쓸 데가 없겠다. 그런데…… 아이들 모두 놓아두고 주지께서 몸소 위험한 행보를 하시다니…… 법호가 그리 시킵디까?"

"아니오, 내가 자청하였지요. 저놈들이 원을 들이친다는데 달군 쇠절판에 얹힌 형국이라, 천신만고하며 오는 길이오. 법호는 아이들과 함께 원을 지켜야겠답디다. 그래두 작대기나마 휘둘 줄 아는 장정이 한 손이라두 더 소용에 닿지, 우리 같은 수도인이야 뭐 보탤 일이 있어야지."

심백이가 머리를 끄덕였다. 주지란 놈 용두원이 위급하다니 제 한 몸 빼쳐 나와가지고 장한 듯이 지껄인다는 생각이었다. 그러나 한편으로 꼭 믿기지는 않아서 다시 떠보는 말을 흘렸다.

"법호가 몇자 적어주었을 텐데……"

"문초를 하고 나서 워낙 놈들이 가까운 곳에 있는지라 그럴 경황이 없었지요. 지금 남창방에서 패를 나누어 대기하구 있답니다."

"이놈을 다시 한번 족쳐보아야겠군. 산길을 오르고도 눈구녕에 제법 독기가 보이는걸. 게게 풀릴 때까지 두드려놓아야겠다."

심백이 중얼거리는데, 곁에 섰던 졸개가 첫봉이의 가슴께를 손짓하였다.

"두령님, 이건 법사님 염주가 아니오?"

심백이 그제야 첫봉이의 목에 늘어진 염주알을 손바닥에 놓고 살펴보았다. 곁에서 주지가 능청을 떠는데, 그는 단단히 협박을 받은 뒤에, 못 되어도 가슴에 걸린 생선가시 같은 심백과 법호를 내쫓거나 죽일 수는 있겠다는 승산이 보였기 때문이다.

"아니, 이게 법호스님의 것인가요. 과연 세심한 분이올시다."

"음…… 급하긴 급한 모양이로다."

심백이 앞뒤의 이치를 스스로 맞춘 양이 적실하였다. 그는 발끝에다 침을 뱉고는 첫봉이를 노려보며 한 손으로는 산발한 그의 머리를 잡아 휘어감고 흔들며 속삭였다.

"감히 여기까지 왔으니 손님 대접은 각별히 해주겠다. 만약에 용두원에 무슨 일이 생기면 산 채루 다비(茶毘)를 치러줄 것이니 염불이나 외우고 있거라."

심백이는 졸개들에게 지시하였다.

"이 손님을 우리 산채에서 가장 넓은 방에다 모셔두어라."

첫봉이가 졸개에게 끌려가며 심백의 뒤통수에다 대고 내일이 네 제삿날이다 외쳐주고 싶었건만 아직 미끼를 입에 넣은 찰나가 아니어서 안달을 지그시 누르기로 하였다. 가슴속에는 기쁨이 절반이요 식구들의 죽음에 대한 원한이 엇갈려서 첫봉이는 몇번이나 후루루 하면서 밀리는 한숨을 내쉬었다. 그가 끌려간 곳은 암자 뒤편의 벼랑 밑인데 시큼한 두엄 냄새가 풍겨오는 곳이 그리 깨끗한 장소는 아닌 모양이었다. 컴컴하여 아무것도 보이지를 않는데 발밑이 푹푹 빠지는 것이 잿더미인 것 같았다. 졸개가 그를 나무 말뚝에다 단단히 묶으면서 우롱하여 말하였다.

"객사가 허술하여 안됐네마는 시장기는 걱정없을 걸세. 지천으루 깔린 것이 음식이니까."

첫봉이는 졸개가 사라진 뒤에야 거기가 높다란 뒷간의 바로 밑이라는 것을 알았다. 그러나 첫봉이는 그들의 두런거리는 말소리들이 차차 멀어져가는 것에 귀를 기울이고 연신 입을 벌려 벙긋대었다.

심백이가 역시 꼼꼼한 자라, 먼저 남창방을 살필 오를 뽑아 내려보내고 곧 용두원으로 내려가는 지름길로 접어들었다. 그러나 국 없는 조반을 먹은 듯이 무언가 미진하고 속이 더부룩하니 걸음이 가볍지 아니하였다. 심백이는 장약을 잰 총을 들고 짜른 환도 허리춤에 찌르고서 맨 뒤에 따라갔다. 날이 부잇부잇 밝아오는데 비 그친 새벽의 멧새들이란 그 울음이 더욱 청명하고 나는 것도 높이 뜨는지 숲속이 재깔법석하였다. 그들이 나무를 건드리고 지날 적마다 간밤비에 매달린 물방울이 여름 소나기 쏟아지듯 하는데 어느 참에 성제골 노루목 가까이 당도하였다.

"물이 불었을 텐데 고산 쪽으로 넘어가서 용두원으루 돌아가지요."

졸개가 가까이 들리는 계곡의 물소리를 듣고 걱정을 하였고, 심백이는 그렇지 않아도 께름한 판에 늘 다니던 길을 피하는 것은 더욱 못 할 일이라 역정을 내었다.

"이놈아, 물에 쓸려내려가면 곧장 마리포까지 갈 테니 가서 소금짐이나 져올 테냐, 열 걸음두 못 되는 내를 건너기 싫다구 세 배가 넘는 길루 돌아간단 말이냐."

그들은 노루목의 초입에 들어섰다. 오솔길 끝에 계곡의 물이 보이는데 바위들이 드문드문 드러난 꼴이 수장을 지낼 정도는 아닌 모양이었다.

노루목이 끝나는 솔밭에 묶여 재갈을 물리어 뻗어 있는 법호는 실상 광증을 일으킨 것이 아니었다. 그는 주위를 자기에게서 돌리고자 거짓 발광을 해 보였던 것이고 동이 틀 때까지 뻿뻿이 널브러져 있었으니, 선홍이네 패들은 모두들 법호의 몸뚱아리를 툇마루 기둥에 걸린 종자 수수마냥 대견치 않게 버려두고 있었던 것이다. 법호는 두런거리며 다가오는 인기척에 귀를 바짝 모으고 있었다. 법호는 몸을 뒤틀어 엎드려서 땅바닥을 기었다. 뒷결박 지은 두 손과 재갈 물린 입이 부자유스러울 뿐이요 두 다리는 어디라도 뛰어갈 수 있었다. 그는 우선 어깨에다 턱을 연신 비볐는데, 입에 묶인 무명 두건을 벗겨내리기 위해서였다. 턱에 힘을 넣고는 당기고, 다시 느슨히 입을 다물며 재갈물림을 풀어나가다가 드디어 어깨에 비벼서 턱 아래로 벗겨내렸다. 법호는 날카로운 눈으로 주위를 눈짐작해보는데, 머리 위의 높직한 곳에 선홍이네 패거리들이 두 패로 나뉘어 숨었고, 선홍이는 앞서 나가서 숨은 모양이었다.

법호가 기절한 척하고 내버려진 덕으로 진 친 형세는 소상히 알아차릴 수 있었다. 이제 사는 길은 노루목을 통과해서 여울을 건너지 않고 계곡을 따라 아래로 재주껏 뛰는 길뿐이었다. 법호는 심백이를 두고 혼자서 달아날 위인은 아니었다. 이제 몇년 공부가 도로아미타불이 되어 불타산도 빼앗기고 정처 없는 길을 떠나게 될지도 몰랐다. 심백이가 없었다면 법호 자기는 부랑하던 그해 겨울에 얼어죽고 말았을 몸이었다. 그는 거뭇거뭇한 사람의 몸집이 노루목으로 들어선 것을 보았다. 반쯤 들어설 때까지 사방이 쥐 죽은 듯하여 그들에게 알려주려는 법호는 침도 삼키지 못하였다. 이윽고 낯익은 심백이의 삭발한 머리가 보이자, 법호는 자기도 모르게 우선,

"여, 심두령!"

하고 고함을 힘껏 내질렀고, 그 소리는 좁은 계곡에 메아리가 되어 여러 겹으로 울려퍼졌다.

"이쪽으루 뛰어……"

심백이 금방 법호의 목소리에서 찬물 맞은 듯이 몸을 움츠렸는가 싶더니 졸개들을 밀치고 앞으로 뛰는데, 뒤늦게 매복했던 달마산 패가 창이며 활을 내리쏘았다. 그리고 양쪽에서 환도를 휘두르며 수명의 장정들이 근병접전의 태세로 비탈을 뛰어내려오는데, 실기한 탓이라 살촉처럼 뾰족이 진을 쳤던 입구로부터 불타산 패거리는 훨씬 벗어나 있었다. 심백이 얼결에 앞으로 다가선 법호의 뒷결박을 칼로 끊어내고 뛰는데 등뒤에서 시윗시윗 하면서 스쳐가던 화살 중에 두 대가 한쪽은 어깻죽지에 또 한쪽은 허벅지를 꿴다.

"어이쿠…… 나 죽네."

심백이가 주춤하면서 다리를 구부리자 법호가 날렵하게 그의 배 아래로 파고들어 등을 갖다대고 거의 업다시피 하며 일깨웠다.

"두령, 잡히면 끝장이네."

하는 법호의 소리에 심백이 허튼거리는 다리를 딛고 일어나 법호의 안내대로 계곡을 따라서 내려가다가 드디어 함께 얼싸안고 급류로 떨어졌다.

"잡아라, 저쪽이다."

"건너편을 막아라!"

둘봉이가 억척스레 외치며 쫓아갔고, 건너편에 숨었던 궁수와 졸개도 강 건너 불 보기마냥 속수무책, 물을 따라서 나란히 뛸 뿐이었다. 선흥이도 고함을 지르며 뒤를 쫓았건만, 한참 뒤에 바위 끝에 서서 발을 동동 구르는 둘봉이와 마주쳤을 뿐이다.

"어떻게 되었니?"

"이를 어쩌냐. 두 놈이 여기서 떨어져 저 아래로 삽시간에 흘러가 버렸다."

"이런 물에 살아날까?"

"그렇긴 하나…… 눈으루 보구 시신이라두 건져야지."

둘봉이는 바위에서 물까지 높이가 제법 되는지라 계속해서 넘어지고 고꾸라지며 험한 계곡을 따라서 뛰어내려가는데 뒤로 멀찍이 선홍이가 따라갔다. 아직 희붐한 새벽이라 물속은 시커멓고 가운데쯤에 간간이 울뚝불뚝 솟은 바윗덩어리들이 그들의 발길을 멈추게 하는 것이었다. 건너편에서 따르던 졸개들도 이제는 글렀다 싶어졌는지 뒤로 멀찍이 떨어져버렸는데, 근 오릿길이나 쫓아내려오던 둘봉이가 한숨을 턱 내쉬면서 힘없이 주저앉았다. 선홍이도 그 옆에 가서 주저앉으니 둘봉이는 돌연 얼굴을 찌푸리고 비죽비죽하더니 고개를 무릎에 박고 낮게 울음을 터뜨리는 것이었다.

"애애, 이런 물살에 휩쓸렸다간 벌써 이리저리 휩쓸리고 부딪쳐 콩가루가 되었겠다. 손두 안 대구 코풀었지 뭐냐. 조금 더 있다가 느이 언니와 함께 슬슬 시신이나 찾으러 다니자."

선홍이가 둘봉이의 어깨를 두드리며 달래었건만, 둘봉이는 울음을 그치지 않았다.

"달포가 넘도록 갖은 고생을 겪으며 이제 막 잡은 것을 놓쳤으니, 무슨 낯으로 어머님께 제사를 드리겠냐. 언니는 또 나를 얼마나 원망하겠어."

"그게 어찌 네 잘못이냐. 내가 법호란 놈이 속임수로 광증을 낸 것을 모르고 단속을 소홀히하여 그리되었지."

둘봉이가 소매를 들어 낯을 씻더니 갑자기 몸을 일으켜 바위 아래 계곡의 급한 여울 속으로 뛰어들려는 동작을 하였고 선홍이가 허리를 꽉 껴안았다. 선홍이가 기운으로 말리는 바에야 둘봉이가 한 발도 떼어놓을 수가 없는데 선홍이는 그를 달랑 들어서 멀찍이 끌어다가 주저앉혔다.

"얘, 느이 식구가 횡액을 당한 뒤에 함께 세상을 등지기루 하구 적굴에 들어왔는데, 그깟 일루 목숨을 버려서야 되겠니. 제놈이 아직 팔자가 그리되지 않아 살아 갔다 한들, 피차에 숨어 사는 신세는 매일반이다. 조선 팔도에 뛰면 어디루 뛰겠냐. 더구나 놈이 이 근방을 멀리 벗어나지 못할 테니 곧 잡힐 게다."

"언니는 산채 올라가서 무사한지 모르겠네."

"어서 돌아가보자. 변서방이 졸개들 단속을 잘해놓았을 테니 별 걱정은 없다만, 천년암 쪽이 궁금하구나."

선홍이가 둘봉이를 달래어 심백이 찾기를 만류시키고 노루목으로 되돌아가는데, 둘봉이는 아무래도 미진하여 연신 계곡의 여울을 이리저리 살펴보았다. 거진 건널목쯤에 가까워서 선홍이의 발에 무엇인가 걸리는 것이 있어 허리를 굽혀 내려다보니 화승총이었다.

"음, 여기서 물속으루 뛰어내렸구나."

선홍이가 총을 집어들었고 둘봉이는 눈짐작으로 여울 건너편을 살피니 여간해서 건널 수가 없을 만하였다. 계곡의 넓이가 삼사십보는 됨직한데, 물이 깊어 무릎을 넘는다 하여도 빠른 물살을 거스르고 건너기는 불가능한 일임을 알기 때문이었다. 계곡에는 물소리만이 가득 차 있었고, 둘봉이가 아까보다는 훨씬 쾌활하게 말하였다.

"일단 불타산에 올랐다가 오늘 하루 품을 내어 샅샅이 골짜기를 뒤져야지. 만약 못 찾으면 제놈이 살아 도망갔을 테니, 갈 만한 곳을 탐문하여 끝내 뒤쫓을 게야."

그들이 노루목으로 가니, 변가가 불타산 패거리의 시체와 다친 놈들이며 항복한 졸개들을 수습하고 있다가 반색을 하는 것이었다.

"심백이놈은 어찌되었수?"

"물에 빠져 뒈져버린 게요. 자취가 없으니……"

선흥이가 심드렁하게 대꾸하며 주위를 둘러보는데 불타산 패들은 거지반 화살에 맞고 창칼에 상하여 어떤 자는 팔을 동이고 어떤 자는 다리를 싸매는데, 모두들 대보름에 석전놀이서 얻어터진 팔매꾼들 같았다. 그들 중에 성한 자만을 따로 묶어놓았는데 시체는 이미 치워져 구덩이에 묻혔다. 노루목에 아침햇살이 발갛게 비껴 있는데 싸움을 치른 사내들의 옷에 묻은 피와 함께 일종의 살기가 감돌았다. 선흥이는 그런 광경을 둘러보면서 문득 지나간 달포 동안의 행각이 지겨워지는 것이었다. 기껏 가형에게 숨어 살더라도 바로 살아가리라 장담하였던 것이, 고작 이런 따위의 생활이 되리라고는 생각 못 했던 선흥이었다.

"저쪽은 몇명이나 식었나?"

"다섯 놈이 밥순갈 놓았소."

"우리는……"

"하나 죽고 둘 상했소이다."

변가와 업복이가 제각기 말하였다. 선흥이는 대뜸 잡힌 불타산 패의 턱을 손끝으로 치켜들며 물었다.

"주지와 함께 암자로 올라간 사람을 어찌하였는가?"

"뒷간 암굴에다 가두어두었습니다."

"산채에는 몇이나 남아 있나?"

"예, 한 네댓 명 있습니다."

"음…… 앞장을 서라."

선흥이네는 잡은 놈들을 둘로 나누어 먼저 선흥이와 둘봉이가 한 패를 이끌고 곧장 올랐고, 한참 뒤떨어져서 업복이와 변가가 쫓아갔다. 산채로 들어서니 불타산성 어름에서 망보던 자들이 병장기를 겨누며 몰려나오다가 형세가 그런 게 아님을 알고는 모두들 달아나기 시작한다.

"이놈들, 달아나면 끝까지 쫓아가 젓을 담을 것이요, 그 자리에 엎드려 투항하면 살려준다."

그래도 막무가내로 뛰는 자들에게 화살을 날리니 한 놈이 등판을 정통으로 꿰이고 거꾸러지는데, 다른 자들도 주춤주춤 서버린다. 그들을 업복이와 변가에게 맡기고 둘봉이는 달려가서 첫봉이를 찾았다. 뒷간 아래 두엄더미 사이에서 재와 오물의 범벅이 되어 있던 첫봉이가 달려들어오는 아우를 보자 첫마디가,

"심백이 끌어왔냐?"

였는데, 둘봉이는 눈길도 마주치지 못하고 못 들은 양하면서 줄을 풀었다.

"심백이를 산 채루 끌어왔냐니까……"

둘봉이가 실없이 고개를 흔드니, 첫봉이는 아우의 옷깃을 움켜쥐고 외쳤다.

"그럼 시체를 끌어왔니?"

둘봉이는 더욱 말을 못 하고 고개를 떨구었고, 첫봉이가 믿기지 않아서 다그쳐 물었다.

"놓쳤단 말이냐?"

"응……"

"이…… 쇠새끼."

첫봉이가 댓바람에 주먹을 휘둘러 아우의 면상을 후려갈기자 그는 두엄더미 속에 자빠졌다. 첫봉이가 다시 멱살을 잡아일으키려니, 뒤에서 선홍이가 목덜미를 잡아떼어 말렸다.

"개 잘못이 아니여."

"놓아. 우리가 무엇 때문에 조니포를 버리구 산속을 헤매구 다녔는데…… 저런 팔삭동이 같은 놈은 뒈어져야 해여."

"내가 실수로 놓쳤다니까."

첫봉이가 다시 돌아서며 선흥이의 뺨을 힘껏 후려쳤고 선흥이는 말뚝처럼 우뚝 서서 눈을 감고 있었다.

"달아나는 걸 보구 뒤를 쫓았는데, 급류에 떨어져 휩쓸려가버렸어."

둘봉이가 말하였고, 선흥이는 묵묵히 서 있다가 두 형제들에게서 떠났다. 첫봉이가 뛰어나오더니 그를 앞질러서 암자 앞으로 달려가는 것이었다.

"어디 가니?"

선흥이가 묻자 첫봉이는 험상궂은 얼굴로 대답하였다.

"놈의 시체를 찾아내야겠다."

선흥이는 쓰다 달다 말없이 그의 뒤를 따라갔다. 변가와 주지가 암자에서 그들을 기다리고 있었다. 둘봉이가 선흥이의 뒤로 다가들며 말을 걸었다.

"선흥아, 미안허다. 우리 언니가 지금 제정신이 아닌 모양이다."

"알구 있다만…… 나는 아이들을 데리구 달마산으루 돌아갈 작정이다."

선흥이가 비록 첫봉이 형제의 원한을 모르는 바 아니지만, 너무 제 원수 갚을 일에만 골똘하여 주변 사정을 생각지 않는 것이 섭섭하고 잘아 보이기도 하였다. 그렇다면 삼십여 인이나 되는 일당 모두가 첫봉이의 원수 갚는 일에 나서고 있는데, 첫봉이가 그런 것에 미안한 마음 정도는 내보일 만도 하였던 것이다. 첫봉이와 변가와 주지가 암자에서 시체 찾을 일과, 만일에 살아 달아났을 경우 심백이가 어느 길을 택할 것인가를 의논 중인데, 둘봉이가 쫓아와 말을 전하는 것이었다.

"강두령이 아이들을 데리고 산채를 내려가구 있수. 달마산으로 돌아간답니다."

그러자 변가도 당황하여 일어서더니 뒤도 돌아보지 않고서 산성 마루로 달려내려가는 것이었다.

"두령, 어쩌자구 여기서 떠납니까?"

변가가 선흥이께 물으니,

"달포 동안에 아이들이 너무 지쳤네. 달마산에 돌아가 며칠 푹 쉬구 나서 뭐든지 해볼 방도를 생각해야겠어. 이곳은 우리 물이 아니니 어물거릴 것 없이 떠나는 겔세."

"두령…… 달마산, 불타산, 백운산이 우리 수중에 떨어져 큰 형세를 이루었는데 패를 쪼개시렵니까?"

"누가 패를 쪼갠댔나. 나는 달마산으로 돌아가겠다는 것이지."

첫봉이도 쫓아나와 그제야 제 잘못을 깨닫고 선흥이를 만류하였다.

"선흥아, 너무하는구나. 동무가 잘못된 것이 있으면 일러주어 알도록 해야지 무턱대구 우리와 헤어진다는 건 또 뭐냐. 우리가 헤어지면 서로 등을 기댈 곳이나 있다더냐. 내가 잘못하였다."

"그럼 이 자리에서 약속할 수 있느냐?"

"뭘 말이냐?"

"다신 심백이 일로 싸움을 벌이거나, 뒤쫓거나 애달캐달할 생각을 마라. 일단 잊어버리고, 뒤에 수소문하여 처치할 수도 있잖으냐?"

첫봉이가 잠깐 망설이다가 말하였다.

“좋다. 그 대신에 산채가 있어두 세 군데나 될 것이니 나는 변서방과 더불어 당분간 불타산에 있겠다.”

변서방도 말하였다.

“불타산과 달마산으로 패를 나눕시다. 서로 연락은 끊지 말되 일단은 산채를 수중에 넣어두어야지 그냥 버려두면 다시 후환이 자랄 겝니다. 그러니 강두령은 여길 떠나더라도 일단 며칠 묵으면서 일이 정리되는 것이나 보구 계시지요.”

하여서 선흥이도 불타산에 며칠 더 머물기로 하였던 것이다.

법호와 심백은 급박하게 뒤를 쫓는 기척을 등뒤에 바싹 달고서 계곡을 달리고 있었으나, 부상한 심백이가 자꾸만 주저앉아 곧 잡힐 지경이 되었다. 법호가 겨드랑이를 끼며 심백이를 일으켜보았으나 그는 고개를 절레절레 흔드는 것이었다.

“안 되겠소. 삼촌은 나를 버리구 뛰시우.”

법호가 심백이를 다시 껴들어올리면서 간곡히 말하였다.

“두령, 예서 개죽음당할려구 불타산에 들어왔나. 어찌되었든 살구 봐야지.”

“틀렸어…… 다리에 힘이 없어 디딜 수가 없어. 어서 삼촌이나 살아 가시우.”

그때 둘봉이가 뛰어내려오고 있었고, 법호는 물에 휩쓸려 죽을 작정 하고서 심백이의 허리를 끼고 나뒹굴었다. 가을 새벽의 물이 뼈를 녹이듯이 차가웠다. 떨어지자마자 법호와 심백은 몇번 자맥질을 하면서 쓸려내려갔고, 법호는 온 힘을 다하여 부상한 심백이의 옷자락을 잡고 있었다. 한 스무 발짝 될 만한 거리를 순식간에 쓸려내려갔던 두 사람은 물굽이에서 불쑥 튀어나온 곳에 걸렸으니, 사태가 져서 아래쪽이 이빨 자국처럼 깊숙이 패어 있었고, 수초가 무성하게 드리워져 있었다. 법호는 삐어져나온 나무뿌리를 잡고서 심백을 그 후미진 구멍 안으로 끌어들였다.

그러고는 머리만을 내놓고 수초 사이에 숨어 있었다. 온몸이 얼어들어와 손에도 차차 맥이 없어져가는데 나무뿌리를 놓기만 했다간 다시 휩쓸려내려갈 판이었고, 저들의 눈에 띌 것이 분명하였다. 물 위에서 화살을 맞아 고슴도치 꼬락서니가 되어 가라앉고 말 것이었다. 숨어 있는데, 그들의 머리 위에 와서 주고받는 둘봉이와 선홍이의 말소리가 들려왔다. 심백이는 이미 정신을 차리지 못하고 있었으나, 가끔 이빨 사이로 신음소리를 내었는데, 법호는 발각될까 하여 심백이의 입을 한 손으로 막고 있었다. 잠시 후에 그들이 자리를 뜨는 듯하더니, 이윽고 주위에는 물소리뿐이었다. 법호는 혼절한 심백이를 끌고 기슭의 나무뿌리와 돌을 붙잡으며 안간힘 끝에 비교적 나지막한 곳으로 오를 수가 있었다. 그는 늘어진 심백이를 질질 끌고 갈대가 거의 키를 넘도록 자라난 곳까지 기어갔다. 어서 심백이를 회생시켜 이곳을 빠져나가야 하겠는데 그는 안색이 검푸르고 사지가 뻣뻣하여 의식이 없기는 고사하고 버려두었다가는 죽어버릴 것만 같았다. 더구나 다른 패거리들이 부근을 샅샅이 뒤지기라도 한다면 꼼짝없이 잡히고 말 것이었다. 법호는 우선 심백이의 옷을 벗기고 옷자락을 찢어 심백이의 살 맞은 다리를 동이고 어깻죽지에 아직도 부러진 채 박혀 있는 화살을 뽑았다. 그리고 코를 빨아주니 조금씩 화기가 돌아오는 듯하였고, 얼음덩이처럼 굳어진 손을 비벼주고 발을 제 겨드랑이에 넣어 비비니 조금씩 온기가 돌면서 심백이가 가늘게 눈을 떴다.

"두령!"

"삼촌, 여기가 어디요?"

"우린 살았네. 어서 달아나야지."

심백이 고개를 끄덕였고, 법호는 다시 아까처럼 심백을 들쳐업고 용두원 쪽을 피하여 마리포를 목표로 정하고 으슥한 길을 택하였다.

"헌데 어디루 가잔 말이우. 이 꼴루 불타산에 올랐자 죽는 길밖에 없고…… 어디 가서 그런 형세를 다시 가지려면 여태껏보다 열 배나 힘이 들 텐데 좀도적이 되잔 말유. 차라리 어디 명산 대찰이나 털며 돌아다닐까…… 예미랄."

"양주로 가세."

"양주엘……? 거긴 한양이 바루 코앞인데 뭣 허러 찬물 맞은 강아지처럼 거기 가 기신거려."

"양주 어름이 시방 큰 대처가 되어 있다는 걸 두령이 나보다두 잘 알잖아."

"글쎄 돈 갖구 도방 살림이지, 대적이 그릇되면 노름판에서 개평 뜯는다더니 그 신세나 되려우."

법호가 빙그레 웃었다.

"내 다 궁량이 닿는 데가 있어 그리 가자는 게여. 남이 닦는 터에 주추를 놓으면 대들보 차지는 맡아놨지 않는가. 우리를 받아줄 데가 있으니 마음 놓고 다리 주욱 뻗는 게여."

심백이가 제 허벅지의 부기를 만져보고 다리를 꺼떡거려보면서 내뱉었다.

"까짓 아무려나 합시다. 공수래 공수거, 억만겁을 윤회하는 중생인데……"

7

한양으로 들어가는 경강의 수로와 삼남서 올라오는 강화 수로, 그리고 북의 내륙 임진강과 엇갈리는 요지에 있는 교동(喬桐)섬은 강화(江華)와 함께 각처의 선상(船商)과 뱃사람들이 뒤를 이어 모여들고 흩어지고 하였다.

서울의 경주인(京主人)들도 이들과 거래하기 위하여 뱃길로 찾아와 묵어가는 바람에 각 나루터의 선창은 일종의 도회 저잣바닥으로 변하곤 하는 것이었다. 바다와 강에는 각종 상품과 쌀을 실은 배들이 개미떼처럼 들끓어 쌀을 천여 석 이상이나 실을 수 있는 큰 배만도 삼백여 척이 넘게 드나들었으니 쌀 백여 석에서 어물, 소금 등을 싣고 다니는 배들은 수천 척이었다.

교동 북나루는 북으로 해서의 내륙에서 남으로 흘러내리는 예성강의 수로가 입을 벌리고 있으며 동으로는 임진강이, 그리고 강화 수로를 감돌아 마포 경강으로 뻗어들어간 한강의 어귀가 그물의 콧줄같이 닿아 있고, 바다로는 관서 해서에서 오는 배가 경강으로 들어갈 때 꼭 지나야 하는 곳이었다.

북나루 입석산(立石山) 아랫녘의 주막거리가 교동 읍내만큼 번화하였는데, 술과 밥을 팔고 재워주기도 하며 급히 빌릴 배까지 내주고 배를 관리 또는 수리도 해주는 여각이 여럿이었다. 여각의 방마다 뱃사람들이 들락날락하고, 떠나는 자들이 방을 비우면 곧 잇달아서 다른 패거리들이 들이닥쳤는데, 실상은 마포 여각 객주에서 물품의 위탁판매를 기다릴 사람들이 대부분이라, 북나루에서 묵는 자들은 보통 하룻밤, 길어야 이틀을 넘기지 아니하였다.

"아니, 배를 대어놓으라기에 벌써 사흘이나 기다렸는데 이거 왜 이리 늦는 게야?"

아침상을 물린 듯한 자가 밥상을 들고 마루로 나오면서 마침 다가오는 뱃사람에게 퉁명스럽게 말하였다. 키가 훌쩍 커서 남보다 머리 하나만큼은 높아 보이고 얼굴은 볕에 그을려 시커먼데 어깨가 앞으로 구부정히 처져 있어서 더욱 우람해 보인다.

"도사공(都沙工) 성님, 행수께서 통기하신 일이니 다 연유가 있겠습죠."

"나는 배를 비우고 벽란나루에 오를 일이 있단 말이야. 송도에 우리 의형이 계시거든."

"이번에 취재가 많을 듯하니 도사공 성님두 한몫 잡으실 게요."

"얘, 내가 한몫을 잡든 두몫을 잡든 네깐 놈이 무슨 상관이냐. 어서 나루터에나 갔다오너라. 오늘은 무슨 기별이 있든지 나타나든지 하겠지."

도사공과 뱃사람이 수작을 나누는 중인데, 그들 일행인 듯한 다른 자가 들어오며 외쳤다.

"도사공 성님, 경강에서 강주인(江主人)이 오셨습니다. 빨리 나오시랍니다."

"그래, 간밤에 별일 없었지."

"한금이란 놈이 훈련도감 군선의 수군 녀석과 티격태격하다가 두 놈을 물에 던졌습지요."

도사공은 낯을 잔뜩 찌푸렸다.

"또 투전을 벌였고나. 너는 단속을 하라구 내보냈더니, 아랫것들과 어울려 투전 시중이나 드느냐. 그래, 어찌 되었어?"

"뭐 아침에 사화를 하구…… 쌀 한 섬 내어 인정을 썼습니다."

도사공은 금방 화를 겉으로 드러내지는 않고 이를 지그시 물었다.

“음, 아주 막되어가는구나. 너희 마음대로 위탁받은 물품을 내어 관에 인정을 쓴다구?”

“성님, 기왕에 나눠먹을 것을 미리 좀 차용하였기루 너무 화내지 마십시다.”

우대용은 꾹 참고 대꾸를 하지 아니하였다. 사실 그는 춘득(春得)이네 패에 도사공으로 들어온 지 겨우 서너 달밖에 안되는데, 그것도 강화에서 여각을 하고 있는 배행수의 소개를 받아서였다. 사공들은 도사공의 감독을 받고 그의 지시를 따르게 되어 있었으나 패거리에 들어간 것이 그들보다 훨씬 늦고 일의 돌아가는 형편에 어두우니 자연히 깔보게 되었던 것이다. 도사공은 울컥 치밀려는 화를 애써서 가라앉히며 그들과 함께 북나루로 나아갔다. 그는 네 척의 배를 맡고 있었는데 두 척은 천오백 석짜리 배요, 나머지 두 척은 오백 석짜리의 중배였다. 나루터에는 배가 여러 척이었는데 저마다 배의 소속을 구분하는 기다란 깃발을 돛대 옆에 걸어두고 있었다. 춘득 삼 사 오의 깃발이 걸려 있는데, 그 곁에 길고 비좁은 돛단배가 대어져 있었다. 그들이 모래밭으로 내려가니 기다리던 강주인이 반색을 하며 쫓아나왔다.

“어이구, 처음 뵙겠수. 윤원주외다. 전에 도사공과도 형제처럼 지냈지요.”

“우대용이우.”

“선주께서두 평안하시겠지요. 저두 석서방에게서 도사공이 새로 들어왔단 소식은 들었지요. 헌데…… 그전에도 경강은 드나드셨던 모양이우. 오시자마자 그 댁의 가장 큰 배 두 척을 맡으셨으니.”

“예전에 해서 쪽에서 주상의 아래서 일보던 적이 있습니다.”

“이번에 선적된 것이 미곡이 천 석하구……”

"소금입니다."

강주인은 잠깐 하는 듯한 시늉으로 눈짓을 하면서 우대용을 사공들에게서 떼어 함께 걸으면서 말하였다.

"다 아시겠지만 미곡이란 워낙에 이문이 박해서 말이지요. 아마 선주께서두 잘 아실 게요. 화수(和水)를 먹이지 않고는 큰 이문을 바랄 수가 없습니다. 그래서 내가 일부러 여기 대기시키도록 기별을 보낸 겁니다."

"아니, 화수를 먹이다니요?"

눈만 껌벅이는 우대용의 얼굴을 강주인은 물끄러미 들여다보았다.

"허…… 모르시는구먼. 미곡에다 물을 타서 양을 불리는 게요."

"관에서 검사가 나올 텐데, 그들이 눈치 못 챌 리가 없수."

강주인이 웃음을 터뜨렸다.

"검사용의 백 석만은 그대루 두어둡니다. 그리구 까짓 거 내가 인정을 조금만 찔러주면 모두 눈을 감지요. 대동미란 어차피 나라에 들어갈 것이니 우리 같은 장사치가 조금씩 나눠먹는다구 무슨 국고가 바닥이 나지두 않을 게란 말이지."

우대용은 한참이나 눈을 껌벅이며 잠자코 있다가 제 궁리가 되었는지,

"까짓 거 그러려면 몽땅 떼어먹지 그런 구차스런 짓을 벌인단 말이요?"

하고 말했다.

"몽땅 떼어먹는 수두 있소. 허지만 시방은 그런 때가 아니외다. 고패(故敗)는 워낙에 큰 사고루 처리되니 길게 보아서는 그리 좋은 방법이 못 되지요. 화수를 먹는 것이 오히려 짭짤하고 오래간단 말요.

이번이 처음이라 잘 모르실 테지만, 내 다 일러드리리다. 아마 아랫것들은 전에두 해본 경험이 있어서 시키면 다 알아서 할 게요. 도사공, 하루라두 빨리 저것들을 잡아놓아야지 안 그러면 꼭두각시가 되어 어느 겨를에 물에 처박힐지 모르게 됩니다. 내가 이르는 말을 잘 들어두시우."

우대용의 느낌에도 아래 사공들이 은근히 자기를 가벼이 여기고 있는 눈치는 채고 있었다. 특히 부도사공격인 대두(隊頭)라는 자가 제 마음대로 쌀섬을 내어 노름도 하고 술도 사마시는 데 꺼리지 않아 이번뿐이 아니라 전에도 종종 그러고는 시치미를 뗐던 것이다. 선주인 유춘득은 우대용의 유능함을 알아서 대번에 도사공에 붙였거니와, 강화의 배행수와는 자별한 사이였으니 남이 보기에도 그리 버젓한 장사치는 아니었다. 유춘득은 경강의 강주인들 사이에서 괴이한 인물로 소문나 있었다. 그것은 춘득이가 고패로 돈을 벌고 한양의 쌀값을 이리저리 조정하여 철마다 수만 전을 벌어 오늘의 선단을 마련한 때문이었고, 그 수하 사람들이 대개 주먹다짐에 능하여 싸움이 터졌다 하면 물불을 가리지 않는다는 것이었다. 유춘득은 강화 성내에 살고 있었는데, 달곶이와 갑곶이에는 그의 조선소가 있었다. 우대용의 생각에도 화수먹이는 도사공이 임의로 처리할 일인데, 그가 물정에 어두우니 대두 사공과 아랫것들의 불만이 쌓인 모양이었다.

"화수를 하면 우리에게는 얼마나 떨어지게 되우?"

"글쎄 한번 따져봅시다. 대개 햅쌀은 물을 한 병에서 한 병 반까지 타지만 묵은 쌀은 두 병에서 세 병까지도 탈 수가 있소. 검사용으로 백 석은 빼어놓으니…… 구백 석이로구먼. 묵은 쌀과 햅쌀이 각각 몇 석이오?"

"묵은 쌀이 육백, 햅쌀은 사백 석이지요."

"그렇다면 묵은 쌀에서는 오륙십 석을 빼돌릴 수가 있고, 햅쌀에서는 열댓 석을 뺄 수가 있을 게요. 쌀이 물에 붇기를 기다리자면 하룻밤이면 충분할 거외다."

"그래, 우리께는 얼마를 주시려오?"

"까짓…… 반분합시다그려."

우대용이 아무리 물정을 모른다 하나 사리로 따져보더라도 반분은 너무 불공평하였다. 강주인은 혼자고, 자기네는 열다섯이나 되지 않는가.

"강주인은 혼자서 반을 차지하고, 우리들은 고것을 여러 몫으로 나누라는 게요?"

"허허, 모르시는 말씀…… 나두 다 차지하는 것이 아니외다. 선혜청에 납부할 제 서리들과 나누어먹어야 하오. 차차 알게 되겠지만 투식(偸食)도 있으니, 한 삼 년만 착실히 긁어모으면 도사공두 선주가 될 게요."

"아무튼 화수먹이는 언제 할 거요?"

"시방은 남의 눈도 있으니 그냥 정박해 있다가 밤에 하십시다. 내 이미 미곡상을 통해놓았으니 밤에 쌀을 실으러 배가 올 게요. 우리는 쌀섬을 준비해두었다가 실어보내고 물을 먹이면 끝나오. 우도사공은 인덕이 있는 모양이오. 나 같은 사람과 손을 잡으면 빈틈이 없을 거외다."

대용이가 강상을 오르내리기 서너 차례에 아무것도 모르고 짐이나 부려주고 다시 짐을 실으러 떠나고 하면서 박한 운임을 내어 가끔 탁주통이나 비우는 것이 고작이더니 이제 가욋돈 만지는 법에 눈뜨게 되었다.

그날 날이 어둡자마자 횃불을 준비하여 선미와 선두에 밝게 켜놓고서, 선복의 판자를 들어내고 차곡차곡 쌓여 있는 쌀섬에서 말가웃되게 덜어내어 다른 섬에 채워 백사장으로 날라다가 쌓기 시작하였다. 쌀을 적당히 비워내고는 십여 개의 물병을 준비하여 번갈아 쌀에다 들이부었다. 쌀을 덜어낸 곳은 물을 부어놓고 다시 쌓는데 묵은 쌀과 햅쌀을 구분하여놓았다.

"이렇게 해두면 정량이 넘도록 불어날 게야."

"풀자마자 성내루 흩어져나가면 문제가 없겠는데……"

"도사공은 괜한 걱정이구랴. 아따, 쌀에서 싹이 나든 쉬가 끓든 내 입에 들어가지 않는데 무슨 상관이오."

사공들도 오랜만에 화수먹이로 돈버는 것에 신이 나서 지칠 줄도 모르고 배를 오르내렸다. 쌀섬 비워내기를 계속하는 중에 중선 하나가 다가와 물에 대었고, 강주인의 수하인 듯한 차인 하나가 뛰어내렸다.

"이것이우?"

"그래, 어서 실어라."

사공들이 쌓아놓았던 쌀을 강주인의 중선에 옮겨실었다.

"얼추 다 되었나. 혹시 화수 먹이지 않은 섬이 있나 잘 살펴보오."

"검사미 백 석뿐이외다."

그들은 강변에 앉아서 잠깐 쉬었다. 강주인과 우대용이 셈을 시작하려는데 대두 사공이 불쑥 끼어드는 것이었다.

"몫이 어떻게 되우?"

강주인은 우대용에게 상을 찡그려 보이는데, 대용은 별 반응이 없이 그를 묵인하는 눈치를 보였고, 강주인은 하는 수 없이 남의 집안일에 끼어들지도 못하고 대꾸하였다.

"반반일세."

"경강 십 년 살이에 강주인과 도사공이 반분한단 말은 또 처음이로군."

대두가 우대용을 향하여 노골적으로 불만을 표시하자, 강주인이 물었다.

"어찌…… 너무 많단 말인가?"

"고패두 아닌 화수에 반분이란 다 무에요. 우리 순집이 몇개나 달려 있나 헤아려보우."

강주인이 입맛을 쩝쩝 다시면서 모래를 털고 일어섰다.

"싫으면 그만두게."

"기왕에 덜어내고 물까지 부었는데, 처음 흥정대루 하지."

우대용이 말하니, 대두는 침을 거세게 내뱉으면서 이죽거렸다.

"내 원…… 어디서 보도 듣도 못한 촌놈이 도사공이랍시구 기어들어와서는……"

그러나 우대용은 못 들은 체해두었다. 티격태격하기 싫어서가 아니라 실상 그는 주상의 도사공 노릇에 점점 넌더리가 나고 있었기 때문이다. 먹을 일이 많은 곳에 인심은 없더라고, 도대체가 사공들끼리도 우애가 없었고, 선주의 신임을 받거나 강주인들께 신용이 있어 유능한 사공들은 동무들의 질시 때문에 그 자리를 배겨날 수가 없었다.

"어쩌겠소. 짐을 다 내릴까?"

"어서 셈이나 하우."

"그러면 육십 석에 열 석이니, 칠십 석이고…… 서른다섯을 셈하면 되겠군. 내 지금 사금파리 어음을 내줄 테니 우리 여각에서 찾아다 쓰시려오?"

그리하마 하여 우대용은 깨어진 사금파리 한쪽을 받았다. 목숨 수(壽)자가 절반으로 갈라진 것이었는데, 미곡 삼십오 석이라 쓰고 강주인이 수결한 종이에다 쌌다.

"그럼 나는 남의 눈도 있고 하니 먼저 마포루 올라갈라우."

"명일 오후에 대지요. 혹시 내가 못 가더라두 대두에게 지불해주시지요. 운임두 함께 말이우."

"운임은 좀 늦어질 게요. 아무래두 선혜청 검사가 끝나야 할 테니."

강주인은 곧 그 밤에 돌아갔다. 우대용이 대두를 불러 사금파리 어음을 내주며 말하였다.

"명일 오후에 가서 받기로 하였네. 나는 송도에 들를 일이 있으니 자네가 알아서 해."

대두가 서슴지 않고 어음을 받아 챙기고는,

"미리 약조를 합시다. 몫을 어떻게 나눌라우?"

하였다. 우대용이 은근히 짜증이 나서 귀싸대기라도 한 대 올려붙이고 싶었으나 자기 때문에 도사공직에 오르지 못한 자인지라 매사에 아니꼽기도 하겠다 싶어서 그냥 참아두기로 하였다.

"자네가 아이들과 적당히 나누어먹게. 선주어른께는 내가 얘기를 할 테니."

"선주어른께 얘기를 하겠다구…… 그러면 모조리 바쳐야 합니다."

"법이 그러하면 알려야지."

뒤에서 쑤군덕거리는 소리가 들리더니, 드디어 사공들이 대두를 중심으로 모여들었다. 대두가 팔을 걷어붙이는 것이었고, 다른 자들도 각각 우대용을 둘러싸는데 자못 공기가 험악하였다.

"우리는 당신 같은 도사공 아래선 일을 해먹을 수가 없고, 우리가 모두 그만둘 수도 없으니 오늘밤에 아예 결판을 내야겠소."

"왜들 이러는 게야?"

"화수는 미곡에만 먹이는 줄 알아, 너두 짠물 좀 먹어봐라."

대두가 달려들어 우대용의 멱살을 잡자, 주위의 사공들이 우르르 달려들어 그의 다리며 허리를 붙잡았다. 대용이가 드디어 분을 내어 앞에 선 대두의 면상을 앞이마로 처박으며 양쪽 두 사람을 잡아 박치기를 시키니, 대번에 온몸이 자유스러워진다. 대용이가 분이 머리끝까지 올라 노로 쓰는 기다란 장목을 집어 휘두르는데 사공들은 의외의 기세에 놀라 흩어지고 대두는 코피가 흐르는 면상을 싸쥐고 달아났다. 우대용이 처음부터 대두 사내를 찍어놓았던지라 장대를 내던지고 뒤를 쫓는데, 그제야 대두는 도사공을 설건드린 것을 알고는 물속으로 텀벙 뛰어들었다. 대용이가 제 쪽에서도 바라고 있던 참인데, 대두는 물에 자신이 있어 설마 물에서야 도사공이 나를 당할까 싶었던 모양이다. 대두가 물을 차고 배의 뒤편으로 헤엄쳐나가는데 대용은 이미 자맥질을 하여 수면에는 보이지 않는다. 배 주위에 횃불의 빛이 일렁거리고 남은 빛이 수면을 부옇게 비추고 있었다. 사공들은 모래사장에 모여서서 이제 도사공이 하백의 동무가 되어 끌려나올 장면을 기다리고 있었다.

대용이 반평생을 포구에서 헤엄질로 자라왔고 땅에서보다도 행동거지가 자유자재인데 대두는 그의 자취가 보이질 않으니 물 위에서 사지를 저으면서 주위를 연신 두리번거리며 살폈다. 대용은 자맥질하였다가 그대로 다가가 바로 대두의 몸 밑에 이르러 허리를 꽉 껴안으며 물 위로 고개를 내밀어 호흡을 삼켰다가 내리누르면서 물속으로 끌고 들어갔다. 대두가 대용을 잡으려 하나 그는 등뒤에 찰싹 붙어서 대두의 목을 팔로 죄었다. 대두가 버둥거리자 이번에는 슬쩍 놓아주는 체하며 함께 떠올랐다가 수면 위에서 벌떡 솟구치며 다리를 쳐들어 대두의 목을 휘감았다. 대용은 대두의 목을 허벅지에다 끼고 죄면서 물 위에 제 머리만을 내놓고 숨을 쉬면서 한참을 죄어주었다. 잠시 후에 요동을 치던 대두가 팔과 다리를 늘어뜨리는가 싶자 대용은 그제야 다리로 죄었던 그의 목을 풀었다. 그러고는 그의 상투를 잡아끌고 대용이 물가로 헤엄쳐나오니 대두는 아직 숨을 돌이키지 못하고 축 늘어져 있었다. 대용이 그의 허리를 꺾어 물을 토하게 하고서 등판을 두드려대는데 대두가 다시 손발을 허우적거리며 기침을 터뜨렸다.

"어때…… 정신 좀 들었나?"

대두는 고개를 돌려 우대용을 돌아다보고는 황급히 내빼려고 몸을 일으켰으나 물속에서 기운을 모두 빼냈는지라 도로 털썩 엎어지고 말았다. 멀리서 어슬렁거리는 사공들을 향하여 대용이 부드럽게 말했다.

"여보게들, 이리루 오게. 이 사람을 데려가야겠어."

그러나 사공들은 좀체로 다가오지 않았다. 도사공을 물속에 처박아 혼을 내려던 것이 못내 겸연쩍은 모양이었다.

"어서 오지 못하겠어?"

대용이 벌떡 일어섰다. 서로 찌르며 꾸물거리던 사공들 중에 둘이 슬슬 다가왔다.

"이 사람을 데려다가 더운 물이라두 끓여서 먹여."

"어…… 어디루 데려갈깝쇼?"

"선실에다 눕혀둬. 배를 띄워야겠으니……"

"오늘밤 묵었다가 내일 경강으루 오르는 게 아닙니까?"

"강화루 가야겠네. 달곶이에다 대어."

대용이가 일단 귀선할 뜻을 비쳤고, 사공들은 거기 가는 게 무엇을 의미하는지 잘 알았으므로 서로 쑤군거렸다. 그러나 이미 기세는 꺾인 판이라 말없이 대두를 들어 첫 배로 올라갔다. 닻을 올리고 돛을 펴니 배가 천천히 미끄러지기 시작하였다. 배는 북나루를 오른편으로 돌아서 예성강과 임진강이 만나는 십자 수로를 지났다. 강상에는 휘영청 달이 떠서 물을 밝게 비추었고, 강변에 자라난 갈대의 바람에 흔들리는 소리가 써늘하였다. 멀리 당두포와 승천장의 불빛이 흘러 지나가는데, 물살은 더욱 빠르고 거세어졌다. 승천장이 지나서도 한 식경이 넘도록 강화 수로가 보이질 않아서 우대용은 선미를 향하여 물었다.

"어떻게 된 건가. 강화 물목이 여태 멀었나?"

사공들이 쑤군대다가 하나가 자못 험상궂은 태도로 말하였다.

"벌써 지났수. 성님이 아무리 도사공이라지만 운임두 받지 않았는데 귀선은 불가하우."

"어…… 이런 멀쩡한 사람들 보았나. 다 생각이 있어서 돌아가자구 한 게야. 자네들이 내 도사공 소임을 마뜩찮게 여기는 눈치라, 그만 춘득이 성님께 가서 다른 사람을 세우라구 할 작정이야. 어서 배를 돌리게."

대용이가 그렇게 말하자, 모두들 머리를 모으고 쑥덕이는데 뒷전에서 삐걱이는 소리가 들리더니 대용에게 물먹은 대두가 선실에서 나오는 것이었다.

"아닙니다, 저희가 잘못되었소. 이제 다시는 도사공 성님께 대들 생각두 없구 열심히 할 테니 귀선은 맙시다."

대두의 생각에도 비록 야물어 뵈지는 않는 우대용이라 할지라도,

어음을 받아 선선히 내어준 것이며 물 위에서 끌어내 간호하게 해준 것이며가 사내로서 다 사리에 맞는 행동인지라, 자기가 그릇되었음을 알았던 모양이다. 그러나 무엇보다도 귀선하게 되어 이런 사실이 알려지면 혹시 선주에게서 내쳐지는 것도 근심거리였던 것이다. 선주를 속여 화수먹이를 주장한 자기네가 배를 놓치면, 적어도 인근에서 배를 타기란 쉬운 노릇이 아니었다.

"나두 짠물 먹구 뼈대가 굵어진 사람이지만, 경강에는 유선주네에 오고는 처음이니 모르는 일이 많네. 내 요미(料米)가 겨우 한 달에 너 말이요, 자네들이 말가웃에서 두 말에 지나지 않으니 참으로 박한 급료일세. 비록 의자(衣資)와 집물대(什物代)가 몇석씩 나온다 하나 술 먹을 엄두도 못 낼 판이지. 그러나 내가 사리를 따져본즉, 강주인이 화수 먹은 쌀을 나누자 하였으나 선주(船主)의 귀에 들어가지 않을 리가 있겠는가. 비록 강주인이 잘 단속한다더라도 몇차례 해먹으면, 드디어 그의 다른 요구도 들어주지 않을 도리가 없겠어. 일단은 유선주에게 나중에라두 알려줘야 될 걸세."

우대용이 말하자, 대두가 공손히 대답하였다.

"그런 점은 염려 마십시오. 으레껏 선주는 우리들이 아무 짓을 않더라도 뭔가 해먹는 줄 알고 있게 마련입니다. 그러니 나중에 알려져서 문책을 하면 그때에 몇석쯤 내놓으면 되지요. 우리두 모두 처자가 있는 놈들이니 그래두 풀칠을 해얍지요."

"알겠다. 여하튼 대두가 나를 많이 가르쳐다오."

"예…… 기왕에 지나간 일이나, 어제 강주인이 반분한 것은 너무 과합니다. 그리고 다음에는 사금파리 어음을 받지 말고 즉석에서 쌀로 나누도록 하십시오. 분명히 그자는 기일을 끌 게요. 무명이나 어음을 받지 말고 꼭 쌀을 받아야 합니다."

"지금이라두 불만이 있으면 내게 말하여라. 나는 구태여 도사공 직을 놓더라도 강화에 배 가진 이가 있으니 낭패가 될 것두 없다."

우대용이 다짐을 해두려고 선인(船人)들께 물으니 모두들 입을 합하여,

"모시구 일을 하겠습니다."

"사실 전에 있던 도사공은 탐욕이 커서 혼자 이를 독차지하였습니다."

"우리 분별이 모자랐소."

하면서 대꾸를 하였다.

"대두는 뒷배에 옮겨타고, 다른 아이들께도 의향을 묻게."

우대용이 지시하니 대두가 말하였다.

"아닙니다. 아무래두 배를 밤섬에다 대일 것이니 그때 말하지요."

뒷배도 한 마장쯤에 좇아오고 있었으며, 그보다 멀찍이 중선 두 척의 불빛이 깜박이고 있었다. 배는 이제 임진 수로에 접어들고 있었는데 사공들이 분주히 노를 잡고 나섰다. 역류가 거세어지는 것이 썰물 때인 모양이었다. 배가 거칠게 뒤흔들리며 앞으로 나갈 줄을 몰랐다. 게바위나루를 돌아서 취이포로 들어서니 역류는 여전히 심하였으나 아까보다는 훨씬 나아졌고 풍향이 바뀌어 다시 배는 뒤뚱거리기를 멈추었다. 과연 대용이 보기에도 사공들의 배 다루는 솜씨가 보통이 아니었다. 강 양안으로는 산이 한 점도 보이지 않는 너른 평야인지라 달빛에 드러난 하늘과 땅이 꼭 바다 가운데 나와 있는 듯이 보였다. 새벽녘에 경강 어귀인 송산(松山)을 지났다. 멀리 오리섬과 행주산성이 보이고, 선유봉의 둥근머리가 안개 속에 떠 있었다. 우대용이 대두에게 물었다.

"배를 밤섬에다 대인단 말이지?"

"예, 거기 대일 까닭이 있습니다. 우리 선단의 연고지가 원래 거기였으니까요. 마포와 서강에 모두 여각 객주가 흔천이지만, 우리에게는 서강 쪽이 훨씬 유리합니다. 나중에 차차 아시겠지요."

"대두의 집이 강화가 아니던가?"

"밤섬입니다. 우리 아이들 중 태반이 강화와 교동에 집이 있지요."

선유봉을 감돌아 햇빛을 마주 받으며 서강 앞을 지나니 잔잔한 물은 강바닥의 자갈이 비칠 정도로 맑고, 밤섬의 언덕에는 아름드리 소나무와 회나무가 빽빽하였다. 백사지가 노량진 어름에까지 끝간데 없이 펼쳐지고 밤섬에서 여의도까지에는 풀밭이 드넓어서 황새와 염소가 어울려 돌아다녔다. 마포의 동막(東幕)거리와 서강을 건너다보는 밤섬의 동자머리에는 작은 정자가 한강물을 굽어보고 있었다. 그들은 배를 동자머리 앞에다 대놓고, 밤섬의 자갈밭으로 올라갔다.

큰 배는 몇척 없고 중선과 작은 나룻배들이 정박하고 있었다. 바로 건너편 토정(土亭)과 마포 강안에는 큰 범선들이 강의 아래위로 오르내리고 있었다. 강 건너 마을에서마다 흰 연기들이 자욱하게 번지는 중이었다. 동자머리의 언덕 뒤에는 제법 운치 있는 괴석이 삐죽삐죽 솟아 있고 강변에서부터 파들어온 넓은 인공호가 있었다. 거기가 밤섬의 조선장(造船場)이었다. 아침부터 일을 시작한 선장(船匠)들의 망치소리가 요란하였고, 곳곳마다 나무에 대패질을 하느라고 분주하였다. 조선장보다 높직한 곳에 걷이가 끝난 수수밭이 있었고 그 위편에 넓은 빈터가 있고 흙과 짚으로 지은 고(庫)가 여러 채 서 있었다.

"우리네는 여기서 거래하는 것이 기중 안전합니다. 동막거리나 서강에서는 시전인과 관의 기찰이 심하지요. 여염의 이로는 여기가 값이 후합니다."

"사람들이 별루 보이질 않는데?"

"가만 계십시오. 아직 시간이 일러 그렇습니다. 밤만 되면 여기두 시끌벅적해집니다. 우선 저희 집에 가서 요기나 하시지요."

"아이들이 또 무슨 일을 저지르지 않겠나?"

"제가 아까 모아놓고 누누이 타일러주었지요. 아마 동자머리에서 밥들을 지어 먹고 빨래나 할 것입니다."

우대용과 대두는 얘기를 주고받으며 빈터를 지나서 거기부터 붉은 흙이 깔린 길을 걸어올라갔다. 밤섬의 높은 언덕 아래 뱃사람들의 마을이 자리 잡고 있었다. 처음에는 몇몇 진척(津尺)들이 들어와 모래와 야산을 일구어 콩과 수수를 심고 염소를 기르거나 고기잡이를 하면서 살더니 경강이 장시로 번창하면서는 조선장이와 깍정이들이 껴들어왔다. 나름대로 먹고살기가 나아져서 마을에는 밥을 굶는 집이 별반 없었다. 동구 밖에 커다란 느티나무가 색댕기를 주렁주렁 달고 섰는데 한 칸짜리 당집이 보였다. 대두가 마을로 들어가니 아는 사람들이 모두들 한마디씩 말을 걸었고 어디선가 서너 명의 장정들이 그들을 따라왔다. 대두의 집은 담장과 마당이 제법 훤칠한 다섯 칸 집이었는데, 키질을 하고 있던 아낙네가 반색을 하였다.

"이번에는 꼭 스무 날이 걸렸구려."

"응…… 미곡을 실었지. 우리 도사공 성님이셔. 아직 조반 전이니 밥 좀 해주어. 자네들은 조반들 먹었나?"

"우리야 새벽밥을 먹었지. 동막에다 배를 부리고 왔던 참이라."

장정들은 모두 사공인 모양이었다. 팔뚝이 울퉁불퉁하고 걷어붙인 장딴지마다 알심이 박여 있었다. 그들은 아낙네가 펴준 멍석 위에 둘러앉았다.

"이번에 새루 모시게 된 우리 도사공 성님일세. 앞으루 자네들두 신세를 많이 질 것이니 인사들 올리게."

장정들이 제각기 대용에게 인사를 올렸다. 대두가 대용에게 말했다.

"이 사람들은 경강에서 비린 밥을 제법 먹었다는 이들입니다."

"그리구 특히 이 사람은 저와 사촌지간인데 수로라면 모르는 데가 없고, 배를 부리는 재간이 가히 훈련원 무사가 말 다루듯 합니다. 헌데 이제는 바다로 나가지 않고 이 손바닥만 한 경강에서 나룻배나 젓고 있습지요."

대두가 가리킨 자는 체격이 왜소하고 광대뼈가 튀어나왔으며 어깨도 홀쭉한 볼품없는 체격이었다. 낯바닥은 새까만데 온 피부가 기름을 바른 듯이 반질거렸다. 눈 가녘에 가느다란 주름들이 잡혀 있고 미간이 찌푸려져 있는데 대저 수부라는 것이 먼 항로를 목측하느라고 그런 인상이 되는 법이었다. 해로는 많이 다녀본 우대용이 정말 뱃놈을 몰라볼 리가 없었다. 그자의 이름이 박성대(朴性大)였는가 싶었는데 다리를 절었다. 대두 석범철(石範哲)과 함께 삼남 해로를 수년간 다녔다는 것이다. 우대용이 궁금하여 물었다.

"나두 해로를 다녀봐서 알지만, 바다를 본 놈은 강바닥에선 숨통이 막혀서 멱두 감지 않는 터인데, 어째서 큰 배를 안 타시우?"

박성대는 그냥 턱을 쓸며 벌쭉이 웃을 뿐이고, 다시 대두 석서방이 말을 해주었다.

"시방 이 사람의 왼다리는 뼈가 없습니다. 배가 부서져서 백날 동안이나 떠돌아다녔지요. 그뒤로는 진저리가 나서 배를 안 탑니다."

대두의 말이 자기에게 합당치 않았던지 박성대가 은근히 말머리를 잡았다.

"그런 게 아니여…… 진저리는 뭘, 배 없는 놈이 고생을 해봤자 모두 남 좋은 일이나 시키는데, 구태여 목숨을 걸 필요가 없어서 그러는 게야. 시방 이 바닥에서두 저만 부지런하면 한 삭에 열 냥 장사는 되니 이만하면 우리네가 요족하지. 까짓 거 내 배만 있다면야 북경(北京)으루 건너가지, 사행선(使行船)이 장연 풍천에서 출발하는데, 상사(上使)는 고사간에 서장관(書狀官)이나 역관 몇만 줄을 넣어봐, 대번에 천금을 만진다네."

우대용이 이미 범법하여 옥에 갇혀 대시수에서 회자수까지 해먹은 이력이 있는지라 그답게 물었다.

"뱃길에 도적은 없습디까?"

"왜 없겠소. 황해는 각국의 황당선이 많아서 화포로 단단히 무장하지 않으면 위험합니다. 왜선(倭船), 당선(唐船), 호선(胡船)이 다투어 출몰하는데 조금만 약점을 보이면 곧 포를 쏘고 화전을 놓아 공격을 하지요. 그러나 자본 가지고 하는 일에 남아가 성즉승천(成則昇天)이요, 패즉입지(敗則入地)인데 한번 걸어볼 만합니다. 특히 남경(南京)의 비단을 거두어오면 백 배의 이문이 남는다오."

"대개 수로가 어떠하오?"

"무슨 수로 말이오?"

"그러한 배들이 들어올 제는 어디루 들어오느냔 말이우."

"그야 송도루 들어가는 예성강 수로와 경강 수로겠지요. 아니면 해서에서 바루 장연에 닿거나 해서의 대동강 수로를 탑니다."

우대용은 연신 고개를 끄덕였고, 석서방이 박성대에게 말하였다.

"헛, 그 사람, 물에 빠졌던 고생담이나 한번 해보아."

두 사람의 다른 경강 사공들도 자꾸 재촉하여 성대가 얘기를 꺼냈으니, 우대용이 듣기에도 그 경험이 과연 장하여 일찍이 조선 사공으로는 가장 먼 바다로 나갔던 듯싶었다.

“이제 삼 년이 되었소. 추석을 갓 지낸 때였으니 아마 이맘때쯤이었을 거외다. 그때는 청국에 가는 길도 아니고 삼남에서 미곡을 싣고 도감선을 앞세워 올라오고 있었지요. 아마 서산 앞바다까지 왔었겠지요. 서편 하늘을 바라보니 붉은 해가 잠깐 비쳐 나오고 한가닥 구름과 안개가 물결 사이에서 일어나 구름 그림자와 햇빛이 명멸하여 끓어오르다가 이윽고 오색영롱한 구름이 반공에 떠서 구름 사이로 무슨 기운이 우뚝 솟아올라 완연히 공중 누각이 나타납디다. 멀어서 잘 분간은 안 됐지요. 한참 만에 햇빛이 구름에 가리우고 누각의 형상이 변하여 만층성곽이 되어 수평선으로 뻗쳤다가 사라지니, 그게 신기루라오. 모두들 큰 폭풍우가 올 거라고 짐작을 했소. 이윽고 모진 바람이 일어나며 거센 비가 퍼부으니, 외로운 배가 갈데없이 산지사방으로 흩어지고 눈앞은 먹구름에 싸이고 산 같은 파도에 가리워 아무것두 보이질 않습디다. 사공들은 맨 먼저 미곡을 차례로 집어던졌지요. 까짓 고패도 하는 터에 목숨이나 살자 하고 던지며 일방 물을 퍼내는데 쪽박 몇개로 당할 수가 있겠소. 밤이 점점 깊어져 지척을 분간할 수가 없는데 배 안은 물이 허리에까지 차오릅디다. 잠을 한숨도 자지 못하고 물을 퍼내는 중에 날이 밝았소. 그렇게 삼주야를 생쌀을 씹으면서 파도와 싸운 뒤에 폭풍이 걷혔으나 사방은 망망대해요, 어디로 흘러가는지도 알 수 없었소. 사흘 만에 밥을 지었는데 밥을 보아 길흉을 점치고자 했더니 밥이 과연 잘되어 모두들 마음을 좀 놓았지요. 방향을 알아야 돛을 다룰 것인즉 그대로 두어두니 배가 빠르게 나아갑디다. 저녁녘에 이상한 새가 높이 떠서 울며 지나가니 새의 꼴을 본즉 낮에는 해상에서 놀다가 저물면 반드시 물가로 돌아가 잘 것이고 육지가 멀지 않은 것 같았소이다. 밤이 깊어 안개가 걷히고 하늘이 맑으며 바람은 잠자고 달은 밝은데, 중천에 큰 별이 떠 있었지요. 그 별을 보면 명이 길어진다는 남극노인성(南極老人星)인 듯싶었소. 다음날 새벽 동이 트기 전에 다시 안개가 끼었다가, 오시(午時)에 걷혀서 보니 배가 북쪽으로부터 바람을 따라서 작은 섬으로 가까이 가고 있습디다. 모두들 소리를 지르고, 날뛰며 기뻐했지요. 배를 대고 언덕으로 올라가 멀리 바라보니 목측으로 대략 남북은 길어 사오십 리 가량이며 동서는 한 십 리 되겠습디다. 작은 내가 흐르는데 물맛이 상쾌하고 잡목이 무성하여 들쑥나무와 잣나무가 많고 암석 사이로 굵은 대가 듬성듬성, 노루와 사슴이 무리를 지어 노닐고 까마귀와 까치가 숲에서 날아다녔소. 섬 중앙에 산봉우리 셋이 서로 빼어나 높이가 오륙십 길이고, 물줄기는 중봉에서 나와 굽이굽이 긴 시내를 이루어 동쪽 바다로 빠졌지요. 문득 시내로 큼직한 귤 한 개가 떠내려오는 것을 보고 시내를 따라 두 마장쯤 올라가니, 과연 귤나무 두 주가 섰는데, 푸른 잎에 그늘진 사이로 귤이 붉게 익어 있습디다. 서로들 다투어 따먹고 나머지를 옷자락에 싸서 돌아왔지요. 들쥐를 잡고, 마도 캐고, 땔나무를 해 모으고, 바닷물을 달여 소금도 만들고, 바다에 나가니 전복이 흔천이라 이백여 개를 따다가 초막 아래다 장만했지요. 행장을 털어내니 겨우 멥쌀 한 섬과 좁쌀 닷 말뿐이어서 우리 사공 열이서는 부족한 식량이라, 마를 잘게 썰어 식량 약간과 섞어 밥을 짓고 전복으로 회를 쳤지요. 헌데 실상은 그 섬에 굉장한 보화가 있었지요. 흔천인 전복은 껍질을 까보면 대개가 빈탕이었으나 개중에는 진주가 나왔는데 광채가 뽀얗고 크기가 제비알만 합디다. 일행 중에 경주인(京主人)이 있어 값을 가늠하기를 백 냥은 넉넉히 받으리라 하였지요. 우리는 다투어 전복을 캤는데, 한 사람 앞에 여남은 알의 진주를 습득할 수 있었습니다. 시방도 그 섬의 위치는 모르거니와 대해로 나가자면 적어도 그런 이를 탐해얍지요. 대를 베어다 옷을 찢어 기폭을 만들어 달아 높은 봉우리 위에 세우고, 땔나무를 산마루에 쌓고 불을 붙여 지나가는 배들에게 표류한 사람들이 구원을 요청함을 알렸습니다. 얼마 안 지나서 한 점 돛대의 그림자가 동쪽 바다 저 멀리서 오고 있습디다. 사공들이 서로 나무를 더 쌓고 불을 붙여 연기를 피우고 봉 위에서 깃대를 흔들며 소리를 모아 크게 외쳤습니다. 날이 거의 저물어서 그 배가 점차 가까이 다가오는데 배에 탄 자들이 머리에 푸른 수건을 쓰고 윗도리는 명색 검정 것을 걸쳤으나 아랫도리는 아무것도 걸치지 않은 것으로 보아 왜놈이 분명했소. 그 배가 섬을 그냥 지나쳐가는데 냉랭하게 아무 구해줄 의향이 없어 보입디다. 모두들 아우성을 치니 문득 그 배에서 작은 배를 내놓는 것이었소. 작은 배가 섬에 닿자 십여 명 장정이 해안으로 올라오는데, 허리에 긴 칼을 찼고 기색이 사나워 보였습니다. 저들이 우리 총중에 뛰어들어 글을 써 물었소. 너희는 어느 나라 사람이냐? 경주인이 대답을 했지요. 조선인인데 여기까지 표류해왔다. 자비를 베풀어 우리 여럿의 목숨을 살려다오. 상공들은 어느 나라 분이며, 지금 어디로 행하느냐. 우리는 남해불(南海佛)로 장차 서역(西域)을 향해 행하는 길이다. 너희들이 보물을 우리에게 바치면 살려주겠거니와 그렇지 않으면 죽음을 면치 못하리라. 그래서 우리는 모두들 찢어진 옷차림과 수척한 몰골을 들이대어 아무것도 가진 게 없음을 호소하였지요. 그자들이 서로 지껄이는데 말소리가 재잘거려서 도통 알아들을 수 없었소. 그러다가는 저들이 칼을 휘두르고 고함을 지르며 달려들어 경주인을 발가벗겨 나무에 거꾸로 매달고 우리들도 붙잡아 옷을 벗기고 결박을 지은 다음에 소지품을 이잡듯 뒤져서 양식과 의복만 남기고 채집하였던 진주와 전복 등속을 빼앗아 서로 지절대며 작은 배를 타고 돌아가버렸습니다. 모두들 결박을 풀고 보니 마치 재생을 얻은 셈이었소. 모두 봉우리로 달려가 깃대와 불을 없애버릴 양으로 나서는 것을 내가 말렸지요. 지나는 배가 모두 해적은 아닐 테고, 남방인이라고 모두 왜놈처럼 잔인하지만은 않을 테니 틀림없이 우리를 살려줄 사람들도 있을 테란 말이오. 한번 체했다고 아예 밥을 안 먹을 수는 없는 일이 아니겠습니까? 누군가가 말하기를 남쪽에 구름과 안개 사이로 아득히 보이는 곳이 아마 유구국(琉球國)에 틀림없으니 칠팔백 리 상거요, 북풍만 잘 만난다면 밥 세 끼에 갈 수 있다구 했지요. 앉아서도 굶어 죽을 바에야 뱃놈이 물에서 죽는 게 나으리라 싶습디다. 모두들 좋다고 찬동하여 산에 올라가 나무를 베어 돛대와 노를 만들고 갑판을 보수했지요. 사흘이 못 되어서 멀리 서남 해상으로 세 척의 선단이 동북간으로 지나가고 있는 게 보입디다. 깃대를 흔들고 연기를 올리고 사람 살리라는 아우성을 치며 두 손 합장하고 머리를 조아려 빌었지요. 선박에서 대여섯이 작은 배를 내어 타고 오는데 모두 홍색의 화포(畵布)로 머리를 싸고 소매가 좁은 푸른 비단옷을 입고 있었지요. 그중 수염을 덥수룩이 하고 머리에 둥근 건(巾)을 쓴 사람이 글로 물었지요. 그래 다시 경주인이 나서서 필담을 하였는데, 조선 사람으로 표류해왔다고 답하니 너희 나라에 중국인 망명객이 얼마나 되느냐고 묻습디다. 명나라 유민으로 우리나라에 망명해온 분이 과연 많고, 우리나라에서 우대하여 그 후손 중에 벼슬하는 이도 많다고 답을 한 것 같습디다. 그들은 일찍이 명인(明人)이지만 안남(安南)으로 이산한 지 오래라는 것이었습니다. 팥을 무역하러 일본으로 가는데 돌아가고 싶거든 자기네를 따라서 일본으로 가보자는 것이었습니다. 차례로 작은 배에 태워 본선에 바꿔탔지요. 향긋한 차와 배갈을 주고 미음과 죽을 먹이더니 우리를 방 둘에 나뉘어 자도록 해주었소. 배에는 머리를 기르고 관을 쓴 사람과 삭발하고 수건을 쓴 사람이 있는데 왜 다르냐니까, 명인들이 많이 안남으로 망명하였는데 삭발치 않은 스물한 명은 모두 명인이라는 것이었소이다. 또 배가 닿았던 섬을 물으니 유구국 지역인 호산도(虎山島)라고 그럽디다. 우리가 배를 두루 둘러보건대 참으로 조선술에 대해 조금 안다는 내게도 탄복이 될 정도로 신묘합디다. 배는 굉장한 저택처럼 방이 무수히 많고 난간과 창살이 연달아 겹겹이 문이었고, 기명 집물이며 병풍 휘장 서화가 한결같이 정교를 극했습디다. 명인이 우리를 안내하여 선복(船腹)으로 층계를 타고 내려가니 폭이 백 보에 그 길이는 배나 되었소. 닭과 오리들이 사람이 접근해도 놀라 달아나지 않고, 다른 편에는 땔감과 기물 등속이 많이 쌓여 있었지요. 또 따로 크기가 열 섬쯤 들어 보이는 항아리 같은 물건이 있었는데, 위는 둥글고 아래는 네모지고 옆으로 구멍을 뚫어 그 구멍을 손가락 크기의 붉은 칠 한 나무못으로 막아놓았습디다. 그 나무못을 뽑으니 물줄기가 힘차게 뻗쳤소. 물통인데, 물통에 채워진 물은 풍족히 쓰고도 마르지 않고 더해도 잘 넘치지 않는다는 것이었지요. 다시 한 층계를 내려가니 미곡과 비단 등의 백물(百物)을 많이 저장해두었고, 한편은 막아서 양과 오리, 개, 돼지 등의 육축을 사육하여 식량이 풍족합디다. 한 층계를 더 내려가니 배 밑이 나왔지요. 그 배는 전부가 사 층인데 사람은 가장 상층에 있어 선실이 쭉 연하여 있으며, 그 아래 삼 층은 선반을 매고 여러가지 물건을 품목에 따라 가지런히 수장하여 부족함이 없었지요. 배 밑바닥에 작은 배 두 척을 매어놓았는데, 그 한 척은 이미 탔던 것이었소. 배 밑에는 물을 담아 작은 배를 띄워두고 널짝 문이 있어 바다로 통하는데, 반은 물속에 잠기고 반은 물 위로 드러나 마음대로 개폐하여 작은 배가 그곳을 통해 출입하게 되어 있습니다. 널짝 문을 개폐할 때 바닷물이 배 밑을 통하여 들어왔다가 도로 수통(水桶)으로 해서 배 밖으로 쏟아져나가는데 폭포소리를 내었소. 그 수통의 길이는 두 길이 넘고 둘레는 한아름이 넘으며, 위는 크고 아래가 가늘어 나팔 같고 가운데로 구멍이 뚫리고 밖은 곧아 밑으로 한쌍 고리가 있으니, 그 고리를 안고 좌우로 돌아 소리를 내면 배 밑의 물이 수통을 통해 빠져나가는 것이었소. 실로 썩 신기하여 본업이 사공인지라 또 배워두려 하였건만, 저들이 보여주지 않습디다. 과연 대해를 다니는 무역선이라면 그만은 해야겠습디다. 층계를 따라 두 층을 올라오자 상층이 나서는데 오르고 내리는 길이 서로 달랐지요. 우리네가 미곡 천여 석을 싣는 배만 큰 줄 알았지 그렇게 오묘히 만든 배는 처음 보겠습디다. 그런 배만 있다면 한번 해로 장삿길을 열어볼 만하지요. 내게 밑천이 있으면 그런 배를 만들어 띄워보는 게 소원이우. 하여튼지 그 이튿날 서남풍이 크게 일어 파도가 산같이 일어나는데, 그들은 과히 난색도 없이 백포(白布)돛을 높이 달고 쏜살같이 나아가 밤에도 계속 항해하였소이다. 드디어 일본 수로와 조선 수로가 갈리는 곳에 이르러 우리는 배에서 내리게 되었지요. 뒤에 이끌고 왔던 우리들의 나뭇잎 같은 배로 옮겨타고 날이 저문 바다를 갈 제 소아가 부모를 잃어 갈 바를 모르는 형상이었습니다. 이튿날 오후에 바람이 급히 불어 배가 나는 듯이 행하여 흑산(黑山) 큰바다로 떠가고 있었소. 이윽고 어두운 구름이 모여들고 사나운 비가 몰아쳤지요. 황혼 무렵에 더욱 거세어진 파도는 하늘에다 방아질하고 폭풍이 바다를 키질하였습니다. 그곳은 가장 험악한 물길입디다. 암초들이 어지러이 물결 사이로 뾰족뾰족 나와 있고 파도가 사나워 바람이 잠잠한 날도 흔히 배가 난파하는데, 심지어 성난 바람이 바다를 말아 사나운 파도가 하늘에 닿았으니 도저히 살아날 가망이 없습디다. 모두들 휘항(揮項)을 벗어 머리를 싸매고 노끈으로 허리를 감는 것이었소. 어지러이 통곡들을 하면서 몸을 동이는데, 대개 사후에 몸과 얼굴에 손상을 덜 받기 위한 조처지요. 시체나마 온전한 꼴이 되자는 겁니다. 고물에서 키를 잡다가 바람과 파도에 날려서 두 사람이나 목숨을 잃었지요. 아무도 더는 배의 방향에 관심들이 없어져서 여기저기 잡을 만한 물건들에 매달려서 속절없이 파선될 때만 기다릴 뿐이었습니다. 갑자기 선판이 부서지는 소리가 벽력같이 들려서 모두들 배가 부서짐을 알았지요. 헌데 한참을 기다려도 배가 아주 깨어지지는 않은 모양이었습니다. 머리를 들어 간신히 앞을 바라보니 큰 산이 눈앞에 다가서 있었소이다. 자세히 보니 그것은 깎아지른 벼랑인데 배가 쓸리고 부딪쳐서 곧 가라앉을 모양이었소. 성난 파도가 암벽을 두드릴 적마다 집채만 한 물결이 마주 덮어씌웠지요. 밤이 깜깜하고 안개가 자욱하여 지척을 분간할 수 없는 중에 우리는 다투어 바다로 뛰어내렸습니다. 그러나 앞은 기어오를 수도 없는 절벽이라 파도에 밀려 자맥질만 수없이 할 뿐이었지요. 나는 마침 배에서 떨어진 널쪽을 잡고 매달렸는데 드디어 열 길쯤은 높아 보이는 파도가 쏴아 소리를 내면서 뒤에서 밀려옵디다. 나는 널쪽을 놓치면 죽으리라 짐작하고서 끈으로 내 몸을 묶어두었는데, 과연 파도가 반쯤 기울어진 배를 삼키고 밀어붙여 절벽에 부딪쳐 산산조각이 나고, 나도 절벽에 호되게 부딪는데, 그때 정신을 잃었소. 한참 뒤에 다시 정신이 들어보니 벼랑 가녘을 따라 흘러 작은 바위에 걸쳐 물벼락을 맞고 있는지라 해안까지 천신만고 끝에 닿았소. 당초 배에 탔던 이가 경주인 합하여 열이었는데 물속에 뛰어내릴 제는 여덟 명, 그리고 나말고는 다른 사공이 한 사람 더 살았지요. 나는 추위와 굶주림에다 절벽에 부딪칠 때 다리를 상하여 기어서 언덕을 올라갔지요. 나중에 들으니 몇사람이 벼랑을 오르다가 실족하여 다시 바다에 빠져 죽었다는 것이었습니다. 천신만고 민가를 찾아 거기가 신지도진(新智島鎭)에 속한 섬이라는 것을 알았습니다. 그 이후 바다에는 한 번도 나가지 않구 있습니다."

박성대는 표류기를 얘기할 때 담담하고 자상하게 설명은 하면서도 스스로 원망이라든가 처절함을 겉으로 드러내지 않았다. 반대로 그는 아직도 항해에 대하여 깊은 열망을 간직하고 있음을 감출 수가 없었다. 우대용이 물었다.

"그 다리는 전혀 쓰지 못하우?"

"예, 무릎뼈가 부서져서 부목을 대구 지내는데 견딜 만합니다."

대용이 새삼 볼품없는 성대의 새까맣고 작은 체구를 바라보며 실로 감탄하였다. 그가 만나본 중에 이처럼 뱃놈다운 자를 일찍이 알았던 적이 없었다.

"이제 듣구 보니 이녁이 다시 바다로 나가지 않는 것은 배가 없기 때문이었구려."

"그러우. 누가 밑천이라도 대어준다면야 뚝섬에 나가 강원도에서 내려오는 가장 질이 좋은 재목을 뗏목째로 받아다가 손수 배를 지어 보겠수."

곁에서 대두도 말하였다.

"예서는 아까운 사람입지요. 내 종제라서가 아니라, 이 경강 어름에 이만한 사공이 한둘이 아닙니다."

"참으로 좋은 이야기를 들었소이다. 앞으루 잘 사귀어봅시다. 나두 형세가 곤하여 시방은 남의 밥을 먹구 있으나, 그만한 기개가 있는 선인(船人)들과 동무하여 바다로 나가구 싶은 생각은 남보다 많은 사람이우."

그들은 조반을 먹고 나서 경강 저자에 관해 더 얘기를 나누었다. 대용과 대두 석서방은 나룻배를 타고 마포 동막거리의 강주인을 찾아가 사금파리 어음 문제를 해결하기로 하였다. 성대가 나룻배를 저어 그들은 한강을 비스듬히 가로질러 올라갔다. 과연 경강의 마포인지라 사설 창고들이 강변에 즐비하였고, 각종 시전에서 나온 가가들이 열을 지어 늘어섰는데 여각과 객주의 크고 작은 집채들이 촘촘하였으며, 색주가와 주막과 간이 술청이 용수 씌운 장대며 발 달린 등이며를 펄럭이면서 늘어서 있었다. 여각으로 강주인을 찾아가니 곁꾼들이 창고 앞을 들락거리고 있었는데, 강주인은 여각 주인방에서 관리인 듯한 손님과 상담을 주고받고 있었다.

"주인장, 평안하오?"

하면서 우대용이 주인 방 앞의 툇마루에 걸터앉으니, 주인은 콧등에도 기별이 가지 않은 듯 멀뚱히 볼 뿐이었다. 대두가 다시 고개를 들이밀며,

"어음 새기러 왔소이다."

하니까, 강주인은 아무 대답 없이,

"수돌아, 수돌아……"

중노미를 부르는 모양이었다. 소년이 뛰어오자 턱짓으로 그들을 가리키며 말하였다.

"송가에게 가서 저이들 어음을 지불해주도록 하여라."

그들은 속으로 괘씸한 마음이 일어 울끈불끈하는 것을 참고 중노미의 뒤를 따르니 창고에서 곁꾼들을 지휘하던 건장한 체구의 차인에게로 데려갔다.

"뭐야?"

"어음 지불을 하랍니다."

대두가 말없이 사금파리쪽을 내어주니 하인은 그것을 받아들고 창고 곁방으로 들어가 장부를 내어 이리저리 들치면서 확인을 하는 것이었다. 그가 생각해보니 분명히 주인이 신표의 반쪽을 보내어 확인을 해줄 만한데 무턱대고 자기에게로 보낸 것은, 지불을 흐지부지 하라는 말없는 지시임을 스스로 알고서 일부러 장부를 들치는 시늉을 했던 것이다.

"이게 우리 여각의 어음이란 말요?"

차인이 고개를 기웃거리면서 사금파리를 내미는 것이었다. 대용이 어처구니가 없어서,

"여보, 그러면 어디 장바닥에서 줏어다가 지불해달라는 줄 알우?"

하였으나, 대두 석서방이 팔꿈치로 우대용의 옆구리를 쿡 찌르고 제가 나섰다.

"여보, 지금 입고시키는 이 쌀의 내역이 무어요?"

"이거야 선혜청에 입고시킬 쌀이지."

"대동미(大同米)를 싣구 온 사람들이 바로 우리요. 그 어음은 댁네 주인이 내준 것이지만…… 우리는 아직 운임도 받지 못하였소."

"글쎄 운임이야 장부에 나와 있으니 모두 지불하겠지만, 이 어음은 모르는 일인걸."

"좋소. 내가 주인께 가서 얘기하지."

대두는 우대용을 기다리게 하고서 다시 주인 방으로 찾아갔다. 강주인은 혼자서 장부정리를 하던 중이었다.

"주인장, 우리에게 주신 사금파리 어음을 지불해줘야겠소이다."

주인은 멀뚱한 표정을 지으며 대두를 바라보았다.

"응…… 무슨 어음인데?"

"허허, 우리네가 성미가 느긋하니까 다행이우. 만일 저 밖의 물먹은 쌀을 펴들고 포도청에 달려가면 어쩔라우. 까짓 우리 같은 사공놈들이야 곤장 맞고 유배 수천 리에 내쳐지면, 원래가 달랑 두 쪽이라 입에 풀칠하고 연명하기는 마찬가지외다. 허나, 주인장 같은 대고께서야 집안이 적몰되고 가산은 모두 몰수되어 알거지가 될 터이니 누가 손해겠수. 화수먹이에 나누기로 한 미곡을 내달란 말이우."

그러나 주인은 빙글빙글 웃는 것이었다.

"이미 서리가 나와서 검사를 마치고 입고 수결까지 끝났네. 화수든 화목이든 비가 오고 바람이 불면 물건이 변하는 거야 창고에서 다반사인 일인데, 그것을 내가 어찌 알겠나. 어서 가서 운임이나 받아다가 춘득이께 갖다주어."

눈치를 보아하니 강주인은 우대용이 현장에서 미곡을 받지 않고 어수룩하게 수걱수걱 사금파리 어음을 받았을 때, 이미 다른 마음을 먹은 모양이었다. 사금파리 어음이 문자로 적힌 것도 아니요, 상인들끼리 물건을 내주고 받거나 산지에서 물품 대금을 지불할 때 서로 사상(私償)하기 위하여 주고받는 것인지라 거래가 없는 사공들께 버틸 만한 노릇이었다. 더구나 화수먹이는 그 현장에서 완전히 거래가 끝나는 것인데, 실기를 하였으니 이미 관의 검사도 끝나고 물품의 소유주가 관이 된 이상에는 이제 와서 화수를 먹인 것이 그리 문제될 시기가 아닌 셈이었다. 주인의 배포를 대두는 금방 눈치채었다. 이윽고 고개를 떨군 채 우두커니 섰던 대두가 무슨 생각을 하였는지 더이상 콩이야 팥이야 따지지 않고 말하였다.

"운임 지불이나 해주오."

"아 그야…… 운임은 지불해야지."

강주인이 송증을 내주었고, 대두는 지그시 이를 물고서 돌아섰다. 운임은 곧 차인에 의해서 지불되었으나, 어음의 반쪽은 그야말로 장바닥에 너저분한 사금파리로 떨어지고 말았다. 대용이 뒤늦게 제 어리석은 실책을 확인하고서는 대두에게 중얼거렸다.

"미안하이. 내가 원체 경험이 없어놔서 일을 낭패시켰네."

그러나 대두는 태연히 말하였다.

"곧 받아낼 터이니 염려 마십시오."

"무슨 수로 저 배짱을 꺾겠는가?"

우대용이 실망하여 힘없이 말하였으나, 대두 석범철은 다시 다짐하였다.

"두고 보십시오. 밑이 구리기는 제놈이나 우리나 마찬가지인데, 내놓지 않고는 배겨나지 못하리다. 도사공 성님은 어서 돌아가서 소금짐을 풀어 밤섬장을 먹이시우. 성대가 잘 살펴줄 거외다."

"자네는……"

"예, 저는 여기 동막에서 노는 아이들을 만날 작정입니다."

성대가 석서방의 뜻을 짐작하였는지 우대용을 이끌고 강변으로 내려갔다.

"잘 해결될 겝니다. 천수라는 자가 있는데 전에 훈련원을 다녔었지요. 시방은 군문에서 나와 중도아(中徒兒) 노릇을 하구 있습니다. 제법 협기가 있는데다 동막거리 본바닥에서 잔뼈가 굵었는지라 아무도 그를 함부로 여기지 못합니다. 아마 천수가 나서면 잘 해결될 게요."

이어서 성대는 자기가 아는 천수의 행각 한 가지를 꺼냈다. 어느 절기에 서울에 담배가 품귀해서 한 줌의 값이 서 푼이나 나갔다. 영남 사람이 논밭을 죄다 팔아가지고 담배를 샀는데, 그 본전이 오백 냥이나 되었다. 그는 담배를 싣고 저물어서 남문 밖에 당도하였고, 길에서 탕건에 창의를 입은 늙은이를 만났다. 이게 담뱃짐이오? 그렇소. 지금같이 담배가 동이 난 때에 세 바리면 삼천 냥은 문제없소. 당신은 참 때를 잘 만났구려. 내 이번 서울이 초행이오, 서울 장안에 사고무친(四顧無親)이라 객주를 정하는 등 제반 절차를 좀 가르쳐주시우. 저런, 초행에 이런 중화(重貨)를 가져왔소? 날 만나지 못했던들 아주 낭패할 뻔했구려. 나만 꼭 따라오시오. 이렇게 되어 두 사람은 동행하여 입성하고 시내를 배회하다가 통금 임박하여 자기 집으로 데리고 가 담배도 잘 간수해주었다. 새벽종이 울린 직후 그 사람이 안에서 나와 하는 말이 이러했다. 당신의 불소한 물건은 하루이틀에 다 팔 수는 없소. 당신 망아지가 일없이 놀고 있고 용산호(龍山湖)에 우리 나뭇짐 운반해올 것이 있으니 수고스럽지만 바로 조반을 자시고 말을 끌고 가서 싣고 오시면 어떻겠소? 하는 것이었고 담배장수도 말하였다. 그래도 좋겠지마는 우선 용산길도 모르니 곤란할 듯하우. 그러나 주인 늙은이는 자기 집 종을 안동해서 가라는 것이었다. 말을 배불리 먹여서 시골 사람은 그 집 하인과 함께 집을 나섰다. 그때 파루(罷漏)를 갓 넘겨서 멀리 있는 사람은 어슴푸레 분간이 안 되는 시각이었다. 청패(淸覇)에 와서 그 하인이 살짝 내빼버렸으니, 담배장수는 하인을 잃어버리고 그 집으로 되돌아가자 하여도 어두운 밤에 얼핏 하룻밤을 자고 나온 집이 기억될 리가 없었다. 해는 돋아오는데 진퇴양난이었다. 다만 말고삐만 쥐고 길거리에서 허둥지둥하며 대성통곡하는 것이었다. 원래 한양 인심이 이렇듯 간교하였으니, 오는 사람 가는 손이 하나같이 사정을 딱하게 여기고 한양 물정을 모르는 시골 사람을 어리석게 여겼다. 그때 동막거리서 밤새껏 놀다가 청패의 동무네로 해장을 하러 가던 천수가 이곳에서 부딪쳤다. 천수는 시골 사람의 하소연을 듣고 나더니 껄껄 웃어젖혔다. 당신의 잃어버린 담배를 내 전부 찾아주지, 담뱃값을 반분하겠소? 담배장수는 뛸 듯이 기뻐하여 만약 찾기만 하면 다 드려도 시원하겠다고 말하는 것이었다. 천수는 담배장수가 끌고 왔던 세 필의 말 중에서 가장 늙은 말을 골라 고삐를 풀어 앞서가게 하고, 둘이서 그 말들의 걸음을 따라 시내를 쏘다녔다. 말이 문득 어느 집 문전에 당도하여 걸음을 멈추는 것이었다. 천수가 이 집이냐고 물으니, 담배장수가 한참 대문과 골목을 이리저리 살펴보다가 과연 그 집이라고 대답하는 것이었다. 천수가 심호흡을 깊숙이 하고 나서 발길로 대문을 지르며 주인을 큰 소리로 외쳐 찾았다. 주인이 안에서 나오자 천수가 담배장수를 돌아보며, 숙박한 집의 주인이 맞느냐고 물으니 또한 맞는다고 대답하였다. 주인이 돌아가는 형편을 보아 눈치를 채고서 얼른 대꾸하는 것이었다. 어디 갔다 이제 오우? 우리집 하인이 아까 먼저 와서 말하기를 길이 어두워 서로 잃어버렸다고 합디다. 그래 여기서 기다리던 차였소. 어쨌든 돌아왔으니 천만다행이오. 그러나 천수가 눈을 부라리며 주인을 몰아세웠다. 네가 어떤 사람이길래 감히 모궁(某宮)으로 실어가는 담배를 중간에서 가로채고 마부를 유인하여 따돌렸느냐? 내는 기찰포교를 지내는 사람인즉, 우선 담배동을 전부 내놓아라. 천수의 기세가 당당하고 언사가 날카로우니 포교의 서슬이 서 있었다. 주인은 듣고 나서도 한참이나 멍청히 서 있다가, 단 한마디의 핑계도 붙이지 못하고 담배 여섯 동을 고스란히 져내오는 것이었다. 천수가 먼저 묶음을 헤쳐보고 나서 외쳤다. 아니, 이 중에 싸두었던 돈 삼백 냥은 어디루 갔어? 주인이 하 어이도 없고 답답하여 담배장수에게 말하였다. 당신이 담배 동을 애초에 들여올 땐 돈 있단 말이 없었고 또 애당초 묶음을 풀어보지 않고 지금

비로소 꺼내오는 것인데 돈 운운하다니 심히 맹랑하오. 그러나 이미 둘이서 짰던지라 담배장수는 기세 좋게 대답하는 것이었다. 어제는 내가 말을 하지 않았으나, 내가 실은 모궁의 마름이오. 궁토에서 바치는 담배와 함께 삼백 냥을 가져왔더랬소. 지금 돈이 없다고 하면 주인의 소위를 알 수가 없소. 천수도 부추겨서 말하였다. 나는 모궁에서 부탁받고 기찰하러 왔다. 오래 기다려도 담배바리가 오지 않는다고 걱정이더니 드디어 이 사람이 빈손이 되어 돌아왔는데, 분명히 한양 시정배에게 사기를 당한 꼴이다. 만일 주인이 돈을 순순히 내놓지 않으면 포도청으로 데려가 전후 사실을 따질밖에 도리가 없다. 한번 버텨볼 테냐? 천수가 그럴듯한 얼굴로 눈을 부라리며 주인의 멱살을 휘어잡아 흔들어놓으니 그는 겁을 집어먹고 두 손을 들어 비는 것이었다. 집주인은 시정에서 밥술깨나 먹는다는 상놈인데, 돈 말이 백지에 허황하게 지어낸 소리인 줄을 빤히 알면서도, 이미 약점이 잡혔으니 변명할 도리가 없고, 만약 발악해보다가 어떤 풍파가 닥칠까 두렵기도 하여 울며 겨자먹기로 생돈 삼백 냥을 물어냈다.

"천수는 그런 자입니다. 입담 걸고 술 잘 먹고 또한 동무간에 의가 좋아서 남의 곤경이라면 팔을 부르걷고 뛰어와 거들지요. 구변 좋고 수완 있으니 동막거리에서는 모두들 천수를 가리켜 어사(御史)라구 합지요."

우대용이 마음에 상쾌한 생각이 일어나 껄껄 웃으며 말하였다.

"과연 호협한 사람인 모양이오. 이따가 밤섬장으루 데려왔으면 좋겠군."

"아마 화수 먹인 미곡을 찾아가지구 올 겁니다. 천수라면 능히 강주인의 거짓 배짱을 발라낼 것이외다."

대두 석서방은 역시 동막거리의 중도아요 왈짜인 홍천수(洪千壽)

를 만나려는 것이었다. 반분한 서른다섯 섬의 곡가가 현 시세로 백사십 냥이었으니, 절대로 강주인에게 와식(臥食)을 시킬 수는 없는 노릇이었다. 그는 중도아들이 잘 모여드는 동막거리의 목로(木櫨) 술집인 째보집으로 찾아갔다. 마당 위의 온돌에서는 물이 설렁설렁 끓고 있는데, 아침 해장을 하려는 사람들이 둥그렇게 모여서서 왁자거리고들 있었다. 우선 대두 석서방은 젓가락을 집어 안주를 숯불 위에 올려놓고 두 잔 술을 청하였다. 양푼을 끓는 물속에 담아 빙빙 돌리면서 술을 데우고 있는 주모에게 석서방이 물었다.

"홍천수 만났수?"

"칠패 홍서방 말이우…… 저기 저이에게 물어봐요."

그가 돌아보니 과연 낯익은 칠패(七牌)의 어염 중도아들이 둘러서서 술을 마시고 있었다.

"천수 안 왔수?"

"그 자식 요새 제 코앞의 밥알 떼기두 귀찮은 형편인데 왜 찾으슈? 뭐 넘길 거 있으면 내가 후히 처리해드리리다."

천수의 동료인 듯한 사내가 엉뚱한 소문을 전하는데, 홍천수는 거의 달포째나 동막거리엘 나오지 않았다는 것이다.

"어디에 있수?"

"남문 밖 석우(石隅)에서 재미를 단단히 본답디다."

곁에서 듣던 자가 제 술잔을 두드리며 끼여들었다.

"아따, 맨입으로야 알려줄 수가 있나. 술을 석 잔씩 돌리슈. 그러면 우리가 자세히 일러드릴 테니……"

석서방은 흔쾌히 응낙하였다.

"그럽시다. 까짓 거…… 여기 술 석 잔씩 올리시우."

진안주가 다시 석쇠에 올라 지글거리며 타오르는데, 중도아들은 눈살을 찡그리고 안주를 뒤집으며 말을 이었다.

"그 친구 얼이 나갔단 말이우. 우리두 걱정을 하구 있던 참이외다. 시방 새참을 먹느라구 신은 나겠지만 이제 큰코를 다칠 거외다."

"어떤 유부녀와 사통을 하구 있습디다. 관서루 감사를 따라서 비장이 되어 간 사내의 여편네인데 자색이 제법 곱지요. 젓갈을 사러 칠패에 나왔는데 어찌어찌하여 홍서방과 눈이 맞았습죠. 우리가 다 아는데 어찌 그 권속들이 모를 것이오."

"석우의 어디냐니까요?"

석서방은 대개 짐작이 가는 얘기였으므로 별로 놀라지는 않았다. 그의 재촉하는 말에,

"당고개 삼거리에서 어(魚)비장네 집이 어딘가 물으시우."

석서방은 이내 째보집에서 나왔다. 천수의 근황을 듣고 실망이 되기는 하였으나 어음을 다지기 위해서는 그를 만날밖에 도리가 없었다. 그는 동막거리서 만리창(萬里倉) 쪽으로 올라갔다. 고개 둘을 넘으니 곧 석우가 지척인데 삼거리에 나섰다. 행인에게 물으니 비장의 집을 손가락질해주는데 포실하고 대문도 번듯한 기와집이 천변가에 서 있었다. 대두가 문고리로 대문을 두드리며 하인을 찾으니 계집아이가 고개를 내밀었다.

"예가 어비장 댁이냐?"

"그런데…… 누굴 찾으셔요?"

"너희 손님을 만나고자 한다."

대두의 말에 계집아이는 행색으로 보아 상것임은 알겠는지라 대수롭잖게 흘겨보고 나서 문을 도로 닫는 것이었다.

"애야, 문 좀 열어라. 여기에 칠패 홍서방이 있단 말을 듣구 왔다."

"그런 사람 없어요. 부녀자뿐인 집에 와서 괜한 소란 피우지 마셔

요.”

하녀는 딱 잡아떼는 것이었다.

“허허, 다 알구 왔대두 그러는구나. 이 집에 홍서방이 들어온 지가 열흘이 넘는데 그래두 잡아뗄 작정이냐.”

이때 더욱 안쪽에서 나직한 목소리가 들려왔다.

“게 누구여?”

듣다 못한 홍천수가 하는 수 없이 쫓아나온 모양이었다. 남의 동네에 와서 이목도 있었으니 비장의 계집이 등을 밀어낸 듯하였다. 석서방은 반가워서 다짜고짜 말하였다.

“나 범철일세. 문 열지 않으면 숫제 고함을 지를 테야.”

“망할 자식 같으니……”

투덜거리며 홍천수가 대문을 열었다. 그가 들어서자 홍은 대두를 안으로는 들일 기색이 없이 중문간에 세워두고 물었다.

“니 애비가 숨이 넘어간다더냐, 예가 어디라구 찾아와서 법석이야. 언놈이 가르쳐주데?”

“칠패 중도아들간에 소문이 짜하니 돌았으니 조심해여, 이 외입장아.”

“헛, 말세로다. 귀천이 유별한데 훈련원 다닐 제는 천상이요, 이제는 떨어진 적선(謫仙)이 틀림없다. 네 따위 사공 천류가 맞대놓구 싸라기 말이냐?”

그는 백두에 홑것 바람인 석서방의 행색이 계집 뵈기에 좀 창피했던 양이었고, 석서방은 기왕 같은 시정아치라 그의 꼴이 아니꼬웠다.

“뭔 일인데…… 빨리 뱉어놓구 나가봐.”

“자네 돈벌이할 일이 생겼네.”

"돈벌이……?"

천수가 하품을 하면서 맞받고 나서 중얼거렸다.

"까짓 몇푼벌이에 예까지 달려와. 나는 해동 때까지 장바닥엔 안 나갈 작정이야."

석서방은 품안에서 쓸모없이 되었던 사금파리 어음을 꺼내어 내밀었다. 그러고는 그를 지그시 노려보면서 속삭였다.

"얼마짜리인 줄 아나?"

"뭐…… 한 오십 냥이나 하겠지."

"그 스무 배일세."

과연 석서방의 꼬임은 적중하여 천수가 입을 딱 벌렸다.

"처…… 천 냥이란 말이지."

"몇푼벌이에 끼일 생각 없으면 얘기 그만두지."

"아니야, 실은 나두 갑갑하던 차에 좀이 쑤셔서 종루에나 나갈까 하던 참이여. 그 어음에 무슨 내력이 있겠구먼. 이를테면 다지는데 기러기를 만들었다든가, 와식을 했다든가……"

과연 홍천수는 눈치가 재빠른 자였다. 석서방은 말을 꺼냈다.

"동막거리의 강주인 녀석이 어음 지불을 않고 와식을 해버렸네."

홍천수는 그렇겠다며 고개를 끄덕였다. 그는 뒷전에서 그들의 쑥덕공론을 지켜보던 하녀에게 일렀다.

"내 의관을 내오너라."

석서방이 천수의 어깨 너머로 넘어다보니 갓과 중치막을 내어주는 여인의 자태가 마루 끝에 보였다. 과연 자색이 아름다웠고 살빛은 가무스레한 철색인데 눈두덩이 푸르죽죽한 것이 사내를 몹시 밝히게 생겨먹었다. 계집은 잊지 않고 역시 천수의 어깨 너머로 석서방을 흘낏하고는 대수롭지 않았는지 얼른 고개를 돌려버렸다. 천수는 제법 한량인 것처럼 갓과 겉옷을 걸치고 나섰다.

"내력이 어찌된 어음이길래 천 냥짜리란 말이야?"

함께 걸으면서 천수가 석서방에게 물었다.

"실은 화수를 먹였네."

석서방이 대답하자마자 천수가 걸음을 멈추면서 가래침을 돋우어 뱉었다.

"이런 제미할…… 화수먹이에 천냥 어음이란 가당치 않으니 날 속였구나!"

석서방은 천수의 소매를 부여잡았다.

"시정아치의 의리란 게 뭔가. 이럴 때 좀 도와줘야지. 실은 백사십 냥짜리, 미곡으로 치면 서른다섯 섬일세. 우리 여러 사공들이 나눠보았자 하룻밤 색주가의 용챗돈이지만, 강주인께 와식을 시켰다가는 전례가 되어 동막거리에서 한풀 꺾이는 셈이 되네. 끄떡하면 잘라먹을 것이 아닌가. 그러니 내가 자네에게 많이 줄 수는 없고 한 이십 냥 잔푼벌이나 시켜줄 테여."

"나 원 드러워서…… 이 손 놓아."

하면서도 천수는 돌아가지 않았으니, 기왕에 내쳤던 걸음이요 큰 선단의 사공들과 난전 중도아들은 워낙에 등과 가슴처럼 밀접한 관계였기 때문이다.

"어쩌다가 그따위 사금파리 어음을 받게 되었는가?"

"이번에 우리 선단에 도사공이 새루 왔는데 경강의 시속을 전혀 모르는 이란 말이야. 화수를 먹이구 현장에서 곡식을 나누어야 할 텐데 그만 강주인에게 속아서 어음쪽을 받게 되었지. 강주인은 서리와 짜고 모두 입고시켰으니 캐내어도 이미 늦은 일이라 배짱이 생긴 걸세. 그리구 우리네는 공모했을 뿐 아니라 선주에게도 속여야 할 일이거든. 꼼짝없이 서른다섯 섬을 먹힐 형편일세."

"물정 어두운 놈이 어찌 도사공이 되었으며 자네는 만년 대두 노릇을 할 작정인가?"

석서방이 천수의 비양대는 말에 변명하였다.

"선주로서는 그럴듯한 의견일세. 나 같은 경강 토박이로 도사공을 삼았다가는 어떤 헛물을 들이켜게 할지 모른단 말이거든. 이번에 온 사람은 경강 항운이 겨우 두어 번 되었는데, 비록 물정은 어두워도 진짜 뱃놈일세. 아랫것들에 대하는 마음 씀씀이며 물정에 터가는 것이 그렇게 장부다울 수가 없네. 예전에 해주에서 장삿배를 부리던 사람이라는데 처음에 티격태격했지마는, 가만 두고 보면 아주 사내라니까. 자네두 만나서 사귀어보게."

"어느 바닥에서 쥐 잡던 녀석인지는 모르지만, 너 같은 알짜 깍정이가 마음을 주었으니 괜찮은 모양이구나."

"그렇다니까……"

"가만있자, 우선 강주인놈을 꾀어들일 궁리를 해야겠구먼. 어디 백사십 냥만 받아내서야 쓰겠나. 기왕에 해내려면 된통 기러기를 씌워야지. 한 오백 냥은 우려내게 되겠지."

두 사람은 만리창을 돌아서 마포 동막거리로 내려갔다. 홍천수가 걸으면서 몇가지 안을 궁리하는 듯하더니, 드디어 작심이 되었는지 연신 고개를 끄덕이는 것이었다.

"며칠 여유가 있는가?"

"여기서 아무래두 다시 운반 청부를 맡아낼 것이니 사나흘은 걸리겠지. 강화 달곶이로 일단 떠났다가 다시 달포나 지나야 돌아올 게야."

천수가 말하였다.

"사나흘 여유가 있다면 기일은 넉넉하네. 이틀 안으루 어음을 다져서 찾아주지. 쩨보네 목로루 가볼까."

그들은 동막에 이르러 칠패 중도아들이 모여드는 목로 술집으로 찾아갔다. 모두들 홍천수의 노리끼리한 근황을 아는지라 제각기 음담으로 농지거리를 던졌다.

"그건 비장 마누라께 떼어 맡기구 왔나."

"인석아, 깜박 잊어 어란(魚卵)인 줄 알고 구워먹을라. 얼른 가서 도로 차구 오게."

"궁둥이가 성한가. 더운 물을 맞아서 헐었을 텐데……"

"저런 망할 자식을 보았나. 이놈아, 내가 가이새끼라더냐. 외입쟁이가 오랜만에 뒷문 출입을 하기로 새암은 그만 부리려무나."

천수도 대꾸하면서 싱글거렸다. 그가 구석에 자리를 잡으면서 그중 늙수그레한 자 두 사람을 불러 나란히 앉았다. 잔술을 시켜놓고 우선 구운 청어를 씹으면서 천수가 말하였다.

"공돈 좀 벌어보지 않을 테여?"

두 사람 모두 아잇적부터 강바닥에서 굴러온 이들인지라 벌써 돈 얘기가 나오자 눈이 가늘어지고 몸이 저절로 천수에게로 바짝 기울었다.

"무슨 일인데……?"

"어음을 다져야겠어."

하면서 천수는 석서방에게서 넘겨받은 사금파리쪽을 내보여주었다.

"수결한 문건이 함께 있어야지."

"그게 있으면 돈벌이두 안 되게. 강주인 모모가 와식을 해버렸단 말이거든. 천상 여우잡이를 시키든지, 신을 바꾸든지 해야겠단 말이야."

“여우잡이는 시간도 걸리고 담보도 많이 들지만 신바꾸기가 그럴 듯하지.”

그들이 저자의 변을 쓰니 석서방은 도무지 알아들을 재간이 없었다.

“무엇으루 할까?”

그들이 묻자 천수가 석서방에게 되물었다.

“우리에게 넘길 물품이 뭔가?”

“소금하구 조기(石首魚)일세.”

“그걸 쓰면 되겠구먼.”

두 사람도 고개를 끄덕이는데 공론의 겉은 대강 서로 전하고 받은 양이 뚜렷하였다.

“나그네 하나 실어오게.”

“개비쇠가 칠패 쪽에 나오니까 사오도록 허지.”

“내가 오늘 하룻동안에 다 박아놓을 테니 내일 이맘때 다시 만나기루 하고…… 제사는 내일 밤에 지내자구.”

“갈 테여?”

천수는 고개를 끄덕이며 일어났다.

“오늘 할 일이 많은 사람이야. 기왕에 장바닥 출입을 하였으니 오랜만에 투전판이나 좀 둘러보구 갈까.”

천수와 석서방은 밖으로 나왔다. 나오자마자 여태껏 무슨 꿍꿍이 속들인지 벙벙하던 석서방이 천수에게 대뜸 묻는 것이었다.

“도대체 무슨 말들이 그 모양인가. 나두 경강 물을 먹은 지가 한두 해가 아닌데 시정아치들 변은 워낙에 수수께끼하는 듯만 여겨지거든.”

천수는 말없이 껄껄 웃었다.

"여우잡이는 뭐구, 신바꾸기는 뭔가?"

"그걸 가르쳐줬다간 우리네 칠패 동무들 밥줄 끊어지게? 자네는 어서 밤섬에 가서 선적한 물건을 풀지 말도록 일러두란 말이야."

석서방은 점점 알쏭달쏭하였다.

"아니, 도와주긴커녕 이젠 남의 장사까지 망칠려나."

그러나 홍천수가 정색을 하고서 대답하였다.

"이득 없는 일에는 부자지간에두 삼가는 게 시정아치의 도덕이야. 자네는 건더기 건져먹고 우리는 국물을 들이켜면 되는 게지, 도움은 무슨 도깨비 사촌이란 말인가."

과연 홍천수는 미리 경우까지 밝혀두는 것으로 보아 자신이 있는 모양이었다. 석서방도 그러한 한양 깍정이의 성깔을 잘 아는지라 겸연쩍게 대꾸하였다.

"아따, 이빨두 튼튼한데 자꾸 새겨주어 고맙네. 염려 말어, 우리는 백사십 냥만 찾아내면 되니까……"

"나중에 딴소리하면 정리에 곰팡이 스네. 얼른 가서 일러둬."

석서방은 적이 마음을 놓고서는 강을 건너갔다. 천수는 석서방이 가르쳐준 강주인 여각으로 향하였다.

먼저 그들이 변을 써서 논의한 내막은 이러하였다. 강주인이 배짱으로 어음을 와식해버렸으니 이쪽에서는 속임수로 돈을 받아내고, 그와 똑같은 방법으로 그쪽 자신의 약점을 이용하여 발고하지 못하게 하는 방도를 쓸 작정이었던 것이다. 먼저 여우잡이란 것은, 특정 물품을 조작하여 물가의 변동을 심하게 하고 나서 일정 상인에게 막대한 손해를 끼치는 일이나, 또는 금품을 빌려서 갚고 또 빌리고 거짓 신용을 얻고 나서 대금을 횡령하는 따위의 속임수를 일컫는 것이었다. 즉 항간에 떠도는 재담으로 여우털 개잘량 마련하는 방법이 있었는데, 거기서 나온 변이었다. 여우란 놈이 단것을 좋아하는데 참외를 심어도 가장 잘 익은 것만을 골라가며 파먹는 것이다. 시설이 하얗게 뿜어진 곶감은 여우가 가장 좋아하며, 그것이 여남은 개만 있으면 여우를 가죽 한점 상하지 않게 잡을 수가 있다. 우선 곶감을 실에 꿰어 여우 다니는 길목에 나지막하게 매달아둔다. 의심 많은 여우는 처음에는 여러 번 망설이다가 결국은 도저히 참지 못하고 따먹게 된다. 여우는 일단 무사함을 알게 되고 같은 식으로 사날 동안에 서너 개쯤 먹인다. 결국은 못 견디도록 맛을 들이자는 수작이다. 다음에는 조금 높이 매달아준다. 그러면 앞발을 들고 일어서서 따먹고, 다음날 조금 더 높이 달아매면 간신히 뒷발로 버티고 서서 따먹는다. 그러고는 마지막 날에 튼튼한 끈에다 삼봉낚시라고 삼면으로 갈고리가 달린 큼지막한 낚시를 곶감으로 싼다. 그리하여 깡충 뛰어올라야 겨우 따먹을 만한 높이로 매달아둔다. 드디어 그해 겨울은 볼따구니를 데우며 삼동을 넘기게 되는 것이다. 한 번 써먹되 두 번은 못 쓸 방법이며 안면이 없는 쪽은 모르되 빤히 바라보고 지낼 바닥에서 쓸 책략이 못 되는 것이다. 그리고 칠패 사람들 말대로 보다 시간이 많이 먹힌다. 또한 신바꾸기의 내력은 이러하다. 장날 저녁때 조금 호젓한 산길의 오르막길에다 고급 꽃신 한 짝을 던져두고, 고개를 넘어서 얼마쯤 내려가다가 또 한 짝을 떨구어놓으면 그럴듯한 일이 생긴다. 장에서 늦게 소를 몰고 오던 장꾼이 고개를 오르다가 신을 주워서 이리 보고 저리 보았으나, 아무리 새 거라도 외짝은 소용이 없어 그냥 내버리고 고개를 넘는다. 마루턱을 지나 고개를 다 내려오고 보니 또 신발 한 짝이 있는데, 틀림없이 바로 아까 보았던 그 짝이다. 그것과 맞추면 한 켤렌데, 꽃신 한 켤레가 어디야, 마누라한테 선심써야지. 그래서 넘어갔다 오자니 소를 몰고 왕래하기엔 번거롭고 시간이 걸린다. 하는 수 없이 무인지경에다 잠시 소를 매어두고 먼저 한 짝을 찾아 넘어간다. 그러면 그동안에 숲속에서 나와 소를 끌고 줄행랑하는 것이다.

그런 속임수로 말하자면, 속은 자가 억울하게 여기기보다는 스스로의 탐욕을 부끄럽게 여기도록 되어 있으니 어디 가서 하소하기도 난처한 노릇이다. 즉, 공것 바라는 상대방의 약점을 이용하여 꼼짝 못 하게 우려낼 작정이었다. 나그네 한 사람 모시기로 하였은즉, 칠패에 나와 도는 김포교를 끌어들일 모양이었다. 이제부터 천수가 강주인놈을 꾀어들이면 다 된 일이었다. 여각에는 지방에서 올라온 물주와 거간들이 분주하게 드나들고 있었고, 주인 방에서는 상담이 오가는지 담배 연기가 자욱하였다.

"주인장 계시우?"

"어, 홍서방 오랜만이오. 기간 동막에는 뜨음한가 부데. 어디…… 다락원(樓院)에 나가 있었소?"

"아니올시다, 몸살이 나서 좀 쉬었지요."

"방금 배오개(梨峴) 사람들이 다녀갔는데, 요즈음 북어가 안 들어온다며?"

"아, 우리야 어찌 알겠소. 아마 어물전 사람들이 난전 막는답시고 단속이 심한 탓이겠지요."

그러나 실은 칠패 동무들이 다락원에서 판을 친다는 것을 천수는 잘 알고 있었다. 아마 그가 틀어박혀 있는 사이에 칠패에서는 북어를 내지 않았던 모양이다. 아직은 물주가 두어 사람이 있어서 천수가 얘기를 꺼낼 계제가 아니었고, 강주인도 그가 할 일 없이 찾아왔을 리는 만무하여 슬슬 북어 얘기를 꺼내어 천수를 떠보는 것이었다. 그러나 천수는 곧 말머리를 돌려버렸다.

"내 기왕에 부가옹의 집에 왔으니 점심 요기나 하구 가야지. 아직 중화들 안 자셨지요?"

"그렇게 되었나, 이거 원 하는 일 없이 밥숟갈 놓자마자 또 금방 점심때가 되었군."

하고 강주인은 치부책과 주판을 밀쳐놓고 놋쇠 방울을 흔들었다. 사동놈이 달려나왔다.

"점심상 내오너라."

잠시 후에 사동이 와서 물었다.

"저어 오늘 점심은 온면이랍니다."

"거 좋지. 그리구 바침술집에 가서 약주 두어 되 받아오너라."

뒤이어 둥근 원반에 온면 네 그릇이 나오는데, 맑은 민물조개 우린 국물에다 고춧가루 듬뿍 풀어 먹음직한 모밀 온면이었다. 시원한 나박김치가 대접에 올라 있는데 장사치들이란 식사에 호사스럽건만, 워낙에 동막거리의 습속이 담박하여 점심치고는 보잘것이 없었다. 일부러 천수가 이죽이기를,

"아니…… 하루에 들고 나는 돈이 얼마인데, 겨우 강바닥에서 건진 조개국물에 우린 막국수란 말이우. 내 지금 육것을 못 먹은 지가 오래어 목구녕에서 먼지가 풀풀 나오."

강주인도 그가 일부러 그러는 줄을 알면서도 호기를 부리는 것이 제법 큰 상담인 모양이거니 여겼다. 그래 다시 사동에게 술상을 따로 내오라 이르니 약주와 산적구이를 개다리소반에 받쳐 내왔다. 점심상을 물리고 술잔을 나누면서 얘기가 오가는데 역시 지방에서 올라온 이들과 강주인만이 떠들 뿐이요 천수는 시종 아무 말이 없었다.

"어이, 낮술이 슬슬 오르는데 한숨 자볼까. 그저 가가방 낙이라는

게 낮잠 빼면 전옥서 죄인 신세라니까."
하며 손님을 물릴 기미를 내보이니 두 물주가 곧 알아먹고 사처방으로들 물러갔다. 천수가 그래도 얘기를 꺼내지 않으니 강주인이 담배 피울 준비를 하면서 그를 흘끔거리는 것이었다. 강주인은 쌈지에서 쇠와 돌을 꺼내고 깃을 돌에 껴들어 쳐서 곰방대에다 담았다. 천수도 대 한 죽을 빌려 함께 담배를 태우는데, 꿀물에 적셨던 것이라서 남초의 냄새가 향긋하였다. 천수가 슬쩍 아무렇지도 않게 말을 꺼내었다.

"구문 받아가지구야 장사가 되겠습니까. 입고료만 하여도 삼사 부요 구문이라야 오 부에 지나지 않으니 그야말로 티끌을 모으는 격이겠지요."

"뭐 경강 장사치가 다 그렇겠지. 갑자기 당화를 들여다 폭리를 남길 수도 없는 일이고…… 홍서방 무슨 좋은 일이 있는 모양이군."

"서강에 내가 잘 아는 자들이 있는데, 다락원 난전꾼들과도 긴밀하게 연관이 되어 있습니다. 가격을 조절하는 거야 손바닥 뒤집기로 잘하는 사람들입지요. 전에 미곡을 투식(偸食)했던 적두 있습니다."

여각 주인은 탐탁지 않은 얼굴로 담뱃대를 탕탕 두들기며 잠자코 앉아 있었다.

"그런 자들과 어울렸다간 무슨 화를 당할지 모르는데……"

"실은 그 사람들 내게 흥정을 주선해달라구 합디다. 물건은 조기 백 동과 소금 삼백 석입니다."

"동막과 서강과 용산 삼개에 깔린 게 여각 객주인데 하필 날 찾는 이유가 무어요?"

강주인은 아직도 의심을 버리지 못하고 그저 건성으로 듣고 있을 뿐이었고, 홍천수가 조금씩 엿보여 애를 달굴 양으로 이야기를 끌어나갔다.

"믿을 만한 전주가 없기 때문입니다. 실은 그 배의 사공 중에 선주에게 원한 있는 자가 화물을 투식하고 강상에서는 아예 발을 뺄 모양입니다. 그래서 서강에서 몰래 배를 몰아 윗강 여각으로 오를 모양이지요. 동작진을 지나 한강진(漢江鎭)에다 대놓으면 주인장께서는 거기서 대금을 치르고 짐을 부려서 내려놓게 하신단 말씀입죠. 그러고는 그 물건을 마포루 가져올 게 아니라 그 자리에서 윗강 여각 주인과 타합하여 잡곡과 약초 등속의 관동 물산을 바꾸어 오신다면 아무도 모를 것이고 뒤도 깨끗할 것입니다. 무엇보다도 시세는 거의 절반 이하로 후려칠 수가 있으니 유리합니다. 떳떳한 거래가 아니지만, 그래서 큰 이윤을 얻을 수 있지 않습니까?"

주인은 매우 동요가 된 듯하였다. 연신 헛기침을 하면서도 내심으로는 이리저리 따져보고 계산을 해보는 기색이 뚜렷하였다. 한참이나 생각에 잠겼던 그는 천수를 바라보고 고개를 갸웃거리고 또 망설이는 것이었다.

"글쎄…… 그것이 어디 믿을 수가 있는 일이라야지."

천수는 담뱃대를 털어놓고 주저없이 일어섰다.

"담배 잘 탰습니다. 나는 또 일이 바빠서 가봐야지요. 다른 전주를 물색해야겠소."

천수가 속으로는 영 글렀는가 싶어서 조마조마하며 여각을 나서려는데, 사동이 쫓아나와 주인장이 부른다고 알려주었다. 그가 되돌아가니 이미 주인은 작심을 하고 난 뒤라 빙글대며 웃는 얼굴이었다.

"사람 참…… 성미두 급하긴, 아니 인사 한마디 없이 휙 가버리면 공연히 개미의 굴혈을 쑤셔놓는 거나 매한가지 아니우."

"맺고 끊어서 대답을 하셔야지 글쎄 절쎄 하시니 얘기가 되겠습니까. 그러게 장사로 치면 깐깐하고 분명한 강경 상고와 송도 상고가 제일이라더니."

"기왕에 나를 찾아왔으니 아예 말을 끝맺어놓지."

홍천수는 다시 주인과 마주 앉았다.

"실은 나 같은 사람이야 중간에서 거간 노릇이나 하였으니 구문을 좀 받아먹으면 그뿐입지요. 저쪽에서 얘기한 가격만 맞으면 흥정을 붙여드리겠습니다."

"얼마를 내랍디까?"

"사백 냥은 주셔야겠습지요."

주인은 고개를 내젓는 것이었다.

"투식하는 물품에 제 가격을 꼬박 받으려는 게요? 그렇다면 아예 포도청에 가서 알아보시우."

"그래두 현 시세보다야 백 냥은 싼 셈입니다."

"나는 그 가격을 언문하여 반절만 냈으면 좋겠는데……"

"이백 냥을 내신단 말씀이죠?"

"자칫하면 장물아치 와주(窩主)가 되는 판인데 그 가격밖에 못 내겠소."

"허, 그러면 이렇게 합시다. 나두 중간에서 구문은 먹어야 되겠으니, 아예 삼백 냥으루 하십시다. 그 이하는 절대루 안 되겠습니다. 자아, 하시겠수 마시겠수?"

홍천수가 다시 일어서려는 기색을 보였고, 강주인도 속셈으로는 소금 삼백 석과 조기 백 동에 삼백 냥이란 거의 세 배의 이윤이 남는 장사인지라 흥정을 박아두기로 작심하였다.

"글쎄, 그렇게 결정은 하겠지마는 시방 생돈을 냉큼 던져줄 수야 없소."

"암, 그렇겠습지요. 저쪽에서두 돈을 미리 달라는 것은 아닙니다. 배를 몰아서 한강진에 대어놓고 물건을 다 내린 다음에 그 자리에서 돈을 받겠다는 것입지요. 다만 문건을 한 장만 써달라구 합디다."

"문건이라니……"

"그야 당연하지 않겠습니까. 일껏 배를 부려 물건을 내려놓은 뒤에, 주인장께서 갑자기 마음이 변하여 매매를 하지 않겠다든가 대금을 깎자든가 하면 낭패를 보는 것은 서강 사람들입니다."

주인은 다시 따져보는 눈치였다.

"신용 가지고 장사하는 것이지, 무슨 다짐이 따루 필요하겠나."

"바루 그래서 나를 내세운 것입니다. 물론 신용이 제일입지요마는, 물건의 내력이 그런 것이라 흔히 부정한 장삿속에는 신의가 없게 마련 아니겠습니까. 까짓 거 얼마짜리 물건을 얼마에 사기루 하였다,라구 쓰시면 될 텐데 뭘 그리 망설이시우."

주인은 입맛을 쩝쩝 다시고 나서 지필묵을 꺼내들었다. 천수가 불러주는 대로 받아쓰고 나서도 못내 마땅치 않은 기색이었다.

"이 끝에다 수결을 하시고 인장을 눌러주십시오."

"수결에 인장은 무슨 소용이 있단 말이우?"

"허허, 이것이 수표나 어음두 아니구, 다만 계약 문건에 지나지 않는데 어디에 하자가 있는가 한번 보시고 형식으루 맺어두십시다."

주인은 두 번 세 번 읽어보았지만 그냥 계약하겠다는 내용에 지나지 않으니 다른 까탈로 피할 도리가 없고 눈앞에 다가온 폭리는 놓칠 수가 없었다.

"까짓 거 그리합시다. 가격두 삼백 냥으루 명시해두었으니 더 내란 말은 없겠지."

"그렇다니까요. 주인장께두 아주 유리한 문건이 되겠습니다. 내가 보관하구 있다가 매매가 다 끝난 다음에 말소해버립지요."

홍천수는 속으로 쾌재를 불렀다.

"자아, 그러면 내일 밤에 한강진에서 만나십시다."

문건을 챙겨넣으면서 홍천수가 말하니, 주인은 따라 일어나며 말하였다.

"일이 어찌될까 모르니 내일 저녁때에 미리 들러주오."

"그리하겠습니다."

천수는 가뿐한 걸음으로 동막에 나왔다. 그는 우선 잘 아는 자모전가(子母錢家)에 가서 문건을 보여주고는 돈 오십 냥을 빌렸다. 그리고는 바침술집 겸 화초방 노름방에 찾아가니, 내로라 하는 경강 왈짜들이 모여앉아 투자(投子)를 놀고 있었다.

"여어…… 나는 한판 안 끼여주나?"

놀이에 정신을 팔고 있던 자들이 고개를 들고 그를 올려다보았다. 칠패 왈짜와 마포 건달이 그를 향하여 손짓을 하는데 대개는 외지에서 왔더라도 출입이 잦으니 낯이 익게 마련이었다.

"이리 조이구 앉아."

"판은 오십 냥이 기준이야. 돈이 없거든 개평이나 뜯어서 술이나 한잔 먹구 가든지."

그러나 천수가 절렁거리는 엽전꿰미를 풀어내놓자 자리를 비켜주는 것이었다. 두(頭)를 잡고 있는 자는 천수가 보기에 낯이 설었다. 낯바닥은 굵은 손가락만큼 한 구멍이 뺑뺑 뚫린 왕곰보에 눈은 째어진 뱀눈에다 연상 큰 입을 벌리고 웃고 있었다. 그가 판을 그러모으고 있는지 무릎 아래에는 돈이 수북이 깔려 있었다. 주사위는 한 쌍으로 놀게 되는데 짐승의 뼈를 갈아 점을 찍고, 한 점과 넉 점에는 주홍색을 칠한 것이다. 한 점에서 육 점까지의 점을 맞추어 그 점의 수인 사위로 끗발을 겨루는데, 높은 패를 잡았던 자가 머리가 되어 납작하고 깊은 종지에 주사위를 담아 허공에서 흔들다가 방석 위에 내려찍는다. 나머지 사람들은 제각기 알맞은 곳에다 돈을 태우고 머리가 패에 맞추어 자기가 먹거나 돈을 내주거나 하였다. 곰보는 머리 위에서 주사위를 흔들면서 연신 중얼거렸다.

"자아, 사위다 사위, 백두산이냐 태백산이냐 금강산이냐, 백에 아에 중일 중이 중삼 중사 중오 중륙이로구나. 어허, 하늘에서 돈비가 쏟아질 제 와드드드…… 에랏 차!"

곰보가 종지를 엎어 방석 위에다 누르고는 좌중을 둘러보았다.

"자아, 찔러야 판이요, 먹어야 끗발이외다. 어서 태쇼 태."

천수는 육에 질렀다. 중(重)은 믿을 수 없으니 끗수나 맞추겠다는 것이었다. 제각기 스물한 가지의 패에다 맞추어 돈을 지르고 나서 곰보가 종지를 슬쩍 들었다.

"자아, 백(白)이오."

하고 나서 그는 백과 아(兒)에 질렀던 제 돈을 챙기고 다른 자들의 돈도 그러모았다. 천수가 몇번 더 그 판에 질렀으나 물주의 차례가 돌아오지 않았으니 그자의 투자 솜씨가 과연 절묘하였다. 천수는 문득 의심이 들어서,

"여보, 이번 판만 놀고는 다음 판부터는 돌려태기로 바꿉시다. 물주잡기는 재미가 없는데……"

하는데, 곰보는 싱글거리며 웃기만 하였고, 곁에 앉았던 눈자위가 어글어글한 자가 불쑥 말하였다.

"여보, 여태껏 놀아왔는데…… 댁은 끝판에 끼여가지구 웬 잔말이 많아."

“손짓과 재간이 다른 터에 한 사람만 사위를 잡으니 묘하지 않소.”

“아니, 그럼 내가 헛손질했단 말이야?”

두를 잡았던 곰보 사내가 가느다란 눈을 찌푸리고 곁눈질로 노려보면서 천수에게 지그시 으름장을 놓았다. 천수는 워낙 제 바닥인지라 이 낯선 두 사내들의 노는 꼴이 아니꼽기도 하여 냉소를 떠올리며 말하였다.

“댁이 헛손질을 했는지 내가 어찌 알겠어. 원…… 눈썹만 뽑아도 똥 싸겠군. 물주잡기가 재미없으니 돌려태기루 노는 게 어떠냐는데 뭐 잘못됐어?”

“불쑥 끼여들어서 바지랑대를 올리면 꺾어지는 수가 있어.”

곰보가 다시 말하는데도 천수는 아주 재미있다는 듯 싱글거리면서 주사위 종지를 제 앞으로 끌어갔다.

“어때, 돌려태기여 물주잡기여? 하자는 대루 할 테니……”

좌중을 둘러보니 그 두 사내를 빼고는 모두 칠패 마포의 토박이들인데다 돈냥을 잃은 터수여서 제각기 말하였다.

“물주잡기는 오래 놀았으니 돌려태기루 놀지.”

“내는 꼭 한바퀴 돌리고는 쭈욱 손을 놓았다니까……”

“그쪽에서 엔간히 땄으니 그냥 일어서지는 못할 거외다.”

곰보가 자기 무릎 아래로 손을 넣어보면서 말하였다.

“여보, 내가 시방 잃은 돈이 스무 냥이 넘는데 누구보러 땄대.”

천수는 더이상 타시락거리지 않고서 물었다.

“할 거요 말 거요…… 돌려태기.”

곰보의 곁에 앉은 퉁방울눈이 제 동무를 부추겼다.

“까짓 거 하자꾸나. 주사위에 눈코가 따루 있나.”

모두들 돈을 태워놓고 기다리자 그들도 엽전을 내던졌다.
"자아, 여기부터 돌아가우."
천수가 투자 종지를 두 손에 맞잡고 허공에서 흔들면서 그들에게 물었다.
"어디서들 오셨수?"
곰보는 말이 없는데 눈 큰 자가 부드럽게 대꾸하였다.
"노름방에서 항렬 따지기요. 강물 먹구 다니는 사람이외다."
"물먹기에두 다 구분이 있지. 언내 오줌도 있고, 개구리 용갯물도 있단 말이우."
좌중의 사람들이 낄낄대며 웃음을 터뜨렸으나 곰보가 지그시 분을 누르면서 중얼거렸다.
"우리가 바루 개구리 용갯물이니, 어서 주사위를 박기나 허우."
달그락달그락 허공에서 돌리다가 천수가 공중에서 휘익 돌리며 방석에다 따악 내려엎었다. 그는 아직 종지를 들지 않고 눌러둔 채로 돈을 판에다 더 내던졌다.
"안 보구 올이를 두 배루 치겠수."
하고 나서 자신만만하게 종지를 떼었다. 과연 일 점이 나란히 나왔다. 스물한 가지 패에서 끗수를 빼면 일곱 가지의 고점이 남는데 그 중 붉은 칠을 한 일 점 두 자는 쌍백(雙白)이라 하여 패 중에서는 끗수의 제일 윗자리이고 중륙 이하는 모두 맞터버리는 것이다. 중륙밖에는 쌍백을 누를 수가 없다. 모두들 한 차례씩 잡고서 내던지는데 끗수가 나오고 중삼패가 하나 나왔으니 아무래도 판은 더욱 늘어날 모양이었다. 곰보가 투자를 던지는데 보니, 역시 중사였다.
"자아, 돈들 태라구."
판돈은 처음에 탠 것에서 올이를 따라 받고 나서 다시 판넘이가 되어 판돈을 한 바퀴 더 실었으니 보통때의 세 배가 될 만큼 커졌다. 판돈이 커졌으니 모두들 투자 던지는 손짓이 신중해질밖에 없었다.

"노름에 서북방이 길하다 했는데 내가 바루 그 자리로구먼."

천수는 슬슬 상대방을 까스르며 천천히 주사위를 돌렸다.

"얼싸, 오늘도 심심허니 주사위타령이나 하여보자. 일 이 삼 사 오 륙에 사륙 가보요, 이승저승이 오락가락 천리안(千里眼)의 쌍백이요, 이리 굴러 저리로 굴러 운우지정이 새큰새큰 두 다리 포개어 중이(重二)요, 천하가 위상할 제 삼강(三綱)이 번듯한 중삼(重三)이요, 왕후장상 가진 영화 북망에 묻혀 중사(重四)요, 군신 부자 부부 장유 붕우 인륜이 벌여 있는 중오(重五)에 기왕 썩어질 몸 삼정승 육판서에 정경부인이 따로 있나 노름 노는 우리 신세가 최상이로다, 중륙(重六)이오. 건 개평 타령하는 놈 네 성을 갈고, 따고 가는 놈 불알을 뽑으니, 공중에 뜬 패를 잡아 술안주나 하여보세."

홍천수가 기세 좋게 주사위를 때려엎고서 슬쩍 들쳤다. 역시 너스레를 치며 오래 골랐던 탓인지 중륙이었다. 그러고는 올이를 쳐버리니 모두들 패를 잡기를 포기하고 입맛들만 다시는 것이었다.

"까짓 잃기는 매일반이다!"

곰보도 제법 노름방을 굴러다녔는지 기가 죽지 않고 천수의 올이를 받아 돈을 태고 나서 주사위를 잡았다. 그는 곁눈질로 제 동무에게 찔끔해 보이고 나서 슬슬 휘저으며 주사위 패를 고르다가 위로 번쩍 쳐들어 멈추었다. 달그락, 하면서 아래로 내려꽂아 여는데 아직 자리를 잡지 않은 주사위 한쪽이 팽그르르 돌다가 엎어졌다.

"중륙이다. 과연 솜씨가 다르구먼!"

좌중의 사람들이 모두 놀라서 혀를 내둘렀다. 홍천수가 보자 하니 종지를 마주 잡을 제 손가락을 올려 점을 세고 한 손가락은 주사위한 곳을 눌러 고정시키고 다른 패는 거의 육자에 맞춤하여 정확히 공글리는 수를 쓰고 있는 것이 틀림없었다. 대개 일류의 주사위잡이란 처음에 투자방(投子房)에 주사위가 자리를 잡을 때 그 모양을 새겨두고 나서, 흔들어 섞을 때 그 소리와 회수와 방향을 정확히 어름하여 패를 고르는 것이었다. 그러니, 상대편은 재간이 아니라 속임수를 쓰고 있는 것이었다.

"여보, 맞잡이루 하지 말구 한 손으루 고릅시다. 워낙에 판이 크니 공으루 먹을 수야 없지."

천수가 이제는 곰보와 단둘이서 붙게 되어 미리 다짐을 해두었으나, 곰보도 금방 그 뜻을 눈치채고 맞받았다.

"주사위가 산 물건두 아닌 터에 운수로 패를 잡는 것인데, 두손잡이를 하든 외손잡이를 하든 무슨 대수요. 다 제 격식대루 하는 것이니 참견 마우."

"아무렴, 돌려태기에 법식 따루 있나. 다 재간껏 먹는 게지."

눈 큰 자가 말하니 천수가 그를 눌러두느라고 한마디 덧붙였다.

"댁에는 아까부터 이 방 안의 무슨 송곳이오? 베잠방이에 좆 튀어나오듯 왜 불쑥 나서는 게야."

"그래 그래, 남의 판에 여포네 장비네 따지지 말우. 우린 진중에서 관망이나 허지."

"여하튼 우리는 중륙 웃돈이나 챙겨둬야겠군. 오늘 왜 이리 패가 안 나와."

좌중이 시끌덤벙할 때, 곰보가 먼저 주사위를 잡게 되었다.

"자아, 판돈 그러모으세."

하면서 곰보 곁에 나란히 앉은 호안(虎眼)의 사내가 수북이 쌓인 엽전을 자기네 앞으로 미리 모아놓는 것이었다.

"어허, 자리 어지럽히는군. 그 손 치우슈."

하더니 천수가 곰보의 종지 잡은 두 손목을 딱 거머쥐었다.

"투자방에 손가락은 왜 집어넣어."

"어……"

곰보가 잡힌 손을 홱 뿌리치니 주사위가 퉁겨져서 벽에 가 부딪고 떨어졌다. 그는 종지를 쥐었던 손에 침을 퉤 뱉어내고 잠깐 천수를 노려보았다. 성내에서 닳고닳은 천수가 그쪽 눈치를 모를 리 없어 방석에 손을 대고 여차직하면 날아올 종지를 막을 태세를 취하고 그 자리에서 문까지를 눈어림하여보았다. 역시 그쪽에서도 자칫하면 방에 갇혀 몰매를 맞겠다는 공산이 컸는지 슬그머니 손을 내리고 말았다.

"나 온…… 드러워서. 마패는 하난데 출두야 소리는 사방일세. 기분 상하여 노름 못 하겠군!"

"그러면 노름판의 법도는 아니지만 개평이나 드릴까?"

천수가 판돈에서 몇닢 쥐어 쩔렁거리면서 말하였다.

"먼저 허우."

곰보가 내뱉었고, 천수는 여전히 냉소를 지우지 않고서 받는 것이었다.

"내가 선을 잡구 판이 텄으니, 댁네가 할 차례요."

이미 판돈은 적잖이 탰고, 판을 물리기에는 사내의 배포에도 심히 어쭙잖은 것인지라 곰보는 적이 난처한 모양이었다. 사위 점을 만지는 것도 그른 일이라 투자하기가 켕긴 것이다. 천수가 화초방의 주인을 불렀다.

"와주 삼촌, 새것 한 벌 가져오우."

주인이 다른 색자를 가져왔고, 천수는 판돈에서 몇푼 집어주었다.

딸그랑 하는 소리가 났는데 천수가 종지에다 주사위를 떨군 것이다.

"잡으슈."

곰보가 종지를 잡는데 모두들 조용히 지켜보고만 있었다.

"손가락 조심허우. 구멍이라구 다 집어넣는 게 아니우."

곰보는 천수의 빈정대는 소리를 들으면서 한 손으로 종지를 흔들다가 탁 엎었다. 누군가가 꿀꺽 침을 삼키는데, 그는 차마 패를 개봉하지 못하고 한참이나 종지 바닥을 내려다보았다.

"달근이…… 뭐 하는 게야!"

곁에 앉았던 범눈깔이 애가 달아서 곰보의 무릎을 짚었다. 그가 종지를 열었다.

"가보로군."

천수가 패를 일러주기나 하려는 듯 가벼이 내뱉었다. 동네 마실꾼들의 판이라면야 가보패도 그럴싸하겠으나, 적어도 마포 동막 저자의 화초방이고 보매 가보짜리로는 판돈을 먹기가 어려운 법이다. 천수는 종지에다 주사위를 담아서 슬슬 휘돌리기 시작하였다. 최소한 끗수만 면한다면 판돈은 그의 것이었으니, 패를 고르고 자시고 할 것도 없었다. 천수는 달그락하면서 제자리에 주사위를 모은 듯하더니 그대로 잽싸게 엎었다. 그는 종지를 엎어둔 채로 손을 떼어 돈을 그러모으면서 옆사람에게 말하였다.

"간이 작아 내 눈으루 못 보겠으니, 자네가 대신 좀 봐주어."

종지를 들어내자 일점 나란히 쌍백이었으니, 가보를 살짝 눌러버린 것이다.

"이런 망할……"

눈 큰 자가 중얼거리며 방바닥을 주먹으로 내려치자 천수가 눈썹을 곤두세우고 치켜다보았다.

"노름판에서 성미 올리면 방기가 나가서 오래 못 가우. 뒷간에 가서 배 좀 싹이구 오시우."

그럴 때 마주 앉았던 곰보가 발길을 들어 천수의 가슴팍을 걷어찼고 엽전들이 좌르르 흩어졌다. 좌중의 사람들이 우우 일어나려는데 곰보는 재빨리 품속에서 비수를 꺼내어 천수의 옆구리에 갖다대었고,

"황가야, 돈 모아라."

하며 제 동무에게 말하였다. 모두들 멍청히 보고 있을 때, 눈 큰 자가 무릎걸음으로 돌며 방바닥의 돈들을 손끝으로 쇄쇄 빗질하였다.

"여긴 동막이여…… 무사할까?"

천수가 넘어진 채로 고개를 들어 곰보와 돈 긁는 녀석을 번갈아 바라보며 중얼거리자 전대에 대강 쓸어넣은 놈이 일어나며 발길로 호되게 내질렀다.

"노름돈에 임자 따루 있데? 아무려나 먹기는 매일반이다."

동료가 먼저 나가고, 곰보는 덤벼들까 말까 멈칫 주춤 불뚝대는 노름꾼들에게로 칼날을 휙휙 둘러서 위협하며 뒷걸음을 쳤다. 드디어 문을 쾅 닫자마자 우르르 뛰쳐나가는데 천수는 발길에 채어 숨이 막혀 상판이 까맣게 죽어가지고 입을 벌리고 누웠다가 가까스로 큰 숨을 몰아쉬었다. 일어나려니 머리에 핏기가 가시고 핑글 돌면서 감감해지는 허공에 요지경 무늬가 오락가락하였다.

"사…… 삼촌, 삼촌!"

화초방 주인이 사색이 되어 쫓아들어왔다.

"무, 물…… 한 대접 주오."

주인이 떠다 준 냉수를 들이켜고 한참이나 가슴을 내리쓸고서야 간신히 숨을 되잡은 천수가 밖으로 나섰다.

"낯선 객은 들이지 않는 겐데, 아마 거기 동무들이 째보네 목로에서 만나 동행한 모양이여."

변명 비슷이 중얼대는 주인을 밀치고 천수는 뒤늦게 밖으로 뛰어나갔다. 나오자마자 장바닥이다. 마침 오후의 입고하는 분주한 때이라 곁꾼과 사공들이 저자의 위아래에 하얗게 깔려서 오가고 있어서 동석했던 패거리도 찾을 수가 없었다. 그는 숨이 턱에 닿도록 뛰어서 강변으로 나갔다. 큰 배들이 강 가운데 빽빽이 떠 있고 그 사이로 거룻배들이 이리저리 들락거리는데 선창에는 중선과 소선들이 다닥다닥 붙어 있었다. 나룻배 몇척이 강을 건너는데 모두가 희끗희끗 사람들도 곳곳에 타고 있어서 도무지 뒤통수만 가지고는 가려낼 수가 없었다.

"제미붙을…… 기러기로구나!"

천수가 맥을 놓자니, 쫓아나왔던 패거리의 둘이 선창 좌우에서 마주 올라온다.

"밖으루 나오니 행인에 묻혀 어느 놈의 뒤꼭지인지 알아볼 도리가 있어야지. 그래 둘은 장바닥 안으루 뛰구, 우리는 이리루 나왔는데 없네그려."

"글쎄 애당초 밖으루 나와서 우물쭈물한 것이 탈이라니까……"

천수는 노기가 머리털 끝까지 뻗쳐서 연신 사방을 두리번거리며 씹어댔다.

"누가 끌어들였어. 보면 몰라, 바닥이 다른 놈들은 해코지해두 뒤볼 일이 없으니…… 꼭 저리 나온단 말여."

"가서 물어보세, 어디 것들인지 알게 되겠지."

그들이 화초방 앞으로 터덜터덜 내려오니 뒤를 쫓아나갔던 나머지 두 사람도 맥이 풀려서 되돌아오고 있었다.

"누가 데려왔어?"

다짜고짜로 천수가 화를 내자, 그중의 하나가 우물쭈물 말하였다.

"누가 알았나. 쩨보네서 술 먹구 있는데 쩨보하구 안면이 있는 모양이더만. 우리가 한판 보자고 일어서니 따라나오면서 끼여달라잖나."

"음, 쩨보가 안단 말이지?"

천수는 노름방으로 들어가 제 돈을 챙겨가지고 나왔다. 오십 냥 중에 삼십여 냥이 비었으니, 잃은 돈도 아니고 따기를 작정하고 탰던 돈에다 자리 밑에 두었던 돈까지 빼앗겨서 더욱 분통이 터졌다. 그는 목로에 가서 대뜸 쩨보를 잡고 물었다.

"그놈들을 안다며?"

목로 주인은 눈이 휘둥그레져서 두리번거렸다.

"아니, 밑도 끝도 없이 그놈들이라니, 홍서방 애비여, 아들이여?"

천수가 안주 목판을 주먹으로 쾅 내려쳤고, 마른안주들이 쏟아져 내렸다.

"농담하지 말어. 좀전에 노름판에 끼워 보냈던 두 녀석 말이지, 곰보하구 눈깔 둥그런 놈을 안다면서……"

주인은 우선 쏟아진 우포와 어포를 집어올리면서 천수의 날카롭게 째진 눈초리를 흘끔거렸다. 장바닥의 왈짜와 티격거렸자 장사 망칠 뿐 아니라, 공연히 얻어터져 망신이라도 당하면 손해인지라 주인은 그냥 참고 목판 아래를 쓸기만 하였다. 천수가 다시 쟁개비에서 끓는 물을 천천히 한 바가지 퍼서 들고 부추기며 물었다.

"확 끼얹어서 데쳐버릴라, 말 안 할 테여?"

"헛, 글쎄 이 바닥서 드나드는 게 한둘이라야지."

"곰보하구 눈 크구 얼굴 둥그런 놈 말이여. 우리 아이들이랑 합석

해서 노름판에 섞였는데 파투를 놓구 판돈을 긁어서 튀었어."

주인은 그제야 짐작이 가는 모양이었다.

"아, 황회 얘기로군. 그 곰보는 나두 처음 봤어. 예전에 동작진서 밥집 할 제 광대들하구 자주 들러서 내가 잘 알지, 광주 있다던데……"

"거여야, 송파야?"

"낸들 알어. 그냥 어디서 뭐 하냐니까 광주 있다드만."

천수는 술을 시켜서 화를 달랬다. 그는 안주를 오래오래 짓씹으며 중얼거렸다.

"황회라…… 어디 두고 보자."

천수는 술 한 되를 단숨에 비우고 일어섰다.

"주인장, 이건 외상이여."

"이러면 안 되는데……"

"거기 때문에 낯선 놈들이 끼여가지구 파홍이 되었고 돈까지 없앴으니…… 나중에 생각나면 주지."

겉으로 불평을 하지 못하는 주인의 시선을 휑하니 팽개치고 천수는 밖으로 나왔다. 그는 나루터에 나와서 서강으로 나갈까 하다가 우선 밤섬에 들러 석서방네 물건을 살펴두리라 작정하고서 작은 주낙배 한 척을 빌렸다. 천수가 올라타니 사공은 배를 내어주면서 삯을 달란 말도 못 하고 빨리 가져오라는 말만 하는 것이었다.

"제미, 경강 바닥에 깔린 게 배인데 내 오늘 처음 빌려 타는 모양이다. 성질나면 돌을 실어서 그냥 잉어 궁전이나 만들어버릴테!"

천수가 주낙배를 능숙하게 저으면서 밤섬으로 내려가는데, 서강과 동막에서 밤섬의 난장을 보려고 크고 작은 배들이 모여들고 있었다. 이미 늦은 오후가 되어서 해는 서편으로 떨어지는 중이고 강심에는 번진 햇살이 만 조각으로 쪼개지고 부서졌고, 여의도 백사주에 오르고 내리는 새떼의 왕래가 분주하였다. 밤섬 동자머리 쪽에는 배가 정박해 있었고, 조선장(造船場)에 망치소리가 요란하였다. 거래는 아직 시작되지 않았으나, 이미 배에서 부려낸 어물과 소금짐이 여러 무더기로 간이 창고 앞에 쌓여 있었다. 천수는 석범철네 집으로 올라갔다. 울바자로 들어가 두리번거리는데, 건넌방에는 석서방과 낯바닥이 시커멓고 체격이 우람한 자가 함께 목침을 베고 드러누워 낮잠을 자고 있었다.

"여 일어나, 사공 팔자가 거북이 팔자라더니……"

석서방이 눈을 비비면서 깨어 일어났으나, 곁에 누웠던 자는 입맛을 다시며 돌아누워버렸다.

"노는 좆 물에나 주저앉겠다고, 배가 쉬는데 사공이 뒤빠지게 다닐 일이 있나. 그나저나 우리 장사는 아예 망쳐버릴 셈인가?"

석서방이 해를 올려다보며 어림짐작해보는 모양이었다.

"글쎄, 내일 밤 제사를 끝내구 나서 칠패 아이들께 좋은 가격으로 넘겨줄 테니 걱정 말게."

"시방 저녁때가 다 된 모양이군. 어찌되었어?"

"주인놈이 끌려들어왔지."

하면서 천수가 문건을 꺼내어 펼쳤다.

"삼백 냥짜리 계약 문건일세. 나중에 쟁송이 일어나두 놈은 꼼짝없이 장물아치로 될 것이니 이젠 손 안 대구 코풀게 되었네."

"물건을 볼 테여?"

"나중에 도매할 제나 살피지, 지금 내가 무슨 상관이야."

두 사람이 얘기를 나누는 중인데 우대용도 그들의 말을 귓전에 들었던지 일어나 앉았다. 석서방이 천수에게 대용을 소개하였다.

"우리 도사공 성님이시네. 이쪽은 동막거리의 왈짜인 홍천수라는 불상놈입죠."

대용이가 꾸뻑하며 치사를 올렸다.

"이번에 우리를 도와줘서 고맙수. 앞으루 잘 사귀어보십시다."

천수가 보아하니 낯바닥이 시커멓고 눈에 붉은 기가 있는 것이 그리 호쾌한 인상은 아니었고, 말씨도 어리숙하게만 들려서 그리 대단하게 여겨지질 않았다.

"경강서 사람 사귀는 게야 돈박에 좋은 물증이 없소이다. 나두 그런 사람이니 미리 잘 알아두시우."

하면서 되는대로 받아넘겼으나 우대용은 딱히 알아듣겠다는 내색도 없이 고개를 끄덕거렸다.

"장소는 한강진이니 미리 숨어서 기다려야 될 걸세. 서강 아이들이 배를 부르러 오면 두말 없이 내어주고 신호는 등불을 강에다 던져버릴 것이니 물건을 인수하는 중간에 뛰어들게. 포교가 오게 되어 있네."

홍천수가 설명을 하니 석범철이 말하였다.

"삼백 냥이라면 우리가 백오십 냥을 먹으면 되겠군. 포교는 자네들이 나눠주도록 허게."

천수가 웃음을 터뜨렸다.

"털 뽑아 그 구멍에 박겠구먼. 아니 어떤 쓸개 빠진 놈이 문건대로만 우려내겠는가. 상대는 경강의 몇째가는 부고란 말이여. 내일 밤 자시(子時) 무렵에 서강 아이들을 보내겠네. 물건을 보여주면 배를 비워주고 소선으로 뒤를 따르도록 허게. 그리고 강상에 떠서 기다리다가 뱃전에 불빛이 보이다가 강으로 떨어질 제 나타나 소란을 피우게. 포교는 미리 그 근처에서 기다리고 있을 것이니 아무 염려 말고."

이르고 나서 홍천수가 일어섰다. 석서방이 그를 만류하며 말했다.

"왜 벌써 갈려구! 기왕 밤섬 온 김에 동자머리 나가서 술이나 한 잔 걸치지."

"아니야, 미리 만나서 다짐을 받아두어야지. 내 오늘 재수가 옴 붙은 날이여. 일찍 들어갈라네."

천수가 침을 뱉으면서 투덜거렸다.

"무슨 일이 있었나?"

"나 원…… 벼룩이에 뭣 물린다구, 오늘 화초방에서 판돈 털렸어."

"노름하구 잃은 거야 뭐 대수여. 자네 솜씨루 털릴 적두 있구먼."

천수는 새삼스레 화가 나는지 입맛을 다시는 것이었다.

"솜씨로야 팔도 어느 바닥에 나가두 자신이 있네. 낯선 놈들인데, 비수를 대어놓구 판돈을 긁어갔어."

"놓쳤나?"

"광주놈들이라니 언젠가 만나겠지."

다시 내일 밤 약속을 다짐하고서 천수는 우대용을 향하여 머리를 꾸뻑해 보이고 나갔다. 대용과 석서방은 아무래도 사공들 일이 염려되어 동자머리로 나가보기로 하였다. 마을을 벗어나 강변으로 나가니 당터가 있는 사당에는 큰 저자가 벌어져 있었는데, 거개가 소금과 해물들이었다. 시전 사람들은 없고 중도아들과 봉수꾼들, 훈련도감 군졸들, 지방 장사치들만이 들끓었으니 가히 난장 중에도 가장 버젓한 난장이라 할 수 있었다. 시전에서는 밤섬 동자머리의 난장 때문에 어물전 문을 닫아야 할 판이라고 불평들이 자자하였으나 물품의 일부를 시전에 넘겨주어 전매하는 시늉을 보이니 어찌할 수도 없었다. 다락원에서는 주로 동해의 해물을 다루었고 경강 부근의 난전에서는 서해의 산물을 매매하였는데 칠패와 이현의 중도아와 다락원 난전꾼들이 몰려들어 있었다. 밤섬의 늦장은 초하루와 보름이 기중 큰 장이라서 인근의 무뢰배들도 그저 놀러 건너오기도 하였다. 우대용과 석서방이 인파를 헤치고 나아가자니 박성대가 훈련도감 배꾼들과 어울려 어포와 소금을 흥정하고 있었다.

"어때, 시세가 좋은가!"

"응, 지난달보다 가격이 눅었네. 칠패놈들이 워낙에 설쳐대니 우리네야 부스러기나 구경을 하는 셈이지."

박성대의 말대로 칠패 중도아들은 배째로 흥정을 나누고 있었다. 물주가 열립군을 내세워서 입찰을 시키는데 미리 매매인이 결정되어 있는데다 거의가 칠패의 왈짜들이라서 다른 자들은 지어보지도 못하고 뒷전에 몰려서 있을 뿐이었다. 그들이 장거리를 지나 조선장 쪽으로 내려가는데 앞서 나갔던 홍천수가 연신 두리번거리며 바삐 쫓아 올라오고 있었다. 석서방이 그의 가슴을 탁 건드리며 물었다.

"아니…… 서강으루 건너간 줄 알았더니 어딜 가는 게야?"

"아, 잘 만났다. 내가 방금 그 곰보놈을 봤단 말이야. 배를 띄우고 떠나려는데 그놈들이 나룻배에서 내렸거든. 잡히기만 해봐라, 여기서야 제놈들 옴치구 뛸 데두 없지."

천수는 득의양양하여 연신 손바닥에 침을 뱉었다. 우대용과 석서방은 사람들 사이를 헤치고 이리저리 살펴보는 홍천수의 뒤를 따라서 저잣바닥을 맴돌았다. 어물이 가득 쌓여 있는 간이 창고 어름에서 천수는 드디어 패랭이 차림의 낯익은 뒤꼭지를 발견하고는 대뜸 뛰어가 어깨를 잡아당겼다.

"그러면 그렇지, 이놈, 잘 걸렸다."

다락원 왈짜들과 얘기하고 있던 고달근이 뒤를 돌아다보고 당황하여 천수의 손길을 뿌리치며 물러서는 것이었다.

"댁이 뉘셔……"

"헛, 이놈이 시치미를 떼는구나. 이놈아, 내 돈 내놓아."

고달근은 황회를 서강에다 남겨놓고 혼자 건너왔던 판이라 무작정 뻗대기로 작심을 했던 것이다.

"이놈아, 뭘 멀뚱히 보고만 있느냐. 어서 긁어간 내 판돈 내놓아라."

홍천수가 다시 고달근의 소매를 잡으며 말했으나, 달근이는 제 잡힌 손목을 이윽히 내려다보다가 침착하게 대꾸하였다.

"혹시 사람을 잘못 보지 않았수. 백주에 애매한 사람을 붙들구 이 무슨 행패유."

천수는 탁 기가 질렸다. 무턱대고 쥐어박을 수도 없는 노릇이었다. 얼른 손목을 놓고 달근의 가슴과 옆구리께를 더듬더듬 훑는데, 달근이는 어이가 없다는 듯 입을 벌리며 주위를 둘러보았다.

"이 사람이 아주 실성했고만."

그는 천수의 가슴팍을 탁 떠밀어내고 정말 기분이 나쁘다는 듯 입맛을 다시면서 주위 사람들께 말하였다.

"아마 노름판에서 돈냥이나 잃구 실성한 모양일세."

주위에서 구경하고 있던 다락원 패거리들이 홍천수를 알고 또한 달근이와는 송파에서 낯을 익혔는지라, 어느 편을 들고 나설 수는 없고 하여,

"깟 일로 서루 언성 높일 게 무에요. 그러지들 말구, 줄 것이 있으면 주고 받을 건 좋게 좋게 받으시우."

"여기서 법석거릴 일이 아니라, 시정아치의 얼굴두 있는데 주먹

다짐해서야 쓰겠수."
하면서 건 입들을 놀리는 것이니, 천수는 도저히 참을 수가 없었다. 달근이를 잡아 메어치려고 와락 멱살을 잡는데, 동작 빠른 것으로는 소싯적부터 한가락이 있던 달근인지라 손길을 탁탁 쳐내면서 뒤로 빠져나갔다.

"정말 얼려볼라구 이러는 거야."

"여러 말 말구 내 판돈 내놓아."

사람들이 자꾸만 몰려들게 되니 더욱 기승이 나는 것은 천수 쪽이고, 달근이는 어쨌든 저지른 짓이 있고 제 바닥도 아니어서 뒤가 차츰 허전해질밖에 없었다. 끼여들까 말까 주춤대며 섰던 석서방이 한 꾀를 내어 가운데로 끼여들며 고달근에게 말하였다.

"이것 보우. 내가 보아하니 노름 판돈 몇푼 가지구 이러는 모양인데, 저쪽으루 가서 상의를 해봅시다. 나는 밤섬 동자머리서 부비구 사는 사람이우."

달근이가 언뜻 보니 석서방이 볼품없어 보였으나 뒷전에 팔짱을 끼고 묵묵히 서 있는 얼굴 시커먼 사내의 눈자위가 불그레하여 자못 불량해 보였다. 어쨌든 토박이들께 당하는 수가 없겠다고 느낀 달근인지라 곧 응낙을 해버렸다.

"좋소, 그럽시다."

석서방은 길길이 뛰는 천수의 옆구리를 꾹 질러주고는 웃는 얼굴로 달근의 소매를 잡아끌었다. 그는 속으로는 이놈 한번 겪어보아라 하며 자못 공손하게 그를 데려갔다. 동자머리 너머 한적한 모래사장으로 그를 끌고 내려가던 석서방이 갑자기 딴죽을 걸어 고달근을 넘어뜨리려고 밀어붙였다. 그러나 고달근은 그런 낌새를 진작부터 알아채고 있어서 발을 슬쩍 빼면서 석서방의 목덜미를 휘감아 겨드랑이 아래 바짝 끼워버렸다. 달근이가 비수를 빼어 그의 목에다 겨누고 뒤따라 내려오던 천수와 대용에게 말하였다.

"순순히 말루 해라. 나두 남의 동네에 와서 인심 잃구 싶지는 않아."

"아니, 저 망할 자식 보아라!"

홍천수가 바로 달려들지는 못하고 석서방을 끌어안은 고달근의 주위를 빙글빙글 돌았고, 우대용은 역시 아무 말 없이 관망하고 서 있었다. 홍천수가 연신 어깨를 추스르며 말하였다.

"흥, 백날 붙잡구 있어봐라. 네가 밤섬을 빠져나갈 듯싶으냐. 이놈아, 호랑이 아가리에 대가리 디민 게야."

달근이가 주위를 도는 천수를 따라서 고개를 좌우로 돌리며 구슬리듯 말하였다.

"이것 봐, 까짓 노름판에서 결이 나면 사내자식이 그런 장난두 할 수 있지 않느냐. 순순히 돌려달라면 몰라두, 지금 내가 지니구 있지 않으니 네놈들이 무턱대구 행패부린다구 나올 돈이 아니다. 너 칠패에서 밥 먹는다며? 칠패라면 언젠가는 다락원에 나오지 않겠냐. 다락원에는 깔린 게 맨 우리 아이들이다. 내 지금 여기서 코피 한번 터져 보았자 강물에 세수하면 그뿐이야."

"그래, 코피가 터질지 골이 깨질지 한번 겪어보려무나."

홍천수가 두 팔을 휘저으며 달려드는데, 고달근은 껴안은 석서방을 슬쩍 비틀어 앞세우면서 칼끝으로 그의 목을 꾸욱 찔러주었다. 석서방이 다리를 버둥대며 죽는소리로 엄살을 부렸다.

"어이구, 나 죽네. 홍서방, 사화하구 돈 받아라. 제발 부, 부탁이다."

천수는 달려들지 못하고 다시 제자리에 서버렸다. 우대용이 슬슬 걸어나와 고달근에게로 나섰다.

"아…… 거기 서 있어."

"그 손 놓아. 내가 좋은 말루 타협을 붙일 테니 그 사람 놓아주오."

"얘기허우."

"긁어간 판돈을 돌려주겠수?"

"순순히 돌려달라면 강 건너 서강에 가서 주리다."

고달근이 시원스럽게 응낙하였으나, 홍천수는 아직도 우물쭈물 믿기지 않는지 연신 손을 마주 잡고 비벼댔다. 우대용이 씩 웃고 나서 다시 말하였다.

"개싸움에는 뜨거운 물이 제일이지만, 사내들 싸움에는 북을 치라구 했수. 이 사람이 아무래도 결이 삭지 않을 것이니, 둘이서만 한번 얼려보겠수? 우리는 구경이나 할 테요."

고달근이 저잣바닥의 싸움이라면 벌써 사추리가 불끈하는 성미인지라 우대용의 말을 대번에 알아들었다. 그는 자기도 힝하니 웃으며 옆구리에 끼고 있던 석서방을 앞으로 홱 밀어냈다. 석서방이 모래 위에 곤두박질을 하며 쓰러졌다. 대용이는 모래 위에 털썩 주저앉아서 어서 싸워보라는 시늉으로 두 사람을 지켜보았고, 홍천수는 예전에 훈련원이라도 다닌 한양 본바닥의 싸움패답게 두 손에 침을 뱉고 짚신을 벗어던졌다. 달근이가 그 누구에게 지려 하겠는가, 역시 안성 모가비답게 악착스런 몰골이 되어 상대방의 볼때기 살이라도 한 점 물어뜯을 양으로 이를 악물고 나서는 것이었다. 만일 두 사람이 논에서 물꼬 시비라도 벌이는 농사꾼이었다면, 아마 힘자랑이 위주가 되어 서로 허리를 붙들고 넘어뜨리려고 안간힘을 썼을 것이다. 그러나 달근이나 천수는 둘 다 대처의 장터에서 뼈가 굵은 자들이었다. 더구나 홍천수는 일찍이 주먹다짐뿐만 아니라 창칼을 휘두르고 활을 쏘는 훈련을 받은 사람이다. 비록 울긋불긋한 전복을 벗어던졌다고는 하나, 칠패에서 천수라면 밤에 사방등이 뜨고 순라꾼이 위세를 부리고 다닐 때도 그를 가로막을 자가 없었다. 포교들도 그는 예외로 다루었을 정도였다. 비록 죄를 지어 군문에서 내쫓겼다고는 하나 그는 벼슬아치들의 댁에 인사를 다니기도 하여 함부로 다룰 수는 없었던 것이다.

먼저 둘이서 노려보다가 천수가 현각허이(縣脚虛餌)라 하여 몸을 솟구쳐 두발당성을 뛰면서 발로 달근이의 면상을 차올리면서 달려들었다. 고달근이 그를 상대하지 않고 옆으로 슬쩍 비켜서니 천수는 제풀에 털썩 떨어지며 다시 자세를 바꾸었다. 달근이는 속으로 생각을 고쳐먹기를, 놈이 붙잡으려 한다면 살판질로 공중제비나 할까 하였으나 놈은 우선 제 면상을 터뜨리려고 주먹을 내두를 것이니 이리저리 피하면서 기운이나 빼주리라 작심했던 것이다. 홍천수가 복호(伏虎)에서 다시 중사평(中四平)으로 권을 뭉쳐서 창으로 곧추 찔러들어가듯 주먹을 들이대며 엄습해 들어가자 고달근은 주먹을 팔꿈치로 엇갈려 지나가게 하면서 옆으로 한 걸음 비켜났다. 천수가 그대로 돌아선 채로 작지(雀地)로써 사뿐 다리를 굽혔다가 튀어오르는 반동으로 허리를 비스듬히 꺾으며 뒷발질로 달근이의 배를 휘둘러 찼다. 달근이가 몸을 완전히 피하였는가 싶다가 역습을 미처 막지 못하고 헉 하면서 옆으로 넘어졌다. 천수는 틈을 주지 않고 몸을 날려서 달근이의 몸 위에 덮치는데 달근이가 밑에 깔렸다가는 천수의 양 주먹에 면상이 으깬 감자처럼 될 판이었다. 달근이는 등골이 시릴 정도로 조바심이 생겼으나 배를 호되게 얻어맞아서 숨을 돌리기가 힘이 들었다. 천수가 그의 몸 위에 덮칠 때 달근이는 얼른 손을 뻗쳐 천수의 고의춤에 질러 넣고 그것을 손아귀에 잡아넣는 데 성공하였다. 잡은 채로 힘을 주어 농부가 오이를 따듯이 비틀고 뽑으니, 홍천수는 입을 딱 벌리고 눈은 홉떠서 하늘을 올려다보며 두 손은 빳빳이 펴서 쳐들고 부들부들 떨었다. 달근이가 그런 틈을 잡아 홍천수를 제 몸 위에서 휘딱 밀어내고 일어났다. 천수는 무릎을 꿇고 제 것을 움켜쥐고는 말도 못 하고 아, 아아 하면서 한참이나 쥐어짜는 소리를 지를 뿐이었다. 석서방이 대용을 믿고서 격분하여 말하였다.

"이 쇠새끼야, 왈짜 싸움에 낭심을 쥐는 법이 어디 있냐."

달근이는 곰보 낯바닥을 일그리고 실실 웃고 서 있었다. 천수가 일어나서 제자리걸음으로 겅중겅중 뛰어 시큰하고 뻐근한 고통을 털어내는 시늉을 하였다.

"빨리 하자, 우물쭈물하면 아예 뽑아서 말뚝을 박을 테야. 산적구이루 유지에 싸두었다가 내년 이맘때 네 제사상에다 올려줄까."

우대용은 저도 웃음을 참지 못하고 빙글대기는 하면서도, 달근이란 놈의 꼬락서니가 몹시 얄미웠다. 아직 뜨거운 맛을 보지 못하고 낭심이나 훑어대는 것은 조무래기 소악패들이나 할 짓이지 싸움깨나 했다는 왈짜 무뢰배의 도리가 아닌 때문이었다. 몇번 겅중거린 홍천수는 상대방에게로 다시 몸을 돌렸다. 그는 달근의 싸움방법이 무지막지하다는 것을 그제야 깨닫고 가까이 접근하려 들질 않았다. 잡지 않고 떨어진 채로 한 번에 넘어뜨릴 생각인 천수는 발끝을 움칠움칠하면서 천천히 움직였고 달근이는 여전히 실실 웃으면서 그를 바라보았다. 홍천수가 멈추는 듯하자마자 발을 성큼 떼어 뛰면서 몸을 휘익 돌려서 왼쪽 다리를 들어 달근이의 목을 바라고 찼다. 돌려목차기로 대들었건만 달근이는 상체를 숙이면서 그의 등뒤로 빠져나갔으며, 이어서 연장된 동작으로 천수가 다시 순란부(順鸞腑) 자세로 오른발로 달근의 가슴팍을 올려찼다. 달근이가 잽싸게 허리를 꺾어 뒤로 재주를 넘는데, 천수가 워낙 분김에 잇달아 공격하여 달근이를 잡자고 하니 오화전신(五花纏身) 자세로 오른팔과 오른쪽 다리를 우회전하면서 짓쳐들어갔다. 달근이가 천수의 발에 걸리며 뒤로 주저앉는데 바야흐로 천수의 차돌 같은 정권에 면상이 옹기처럼 깨어질 판이었다. 달근이가 역시 아까처럼 순간적으로 모래를 한 움큼 집어서 천수의 안면에 뿌렸다. 천수가 헛손질하면서 눈을 비비는데 달근이는 재빨리 돌아나가 천수의 상투머리를 잡아젖히면서 한 팔로는 목을 껴안았다. 그러고는 앙칼지게 뒤로 홱 젖히니, 홍천수가 두 손을 허공에 내저으며 넘어졌고, 두 다리가 땅에 늘어진 천수는 뛰고 찰 겨를이 없었다. 달근이는 놓아주지도 않고 그와 함께 넘어져서 목덜미를 안은 채로, 쌈 싸먹을 제같이 입을 크게 벌리고 고갯짓을 두어 번 하면서 그대로 천수의 면상을 물어버렸다. 크게 벌어진 달근이의 이빨 사이에 천수의 귀와 볼때기가 한입에 낼름 물려 있었다. 천수가 뻗은 채로 두 다리를 덜덜덜 떨면서 아그그 소리가 처량한데, 달근이는 물었던 입을 떼고 화 숨을 크게 들이마시고는 다시 입을 벌려 고갯짓하고 나서 같은 자리를 또 물었다. 물고 가만있는 것이 아니라 질긴 힘줄 섞인 갈비라도 뜯듯이 좌우로 이그지그 흔들어대니 천수는 두 다리를 모래 속에 파묻어 헹가래를 치면서 비명만 내질렀다. 그때 보다 못한 우대용이 뒤로 다가들어 고달근의 뒷덜미를 움켜잡았다. 달근이가 천수를 문 채로 눈동자만 위로 홉뜨고 치켜다보는데, 우대용은 사정없이 주먹으로 달근이의 뒤통수를 내려쳤다.

"에구……"

고달근이 우선 상투 잡았던 손을 놓았고, 이어서 입을 헤벌리면서 홍천수의 얼굴에서 미끄러졌다. 달근이가 대용이의 주먹 한 방에 널브러졌는데 코에서 두 줄기 피가 스멀스멀 흘러내리고 있었다. 석서방이 달려가 역시 혼절한 천수를 흔드는데 온통 바지께가 흠뻑 젖었다. 하두 급하니 방뇨를 해버렸던 것이다. 우대용이 그 꼴을 보고 혀를 찼다. 천수 얼굴은 아예 흙빛이고 머루알만 한 땀방울이 이마에서 가슴팍까지 돋아나 있는데 귀때기가 반나마 찢어졌고 볼에는 바느질 자국처럼 호기치기 모양의 이빨 자국이 찍혀 살이 들떠 있었다. 석서방이 늘어진 달근이의 배를 힘껏 짓밟았는데 달근이는 꿈틀하고는 그대로 죽은 듯하였다. 석서방이 당황하여 우대용에게 말하였다.

“성님, 이놈이 밥숟갈 놓은 모양이우.”

대용은 여전히 혀를 찼다.

“역시 대처놈들이 악착스럽군.”

우대용이 고달근의 머리통을 쳐들며 석서방에게 말하였다.

“거 다리 좀 맞들지.”

“뭐 하시게……?”

“물에다 던지면 정신이 좀 들겠지. 정신이 들어서 폴짝거리거나 이빨을 드러내구 날뛰면 아예 모가지를 비틀어버리기루 하구……”

석서방이 달근이의 늘어진 다리를 들어올리면서 투덜댔다.

“뭘 처먹었는지 드럽게 무겁네!”

그들은 강변에 서서 마주 쳐들고 하나아 두울 좌우로 추스르다가 물속으로 냅다 던져버렸다. 달근이는 네 활개를 펴고 무릎쯤에나 닿을 만한 강의 가녘에 궁둥방아를 찧었다. 물보라가 높이 일어나며 달근이가 물속에 배를 잠근 채 앉아서 두 손을 내저었다. 그는 만취한 자가 그러듯이 머리를 좌우로 호되게 흔들고 손에 물을 움켜쥐어 낯을 씻었다. 정신이 드는 모양이었다.

"자, 작당해서 패기냐?"

정신이 들어 해대는 소리가 고작 그런 말이라, 지켜보던 우대용은 달근이가 제법 독기는 끈질긴 놈이라 여겼다. 대용이가 아무렇지도 않게 말하였다.

"아예 귀가 떨어지는 것 같아서, 사람 병신 될 것 같길래 내가 말렸수."

"이놈아, 너 사람 팼지?"

놈자를 붙이는 달근이에게 대용은 끝내 공손히 빈정거렸다.

"글쎄, 말리느라구 알밤 한 대 드렸는데 주무시니 낸들 어찌허우."

고달근은 비칠거리며 물에서 나왔다. 패랭이 꼭지는 진작에 부러지고 옷은 몽땅 젖어 행색이 광통교 밑의 깍정이 같았다. 달근이는 이미 상대편 시커먼 사나이의 위인을 짐작했는지라, 더이상 타시락대려고 하질 않았다. 뒤늦게 천수도 정신을 가다듬었으나 안면이 삽시간에 부어오르기 시작하여 이빨 자국이 찍힌 볼은 팽팽해졌고 오른쪽 눈자위도 둥글게 부풀었다. 마치 고질 치통에 턱 비뚤어진 사람 꼴이었다. 고통 때문에 주위에 신경쓸 겨를이 없을 텐데 강변에서 있는 달근이를 향하여 손가락질을 하면서 중얼거렸다.

"저 가이새끼를…… 때려잡지 않구 뭘 하는 게여."

달근이는 아무래도 불리하다 싶었는지 슬금슬금 모래사장을 모로 걷는데, 우대용이 어깨를 턱 잡았다.

"어디 가우?"

"맞상대가 다 끝났으니 강 건널라우."

"주고 가셔야지. 삼십 냥……"

달근이는 잠깐 우대용을 아래위로 훑어보다가 응낙하였다.

"그럽시다. 서강에 건너가서 동행에게 받아주겠수."

석서방이 홍천수를 데리고 왔는데, 달근이가 마음을 놓지 못하고 연신 돌아다보았다. 홍천수는 볼거리가 맹꽁이 배처럼 부어올랐어도 못내 부당했던 싸움이 분한 모양이었다.

"여하튼 경강은 내 바닥이다. 돈 받구 나서 어디 두구 보자."

고달근이 걸음을 멈추며 버티었다.

"안 갈 테유. 저 자식이 자꾸 사람을 핍박하니 내가 여기서 몰매를 맞는 게 낫겠수."

우대용이 달근이의 어깨를 잡아 은근히 손아귀에 힘을 주어 꾸욱 눌렀다. 달근이는 무릎과 삭신에 기운이 빠져서 자지러졌다.

"이…… 이거 놓구 말하슈."

"내게는 암수가 안 통하우. 쥐새끼가 쇠발굽을 백날 물어봤자, 한 번 쿵 내디디면 찍 하는 게요."

대용이 달근이를 눌러놓느라고 슬쩍 눙치면서 잡았던 그의 어깻죽지를 놓아주었는데, 달근은 벌써 어깨가 뻐근하고 견골이 삐었는지 도통 오른팔을 쳐들 수조차 없었다. 과연 좀처럼 맞설 수 없는 상대였다.

"우리집에 가서 된장이라두 붙이구 가자."

석서방은 홍천수가 염려되었는지 그렇게 제안을 하였고, 천수도 그 꼴로는 아직 벌건 저자로 나가기가 난처한 모양이었다. 그러나 그는 우대용을 신용할 수가 없었다. 그런 눈치를 알아챈 석서방이,

"이 사람아, 우리 도사공 성님이 없었으면 자네 귀는 모래밭에서 싹낼 뻔했어. 귀나무가 자랄 걸 한주먹에 구해냈지. 성님께 저 자식 맡기구 우리집에서 좀 누웠다 가지."

"저놈을 놓치면 안 되는데…… 동막으루 끌구 가서 화초방에다

처넣구 주발 뚜껑을 태워야 할 텐데."
주고받는데, 우대용은 귀찮은 생각이 들어서 부탁한 일만 없다면 이런 대처 소악패들의 싸움에 참견하고 싶지가 않았다.
"자네가 강주인 문건두 해결해야겠으니, 우리가 배 띄워 강화 나가기 전까지는 한식구 아닌가."
하는 석서방의 말에 홍천수도 딴은 그렇다는 생각이 들어서 순순히 그를 따라 갈라섰다. 천수가 우대용에게 처음 인사할 때보다는 훨씬 기가 죽은 공손한 태도로 말하였다.
"도사공께서 꼭 돈을 받아다 주시우. 그리구 그놈 놓아보내지 말구 다시 끌구 와야 합니다. 우리 동무들이 벼르고 있으니까."
우대용은 건성으로 고개를 끄덕였다. 벼슬을 뜯긴 쌈닭처럼 목이 죽 빠진 홍천수가 석서방네 집으로 돌아갔고, 대용과 달근이는 다시 동자머리로 나왔다.
"아이구, 이거 웬일일까. 팔이 쑤셔서 움직일 수가 없네."
달근이가 제 어깨를 주무르고 걸으면서 고개를 갸웃거렸다. 그는 대용에게 약은 눈을 굴리면서 눈치를 보았다.
"어떻게…… 저놈들과 댁은 별루 친분이 깊은 듯하지 않네요."
우대용이 그를 힐끗 쳐다보았다.
"나는 원래가 경강 사공이 아니외다. 장사차 올라왔수."
"그럼 마음을 놓았습니다."
대용은 픽 웃었다.
"여보, 식은소리 하지 마우. 사내가 약속은 지켜야지. 내가 아무리 달갑지 않더라도 저 자들과 언약을 하였으니 노름 판돈은 꼭 받아야겠는걸."
"예예! 아, 물론입지요. 서강 건너가서 드린다니까요. 이거, 오랜만에 아랫강 내려왔다가 망신이우."

대용이가 말이 없으니 고달근도 한참이나 말이 없다가,

"실은 나두 경강 장사치와는 인연이 먼 사람이우."

하면서 대용을 살폈고, 그는 못마땅하게 입맛을 다셨다.

"경강이든 송도든, 하여간에 저자 소악패는 팔 걷구 나서서 비틀던 사람이니 자꾸 말시키지 말우."

우대용이 네 따위 조무래기 시장 건달과는 상대 않겠다며 아주 욕을 보이는 말을 하니, 달근이도 조심성 없이 제 정체를 드러내버리고 말게 되었다.

"여보, 사람 우습게 보지 마우. 나 솔부리 있는 사람이우."

그러나 우대용은 솔부리인지 솔방울인지 개코도 관심이 없는지라 한귀로 듣고 흘려버리는 것이었다. 고달근과 황회가 아랫강에 내려온 것은 장물 때문이었다. 물론 송파에서 묘옥을 시켜 처분할 수도 있었으나, 솔부리의 주인인 복만이의 귀와 눈을 속이기가 어려웠던 것이다. 정원태는 암자를 떠나 양주에 나가 있었는데 신도가 나날이 늘어나고 있었다. 달근이와 황회는 먼저 시동이를 보내어 서강의 장물아치를 알아보게 하였고, 전갈이 오자마자 물건을 작은 배에 싣고 내려왔다. 물건은 대개가 귀금속 방물류인지라 한양 성내의 세도가에나 먹일 수 있었으니, 처분하고 수금이 끝나려면 넉넉잡고 한 달포는 바라보아야 했던 것이다. 대개 화물을 적재한 해상선이 아랫강에 정박하고 화물주가 전부터 지정한 객줏집을 찾아가 판매를 위탁하고, 객주는 물품을 창고에 반입하는 것이다. 그리고 성내 전도가(廛都家)로 통지하고 물건이 매진될 때까지 화물주를 유숙시키는 것이었다.

그러니, 난전 먹이는 자들은 전도가에 통고 없이 직접 물건을 떼어다 소비자들에게 먹이는 것이었다. 여하튼 서너 달에서 길면 반년 가까이도 걸리는 것이 여각 객주의 장사이고 보면, 물주가 반 경강 사람이 되어버리는 것도 당연한 일이었다. 달근이와 황회는 며칠 동안은 서강 장물아치의 주막에서 뒹굴고 있었으나 드디어 좀이 쑤셔서 동막의 노름방을 찾아갔던 것이다. 일을 저지른 것은 고달근이었으나, 황회는 못내 께름칙하여 달근이에게 자꾸만 잔소리를 하였다. 달근이가 밤섬에 건너갔던 것은 묵어 있던 주막 이웃집의 칠패 중도아들 중에 양주서 낯익힌 자들이, 중간 거래하는 구경이나 하고 바람도 쏘일 겸 잉어회로 술이나 한잔씩 걸치고 오자는 그럴듯한 제의 때문이었다. 이제 달근이는 먹인 물건의 제값을 받고 경강 근역을 떠나기 전까지는 아무런 소동에도 말려들지 말아야 했다. 그는 고분고분 판돈을 돌려주기로 아까부터 마음을 먹고 있었으나, 이 호락호락하지 않은 시커먼 사내가 얕잡아보는 것이 마음에 걸려서 배겨날 수가 없었다.

"솔부리가 어떤 덴지 소문두 못 들었수?"

우대용이 대수롭지 않게 픽 웃으며 되물었다.

"거 보아하니 외입장들과 창기년들이 무더기로 붙어 돌아가는 동네인 모양이우."

고달근이 그 말에는 기분이 몹시 상하였다.

"아직 귀딱지가 덜 떨어졌군. 여보, 남이 일러주어 모르면 물을 것이지 외입장이란 다 무어요."

대저 주먹깨나 흔들 줄 안다는 자들에게 가장 심한 욕이 있으니, 외입장이라는 말이었다. 달근이가 비록 사당년들의 모가비 노릇은 하였으되, 스스로는 협객이라 자처하는 판에 어디서 보도 듣도 못한 벽지 촌놈이 손아귀심깨나 있다고 사람을 아예 낮춰보는 것이 아닌

가. 달근이가 눈을 부릅뜨고 말하였다.

"여보, 똑똑히 알아두시우. 솔부리는 적굴이야. 경강 어름에서 떴다 하면 팔도의 장사치들이 몸서리를 친단 말이우."

대용이는 그를 찬찬히 들여다보다가 고개를 끄덕였다.

"참, 도적치고는 쓸개가 빠진 작자로군. 입이 잰 꼴을 보니 댁네도 명이 길지 못하겠어. 내가 비록 장사는 다닐망정 관가에 연줄도 없고 또한 본시 뱀같이 싫어하길래 망정이지, 한 번쯤 포교에게 입을 놀리면 어떻게 하려구 함부루 발설하구 방정을 떠는 게요?"

달근이가 그의 말을 듣고 보니 딴은 옳은 말이어서 입을 다물고 있었다. 두 사람이 동자머리에서 배를 타고 강을 건너는데 대용은 거룻배의 덕판에 버티고 앉았고 달근이는 창막이 판자에 걸터앉았다. 배가 이물부터 뭍으로 닿을 것이니 대용이가 앞을 가로막은 셈이라 달근이는 은근히 애가 달았다. 어떻게 해서든지 고달근은 이 시커먼 사내를 떼어놓아야 하였다. 우선 황회는 고사하고 시동이에게도 체면이 서지 않을 노릇이었다. 또한 서강 장물아치 모신(毛信)이가 알면 다시는 거래하는 데 뻣뻣하게 나갈 수도 없을 것이었다. 배가 닿자 대용은 다시 배에서 내려 팔짱을 끼고 서서 달근이 내릴 때까지 기다렸다. 달근이 앞장을 서자 한발짝 뒤에서 우대용이 바짝 따라붙었다. 군데군데 서강 부자들의 기와집이 늘어서고, 객주며 주막이 드문드문한 곳에 이르러 고달근은 드디어 우대용의 소매를 잡고 사정해보았다.

"저…… 이렇게 하십시다. 바로 저 집이 내가 묵어 있는 주막인데 동무들의 눈도 있고 체면이 말이 아니니 잠깐 여기 서서 기다리시우. 내가 삼십 냥을 곧 챙겨가지고 나오리다."

"안 되겠수. 나는 길눈이 어두워서 시방 왔던 길두 어디가 어딘지 모르겠는걸. 공연히 사정 봐주다가 댁네가 내빼버리면 삼십 냥을 내가 물어내란 말이우?"
고달근이 혀를 찼다.
"허허, 벽창호로군. 여보, 이 꼴을 좀 보우. 옷은 다 젖었지, 패랭이는 망가졌지, 누가 봐두 싸운 몰골인데 댁이 날 싸구 졸졸 따라다녀 보우. 둘 다 망신이여."
"일없다니까……"
우대용이 딱 자른 말에 고달근은 연방 속으로 중얼중얼 갖은 욕을 다 씹어대면서 주막으로 앞서서 들어갔다. 달근이가 중노미에게 술을 시키고 혼자 일어서니 우대용이 따라서 일어났다.
"어디루 가우?"
"헛, 나 참!"
"서투른 짓 하지 말어."
"시방 저 안채 우리 방에 가서 돈 가져올라구 그러우."
우대용은 잠자코 그의 뒤를 따라갔고, 주막 술청을 지나 안마당으로 들어갔다. 마침 시동이와 황회는 저녁을 먹는 중이었다. 황회가 수저를 놓고 말하였다.
"아니, 어딜 쏘다니다 이제 오냐."
하다가 그는 달근이의 옷 버린 꼬락서니와 그 뒤에 따라 들어온 시커먼 상판대기를 보고는 슬그머니 밥상에서 물러나며 일어섰다. 달근이가 황회를 부추기느라고 눈을 꿈벅이며 말하였다.
"동막에서 노름 판돈 받으러 왔다네. 삼십 냥 내어주어."
황회가 넌지시 시동이를 불렀다.
"시동아……"
시동이도 이미 수저를 놓고 있었으므로 신을 꿰고 슬금슬금 술청으로 나가는 문 쪽으로 걸어갔다.

"잠깐……"

대용이 시동이의 팔을 꽉 움켜쥐자 역시 쪽을 못 쓰고 주저앉는다.

"아마 샛문 닫으러 가는 모양인데, 나 달아날 사람 아니니다."

하고 나서 우대용이 손가락으로 황회와 고달근을 똑바로 가리키며 나직하게 을러대었다.

"미리 말해두는데, 번거롭게 굴면 그냥 안 둔다. 너희들 솔부린지 솔방울인지의 도적놈들이라니 계집년들같이 한 입에 두 마디 하지 않겠지."

"뭐…… 소, 솔부리?"

황회가 놀라서 큰 눈을 더욱 크게 뜨고서 고달근과 우대용을 번갈아 바라보았다. 우대용이 말하였다.

"내가 아느냐, 느이 짝패가 그리 말하길래 그런 줄이나 알지. 자, 어서 돈 내주어. 어물거리고 싶지 않으니까……"

황회가 껄껄 웃더니 마루에서 슬그머니 내려섰다. 시동이는 팔을 붙잡고 상을 잔뜩 찡그리고 섰다가 슬슬 나뭇짐 곁에 다가들어 굵직한 몽둥이 하나를 집어들었다. 달근이도 제 패거리가 아예 박살을 내려는 눈치를 채고서 품안의 비수를 움켜쥐고 황회의 행동만을 기다렸다. 우대용이 그런 낌새를 모를 리가 없어서 재빨리 앞뒤 사방을 둘러보고 말하였다.

"번거롭게 굴지 말렷다. 나는 싸움 좋아하는 사람이 아니여. 까짓 노름 판돈 몇냥에 피보구 싶지 않다."

황회가 허리끈을 질끈 동였다.

"우리하구 똑같은 사람일세. 같은 사람들끼리 인사나 트자는 것이지…… 피까지 볼 수야 있나."

시동이가 먼저 겁도 없이 우대용의 뒤통수를 바라고 몽둥이를 내려치며 으악 소리 호기 있게 내지르면서 등뒤로 달려드는데, 우대용은 재빨리 옆으로 피하여 한달음에 마루로 성큼 뛰어올라갔다. 황회가 기운 믿고서 맨손으로 달려드는 것을 발을 쳐들어 정강이께를 힘껏 내차니 총 맞은 토끼마냥 폴싹 주저앉았다가 얼결에 마당 아래로 굴러떨어지는 것이었다.

달근이는 이미 뜨거운 맛을 보았는지라 칼을 빼들고 연신 마당에서 서성거릴 뿐이었다. 시동이가 몽둥이를 휘두르며 마루로 뛰어올라갈 때, 대용이는 그 몽둥이를 어깨로 턱 받았다. 보통 사람 같았으면 견골이 빠개져서 주저앉았겠으나, 대용은 전혀 데시근하게 보이지도 않으며 그대로 손을 뻗쳐 시동이의 손목을 꽉 움켜잡았다. 움켜잡고는 그대로 앞으로 주욱 당겨서 고권을 뭉쳐서 명치끝을 쿵 내지르니 대번에 낯바닥이 새하얗게 질리고 입술을 부들부들 떨면서 마루 아래 늘어졌다.

"내…… 맨주먹 가지고 때려잡겠으나, 우물거릴 틈이 없어서 두어 번 휘두르고 가련다."

우대용이 몽둥이까지 쥐고 마루에서 내려서니 고달근은 벌써 시동이가 당하는 꼴을 보았는지라, 칼을 내버리고 어마 뜨거라, 하며 샛문 밖으로 달아나고 황회는 저도 몽둥잇감을 찾느라고 나뭇짐 앞에 달려갔다.

"그래, 누가 박살이 나는가 보자꾸나."

황회가 몽둥이를 들고 달려드는데, 대용은 마루 위의 밥상을 그대로 발길로 내질러버렸다. 황회의 면상에 쏟아진 밥상에서 국물과 밥알이 주르르 흘러내렸고, 주춤하는 사이에 대용의 몽둥이가 휘익 날아서 황회의 아랫도리를 후려갈겼다. 싸움에 법식이 따로 없어 우대용으로 말하자면 대소 수십 전을 겪었으니 척 보아서 이미 싸움판의 끝장을 알아보는 것이었다. 에구구 하면서 넘어진 황회가 고개를 번쩍 쳐들고 우대용의 안색부터 살폈으나, 대용은 이미 몽둥이를 마당에 내던진 뒤였다. 그는 쓰러져서 신음하는 황회를 본 체도 않고 우선 그들이 묵고 있는 방문을 차고 들어가 엽전 세 꿰미를 내어걸린 옷을 끌러내리고 둘둘 감았다. 그가 마당으로 내려서면서 말하였다.

"삼십 냥 갖구 간다. 나는 너희들과 아무 원한이 없고 판돈을 찾아다 준다구 약속하여 지키는 것이니, 포한 갖지 말어라."

우대용은 마당으로 지나가려다가 널브러진 황회 앞에 허리를 굽히고 들여다보았다.

"더운 물 찜질이나 하구 한 보름 누워 있거라. 기골이 있으니 대번 낫겠지."

하고는 휘적휘적 샛문께로 나갔다. 명색이 주막을 내고 서강에서 은밀히 장물아치를 하는 집이니, 조무래기 소악패들이 밥붙이로 붙어있게 마련이라, 고달근은 아예 황회가 고택골로 가는 줄 알고 나가서 외출하였던 모신이와 그 떨거지 식구들 중에 눈에 뜨이는 서넛을 데리고 술청으로 들어서는 중이었다. 우대용은 돈뭉치를 싸들고 나오다가 그들과 부딪치고는 입맛을 다셨다.

"비켜라."

그러나 모신이는 역시 직업이 직업인지라 정중하고 조심스럽게 물었다.

"저는 서강 바닥에서 토박이로 살아온 술장수 모신이라구 합니다. 어디서 오신 뉘시온지요?"

우대용이 그들을 한참 노려보다가 역시 점잖게 말하는 것이었다.

"뭐…… 이름자를 남길 것두 없는 사람이우. 내 동무들이 동막에서 노름 판돈을 강탈당하여 찾아달라길래 받으러 왔소이다. 그냥 순순히 주었으면 개평 술이라두 걸치구 가려던 참이었소. 헌데 귀찮게 굴기에 잠깐 소란을 피웠소이다."

모신이 풍채 좋은 수염을 쓸어내리며 고개를 끄덕였다.

"아, 그런 사유가 있었구먼요. 그렇다면…… 여기 고서방이나 댁이나 모두 우리집 손님인데 술이나 한잔 하구 가시지요."

"내가 그럴 틈이 없소이다. 시방 숙소가 밤섬에 있는데 기다리구들 있소."

"이놈아, 네가 뭔데 인사치레도 무시하구 그리 뻗대느냐."

모신의 곁에 섰던 자가 입을 일그리고 험상궂게 내뱉었고, 우대용은 대꾸 없이 공손하게 허리를 굽혔다.

"예…… 강화 춘득 선단에 도사공으루 있는 우가올시다."

모신이가 끄덕였다.

"음, 선인이시구먼. 아, 그렇다면 앞으로 우리허구두 안면이 생길 텐데, 이거 인사가 늦었습니다. 좀 앉으시지요."

하여, 우대용은 하는 수 없이 돈뭉치를 놓고 술청 마루에 걸터앉았다.

"거기두 앉지."

하면서 우대용이 고달근의 손목을 잡아 우악스레 끌어앉혔다. 달근이는 피하지 못하고 곁에 앉았는데 못내 겸연쩍은 얼굴이었다.

"저 안에 두 사람이 조금 다쳤으니 살펴보아주시우."

모신이가 제 사람들을 눈짓하여 물리치고, 우대용, 고달근과 함께 셋이 둘러앉았다.

"전엔 어디 계셨습니까? 내가 춘득이 성님과는 동막에서 한 오 년 함께 컸지요."

"어…… 나는 해주 임유학 아래 있었소이다."

모신이 고개를 기웃이 하고서 한참 생각하다가 제 무릎을 탁 쳤다.

"해주 임유학네가 그때 모두 패가하구 말았지요. 지금은 신복동인가 하는 이가 선상단을 운행하구 있는 모양인데. 혹시…… 옥에 갇혔던 분 아니시우?"

우대용은 속이 뜨끔하였다. 과연 모신은 서강에서 굴러먹은 자라 선상에 관한 것을 소상히 알고 있었다.

"해주 임유학네 하니까 이제 우서방에 관하여 뭐 좀…… 들은 것이 생각나는군요."

우대용은 빙그레 웃으며 아무 말이 없고, 고달근이 말하였다.

"그럼 그렇겠지. 내 보아허니 그저 범상한 이가 아니더라니까."

대용은 그 말에 눈을 치뜨고 흘겨보다가,

"언젠가 임자 만나 혼찌검이 나야 정신을 차리겠구먼."

하였고, 모신은 일어나서 손수 청주를 걸러서 내왔다.

"우리 이렇게 알게 된 것두 강상의 의리이니 서루 돈독히 사귀어 봅시다. 고서방은 일부러 광주서 왔지마는, 우서방은 도사공 직임을 가졌으니 이제는 경강이 본바닥이구려. 경강서 이 모신이를 모르고서야 어찌 서운해서 되겠수."

그러나 우대용은 대처의 장물아치 와주 따위와 기분이 맞지 않았으므로 사양을 하며 일어섰다.

"나두 남의 부탁으로 여기 왔는지라 가봐야겠소이다. 가두 되겠수?"

"아따 참, 누가 막는답디까. 이런 판에서야 밥 먹구 손질 좀 하는 것두 보양이 되는 일인데…… 그런데 누가 부탁을 합디까?"

우대용이 주저하다가 말해버렸다.

"홍천수라는 사람이우."

하자마자 모신은 껄껄 웃어젖혔다.

"내 그럴 줄 알았다. 천수는 우리 아우뻘 되는 사람이우. 나허구는 친동기간이나 다름없소. 우리 이렇게 된 김에 여기 천수까지 데려다 놓고 한잔 먹읍시다."

우대용이 돈뭉치 쌌던 옷가지를 풀어 고달근에게 내밀며 일어났다.

"이거 당신 옷이지? 틀림없이 삼십 냥만 가져가니 잘 보아두오."

"그냥 가시기요……"

고달근이 가장 서운한 듯 말했다. 우대용이 달근의 그런 양을 내려다보며 피식 웃음을 머금었다.

"그냥 안 가면 당신 다리몽갱이라두 분질러주구 갈까?"

"허, 망신일세. 부러진 팔십에 이런 창피할 데가 있나. 여보, 정말 송파장은 아예 안 보실라우?"

달근이도 은근히 아니꼬워서 이죽거렸으나, 우대용이 말하였다.

"글쎄 광주에도 볼일이 생기면 갈 거요. 왜, 날 벼르시나?"

"아니, 뭐 안면이 생겨서 인사나 차리려구 그러지."

우대용이 문 앞에서 대꾸하였다.

"우리는 노름 따위는 하지 않으니 판돈 긁을 생각일랑 마우. 나루터에서 만나면 다시 물이나 먹여드리지. 실례가 많았소이다."

대용이 모신을 향하여 꾸뻑해 보이고 주막집을 나서는데, 아까부터 작대기 들고 기다리던 모신의 밥붙이들이 수작하는 꼴을 듣고 저희끼리 분심이 일어나 뒤를 노리고 있었다. 주막집 문지방을 나서자마자,

"이놈, 죽어봐라!"

하면서 두 놈이 작대기를 후리며 좌우에서 달려들었다. 대용이 슬쩍 다리를 굽혀 주저앉으며 갖고 있던 엽전꿰미를 휘둘러 추(錐)를 날리듯이 때리니, 한 놈은 이마에 맞아 얼굴을 싸쥐었고 다른 하나는 팔뚝에 맞아서 자지러지며 몽둥이를 떨어뜨렸다. 그런데 노끈이 끊어져서 꿰었던 엽전꿰미가 산지사방으로 좍 흩어져버리니 우대용은 줍지도 못하고 이리저리 둘러볼 뿐이었다. 모신이 쫓아나왔다.

"어이구, 우리 아이들이 늘 하던 대루 장난을 한 모양이우. 애들아, 일어나서 돈 수습해드려라."

그들은 엉기적대며 땅 위에 흐트러진 엽전을 주워모아 열 냥을 맞추어 꿰미에 꿰었으며 우대용은 무뚝뚝하게 내려다보았다.

"춘득이 성님이 과연 인덕이 있으시오. 이런 도사공을 만났으니 장사는 더욱 불 일어나듯 할 게요."

모신이 대용에게로 가까이 다가서서 또 한마디 덧붙였다.

"앞으로 내놓고 처분하기 곤란한 물건이나, 당화가 들어오면 내게 맡기시우. 거뜬히 팔아드리리다. 그리구 난처한 일이 생기면 천수를 통하여 알려주시오. 힘 닿는 대루 도와주겠소."

우대용도 모신의 자기에 대한 호의가 진정임을 느끼고는 마음이 풀어져서 공손하게 대꾸하였다.

"실은…… 홍천수와도 오늘 초면 인사를 나누었을 뿐이외다. 경강 사정이 어두우니 앞으루 많이 부탁하겠수. 그나저나 만부득이 남의 집에 와서 소란을 부려서 죄송허우."

"뭘, 늘 있는 일인지라, 여기는 포교들도 으레 그러려니 하고 싸움이 일어나두 모른 척하는 판이외다. 여기는 내 살림집도 아니고, 사나이들 거처에 발고랑내와 주먹다짐은 결승 고의에 이 끓듯 당연한 게 아니우."

과연 경강 와주답게 호기 있게 웃어대며 우대용의 등을 툭툭 두드리는데, 대용이도 별로 불쾌한 마음이 없었다. 그가 돈을 수습하여 강변으로 내려간 뒤에 모신은 술청 안으로 들어서며 혼자 중얼거렸다.

"경강살이 반평생에 시원스런 놈을 봤네."

"그놈을 그냥 뻣뻣이 걸어가게 두다니요. 주발 뚜껑을 태우는 것은 고사하고 똥장군이라두 먹여야지요."

마빡을 얻어맞아 터진 상처를 수건으로 연신 찍어누르고 섰던 모신네 곁꾼이 말하였다. 그러나 모신은 눈을 가늘게 뜨고 그를 한참이나 노려보다가 하는 수 없다는 듯이 혀를 찼다.

"네가 오늘 운이 좋았다. 해주 우대용이라면 예성, 임진 양강 사공은 물론이요, 강화 주상들간에도 작살 하나루 용을 꿰인다는 소문이 자자했던 사람이여. 아마 경을 쳐서 어딘가 숨어 있는 줄 알았더니 그래도 내가 명색이 왈짜 밥을 먹는다고 자기를 밝혔고나. 발설하지 말구 앞으루 찾아오는 일이 있거든, 네 삼촌을 만난 듯이 깍듯하게 모셔라."

모신이 그렇게 얘기하는 데에는 어떤 제 나름의 깊은 생각이 있어서였다. 대저 경친 놈이 범상한 세상살이는 할 수 없는 법이었고, 따라서 우대용이 같은 자는 지금은 도사공으로 죽은 듯 엎드려 있지마는 언젠가는 다시 경을 치고 세상을 아예 등지게 될밖에 없었다. 그러고 보면, 자기 같은 자가 그와 거래하게 될 것은 뻔한 이치였다. 만약에 우대용이 공연히 건들대는 조무래기 소악패였더라면 모신은 가차없이 스스로 나서서 그를 망구에 옭았을 것이다. 망구에 옭아놓고 발가벗긴 뒤에 땅바닥에 주발 뚜껑 두 개를 엎어놓고, 허공에서 헹가래를 쳐서 뚜껑 위에다 동댕이를 칠작시면 그놈의 허리는 의금부 낭청의 쇠좆매처럼 늘어져 흐느적거릴 것이었다. 그러고 나서 똥장군에서 국물만 떠서 목구멍으로 넘긴 뒤에 나룻배에 실어다 버리는 것이었다. 고달근은 모신의 그런 속마음을 잘 알고 있었으므로 겉으로 내색하지는 않았으나 간이 부대껴서 견딜 수가 없었다.

8

초승달이 희부옇게 떠 있었으나, 강상에는 안개가 자욱이 깔리고 있었다. 작은 거룻배 한 척이 서강을 건너서 밤섬 동자머리로 다가들고 있었는데, 동자머리에 대어진 수많은 배들 사이로 짐을 실은 대용이네 중선이 헤치고 나왔다. 다가온 거룻배가 등불빛이 좌우로 흔들거리는 것을 보고, 중선 옆에다 바싹 대었다.

"신 바꾸러 왔수?"

뱃전에서 사공 하나가 기웃이 내려다보며 말하였고, 거룻배에 타고온 홍천수가 대꾸하였다.

"예, 갓바치 여기 있소?"

"어서 타슈."

하여서 천수는 제가 데려온 자를 배에 오르도록 하였다. 중선에는 사공 네댓 명이 기다리고 있었다. 천수가 뜸 속을 들춰보면서 물었다.

"이게 물건이우?"

"앞의 것이 조기요, 뒷것은 소금입니다."

"도사공과 대두는 먼저 갔소?"

"예, 저녁밥을 먹고는 곧장 한강진으루 떠났습니다."

"잘되었군."

중선에 있던 춘득이 선단의 사공들은 모두 내리고, 천수와 동막의 왈짜 패거리들만 남았다.

"어, 오랜만에 배를 부려보는군."

"나는 초저녁잠이 많아. 한숨 잘 테니까 닿으면 깨우게."

천수는 비린내가 물씬 풍기는 뜸 속에 들어가 위에 덮인 거적 위에 드러누웠다. 중선은 가운데에 물건 신는 뜸 지붕이 있고, 이물대 고물대의 쌍돛대가 달린 만장이배였다. 사공들은 용총줄을 당겨서 돛을 올리고 아딧줄과 모릿줄을 거머쥐어 바람을 잡았다. 뒤에 앉은 자가 키와 고물대를 맡고 앞에서 이물대를 맡았는데, 배는 옆으로 비뚤어진 채 슬금슬금 움직이다가 방향을 잡아 동막 쪽으로 사선을 그으면서 미끄러져갔다. 강 복판은 흐름이 거세어 역류를 타게 되니 경사가 완만한 쪽의 강변을 따라서 오르다가 바람을 잡아 다시 사선을 그으며 삼개를 돌아나갈 모양이었다. 안개가 자욱하여 이물대에 매달아놓은 수박등의 불빛도 침침하여 뱃전 가녘의 물밖에는 전방에 보이는 것이 없었다.

배는 동막을 지나고 용산 삼개를 감돌아 노량나루로 접어들어 다시 사선으로 가녘을 타고 올라갔다. 동작나루에서 서빙고를 바라보게 되니 여기서부터는 윗강 구역인 셈이었다. 강주인이 투식한 물품을 한강진에서 사겠다는 것은 이렇게 구역도 다를 뿐 아니라 윗강 물건의 취급하는 내역이 다르니 막바로 거래하여 투식 물품의 깨끗지 못한 뒤처리도 해두려는 생각이었던 것이다. 드디어 배가 한강진에 이르러 약속대로 천수는 깨어 일어나 한강진 나루터로 들어가지 않고 강변을 오르면서 수박등을 좌우로 크게 천천히 휘두르기 시작하였다. 그러나 불빛 한번 휘둘러 답해주는 곳이 없었다.

"거…… 이상한걸. 주인놈이 혹시 무슨 낌새를 채었나?"

천수가 마음이 초조하여 패거리에게 말하였다.

“지금 여기가 분명히 한강진이지?”

“그래, 조금 더 올라가면 두모포야.”

“허, 배를 다시 돌릴까?”

“천상 두모포까지는 가야 반대 바람을 잡아 감돌아나오게 될걸.”

천수는 다시 수박등을 열심히 휘저었다.

“저기 불빛이 보인다!”

이물대 아래 있던 자가 천수에게 불빛이 보이는 곳을 알려주었다. 지척을 알 수 없는 어둠 가운데서 두 점의 불빛이 원을 그리며 돌고 있었으며 키를 돌려 방향을 잡고는 이물대의 돛을 내리고 고물대의 돛도 반쯤 내렸다. 배가 서서히 강안으로 다가갔고 뭍에 가까워지자 돛을 완전히 내리고 닻을 던지는데 두 발이나 들어가니 가녘인데도 제법 깊은 모양이었다. 횃불을 밝혀든 자가 물가로 내려와 배에다 소리쳤다.

“바람발이 좋습디까?”

“바람은 좋은데 너무 훤하우.”

하고 나서 천수가 약속대로 수박등을 물에다 던져버렸다. 이어서 육지의 이곳 저곳에서 불이 켜지고 아무 말썽이 없음을 알게 된 강주인이 곁꾼들을 데리고 물가로 나왔다. 밑이 편편하고 기다란 거룻배가 떴는데, 덕판에 횃대가 꽂혀 있었고, 양쪽에 삿대잡이가 나란히 서서 부지런히 배를 끌어나오는 것이었다. 천수만이 거룻배에 옮겨 타자 그를 뭍으로 데려다주었고, 강주인이 반색을 하였다.

“뒤탈 없을까?”

“에이, 그런 염려는 뒷전으루 싹 밀쳐놓으슈. 저기 배의 사공들과 함께 왔는데 돈만 받아가지고 아예 내뺄 모양입디다. 우리가 여기서 거래를 끝내구 가면 세상에 어느 놈이 소금하구 석수어 임자를 안단 말이우?"

"수고하였소."

"어서 대금을 주셔야지."

천수가 손을 내밀자, 역시 강주인은 꼼꼼한 사람이라 고개를 내저었다.

"물건을 다 내리구 나서 드리지."

"쳇, 보나마나 수량이나 헤어보면 될 텐데 뭘 그러시우?"

"문건두 지녔겠지?"

"현물이 있는데 문건 따위가 무슨 소용이우?"

"안 가져왔단 말이우? 그럼 오늘 돈 못 주겠는데, 내일 가게루 받으러 오지."

천수는 망연히 서서 맥을 놓고 있다가 짐짓 화가 머리끝까지 치민 것처럼 제 가슴을 치고 침을 뱉었다.

"내…… 온 정말 드러워서 못 해먹겠군. 그러면 물건을 도루 신구 가려오. 장사꾼이 이녁뿐인 줄 아슈."

"글쎄 누가 돈을 안 낸대야 말이지. 문건까지 만들어주었잖소."

주인은 역시 여유가 만만하였으니 물건이 이미 한강진에까지 닿았은즉, 다시 끌고 가기는 어려운 일이라 배짱을 부려보는 것이었다. 천수가 계약 문건을 안 가져왔다고 하니 그놈 잘되었다 하고는 돈 지불을 미루려고 마음먹은 것이다. 그러나 홍천수는 그대로 다른 생각이 있어서 문건 내주기를 뒤로 미루려는 것이었다. 이미 칠패 김포교와 만나서 의논을 해두었는데, 개비쇠〔金氏〕께서 재량대로 얼마를 떼어 잡수시든 그는 알 바가 아니었다. 정작 돈을 우려내는 것은 강주인의 가겟방에서 은밀히 해낼 일이었다. 홍천수는 맥살이 풀렸다는 듯이 자갈 위에 쭈그리고 앉으면서 말하였다.

"그럼, 좋소이다. 어서 물건이나 내리슈. 물건 다 내리구 일단은 돌아가지요."

"허, 진작 그럴 일이지. 내일 오정때 와서 함께 중화나 드십시다."

강주인이 지시하니 곁꾼들이 대어놓았던 거룻배에 올라탔고 중선으로 다가갔다. 우르르 올라가서는 뜸에서 소금짐과 절인 조기를 내려다 거룻배에 쌓기 시작하였다. 선복이 가득 차자 배가 다시 뭍으로 대어졌고, 허벅지께까지 빠지면서 곁꾼들은 섬을 등에 짊어지고 자갈밭에다 따로따로 쌓아나갔다.

"올 때가 되었는데……"

강주인이 중얼거렸고, 홍천수가 물었다.

"누가 온단 말이우?"

"뭐…… 알 거 없수."

강주인의 말에 홍천수가 다시 다그쳤다.

"알 게 없다니…… 시방 이게 어떤 물건인데 모르는 사람을 끌어들인단 말요?"

"딱두 허네. 아, 이 물건을 아예 여기서 처분하려구 그러는 게요. 그래서 윗강 여각의 물품과 맞바꾸어 동작으루 나가야 안전할 게 아니우."

천수는 뻔히 알고 있으면서도 떨떠름하게 말하였다.

"공연히 나중에 가격 깎아치지 마시우. 삼백 냥입니다. 나는 갈라우."

"아니, 물건이나 다 부린 다음에 가야지. 수량이 틀리면 어째……"

"설마 그렇기야 하겠수. 분명히 헤아려두었고, 저 배에 사공들이 있으니 잘 알아 하겠지요."

"여긴 탈 배두 없을 텐데."

홍천수가 강주인에게 안심시키느라고 지어 말하였다.

"위로 올라가거나, 아래 한강진으루 내려가서 주낙배나 한 척 빌려 타지요. 화초방에서 오늘 큰 판이 벌어지는데, 내가 여기서 섬이나 헤아리구 섰다면 말두 안 되는 노릇이지."

"거 참 애가 달겠구려. 하긴 이녁이야 중도 거간꾼이니 현물이 있는 터에 뭐 어떻겠소."

강주인이 다른 일 같았으면 펄쩍 뛰었겠으나, 이제 상대편에서 신을 내지 않으니 가격을 깎아치는 것은 더욱 수월한 것 같았다. 수량이 틀린다고 한들 저희들이 어쩌랴 싶었던 것이다. 노름 좋아해 패가망신하지 않은 녀석이 없고 궂은 일 피하여 안방 장사만 하는 놈치고 재산 붇는 일 없다더니, 네놈도 경강에서 중도아 노릇으로는 이미 캄캄한 놈이로구나 하면서 강주인은 은근히 흥겨워졌다.

"자아, 내일 봅시다."

홍천수가 흥얼대며 소갈머리 없게 강변을 따라서 휭허케 가버렸다. 거의 짐이 내려져 무더기가 커졌을 무렵인데, 마상이배 한 척이 소리도 없이 조용하게 불빛을 따라 거슬러올라오고 있었다. 배에는 우대용과 석서방과 포교 한 사람이 타고 있었다. 그들은 배를 저어 잠시 강 건너편에서 대기하기로 하였다. 석서방이 중얼거렸다.

"천수가 갔는가 모르겠네?"

"벌써 갔을걸. 이젠 짐을 거의 다 부린 모양인데."

포교가 원래 포졸을 거느리고 기찰 다니게 되어 있으나, 욕심이 있어 나온 것이라 혼자서 포장의 수결 새긴 통부(通符)만을 지니고 나왔던 것이다. 쇠도리깨도 필요없었고, 갓에 중치막 차림이었다.

"필시 한강진에서 거래하는 상인이 오면 배가 대일 것이니, 그때 덮치는 게 좋겠군. 자네들은 곁꾼들이 설치지 못하게 대강 눌러놓아."

"그놈들이야 달아나두 상관없지만, 윗강 장사치와 강주인은 꼭 붙잡아두어야 합니다."

그들은 강 건너편에서 횃불빛이 일렁거리는 모양을 바라보고 있었다. 거룻배가 중선에서 사람 하나를 태우고 다시 뭍으로 갔다.

"좀 늦을 모양인가. 천상 집에는 못 들어갔군."

포교가 투덜거리는데, 중선만큼 커 보이는 거룻배 한 척이 강상으로 저어 올라오고 있었다.

"저 배가 닿자마자 쫓아갑시다."

석서방이 중얼거렸다. 배가 주춤주춤하더니 강변에 대어지는 모양이었다. 석서방은 노를 천천히 저어 마상이를 몰아나갔다. 강 중간에 오자 훤하게 불이 켜진 언덕빼기 아래 자갈밭에 우왕좌왕하는 사람들이 자세히 보였다.

"막바루 대지 말구 저쪽에다 대어놓고 눈치채지 않게 들이닥치세."

포교가 말하여 석서방은 방향을 엇비슷이 틀어서 한 우명(牛鳴)거리로 아래쪽에 배를 대었다. 그러고는 허리를 납신 굽혀서 거래가 터지고 있는 강변까지 다가가는데, 자갈 밟는 소리에 곁꾼 하나가 고개를 어둠속으로 주욱 뽑으며 외쳤다.

"게 누구야?"

하는 수 없이 석서방이 멈칫거리며 일어섰다.

"웬놈이냐?"

"이리루 끌어와."

곁꾼들이 그러는데, 석서방의 뒤에서 우대용도 불쑥 일어났고 그들은 불빛 속으로 다가섰다.

"주인장, 평안허우. 이제는 남의 물건까지 투식하려는구려."

강주인이 그제야 우대용과 석서방을 알아보고는 조금 당황한 듯 보였다.

"아니…… 이게 자네들 상품이었던가?"

"그렇소, 남의 어음 지불두 해주지 않구 잘라먹더니, 이제는 조무래기 도적들까지 시켜서 화물째로 먹으려는 게요?"

석서방이 말하였다. 그러나 이내 주인은 말투를 바꾸었다.

"얘들아, 잡아두어라."

강주인의 생각으로는 사공놈들이 현장을 잡긴 하였으나, 관헌이 없으니 나중에 극구 발뺌을 하면 어느 놈이 뱃사공의 말을 믿으랴 싶었던 것이다. 설사 죽여서 발에 돌을 달아 내던진다 한들 아무도 알 바 없겠지만 다른 자의 눈들이 많으니 약점을 잡힐까 두려울 뿐이었다. 좌우간 모면하려면 이들 두 사람을 때려잡는 수밖에 없었다. 곁꾼들이 삿대와 돌멩이를 그러쥐고 어느 놈은 닻을 거머쥐고 달려드는데, 금방 살전이 벌어질 듯하였다. 칠패 김포교는 만일 죽고 다치는 일이 생기면 자기에게도 몹시 불리한 일이라 슬그머니 일어나서 걸어나갔다. 모두들 바라보는데 의관이 번듯하다. 김포교가 중치막 자락을 젖히고 나무쪽 통부를 치켜들어 보이면서 말하였다.

"우포청의 김포교다. 이제 보니 너희가 파리가 아니라 떼참새로구나!"

혼자서 임집이나 터는 졸적이 아니라 떼를 지은 대적당이라는 말이었다. 그제야 정신이 번쩍 든 윗강 여각주가 소매를 앞세우고 뛰기 시작하였고, 아랫강 강주인은 낼름 거룻배로 뛰어올라타며 소리쳤다.

"얘들아, 가자!"

우대용은 물론이려니와 민물은 고사하고 짠물까지 먹은 석서방이 그들을 그냥 내버려둘 리가 없었다. 석서방은 그들이 내던진 삿대 하나를 주워들고 길게 수평으로 후리면서 내리쳤다.

"끼놈들, 어디를 가니?"

한 놈이 다리에 맞아 깽깽이를 뛰는 것을 다시 등판에다 후려치니 자갈밭에 복날 개처럼 꽁지를 주욱 빼며 널브러졌다. 그 혼란 중에 윗강 곁꾼들은 달아나지 않고 관망하는데 포교가 달려가 윗강 강주인의 뒷덜미를 잡아끌고 내려왔고, 동막 여각 강주인은 삿대를 연신 꽂아대며 멀찍이 강변을 떠나고 있었다.

그때 누군가가 물속으로 첨벙 뛰어들었다. 우대용이 웃통을 홀떡 벗어젖히고 거룻배의 뒤를 쫓은 것이었다. 물장구를 세게 치면서 팔을 둥그렇게 앞으로 휘저어 허수아비가 우쭐우쭐 춤추는 시늉의 앞거리로 재빠르게 쫓다가 다시 곁으로 물을 차면서 모재비로 바꾸었다. 당황하여 손짓이 맞지 않는 삿대질에 뒤뚱거리는 배가 어찌 대용의 큰바다를 헤치던 헤엄질에 당하랴. 바로 두 길 정도에 배의 꼬리가 보이는데 우대용은 고개를 삐죽 들었다가 처박으면서 그대로 물속에 자맥질하여버린다.

삿대질하던 자가 두리번거렸고, 대용은 배의 바닥으로 헤어나가서 왼편으로 치솟으며 삿대를 한 손에 잡아 그대로 당기니 어어, 하면서 곁꾼놈이 삿대를 잡은 채로 상체를 기울였다. 두 손으로 그자의 손목을 잡은 우대용이 발길로 뱃전을 휙 차면서 끌어내리자, 배는 반대편으로 뒤뚱거리면서 저만큼 밀려가고 곁꾼은 물에 거꾸로 처박혔다. 상대가 처박힌 사이에 재빨리 고개를 빼내어 한 호흡 그득히 들이쉰 우대용이 그의 두 발목을 제각기 틀어쥐고는 말 그대로 물귀신마냥 아래로 주욱 끌어들였다. 놈이 발질을 해보려 하나 워낙 에 우악스런 손아귀인지라 빼치지를 못하고 끌려드는 것을 잠깐 놓아준 우대용이 다시 물 위에 솟으며, 이번에는 두 허벅지 사이에 그자의 머리를 꽉 끼우고는 손으로 물장구를 쳐서 제 목만 내놓고 상대를 타눌렀다. 밑에서 요동이 더욱 심해지고 꿀럭꿀럭 물방울이 솟아오르니 놈이 좋이 한 동이는 될 만큼 물을 마신 모양이었다. 대용이가 다시 고개를 빼어 뒤뚱거리며 멀어져 있는 거룻배로 헤어나가 뱃전을 잡았고 뒤쪽에서 삿대질하던 곁꾼놈이 물에서 솟아오르는 대용을 보자 삿대를 빼어 머리 위로 번쩍 쳐들었다. 대용의 몸이 떡판이 될 것인데, 그는 상대의 다리를 잡아 홱 젖혔다. 곁꾼이 뒤로 벌렁 드러눕자 그 틈을 타서 우대용이 팔을 휘청 꺾어서 선미 위에 올라섰다. 대용이 두 손을 벌리고 버티어 서자 곁꾼이 다시 삿대를 잡고 일어났다. 그는 장창 휘두르듯이 수평으로 비잉 돌려서 우대용을 때리는데 그가 창막이 판자를 집어들어 턱, 가로막았다. 워낙 휘청거리던 긴 작대기인지라 거센 타격과 물먹은 판자를 이기지 못하여 딱 소리를 내면서 중동이 부러져나갔다. 배는 좌우로 거칠게 흔들거리고 있었다. 곁꾼놈이 부러진 삿대를 쥐고 침을 뱉더니, 무지막지하게 좌우로 휘둘러대며 달려들었다. 몽둥이를 수직으로 내려치면서 달려드는 것을 우대용이 창막이 판자에 슬쩍 걸터앉으며 발을 들어 새을(乙)자를 그리면서 다리 사이를 엇질러주니 뱃전에 걸치면서 나뒹굴었다.

"에구구……"

틈을 볼 사이가 있나, 다른 발을 들어 황문(黃門) 빗장이 질린 곳을 턱 차주었다. 곁꾼은 가볍게 물속에 처박혀서 헤푸제푸거리는 것이었다. 두 녀석 모두 강변것들이니 개헤엄이나마 헬 것이라 충분히 뭍으로 달아날 수 있겠으므로 우대용은 건져줄 생각도 하지 않았다. 그런데 행여나 믿고 있던 강주인은 우대용의 사정없고 빈틈없는 동작을 보자마자 그만 만정이 뚝 떨어져서 물에 텀버덩 뛰어들고 말았다. 뛰어들기는 하였으되 물에 뜰 재간이 있나, 그대로 들쑥날쑥하면서 수면을 어지럽히는 것이었다. 우대용은 제 얼굴의 흠뻑 젖은 물을 훑어내리면서 잠시 내버려두었다. 강주인은 몇번이나 자맥질을 하면서 수면을 들락날락하며 손을 내저었고, 우대용은 무심하게 제 얼굴을 연신 씻어내리며 뱃전에 우두커니 서 있었다. 강주인이 손을 뻗쳐 매끄러운 뱃전을 잡으려고 허우적거리다가는 다시 물에 잠기면서 뭐라고 비명을 내질렀다. 우대용이 몇번이나 자맥질을 더 바라보다가 문득 생각났다는 듯이 손을 뻗쳐주자마자 강주인은 무턱대고 두 손으로 움켜잡고 매달렸다. 우대용이 그의 팔을 꽉 잡아주면서 빈정거리는 것이었다.

"어디…… 나는 뭐 용궁장을 보러 가시나 했구먼."

"사, 살려주오."

"남의 물건을 투식하였으니, 맹물도 좀 들이켜봐야 공것이 배만 부르다는 걸 알지."

"사…… 살려……"

강주인은 더이상 매달리지 못하고 스르르 손의 힘을 푸는데 우대용이 짐짓 손을 놓을 듯 강주인의 머리가 수면에 거의 잠기기까지 내버려두니 그는 다시 허우적대기 시작하였다.

"우리 어음을 그냥 떼어먹고 이제는 좀도적까지 시켜서 투식매매를 하였으니 동막서 장사는 다했군."

"제…… 제발…… 다, 돌려주리다."

우대용이 못 이기는 체하고 강주인을 끌어올리니 그는 뱃전에 상반신이 걸리자 문어가 광주리 기어넘듯이 스르르 넘어와 선복에 느슨히 늘어져버렸다. 우대용이 바닥을 더듬어 삿대 한 자루 찾아 쥐고서 천천히 거룻배를 뭍으로 끌어나갔다. 이미 결꾼놈들은 산지사방으로 뿔뿔이 흩어져 달아나고 윗강 여객주만이 포교에 잡혀서 무릎이 꿇려 있었으며 대용이네 사공들은 미리 약속한 대로 물 위로 떨어져 제각기 야음을 틈타서 달아나버린 것이었다.

"와주를 사로잡았소."

대용이가 의관이 엉망이 되어버린 강주인을 앞으로 밀치니 강주인은 연신 거친 숨을 내쉬면서 어깨를 떨어대고 있었다.

"이놈들, 죄가 한두 가지가 아니니 장형에다 귀양 천리는 넘겠고나. 오라를 받아라……"

포교가 으르딱딱이며 옷자락을 열고 붉은 포승줄을 꺼내어 펼치니, 맥 놓고 앉았던 강주인이 두 손을 쳐들어 싹싹 맞비비며 애걸하였다.

"나으리, 동막 장사치로 대를 물린 놈입니다. 비록 죄는 지었다 하나 그 연유를 들으시고 징치를 해주십시오. 저희가 포도청에 끌려가 형국을 받는다 한들 나으리 심사에 무엇이 개운하시겠습니까. 한 번만 들어보시고, 딱하게 되었다 여기시거든, 감히 방면해주실 수 있으리라 믿습니다."

"그렇습니다. 저두 실은 약재와 곡물과 어염을 물건으로 바꾸자 하여 까닭도 모르고 나왔을 뿐이지, 그것이 투식인 줄은 몰랐소이다."

그때 석서방이 앞으로 나섰다.

"나으리, 이 자들의 몸을 뒤짐해보십시다. 분명히 무언가 물증이 더 나올 게요."

하니, 포교는 이미 제 앞으로 끌어다 놓은 강주인의 돈궤미를 집어 들었고, 자갈밭 위에 가지런히 쌓여 있는 어염의 섬과 약초, 곡물이 담긴 광주리며 섬을 가리켜 보였다.

"여기 그 배의 도사공이 있고 물건이 있으며 또한 거래자가 있으니 더이상 발명할 바두 없겠네. 자네들하구 이 자들이 함께 포도청으로 가서 추심을 해보아야지. 자네들 물건이 틀림없는가 살펴보게."

포교가 지시하여 우대용과 석범철이 이리저리 어염짐을 들척이고 나서,

"저희 것이 틀림없습니다. 투식하려던 놈들을 잡아야겠소이다."

하고 석범철이 말하자, 포교가 고개를 저었다.

"아닐세, 내 이 두 눈으루 똑똑히 보아두었으니 잡고 말고 할 것두 없네. 네 이놈들, 어떻게 약조하였는지 낱낱이 일러보아라."

강주인이 이미 속아넘어가 걸려든 것을 눈치채고 이제는 어음이나 되박아주고 곤경을 빠져나가면 되리라 믿었다. 포교에게 뜯기는 것이야 경강 장사치로서 흔히 있는 일이니 투자라 치부해도 될 일이었다.

"실은 제가 그만 꾀임에 넘어간 모양입니다. 얼마 전에 이 사람들과 거래가 있어서 어음을 내어준 일이 있었는데, 그만 지불하지 못하였소이다. 그래…… 이 사람들이 그 일로 앙심을 먹고 경강 왈짜로 돌아다니는 홍천수라는 자를 넣어 저를 이런 구렁텅이에 밀어넣었구려. 이미 저질렀으니 발명할 길이 따로 없으나, 무턱대구 포청에 떨어지기는 억울하오."

강주인이 횡설수설 늘어놓았으나, 포교는 이미 상세히 알고 있었는지라 강주인의 입을 호통으로 딱 막아버린다.

"닥쳐라. 이제 네 입으로 발설하였으니, 그 어음의 내력이 어떠한 것인지 들어봐야겠다."

포교가 다그치자 강주인은 자기가 실언하였음을 알아차렸다. 선혜청 입고미에 화수먹이를 하여 떼어먹은 쌀값이라고 말할 수는 없었기 때문이다.

"어찌 대답이 없느냐."

"예, 그것이, 저…… 지난번에 밀렸던 운임전이지요."

강주인은 차마 화수를 하여 나눠먹은 돈이라고는 말할 수가 없어서 어물어물 운임전이라 변명하였고, 때를 놓치지 않은 석범철이 사금파리쪽을 내밀어주면서 말하였다.

"예…… 삼백 냥이올시다."

"뭐라고…… 사, 삼백냥?"

"그럼 얼마란 말이우?"

강주인은 다급하게 일어서며 석서방의 멱살이라도 잡을 듯이 대들었다.

"백사십 냥이지, 어째서 삼백 냥인가?"

"허어, 생눈깔을 뽑겠고나."

포교가 다시 으르딱딱거렸다.

"얼마야. 삼백 냥인가, 백사십 냥인가?"

우대용이 말하였다.

"허긴 남의 물건까지 투식하려던 사람이니 백 냥이든 이백 냥이든 우기는데야 어찌하겠소."

포교가 고개를 끄덕였다.

"삼백 냥 내주어야 되겠군. 헌데 어째서 여태껏 지불하지 않았는가?"

강주인은 하는 수 없이 침을 꿀꺽 삼켰다. 삼백 냥이라고 하니 제 입장으로서는 그나마 다행한 일이었다.

"어쨌든, 어음을 지불했든 안 했든 나중에 따질 문제고 이 사람들의 물건을 도적과 공모하여 투식매매하려다가 적발되었으니, 두 사람 모두 가산은 구몰되고 아예 장삿길이 막힐 터일세. 서로 좋게 타합을 보겠는가 아니면 포청으로 가서 밝혀보겠는가."

상인 두 사람은 제각기 엎드린 채 포교의 다리를 부여잡으며 애걸하였다.

"그야 물론 타합을 해얍지요. 묵인만 해주신다면 저희에게는 하늘 같은 은혜를 내리는 셈이올시다."

과연 그들은 꼼짝없이 걸려들고 말았는지라 어찌하든 이 곤경을 빠져나가려 하였다.

"음, 좋게 결판을 내겠단 말이렷다. 하면…… 강주인 자네는 돈냥을 내어주면 될 것이고, 그쪽에서는 물건을 내겠는가, 돈을 내겠는가."

포교가 윗강 여각주에게 은근히 말을 비치자, 그는 얼른 일어났다.

"예예, 까짓 잡곡과 약초 따위 몇섬이올시다. 제가 가격이 좋다길래 물건을 싣고 나오기는 하였으나, 투식매매에 끼여든 것이 적실하니 어찌 모른 척하겠습니까. 기왕 싣고 나온 것이니 저 사람들께 내어주겠습니다."

포교가 우대용과 석범철에게 물었다.

"자네들은 이것으로 족하겠나."

"예, 저희두 사실은 소금짐이 물에 젖고, 싣고 옮기는 불편이야 말로 할 수가 없지마는 저쪽 주인께서 그렇게 경우 있이 나오는데야 어찌하겠습니까. 이 물건을 모두 싣겠습니다."

포교는 다시 강주인에게 돈꿰미를 들어 보이며 말하였다.

"이 돈은 물건값인 모양인데 얼마에 사기로 하였나?"

"삼백 냥을 준비하였습니다만, 거간을 섰던 홍천수가 계약 문건을 가져오지 않아서 지불하지 않았습니다."

포교가 대용이네를 돌아보며,

"자네들 어음이 삼백 냥이랬지, 찾아가게나."

하였으나, 석서방이 돈꿰미를 거두어가면서 대꾸하였다.

"우리는 이 자에게 포한이 많습니다. 어음을 다져주지 않아서 지체하느라고 장사에 많은 손해를 입었고 이제 물건까지 싣고 나르고 하는 중에 많이 훼손하여놓았으니 어디 이런 억울한 데가 있습니까?"

그러나 우대용이 미리 짜놓은 대로 석서방의 하소를 가로막았다.

"비록 밉기는 하여도 우리가 이미 윗강 여각주에게서 물건으로 받았으니 더이상 바라지 않겠습니다. 다만 그자를 죄 주고 안 주는 것은 나으리의 인정에 달려 있으니, 우리는 더 상관하지 않겠소이다."

포교가 대용의 등을 툭툭 두드려주었다.

"과연 도사공의 언사가 정연하네. 그러면 물건을 모두 옮겨싣고 갈 데로 가보게나."

"예, 덕분에 어음도 다지고 물건도 찾게 되어 막대한 손재를 면하였습니다."

수작을 나누고 나서 포교는 강주인과 함께 거룻배에 올랐다. 강주인은 물에 빠졌던 곁꾼 아이들을 수습하여다가 다시 삿대를 잡게 하고 아랫강으로 내려가는데 아직 완전히 방면된 것은 아닌 셈이라 잔뜩 주눅이 들어 창막이에 뭉쳐져 구겨박혀 있었다. 포교가 말하였다.

"오늘은 밤이 늦었으니 일단 돌아가서 푹 쉬시게. 이만이라두 하였으니 다행이 아닌가. 실은…… 홍천수가 내게 기찰당하여 뒤를 밟히다가 조금 전에 잡혔네. 그자가 갖고 있던 계약 문건은 내가 지니구 있지."

"아이구, 그렇게 되었구먼요."

맞장구를 치면서도 강주인은 속이 여간 불편한 게 아니었다. 요놈들 끼리끼리 짜고서 나를 기름틀에 깻묵 눌러대듯 하는고나, 하는 느낌이었다. 투식매매를 하던 현장에서 적발이 되고, 이제 문건마저 포교가 지녔다니 자신의 어리석은 실수나 탓해볼밖에 별 도리가 없었다. 어찌되었든 적게 뜯기고, 어서 백지로 돌려야만 하였던지라 강주인은 대뜸 나온다는 말이 인정전이었다.

"제가 인정을 쓰겠습니다. 제발 없던 일로 해주십시오."

포교는 그 말을 듣자 껄껄 웃어젖히는 것이었다.

"문건만 말소하여버린다면 이녁이 투식매매하였다는 물증이 어디 있겠나. 내가 돌려주기는 하여야겠지만, 거기 적힌 대로 삼백 냥은 지불되어야겠지. 홍천수를 방면해준다 하더라도 놈이 거간까지 붙이고 득이 없이 싸돌았으니 가만있을 리두 없겠네. 한 오십여 냥 집어주고, 나머지는 내가 다른 포교들과 나누어 쓰도록 해야겠어."

강주인은 분명히 억지로 돈을 물어낸다는 것을 잘 알면서도 달리 해볼 도리가 없었다. 생돈을 그대로 물어내야겠으나, 가산이 몰수되어 패가하는 것보다는 나으리라 싶어서 울며 겨자먹기로 돈을 낼 수밖에 없었다. 좋다. 돈은 내놓지…… 그러나 어디 네놈들 편안히 그 돈을 넘기는가 두고 보자. 강주인은 춘득이네 도사공 녀석과 홍천수와 포교 세 사람이 짰다는 것을 훤히 눈치채고는, 나중에 어찌해서든지 욕을 되돌려주리라 마음먹게 되었다.

"좋습니다. 삼백 냥을 내드릴 테니 문건을 돌려주십시오."

"이 사람아, 시방 어떻게 돈이 되겠는가. 내일 아침에 홍천수를 보내도록 하지."

"아닙니다, 기왕 이렇게 되었으니 밤을 넘기지 말고 해결하십시다. 우리네두 이런 일루 하루라도 골치를 썩고 싶지가 않습니다."

강주인이 그렇게까지 나오는데야 포교로서도 더이상 뭐라고 달리 말하지 못하였다. 강주인이 말하였다.

"이렇게 하십시다. 내게 시방 돈이 없으니 아예 미곡으로 가져가시지요. 시세를 따져서 배에다 부려드릴 것이니 그게 더욱 좋지 않겠소이까?"

포교가 돈 세 꿰미를 받고는 싶었으나, 미곡으로 준다니 차마 이러쿵저러쿵 따질 염치가 없었다. 그러마고 응낙을 하여 동막까지 내려갔는데, 이미 샛별만이 호젓하게 남아 하늘에는 밝은 기운이 뻗치고 있는 새벽녘이었고 강에도 엷은 안개가 깔려 있었다.

동막에 닿자마자 주인이 고의 열쇠를 곁꾼들께 내어주면서 아직 납부하지 않은 세곡 중에서 일흔다섯 섬을 내어주라 지시하였다. 포교가 강주인에게 말하기를,

"서로가 남의 눈도 있으니 밤섬 동자머리에다 미곡을 부려주면, 내가 곁꾼을 통하여 계약 문건을 보내도록 하겠네."

하였고 강주인은 쾌히 응낙하는 것이었다. 그는 한 달 장사를 완전히 망친 것이었으나, 미곡으로 셈하여 주는 것만도 다행이어서 얼른 포교를 쫓아버리고 싶었던 것이다. 말이 일흔다섯 섬이지, 작은 상고 같았으면 아예 거덜을 내고 판셈을 하게 될 물건이었던 것이다. 판셈이라는 것은 장사치가 망할 적에 자기와 거래하던 자들을 모아

놓고 집채에서 여편네 속곳이며 자질구레한 종지 보시기까지 모아다 놓고 일일이 따져서 공평히 나누어주는 것을 말하였다. 이때 채권자가 납득을 하지 않거나 끝까지 지불해달라며 관청에 발고하면 하는 수 없이 가속을 관비나 사비로 박아 때우기도 하였다. 그러나 그렇게 몰인정하게 판셈을 받아낸 장사치는 신의를 잃어서 다른 장사꾼들이 상대하려 하지 않았다. 강주인이 세곡 중에서 낸 일흔다섯 섬은 결국은 화수(和水)를 먹인 쌀인데, 포교가 그 내력을 알 까닭이 없었다. 그는 조반 후에 동자머리에서 우대용과 홍천수를 만나기로 하였으므로 근처 객주의 빈 봉노에 가서 늦잠에 빠져버렸다.

강주인은 세곡 일흔다섯 섬을 중선에 실어 동자머리로 내보내고서 동막 장터의 열립(列立) 한 사람을 불러들였다.

"자네 목청만 쓰지 말구 급주(急走)나 한번 뛰어보려나. 내가 노자와 품은 후히 주겠네."

"글쎄요, 워낙 요즈음은 장이 한산해서 고작해야 시골 봇짐꾼이나 몇명 끌어들이구 있습니다."

"응, 그렇다면 잘되었네. 강화 달곶이까지 급주를 뛰어주어. 내가 서신 일봉을 써줄 테니 검점만 받아오면 되네."

강주인은 그냥 삭여버리기에는 너무 분한 노릇이라 우대용과 그의 사공들에게 앙갚음을 하려는 것이었다. 춘득이에게 그들이 화수에 공모하였다고 알려주면 세상이 뻔히 아는 노릇이지만, 도사공을 내몰게 될 것이 분명하였다. 날짜와 금액을 소상히 적어서 봉함하면서 강주인은 급주로 산 열립군에게 말하였다.

"이 편지를 쓰는 이가 누구냐고 물으면 자네도 모르는 이라구 그러게. 서강에서 만나 서신을 전하라길래 돈 받구 방자를 섰다구 말일세. 달곶이 가면 유춘득이란 선주가 훤하니 알려져 있을 것이니 꼭 본인에게 전하란 말이야."

강주인은 한편으로는 다른 생각을 해두면서 일단 일을 벌여볼 심산이었다.

급주가 일봉 서신을 품에 넣고 강화를 향하여 떠난 뒤에 강주인은 차인 행수를 불러서 선혜청에 입고될 쌀 중에서 화수를 먹은 쌀은 모두 다른 곳으로 비워내고 묵은 쌀섬을 채우도록 지시하였다. 그러고는 내일이나 모레나 동자머리에 나가 그들이 보낸 쌀이 거래되는가를 살펴보라고 일렀다. 화수를 먹은 일흔다섯 섬이 어차피 싸게 거래될 것이고, 그런 물건을 매입한 중도아는 이어서 소상인들에게 속여 팔 것이며 밥을 짓는 성내의 아낙네들이 혀를 찰 즈음에는 이미 물건을 팔아버린 자는 종잡을 수가 없게 될 것이었다. 그러니 결국은 물주와 중도아가 짤밖에 없는데, 강주인은 중도아 몇사람을 꾀어서 물주를 망칠 궁리를 하였던 것이다. 물주라면 결국은 홍천수와 칠패 포교일 것이었다.

"제놈들이…… 나를 씌워놓고 어디 얼마나 오래 배부른가 두고 보라지."

강주인은 일단 그런 계획을 세워놓고는 잡사 제쳐두고 훈련원 장교들이 자주 모이는 군창 어름으로 나가기로 하였다. 그는 이어서 좌포청의 포도부장인 정모의 집도 방문할 셈이었다. 그는 소란을 피워서 이목을 집중시킨 뒤에 홍천수와 칠패 포교를 올가미에 얽을 심산이었던 것이다. 그는 은근히 곁꾼들을 풀어 홍천수의 거처를 찾게 하고, 그를 놓치지 말고 감시하라 일러두었다.

우대용과 석서방은 일단 포교와 홍천수가 돌아온 뒤에 셈을 하여 몫을 나누기로 하고서 윗강에서 실어온 약초는 구리개 쪽으로, 잡곡은 서강 모신이네로 먹였다. 아무래도 하루이틀은 더 묵어야 할 모양이었다. 투식이랍시고 거짓 배를 몰았던 칠패 중도아들이 나서서 소금과 조기를 칠패와 배오개에 직접 먹였는데, 그러고도 어음 다진 삼백 냥이 남았으니 과중하게 득을 보아 한편으로 불안한 마음도 있었으나, 홍천수가 워낙 호기 있게 나가는지라 무슨 일이 있으랴 싶었던 것이다. 절름발이 박성대가 종형인 석서방의 부탁으로 상품을 싣고 서강과 삼개를 오르내렸다. 중화참이 훨씬 지나서야 홍천수가 먼저 그리고 포교가 각각 따로 동자머리에 도착했고 천수는 얼굴이 퉁퉁 부은 채로 낮술이 벌겋게 올라 있었다. 밤섬 동자머리 조선장 앞에는 나무 아래 멍석을 펴놓고 잔술을 파는 주모들이 있었는데, 홍천수는 벌써 해장술이라고 계속해서 들이켠데다가 서강에 건너가서 모신과 상담을 하면서 닷 되 좋이 마신 뒤라 게트림을 하면서 술 먹기를 사양하였다. 우대용과 칠패 포교가 새삼스러운 인사를 나누었고 석서방은 서강에서 건너올 박성대를 기다리는 중이었다.

"하여튼 이번 일은 꿈도 꾸지 않고 호박을 잡았소이다."

홍천수가 흡족해서 나무에 기대고 널브러져서 큰소리를 쳤고, 석서방도 함께 맞장구를 쳤다.

"그야…… 누가 하는 일인데. 칠패의 천수가 그만 일이란 손 안 대구 오줌 털기지 뭐여."

"허, 무슨 얘기야. 아무리 남을 씌우는 일이지만, 다 뒤가 있는 법이라구. 우리 같은 배짱에도 거의 육백여 냥이 넘는 대금을 먹기는 좀 켕긴단 말이야."

"육백 냥이 넘을지 안 넘을지는 한번 따져보구 나서 얘기합시다."

우대용의 말에 포교가 손을 꼽았다.

"하여튼지 돈 세 꿰미 받았고."

"그건 우리 어음 다진 것입죠."

석서방이 나섰으나, 홍천수도 지지 않았다.

"인석아, 그게 어디 삼백 냥이냐. 백사십 냥이지. 그나마도 그 돈이 빼빼진 돈이더냐. 너희끼리 화수 해처먹은 돈이었지."

"아무려나 삼백 냥이로군. 그리고 윗강 여각주가 내놓은 약초와 잡곡은 어찌 흥정되었나?"

포교가 묻자 홍천수가 대답하였다.

"예, 서강의 모신이가 구리개에다 먹였는데 대략 삼사백 냥은 떨어진답니다."

"아니…… 그러면 그것만두 합하여 육칠백 냥이 되잖는가?"

"그뿐입니까. 문건을 내어주고 미곡을 실어왔으니 거의 천 냥입지요. 천 냥이라면 소상은 벌써 밑바닥 훤히 드러내구 쪽박찼을 겁니다."

포교가 고개를 갸우뚱거리면서 입맛을 다셨다.

"너무 과했는걸……"

그러나 석서방은 혀를 찼다.

"아니, 까짓 투식매매를 눈감아주고 천 냥을 먹은 것이 무에 과합니까. 더구나 밑이 구리기는 제놈들이 우리보다 한술 더 뜨는 셈인뎁쇼."

"내야 칠패에 틀어박혀 나오지 않으면 포교 누구인지 알 것이 무에 있나. 그러나 자네들이야 앞으로도 동막 출입을 해야 될 터인데."

홍천수가 일어났다.

"성님, 그런 염려는 놓으십시오. 그나저나 동막서 실어보낸 쌀섬은 어디다 부려놓았습니까?"

"아까 일단은 백사지에 쌓아두었는데, 아이들 중화나 마치구 나서 석서방네 집으로 옮겨둘 셈일세."

우대용이 말해주자 홍천수는 무슨 생각이 들었는지 성큼성큼 배가 대어 있는 모래사장으로 내려갔다. 과연 미곡 일흔다섯 섬이 차곡차곡 쌓여 있었고 대용이네 사공 하나가 지켜서서 번을 들고 있었다. 홍천수가 다가가서 쌀섬을 이리저리 툭툭 두드려보다가 밑부분에 배어나온 물기에 눈이 갔다. 그는 무심코 넘겼다가 그 다음에도 또 그 위에도 똑같은 꼴로 물기가 배어나오고 거뭇거뭇 곰팡이가 피어난 것을 보자, 당황한 표정이 되면서 쌀섬의 주둥이를 뜯기 시작하였다.

천수가 뜯긴 쌀섬 속에 손을 집어넣더니 한움큼을 퍼내어 만지작거리면서 살펴보았다. 아직 속 끝이 아니라 거죽에서 퍼냈는데도 바삭바삭한 느낌이 가질 않고 부옇게 떠 있는 듯하였다. 손가락으로 비벼대니까 곧 부스러져버리는데 불어버린 쌀이 분명하였다. 홍천수는 느긋했던 술기운이 한꺼번에 깨어가는 느낌이었다.

"아니…… 이게 뭐야?"

홍천수는 다시 그 밑의 쌀섬을 뜯고 이번에는 손을 푹 찔러넣고 후벼내어 한 줌을 꺼냈는데 쌀에 물기가 축축하였고 개중에는 파릇파릇 변색한 쌀알도 섞여 있었다. 그는 쌀을 한줌 쥔 채로 그들의 술자리 쪽으로 뛰어올라갔다.

"내 이럴 줄 알았지. 우리가 속았단 말여."

"뭐야, 뭘 가지구 그래."

석서방이 홍천수의 손에 쥐어진 쌀을 집어서 입에다 털어넣고 씹어보다가 후두두 뱉어버렸다.

"아니…… 화수 먹은 쌀 아녀."

"반값두 못 받겠는걸."

홍천수는 낙담하여 포교를 돌아다보며 투덜거렸다.

"반값이 다 무에요, 작자가 나서질 않을 게요."

"허, 내가 일을 그르쳤군."

포교도 손바닥에 올려놓았던 변질된 쌀을 털어내면서 겸연쩍어 하였다.

"어쨌든 쌀은 쌀이니까."

박성대가 이어서 말하였다.

"까짓 거 팝시다. 목구멍으루 넘어가면 띠가 되긴 마찬가지유."

"나는 자신 없는데. 이걸 팔아치웠다간 칠패와 동막에서 완전히 내몰릴 게여. 그 성화를 어찌 당할라구……"

"그놈이 끝까지 우리를 골리누나!"

석서방이 분하여 주먹을 쥐며 말하였으나, 우대용은 무덤덤하게 대꾸하였다.

"어음 다진 것이 삼백 냥, 구리개와 서강에 먹인 것이 또한 삼백 냥, 그것만으로도 우린 배가 불렀소이다. 내 지금 다짐을 하는데, 우리 찾을 돈 백사십 냥하구 어염짐이 약간 훼손된 것을 따져서 이삼십 냥쯤 쳐서, 일백오륙십 냥만 내주면 더이상 염염거리지 않을라우."

홍천수가 슬그머니 석서방을 돌아다보았다.

"그래…… 이만 돌아가겠다 그 말이우?"

석서방은 도사공 우대용의 말이 있었는지라 대꾸 없이 슬며시 돌아앉는데, 우대용은 일단 박성대에게 물었다.

"우리 물건값은 언제 다 풀릴 듯하오?"

"예…… 아시다시피 유선주 앞으루 어음이 갈 것이니 다음 행선 때에 와서 받아가시면 될 게요."

"글쎄 그 어음이 언제 떨어지겠수?"

"오늘 저녁에라두 제가 한 바퀴 돌아서 수결을 받아오지요."

성대의 말을 듣고 난 우대용이 홍천수와 포교에게 말하였다.

"우린 기일이 벌써 이틀이나 늦었소이다. 달곶이에 오늘이라두 돌아가야 하우. 그러니 미리 백육십 냥만 내주시면 모두 바라지 않구 훌훌 떠나겠소이다."

"도사공 성님……"

눈앞에 대금을 두고서 다 버려두고 떠나자니, 석서방은 다시 우대용의 처사가 안달이 나도록 답답하였다.

"자네는 가만있게. 우리가 경강 식구들두 아니구 강화에 적을 둔 뱃놈인 바에야, 일을 마쳤으니 돌아가야 옳지 않은가."

그때 밑에서 쌀섬을 지키던 대용의 사공이 헐레벌떡 뛰어올라왔다.

"대두 성님, 임자를 좀 보잡니다."

석서방이 둘러앉은 일동을 쓱 훑어보면서 엉거주춤 일어났다.

"누가…… 뭘 허러 보재."

사공이 뒷전을 손가락질하였다.

"저어기, 팔 거냐구 그럽니다."

모두들 바라보니 나룻배가 물가에 비스듬히 대어졌고, 패랭이에 배자 걸친 자와 갓 쓴 이가 나란히 뱃전에서 바라보고 있었다.

"가만있어…… 내가 가서 한번 찔러보구 올 테니까."

홍천수가 눈을 빛내며 일어났으나, 석서방이 바짓가랑이를 잡았다.

"낯선 놈들인데 선불리 매매하였다가 화근덩이가 되면 어쩔려구 그러나."

"에이, 사람이 순 먹통이로구먼. 장바닥에서 거래하는 일이야 빤

한 바닥이니 이미 글러버린 일이지만 낯선 촌놈들이라면 무에 걱정인가. 내가 살살 캐어묻고서 만만하면 몽땅 씌우고 오지."

홍천수가 먼저 모래사장으로 내려가고 그 뒤로 석서방과 박성대가 눈치를 보느라고 슬그머니 따라붙었다. 우대용은 다시 포교에게 말하였다.

"내가 동무의 주선으로 그나마 남의 도사공질이라두 하면서 밥을 얻어먹는 주제에, 사욕으루 귀선 날짜를 자꾸 넘길 수는 없소이다. 그러니 백육십 냥만 다져서 주시우. 박서방이 어음이라두 끊어주면 오늘 저녁에 떠나겠수."

"아무려나 정 그렇다면 헐 수 없지. 그대신 몫은 바라지 말게."

우대용이 포교의 말에 너털웃음을 터뜨렸다.

"실은 데리구 있는 사공 아이들이 고생에 비하면 급료가 박하여 늘 안타깝게 생각하였지요. 화수라도 해서 술값 잔푼벌이를 하려는데 내 어찌 말리겠소이까. 이제 그것을 찾았으니 나는 아무 욕심두 없소."

"석서방은 그런 눈치가 아니던데."

뭔가 아래쪽에서 한참이나 말을 주고받던 천수가 뒷전에 박성대와 석서방을 끌고 돌아왔다. 대어졌던 배는 물가를 떠나 다시 강심으로 헤쳐 나아가고 있었다. 석서방이 참지 못하고 천수를 앞질러 올라오며 연신 벙글거리는 것이었다.

"잘되었습니다. 일이 풀리느라구 그런 봉이 걸려들 줄은 누가 알았겠습니까. 반값은커녕 바른 시세로 고스란히 받아내게 되었습니다."

모두들 덩달아 좋은 얼굴이 되어 천수를 바라보자니 성대는 뒷전에 시무룩이 섰고 홍천수가 점잖게 입을 떼었다.

"내일 거래하기루 되었습니다. 정말 동기 머리없는 날이 신연 사또 부임날이라구…… 우리가 찾던 사람들입지요. 저 사람들은 관동 사람인데 담뱃짐을 실었답니다. 거간을 넣으면 구전이 많이 뜯기고 믿을 수도 없어서 직접 물주를 찾아다니는 중이었답니다."

그러나 박성대가 끼여들었다.

"헌데…… 이상합니다. 물산으루 맞바꾸자니까 그것은 한사코 마다하며 돈으루 사겠다구 합니다. 돈으루 사면 그야 우리네가 이익이지만 너무 손쉽고 척척 맞아떨어지는 일이라 께름칙합니다."

"젠장할, 장가드는 놈이 아들 볼 일까지 걱정한다더라. 맞전으루 팔면 봉 잡은 겐데 뭘 따지구 지랄이여."

석서방이 성대를 조롱하였는데 대용이는 그를 한쪽으로 불러내어 조용히 타일렀다.

"우린 오늘밤에 여길 떠나야겠네."

"뭐라구요? 목전에 대금을 두고 떠나다니요."

"안 가겠으면 말게. 좌우간 나는 배를 띄울 참이니까."

"성님, 근 천 냥이나 되는데, 한몫씩 나눈다 쳐도 이백 냥이 넘습니다. 중농의 일 년 농사입지요. 내게는 쏠쏠한 장사밑천이 됩니다."

석서방이 우대용에게 사정하였으나, 그는 더이상 설득하려 하지 않고,

"그러면 자네는 선단에서 빠지도록 하게. 다른 이를 대두로 올리도록 허지."

라며 잘라 말하였고, 석서방은 더욱 무엇을 잡을지 몰라 갈팡질팡하는 눈치였다. 그러나 그에게도 까짓 거 뱃놈 노릇은 마찬가지라는 생각이 들었는지 대뜸 말해버렸다.

"떠나시우. 나두 인제 여편네와 애들 데리구 경강에서 붙어 돌아

갈라우. 성대가 배를 내려 거룻배 운임을 뜯어먹구 사는 판인데, 나 같은 연안 주상의 대두놈이 배를 안 탄다구 풀칠 못 하겠소."

홍천수와 포교는 화수 미곡을 관동 사람들께 넘길 일을 의논하고 있다가 우대용의 말에 그제야 정신을 차렸고, 칠패 포교가 전대를 끌러서 돈 한꿰미와 육십 냥을 치러주었다.

"이거 섭섭한데……"

"아니올시다, 내가 뭣 좀 도와줄 일이 있으면 몰라두 이젠 일이 다 끝났으니 귀선해야지요."

우대용이 돈을 받아가지고 석서방을 돌아보며 물었다.

"이건 화수값인데, 한 삼십 냥쯤 차례가 돌아갈 걸세. 받을 텐가?"

"아니, 도사공 성님이나 쓰시지요."

우대용이 더이상 권하지 않고서 배가 대어진 물가로 나아가 사공들을 모두 불러모았다. 개중에는 동막에 놀러 나간 자들도 있었으나, 배에서 낮잠을 자거나 동자머리에서 밥을 짓다가 하나둘씩 모여들었다. 우대용은 우선 석서방 다음 차서의 사내를 지목하여 일렀다.

"석서방이 집안일로 선단을 그만두게 되었네. 귀선하여 선주께 말씀 올려 정해야 할 일이지만, 오늘부터 우리 선단의 사공 대두는 자네가 맡아주게. 그리고 가욋돈이 얼마 생겼는데, 모두 똑같이 나눠 쓰도록 허게."

"도사공 성님은 안 쓰시려오?"

대두로 지목된 사내가 돈꿰미를 받아들고 우대용에게 다시 내밀었다. 그도 돌아가는 눈치로 대강 일의 진행을 알고 있었으며 원래가 이런 벌이에는 도사공과 대두가 그 반나마 먹고 나서 나머지로 사공들을 호궤(犒饋)하게 되어 있었던 것이다. 그러나 우대용은 그중에 엽전 닷 푼을 집어서 술자리로 되돌아가며 말하였다.

"나는 이거면 되었네. 해질녘에 배를 띄울 것이니 준비들 해놓게."

술자리로 돌아오니 그들은 미곡 매매할 의논을 모두 마쳤고, 성대가 일어섰다.

"도사공, 서강 모신이네루 건너갈 참인데 함께 안 가시려오? 어음을 몇군데서 받아와야지요."

"나는 여기서 술이나 조금 더 먹고 한숨 푹 잘라우. 밤새껏 배를 부리게 될 테니까."

거래와 일이 모두 끝났으니 거기 있을 필요가 없는지라 홍천수와 칠패 포교는 일어서고 우대용과 석서방만 남았다. 우대용은 잠자코 술만 들이켜는데 석서방이 그의 빈 잔에 술을 따르며 입을 떼었다.

"성님, 죄송합니다."

"뭘…… 사람 일이 다 그렇지."

"저두 뼈빠지게 노질을 하여 이제 겨우 선단의 대두가 되었습니다만, 이 급료 가지고는 입신할 겨를이 없겠습니다. 거룻배나 한 척 마련하여 성대하구 둘이서 미곡 소매나 할까 합니다."

"자네가 다 생각이 있어서 이러는 것이겠지만, 하긴…… 나두 섭섭한 가운데 할말이 있네. 사람이 다른 건 몰라두 자기에게 혜택을 주었다면 조금이라두 갚아보려는 성의는 보여야지. 물론 선주가 자네를 고용하여 몇해 동안 부려먹기는 하였으나, 그래서 굶지 않구 처자식을 살리지 않았는가. 이제 다른 이익이 있어서 그만둔다면 가서 뵙고 사유라도 말하고 인사를 차리는 게 도리일 게야."

우대용이 한마디 찌르니 석서방은 고개를 들지 못하였다.

"그렇긴 합니다만…… 내가 시방 자리를 떴다 하면 천수가 알은

체나 할 줄 아십니까. 이런 기회에 사공 노릇도 때려치우고 해얍지요. 일간 찾아가 뵙고 선주에게 인사두 올릴까 합니다. 도사공 성님이 귀선하시면 중병이 들어 집에 누웠다구 잘 말씀해주십시오. 정말 면목 없습니다."

"내게야 면목이구 자시구 할 게 있나. 사람이 성심이 있어야 제 마음두 편하다니까. 나는 그렇게 살라네."

우대용은 석서방을 비난하지는 않았으나, 그래도 마음속으로는 섭섭한 구석이 있어 그리 말하였던 것이다. 그러한 사람관계를 가지려고 노력하지 않았다면 그 누가 자기를 감영의 회자수 옥에서 꺼내주었을 것인가. 그는 이번에 귀선하면 짬을 얻어내어 송도 박대근을 찾아볼 생각이었다.

"성님, 경강 오르실 적마다 저희 집에 묵으십시오."

석서방이 자기 딴에도 부끄러워져서 우대용의 손을 잡고 말했으며 대용은 슬그머니 손을 뽑았다.

"그래, 또 만나지. 실은 나두 남의 도사공질이나 하는 생활이 지겨워지는군. 어디 좋은 여자가 있으면 눌러앉아 살림이라두 하구 싶네."

"정말이우. 내가 중신 서드리리까?"

우대용은 픽 웃었다.

"괜한 소리여."

성대가 저녁녘에 어음을 받아가지고 돌아왔고, 우대용은 예정대로 배를 띄웠다. 눈치를 아는 사공들은 석서방이 의리부동한 뱃놈이라 하여 콧등도 돌리질 않았다. 선창에 홍천수와 박성대가 나와서 우대용을 전송하였다. 돛을 올리고 대선이 먼저 나아가고 뒤따라 중선 두 척이 미끄러져나갔다. 서강을 벗어나자 바로 선유봉이 지나갔고, 한강 수로와 임진강이 맞부딪치는 게바위나루까지 밤새껏 항해할 모양이었다. 서편 하늘에는 놀이 가득 찼는데, 새떼가 천천히 날아가고 있었다. 우대용은 이물에 앉아서 들판을 건너다보았다. 마을마다 아득한 놀에 잠겨서 저녁 짓는 연기를 뽀얗게 올리고 있었다. 그는 가슴을 펴고 깊은 숨을 몇번이나 들이마셨다. 바람 가운데 물풀의 냄새가 싱그럽게 전해져오는 듯하였다.

"어, 시원하다!"

바람은 시원한 게 아니라 늦가을의 싸늘한 기가 있건마는 대용은 경강 저잣바닥의 그 아수라판이 지겨웠다.

작년에 몇달을 보냈던 구월산의 인적 없는 설원이 눈에 어렴풋이 떠오르는 것이었다. 우대용은 다시 물건을 싣고 경강으로 되돌아올 일이 한심스러웠다.

"길산은 어디서 무엇을 하는고……"

그는 탈옥하여 눈길을 길산이와 함께 도망치던 날을 생각하였다. 그는 강변이 차차 어두워져서 별들이 초롱초롱해질 때까지 뱃전에 우두커니 서 있었다.

달곶이 갯가에는 연기와 안개가 한데 어울려 바다 쪽을 가리고 있었다. 맞은편의 나루터에서는 서로 고함쳐서 사공을 부르는 소리로 아침의 정적이 깨어지고 있었다. 곳곳에 대어놓은 크고 작은 배에서 아침을 짓는 연기가 곧게 올라갔고 바람이 없는 수면은 가끔 물새가 차고 오르는 파문이 넓게 퍼져갈 뿐이었다. 아까부터 선창에 나와서 서성거리는 사내가 있었다. 그는 높직하게 치켜올라간 대선의 뱃머리께에 걸터앉아서 강화 수로를 내다보고 있었다. 양쪽에 안개를 슬슬 끌어내리고 있는 산벼랑과 언덕들이 보이고, 물의 가운데 편은 골짜기처럼 툭 틔어져 있었는데 가끔씩 그곳을 가로지르고 주낙배가 천천히 하얀 물을 어지럽히며 지나가는 게 보였다.

해가 더욱 높직이 떠오르자 안개는 차차 걷혀서 나무숲 사이로 스러지고 빛조각들이 수면 위에 가득 찰 무렵이 되었다. 대선 한 척이 천천히 수로를 따라 헤쳐나오는 것이 보였고 양쪽에 늘어선 사공들은 돛을 내리고 노를 젓는 것이 보였다. 뱃머리에 걸터앉았던 자가 이마에 손차양을 하고서 배를 살피다가 깃발을 확인하더니 재빨리 배에서 뭍으로 뛰어내렸다. 그는 달곶이 선창과 조선장을 지나서 바닷가를 따라서 한참이나 뛰었다. 드디어 울창한 송림이 걷혀나가고 강화성의 석벽이 감돌아나간 곳에 안쪽으로 툭 트인 들판이 나타났는데, 산 뒤편으로는 목재 벌채장이 드넓게 널려져 있었고 들판의 막다른 곳에 마을이 보였다. 그는 가운데 자리 잡은 기와집을 향해 뛰었다. 벌써 대문은 활짝 열어젖혀져 있었고 마당쇠도 비질을 끝냈으며 조선장이들이 목수도구를 옆에 끼고 마당으로 모여드는 중이었다. 그는 조선장이들을 앞에 세우고 뭔가 지시하고 있는 사내에게로 뛰어갔다.

"대목어른, 배가 들어옵니다."

"음, 경강 나갔던 배가 틀림없네?"

"예, 세 척이 같이 들어오구 있습니다."

"알았다."

그는 사람들을 세워두고서 바깥마당을 돌아 사랑채가 있는 안마당으로 들어갔다. 대목은 헛기침을 하고 나서 잠시 기다렸다.

"게 누구냐?"

"예, 저올시다."

장지문이 열리고 졸음이 가득 찬 얼굴의 중년 사내가 고개를 내밀었다. 그는 우선 목을 몇번 휘돌리고 가래침을 돋우어 마당에다 호되게 뱉어냈다.

"우가가 배를 몰고 오는 모양입니다."

"그래? 하루 늦었구먼."

"예, 원은 이틀 늦은 셈이올시다."

"준비는 해두었겠지."

"모두 바깥마당에 모여 있습니다."

춘득은 맨저고리에 가죽 배자를 걸치면서 몇번 몸서리를 쳤다.

"집 안에서 시끄럽게 하지 말구 벌채장으루 끌어다 두어라. 내가 가기 전에는 함부로 손찌검들 하지 말구."

"우가만 족칠까요?"

"아니다, 이번 행선에 나갔던 놈들을 모조리 잡아두어라."

대목은 슬그머니 걱정이 되었는지,

"마주 대들면 어찌할까요?"

하였고, 춘득은 고개를 저었다.

"다른 놈들이야 걱정할 게 있겠느냐. 아마 우가놈이 소문에도 힘깨나 쓴다 하였으니, 그놈만 잘 단속하면 될 게야. 어서 나가서 목을 지키구 섰다가, 도사공놈과 대두놈을 잡아두어라. 아예 도방에서 발을 못 붙이도록 할 테니까."

춘득은 미간을 잔뜩 찌푸렸다. 대목이 나가서 마당에 모여든 조선장이들 중에 젊고 팔팔한 자들만을 집어내어 칠팔 명의 대오를 짜고 나서 제각기 맞춤한 몽둥이들을 집어들고 동구로 나갔다. 출항을 기다리는 사공들도 갯가에 많이 있었으나 아무래도 나중에 일을 함께 하거나 낯익힌 자들이 있을 것이므로 내켜하지 않을 것이 염려되었던 것이다. 춘득은 전갈이 오기만 기다리며 소세를 마치고 아침상을 받았다. 그는 내심으로 우대용을 믿음직하게 여겨왔고, 경강서 보내온 일봉 서신을 받고는 화가 머리끝까지 치밀었던 것이다. 춘득은 경강을 오르내리는 도사공들이 선주의 눈을 속여서 화물을 임의 처분하거나 부당한 이를 남겨서 취재하는 일이 많다는 것을 자기의 경험에 의하여 잘 알고 있었다. 그래서 특히 도사공들에게는 급료를 후히 내리고 선단에서 그중 충직하고 믿을 만한 자들을 지명하였던 것이다. 우대용이 비록 경을 쳤다는 것은 소문으로 짐작하고 있었으나, 몇번의 삼남행로에서 보인 근실함이 그런 꺼림칙한 인상을 씻어주기에 족하였다. 춘득은 도사공들이 세곡을 운반하다가 강주인들과 짜고서 물을 먹이는 일은 길게 볼 때 몹시 위험한 짓이라 여겨왔다. 그것은 일반 시정배를 상대로 하는 게 아니라 직접 관아에 연줄이 닿아 있는 짓이기 때문이었다. 일반 시정아치와의 노릇이라면 나중에 술 한잔 먹고 타합도 보고 서로 이해관계에 따라서 접고 접어주고 할 수도 있는 일이지만 관이란 위법을 용허하지 않기 때문이었다. 한 번만 걸려든다 하여도 선주는 패가망신하는 것이었다. 더구나 경강의 강주인들은 본바닥에 있으니 재량껏 때와 경우에 따라서 위험을 미리 방지하고 모면할 길도 있었으나 배만 가지고 위탁을 받아 운항하는 선주로서는 꼼짝없이 당할밖에 길이 없었다. 춘득은 우대용이 그런 분별없는 짓을 저질러 경강에서 일봉 서신이 날아들게 한 것부터가 괘씸하였다. 한번 호되게 본보기를 보이지 않고서는 다른 도사공들을 다룰 수가 없을 듯하였다. 이제 겨우 서너 차례의 행선에 벌써부터 주인을 속이려는 자를 내버려두어서는 안 되었다. 아예 강화 바닥에서 밥 한 끼니도 못 먹게 내쳐야만 대 선주의 위신이 서는 일이었다.

동구 밖에 지키고 섰던 자들이 바라보니 우대용과 대두 사내가 나란히 걸어오고 있었다.

"옵니다, 와요."

"헌데…… 범철이가 안 뵈는걸."

대목이 길을 내다보며 중얼거렸다. 우대용은 이번 출행 나가서 받아온 경강의 어음과 세곡의 운임을 챙겨가지고, 선주에게 계고하려고 장부와 돈과 어음을 작은 피농에 간직하여 짊어지우고 오는 길이었다. 갑자기 길 가운데로 대목 사내가 뛰어나오더니 다짜고짜로 우대용의 팔을 붙잡았다.

"모두 잡아라."

하는데 숨었던 조선장이들이 뛰쳐나와 대두 사내를 잡았고, 우대용이께로 두어 놈이 가세하여 좌우 팔을 잡고 늘어졌다.

"어라…… 자네들 이게 무슨 짓인가?"

우대용은 놀라서 영문을 모르는 채 손짓이 거칠어져 있는 조선장이들을 두리번거렸다.

"순순히 따라오면 몰라두 공연히 날뛰면 병신 될 줄 알아라."

우대용은 대목의 그 말에 하 어이가 없어져서 허공으로 고개를 들고 허허대며 웃을밖에 없었다.

"도대체 왜 이러는 건가?"

"잔소리 말어."

대용이는 한동안 그들이 끄는 대로 몇걸음 걷다가 양쪽에 매달린 자들을 홱 뿌리쳤다. 두 사람이 대번에 좌우로 자빠지고 대목이 몽둥이를 쳐들었다.

"허, 이놈이 오히려 사람을 치는구나."

그러나 우대용은 잽싸게 대목의 면전으로 파고들어 몽둥이 쥔 손목을 꽉 움켜잡았다.

"왜 이러는지 얘기하라니까."

대용이가 틀어쥔 손에 힘을 넣어 아래로 당겼다가 그의 등뒤로 비틀어올리니 대목은 어깨를 움츠리고 고개를 떨구면서 소리를 질렀다.

"뭣들 하는 거냐, 덤벼라."

몽둥이는 쥐었으나 모두들 순박한 목수들인지라 차마 사람의 몸을 후려치지는 못하고서 저놈 저놈 하면서 움찔대는데, 대용이가 그들에게 말하였다.

"내 자네들하구 원한 없네. 주먹다짐하기 싫으니, 우선 왜 이러는지 알아얄 게 아닌가?"

"우린들 아나, 주인어른이 시키니까 이러는 게지."

대용은 그 말을 듣자 대목의 비틀었던 팔을 놓아주었다. 대목은 일단 뒤로 물러나서 그의 눈치를 살폈다.

"선주께서…… 나를 징치하라던가?"

"화수질은 엄하게 금지되어 있잖은가."

대목은 그렇게 말해주고 나서 우대용의 몸 위에 삼밧줄을 감았다. 대용은 묵묵히 서서 제 몸이 단단히 결박되도록 내버려두었고, 대목이 등을 밀자 터벅터벅 벌채장을 향하여 올라갔다. 그들은 벌채된 나무 밑동이 군데군데 남아 있는 공터에 와서 나무에다 대두 사내와 우대용을 묶어놓고 춘득에게로 사람을 보내었다. 우대용이 대목을 돌아다보며 말하였다.

"이 사람은 석서방 대신에 귀선하면서 대두로 지명하였으니, 이번 일에는 아무 죄가 없네. 놓아주게."

"내가 그걸 어찌 알아. 선주께서 오실 테니 얘기하려무나."

대용은 혼자 생각에도 기가 막혀서 다시 허탈하게 웃음소리를 내었다. 사실 구월산에서 길산이, 대근이 들과 결의를 할 적에도 갯가에 나가 배를 타며 살리라 작심하였지 세상을 등지고 화적당이 될 뜻은 없었던 것이다. 그는 어찌하든 강화에 발을 붙여 떳떳한 선주가 되어 평탄하게 살아갈 수 있으리라 여겼던 것이다. 까짓 매 몇대 때리고 선단에서 내몰 것이 틀림없었다. 수걱수걱 매를 맞아주고 내모는 대로 봇짐을 꾸려서 강화를 떠날 작정이었다. 아래를 내려다보니 춘득이 전갈 갔던 자를 앞세워 올라오고 있었다. 대목과 장정들은 땅에다 네 귀퉁이에 말뚝을 박았다. 춘득은 대용의 앞으로 와서 잔뜩 노려보다가 말을 걸었다.

"세곡에 물 타는 걸 누가 가르쳐주던가. 내가 그러던가?"

우대용은 매나 몇대 맞고 말리라 하여 구구이 변명하지 않고 입을 다물었다.

"몇섬이나 내어 얼마를 받았나?"

대용이 다시 입을 다물고 섰자니 선주는 입맛을 다시면서 대목에게 눈짓하였다. 모두 우르르 달려들어 대용을 나무에서 끌어내리고 엎드리게 한 다음에 네 귀퉁이의 말뚝에다 사지를 붙들어매었다. 우대용은 저항 없이 뼈가 없는 사람처럼 묶는 대로 팔을 내어주고 다리를 벌려주었다. 주인이 다시 대용의 머리 위에 쭈그려앉아서 조용하게 말하였다.

"나는 자네를 듬직하게 믿구 있었다. 그래서 모처럼 경강 행선을 시킨 게야. 자네 소개해준 소싯적 동무의 체면두 있구, 또 나는 남을 한번 믿으면 좀체 의심하기 싫어하는 버릇이 있단 말일세. 그러잖아도 경강 행선은 여러가지 귀찮은 일이 많아서 자네 같은 근실한 사람이 잘 맡아서 해줄 것으루 믿었네. 헌데 이게 뭔가. 주인과 나라의 눈을 속여서 장사치와 짜고 화수질이나 하다니. 지금이라두 안 했다구 한마디만 해주면 곧 삼남 행선으루 내보내겠네."

"화수를 했습니다. 백육십 냥을 받아 선원들께 골고루 나누어주었소."

"자네는 얼마나 먹었나?"

"다섯 푼을 내어 막걸리를 사마셨지요."

"다섯 푼이라고……"

"그러면 사나이가 기왕 그런 짓을 하였으니 몽땅 먹으라는 말씀이우. 아이들이 급료가 박하여 술잔이나마 들고 싶어두 발발 떱디다. 용챗돈을 벌자는데 어찌 도사공이 눈을 부릅뜨고 말리겠소이까."

"그러면 대두란 놈이 가르쳐주던가. 자네는 경강 행선이 초행이라 물정을 모를 텐데."

"아닙니다, 내가 경강 강주인께 그런 얘기를 듣고서 승낙했지요. 대두로 나갔던 석서방은 선단에서 빠지겠답디다. 저 사람은 아무것도 모르지요. 귀선할 제 내가 대두로 지명하였소이다."

선주 춘득은 잠깐 생각해보았다. 그러나 이미 늦은 일임에 틀림없었다. 우대용을 징치하고 선단에서 몰아낸다는 것을 벌써 사공들은 훤히 알고 있을 것이며, 다시 그가 버젓한 도사공으로 나선다면 선주 알기를 개차반으로 여길 게 분명하였다. 또한 선례를 남겨서 다른 도사공들이 온갖 부정을 저지를 것도 막아야만 하였다. 그러나 선주는 우대용의 떳떳하고 사내다운 처신에 마음이 동하여 그를 내몰고 싶은 마음이 없어졌다. 그는 속삭였다.

"어떤가…… 자네는 모르는 일이라구 하게나. 그러면 석범철이가 일을 저지르고 선단에서 내뺐다구 할 테니까."

우대용은 엎드린 채 고개를 천천히 저었다.

"아니올시다, 주인께서 그리 말씀하시니 더욱 면목이 없소이다.

귀선하면서 생각해보았지요. 강화를 떠날 작정입니다."

하고 나서 대용은 뒷전에 물러선 장정들을 향하여 소리쳤다.

"어서 때려라. 뭣들을 하구 섰니."

춘득이 팔을 들어 장정들을 말리고 나서 다시 소곤거렸다.

"한 반년만 사공으로 내게 붙어 있게. 내가 보아서 다시 도사공을 맡길 테니."

"사양하겠소이다."

춘득은 고개를 끄덕였다.

"음, 그런가…… 여하튼 그렇다면 자네를 더이상 내 사람으로 붙들어두진 못하겠군. 급료는 선창에서 받아가도록 허게. 그리구 오늘 안으로 강화에서 떠나게."

그는 우대용에게 물러나 대목에게 손짓을 해 보였다. 그러고는 매 떨어지는 소리를 등뒤로 하고서 춘득은 언덕을 내려갔다. 뭇놈이 달려들어 작대기를 내려치는데 대용은 소리 한번 지르지 않고서 매를 맞았다. 드디어 오십여 대를 맞고 나니 전신에 땀이요, 바지는 갈가리 찢어지고 터진 살갗에서 피가 흘러 궁둥이와 허벅지에 흥건하였다. 모두들 매를 거두는데 위에서 시킨 일이라 후려치긴 하였어도, 어딘가 마음 한구석이 께끄름하여서 대목이며 조선장이들은 어색한 얼굴로 외면을 하였다.

"이젠…… 다 때렸나?"

고개를 들고 묻는 대용의 몸 주위에 그들이 내던진 몽둥이들이 투덕투덕 떨어졌다. 대목이 손짓하자 두엇이 남아 우대용의 결박된 사지를 말뚝에서 풀어냈고 다른 이들은 모두 시선이라도 부딪칠까 저어하여 서둘러 내려갔다.

"걸을 수 있겠나?"

그의 겨드랑이를 껴올려주면서 한 사람이 말했고 우대용은 얼굴을 찌푸리고 간신히 일어났다. 다리가 후들후들 떨렸고 걸음을 뗄 적마다 허리 아래가 흔들리는 듯하여 허벅지가 쓰라렸다. 그는 엉거주춤 궁둥이를 빼고 걷는데 두 사람이 좌우에서 부축해주었다.

“이건 참 목불인견일세. 우리네야 예서 밥을 먹으니…… 시키는 일을 마다할 수도 없구.”

“놓게, 나 혼자 걸어가겠네.”

대용은 고통을 참느라고 악물었던 이를 열고 훅 한숨을 토해내고 나서 꼿꼿이 펴고 걸었다. 터진 상처가 금방 부어오르기 시작하여 허벅지가 쓸릴 적마다 불에 덴 듯이 아렸다. 그의 뒤로 한 걸음쯤 떨어져서 남은 자들이 따라왔다. 동구 앞에 이르렀을 때,

“이보게…… 갈아입구 가게.”

하면서 옷보퉁이를 들고 또다른 조선장이가 좇아왔다. 바지와 저고리 일습이었으니 아무래도 피 묻고 찢어진 옷차림으로는 안 되겠어서 대용이도 말없이 보퉁이를 받아 옷을 갈아입었다. 그가 옷을 갈아입을 때, 함께 행선 나갔던 사공들이 코가 죽 빠져서 어깨를 늘어뜨리고 걸어오고 있었다. 그들 뒤에는 다른 도사공과 대두가 눈을 부릅뜨고 있었다. 그들은 우대용에게 정이 있는지라 모두들 고개를 돌려 뭔가 말이라도 걸어보려고 입술을 달싹거리는 양하였고, 그중 배포 있는 자가 허리를 숙이며 인사하였다.

“도사공 성님, 잘 가슈.”

“응, 수고들 허시게.”

그러나 새 도사공이 그자의 뒤통수를 손바닥으로 철썩 갈겨주었다.

“이 자식아, 왜 한눈팔구 지랄이야. 나눠먹은 돈푼만큼 곤장을 맞

을 녀석들이."

우대용은 그들이 다 지날 때까지 바라보고 섰다가 저고리를 꿰었다. 따라오던 자들은 그가 선창 쪽으로 나가자 더 따라오질 않았다. 새옷에 피가 다시 배어들기 시작하였으므로 대용이는 헌옷을 북 뜯어서 궁둥이께에다 두툼하니 안을 대었다. 그까짓 매 오십 대 맞았다고 사람이 이렇게 삭신을 못 쓰고 흔들거려서야 될 말이냐고 대용은 다시 허리를 펴는 것이었다. 참으로 잘되었다. 이렇게 남의 밑에 들어 눈칫밥이나 죽이면서 대갈머리가 다 굵었으니 역시 버릇은 못 고칠 모양이었는데, 운이 좋았다고나 할 것이다. 도대체 주인이란 돈냥이 많아 생겨난 놈이지, 내게 이리 하라 저리 하라 할 놈이 어디에 있담. 하나 많은 사람들과의 의리를 매로 때웠으니 이제는 나도 어지간히 사나이가 되었나 보다. 대용은 선창으로 걸어가며 어디로 갈 것인가 궁리해보았다. 대근이 성님이나 찾아볼까. 그러나 이런 몰골이 되어 송도로 기신기신 기어들기는 싫었다. 그는 장연서 헤어졌던 강선흥을 떠올렸다. 자꾸만 함께 행상을 다녀보자던 선흥이의 앳된 볼따구니가 생각났다. 대용은 장연 선흥이네를 들러서 며칠 쉬었다가 함께 구월산에라도 올라가보기로 작정을 하고 보니 마음이 훨씬 가벼워졌다. 그는 선창 사공들의 흘끔거리는 눈총을 받으며 뱃방으로 절뚝절뚝 다가갔다.

뱃방은 귀선한 사공들이 밥도 붙여먹고 잠도 자는 곳이었다. 널찍한 방들이 연이어 붙은 초가였는데 선단의 겸인이 나와서 잡무를 보고 있었다. 우대용이 찾아가자 그는 두말 없이 급료를 쌀로 내주었고 대용은 그 자리에서 다시 돈으로 바꿨다.

"어디루 가려나……"

"해서에 아는 이가 있으니 그쪽으루 가볼까 합니다. 기간 신세가 많었수."

대용은 다시 선창으로 나왔고, 대부분의 사공들은 그를 동정하는 눈치였다. 겸인이 나가서 누군가에게 일렀는지 낯익은 사공 하나가 다가와서 말하였다.

"우리는 평양까지 오르는데 삯전 없이 타도록 허시게."

"아무려나…… 가는 길에 몽금포에다 내려주면 되겠네."

"들어가서 좀 누워 있지. 선단은 오늘밤에 떠나니까."

"고마우이."

대용은 지친 몸을 이끌고 뱃방의 불이 잘 든 아랫목에 가서 엎드렸다. 온몸이 부어올라서 오싹한 한기가 들었고 식은땀이 옷을 흠뻑 적셨다. 대용은 오후 내내 깊은 잠을 잤다. 오후부터는 한기와 식은땀은 가신 대신에 신열이 올라서 갈증 때문에 견딜 수가 없었다. 저녁 해질 무렵 하여 서도행 배가 떠날 채비를 마치고 도사공이 직접 우대용을 데리러 왔건만 그는 이미 인사불성이라 열에 뜬 입술만 달싹이며 누워 있었다. 하는 수 없이 선단은 그냥 떠나버렸다.

겸인은 아무래도 안 되겠기에 선주 춘득이네로 전갈하여, 우대용이 장독이 들어 앓고 있으므로 강화를 떠나지 못하고 있음을 알렸다. 춘득은 내심 미안하고 안쓰러워서 약도 지어오고 꿀물도 보냈다. 대용은 사실 매를 맞은 탓도 있었으나, 경강을 떠나면서부터 고뿔이 단단히 들어 몸살기가 있었는지라 엎친 데 덮친 것이었다. 꼬박 사흘을 앓고 나자 그는 간신히 기동을 할 수가 있었다. 춘득이네서는 겉으로는 모른 척하였으나, 그가 어서 강화에서 나가기를 은근히 바라는 양이었다.

나흘이 지나서야 대용은 처음으로 아침밥 한 그릇을 너끈히 비웠고, 자꾸만 속이 헛헛하여 밥을 양푼째로 갖다놓고 퍼먹었다. 게다가 겸인이 이별주랍시고 받아다 준 막걸리 서너 되를 들이켰고 자기의 노자를 내어 닭도 한 마리 삶아먹었다.

"참으로 아저씨의 후의로 객고를 면했소이다. 이놈의 팔자가 사나워서 시방은 은혜를 갚지 못하나, 언제 뵐 날이 있을 게요."

"뭘, 내야 이런 일이 한두 번인감. 황해를 오르내리는 사공들 중에 우리 뱃방서 몸조리하구 가는 이가 얼마나 많게. 여하튼 취재엔 장사가 제일이니 아무거나 시작해서 부지런히 해보시게. 시방 우리 선주도 예전에는 경강서 중도아 다니던 이야."

마침 해주까지 오르는 배가 있어서 우대용은 그 배를 타기로 하였다. 그러나 아무래도 성내로 들어가는 것은 위험한 일인지라, 일단 용댕이서 내려가지고 옹진이나 풍천 쪽으로 오르는 배를 갈아타리라 작정하였다. 강화서 북나루로 돌아나가기까지가 물살이 거센 역류인지라 지체하였을 뿐 백석을 돌고부터는 창망한 바다였다.

우대용은 과연 자기 같은 놈이 물을 떠나서 육지에 장사를 다니며 살 수 있을까 스스로 의심하였다. 더구나 산골짜기에 처박혀 화적이 되는 것은 워낙 성깔에 맞지 않는다고 생각하였다. 그는 너른 바다를 보자마자 온갖 원한과 고통으로 맺힌 사람의 사는 일이 일시에 풀려버리는 것 같았다.

9

홍천수와 석범철 등은 관동 사람들께 미곡을 팔았는데 시세보다 훨씬 싸기는 하였어도 쌀의 질이 아예 반나마 못쓸 것이고 보니, 제 가격보다는 훨씬 많이 받아낸 셈이었다. 천수는 다시 남문 밖 석우

(石隅)의 어비장네 집에 틀어박혔고, 석범철은 성대와 함께 목재를 사서 몸소 거룻배 한 척을 만들기 시작하였다. 오랜만에 집에 늘어붙어 있자니 마누라는 물론이요, 아이들도 좋아서 일터까지 졸졸 따라나서다가 석서방의 호통에 놀라 달아나는 것이었다. 성대와 석서방은 동자머리에서 하루종일 망치질과 대패질을 하면서 날을 보내었다. 이제 배가 다 되면 그들은 경기 인근의 촌으로 다니며 반찬거리나 방물이나 엿 같은 주전부리를 싣고 다니며 아낙네들에게서 쌀을 거둬다 경강의 소매가게에 먹일 작정이었다. 그렇게 허리끈 졸라매고 두어 해 하다 보면 밑천도 늘 것이고 어엿한 미곡상을 이룰 듯하였다. 쌀을 팔고 나서 한 닷새나 되었을까, 그날도 석서방과 박성대는 동자머리 조선장에서 배의 골조를 짜고 있었다. 서강에 건너갔던 밤섬 사공 하나가 지나다가 말을 건네게 되었는데 이 자가 그러는 것이었다.

"서강서는 법석이더구먼."

"왜, 또 쌈나서 누가 뒈졌나?"

"그런 게 아니라…… 며칠 전부터 서강 일대에 화수 담근 쌀이 돌아서 성내의 소상들이 몰려들어 따진다네. 개중에는 아마 바꿔간 사람두 많지마는, 두어 말이나 한 섬지기루 들여갔던 사람들은 뭐 안면이 있는가 당이 있는가. 그래서 아낙네들이 성내 미전에 한둘씩 모여들어 악다구니를 쓴다네."

성대와 석서방은 어렵쇼 하는 눈으로 서로 흠칫하여 마주 보았다.

"오늘 가봤더니 몇몇 가게는 벌써 문 닫아걸구 자취가 없는 게여."

"거…… 또 포교들 살 판이 났구먼."

고작 그렇게 중얼거린 석서방은 이내 대패질이 서툴러져서 관솔

자리에 딱 걸려 손을 놓치고 말았다. 동네 사람이 가버린 뒤에 박성대가 도구를 챙기면서 말하였다.

"아무래두 심상치 않은 듯허니 내가 서강으루 건너가봐야겠군."

"뭘, 물먹인 놈들이 비단 우리뿐인가. 가끔씩 그런 쌀이 성내루 퍼지는 때가 있지. 우리네야 늘 하던 대루 지방 장사치께 먹였는데 벌써 강원도 어딘가에 짐을 풀었을 게야."

"혹시 또 아는가. 지금 소란을 일으킨 쌀이 바루 우리 것인지 모르지. 아니면 그만 다행한 일이 없지마는, 만에 하나라두 우리 것이면 모두 목에 칼쓰고 남도나 북관 천리루 끌려갈 판이야. 종형두 갈 테여?"

"온 별 할 일두 없는 모양일세. 네나 가보아라. 나는 들어가기 전에 주낙이나 놓고 반찬거리라두 건져 가야겠다."

박성대는 물에다 손을 씻고 바지춤에 훔치면서 물가로 나아갔다. 그는 아무래도 뭔가 심상치 않은 느낌이었다. 처음에 거래를 할 적에도 관동서 왔다는 자들이 담뱃짐을 싣고 왔다고 하였으며 물건은 어디 있는지 자취도 없고 오히려 물건으로 맞바꾸려 할 터인데 유독 자기네 미곡을 골라서 현금을 내고 사가는 것이 못내 의심스러웠다. 그는 홍천수에게 미심쩍은 의사를 밝혔으나 천수는 터럭만큼의 의심도 없이 껄껄 웃어대며 성대의 조바심을 놀려대기까지 하였던 것이다. 그는 말썽이 났다는 말을 듣자마자 드디어 걱정거리가 눈앞에 다가온 것이라고 대뜸 느낄 수 있었다. 성대는 조바심을 치면서 서강으로 건너갔다. 서강에서 배오개로 나가는 길목에는 삼남을 거쳐서 올라온 곡물과 갖가지 과물 등속이 멍석이나 거적때기마다 가득히 쌓여 있었고 미전 쪽에서는 여러 사람들이 다투고 있는 게 보였다.

성대는 슬그머니 구경꾼들 틈을 헤치고 소란스런 미전 앞으로 뚫고 들어갔다. 인근 소매상인들이 팔뚝을 부르걷고 닫혀 있는 가게의 덧문을 발길로 차며 떠들어댔다.

"아니! 언놈들은 쥐새끼처럼 미리 빼어 처먹구, 어떤 놈들은 쓸개가 없어서 싹을 낼 쌀로 낭패를 당허는가."

"우리가 동네에서 받은 수모루 치면 조상 욕까지 먹어가며 내쫓기게 되었구먼. 안 그런가, 사람 먹는 것으루 그따위 짓을 하구선 봉패는 우리가 당하란 말이지."

"끌어내. 끌어내다가 치도곤이를 앵겨서 포도청으루 끌구 가야 한다."

"끌구 가구 말구가 없네. 아예 우리 손으로 저자에서 목을 쳐야 허네. 하늘에서 낸 곡식으루 도적질하는 놈들인데 날벼락을 맞아 급사를 해두 오히려 남지."

"부숴버려라."

"그리구 돈을 물어내라구 해라."

"내는 돈이구 뭐구 다 쓸데없네. 그저 모가지를 홱 비틀어버려야지."

"여보슈, 찬찬히 따져보구 어떤 놈들이 물먹인 쌀을 서강에다 풀었는지 장본인을 잡아냅시다."

"허, 여기 군자 났네, 군자 났어. 당신이나 천천히 따지구 앉아 있으슈. 우리는 전의 주인놈을 잡아다 주리를 틀 테니."

아낙네들도 떠들었고, 다른 상인들은 티가 저희께로 날아들까 하여 슬슬 외면들이나 하였고, 몇몇 소매상인들은 드디어 내려진 덧문을 발길로 내지르다가, 어디서 주워왔는지 도끼를 가져다가 아래 걸린 꺾쇠를 쾅쾅 빠개고 있었다. 꺾쇠가 빠져나오자 덧문을 들치고 들어가 닥치는 대로 가겟방이며 안채를 휘젓더니 드디어 안방 깊숙이 앉아서 달싹거리고 있던 중도전 주인의 멱살을 잡고 장바닥으로 끌어냈다. 성대가 바라보니 아직은 그것이 자기네와 거래했던 자가 분명한지 알 수 없었다. 그도 그럴 것이 그들의 미곡을 산 자들이 서강에 풀었더라도 어차피 그들은 중도아들일 테니 성대가 얼굴을 알아볼 도리가 없었다.

"이놈, 어서 그 쌀이 어디서 들어왔는지 말 안 할 테여?"

"미안허우. 우리네야 그저 습관대루 배에서 내려진 쌀을 넘겨받구 팔았는데 어찌 안단 말이우."

"뭐, 이놈이 아직두 따끔한 맛을 못 봤구나."

하더니 그중 기가 오른 자가 댓바람에 주먹을 쥐어 볼따구니를 호되게 후려치니 코피가 터져버렸다. 흰 저고리 앞섶에 흘러내리는 피를 보자 사람들은 흥분하여 여기저기서 욕지거리를 하며 상인을 차고 때리고 하였다. 집 안에서 아낙네와 노인이 나오더니 뭐라고 악을 쓰면서 사람들을 말렸다.

"우리께 쌀을 넘긴 이가 동막에 있단 말예요. 동막에 가서 알아보면 될 게 아녜요. 우리두 욕을 본 사람이란 말예요. 왜 생사람을 패구 야단이에요."

"뭐라구…… 동막에 누구요?"

"동막에 가서 칠패서 나온 중도아들을 찾아보란 말예요."

"가만있어, 우리 쌀은 다 못쓸 것이니, 여기 쌓인 것으루 나누어 내가야겠수. 자, 들어냅시다."

상인들은 제각기 안으로 몰려들어가 쌀섬을 끌어내고, 분주하게 퍼내어 흩어지기 시작하였다. 동막으로 몰려가기 위하여 물가로 내려가는 자들도 있었으나 대부분의 사람들은 무리에 섞여서 쌀을 퍼내가느라고 수라장이었다. 박성대는 드디어 이 소란이 그냥 흐지부지할 것 같지가 않았고 조급한 마음이 되어 인파를 헤치고 물가로 뛰어내려갔다. 성대는 우선 석범철에게 목격한 일을 얘기해주고 나서 홍천수를 찾을 작정이었다. 성대가 밤섬으로 건너가 석서방의 집으로 찾아가니, 그의 처가 저녁을 짓느라고 연기가 가득 찬 부엌에서 눈물을 줄줄 흘리면서 밖으로 나왔다.

"아주머니, 큰일이 났습니다. 종형 안 들어왔습니까?"

"예, 아침에 일하러 나갔는데, 동자머리에 없던가요?"

"종형 들어오면 천수를 꼭 찾아보라구 전갈해주십시오."

성대는 동자머리로 나가서 석서방을 찾았으나 어디로 갔는지 보이질 않았다. 아마도 주낙배를 끌고 선유봉 근처로 나간 모양이었다. 그는 더 꾸물거리지 않고서 동막으로 나가는 거룻배를 탔다. 동막에서는 서강에서 두셋씩 무리를 지어 몰려든 상인들이 칠패의 중도아들을 찾느라고 쨰보네 술청 안으로 몰려들어가 법석 중이었다. 성대는 슬며시 끼여들어 쨰보를 찾았다. 그는 워낙에 수많은 사람들의 물음에 답하느라고 정신이 없었다. 성대가 칠패 사람 하나를 발견하고 슬그머니 팔을 잡아끄니 그는 술청 안을 빠져나가려다 흠칫 놀라는 시늉이었다.

"어이…… 홍천수 못 봤나?"

"난 또 누구라구. 그나저나 이게 보통 일이 아닐세. 아마 물주를 잡아내기 전까지는 조용하지 않을 게여. 천수야 시방 석우에서 비장의 계집을 끼구 자빠져 있을 텐데. 소문에 듣자허니, 천수가 관동놈들하구 화수 먹은 미곡을 팔아먹었다면서?"

"그런 소문이 났는가?"

"허허…… 소문이 났을 정도가 아니라니까. 동막에서는 언제부터 소문이 났다구. 천수가 일흔다섯 섬을 내놓았는데, 그것이 사실은 썩은 쌀이라구 알려져 있었단 말일세. 그러니 관동 장사치라는 것두 실은 누군가 씌우려구 구렁을 판 놈들이란 말이야. 중도아들 몇과 짜구서 서강에서 시전까지 풀어버렸을걸. 제정신이 있는 놈들이면 그럴 리가 없지."

역시 칠패 중도아의 판단은 정확한 것이었다. 성대는 드디어 걱정하던 대로 자기네가 꾀였다는 것을 알았다. 중도아가 말하였다.

"자네들 혹시 누구한테 해코지한 적이 없는가?"

"뭐 장사하다 보면 어디 곧이곧대루 할 수만 있나. 가끔은 씌우기두 하구, 어쩌다 속일 적두 있지."

"그럴 게야. 잘 생각해보게나. 누군가 일부러 중도아들을 내세워서 일을 꾸몄을 테니. 아마두 지금쯤은 서강에서 시정배들이 싸전을 들쑤셔놓은 소동을 포도청에서 알구 있을 게여. 어서 천수한테두 알리구…… 하여튼지 몇달간 경강 어름에 나타나지 말라게."

"가만있어, 천수한테 우선 알려야겠는걸. 그자만 잡히지 않으면 우리까지는 모를 테니까. 홍천수가 나서서 거래를 했으니 가장 먼저 그 사람을 잡으려 들 게란 말이야."

성대는 일단 석서방에게는 알려두었으므로 석우의 어비장네를 찾아가 어서 피하라고 알려줄 셈이었다.

홍천수는 역시 어비장네 안방 깊숙한 데서 푹 잠겨 있었다. 비장의 계집은 천수가 한번 나가면 도통 돌아오지 않으니 아예 안방에다 붙들어두고 출타하지 못하도록 단단히 단속을 하고 있었다. 천수도 기왕지사 단꿀에 젖었는지라 구태여 밖에 나올 생각이 없었던 것이다. 사나이가 계집에 빠지기 시작하면 그것은 마치 게를 주워먹으러 갯가로 나온 여우처럼 되는 법이다. 게를 잡노라고 갯벌 가녘에서 차츰 바다 쪽으로 들어가다 보면 앞발이 빠지고 이어서 앞발을 빼려고 힘을 주는 사이에 뒷발이 빠진다. 그런 김에 게나 먹자고 구멍을 주둥이로 쑤셔대는 동안에 사지가 스멀스멀 갯벌 속에 틀어박히고 드디어 밀물이 들어오는 것이다. 그때에는 아무리 목놓아 산을 불러보아야 옴쭉달싹을 못 하게 된 뒤이다. 해변가에서 여우가 꼼짝 못하고 빠져죽는 일이 흔한데, 과한 오입쟁이들이 모두 그런 형국인 셈이었다. 어비장의 처가 나이 스물일곱에 빼어난 미모인데다, 또한 수완과 솜씨가 뛰어나서 재물도 모았고 제 남편을 평안감사 수하로 들여 출세시키기까지 하였다. 워낙에 비장 별감배의 처라는 것이 또한 화냥기 있기로는 장안에서 알려진 사실이니 모두들 혼자 있는 그 여인을 호시탐탐하였으나 운좋게 들어앉은 것은 홍천수였다. 그러나 도둑질 오입이라 그의 동무들은 모두 저러다 큰코 다치리라고 씩둑싹둑해오던 터였다.

홍천수가 위인이 꾀도 있고 장사수완도 남 못지않은데다 시정 무뢰배 중에 제법 주먹도 쓴다 하였으니, 가히 비장 처의 샛서방으로서는 제격이었다. 일찍이 그가 칠패에서 어비장 처의 소문을 듣고 미리 알았으며 직접 하녀를 데리고 어물을 사러 장바닥에 나온 그 여인을 보고는 그만 내심으로 작정해둔 바가 있었다.

그 마누라님 어디 사시온지 여쭈어라.

장사하는 이가, 어찌 여염 아낙네의 집을 묻는가고 여쭈어라.

좋은 비웃이 있어 헐케 갖다드리려 한다 여쭈어라.

그렇다면 석우 당고개 삼거리에 오셔서 어비장네를 찾으시면 된다 여쭙지.

이런 수작들이 대강 오간 뒤에 홍천수는 단김에 뽑는 쇠뿔이라고 비웃을 살집 좋은 놈으로 꿰어들고 그날 저녁때 당고개 삼거리에 출두를 했던 것이다. 어비장 처가 혼자 있다는 것은 장바닥에 나와 쏘다니는 것만으로도 알 수 있는 일이거니와, 수작을 나눌 때 눈을 모로 떠서 살짝 눈웃음을 던지는 시늉부터가 헤프기 짝이 없었다. 칠패 어사또 홍천수가 그런 기미를 놓칠 리가 없어, 그날따라 장사 일찌감치 때려치우고 화주 두어 병으로 색정을 달래놓고는 어비장네를 찾았던 것이다. 설마 언놈이 먼저 침을 발라 지금쯤 끼구 자빠져 있는 것은 아니렷다 하고는 제법 목청을 가다듬어 호기 있게 불러대었다.

이리 오너라!

뉘시오니까?

갓 올라온 비웃드렁이 있어서 가져온 칠패 사람이라 여쭈어라.

사방이 어두워 캄캄한데 부녀자만 있는 집 안에 들일 수 없으니 내일 오시라고 여쭈오.

하면…… 대문을 조금만 열고 이것이나 받아 들여가거라.

하녀의 삐죽이 내밀어진 손에 비웃두름을 넘겨주고 나서 홍천수는 이제 첫걸음은 뗀 셈이라 여기며, 내일을 염두에 두고 돌아섰다. 그러는데 저녁 첫술이 깨는 중이라 으스스해지면서 소피가 몹시 마려웠던 것을 깨달았다.

천수는 대문 옆에서 몇발짝 걷다가 돌아선 채로 그 집의 바깥벽에다 물건을 들이대고 오줌을 내갈겼다. 역시 한창때이고 워낙 오줌을 참았던 판이라 오줌발이 드세어 싯 쐭 하고는 후두둑거리며 담벽에 튀는데, 마치 오뉴월 삼복에 한줄금 비껴가는 왕소나기 쏟아지는 양하였다. 그러고는 그 물건을 목탁 치듯이 털털 털고 나서 흠칫 몸서리를 치고는 소중히 고의춤에 쑤셔넣었다.

천려일실(千慮一失), 칠패 어사 홍천수도 바로 그 짓이 적장의 목을 뎅겅 날리게 되었던 것을 알지 못하였다. 그의 바로 등뒤로 대문이 다시 열리며 하녀가 급히 찾는 것이었다.

잠깐 들어오시랍니다.

홍천수는 까닭을 몰라 멍청히 섰다가 허 참 고개를 갸웃해보고 나서 중문간으로 어정어정 들어섰던 것이다. 실은 어비장댁으로서도 첫걸음에 찾아온 외간남자를 덥석 들여놓을 수는 없어서 한 두어 번쯤 내퉁겨보리라 작정하고는 그대로 돌려보냈던 터인데 바로 들창문 바깥에서 사내의 기침소리와 꾸무럭대는 기척이 들렸다. 어디 이 사내의 짓거리나 보아두자고 살그머니 고개를 들어 내다보는데, 바로 코밑에 길쯤한 육근(肉根)이 서 있고 거기에다 세찬 오줌발이 벽을 두드리는데, 마치 돌을 뚫는 듯하여 침을 삼키고 저도 모르게 한숨을 쉬지 않을 도리가 없었다. 음욕을 이기지 못한 비장댁이 마루로 뛰쳐나가 하녀에게 급히 일렀고, 하녀는 그 속을 몰라 쫑알거리면서 대문을 열었던 것이다. 어쨌든 천수는 의외에도 월장(越墻)의 정을 나누게 되었다 싶어 성큼성큼 마당으로 들어섰다. 예전에 홍의에 초립 쓰고 다닐 때는 색주가마다 그의 단골 창기들이 있어서, 뒤를 보아주고 공술에 공짜 오입까지 다니던 이력이 있는지라 아무리 여염 여인이건만 그 여자를 대함에 기탄이 없었다.

허허허, 맨손인 줄 알구 방한하더니 비웃을 보구 나서 마음이 변했소이까?

저 그게 아니라……

하면서 비장댁은 안방 쪽을 손가락질하여 보이는 것이었다.

족제비만 한 쥐가 다락에 있어서……

쥐를 잡아달라는 게요?

그저 쫓아만 주셔요.

쳇, 대장부 신세가 갑자기 고양이루 둔갑을 하는구먼.

천수가 미투리 벗어던지고 마루로 올라서서 뭐 손에 걸리는 게 없는가 두리번거리니 비장댁이 대뜸 다듬잇방망이를 쥐여주는 것이었다. 천수는 마치 그 방 임자나 되듯이 기침을 하고 나서 미닫이를 쓱 열었다. 그 사이에 비장댁이 하녀에게 이르는 소리가 등 너머로 들려왔다.

얘, 너는 팥죽이나 사먹구 오렴.

이악스런 하녀가 눈치를 채고 배시시 웃으면서 나간 뒤에 비장댁은 몸소 대문 빗장을 걸고 쇳대까지 끼워 단단히 문단속을 해두는 눈치였다. 철퇴로 쳐도 삽시에 부서지진 않을 듯하였다. 비장댁이 들어서니 천수는 다락문을 열고 기웃거리다가,

쥐가 어디에 있단 말이우?

넌지시 능청을 떨었고, 비장댁 역시,

제가 올라가서 들쑤실 테니까 아래에서 잡으셔요.

하며 암내를 풍기는데 어느결에 눈자위가 불그죽죽해졌고 숨소리가 커져서, 장안 오입쟁이 홍천수는 이건 뜻밖에도 건드리면 곧 터질 물꼬라고 느끼게 되었다. 그러나 이때에 덥석 손을 잡아쥐거나 우악스레 껴안는 것은 비례일뿐더러 구름과 비의 즐거움을 모르는 풋고추 동자의 소행일지니 홍천수는 꽁무니에 바짝 힘을 주며 억지로 참았다. 시장이 반찬이라고, 음행을 벌이기까지는 그 음기를 더욱 독하고 진하게 올려놓아야 되었다. 비장댁이 다락에 올라서서 상반신을 들여놓고 장목비를 거꾸로 쥐고 새된 소리로 쉿쉿 하며 이리저리 쑤시는 체를 하였다.

어디…… 나갈 데가 없으니 나두 해볼까.

천수도 곁에 나란히 올라 한 손에 쥔 방망이로 쿵쿵 찧어보면서

몸을 슬그머니 비장댁에게 갖다대었다. 비장댁이 저도 은근히 밀면서 허벅지를 대어주는데 곧 살이 더워지기 시작하였다. 천수가 다른 손으로 다락턱을 받치는 듯하며 여자의 아랫배께에 손등을 대어보니 오르락내리락은 고사하고 숫제 베틀에 바디가 왈가닥달가닥하는 것만 같았다. 몸에 불이 난 여자가 사뭇 풀린 눈길을 들어 원망스러이 흘기며 암팡지게 내쏘았다.

이이는 소피는 제법 장히 보시면서 쥐두 못 잡네.

천수가 속으로는 네 요년 한번 겪어보아라 하면서도 부러 계집의 음기를 더욱 돋우느라고,

아무래두 저기 고미다락 끝에 틀어박혀 숨은 모양이니 올라가봅시다.

하고는 방망이 들고서 턱을 넘어 올라가버리니 이런 벽창호가 없을 것이었다. 고미다락 구석으로 올라간 천수가 슬쩍 눈치를 보니 비장댁은 독기가 오를 대로 올라서 쌔근거리고 있었다.

어두운 데서 뭘 잡는다구 그래요.

쥐가 원래 구석을 좋아한단 말이우.

하는 수 없이 여자가 따라서 올라왔고, 천수가 느닷없이 손가락질하면서,

쥐 봐라, 쥐!

하니까 비장댁은 에구머니 소스라치며 천수가 가리킨 아랫도리께를 움츠리고 그에게 달려들었다. 두 사람이 붙안고 넘어지니 판자가 요란하게 삐걱거렸다. 다락에서 떨어지는 케케묵은 먼지가 부엌에 가득 찰 것이었다.

아이, 무서워라.

비장댁은 아랫배를 더욱더 천수에게로 찰싹 붙여왔고 천수는 끄

웅 하면서 계집의 허리를 죄어안았다.

쥐가 그 사타리 사이루 들어간 모양일세.

에구…… 난 몰라.

천수의 농지거리를 받으면서 비장댁이 다리를 꼬아 천수를 죄면서 앙탈을 하였다. 천수가 계집의 치마를 걷어올리고 속곳을 푸는데 일변 끄르고 다른 손으로는 가슴을 주무르니 벌써 비장댁은 열이 올라 인사불성이었다. 계집이 천수의 목을 끌어안으며 중얼거렸다.

어서…… 잡아줘요.

천수는 드디어 제 몸을 넣었다. 장안의 이름난 건달 오입쟁이와 남편을 변방에 보내고 주려왔던 음녀가 합환하였으니 세상에 그런 야단이 없었다. 다락의 나무판자는 끊임없이 출렁거리고 삐걱거렸는데 드디어 진동 때문이었는지 부엌에서 뭔가 떨어져 요란한 소리를 내며 박살이 나는 모양이었다.

아이구 이놈의 쥐, 깊게두 들어갔구나.

어서…… 잡아……줘요.

천수가 쉽사리 계집을 달착지근하게 해주지 않고서 슬슬 놀다가는 쉬고 다시 놀고 여유작작하니 비장댁은 드디어 숨이 턱에 닿아서 천수의 어깨를 잡고 흔들더니 인정사정없이 덥석 깨물었다. 천수가 비명을 내지를 일이언만, 이런 때에야 어디 팔이나 다리 하나를 떼어간들 알기나 하랴. 구워먹든 지져먹든 놀기를 그치지 아니하였다. 음사가 한바탕 흐드러지게 치러진 뒤에 계집은 눈을 감고 아직도 비몽사몽지간을 헤매고, 천수는 슬슬 바지를 추슬러 입고서 다락을 내려왔다. 음사 한 번에 만족할 천수도 아니고 보면, 조금 두었다가 낭심 아래 빼근한 기가 가셔진 다음에 다시 어우러질 수는 있으나, 원래가 꿀이란 많이 먹으면 독약이라, 오늘은 이만 아껴두고 며칠 뒤

다시 와서 첫술 뜨는 기분으로 다시 놀기로 작심하였으니, 아마 월장의 정도 맨 처음 입맛이 으뜸일 것이었다. 입맛 잃지 않고 두고두고 한술씩 떠먹으려는 천수의 속셈을 계집이 알 리가 없었다. 천수가 쓰다 달다 말이 없이 슬그머니 안방 미닫이를 여는데 다락에서 그제야 정신을 수습하고 내다보던 비장댁이 소리를 꽥 질렀다.

어디 가요?

집에 가네. 왜 더 남았어?

아니 저이가……

천수가 마당으로 내려서서 미투리를 꿰는 참인데 치마를 대강 궁둥이에 걸친 비장댁이 버선발로 내달아나왔다. 돌아선 천수의 허리를 잡은 여자가 다시 손을 넣어 그의 아랫도리를 꼭 움켜잡았다. 천수는 꼼짝할 수가 없었다.

차마 붙잡을 수는 없으니, 이거라두 떼어놓구 가요.

천수는 못 이기는 체하고 다시 비장댁에게 끌려들어갔다. 그뒤로 천생 음골(陰骨)인 홍천수는 석서방과 더불어 경강에 나갔을 때 사흘간을 빼놓고는 거의 날마다 여념이 없었다. 그날따라 홍천수는 초저녁부터 바깥 나들이가 하고 싶어서 안달을 했던 것이다.

내 의관 좀 내주어.

뭐 할려구요, 어딜 나가신다구 그래요.

칠패에나 좀 나가볼까 하구……

계집은 입을 비쭉거렸다.

뭐, 술 잡술라우. 술이라면 탁주에 약주에 화주에 감홍로 계당주, 시키는 대로 받아올 수 있어요.

누가 술 먹는댔어?

그럼 노름이오…… 가보잡기 하리까 오방때리기 할까요, 주사위를 놀까요. 쌍륙의 틀이 있으니 제가 상대해드립지요. 뭣 허러 하릴없이 칠패엘 나간다우?

천수는 할 말이 없었다.

제미 이건 뭐…… 사내자식이 아예 옥에 갇힌 죄인 노릇두 아니구, 의관 안 내줄 테여?

못 내드려요. 또 어디 가서 어떤 계집이나 건드리려구…… 얘야, 쌍륙틀이나 들여와라.

홍천수는 입맛을 다시며 도로 주저앉았다.

원 밝히기는 되우 밝히네. 아예 이러질 말구 방물전에 가서 각신(角腎)이나 하나 참한 걸루 사다 놓구 꽂아놓구 앉아 지내지. 이거야 원 생사람이 좀이 쑤셔서 죽겠구먼.

밖에 나다녀봤자 다 그게 그겁니다. 당신은 내가 없으면 벌써 대꼬챙이가 됐을 거예요.

그게 무슨 소리야?

아니란 말예요? 그렇게 계집이라면 눈에 불을 켜구 달려드는 분인데, 창기방에 가봐요. 술 먹지 돈 털리지 탕정하지, 그렇다구 이건 아침에 술국을 끓여주나 꿀물을 타주나, 빼앗기느니 양기뿐인데 배리배리 말라비틀어지겠지.

에이, 나로 말하면 칠패에서도 소문난 완력인데 임자를 만나서 이젠 근기를 모두 빨리었네.

하다가 홍천수는 자지러졌다. 비장댁이 홍천수의 넓적다리를 꼬집어 비틀었기 때문이다.

흥, 근력 없다는 이가 대낮에두 두어 차례씩 속곳을 벗겨요?

비장댁은 갸름하고 해사한 얼굴에 음탕한 홍조를 띠웠다. 눈자위의 푸르스름한 그늘도 그런 때는 발그레해지는 성싶었다. 허리는 잘

록하고 궁둥이는 짝 벌어졌는데 앙탈을 부릴 제면 그 아랫도리를 좌우로 흔들어대는 것이었다. 감창소리로 친다 하면 모기의 날갯짓에서 시작하여 암소가 배앓는 소리로까지 소란해지는 것이다. 특히 막판에 지르는 소리는 연신 애고지고였다. 요분질로 볼작시면 좌우로 궁둥이를 흔들다가 나중에는 맷돌 돌아가듯 돌고는 이어서 등이 삿갓반자처럼 휘어지며 사뭇 버나를 돌리는 듯하였다. 그러다가 힘이 빠져 일시에 와드르르 무너지고는 살살 흔들어대는 요분질로 바뀌었다. 어쨌든 홍천수는 장안에서 숱한 계집들을 겪어보았으되, 비장댁과 같은 골수의 음녀를 만나지 못하였다. 하녀가 쌍륙판을 들여다주었고 절편 등속의 주전부리도 내왔다. 그들은 마주 앉아서 말을 판에다 늘어놓고 주사위를 던지기 시작하였다. 초저녁이 그렇게 해서 지나가고 드디어 비장댁이 천수의 다리께를 살살 어루만지면서 흥흥거렸다.

뭐야…… 또 쥐 잡아달라구?

아랫목에는 노상 이불이 깔려 있었으니 그대로 붙안고 들어가면 되는 판이었다. 벌써 비장댁은 아래위 홀딱 벗어버리고 이불 안에 들어갔고 홍천수도 지겨운 생각이 없는 것은 아니었으나 마다하는 성미는 아니었으므로 따라 들어갔다.

박성대가 좋지 않은 소식을 가지고 당고개를 넘어 석우에 이르렀을 때는 바로 두 연놈이 합환으로 이미 이승을 떠나 있던 참이었다. 그가 다급하게 문을 두드리니 하녀가 빗장도 지른 채로 문안에서 목소리로만 물어왔다.

"누굴 찾으시나요?"

"이 댁에 홍서방이 계시느냐?"

"안 계십니다."

그도 그럴 것이, 제 여주인이 이르기를 서방님의 동무 되는 어른이란 거의 모두가 저잣바닥의 왈짜 무뢰배들이니 아예 문간에도 들이지 말고 쫓아보내라던 것이었다.

"여기 있는 줄을 번연히 알구 왔는데 없다니, 그 무슨 말인고."

"안 계시다니까요. 여주인 홀로 있는 집에 외간남자가 올 까닭이 없잖아요."

성대는 그렇지 않아도 다리를 절뚝이며 십 리쯤 되는 길을 왔는지라 순간 화가 치밀어 대문을 내차고 말았다.

"원, 아무리 양물이 좋다 하나 환난이 코앞에 있는데 사내를 끼고 도는 계집이 어디 있다더냐."

"애개개, 어떤 상놈이 남의 문전에 와서 해괴망측한 소리를 다 하네. 부녀자들끼리 빈집을 지킨다손 어디 와서 행패야. 당장에 순라를 불러 포청에 떨어뜨릴 테야."

박성대는 침을 탁 뱉으며 돌아섰다.

"뒈지든 말든 나두 모르겠다. 그 양물이 썩어져서 개미밥이 될 테니 두고 보라지."

성대는 못내 화가 식질 않아서 다시 동막 쪽으로 투덜거리며 돌아가다가 탄식하였다.

"천수는 인제 장하(杖下)에 죽는 몸이로구나!"

그는 일단 서강의 모신이네로 가서 석서방과 만나 잠시 몸을 피할 의논을 하기로 작정하였다.

자정이 훨씬 넘어서 홍천수는 벌거벗은 채로 비장댁을 끼고 깊은 잠이 들어 있었다. 사방이 괴괴한데 그 집 밖에는 네댓 명의 포졸과 포교가 서성거렸다.

"대문을 두드려볼까요."

포졸 하나가 포교에게 속삭였으나 그는 말렸다.

"아니다, 이곳 지리에 밝은 놈이니 분명히 담이나 지붕을 타고 달아날 것이다. 너희들이 뒤꼍으로 해서 마당에 들어선 뒤에 내가 들창문을 부수구 뛰어든다."

포교가 지시하여 두어 사람이 담을 따라서 돌아나갔고 하나는 대문 앞에 섰다. 포교가 손짓을 하니 대문에 섰던 자가 문을 쾅쾅 두드리기 시작하였다. 그때에 천수는 어렴풋이 잠을 깼고 비장댁은 불안하여 일어나 앉으며 이불로 가슴께를 감쌌다. 여자가 건넌방의 하녀에게,

"얘…… 누가 왔나 부다."

할 때 천수도 눈을 멀거니 뜨고 일어났다. 두 연놈이 모두 사통을 한 죄가 있는지라 아닌 밤중에 문을 두드리는 소리에 눈을 크게 뜨지 아니할 수가 없었다. 천수가 벌거숭이로 빠져나가 우선 바지부터 황급히 꿰면서 물었다.

"혹시 관서에서 임자 서방이 온 게 아닐까?"

문 두드리는 소리는 아주 당당하였다. 건넌방에서 하녀가 나가는 기척이 들려왔다. 잠시 후에 문간에서 하녀가 말하였다.

"누구셔요?"

"어서 대문을 열어라. 관에서 나왔다."

"무슨 일루 그러셔요. 여긴 여자뿐이에요."

"시끄럽다, 어서 열지 않으면 부수구 들어간다."

그 소리에 홍천수는 깜짝 놀랐다. 도대체 자기를 잡으러 온 것 같지는 않았으나 뭔가 이 집에 심상치 않은 일이 있는 것만은 틀림없었다.

"임자네 서방이 무슨 일을 저지른 모양일세."

오히려 그렇게 중얼거리면서 천수는 다락으로 기어올라갔다. 집 뒤짐할 때 걸린다 한들 그런 수밖에는 도리가 없었다. 대문이 열리고 포졸이 들어섰고 그는 불문곡직 안방 미닫이를 벌컥 열었다.

"홍천수 어디 갔느냐?"

이불로 가슴을 가리고 발발 떠는 비장댁에게 육모방망이를 쳐들면서 포졸이 말하였다.

"저어…… 그런…… 사람이 우리집에 왜 오겠어요."

포졸이 다시 문지방을 밟고 지켜선 채로 뒷담 쪽에 숨어 있는 포졸들을 불렀다.

"어이, 코 떨어졌다."

하자 포졸 두 사람이 담을 넘어 들어왔다. 범인이 꼼짝없이 잡히게 되었음을 이르는 말이었다. 포졸은 안방에 들어서자마자 방에 널려진 홍천수의 저고리를 보았고 다락을 주의 깊게 살펴두었던 것이다. 포졸 하나가 들창에다 대고 부엉부엉 하고 암호를 말하였다. 포교는 다시 지키던 곳을 버리고 대문으로 돌아 들어왔다. 포졸들이 육모방망이를 치켜들고 다락문을 열었다.

"그 안에 있는 줄을 다 아니, 순순히 나와서 포승을 받아라."

천수는 고미다락 끝에 웅크리고서 포졸들이 어째서 자기를 잡으려는가를 잠깐 생각하여보았다. 천수가 뒤늦게 화수 먹인 쌀을 관동 사람이라 자칭하는 이들에게 팔아넘겼던 일을 떠올리고, 제 이마를 쳤을 적에는 이미 늦어 있었다. 천수는 부엌 바로 위에 있는 다락의 창을 열었다. 마당으로 뛰어내려 담을 넘어갈 작정이었다.

"못 나오겠느냐."

어쩌고 하면서 포졸의 검은 몸집이 다락으로 올라섰고, 천수는 다락의 창에서 거의 거꾸로 떨어지듯 하였다. 이제 성큼 일어나 마당

을 가로 건너지르는데,

"끼놈, 어딜 달아나느냐."

버럭 소리치며 천수의 등뒤로 포교가 달려들었다. 그는 미처 뒤돌아볼 틈도 없이 포교가 휘두르는 쇠도리깨에 어깻죽지를 되우 얻어맞았다.

"어이쿠……"

천수가 휘청하면서 한 손으로 어깨를 만지며 주저앉았다. 마당으로 우르르 몰려내려온 포졸들이 그를 에워싸고 오라를 지었다.

"단단히 모양을 내어라."

그들은 천수의 팔을 뒤로 돌리고 두 손목과 팔뚝을 몇번이나 돌려감고 묶었다. 포졸 하나가 허리춤에서 종이광대를 내어 천수의 머리에 씌우려 하였다. 삼첩지(三貼紙)로 만든 커다란 봉지에다 두 눈이 닿을 만큼 구멍을 뚫은 것이다. 천수가 한숨을 푹 쉬면서 그들을 올려다보고 말하였다.

"헌데…… 무슨 죄루 이러는지 이유나 알려주오."

"허, 그놈 죽을죄를 저지르고 도리어 우리에게 묻는고나."

"이놈아, 유부녀와 사통하구 다니는 죄만 하여도 본부(本夫)가 등시포착(登時捕捉)이면 박살당할 죄이다."

포졸들이 제각기 지껄였다. 그들은 저녁 내내 칠패에서 홍천수를 수소문하여 다니면서 이미 그의 근황을 소상히 알아내었던 것이다. 강주인이 투서할 때 가장 먼저 찍은 것이 칠패 김포교와 홍천수였으니 강화 춘득 선단의 도사공과 대두는 그 다음 문제였다.

"종이광대를 얼른 씌워라."

천수는 아직도 긴가민가하여 되물었다.

"털어서 먼지 안 나는 놈 봤수. 하도 죄가 많아 그러니 잡혀가는 이유나 알자는 말씀이우."

"화수 먹인 쌀을 팔아 처먹고도 그리 뻔뻔할 수가 있느냐. 이놈아, 시방 동막에서는 집을 부수고 사람을 상해한 소동이 일어났다. 이제 잡혀가면 알 일이지만, 경강 무뢰배를 모두 쓸어버리라는 대장의 분부가 내렸다."

"누, 누가 발고했는가요?"

"누군 누구야, 중도아들이 들구 나섰지. 그자들두 너희께 속아서 쌀을 냈다가 소상들과 성내 사람들이 몰려들어 봉변을 당하였다."

"우리는 관동 사람들께 팔았는데……"

포교는 짐작이 있어서 껄껄 웃었다.

"저고리나 입혀줘야지, 이거 반벌거숭일세."

포졸이 천수의 저고리를 가져다가 결박된 몸 위에 그냥 얹어주고 머리에 종이광대를 씌워버렸다. 뒤늦게야 정신이 든 비장댁이 뛰쳐나와 포교의 옷자락을 잡고 애걸하였다.

"나으리, 돈이든 피륙이든 제게 있으니 한 번만 살펴보아주십시오."

포교는 계집의 태거리를 훑어보며 은근히 마음이 동하는 모양이었다.

"네 이 고얀 년, 외간남자와 사통하였으니 상풍음녀로 사헌부에 발고해야겠다. 게다가 죄인을 숨겨주기까지 하였으니 입이 아래위 두 개로는 발명할 길이 없으렷다."

"죽여주오."

비장댁이 뒤를 핼끔하였더니 하녀가 전대에 돈꿰미를 넣어 뭉쳐 가지고 포졸 한 사람에게 떠맡기는 것이었다.

"이거 왜 이러지……"

"그저 살려줍시오. 남의 눈이 있어 전옥서 근처에 얼씬도 못 할 것이니, 부디 너그럽게 해줍시오."

압송할 때 치사를 드리는 것으로는 조금 과하였으나 약점이 약점인지라 포교는 할 바를 모르는 포졸에게 일렀다.

"정성이니 받아두어라."

홍천수가 비록 입이 있고 할 말이 가슴을 비집고 터져나오건만 종이광대를 썼으니 비장댁의 얼룩진 얼굴만 보일 뿐이었다. 또 보세, 하였건만 웅얼웅얼 막혀서 흘러내릴 뿐이었다. 그러나 건달 홍천수도 돌아서서 당고개 삼거리를 내려가며 그제야 칠패의 처자식이 눈에 어른거렸다. 그는 새삼 마누라가 보고 싶었다. 얼마나 복통이 터지랴, 허구한 날 노름질과 오입질로 동분서주했던 그로서는 마누라가 이런 일을 아예 몰라버리는 것이 나을 성싶었다. 기다리다가, 어디 원행 상단에라도 따라붙어서 돌아가지 못하는 줄로 여기면 다행일 것 같았다. 여하튼 운이 나쁘면 포청 안마당에서 실려나갈 것이고, 기껏 좋았자 얼굴에 자자되어 몇천 리 길의 유배로 내쳐질 것이었다. 그러나 홍천수는 역시 장안 무뢰배답게 마음 편히 받아들이기로 작정했다.

"제미…… 외입질은 이제 끝이로다!"

석범철은 주낙을 놓아 반찬거리를 잡아가지고 일찌감치 집에 들어갔었다. 저녁을 먹고 나서 마누라는 옷가지를 꿰매고 앉았으며, 그는 곰방대를 물고 앉았다. 가끔씩 마을 개가 컹컹 짖어댔다.

"찬바람 불기 전에 배가 다 되어야 할 텐데."

"그나저나 어쩔 작정으루 선단을 그만뒀어요. 이나마 식구가 밥이라두 먹구 사는데, 참 배포두 좋아."

"온…… 못 먹으면 까짓 도둑질이라두 할 테니 임자 밥 굶을 걱정

말어."

아내는 한숨을 쉬며 기가 막히다는 듯이 혀를 찼다.

"말하는 것 좀 봐. 언제는 내 주릴 걸 걱정을 했남. 이건 삯바느질이다, 주낙질이다, 수수농사에 조농사다, 미친년 헤갈하듯 하며 새끼들 길렀는데 아주 장한 듯 말허시네. 참 가슴이 턱턱 막혀서…… 몇푼 벌이두 못허면서 이건 술 먹지 노름허지, 집에는 두어 달에 한 번 코빼기를 비칠까 말까 하더니 그나마 집어치우구 집에서 빈둥거리니 허는 걱정이우."

석서방도 딴은 아내를 고생시켜온 것이 남보다 못하잖던 터이라 입맛을 다셨다.

"임자는 내가 집에 붙어 있는 게 그리 싫은가. 내일이라두 당장 짐 싸들구 팔도 유람이나 갈까 보다."

"어이구, 맘대루 하시구랴."

"가만있어. 배만 다 되면 장사를 부지런히 해서 경강 부고가 되어 보일 터이니 그때 호강할 꿈이나 꾸게."

이런 좋지도 나쁘지도 않은 부부지간의 수작이 오가는 가운데 밤이 깊어졌고, 아이들이 깨어나 칭얼대고 석서방은 마누라를 집적거리기도 하면서 잠이 들었던 것이다. 이웃집 건넛집의 개들이 극성맞게 왕왕대는 소리에 석서방이 문득 눈을 뜬 것은 동녘이 부옇게 트여 안개는 자욱하고 땅 위에 서리가 단단히 엉겨 있는 즈음이었다. 아래가 묵지근하고 오줌보가 가득 차서 춥지만 안 일어날 수가 없어, 석서방은 흐드득 진저리를 치면서 바지를 추스르고 봉당으로 나섰다. 뒤꼍에 있는 오줌독에다 갈기느라고 집 모퉁이를 돌아나가는데, 흘낏 누구인가 울바자 사이로 지나치는 것을 보았다. 동네 사람이 새벽에 반찬거리라도 잡으러 나가는 것이겠거니 여기다가 오줌을 누면서야 되짚어지는 느낌이 있었다. 그런데 옷 색깔이 검정이었던 듯싶었다.

가만있자 하고 나서 울바자 사이로 기웃거려보니 검정 옷자락과 털벙거지가 보이는데 세 사람이었다. 모두 육모방망이에 주홍빛 오라를 차고 있었다. 뿐만 아니라 그중 키가 크고 뼈대가 억세어 보이는 자가 서슴없이 사립문을 안으로 밀어붙이는데 문이 비스듬히 기울어지며 떨어져버렸다. 석서방은 더이상 우물대지 않고서 뒤꼍의 울바자를 쥐어뜯고서 빠져나갔다. 그러고는 마을 뒤로 정신없이 뛰었다. 어제 박성대가 찾아왔더라니 분명히 탈이 난 것이었다. 하여튼지 잡히지 않는 게 상수였다.

안개가 뛰는 발길과 흔드는 손길에 휘적휘적 엉겨왔고 서리 내린 아침공기는 그의 홑옷을 뚫고 차갑게 감겨왔다. 석서방은 갯가의 반대쪽으로 방향을 잡았다. 그가 달아난 것을 알고 곧 뒤쫓을 것을 알기 때문이었다. 아니나다를까 뒤에서 사람의 뛰는 발걸음 소리와,

"방금 달아났다. 어서 잡아라."

하며 외치는 소리도 들려오고 있었다. 석서방은 밤섬 동자머리를 등뒤에 두고서 여의섬의 백사지 들판을 향하여 뛰었다. 마른 풀이 무성한 곳에 이르러 그는 몸을 숙이고 우선 쭈그려앉았다. 주위에서는 물새들이 우짖으며 가끔씩 허공을 지나가고 마른 풀이며 갈대며 억새를 비집고 가녀리게 스쳐가는 바람소리만이 들려왔다. 석서방은 아예 잡힐 테면 잡히라지 하는 심사가 되어 뒤로 질펀히 누워버렸다. 어제 성대가 일러준 대로 미리 가솔들을 데리고 광주나 강화 어름으로 은밀히 피할 것을 너무 방심하였다 싶었다. 뒤쫓는 포졸들은 어디로 갔는지 아무 소리도 들려오지 않았다. 석서방은 두어 식경이 넘도록 마른 풀 속에 누워 있었다. 해가 높직이 솟으니 늦가을의 냉

기도 가시고 제법 따사하여 절로 졸음이 왔다. 여하튼 백주에 마을로 돌아가기도 그렇고 더구나 강을 건너 서강으로 갈 수는 없는 노릇이었다. 에라 배도 고프고 무료하기도 하지만 서린 전옥서에 갇혀 악머구리 끓듯 하는 남칸 북칸에서 신참례를 치르는 일보다야 한결 윗길이로다, 생각한 석서방은 설깨었던 새벽잠을 다시 청해보기로 하였다.

한참이나 자고 나서 눈을 떴으되 이제 겨우 정오쯤인가 해가 바로 정수리 끝에 떠 있었고 오랜만에 끼니를 놓친 탓이라 회가 요동을 치는 것이었다. 그는 바람에 불려 전신에 쐰 모래를 털고 일어났다. 여의섬 들판부터 우뚝 솟은 밤섬 동자머리까지 인적이 전혀 없었다. 그는 마을로 조심조심 다가갔다. 아이들은 여전히 뛰놀고 닭이 마당을 오가고 있었다. 그는 짐짓 아무렇지도 않게 한가한 걸음걸이로 그의 집이 내다보일 만한 곳까지 다가갔다. 사립문은 떨어진 채였고, 달랑 둘뿐인 안방과 건넌방의 방문도 휑하니 열려 있었다. 그리고 무엇보다도 종종걸음을 치며 마당을 오락가락할 그의 아내가 보이질 않았다. 그는 비어 있는 집을 보자마자 가슴이 덜컥 내려앉았다. 그러고는 이제껏 비슬거리던 걸음이 변하고 성큼성큼 집 쪽으로 걸어갔다. 열려진 방문을 보니 온통 뒤죽박죽이요, 어떤 놈이 홧김에 걷어찼는지 항아리와 대독이 깨져서 부엌은 온통 간장과 물에 홍수가 나 있었다. 그는 혹시 아이들이라도 남아 있을까 하여,

"애들아, 어디 있니."

라고 불러보았으나 대답이 없었다. 그때 등뒤에서 누군가가 소매를 덥석 잡았다. 소스라쳐서 뒤를 돌아보니 옆집의 아낙네였다.

"에구, 큰일 날려구 여기서 서성거리슈. 어서 저희 집으루 가십시다."

"이게…… 어찌된 일입니까?"

"어서 가십시다. 애들이 우리집에 있수."

하여 석서방은 뒷집으로 쫓아갔다. 주인은 석서방과 소싯적 동무이며 동막에서 원행 다니는 상단을 따라다니고 있었다. 친척이나 다름없어 장떡 한 쪽을 부쳐도 담넘이를 해오는 사이였다. 그 집의 안방으로 들어서니 딸은 잠들어 있었고, 아직도 눈물이 마르지 않은 큰놈이 눈을 번듯 뜨고서 반겼다.

"아부지, 엄마 잡혀갔어."

"갓난애는 안구 갔어요. 그놈들이 머리채를 잡아 끌어내고, 서방을 잡을 때까지 잡아둔다구 합디다."

석서방은 큰놈을 무릎에 앉혀두고 고개를 떨구고 앉아 있었다.

"아주머니, 애들 좀 맡겨둡시다. 내 발루 포도청에 자수하면 에미는 곧 나올 게요. 신세는 나중에 갚지요."

"에유, 무슨 말씀이셔요. 신세라니요. 자수하면 애들 엄마는 나오겠지만, 그러면 또 아낙네 혼자 어찌 삽니까. 차라리 애들 엄마가 잠시 고생하구 나올 때까지 기다리시우."

"아닙니다, 그 고생을 어찌 견디겠습니까. 내가 오늘밤 안으루 자수를 하든지 아이들을 데려가든지 하지요. 하루만 맡아주십시오."

아이들을 부탁하고 석서방은 축 처져서 옆집을 나섰다. 동자머리로 나아가 사람들의 시선을 피하며 한적한 곳에 가서 배를 띄우고 서강으로 건너갔다. 모신이네 주막으로 갔는데 앞의 술청에는 술꾼들이 많아서 뒤꼍으로 돌아가 안채에 들어섰다. 오락가락하던 모신이네 밥붙이가 그를 보자 눈을 번쩍 떴다.

"허, 여긴 웬일이슈?"

"주인어른 기신가."

"밖에 나가셨는데요."

"박서방 오지 않았던가?"

"가만있으슈……"

하고 나서 그가 잠깐 술청으로 나갔다 들어오더니 앞장을 섰다.

"작은댁네 계시답디다."

중노미가 서강의 저자를 피해 이리저리 돌아서 그럴듯한 집 앞에 이르렀는데, 비록 초가였으나 집채가 덩그러니 크고 마당이 번듯하였다.

"이게 뉘 댁인가?"

"예…… 저희 주인어른 소실 댁입니다."

겉보기에만 임집이지 토담에 대문이 딸려 있는데, 무슨 객줏집 같았다. 대문을 두드리고 문이 열리고 하는 중에 건너다보니 뒤편에 또 잠긴 문이 있었고, 마당 세 귀퉁이마다 제법 큼직한 광이 있었다. 서강 저자에서 멀지 않은 곳이니 모신이가 장물을 쌓아두는 곳인 모양이었다.

마방이 왼편에 딸렸는데 튼튼해 뵈는 나귀 두어 마리가 매어져 있었고, 아마 급주용인 듯 다리가 길쭉하고 허리 잘쏙한 준총이 한 마리 있었다. 실상 주막은 거래를 트는 곳에 지나지 않고 왈짜 건달들이 나와 놀며 안면이나 익히는 곳인 모양이었다. 사실은 이 집이 모신이의 장사처인 듯하였다. 덩치 좋은 하인들이 두툼한 섬이나 보에 싼 물건들을 져나르고, 모신이는 일일이 그것들을 어디에 두어라 무엇은 빼내라 하며 지시하고 있었다. 주막의 중노미가 다가가 허리를 굽신하면서,

"주인어른, 밤섬 석서방 오셨습니다."

하니까 고개를 돌리고 그를 바라보았다. 석서방과는 몇번 거래가 있

었고, 특히 홍천수와 어울려 노름도 하였으므로 그리 친하지는 않아도 서먹한 사이는 아니었다. 다만 모신이가 석서방을 천수에 비해서는 그리 신통치 않게 생각할 뿐이었다.

"어 오셨군, 안으로 들어가지."

그들이 함께 사랑채에 들어서니 목침을 베고 무료히 누웠던 성대가 반기며 일어났다.

"종형, 잡히지 않았구려."

"대신에 애 에미가 끌려갔다."

"형수씨가…… 천수도 잡혔어."

박성대가 그렇게 말하면서 모신이를 바라보니 그도 고개를 끄덕이고 있었다.

"사람을 보내어 형편을 알아보게 했더니 석우에서 어젯밤 잡혀갔다네."

석서방이 꺼질 듯이 한숨을 내쉬었다.

"영문을 모르겠다니까. 귓전에 얼핏 전해듣긴 하였으나 설마 하구 넘겨버렸단 말이야. 누가 찔러넣은 게 분명한데."

모신이 껄껄 웃었다.

"허허, 아직두 잠귀신이 들었군. 이봐, 정신들 차려. 언놈이 그런 골탕을 먹구 가만있겠나. 동막 강주인이라면 물에 닳고 돈에 닳고 사람에 닳아서 반들거리기가 차돌멩이 같단 말여. 내 소견에는 그러네. 애시당초 자네들이 화수 먹은 쌀을 받아온 것두 잘못이구, 관동 상인이란 것두 허방을 파놓은 게야. 그 쌀을 사다가 헐값에 중도 아들께 풀었단 말일세. 아마 나중에 말썽이 나면 홍천수를 대주라고 그랬겠지. 그러고는 일변 소상들을 쑤셔놓고, 한편으로는 투서를 써내었겠지. 소란이 일어나니 즉각 잡으러 나온 게여."

모신이가 역시 장물아치답게 소상히 꿰어내니 알 듯 말 듯하던 성대와 석서방도 일시에 이치가 훤하여지는 것이었다. 석서방이 중얼거렸다.

"내 이놈을 당장 쫓아가서 쳐죽이기 전에는 자수 못 하겠군!"

모신이 눈을 휘둥그레 떠 보였다.

"뭐여! 자수를 헌다구…… 마누라가 잠시 잡혀갔다구 제 발루 포도청을 찾아간단 말이지."

"그럼 어쩝니까. 애새끼들을 봐서라두 어서 나오게 해얍지요."

"걱정 마시게. 아무리 큰 죄를 졌다 하나 대역죄가 아닌 다음에야 애매한 식구들을 오래 붙들어두지는 못하네. 내가 어찌 힘을 좀 써줄 테니까 당분간 숨어 있도록 허게."

"천수는 글렀지요?"

박성대가 묻자 모신이도 고개를 끄덕였다.

"칠패 포교두 함께 잡힌 모양인데, 아예 도적놈의 괴수로 떨어져 버렸다네. 제가 운이 좋으면 귀양 나가는 길에 도모를 하고, 아니면 전옥서의 귀신일세."

하고 나서 모신이가 석서방에게 물었다.

"실은 내가 댁네 도움이 필요하네. 강화에 가면 그 우가 성 가진 도사공을 끌어낼 수가 있는가?"

"예…… 무슨 일루 그러시우?"

박성대는 자세히 알고 있는 듯 모신이 대신에 입을 열었다.

"배나 한 척 부려볼까 하신다네."

"뭐, 장사를 하시게……?"

"내가 뭐 새삼스레 주상(舟商)으루 나서겠나. 그저 댁네들 배 한 척 마련해주고 좋은 물건으루 벌어다 주면 되어. 그런데 그 도사공이

온다면 마음 턱 놓구 내맡길 수가 있지마는……"

아직도 석서방은 무슨 소리인가를 잘 알아듣지 못하였다. 모신의 뜻은 이러하였다. 그는 경강의 유일한 장물아치이니만큼 광주 송파의 좀도둑이나 양주 인근의 난전꾼들이나 하여튼 수상한 놈들이 없으면 버젓한 장사는 이가 박하여 나설 생각도 없는 터였다. 진물은 역시 해상에 있다고 여겨졌고, 언젠가 믿을 만한 사람들만 만나면 연관을 갖고 싶어 하였던 것이다. 관에 쫓기거나 아예 등을 돌린 자들을 만나지 못하였더니 일이 잘 풀리느라고 그들이 강주인의 함정에 빠져버린 게 아닌가. 그는 잘 맞아떨어졌다고 혼자서 무릎을 두드렸던 것이다. 뱃값은 한 번 성사에 다 갚아낼 것이고 그 다음부터 그들이 해상에서 덮쳐낸 물건들만 위탁하여 팔아도 금방 부가옹으로 일어날 수가 있을 것이었다. 성대가 조선에 능하며 석범철은 배를 잘 운항할 것이며 한번 본 적이 있으나 도사공 우서방은 능히 두목의 기량이 있어 보였다. 강화에서 난다 하는 뱃놈들을 모아 무장선이 이루어지면 서해의 그물 같은 수로는 모두 그들의 것이나 다름없었다.

"나두 살자구 하는 일이니 그렇게 의심스러워 마시게. 배를 사서 고치든지 아예 새루 만들든지 마음대루 하게. 돈은 얼마든지 낼 테여."

"뱃값만 갚으면 된다 그거요?"

성대가 다시 말참견을 하였다.

"답답하기는…… 배를 타구 적당(賊黨)질을 하란 말이여."

"무어…… 그러면 수적(水賊) 노릇을 한단 말인가."

"수로가 좋기로는 강화도 좋고, 임진 예성 수로두 좋지. 관선은 그만두고 사상(私商)의 배만 털어두 일 년에 대여섯 차례면 금방 대금을 만지게 될걸. 어쨌든 그 우서방이 오면 의논이 확정되겠지만, 여기 박서방두 물길이라면 손금 보듯 하잖은가. 이봐, 석서방 기왕에 이리되었으니 아예 경강 살림을 걷어치우지 그래. 오늘이라두 당장 강화루 떠나게."

"집사람 일을 돌보아주시면 마음 놓구 떠나겠습니다만……"

드디어 석서방이 그렇게 응낙하였고, 박성대도 곁에서 거들었다.

"대금만 되면 그담에는 까짓 거 남경 장사나 하지 비좁은 경강 바닥서 비벼봐야 소상을 면치 못할 테고……"

모신이는 노자로는 좀 많은 열닷 냥을 내놓았다.

"우서방만 데려와보게. 뱃놈들 모으는 거야 그자가 다 알아서 하겠지. 그리구…… 내가 지금이라두 사람을 보내어 손을 쓰겠네. 자네 집사람두 곧 나오겠지."

"동막의 그놈들…… 경강을 떠날 제 요절을 내버려야지."

석서방은 이미 저녁때가 다 되었건만 노중에서 묵기로 하고서 모신이네 작은집을 나섰다.

우대용은 멍구미에서 내려 용우물 강선흥네 집을 찾았다. 마침 점심참이라 선흥이 형수는 아버지와 더불어 밭에서 돌아왔고, 어머니는 부엌에서 상을 보던 중이었다.

"안녕허세요. 선흥이 어디 갔습니까?"

선흥의 어머니는 멈칫 놀라서 우선 그의 등뒤에 따라붙은 사람들이 없는가부터 살폈다.

"절 모르십니까. 그전에 선흥이허구 같이 와서 달포나 묵고 갔지요."

"응…… 겨울에 말이지요?"

선홍이 어머니는 그제야 대용을 알아보는 듯하였다.
"어서 거기 마루에 좀 걸터앉으슈."
"예……"
"아이, 그간 별고 없으셨에요?"
선홍의 형수가 대용을 대뜸 알아보고 반색을 하였고, 대용은 얼른 일어나 선홍의 아버지께 인사를 올렸다.
"음, 그래 어디서 오는 길인가?"
"강화에서 옵니다. 거기 선단에서 도사공으루 밥을 먹구 있습니다."
"허허, 저걸 어쩌나…… 선홍이는 오래 전에 집을 나갔는데."
"아니, 집을 나가다니요?"
"아버님두, 먼 길 오신 분 낙담하시겠어요. 어서 좀 올라오시지요. 시장하실 텐데 점심 자셔야지요."
선홍의 형수가 먼저 부산을 떨면서 대용에게 마루 위로 올라앉도록 재촉하였고, 그도 얼결에 선홍의 행방에 대해서는 더 묻지 못하고 덤덤히 앉아 있었다.
"안되었네. 선홍이 동무라니 하는 말이지만…… 그놈이 없고 보니 집구석이 그냥 휑하니 빈집 같군."
"형님하구 함께 행상 나갔나요?"
"큰아이는 봉산 올라갔지. 집엔 나허구 마누라허구 저애들뿐이지."
"무슨 일이 있었습니까?"
선홍이 아버지는 입맛을 쩝쩝 다시는 것이었다.
"있었지…… 그놈이 부역 나가서 관리를 두들기고는 관가에서 봉욕을 치렀지. 그뒤로 세상 살 맛이 없어졌는지 집을 나가버렸다네.

말썽이 더이상 없었기에 식구들은 무사했지마는……"

우대용은 그야말로 맥이 탁 풀리는 것 같았다. 그래도 선흥이만은 착실하게 행상을 하여 장가들 준비도 하고 버젓하게 세상살이를 하고 있는 줄만 알았던 것이다. 역시 그도 여염의 생활을 견디지 못하여 집동네를 떠나버린 게 아닌가. 대용이 물었다.

"선흥이가 어디루 갔는지 식구들은 모르십니까."

"저희 형하고는 무슨 말이 오갔던 모양이지만 우리께는 통 알리질 않아서 모른다네. 그래두 별루 걱정은 안 되는군. 그 녀석이 워낙에 밖으로 싸다니길 좋아해서 그전엔들 어디 집구석에 붙어 있었나. 제 몸 하나는 잘 벌어먹구 살 게여."

우대용은 선흥이 아버지의 말을 들으며 연신 고개를 끄덕였다. 아마도 구월산에 찾아갔거나 송도의 박대근을 찾아갔는지도 몰랐다. 대용은 갑자기 갈 바를 잃어 어디로 갈 것인가 막막해졌다. 이렇게 아무것도 잡지 못한 채 송도의 박대근 신세를 지러 가기는 싫었다. 동무가 없는 집에서 지체하기도 뭣했으므로 그는 점심이나 얻어먹고 곧 떠나리라 마음을 먹었다. 점심상이 들어오는데 모처럼의 손님인지라 이밥에 굴비도 올랐고 갯가가 가까워서 밑반찬이 대개 해물이었다.

"허…… 명절 같구먼."

하면서 선흥의 아버지가 중얼거렸고, 상을 들여놓은 어머니가 돌아서서 치맛귀를 싸쥐었다.

"에이그, 우리 선흥이가 이번 겨울은 춥지 않게 배곯지 말구 넘겨야 할 텐데. 몹쓸 자식 같으니……"

"어머니, 보름이 아직 멀었지요?"

물때를 아는 우대용인지라,

"나흘 남았습니다."
하니, 아낙은 반색을 하는 것이었다.
"용선 아부지가 곧 오시겠네요."
"벌써 날짜가 그리되었던가. 인홍이가 보름에 돌아온다네."
아버지 말에 어머니도 손가락으로 꼽아보더니 맞는다고 말하였다.
"형님께서 아직두 염장에 나가시나요?"
"그 일은 그만두었네."
대용이 집안을 대강 둘러보니 어딘가 집 꼴이 그전보다 나아진 듯하였다. 토담도 허물어진 데 없이 번듯하고 지붕의 이엉도 말끔하였다.
"소금짐을 벗으시면 무얼 팔러 다닙니까?"
"대처에루 방물을 팔러 다니지. 튼튼한 종마를 하나 사서 훨씬 장사가 수월해졌다네."
우대용은 역시 그렇겠다며 고개를 끄덕였다. 방물을 판다면 밑천이 좀 들기는 하겠지만 이는 많이 남겠기 때문이었다.
"인홍이가 워낙 약골이라 상행에서 돌아오면 며칠씩 앓아눕곤 했는데, 이젠 거저 먹기라오. 견마나 잡고 걸어다니면 된다우."
그의 어머니가 대견한 듯이 자랑을 하였다. 점심상을 물리고, 대용이는 그냥 주저앉아 있기도 이제는 면구스러워서 봇짐을 챙겨서 일어났다.
"왜 갈려구?"
"가보아야지요. 선홍이가 보구 싶어서 왔는데 없으니……"
"그게 무슨 소리여. 한 사날이구 열흘이구 볼일 없으면 푹 묵었다가 가지. 이젠 걷이두 끝나구 그저 심심풀이루 늦채소나 돌보는 중인데, 나허구 얘기두 하구."

"그러셔요, 용선 아버지 오시면 반가워하실 텐데요."

우대용이 선흥의 식구들께 하직인사를 하고 나오려니, 인흥의 처가 주르르 따라나오는 것이었다.

"어유, 아주머니두 들어가십시오."

"그게 아니에요."

하고 여자는 사립문 가에서 식구들이 멀찍이 서 있는 쪽을 바라보고 나서 이었다.

"저어…… 삼촌을 만나신다며 이렇게 급히 가시면 어떡해요."

우대용은 아직도 형수의 뜻을 알아차리지 못하였다.

"집에 없는데 제가 밥이나 축내구 있으면 뭐 합니까."

"실은 저어…… 삼촌이 산에 있어요. 용선이 아부지는 가끔 만나시는가 봅니다."

"산에 있다니요. 아, 구월산 말씀이군요. 혹시 거기가 아닌가 생각했더니만……"

"아니에요, 바루 학령 너머 달마산에 기시답니다."

"달마산이오? 그렇다면 저쪽 아득하게 보이는 산 말인가요."

"거긴 천불산이랍니다. 삼촌네 동무들이 있다지요. 절대루 입 밖에 내지 말라구 용선 아부지가 다짐을 주었는데, 제 보기엔 괜찮을 듯하여 발설하는 거예요."

우대용은 들판 너머로 이리저리 구부러지고 솟아올라 첩첩한 산들을 망연히 바라보았다. 산에 범을 잡으러 올라갈 리도 없고 농사를 지으러 갔을 리도 없으니, 틀림없이 세상을 등진 것이 분명하였다. 그렇다고 입산 수도행도 아니고 보매 산에서 작당하여 녹림처사가 된 것이 분명하였다. 우대용은 어쩐지 슬프면서도 다른 쪽으로는 안심이 되었다. 인제 구월산에서 의형제를 맺은 뒤에 끝까지 입산하지 않았던 선흥이도 세상을 떠나버린 것이었다. 나는 어찌할 것인가…… 다시 강화로 찾아가 춘득이께 빌붙어 급료에 감지덕지하고 경강에 나가서는 장사치들의 눈치 단련에 시달릴 것을 생각하니 그곳도 제 마당이 아니었다. 이미 경치고 탈옥한 몸으로서 고향 해주에 돌아가면 포촉되어 즉시 박살될 것이었다. 대근의 상단을 찾아가 신세를 끼치고 싶지도 않았다. 그는 길산이가 그리웠다. 금강산으로 떠난다는 길산의 행방을 쫓아 자신도 수도에 나서고 싶었다. 대용은 길산이 비록 비슷한 또래이긴 하였으나 어쩐지 형처럼 느껴졌고 투정 많고 싸움질 좋아하는 선흥이는 동생처럼 다정스레 느껴졌다. 그는 한참 만에 산줄기에서 시선을 돌리며 물었다.

"그래 관에서는 아무 기미가 없습니까?"

"삼촌이 달마산에 올랐다는 건 아무도 모릅니다. 그랬다가는 저희 식구는 당장에 연루되어 감영으루 끌려갈 거예요. 전부터 달마산이나 불타산 어름에 수상한 이들이 산다는 소문이 나 있지요."

선흥의 형수와 우대용이 서서 얘기하고 있으려니 아버지와 어머니가 다가와서 함께 만류를 하였다.

"이럴 거 없다니깐 그러네. 아니 강화서 장연이 물길이 수백여 리인데 점심 먹구 일어선다니 이거 인정이 아닐세."

"어서 들어가우. 선흥이 동무면 인흥이헌테는 동생이구 우리게는 내 자식인데 이럴 수가 없수."

선흥의 형수도 대용이께 나직이 말하였다.

"들어가시지요. 며칠만 지내시면 용선 아부지가 장삿길에서 오실 테구, 삼촌두 만나시게 해드릴 거예요."

대용이는 역시 정처 있는 발길도 아니고, 선흥이도 꼭 보아야겠기에 그 집서 며칠 묵기로 하였던 것이다.

어쨌든 인흥이가 올 때까지 대용은 기다려보기로 하여 선흥이가 쓰던 끝방을 치우고 들어앉았다. 그냥 우두커니 밥만 죽이고 앉았기도 송구스러워서 용선이와 나무도 하러 다니고, 멍석도 짜며 날을 보내었다. 뭔가 반찬거리도 하겠노라고 궁리해보건마는, 토끼사냥도 아직 이른 철인데다 덫을 꾸밀 줄도 몰라 역시 갯가놈 표를 내느라고 방게를 주으러 나섰다. 소쿠리와 손갈퀴를 가지고 조니포 갯가로 나갔는데, 원래가 조개나 굴이나 방게 줍기는 아녀자들의 일인지라 쑥스럽기도 하였다. 이틀 동안에 두어 섬은 실히 넘도록 방게를 주워다가 장에 절여두었으니 해동까지 온 식구가 먹을 만하였다. 사흘째 되던 날 첫눈이 내렸다. 첫눈이란 내리자마자 녹든지 잠깐 나부끼다가 마는 것이 고작인데 오후 늦게까지 탐스러운 눈송이가 펄펄 내려왔다. 하늘과 땅은 나부끼는 눈으로 가득 찼고, 초가지붕에도 고봉 밥사발처럼 탐스러운 눈이 내려덮였다. 식구들이 모여앉아 저녁을 일찍 마치고 대용은 제 방에 군불을 넣고 있었다. 사방이 어둑어둑하여 아궁이 속의 불빛이 제법 훤하게 땅바닥에 어른거렸다.

"주인 계시오, 말 좀 물읍시다."

하는 소리가 들리더니 용선이가 나가는 모양이었다.

"뉘를 찾으시는데요?"

"이 댁에 혹시 손님 한 분 오시지 않었니?"

어라, 이건 또 뭣들인가. 우대용은 군불을 넣다 말고 벽 모퉁이로 돌아가 얼른 몸을 숨겼다. 우선 뒷담 넘을 곳을 보아두고 귀에 온 신경을 집중하여 그들의 말을 들었다.

"오셨든 말든 뉘를 찾으시냔 말요?"

"얘, 다 알구 왔다. 이 집이 소뿔 뽑은 총각 장사네 집이지?"

"강화에서 우서방이 왔을 게다. 우린 그이 동무 되는 사람들이다."

"오셨다가…… 아침에 떠났수."

용선이가 믿기지 않아서 따돌리려는 모양이었다.

"헛, 한발 늦었군!"

"이런 낭패가 어디 있나. 그러게 그냥 경강으로 돌아가쟀더니, 강화서 예가 어디야. 인제 돌아가려면 고생문만 훤하군."

"얘, 그이가 어디루 간다구 말은 없던?"

"몰라요. 아침 식전에 슬그머니 가버렸거든요."

"산삼 찾기로군."

"음…… 새어버린 방귈세."

"얘, 너희 집엔 어른두 안 계시냐. 말이나 묻구 갈련다."

그래도 헛발을 돌리기가 미진한지 다른 자가 사립 안으로 들어서려 하자 용선이가 가로막았다.

"글쎄 찾는 사람이 없다는데, 물어보나마나 똑같아요. 나가슈, 자꾸 이러시면 동네 사람들을 부를 게유."

"온 배라먹을 자식 같으니…… 이 녀석아, 우리가 무슨 저승차사라두 된대, 왜 이리 겁을 먹구 야단이야."

어쩌고저쩌고 승강이하는 소리가 잠시 들리다가 그들은 툴툴거리며 문가를 떠났다. 아까부터 우대용은 그게 누구들인가를 잘 알면서도 혹시나 하여 동정을 살피고 있던 참이었다. 그는 문으로 가보았다. 용선이가 나직하게 말하였다.

"아저씨, 잘했지요?"

"그래, 아주 잘했다. 내 동무들인 모양인데 혹시나 하여 떠보느라구 잠자코 있었지."

우대용은 밖으로 나가서 그들 두 사람 외에 누가 또 없는가를 확인하였다. 그들은 연신 뭐라고 투덜대면서 마을길로 내려가는 중이었다. 우대용은 싱긋 웃고 나서 외쳤다.

"석서방, 어디 가나?"

"어……"

그들이 돌아보더니 어처구니없다는 듯 한참이나 서 있었다.

"왜들 그러구 섰어. 무슨 도깨비라두 보았나?"

"어이구, 좌우지간에 만나기는 영 글른 일루 알았수."

석서방은 손을 호호 불면서 다가왔다. 그의 뒤에는 다른 대의 대두 노릇을 하던 사공이 서 있었다.

"안녕합쇼?"

"자네들이 웬일인가."

"말두 마시우. 세상에 이런 법이 어디 있습니까. 우리는 경강서 천릿길을 마다 않구 찾아왔는데 허탕을 치게 만들다니요."

"우리집은 아니지마는 잠깐들 들어오시게. 거 참 모를 일이로군. 무슨 수로 나를 찾아냈는가?"

"그러니 수로에나 밝은 놈들이 뭍에 올라와 이 고생이지요."

그들은 발을 동동 구르면서 선홍이네 집으로 들어갔다. 방문을 열고 내다보던 선홍의 부친이 걱정할까 싶어서 대용은 그들을 손짓하며 말하였다.

"저하구 함께 일하는 사공들입니다."

"음…… 그런가. 추울 텐데 어서들 들어가게."

대용은 한 끼니 하룻밤이라도 폐가 됨이 송구하여 뒤통수께에 손을 대고 말하였다.

"이거…… 이런 부산스러울 데가 없습니다. 주막두 멀고 하니 그냥 신세를 끼치겠습니다."

"아니우, 그런 걱정일랑 아예 마우. 저녁들은 자셨는지 모르겠네."

"아무거나 요깃거리가 있으면 됩니다."

염치 좋게 석서방이 대꾸하였고, 그들은 시린 발을 얼른 아랫목에 다 묻고 잠깐 진저리를 쳤다.

"어이 좋다, 구들목이 따뜻하니 슬슬 잠이 오는데……"

우대용은 그들이 경강과 강화를 떠나 이곳까지 자기를 찾아온 내력이 종내 궁금하였다.

"천수가 잡혔수. 그리구 성대하구 나는 달아났지요. 대신에 마누라쟁이가 덜컥해서 포도청에 들어 있습니다."

우선 한숨을 돌렸는지 석서방이 말을 꺼내었다. 그는 우대용의 반응을 보느라고 조심스럽게 말을 계속하였다.

"그 강주인놈이 우리께 기러기를 쓰고 나서, 앙갚음으로 화수미중도를 하여 투서질을 하고 소상들을 들쑤셨수."

"그럴 테지. 저자판이란 원래 돌고도는 판이니까."

"도사공 성님두 경강에서 포착되면 덜컥 갑니다. 강화에까지 기별이 닿았더랍니다."

"아주머니와 애들이 걱정이로군. 그런데 여긴 어찌 찾았나?"

석서방은 모신이네 작은집에서 의논이 이루어진 사정을 밝히고 우리도 배를 장만할 기회라고 말하였다. 그는 강화에 갔다가 우대용이 축출된 소문을 듣고는 아예 춘득 선단 도방으로는 얼씬도 못 하였다는 것이다. 함께 온 사공 물치를 시켜서 백방에 알아보니 그가 해서 장연으로 방금 떠났다는 소식을 얻었다. 우선 박성대는 모신이께로 되돌려보내고 관서로 가는 배를 타고 뒤를 쫓았다는 것인데, 석서방은 대용이 늘 말하던 장연의 총각 장사네 집을 어림짐작했다는 얘기였다.

"장연서 황소 뿔 뽑은 총각 장사네가 어디냐니까, 모두들 선흥이 말이로군 합디다. 떠났다는 소리에 가슴이 철렁했었지요. 헌데 어찌 그 사람은 없는 모양이지요?"

"개가 집에 없으니 나두 이 집에 묵어 있을 면목은 없네만, 형이 내일 온대서 기다리구 있던 참일세."

석서방이 옆사람을 돌아보며 말하였다.

"이 사람 아시지요?"

"본 듯하네. 삼남 수로를 다녔지."

우대용은 물치라는 사공을 바라보며 고개를 끄덕였다.

"나는 성님을 많이 뵈었습니다. 그러잖아두 선단 일이 아니꼬워서 때려치우려던 판인데, 석서방이 좋은 일거리가 있다구 그래서 동행했습죠."

"물치가 제 아래 사공들 몇을 빼내어오겠답니다."

"그래, 모두 수적질을 하겠단 말인가?"

"먹구살려면 무슨 짓을 못합니까?"

우대용은 심드렁하니 대꾸하였다.

"아무튼 배를 장만해주겠다는 모신이와 타합하여보구 나서 결정을 허세."

그날은 염치 불고하고 선흥이네서 묵었지만 아무래도 세 장정이 구들장 지고 빈둥거리기는 못 견딜 노릇이었다. 그런 눈치를 챈 석서방이 노자에서 닷 냥을 내어 용선이를 시켜서 가용에 쓰시라고 전해주었다. 그러고 나니까 한결 미안한 감이 덜해져서 하루를 더 묵게 되었는데, 그날도 인흥이는 돌아오지 않았다.

"어서 떠납시다. 나는 시방 마누라를 옥에 떨구고 온 사람이우."

하면서 석서방이 재촉하였으나 대용은 강선흥을 만나지 못하고 장연을 떠나기가 싫었다. 하루만 더 기다려보자 하여 그날 밤 다시 주저앉게 되었는데 한밤중에야 인흥이가 당도하였다. 우대용은 밖에서 시끌벅적하는 소리를 듣고 깨어나 문을 열고 나가보았다. 인흥이는 가족들에 둘러싸여 말짐을 내리고 있었다.

"어이 추워, 학령에 눈이 어찌나 많이 왔던지 그만 묶여버렸지 뭐야."

"성님, 오랜만입니다."

"누군가……?"

"전에 왔던 삼춘 동무예요."

곁에서 그의 처가 보탰으나 인흥이는 잘 몰라보는 것 같았다.

"첫봉이나 둘봉이가 올 리두 없구."

"해주 살던 우대용이올시다."

"아, 우서방이구먼. 반가우이. 우리 선흥이가 늘 보구 싶다구 하데."

우선 멀리서 온 주인은 요기를 하느라고 안방에 있다가 늦어서야 우대용만을 건넌방으로 불러들였다. 아무래도 낯선 사람들 앞에서 선흥이의 얘기를 꺼내기가 꺼림칙한 모양이었다.

"선흥이가 산에 있다면서요?"

인흥이는 잠시 대답 않고 한숨을 내쉬었다.

"그렇게 되었네. 그애가 남달리 뛰어난 데가 있어서 나는 무장이라두 보낼까 했었지. 하다못해 군진의 장교 노릇을 못 하겠는가. 그저 입에 풀칠하기가 어려워 어릴 적부터 행상에 나서서 갖은 고생을 다했지만…… 기어코 양민 노릇을 못 하구 말았지. 나는 그애 생각을 할 적마다 아버님 뵐 면목이 없다네. 헌데 어찌하다 보니 이제는 그애의 도움으루 집안 형편두 많이 피었어. 참 우스운 노릇일세. 나는 그애가 집을 나갈 때 손찌검까지 하였지만, 보내준 상목이며 패물을 팔아서 전답두 샀다네. 행상질두 요번 겨울로 끝일세. 정말 할 수 없는 세상이라니까……"

"선흥이를 만날려구 성님을 기다리구 있었지요."

"내일이라두 나허구 올라가면 되지만, 눈이 많이 와서 고생이 심할 게야."

"아니, 그러실 필요 없습니다. 달마산 어디인지나 가르쳐주십시오. 방금 원행에서 돌아오셨는데 내일 또 집을 나가시면 식구들께두 죄스럽구요."

"실은 부모님들두 선흥이가 어디서 무엇을 하는지 모르신다네. 내가 오는 길에 학령서 기별은 받았지만 산에 오르지는 못하였네."

"어디루 가면 끈이 닿게 될지나 가르쳐주십시오."

인흥이는 성큼 얘기를 해주기가 내키지 않는 모양이었다.

"같이 왔다는 사람들두 데려갈 건가?"

"아닙니다, 저 사람들은 어디 주막에라두 남겨놓지요. 허지만 관에서 찾는 자들이라 별루 위험하지는 않습니다."

인흥이는 그제야 말을 꺼냈다.

"학령 밑에 해지점이라구 있네. 거기 가면 나무리집이란 주막이 있는데 달마산 패거리가 두엇씩 나와서 망을 선다네. 주막 주인께 물으면 될 게야. 내가 쓰는 신표를 줄 테니 가져가게."

하더니 인흥이는 품속에서 무명 쪼가리 하나를 꺼내었다. 헝겊 위에는 꼭두서니 빛깔로 달마(達摩)라고 주서(朱書)되어 있었다.

"신표를 보여주고 선흥이를 만나러 온 누구라고만 얘기해주면 될 걸세."

대용은 그 신표를 받아넣었다.

"관에서 기찰하지 않습니까?"

"왜 해지점에는 포교두 나와 있긴 하다네. 그렇지만 전부터 있어오던 좀도적들이거니 여기지. 우리두 명년에는 장연을 떠날까 한다네. 봉산으루 이사를 가야겠어. 이번에 갔던 일두 땅을 보러 갔던 걸세."

대용이는 날이 새자마자 석서방과 물치를 데리고 선홍이네 집을 나섰다. 장연서 달마산을 가려면 가장 빠른 길이 남대천을 따라 동북으로 오르다가 구이령을 넘는 길이었다. 그러나 학령 해지점에 가서 통기를 하려면 돌아서 가야만 하였다. 목감원과 갈현을 지나 해지점까지가 구십여 리 길이니 천상 중화는 금동(金洞)서 먹고 오후 늦게 닿을 모양이었다. 석서방은 바다로 나가는 길이 자꾸만 멀어지자 안달이 나는 듯하였다.

"어이구, 돌아나오려면 미투리가 댓 켤레는 떨어지겠수."

대용이가 생각해보고 나서,

"자네들 먼저 강화에 가서 아이들 몇명 빼내어 경강으루 올라가지 그러나. 내 곧 뒤이어서 갈 테니……"

하였으나 석서방은 우대용이 빠지면 이제 모든 일이 틀어지고, 천하에 갈데없는 외톨이가 되는 셈이라 이내 말을 돌리는 것이었다.

"아니우, 동행하였다가 같이 갑시다. 왜 자꾸만 우리를 떼칠려구 허우."

"그러면 육로를 택하여 해주를 거쳐 예성나루까지 가서 강화로 가는 길이 어떻겠나?"

두 사공은 아무래도 뭍을 걷는 일이 자신 없는 모양이었다.

"성님, 꼭 오시겠수?"

"그래, 뒤따라간다니까……"

그들은 저희끼리 의논해보고 나서 결정을 내렸다.

"우리는 이 길루 조니포에 가서 기다릴 테유. 노자두 얼마 없으니 성님이 오시잖으면 야반도주를 할 팔자유."

"늦어두 한 사날이면 되돌아올 게다. 조니포에서 만나도록 허지."

우대용은 그들과 헤어져 걸음을 재촉하였다. 새벽길을 떠났던 보람이 있어 오후에 검단천(儉丹川)을 지났다. 예정보다는 그래도 빨리 해지점에 도착하게 되었던 것이다. 원래 먼 길을 걸어보지 않았는지라 발바닥에 물집이 생겼고, 미투리 뒤꼭지 닿는 뒤꿈치께가 벌겋게 까져버렸으며 감발은 똘똘 뭉쳐져서 더욱 발을 죄었다. 그는 절뚝이며 해지점마을로 들어갔다. 나무리집은 한산하였는데 패를 지어 학령을 넘어가는 것이 상례이기도 했지만 때가 워낙 어중간한 때문이었다. 보부상 몇이 뒤에 처진 일행을 기다리는지 문가에 앉았고 말짐 가진 상고가 두엇이었다. 대용은 상투 바람에 무명 수건 두르고 동저고리에 짐도 없는 차림이니, 얼핏 보아서는 부근의 농군이나 금골의 채금꾼인 듯 보였다. 그가 구석자리에 앉아 주위를 둘러보니 그럴듯한 자들은 보이질 않았고, 소매 속에 두 손을 엇갈려 찌르고 부엌 앞쪽 마루에 앉은 자가 눈에 띄었다.

"술 한잔 주어."

대용이 말을 던지자 그는 느릿느릿 다가와서,

"안주는 뭘루 할라우?"

"무엇무엇이 있나?"

"싸라기죽하구 배냇것 튀긴 국물하구 있수."

툭 던지는 말이 알쏭달쏭 들어보지 못한 수작이라 대용은 고지식하게 되물었다.

"그게 무슨 말인가. 안주치고는 모를 말일세."

그자는 댓진이 올라 시커먼 이빨을 드러내며 쓱싹 웃고는 역시 느릿느릿하게 지껄였다.

"반절 뚝 잘라서 말하는 사람이 먹는 안주요."

대용이는 이것 봐라 하는 눈으로 치켜보았다가 자기도 싱긋이 웃고 말았다. 행세는 중노미이건만 아마도 산에서 내려온 자라 믿어졌다. 아예 나무리집의 밥붙이 노릇을 하는 모양이었다. 그자가 보기에도 장사치나 행객은 아니고 인근 녀석인 줄 아는 모양이었고, 무엇보다도 우대용의 시커먼 얼굴이 제법 기분을 돋운 듯하였다.

"내가 거기와 입씨름할 여가가 없는 사람이오. 이 집 주인 좀 불러주지."

우대용은 정색을 하고 말하였건만 그자는 아예 마루에 다시 주저앉아버리면서 중얼거렸다.

"뭐…… 공술 먹을라구."

그때 집 뒤에서 돌아나오던 중년의 사내가 그런 꼴을 보고는 혀를 차며 다가왔다.

"노중에 무고하십니까. 술 드시겠소?"

"상전 같은 중노미두 다 있구려."

하니, 주막 주인인 듯싶은 그자는 손을 입가에 대고 말하였다.

"내 아우놈인데 성미가 개차반 망종이지요."

"술은 이 집 별호가 감로정이니 소주로 주고…… 실은 길을 좀 물으러 왔소이다."

"예, 어디 사는 누굴 찾으시오?"

우대용은 말 대신에 전대에서 무명 쪼가리를 꺼내어 내밀었다. 주인이 그것을 펴보더니 대번 안색이 달라지고 주위를 살폈다. 그는 뒷전에 앉은 중노미 시늉에게 가서 그것을 힐끔 내보였다. 역시 그도 당황하였는지 얼른 일어났다. 주인은 슬그머니 빠져버리고 망 서는 자가 다가와 정중히 허리를 꺾으면서 말하였다.

"이곳은 쉬어 가실 데가 못 되니 뒷방으루 가시지요, 손님."

우대용이 그의 뒤를 따라서 뒷방으로 들어가 앉으니 그가 물었다.

"무슨 일루 오셨습니까?"

"산에 오르려네."

"누굴 아십니까?"

"선흥이는 내 의제(義弟)일세."

"아, 예…… 몰라뵈었습니다. 피곤하시면 묵으시고 웬만하면 오르시지요."

망 서는 자는 아까와는 기색이 전혀 달라져 있었다. 제 두령이 워낙에 알려진 장사이니 척 보기에도 우대용이 보통 사람은 아니리라 생각이 들었던 모양이다. 그래 그런지 시커먼 낯바닥이며 옥니박이로 야무지게 다문 입술이 독해 보이는 것이었다. 우대용은 술 한잔 먹고 따뜻한 아랫목에서 질펀히 한숨 자고 싶었으나, 지척에 선흥이가 있는 듯하여 조바심이 날 지경이었다.

"그냥 올라가지. 해 떨어지기 전에 닿을까……"

"여기서 곧장 지름길을 타면 거기 가서 저녁 드시기가 맞춤할 겝니다. 우리가 터놓은 길이 따루 있으니 염려 마십시오."

대용이가 끄응 하며 일어나려는데 중노미 행세가 먼저 일어났다.

"잠깐 목이나 축이구 계시지요. 다른 사람이 모시러 올 겝니다."

그자가 나간 뒤에 주인이 몸소 소주 한 병과 안주를 들여주며 깍듯이 인사를 올렸다. 그러고는 은근히 속삭였다.

"산채에 오르시면 두령께 말씀 좀 잘해주십시오. 요즈음은 행객이 뜨막하여 벌이가 신통칠 않습니다. 밥붙이를 셋씩이나 두자니 여간 힘겨운 게 아니올시다."

대용은 그저 건성 고개를 끄덕이고 앉았다. 술을 거지반 비웠을 때 역시 다른 장정 하나가 고개를 꾸벅이며 나타났다.

"제가 모시겠습니다."

"몇리나 되는가?"

"예서 학령까지가 십 리 길인데 달마산 밑에까지와 어슷만한 거리입니다."

대용은 장정의 뒤를 따라서 검단천의 말라붙은 자갈밭을 거슬러 올라갔다. 가끔씩 헐벗은 언덕과 척박한 야산이 지나갔다. 달마산 연봉이 남서로 꼬리처럼 비죽이 내밀어진 곳에서 그들은 험한 비탈을 미끄러지며 올라갔다.

"어이구, 길이 험하군!"

"이 고비만 넘기면 수월합니다."

역시 능선에 오르자 길은 유연하게 오르내리고 훨씬 걷기도 편하였다. 나무가 울창하고 잔다란 관목이 막아서 있는 숲으로 접어들자 마른 갈대가 키를 넘어서 도저히 어디로 갈 것인지 방향을 못 잡을 판인데, 대용은 겨우 안내하는 자의 상투꼭지만을 표적삼아 걸었다. 후미진 골짜기로 들어섰는가 하였으나, 어느 만큼부터는 나무들을 쳐내어 길이 곧게 뚫려 있었다. 늘 다니던 자가 아니면 알아볼 수 없을 듯하였다. 드디어 높은 언덕이 가로막힌 곳이 보였고, 그 부근은 툭 트인 공지였다. 그들이 언덕으로 다가가는 중에 대용은 비로소 그것이 언덕이 아니라 두어 길 높이의 토성임을 알았다. 좁다란 골짜기 사이를 막은 것이었다. 그들은 틈틈이 나무나 풀을 심어 산과 비슷이 해두어서 가까이 이르기 전에는 분간할 수가 없었다. 둥그런 문 앞에도 나무를 심어 눈을 속이도록 되어 있었다. 성벽 위로 한 사람이 나타났고 안내하던 자가 외쳤다.

"손님 오셨다."

"신표 있나?"

대용이 얼른 무명 쪼가리를 꺼내어 옆사람에게 넘겨주었다. 문에서 장정이 나와 신표를 확인한 뒤에 그들을 들어가도록 하였다. 달마산성의 옛 자리에 수돌네가 보수를 한 곳에다 선흥이들이 다시 안벽에 돌을 쌓아올려 더욱 견고히 해두었던 것이다. 역시 뒤로는 계곡물이 가로막혔고 양쪽은 가파른 언덕인데, 가운데에 산채가 있었으니 수돌네가 있던 때와는 달리 집 앞으로 돌벽을 두르고 이어서 왼쪽 산의 연봉에까지 이어놓았으니, 여차직하면 한편 막아내고 한쪽으로는 북의 추산 마루턱이 닿는 연지봉까지 달아날 수가 있었다. 대용은 산채의 형세가 크고 견고함에 은근히 놀랐다. 그들이 내려가자니,

"대용이 성님……"

하면서 선흥이가 달려나왔다. 대용이도 선흥이를 보자 와락 달려들어 어깨를 붙잡았다.

"나는 성님이 아예 아우를 잊었는 줄만 알었소."

선흥이는 두령임에도 행상시절의 차림대로 허름한 무명 바지저고리에 행전 두르고 미투리를 꿴 형상이었고, 다만 표정은 변하여 눈자위에 불그죽죽한 기색이 떠돌고, 어딘가 어른스러웠다.

"매냥 보구 싶더니 이제사 왔네그려."

마구 반말은 하지 못하고 우대용은 달마산 두령이 되어 있는 선흥이에게 하게를 놓았다.

"어서 들어가십시다. 난 또 가형께서 급히 볼일이 있어 오신 줄 알구 집안에 무슨 우환이 있었나 했지요."

"식구들은 모두들 평안하시더군."

선홍이는 우대용의 두 손을 마주 잡고 반가워하면서 수돌이가 기거하던 가장 안쪽의 초가 사랑으로 데리고 갔다. 산채는 크건만 졸개들은 스물이 넘지 않는 것 같았다. 그들은 마주 앉았고 선홍이가 아래로 내려가 문안인사를 올리니, 우대용도 황급히 일어나 맞절을 하였다. 자리를 잡고 앉은 뒤에 우대용이 물었다.

"구월산에는 더러 올라가보았나?"

"길산이 성님두 없는데 거긴 뭘 얻어먹으러 갑니까."

"갑송이 성님은 뭘 하는지……"

"그래 누굴 보내서 은근히 갑송이 성님만 모시고 송도에나 다녀올까 합니다. 대근이 성님께서 우릴 몹시 궁금해하실 거유."

"나두 들러볼까 했다만, 이 꼴루야 어디 노잣돈 얻어내러 가는 듯하여 발길이 가지질 않네."

"대근이 성님은 그런 분이 아니니 염려 말우."

"듣기로는 금년 중에 성혼을 치른다더니 어찌되었다던가?"

"아마 아닌갑디다. 장연으루 기별이 왔을 테지요. 해를 넘기는 모양이지요."

밀린 얘기를 나누자니 두서가 따로 없어 서로의 지난 얘기를 어디부터 시작해야 할지 모르는 두 사람이었다. 대용이 불쑥 말하기를,

"선홍이 너두 많이 변하였구나."

선홍이는 뒤통수를 긁으면서 예전처럼 순진하게 씨익 웃었다.

"웬걸요, 면목 없습니다. 별수 없이 도적놈이 되구 말았지요."

"도적놈의 형제이니 기왕에 잘된 노릇이다. 우리 성미나 주먹 가지고야 배알이 있는 놈치고 양민으루 살 세상이냐. 차라리 처자식 없는 우리 신관이 편하지, 죽지 못해 한세상 사는 게야."

정 많은 강선홍은 나직하게 내뱉는 대용의 말에 저절로 여러가지

분심이 일어나, 어느덧 눈이 뜨거워지고 눈물이 주르륵 흘러내렸다.

"가족들이 없으니 나 같은 놈은 훨훨 돌아다니기라두 한다만, 이것두 하루이틀이 아니고 보매 어디 든든한 산채나 너른 땅이 있어야겠더라."

우대용이 은근히 앞날이 걱정되었는지 말하였고, 선흥이는 고개를 숙이고 앉아 있었다. 대용이 다시 말하였다.

"언제까지나 도적놈 노릇이나 할 수는 없을 게다. 저 북관 쪽에는 인적 없는 황무지가 많다는데……"

"길산이 성님이 보구 싶소."

"나두 그렇다. 금강산에 아직두 묻혀 있는지…… 참 인흥이 언니가 그러는데 느이 봉산으로 이사 간다더라."

"예, 들었수. 땅을 조금 마련하여 봉산으루 이사를 가라구 했지요. 또 누가 압니까. 관군이 내가 여기 있는 걸 알면 식구들을 그냥 내버려두지는 않을 테지요. 일이 일어나기 전에 미리 이사를 가시라구 말씀을 드렸더니, 봉산 가시던 길에 들렀습디다."

대용이 물었다.

"헌데 산채 꼴은 철옹성인데 어찌 녹림처사들이 별반 보이지를 않네. 어디 벌이 나갔는가?"

"원래는 사십여 명이 되지만 패가 나뉘었지요. 달마산에는 열여덟 사람이 남았습니다. 요 건너 불타산에두 그만큼은 됩니다."

하고 나서 선흥이는 백운산 변가네와 합세하여 수돌네를 달마산에서 몰아내던 얘기며, 이어서 심백이와 법호가 있던 불타산 천불사를 칫봉이 형제와 점령하던 얘기를 차근차근 늘어놓았다. 산채가 두 군데나 자리를 잡게 되니 자연히 불타산에 남자거니 달마산으로 옮기자니 하는 의견이 분분하여, 드디어는 두 산채에 갈이 분거하였다가 여차직하여 관군의 토벌을 받으면 서로 다른 곳으로 이동하기로 되었다는 것이다. 불타산에는 첫봉이 형제와 그를 따르는 졸개들이 남았고, 달마산에는 강선홍과 변가와 원래 수돌네 패거리였던 졸개들이 옮겨왔었다.

"우리 아이들은 학령에서 작은 목을 잡고 있구요, 더러는 천봉산을 타고 재령으루 나가거나 용문산 줄기로 하여 신천까지 가기두 합니다. 대개는 칠팔 인이 한 대오를 이루지요. 송화나 문화나 안악으로는 넘어가지 말라구 엄하게 일러두었수. 혹시 구월산 성님들과 의리가 상할까 해서지요. 특히 장연계에는 얼씬두 않습니다. 헌데…… 불타산 쪽이 걱정입니다. 그쪽은 뛰어봤자 우리께루 오거나 아니면 장산곶으로 가서 바다에 빠질밖에 없고, 장연 읍치에 너무 가깝거든요. 아주 장연 배때기 위에 솟아 있는 셈이올시다."

"그러면 산채를 폐하라구 이르면 될 게 아니야."

"몇번이나 권유는 했지요마는, 첫봉이는 원래 내 소싯적 동무거든요. 제법 발끈하는 성미를 꺾을 수가 없습니다. 그 녀석이 계집을 잘못 만났습니다. 고만이라는 음탕한 계집인데 애초에 수돌이네를 들이칠 적에 미인계를 썼습니다. 그때에 백운산서 둘이 배가 맞았지요. 그년이 첫봉이를 꼬드겨서 산채를 내놓지 말라구 부추깁니다. 기왕이면 두령의 마누라가 되겠다는 수작입니다."

우대용은 고개를 끄덕였다.

"음, 나중에 후환거리가 되겠구먼."

"성님, 강화 구석에서 사공질하지 말구 나허구 여기서 같이 지냅시다."

선홍이가 대용이의 속도 모르고 말하였고, 대용은 빙그레 웃었다.

"실은 나두 이제부터는 도적놈일세. 산도적은 아니지만……"

"아니…… 성님이 도적이라뇨?"

강선홍이 놀라서 되물었다.

"경친 놈이 버젓이 세상살이를 하려던 게 잘못이지."

하고 나서 우대용은 경강에 장사 나갔던 일부터 여러가지 얘기와, 관에 쫓기는 신세임을 밝히고 나서 모신이의 제안에 대하여 말을 꺼내었다.

"그 사람이 배를 내겠다구 하데. 내 생각으로는 퇴선을 사서 수리하는 것이 나을 듯하군. 아무래두 새루 지으려면 날짜두 잡아먹을뿐더러 나무가 마르지 않아 무거울 게란 말이지. 더구나 싸움을 하려면 배가 느려서는 곧 잡히거나 지구 말거든. 헌데…… 사공이야 강화에 나가면 우락부락하구 노질 잘하는 녀석들이 쌨지만, 배 대일 곳이 있어야지."

강선홍이 곰곰 생각을 해보더니,

"몽금포에는 벌채장만 피하면 으슥한 곳이 얼마든지 있습니다."

"그러나 그쪽은 물길이 경강과 너무 멀잖은가. 예성 수로나 교동이나, 아니면 강화 부근이 좋을 텐데, 얼마 동안 숨을 만한 근거지가 없단 말이야."

강선홍이 밖에다 외쳐서 졸개를 불러보았다.

"변두령 계시느냐?"

"예…… 탑벌에 내려가신 모양입니다."

"허허, 거긴 자주 내려가지 말랬는데 무슨 일루 또 내려갔어."

"모르겠습니다."

"변서방이라구 여기 부두령이 있는데 전부터 백운산에 피해 있어 놔서 부근 형세에 소상합니다. 저녁이면 올라올 것이니 한번 의논해 보시우."

"뭐 그럴 것 없네. 아무래두 해서는 멀단 말이야."

강선홍이 딴에는 먼저 산에 올랐는지라 제 소견을 말하였다.

"숨어 사는 놈들에게는 멀고 가깝고가 문제가 아니올시다. 일단 경강 어귀에서 벌이를 해가지고 뛰어서 어디엔가 한 달포씩 숨어 있어야 할 게유. 그러구 나서 소선에다 짐을 옮겨싣고서 장물아치에 먹여야지요."

"근처에 무슨 섬이 없을까……"

"멍구미에 몽금섬이 있긴 하지만, 그쪽은 잠상들로 일대에 소문이 나 있지요. 이러시는 게 어떻습니까. 일단은 장산곶 후미진 곳에다 배를 대이고 불타산 천불사에서 은거하도록 하지요."

"마땅한 곳을 알아볼 때까지는 신세를 좀 져야겠군."

그날은 늦어서 달마산 산채에서 쉬도록 하고 이튿날 선홍이와 대용이 둘이서 불타산을 오르기로 의논하였다. 역시 저녁때에 변가가 졸개 하나와 더불어 산채로 돌아왔고, 그는 선홍이로부터 한참이나 닦달을 받는 듯하였다.

"두령, 제발 한 번 부탁입니다. 내 탑벌에 원한 있는 부자놈이 사는데, 꼭 털어야 속이 시원하겠수. 내 그놈에게 대를 물려 소작을 지내다가 땅까지 떨구고 말았수. 이번에 내려간 것두 정탐을 하려구 갔었지요."

"안 된다니까, 바로 코앞에서 그럴 수는 없네. 감영에서 우리를 치기로 작정만 한다면야, 내일이라두 당장 군병들을 벌떼같이 모을 수가 있어."

그들은 한동안 옥신각신하는데, 우대용이 한몫 끼여들었다.

"그 고을 백성들께 포한이 많은 놈이라면야, 들이치고 미곡을 나눠주어 인심을 쓰면 감히 이쪽을 함부로 치지는 못할 게야."

"시방은 겨울입니다. 눈이 많이 내리면 옴치구 뛰지두 못하지요. 겨울이나 넘길 작정입니다."

"장연말고는 인근에 악독한 부자놈이 없수?"

우대용이 변가에게 물으니 강선흥이 말하였다.

"그건 또 어째 물으시우?"

우대용은 심중에 생각나는 바가 있었으나, 선흥이에게 면목이 설 듯하지 않아서 잠시 망설였다. 선흥이가 보통 사내 같았다면 남의 산채 일에 이래라저래라 하는 것을 고까워하였겠으나, 이미 형제지의도 맺었고 우대용의 사람됨을 아는지라 궁금하기만 할 따름이었다.

"무슨 좋은 생각이라두 있수?"

우대용은 머뭇거리다가 말을 꺼내었다.

"실은 모신이가 우리에게 배를 내주겠다 하였으니, 장사치란 워낙 믿을 수가 없네. 내가 임유학 밑에서도 있었고 춘득이네서도 있었지만 종내에는 끝이 좋지 못하였어. 아무리 도량이 넓은 자라 할지라두 장사꾼은 이를 탐하는 자란 말이야. 비록 모신이와 처음에는 손을 잡구 거래를 하게 되겠지만, 피치 못할 사정이 생기면 그자들은 내 몰라라 하구 오히려 우리에게 덮어씌울 게야. 장물아치가 어디 그자뿐이겠나. 우리가 직접 상단에 줄을 가져두 되겠지. 대근이 성님두 있잖은가?"

강선흥이 고개를 끄덕였다.

"그럴듯한 말씀이우."

잠자코 앉았던 변가가 말하였다.

"이러면 어떻습니까. 경강 어름에서 탈취한 물품은 송도 임방에 먹이고, 해서나 관서 해안에서 벌이한 것은 경강에 먹이지요. 그러니까 교동쯤에 소선이 드나드는 뱃방 한 군데를 정하여놓고 일에 나서는 병선은 장산곶 근처루 정하시지요. 아이들은 일이 끝나면 불타산 천불사 산채에서 은거하도록 하구요."

우대용은 변가의 얘기를 듣자 무릎을 탁 쳤다. 역시 변가가 나잇값을 하느라고 기중 그럴듯한 안을 내었던 것이다.

"소선 두어 척만 모신이께 드나들도록 하면 되겠군. 그리고 송도 나갈 배 두어 척, 합하여 뜸지붕 있는 배를 네 척만 신세를 져야겠어."

"그렇지요. 일나가는 배가 경강에 나타나서는 안 될 것입니다."

우대용은 고개를 끄덕였다.

"거 참 변두령의 안이 이치가 딱 들어맞는구려. 퇴선을 구입하였다가는 나중에 배를 본 자가 모양을 그려서 올리면 훈련원서 대번 알아보니까. 지방 수군들도 대개 어디 배인지 알 수가 있을 테고…… 나는 그냥 장물아치의 신세를 지는 것이 뒤가 께름하여 건조비 마련할 길을 생각하던 중이었는데, 이렇게 얘기가 되고 보니 더욱 모신이께는 소선 너덧 척이나 마련하라 해야겠군."

"그렇지요. 경강서 얼씬거리던 놈들께는 절대루 큰 배를 보이지 마십시오."

묵묵히 앉았던 선흥이가 입을 떼었다.

"좋다, 성님 배 만들 비용을 내가 벌어드려야지."

"강두령, 재령 쪽이 어떻겠수. 재령에 궁방전을 관리하는 집강과 도장이 있는데, 이들에 대한 백성들의 원성이 자자한 모양입니다. 장연 쪽은 하는 수 없이 내 포한을 눌러 참겠으나, 꿩 대신 닭이라구 남의 고장에 어슷비슷한 놈들이 있으니 분풀이를 해야겠수."

강선흥도 우대용을 위하여 흔쾌히 화적질을 나가기로 작정하였다.

"그러면 불타산에는 비용이 마련된 다음에 올라가기루 하십시다."

"한 닷새 걸릴까?"

"충분허우."

"그러면 조니포에서 기다리는 아이들이 있으니 노자 좀 들려서 아무나 보내주게."

10

우선 들이칠 대상을 확실히 정하고 방비의 허술한 점과 관병의 눈을 피할 방도가 의논되었다. 변가는 백운산 시절부터 데리고 다니던 졸개로부터 재령의 악독한 집강(執綱) 동춘만(董春萬)과 그의 아래 도장(導掌)들이며 마름(舍音)들의 갖은 횡포에 대하여 듣고 아는 바가 많아서 그를 끄집어내게 된 것이다. 예전에는 재령 나무리벌 궁장토(宮庄土)의 전호(佃戶) 소작인이던 졸개는 동춘만의 집 사정을 낱낱이 꿰고 있었다. 그들은 일단 작당을 하지 않고 간격을 두어 하산하기로 하였다.

대강의 계획을 변가가 짜는데 자세히 알고 있는 사람은 우대용과 선흥이뿐이며 졸개들은 영문을 알지 못하였다. 드디어 준비가 끝나서 졸개들이 선흥이를 따라 달마산을 떠나는데 그들은 재령으로 연이어진 천봉산 줄기를 타고 신천 경계를 지나 삼지강의 아래편 돌여울까지 나갈 참이었다. 선흥이를 위시한 여남은 명의 졸개들이 모두 장사꾼처럼 패랭이에 봇짐 지고 네다섯씩 짝을 지었다. 한나절이나 뒤처져서 변가는 갓에다 도포를 입고 술띠 두르고 검고 싱싱한 오류마를 타고 하인과 마부 거느리고 산채를 떠났다. 그의 뒤로는 역시 갓 쓰고 중치막 입고, 두건 질끈 동인 장정 서넛을 거느린 우대용이 따라갔다.

그들은 뱀내에서 신천 나가는 길로 접어들어 재령 외곽을 돌아 송림산 기슭에 이를 것이었다. 송림산 끝에서 달마산까지는 한 줄기의 동서로 달리는 같은 맥이었다. 변가와 우대용의 일행은 누가 보기에도 신분을 애써 감추고 먼 길을 가는 높은 벼슬아치로 보였다. 탄다릿내 부근에서 포교의 기찰을 받았을 때에도 변가는 고분고분 대답하고 우대용은 필요 이상으로 굽신거리니 오히려 포교가 겁을 집어먹는 것이었다. 주막에 들면 모두들 자리를 피하여주었고, 어떤 자는 일부러 고을의 폐단을 들으라는 듯이 소리 높여 지껄이기도 하였다. 평지를 간다 하나 신천부터는 외길로 들어섰으니 백여 리 길에 저녁때에야 도착할 수 있을 것이었다. 청수내가 갈려나간 너른 나무리벌을 내다보고 앉은 부천골에 도착하니 때맞추어 저녁 짓는 연기가 마을 송림 사이에 가득히 비껴오르고 있었다.

주막이 있을 리 없으니 촌가에서 하룻밤 묵을 작정이었다. 변가 일행은 그대로 부천골로 들어가고, 우대용은 그곳을 피하여 망월동으로 들어갔다. 먼저 변가는 동구에서부터 과객질을 하였으나 좀체로 받아주지 않는 고로, 그중 낡고 허름한 서너 칸짜리 초가의 사립을 밀치고 성큼 들어갔다. 부녀자들만 두엇이 부엌과 마당에서 서성거리다가 다짜고짜로 들어서는 그들 일행을 보자 서슴지 않고 험구를 하는 것이었다.

"아니, 보아허니 행색이 점잖은 양반이신 모양인데 남의 집에 함부로 들어오는 법이 어디 있소?"

"양반이 다 무에야. 양반은 뭐 민가에 돌입하라는 것들인가."
제각기 떠들어대니 그중 졸개 하나가 맞받았다.
"시방 이것이 어느 분의 행차라구 감히 행역인가?"
"행차를 하려면 관가나 역원으루 찾아가시구려."
아낙네는 제법 기개가 있었다. 역시 집안을 둘러보니 부지런히 농사지어 집 꼴이 짜인 중농의 집안인 모양이었다. 바로 그때 노인 하나가 뒷전에서 들어서며 기침을 하고 나서 물었다.
"어떤 분들이시오?"
"주인장, 이거 예가 아닌 줄 아오만 마루나 헛간이라두 빌립시다."
변가가 직접 나서서 점잖게 얘기하니 그 노인은 일행을 주욱 둘러보았다. 필시 미행하는 벼슬아치들처럼 보였고, 그들의 정중한 태도가 더욱 불안하게 여겨졌다.
"날이 저물었으니 한데로 쫓아낼 수야 있겠습니까. 그대신 식량만은 내어주시면 여자들을 시켜 저녁을 짓도록 하겠소이다."
하면서 맨 가녘의 방을 치워 묵도록 해주었고, 변가는 용벌(龍坪) 산다는 집강 동춘만의 근황을 물었다. 이튿날 송림산 줄기를 타고 도착하여 돌여울 주막에서 묵었던 강선홍과 망월동 부천골서 제각기 묵었던 우대용, 변가 일행은 청수내가 두 갈래로 흘러가는 용벌의 뒷산 숲에서 만났다. 그들은 서로 얻어들은 소문을 주고받으며 들이칠 것인가 속임수를 쓸 것인가를 의논하였다.
용벌 궁방전의 집강 동춘만은 원래가 무과를 통하여 첨사(僉使)까지 지냈던 자였다. 위인이 군영 진에 있을 적부터 속은 간교하나 겉으로는 강직함을 표방하였다. 눈은 뱀눈이요, 머리가 작고 용렬하게 생긴 용모였지만, 한번 품은 생각은 가차없이 진행하고 무슨 수를 써서라도 방해하는 상대를 꺾었다. 이런 자가 대개 윗사람에게는 언제나 반심을 품고 아랫사람은 믿지 못하는 법이니 정이란 티끌만큼도 없는 까닭이었다. 무인으로 진장 첨사가 되었다면 많이 오른 편인데, 몇해 전에 변서의 옥이 있었을 때 연루되었다가 스스로 다른 자들의 죄상을 조작하여 발고하고 오히려 상을 받기까지 하였다. 그는 출신이 한양인지라 지방에 마련해둔 전장이 따로 없었지만, 해서에서 진장을 지낸 경험이 있어서 재령 나무리벌 밤곶이에 내려갔다. 내수사와 연을 달고 전 첨사로서는 지나치다 싶은 궁가의 감관을 자청하였던 것이다. 궁에서는 오히려 행정 수완이 뛰어난 자를 원하고 있던 판이라 그를 미더워하였다. 드디어는 도장으로 주저앉더니 오년 만에 청수방까지 내려와 용벌을 먹어버렸던 것이다. 처음에 용벌 부근의 그의 땅이란 갈대투성이였던 청수내 천변의 황무지 약간이었다. 그는 그것을 개간한답시고 어물쩍하다가 차례로 용벌의 민답(民畓)을 잠식하였던 것이다. 용벌은 동춘만의 것이었다. 그는 용벌의 대지주이면서 나무리벌의 궁가 소작을 관리하는 도장들의 우두머리 집강이 되었다. 나무리벌에는 약간의 민답을 제외하고는 거의가 왕가의 궁과 세도가들이 차지한 전장들뿐이었다. 동춘만은 평년작이나 흉년작이나를 막론하고 가혹하게 작료를 거두어 궁가에 수완을 보였고, 조금이라도 불만을 표시하거나 납부가 늦어지거나 능력이 없어 보이는 전호는 즉각 징계를 하였다. 그는 맨주먹을 들고 와서 수만 전을 모았고 자신의 광대한 토지까지 장만하였는데, 그가 관리하는 토지가 나무리벌에는 삼사십 리에 연하여 있었고 관리하는 농우(農牛)는 사십여 마리나 되었다. 그는 하인과 고공의 명의로 궁가의 소작권을 모두 빌려두었다가 다시 양민들에게 팔거나 이중으로 소작시켜서 중간 착취를 하였다. 민답은 그에게 위임하여 부쳐먹지 않으면 그 고장에서 발붙이고 살지 못하게 해놓은 뒤에, 달래고 얼러서 헐값에 사들였다. 피해 입은 논에 대하여 따로이 재결(災結) 수세를 하고 진전(陳田)은 좋은 논 대신에 수세하였다. 소작권을 마음대로 주었다가 빼앗는 사이에 약한 전호들이 납료 이외에 거둬주는 잡비를 착복하였다. 마름들을 시켜 소작료를 받아들일 적엔 말감고가 되질을 속이도록 하였다. 실제로 땅이 쓸모없어 세를 면할 땅에도 유토면세전으로 남징하였다. 동춘만은 용벌에 대담하게도 아흔 칸 기와집을 짓고서 따로이 사옥(私獄)까지 만들고 마름 외에도 십여 명의 장정들을 거느렸으니 본읍 수령도 그의 권세에는 당하지 못하고 인사를 내려올 정도였다. 그는 토호로서의 뿌리를 박아버린 셈이었다. 그의 권세는 궁가에 대한 과도한 상납과 간지에 의하여 쌓아올린 부에 의해서 날로 용벌에 굳어져갔다. 궁가에서도 동춘만의 양민에 대한 수탈과 행악을 대강 알고 있었으나 워낙에 그 운영이 빈틈이 없는지라 당연한 폐단으로 눈감고 있었다. 어찌 사람 사는 세상에 이런 압제를 받고서, 숨쉬고 큰 소리 내기를 마다하는 이가 없을 수 있으랴. 몇몇 마을에서 다섯 집씩 짝을 만들어 작료를 낼 때 연대책임을 지게 하여 치밀히 조직하고 마름과 도장들이 눈을 부릅뜨고 감시를 하건만, 은연중에 항거하는 농민들이 나오게 되었다. 이웃집과 친척들이 서로 감시하도록 뽑은 다섯 집의 우두머리 주비(注飛)들 사이에서도 마름에 대항하는 자들이 생겨났다. 그들은 처음에는 매우 소극적이었다. 이를테면 논의 소출이 제각기 다른데 상등답(上等畓)은 한 두락에 서 말이 나오고, 하등답(下等畓)은 한 말이 나오는데 그 지품들을 동일하게 낮추는 방법이 있었다. 실제로 농사짓는 자라 할지라도 그 논을 다루어본 자가 아니면 지품을 짐작할 수가 없는 것이다. 또한 비옥한 땅에다 조도(早稻)를 심고, 척박한 땅에는 만도(晩稻)를 심어서 수확에 차질이 나게 하였다. 병작을 하는 농민들은 민답과 궁답을 함께 짓다가 차차 궁답을 먹어들어가 제 논을 늘려나가기도 하였다. 명목상으로 임자와 작인이 반타작이었으니 벼를 잘라 볏단을 묶을 때 큰 단과 작은 단을 묶어놓는 것이었다. 감사가 끝난 다음에 밤중에 큰 단의 벼를 솎아낸 만큼 소작인이 남겨먹을 수가 있었다. 그뿐 아니라 탈곡을 할 때 대강대강 털어내고 반으로 곡식을 나눈 다음에 다시 재타작을 해서 붙어 있던 알곡을 털어먹기도 하였다. 그러나 농민들이 이렇게 남겨먹는 곡식의 양이란 가을 들판의 참새떼가 겨우 낟알 몇되 축내듯 하는 짓이었다. 징수가 가혹하고 땀 흘려 농사지어 모두 빼앗겨버리니 그렇게라도 하지 않고는 살아갈 수가 없었던 것이다. 자연히 마름의 감시하는 눈초리에 핏발이 서지 않을 도리가 없었다. 집강 동춘만은 도장들을 핍박하였고, 도장들은 또한 마름을 들볶았다. 그들은 징수한 작료가 모자라면 솥이건 그릇이건 누더기이건 가리지 않고 차압하였다. 또한 몇몇 농민들은 둑이 무너져서 월당강의 흙탕물에 논이 침수되기도 하였는데 다음해를 위하여 구호는커녕 집을 비우게 하고 들판으로 온 가족을 내쫓기도 하였다. 그러니 유민이 되기 전에 간혹 어떤 장정들은 작당하여 마름이나 동첨사네 밥붙이들과 몽둥이다짐도 벌였으나 잡혀서 악형을 받거나 동춘만의 사옥에 갇혔다. 따라서 집강의 사옥에는 언제나 죄 없는 죄수들이 득시글거렸다.

집강 동춘만에게도 한 가지 약점이 있었으니 그것은 한양 궁가에서 내려보내는 궁감(宮監)의 눈에 벗어나서는 안 되는 점이었다. 궁감은 차지(次知)라 하여 내수사에서 오랫동안 왕가 살림을 맡은 전수(典需) 중에서 신임받는 이가 뽑혀오게 마련이었다. 그는 궁차(宮差)라는 장무(掌務) 노복들을 동행하게 되어 있었다. 대개 소작료 징수가 가을에 이루어지니, 선선한 바람이 불면서 도착하여 서리가 비칠 때까지 머무는 것이 상례였다. 연중 한 번만 장토에 내려오느냐 하면 그렇지를 않고 개중에는 탐욕스런 자가 있어서 무슨 궁의 개축 비용이다, 누가 경사났다, 모귀인이 왕손을 가졌다, 유람 중이다 하는 갖가지 핑계를 대고서 일 년에 서너 차례씩 집강을 찾았다. 궁감은 그때마다 동춘만에게서 막대한 뇌물을 먹을 수가 있었다. 동춘만이 제 전장에서도 막대한 소작료를 먹을 뿐만 아니라 갖은 부당한 방법으로 장토를 관리하고 있음을 궁감들이 잘 알기 때문이었다. 궁감이 내려오면 집강 동춘만네 집은 돌연 잔칫집으로 바뀌고, 귀로에는 짐 실은 나귀가 줄을 지어 따라갔다. 갖은 특산물들이 궁인들의 선사품으로 실려갔고, 그때마다 소작지의 양민들은 특산품을 징발당하느라고 허리가 부러질 지경이었다. 대개 이때에 설치는 것은 집강네 겸인인데, 궁감의 세 끼니 음식에서 밤에 잠자리에 수청 드는 기생을 붙이기까지 온갖 정성을 다하는 것이었다. 옹주라든가 부마라든가 상궁 나인들께로 진상할 뇌물이 실려가는데 일반 주전부리에서 완상(玩賞)할 기화요초라든가 매, 꿩, 여우 같은 짐승들까지 잡아 보내었다. 그렇게 하지 않고는 이 너른 땅의 관리인 노릇을 오래 해먹을 수가 없겠기 때문이었다. 그러니 수탈은 날이 갈수록 더욱 심하여지고 항거하는 자가 늘어가니 사옥이 넘칠밖에 없었다. 이러한 소문이 인근 사방에 자자하건만, 왕가에 직접 줄을 대고 있는 동춘만의 권세를 넘볼 자는 아무도 없었다.

달마산 화적떼들 사이에 의논이 정해지기를 속임수와 습격을 병행하기로 하였다. 선흥이가 거느린 장사꾼 차림의 패거리는 남고, 변가와 우대용이 차인 노복을 거느린 차림으로 용골 동춘만네 대궐 같은 집으로 향하였다. 먼저 우대용이 하인 둘을 거느리고 바삐 나아가 동첨사네 솟을삼문 앞에 이르렀다. 가운데 문은 굳게 닫혀 있으되 옆문이 열렸고 건장한 자가 문 옆에 지켜 서 있었다.

"집강어른 계시냐?"

"첨사나으리께선 출타 중이시오. 어디서 오신 뉘시오니까?"

우대용은 먼저 마음이 한결 놓였다. 서투른 짓을 하느라고 갓에 중치막에 잔뜩 모양을 내었건만, 망건 두른 이마가 가렵기 짝이 없고 긴 옷자락이 거추장스러워 견디기 어려웠다.

"나는 내수사 서리다. 시방 신임 궁감나으리를 모시고 전장을 둘러보러 내려오는 길이다."

"어이쿠! 몰라뵈었소이다."

하더니 놈은 허리를 굽히고 연신 기면서 그를 안내하였다. 바깥행랑채에서 그가 소리쳐 겸인을 불렀다. 겸인은 낮잠을 자던 중이었는지 부스스한 모습으로 뛰어나왔다.

"궁감으로 내려오시는 전수어른을 맞을 채비를 하게."

겸인은 설렁줄을 당겨서 하인들을 모두 모이게 하고 나서 큰사랑으로 대용을 안내하였다. 큰사랑은 동춘만이 쓰는 곳이지만 궁감이 내려오면 언제나 자신은 안사랑으로 피해가던 것이다. 잠시 후에 변가가 의젓하게 궁차들을 거느리고 대문으로 들어서고 거침없이 큰사랑으로 들어가 앉았다. 아직 글방도령인 열다섯 살짜리 동춘만의 아들이 아비 대신 현신하였으며, 무료하던 아낙네들은 점심 준비를 하느라고 법석을 떨었다. 겸인은 차마 마루에도 오르지 못하고 섬돌 아래 부복하여 내수사 서리라는 우대용의 하명을 기다렸다.

"각 도장들을 현신하라 이를까요?"

우대용이 서리 시늉은 하고 있지마는 어쩌는 게 좋을지 몰라서 하는 수 없이 변가에게 들어가 물었다.

"도장들을 불러 인사를 드린다는데……"

"한 놈이라두 낯을 익히면 좋을 게 없수. 덮어놓고 불가하다 이르고 시방 내려온 것을 수령에게도 극비로 하라 이르시우. 그리구 어서 동춘만을 부르라고 허시우."

우대용이 변가의 말을 듣고 나와서 자못 불쾌한 안색으로 말하였다.

"공연히 떠들썩할 것이 없다. 내수사에서는 은밀히 장토 관리하는 실정을 알아보고자 내려온 것이니 도장들은 물론이요 본읍 안전께도 알릴 필요가 없다시는 전수나으리의 분부다. 그리고…… 어서 집강어른을 오시도록 하여라. 귀로의 일정이 빡빡하여 지체할 여가가 없으시다."

"예, 알아 모시겠습니다."

겸인이 큰사랑을 물러나오며 스스로 기미를 살피자니 추수도 다 끝난 한가한 겨울철에 아무 기별도 없이 내려온 낌새로는 뭔가 궁가에서 책을 잡으려고 온 것이 분명하였다. 누군가 본읍 수령이거나 암행어사 하여튼 일반 백성이라도, 뭔가 밑구린 사연을 상부에 보고하지 않았으면 투서라도 들어간 성싶었다. 겸인은 하인들을 불러모아 큰사랑에 잡인의 범접을 엄금시키고 사옥(私獄)으로 나가는 문을 굳게 닫아놓으라 이른 뒤에 밤곶이에 나간 동춘만이 급히 오도록 사람을 보냈다. 갖은 산해진미가 미어지도록 올라 있는 다담상이 큰사랑에 들여지고 급히 돌여울서 온 기생이 곁에 앉아 술을 쳤다. 변가와 우대용이 상을 따로 받았고, 궁차 역할의 졸개들은 마루에서 저희끼리 상을 받았다. 기생이 술을 쳐서 두 손으로 맞잡아 올리건만 변가는 소매를 들어 뿌리쳐내렸고, 술잔이 기생의 섬섬옥수에서 동그라져 치마를 적시었다.

"에구머니……"

"이 집 주인은 도대체 어딜 갔길래 네 따위들이 술을 따르느냐. 우리는 여기 행락하러 온 것이 아니다."

변가의 언동에 따라서 우대용이 꾸짖었다.

"물러들 가거라!"

기생들이 게눈 동작이 되어 옴찔하더니 뒷걸음질로 재빨리 빠져나갔다. 변가가 속으로는 술과 고기를 마음껏 포식하고 싶건마는, 나중에 엄포를 놓을 생각으로 꾹 눌러 참았다. 그는 국물을 조금 뜨고 전 나부랭이 두어 개 집었다 놓았으며 술은 입에도 대지 않았다. 설렁줄을 당기니 마루 아래 주추와 더불어 붙어 있던 하녀가 고꾸라지며 대령하였다.

"상을 물리랍신다."

상이 내려온 꼴을 보니 술은커녕 음식조차 건드린 흔적이 보이질 않았다. 정말 무슨 일이 있기는 있을 모양이라고 하인배들은 저희끼리 쑥덕거렸다. 동춘만네 집구석이 불안하게 끓고 있는데, 오후 늦게야 동집강 본인이 전갈을 받고 허겁지겁 당도하였다. 그는 우선 안사랑에 들어가 겸인의 귀띔을 받게 되었으니, 궁감이 대개 어떤 자인가를 알아보려는 것이었다.

"말씀 맙쇼. 얼굴은 시커멓고 우락부락한 것들이 어쩌다가 궁가에 들었는지 모르겠으나, 꼬장꼬장하기가 이루 말할 수 없습니다."

"궁감으로 내려온 자의 직함이 뭐라더냐?"

"예, 저희끼리 하는 소리가 전수 따위인 모양입니다."

"음…… 전수라……"

동춘만이 물러나와 집강 노릇을 하고 있더라도 출신이 일개 진을 다스리던 첨사인지라 제깟 것이 아무리 서슬이 푸르다고 하지만 자기의 위의를 당하랴 싶었다. 그뿐만 아니라 여태껏의 예로 보아 한양 궁가에서 내려왔다는 자들이 대개 첫날은 야차요, 둘쨋날은 손님이다가, 셋쨋날은 동무요, 돌아가는 날은 딸 두고 가는 사돈이 될 게 뻔하였다. 첫날은 적당히 굽신거리고 둘쨋날은 주색을 겸하여 진을 빼고, 셋쨋날은 뇌물을 먹이고, 마지막 날에는 궁가에 가는 봉물에 붙여 청탁을 넣는 것이었다. 제아무리 팔팔하고 기개가 있다손 치더라도 대개는 둘쨋날쯤 가서 물에 불린 북어 꼬락서니가 되게 마련이었다.

"사람 사는 세상에, 인심이란 어디 가나 고만고만한 형국으로 돌아가는 법인데, 제깟 놈들이 별수가 있으랴."

동춘만은 우선 정자관도 벗고 맨상투 바람에 구겨진 중치막 차림으로 큰사랑으로 내려갔다. 겸인이 앞장서서 달려가 통자를 넣었다.

"집강어른 현신이오."

현신이라 함이 가당치 않지마는 대개의 궁감들이, 네 이놈 동춘만이 옛적 첨사라고 시방 집강을 까먹으면 마음껏 능멸하리라 다짐했다가는, 드디어 그런 첫마디에 이것 봐라! 마음이 누그러져 고쳐먹게 되던 것이었다. 변가가 전호 눈칫밥으로 중년 뼈대가 굵었으니 금세 알아채고 큰기침을 앞세우며 마루로 나섰다.

"주인 없는 집에 실례가 많소이다. 내수사 변전수요."

"아이구, 이렇게 먼 길로 누추한 고장을 찾아오셨으니 영광이외다."

"원 별말씀을…… 오면서 둘러보니 아주 포실한 고장입디다."

"그게 모두 성은입지요."

"태평성대올시다."

변가의 수작이 제법 격에 척척 맞아떨어지는 것이었다.

"그런데…… 이번에 소리(小吏)가 내려온 것은 다름이 아니라……

내년 파종 전에 전호의 호구조사와 토지대장을 다시 정리한다 하여 미리 의논도 할 겸 온 것이올시다."

미리 내려왔다는 말에 동춘만은 우선 한숨을 내쉬었다. 역시 그러면 그렇겠지, 네가 미리 내려와서 내게 귀띔을 해주고는 돈냥이나 얻어가려는 수작이고나 여겨졌다.

"아무렴요, 나중에 황급하여 차질이 나느니 예서 기간을 넉넉히 잡으시고 앞뒤를 맞추는 것이 일의 순서입니다."

변가는 어조를 바꾸어서 그를 똑바로 노려보며 말은 우대용에게 던졌다.

"자네 이 댁 겸인을 불러서 토지대장을 가져오라 이르게."

우대용이 영문을 모르는 채로 읍하고 나가니, 동춘만은 그제야 상대가 녹록지 않음을 느꼈다.

"지난번 추수 뒤로 번잡한 일이 많아 대장을 미처 정리 못 하였습니다."

"뭐…… 그냥 보십시다."

변가는 일부러 딴청을 부리다가 빙긋 웃으면서 말하였다.

"도장들과 마름을 다루자니 송사가 많겠지요?"

"어리석은 백성이라 골칫거리가 이만저만이 아니올시다."

"내 듣자허니 집강어른 댁의 사옥이 죄인으루 넘친다구 합디다."

"항조(抗租)하는 놈들이나, 공공연히 소작인들을 선동하고 다닌 주비(注飛)놈들입니다. 일단 처리가 된 자들은 본읍의 옥에 보내고, 갚아낼 능력이 있는 자들만 남겨두었지요. 이러지 않고서는 도저히 관리가 되지 않습니다. 다행히 내가 연전에 둔전도 관리하고 읍치에도 경험이 있어놔서 내수사와 궁의 제반 수납과 봉물 진상을 해내는 것입니다."

변가는 그들이 인근에서 들었던 소문을 염두에 두었다.

"듣자허니 이곳에서 직접 백성들을 징치하여 주뢰 틀고 단근질하고 장형을 가하는 등, 어느 때에는 죽어나가기도 했다는데 사실이오?"

동춘만이 변가의 말을 들으니 집안 식구끼리의 내밀한 약조사항이라 덮어두고, 전장과 수확에 대해서만 얘기를 해야 될 터인데 꼬치꼬치 묻는 것이 생트집만 같았다.

"그런 일은 재령군수가 알아서 하는 일이겠고…… 어찌 도장들 현신이나 받으시렵니까?"

우대용이 눈치껏 말하였다.

"토지대장을 보이라지 않습니까?"

동춘만이 집강으로서 아니꼽기는 하였으나, 전수의 장계 한 장이면 즉각 파면되며 따라서 엄청난 수세의 이권도 잃게 되는지라 하는 수 없이 설렁줄을 당겼다. 그러나 진짜 궁감이라 할지라도 미리 궁차를 내려보내어 실정을 살피게 하고, 전호의 속내를 캐어 준비를 한 연후에 대장을 알아보게 되어 있거늘, 하물며 변가나 우대용 같은 자들이 어찌 알아보랴. 그저 엄포나 놓자는 뜻이었다. 그러면서 동춘만이 내놓을 대장은 언제나 감사에 대비해놓은 완전무결한 것이요, 실은 내밀한 곳에 정말 대장을 감춰두고 있으리란 짐작들은 하였다.

과연 겸인이 날라온 두루마리더미는 질서정연히 정리되어 있었고, 어느 방 어느 골에 토지가 몇결이며 소출이 얼마이고 전호가 몇이라는 식으로 자세히 적혀 있었다. 변가는 두루마리를 두어 장 집어서 대강 훑어보는 체하였다. 동춘만은 그러는 꼴이 가소로워서 혼자 느긋한 심정이 되어 이 어리석은 전수와 서리 나부랭이를 마음껏 조롱하는 기분이었다. 변가는 그것을 한옆으로 밀어놓았다.

"나중에 궁차 아이들을 보내어 장지를 살피게 하게. 내일은 함께 재령군수를 만나러 가십시다."

동춘만은 그러면 그렇겠지, 감사는 무슨 감사야, 속으로 쾌재를 부르며 이제는 아주 은근히 말하였다.

"저희 고장이 풍광이 좋기로 알려져 있으나, 시방은 겨울철이라 유람 다니실 데가 별로이 없습니다. 그 대신에 쓸 만한 기생들이 있으니 흥겹게 쉬십시오. 이 집은 모두 전수어른의 집이거니 여기시고 즐기십시오."

하고 나서 변가가 대답할 틈도 주지 않고 겸인에게 말하였다.

"악공을 부르고, 돌여울 기생들을 불러라. 그리고 궁감어른을 따라온 궁차들에게는 모두 열 냥씩 나눠주도록 하여라."

"그리 과히 할 것이 없소이다. 우리는 따로 사처를 정하여 쉬겠소."

변가가 짐짓 말하니 동춘만은 펄쩍 뛰었다.

"민가에서는 물것도 많고 불편하여 쉴 데가 못 됩니다. 또한 제 체면이 말이 아니올시다. 오늘은 마음껏 행락을 하시라니까요."

그들이 수작을 나누는 동안 아까부터 우대용은 중요 문건이 들어 있는 궤나 문서통이 어디에 있는가를 살피고 있었다. 다시 잔치 준비가 진행되고 날은 저물어갔는데, 변가로서는 이 집안에서 시간을 끄는 것이 몹시 불안하였다. 이제 동춘만과 마주 앉아 한담을 나누어야 되겠으나, 어쩌다 궁가의 귀인들 얘기가 나오다 보면 말을 맞추기가 어렵겠기 때문이었다. 동춘만은 또한 그 나름대로 눈앞의 부정을 가리우기에 급급하여 전수 일행을 의심해볼 여가가 없었고, 그가 오기 전에 겸인 등이 영접하며 궁감의 도첩 따위를 살펴본 것으로 믿고 있었다. 그러나 궁차로 꾸민 달마산 졸개 중에 겁없이 들이켠 자로 취한 자가 있어, 마당을 오락가락하는 계집종 하나를 눈독들이다가 안마당까지 뒤쫓아가 덥석 껴안고 말았다.

"에구머니나……"

질겁을 하여 주저앉으니 졸개는 낄낄거리며 땅바닥에 자빠뜨리고 위로 올라탔다. 마침 지나가던 하인이 그 꼴을 보고는 분을 참지 못하여 발로 등을 밟아버렸다. 마당에서 왁자지껄하며 다투는 소리와 계집종의 째지는 듯한 고함소리에 모두들 우르르 몰려나가보니 졸개놈이 비수를 빼어들고 휘둘러 몸집 좋은 하인에 대항하는 중이었다. 하인은 벌써 팔을 찔려 피를 흘리고 있었다. 우대용이 큰일났다 싶어서 졸개에게로 다가서서,

"칼을 버려라!"

하였으나, 졸개는 이미 포악해져서 성깔을 누르지 못하고 짓씹었다.

"너는 어디서 굴러먹던 놈이길래, 남의 패에 끼여들어 이래라저래라 하니. 저리 비켜."

우대용이 틈을 주지 않고 옆으로 비켜나가면서 곧추 찔러들어오는 칼을 피하면서 졸개의 손목을 덥석 잡았다. 잡아서는 그대로 뒤로 홱 젖혀 꺾으며 주먹으로 뒤통수를 내려치니 개구리 패대기쳐지듯 캑 하면서 엎어져버린다.

"이놈을 끌어다가 포박해두어라. 날이 새면 멍석말이로 징치하겠다."

뒷전에 서서 구경하던 졸개 둘이 달려들어 혼절한 놈을 질질 끌고 갔다. 그런데 마당에 둘러섰던 동춘만네 집 사람들은 모두 말없이 그들을 노려보기만 하였고, 겸인은 그제야 정신이 들었는지 안사랑으로 또르르 달려갔다. 동춘만에게 본 것을 알리기 위해서였다. 우

대용이 큰사랑으로 나가니, 변가는 새파랗게 질려 있었다.

"이거 큰탈이오, 눈치채지 않았을까?"

"선홍이가 초경(初更) 무렵에 이 집 건너편에 매복하여 있겠다 하였으니, 지금쯤 와 있는지두 모르지. 변두령은 마음을 놓고 시간을 끌어보우."

"동춘만이 눈치를 챘으면 일은 글렀소. 이 집에는 그가 기르는 힘센 장정들이 스물 남짓 된다오."

우대용이 별안간 웃통을 훌훌 벗어젖히더니 중얼거렸다.

"나를 징치하시우. 아이들을 시켜서 나를 때리며 꾸짖노라면 제 놈들이 꼬치꼬치 묻지는 못할 거외다."

하는 수 없이 변가는 응낙하고서 목청을 높여 네 명의 졸개들을 모두 모아서는 호통을 쳤다.

"이놈을 마루 아래 끌어내리고 형장을 갖추어라."

모두들 머뭇거리다가 우대용을 주르르 끌어내려다 땅바닥에 엎드리게 하니 대용은 꼼짝 않고 엎드렸다. 드디어 굵다란 작대기로 사정없이 우대용을 두드리는데 대용은 비명을 높이 지른다. 동춘만이 하인들을 단속하여두고 큰사랑으로 돌아나와보니 벌거숭이의 서리라는 자가 벌써 반죽음이 되는 참이었다.

"네 이놈, 궁노 하나를 다루지 못하여 이런 해괴한 일이 일어났으니, 서리는 무엇을 하는 직임이냐. 예가 한양이었다면 너는 살아남지 못하였으리라."

변가가 동춘만이 나타나자 더욱 엄히 다스리는 체하였고, 동가 자신이 보기에도 웃통이 벗겨진데다 흙투성이로 널브러진 서리는 곧 죽을 듯이 보였다. 공연히 제 집에서 관인 하나가 죽어나가 좋을 것이 없겠다 싶어져서 동춘만은 황급히 변가에게로 쫓아올라갔다.

"궁감, 참으시오."

"아닙니다, 위엄을 갖추고 공명정대한 예를 보일 내수사의 관리들이 이런 거동을 보여서 면목이 없소이다."

"하긴 아랫것들이 술에 취했던 모양인데, 그렇다구 우리까지 파흥이 되어서야 쓰겠습니까. 더욱이 서리는 아무 죄도 없으면서 저런 형을 당하니, 주인 된 사람으로서 오히려 죄송 천만이외다."

변가는 한참이나 씨근거리다가,

"하인들 방에다 처넣어두어라!"

하고 내뱉었다. 변가를 떼말리다시피 해서 큰사랑으로 데려간 동춘만이 담배를 권한다, 술상을 들인다, 악공과 기생을 동석시킨다며 법석이었다. 자연히 변가는 침울한 안색이 되어 별반 얘기가 없고 동춘만이 혼자서 떠들었다. 바야흐로 하인들도 큰사랑 쪽에는 얼씬을 않고 안채에서도 상 물리는 일만 남았으므로 계집종 몇만이 대기중이었다.

하인들도 저희끼리 손님 덕을 입어 술깨나 좋이 마셨다. 그동안에 우대용은 슬그머니 빠져나와 졸개들에게 무엇인가를 지시하고 나서 행랑채에서 솟을대문 앞으로 나아갔다. 잠시 삼문 옆 헛간의 어둠속에 숨어서 바깥을 살펴보았다. 작은 문의 빗장을 열고 내다보니 길 쪽은 캄캄하여 아무것도 보이질 않았다. 대용이 허리춤에서 부시를 꺼내어 몇번을 쳐대니 저편에서 불똥이 퍼렇게 튀는 것이었다. 그러고는 다시 문을 닫아놓고 기다리자니, 인기척 소리가 다가왔다. 그는 다시 문을 열었다.

"성님, 나요."

선홍이가 신호를 보고 다가온 것이다.

"슬슬 들어와. 아무래두 좀 늦어지는 것이 더욱 좋겠지만 변두령이 자신이 없는 모양이데."

대용은 집의 위치를 여기저기 알려주었다.

"이쪽은 행랑채다. 하인놈들은 그 가운뎃방쯤에 모여 있고, 오른편이 큰사랑, 그 뒤가 안사랑, 그리고 가장 끝이 안채야. 장정놈들 중에 재간이 있는 자들은 왼편 끝의 서기사(書記舍)에 기거하는데 자네가 애들 몇 데리구 가게. 나는 행랑채를 맡을 테니 사랑과 안채에는 먼저 들어온 우리 아이들이 맡아서 할 게야."

선흥이의 뒤를 따라서 달마산 화적패 열댓 명이 스멀스멀 문안으로 들어서서 헛간 앞에 죽 붙어 서 있었다. 모두들 손마다 환도와 장창 등의 병장기를 쥐고 있었다.

"서기사는 들이치는 즉시 닥치는 대루 죽여야 해. 집강놈이 전 첨사이니, 아마도 장정들이란 게 무예 조련이라두 받은 자들일 게야."

"알았수."

선흥이가 손짓을 하여 하나씩 중문간을 통과하여 서기사 쪽으로 달려나갔다. 대용은 그들이 서기사를 들이칠 적에 왼편의 행랑채를 급습할 작정이었다. 선흥이가 서기사의 쪽문을 밀어보니 안으로 굳게 잠겨 있었다. 누군가가 왼편 행랑채에서 나오기만 하면 벽에 붙어선 이들 무리를 발견할 것이었다. 선흥이가 문 곁에 나란히 있는 방을 살피고 오른편의 방문이 바깥쪽으로 트인 것을 보았다. 그는 우선 졸개 몇명을 그리로 들어가게 하였고 침모나 표모 등의 늙은 여자가 두엇 누운 것을 이불째로 덮어 눌러두도록 하였다. 안쪽으로 들어간 졸개가 방문을 열고 나와 문의 빗장을 빼내었고 그들은 차례로 서기사 안으로 스며들어간 뒤에 문을 닫았다. 그런 모양을 보고 우대용은 나머지 졸개들을 광 앞의 마당에 적당히 벌려서도록 하고는, 또한 몇은 행랑의 연이어진 마루에 올라서도록 해놓고 자기도 마루로 올라갔다. 행랑 쪽의 하인들을 둘러쌌고, 서기사에 있을 장한들을 선홍이가 막아놓았으니 이제 집강네 집은 완전히 수중에 들어온 셈이었다. 약속대로 우대용이 먼저 행랑채의 그중 크고 너른 가운뎃방으로 다가갔다.

술동이가 비었는지 한 놈이 뭐라고 투덜대면서 문을 여는 참이었다. 한쪽으로 붙어섰다가 그가 뒤로 미닫이를 닫고 마루로 한 걸음 내딛자마자 대용은 그의 목 아래로 팔을 끼우면서 한 손으로는 머리꼭지를 주먹으로 내질렀다. 그리고 마루 아래로 밀쳐주니 기다리던 졸개가 받아서는 섬돌 아래에 조용히 뉘어놓았다. 대용이 문밖에서 목소리를 가다듬고 중얼거렸다.

"모두들 나오게."

안에서 두런거리던 소리들이 뚝 그쳤다. 그러고는 그중 하나가 문을 열면서 되물었다.

"누구여, 무슨 일인가?"

그러나 어둠속에 몸을 가린 우대용이 눈에 들어올 리가 없었다. 대용은 문 곁에 몸을 감추고 다시 속삭였다.

"집안에 대적이 들었네. 조용히들 나오라구."

방 안에 앉았던 칠팔 명이 서로 시선을 주고받았고 문가에 앉았던 자들부터 영문을 모른 채로 엉거주춤 바깥으로 나섰다. 나서보니 드문드문 어둠속에 사람의 태가 보이자,

"웬놈들이냐?"

제법 호기 있게 내지르며 그들은 제 동료들을 두리번거렸다. 마루 위에서 노리던 달마산 패거리들이 일시에 그들을 둘러쌌고 그들 중에 몇은 대담하게 마루에서 뛰쳐내려갔건만 대부분은 질겁을 하여 뒷걸음질로 방으로 밀려들어갔다. 마루에서 내려섰던 자들은 곧 들

이대어진 환도와 창날에 두 손 놀릴 틈 없이 주저앉아버렸는데 그래도 힘을 믿고 손발을 재게 놀리면서 고함치던 자는 가차없이 창에 꿰이었다. 다른 방에서도 한두엇씩 뛰쳐나왔다가는 대부분 병장기에 무릎을 꿇었다. 대용이 문을 가로막고 서서 조용히 말하였다.

"나라에서 하명한 일이니, 너희들이 반항 않으면 해치지 않을 것이로되 추호라도 수상한 기미가 보이면 단칼에 베일 것이다. 행랑채 광의 열쇠를 누가 가지고 있는가?"

수노인 듯한 늙은이가 고분고분 답하였다.

"여기에 있습니다."

그들은 방 안에 모아놓은 자들을 하나씩 줄줄이 엮어서는 행랑채의 광에다 빠짐없이 처넣었다.

선흥이는 수돌이 밑에서 오랫동안 달마산 적당 노릇을 해왔던 날렵한 자들만을 데리고 서기사 안마당에 들어섰다. 비록 급습이라 하나 상대는 녹록히 볼 수 없는 전 첨사의 무사들인지라 선흥은 왼쪽 부엌과 안채로 들어가는 오른편 문가에 졸개들을 벌려세우고, 혼자서 칼을 들고 마당에 버텨서서 소리쳤다.

"불이야, 불 불!"

선흥의 고함소리가 들리자마자 가장 먼저 열린 것이 겸인이 기거하는 안방 쪽이었고 이어서 건넌방의 두 방문이 이리저리 열렸으며 문 곁의 끝방 문도 열렸다. 겸인이 마루로 뛰어나오며 선흥이를 대충 짐작으로 하인인 듯 여겨서는,

"어디 어느 곳이냐. 아이들은 모두 불 끄러 나섰느냐?"

하면서 마루에서 내려와 바삐 신을 꿰는데, 선흥이는 그가 늙은이인지라 그냥 내버려두자니 방 안에서 먼저 그의 손에 들린 칼을 본 모양이었다.

"칼 들었다!"

"웬놈이냐?"

방마다에서 무사 장정이 뛰쳐나오는데 선흥이가 쓱 휘둘러보자 하니 모두 다섯이다. 그들은 각자가 환도를 빼어들고 있었으며, 특히 끝방에 있던 자는 엄파 쇠몽치를 들고 있었다. 어둠속에 숨어 있던 졸개들이 그들을 덮치며 달려드는데 쇠 부딪는 소리가 요란하고 불빛이 번쩍였다. 쇠몽치 가진 자는 안채로 나가는 문 곁에서 뛰어나오는 졸개들의 칼날을 받아치며, 연이어 하나를 쓰러뜨리고 마당 가운데로 나왔다. 선흥이에게로 곧장 달려들어 쇠몽치를 휘두르니 선흥이는 날카로운 기세를 대적하지 못하고 연신 허리를 뒤로 꺾거나 좌우로 몸을 비키면서 뒷걸음질하였다. 부엌 벽 앞에까지 밀려갔는데 쇠몽치가 위로부터 곧추 내리꽂혔다. 선흥이가 옆으로 비켜나면서 한 손으로는 상대의 가슴팍을 떼밀었다. 부엌 벽이 쇠몽치에 맞아 와르르 무너졌고, 상대는 선흥이께 밀려서 뒤로 호되게 궁둥방아를 찧으며 나가떨어졌다. 선흥이가 틈을 주지 않고 금강보운(金剛步雲) 자세로 칼을 쳐들었다가 내리치는데 상대는 도두(倒頭)로써 엄파를 들어 가로막았다. 챙겅 하면서 칼날이 쇠에 부딪쳐 중동이 부러지고 말았다.

"너는 이제 죽었다."

상대가 엄파를 다잡고 손에 침을 뱉으면서 일어났다. 선흥이는 부러진 칼을 내던지고 잠깐 두리번거리다가 마루로 뛰어올라갔다. 상대는 쇠몽치를 월야참선(月夜斬蟬)으로 휘두르며 마루로 다가왔다. 선흥이 두리번거리다가 머리 위에 걸쇠에 매어달린 문짝을 보았다. 놈이 신방돌을 딛고 툇마루에 한 발을 걸치는데 선흥이가 허공에 매달린 문짝을 손에 잡아 아래로 당겨버렸다. 걸쇠가 빠져버리며 문짝이 상대의 면상을 치면서 떨어져나갔다. 그자가 뒤로 자빠지는 틈을 타서 선흥이는 떨어진 걸쇠를 쥐고 마루에서 뛰어내리면서 가슴팍을 밟으니 놈이 머리를 들었고, 선흥이가 사정없이 걸쇠 꼬챙이를 목에다 찍었다. 상대는 고함을 지르며 온몸의 기운을 잃었다. 한결 부드러워진 상대의 팔을 잡아 반쯤 일으켰다가 그대로 신방돌 위에 내리치니 상대는 머리를 돌에 부딪고 잠잠하여졌다. 선흥이가 엄파쇠몽치를 손에 집어들고 보니, 자기에게 이렇듯 알맞은 무기가 따로 없었다. 아직도 뒤엉클어져 싸우는 졸개들께로 뛰어가, 닥치는 대로 쇠몽치를 휘두르니 환도를 휘두르던 자 하나가 등덜미를 맞고 등뼈가 대번 부서져서 주저앉아버렸다.

"사…… 살려주오."

다섯 중에 셋이 죽고, 문 쪽에서 끝까지 저항하던 자들이 무기를 버리고 꿇어앉는 것이었다. 겸인이란 자는 부엌 바닥에 쪼그리고 머리에는 번철로 가리우고 달달 떨고 있었다. 선흥이는 발길로 안채의 문을 내질러버렸다. 문짝이 와지끈했으나 좀체 부서지지 않자, 선흥이가 엄파를 쳐들어 문 가운데를 후려치니, 빗장이 부러지고 문짝이 뻥 뚫리면서 문이 화들짝하니 열리는 것이었다. 안채로 돌아나가기도 전에 미리 들어가 부녀자들을 한 방에 모아놓은 졸개 두 명과 부딪쳤다.

"그쪽은……"

"모조리 안방에 처넣고 문고리에 숟가락을 질러놓았습니다."

"너희들이 지켜라."

안채 맞은편이 안사랑이요, 그 건너편이 또한 큰사랑인데 다시 문간이 있었다. 먼저 들어간 우대용의 일행이 문을 활짝 열어놓고 있었다. 집 안의 곳곳에 졸개들을 경계로 세워두고 우대용과 강선흥은 큰사랑으로 올라갔다.

이미 집 안의 시끄러운 기미를 알아챈 동춘만이 몸소 나와보려고 자리에서 일어나자 때마침 기회를 엿보던 졸개 두 명이 마루로 올라섰고,

"이놈을 묶어라!"

변가가 상을 차며 일어나 외치니, 동집강은 얼른 피하며 문갑 위에 세워둔 환도를 집어들었던 것이다. 졸개 두 명이 가진 무기가 모두 환도이고 보매 동춘만과 일전을 겨루어야 했던 것이다. 변가가 기생들이 일어나 비명을 지르는 틈을 타서 방을 빠져나오려니 동춘만이 정확하게 변가의 등을 노리고 칼날을 날렸다. 변가는 기생의 몸 뒤로 숨었고 칼을 맞은 것은 그의 짝이던 기생이었다. 변가는 다시 안석(案席)을 집어들어 두 번째로 날아드는 칼을 받았고 칼이 솜뭉치를 헤치며 비스듬히 베고 지나갔다. 변가가 그때에 한 손으로 오동 화로의 귀퉁이를 들어 동춘만에게 던졌는데 그는 재를 면상에 뒤집어썼던 것이다. 동춘만은 과연 무장답게 성난 호랑이처럼 칼을 휘둘렀다. 변가는 방 안에서 간신히 빠져나왔고, 졸개 두 사람과 더불어 그가 방에서 나오기만을 기다리고 있었다. 동춘만은 보이지 않는 눈을 연신 소매로 비벼대면서 방 안에서 칼을 쥐고 헐떡거리는 중이었다. 우대용과 강선흥이 큰사랑에 올라간 것은 바로 그런 때였다.

"너희 집은 완전히 우리 손에 들어왔다. 칼을 버리구 나와라."

선흥이가 문턱에 비켜서서 어두운 방에다 대고 중얼거렸으나, 동춘만은 대꾸하지 않았다. 그가 어쩌는가 보려고 비죽이 고개를 들이미니 아니나다를까, 쌩 하면서 칼날이 코끝을 스치도록 정확하게 지나갔다. 선흥이는 얼른 뒤로 비켜났고, 우대용이 선흥이를 뒤로 가

만히 잡아끌고는 제가 나섰다.

"집강, 우리는 나라의 명을 받잡고 이곳 전장의 폐단을 다스리러 온 사람들이오. 이러면 자꾸 죄가 커지니 얼른 나와서 어사또의 분부를 받드시우."

"어사또라구…… 거짓말 마라. 너희는 화적당 아니냐."

우대용이 목청을 드높여 껄껄 웃었다. 그러고는 짐짓 변가에게 말하였다.

"어사또, 마패를 보여주십시오."

변가가 어리둥절해 있는데 우대용이 변가에게서 무엇을 받는 듯하면서 손바닥을 펼쳐들고 문가에 내밀었다.

"이거 보시우, 출두에 칼을 빼어들다니 나중에 그 죄를 어찌 다 받으시려우. 우리는 궁감이며 궁차가 아니외다."

동춘만이 의혹을 견디지 못하고 그 손 안의 것을 자세히 보려고 앞으로 걸어나왔다. 그의 희끗한 몸이 보이자마자 대용이가 발을 올려 힘껏 돌려찼다. 동춘만이 가슴을 쥐며 앞으로 고꾸라지는데 대용은 다시 무릎을 올려 안면을 호되게 올려차버린다. 동춘만은 얼굴을 번쩍 치켜들며 뒤로 넘어갔다. 우대용은 그의 터진 안면에서 묻어난 무릎 위의 핏자국을 내려다보더니 우선 나동그라진 칼을 집어올렸다. 그러고는 침착하게 부시를 쳐서 넘어진 등잔을 세우고 불을 붙였다. 악공들은 벌써 달아나다가 행랑채 앞에서 잡혔고, 기생 하나는 몸이 성한 채로 방구석에 머리를 처박고 오들오들 떨고 있었다. 또다른 하나는 북새통에 동춘만의 칼을 맞고 피투성이가 되어 넘어져 있었다.

"이리 나오너라."

우대용이 기생을 물끄러미 내려다보면서 말하였다. 기생이 겁에 질려 고개를 들지 못하고 무릎걸음으로 문가까지 기어나왔다.

"방 안을 말끔히 치우도록 해라. 아무 일 없을 것이니 무서워하지 마라."

졸개가 들어와서 넘어진 기생을 들춰보았다.

"식었습니다."

"치워라……"

방 안이 정돈된 다음에 대용과 선흥이와 변가는 나란히 큰사랑에 마주 앉았다. 혼절한 동춘만을 우물가로 끌어내다가 정신을 돌리게 하여 데려오라 일렀는데, 다시 한 졸개가 내달아 말하였다.

"별당채에 사옥이 있는데 근 여남은 명이 갇혀 있습니다."

"아픈 사람은 없던가?"

"예, 노인 한 사람이 병이 들어 앓고 있구요, 장형을 당했는지 어떤 사람은 인사불성이올시다."

"그 사람들을 데려오너라."

곁에서 변가가 덧붙였다.

"이제부터 나는 아이들을 데리구 집뒤짐이나 하겠습니다. 재산 점고를 샅샅이 하여 무엇이 얼마나 되는가를 알아야지요."

변가가 나간 뒤에 선흥이가 대용에게 물었다.

"성님, 이러다간 시간이 오래 걸리겠수. 하룻밤 가지고는 뒤 보고 밑 닦을 틈도 없겠는데."

"내일 하루는 예서 지낼 생각을 해야지."

"아니…… 내일 낮에 말이우?"

"우리네야 조선비나 장만할라구 거사하였지만, 이제 여기 와서 물정을 보니 동가란 놈이 여간 도적놈이 아니데. 인심이나 흠뻑 쓰구 가지, 활빈당 노릇을 해야겠어."

선흥이가 껄껄 웃었다.

"까짓 거 그리합시다. 기왕 치러낸 일인데 백주 천하에 훤히 드러내는 게 우리 배포에두 맞소."

졸개들과 여러 사람들이 큰사랑 마당으로 꾸역꾸역 몰려들어왔다. 그들은 처음에는 관인인 줄 알았다가 화적패라는 것을 뒤늦게 알고는 어딘가 마음이 놓이질 않는지 모두 입을 다물고 대답을 회피하였다. 우대용이 그들을 모두 큰사랑 마루 위에 올라앉게 하고 나서 입을 떼었다.

"우리는 산림에 숨어 사는 사람들이오. 진작부터 재령 동춘만이의 악행을 듣고 징치하려고 벼르던 중이었소. 약간의 재물은 우리 살림에 보태기로 하고 나머지는 모두 청수내 분들께 나누어드릴까 하오. 듣자하니 동가의 사옥에 갇혀 있었다는데, 각자 어찌되어 여기 잡혀왔는지 말해주고 또한 집강이 어떻게 치부를 하였는가를 알려주오."

그러나 의심이 많은 약한 백성들인지라 평생을 함께 사는 것도 아니어서 오늘 입을 떼고 내일 앙갚음을 당하느니, 차라리 벙어리 시늉이 낫겠다는 성싶었다. 그들은 모두 집강 동춘만과 그의 수하인 도장 마름들에게서 온갖 핍박을 받다가, 항조(抗租)하거나 고지식하게 수확을 속이지 못하고 납곡을 덜 내어 갇혔던 백성들이었다. 오히려 마음속에서는 대대로 참았던 울분이 부글부글 끓고 있지마는, 아무도 말을 꺼내지 못하는 것이었다. 비록 저들이 화적당이 아니고 중앙관부의 관리라 할지라도 그들은 말을 할 수가 없었다. 잘못이 시정된다 한들 저들은 곧 떠나가버릴 것이고 농군들은 땅에 발을 붙이고 숱한 세월을 또 살아나가야 하는 까닭이었다. 더구나 저들이 옳은 것을 내세우는 활빈의 무리라 하지만, 나라와 국법에 등을 돌린 자들이니 그들이 기댈 수 없음은 당연하였다.

예로부터 치정하는 이들이 정전을 국가의 근본으로 삼았거늘 그 법이 이치로는 비록 아름다웠으나 능히 시행한 자가 없었다. 백성들 스스로에게서 나와 위와 더불어 시행되는 제도라면 작은 폐단은 막아낼 수 있을 터이나, 법이라는 것이 명분은 그러하면서 실상은 위에서 편리한 대로 시행되어 애초의 아름다운 뜻이 가려져 없어지기 때문이었다. 정전이란 옛 성왕(聖王)이 천하를 공유로 하고, 지리(地利)를 고르게 하여 백성에게 준 것이었다. 한 농부가 전지 백 묘(畝)를 국가로부터 받는데 구백 묘가 한 정(井)이 되고 정의 팔면에 있는 백 묘씩은 모두 사전(私田)으로 하고, 복판에 있는 백 묘만을 공전(公田)으로 하여 여덟 집에서 함께 공전을 경작하였다. 또 공전 안에서 이십 묘를 털어서 집을 짓는다는 것이었다. 그때 천하에 땅을 받지 못한 사람이 없어서, 모두 우러러 섬기고 아래로 기르며, 살아 있는 이를 봉양하고 죽은 이를 장사 지내기에 족하였다. 까닭에 풍년에는 배부르고 따뜻하게 지내는 즐거움을 이루고 흉년에도 떠돌다가 죽는 고난을 면하였다.

정전이 폐지된 뒤로부터는 전지를 제 마음대로 할 수가 있게 되었으니, 재물 있는 자가 마음껏 사들이고, 세력 있는 자가 차지하고 권력 있는 자가 빼앗았다. 땅 있는 자가 반드시 경작하지도 않고, 경작하는 자가 반드시 땅을 가지지 못하였다. 부유한 자는 땅이 많고 수확도 커서 밭두둑이 잇닿아 끊임없고, 가난한 백성을 종같이 부렸다. 경작이나 수확에도 나서지 않으면서 부유한 즐거움을 앉아서 누리나, 가난한 자는 송곳 세울 만한 땅도 없으니, 부자의 땅을 빌려 힘껏 갈고 김매며 겨우 그 수확의 반을 얻는 것이었다. 그렇지 않으면 삯갈이, 날품 김매기를 하고 날짜를 따져서 값을 받을 뿐이었다. 또

한 빌릴 땅이 없고 빌릴 집도 없으면 혹은 빌어먹고 혹은 떠돌아 흩어지며, 혹은 하는 수 없이 도적이 되어버리는 것이다. 까닭에 뜻있는 자들은 누구나 세상 임금이 선대의 법을 능히 회복하지 못하여 서민의 살림을 마련하는 데 있어 빈부를 고르게 하지 못한 연고로, 혹은 교만하여 간특한 짓을 하고 혹은 곤궁해서 간사한 짓을 하며, 아울러 어지럽게 되어도 능히 구제하지 못함을 탄식하게 되었다.

대개 부유한 자들의 땅을 갑자기 빼앗는 것은 물론 어려운 일이지만, 천하에 부유한 자는 적고 대부분이 가난한 백성들이니 원망하는 자는 반드시 드물고 즐거워하는 자가 반드시 많을 것이다. 진실로 백성을 자식처럼 사랑하는 이들이 모여서 단연코 시행한다면 무슨 어려움이 있으리요. 대저 변혁이란 근본부터 되지 않고는 어려운 것이니 하물며 화적당 몇사람에 있어서야 말해 무엇 하겠는가.

"겸인을 불러들여라."

사옥에 갇혔던 사람들을 묵묵히 바라보고 있던 우대용이 지시하였고, 졸개가 나가서 겸인을 끌어왔다. 선홍이가 눈을 부릅뜨고 물었다.

"양전(量田) 문건이 어디 있는가?"

"아까 내놨던 것입니다."

"이놈, 죽고 싶으냐? 그건 전수 따위에게나 내보이는 것이고 너희들과 집강이 은밀히 숨겨두고 보는 문건이 있지 않느냐. 만약에 숨긴다면 당장 목을 베겠다."

우대용이 변가와 더불어 서리 노릇을 하였던 가락이 있는지라 제법 요령 있게 따지고 들어갔다. 끌어왔던 졸개가 환도를 시르릉 빼어들더니 겸인의 뒷덜미에다 칼날을 대어주었고, 그는 자라모가지 움츠러들 듯 한껏 머리를 어깨 사이로 집어넣었다.

"열을 헤일 제까지 말하지 않으면 목을 쳐내어라."

선홍이가 말하니 졸개가 칼날을 갖다댄 채로 수를 헤아리는데, 채 다섯을 넘기지 못하여 겸인이 부르짖었다.

"그 방 안에 있습니다."

"방의 어디 말이냐?"

"사방탁자 아래편을 보면 고리 없는 서랍이 달려 있습니다. 밑에서 밀어내면 열리는데 그 안에 문서통이 몇개 있습지요."

겸인의 말이 떨어지자마자 우대용이 뛰어들어가 사방탁자 아래편의 숨겨진 서랍 안에서 문서통 다섯을 찾아내었다. 개봉하여보니 과연 문건들이 나오는데 앞에 몰려앉았던 사람들이 서로 수군거리며 동요되는 기미를 보였다. 변가의 말대로 그 문건만 손에 넣으면 동춘만은 화적패와 마찬가지로 관과 국법에 등을 대게 되는 셈이었다.

"이젠 되었다. 나중에 무슨 일이 생기더라도, 이것만 한양 궁가에 다 바치면 동가는 꼼짝없이 패가망신이다."

우대용이 그들에게 들으라고 큰 소리로 말하였다.

"이것 보시우. 동집강의 갖은 악행이 여기 이 문서에 다 나와 있수. 그러니 서슴지 말구 우리 일을 도우시우."

"우리가 어떻게 했으면 좋겠소이까?"

그들 중에서 젊고 팔팔한 사내 하나가 고개를 들고 말하였다. 선홍이가 대답해주기를,

"동가의 죄상을 낱낱이 얘기하여주오. 그런 연후라면 우리와 더불어 무슨 짓을 하든 제놈이 관가에 발고하거나 악행을 저지르지는 못 할 게요."

하였다. 이치가 앞뒤로 맞아떨어지니 그들은 서로 바라보며 고개를

끄덕거렸다.

"글을 아는 이가 있수?"

"예, 『소학』권이나 떼고 언문을 아는 노인이 있습니다."

그들은 머리에 수건을 죄어매고 동료들에 기대어 있는 노인을 손가락질해 보였다.

"좋소, 그러면 낱낱이 글로 적어서 우리에게 주시우."

대용이나 선흥이나 변가가 글 따위를 알아먹을 리가 없건만, 동집강을 몰아세우고 그로 하여금 달마산 패가 떠난 다음의 행동을 경계해주기 위함이었다.

"몇몇이 의논하여 자세히 쓰시우."

네댓 사람이 사랑 안으로 들어가 엎드려서 수군거리며 장고하는 사이에 졸개가 들어와 보고하였다.

"동춘만이가 깨어났습니다."

대용과 선흥이는 잠깐 의논해보고 나서 변가와 더불어 징치하기로 하였다.

"그냥 가두어두어라. 대신에 어서 변두령 오시라구 하여라."

변가가 들어와 각 방에 있는 물건들을 일일이 점고한 것을 알렸다.

"큰사랑 저 건너편의 대광에는 미곡이 천정에 닿을 정도로 쌓였고, 행랑채의 두 광에는 농기구와 재목 같은 물건들이라 별것이 없고, 안채의 광에는 꿀이며 어염이며 각색 과물에다 잡곡, 약초, 젓갈 등등의 없는 것이 없습니다. 특히 안채 대방의 삼층장과 가께수리〔倭櫃〕에는 금붙이와 옥과 구슬 등속의 패물이 함으로 하나 가득이며, 돈은 이 방에 있다구 그럽디다."

변가가 두리번거리니 선흥이 그를 큰사랑 안으로 밀면서 말하였다.

"어디 찾아보우."

변가는 큰사랑에 들어서서 두리번거리더니 장지문을 열고 다락을 등잔으로 비춰보았다. 그러고는 한아름 되는 반닫이가 넷이나 되는 것을 발견하였다.

변가와 선흥이가 방으로 끌어내리는데 선흥이까지도 무거워서 기운을 쓰느라고 목줄을 세울 만하였다. 자물쇠를 쳐내버리고 뚜껑을 여니 한 반닫이에는 절편만 한 은자가 차곡차곡 들었는데 수천 냥이 될 듯하였다. 나머지 세 군데에는 돈꿰미가 업구렁이 서리듯 차곡차곡 쌓여 있었다. 대용이 잠깐 들어와서 넘겨다보더니,

"여기서 다 가져갈 것 있나. 은자 들어 있는 반닫이 하나면 되겠군."

하였으나, 변가가 돈을 눈앞에 두고 욕심이 생겨서 손으로 돈꿰미를 집어올리고 쓰다듬고 하면서 말하였다.

"그게 무슨 소리유. 우리가 십여 명이 되는 인원이요, 더구나 마구간에는 준총이 여러 마리인데 이런 것들을 두고 가다니요."

"포한을 주어서는 안 되우. 보아하니 동춘만이가 몇년간 모아둔 것들인데, 바닥이 나고 보면 원한도 깊어질 뿐 아니라 이 고장 사람들이 또 갖은 악역을 치를 게요."

그러나 선흥이는 뒷전에서 동집강의 악행을 글로 적다가 놀라서 기웃이 들여다보는 사람들을 보고 나서 말하였다.

"성님, 기왕에 내친 김이니 우선 이 사람들께 한 꿰미씩 나누어줍시다. 그리구 비록 우리가 가져가지는 못한다 할지언정 집강놈에게 그대로 돌려줄 수는 없수. 모두 나누어줄라우."

달마산의 두령이 그러하니 우대용으로서야 할 말이 없었다. 그는 고개를 끄덕이고 나서 미닫이에서 선흥이가 돈꿰미 꺼내는 것을 내

려다보았다. 변가와 선홍이가 돈을 꺼내어 방 안에 있던 자들에게 우선 나눠주었다.

"이건 도둑질이 아니라 뺏긴 것을 다시 찾아가는 셈이니 어서들 가지시우."

그들은 모두 두 손으로 감지덕지 받아서 진짜인가 이리저리 살피기도 하다가 다시 밀어내놓는 것이었다.

"저희가 처자식만 없다면야 장수님들을 따라나서겠습니다만, 저희는 이 골서 땅 갈구 살아야 합니다."

선홍이가 다시 돈을 밀어주며 말하였다.

"여보, 걱정 마우. 우리가 내일은 인근 사방에 댁네를 보내어 미곡을 나눠줄 참이우. 나중에는 청수내 사람들치고 동집강의 물건을 받지 않은 자가 없게 될 것이니 아무 상관이 없을 거외다."

그들이 집강의 악행에 대하여 낱낱이 적어서 올렸는데, 선홍이도 변가도 우대용도 도무지 알아볼 수가 없었다.

"밖으루들 나가지. 그러구 우선 큰 소리로 여럿 앞에서 읽어주시우. 그 다음에 동춘만이를 잡아다가 징치하고 잠깐 눈이나 붙여둡시다."

사랑 대청으로 나가 둘러앉은 뒤에 의논된 글을 읽도록 하였으나, 글을 작성한 노인은 연방 잔기침을 터뜨리며 읽기를 주저하였다. 달마산 패들뿐만 아니라 주위의 사람들도 연하여 읽기를 재촉하니 노인은 더듬거리며 읽어내려갔다.

"재령 청수방 용벌에서 전호로 있는 저희 백성들이 용벌의 대지주이며 재령 나무리벌 궁방 장토의 집강인 동춘만의 행적을 세상에 널리 알리나이다. 동집강이 장토의 관리를 맡아오며 위로는 나라를 속이고 아래로 약하고 어리석은 백성을 핍박하여 재물을 모았으니, 그 알려진 방법이 여러가지가 되지만 겪은 바를 취하여 오직 뚜렷한 사실만을 논합니다. 집강은 평년에는 장리로 막대한 이익을 얻었고, 흉년에는 또한 궁가에서의 면세를 이용하고 백성들의 환자(還子) 태우기를 빌려 이를 취하였습니다. 장리는 어느 고장보다도 그 자모지리가 혹독하여 꾸어먹을 때는 비록 봉밀이나, 갚을 적에는 독약과도 같습니다. 연기를 하면 그런 사이에 이자는 자꾸 불어나 드디어 사전(私田)을 내놓지 않을 수가 없으니 용벌의 땅이 집강에게 먹힐 제는 모두가 헐값이나 공짜로 넘어갔습니다. 파종기에 소작권을 다시 나눌 제가 되면, 그나마 반타작과 고세율에 허덕이는 전호는 서로 땅을 얻지 못하여 아우성을 치게 됩니다. 이는 집강이 식솔과 노비의 이름을 빌려 이미 소작권을 모두 궁가로부터 빌려두었기 때문입니다. 그러니 자연 땅을 못 얻어낸 전호들은 서로 먼저 더 많이 얻어내려고 반타작에다 갖은 역까지 자청하고 세부담까지 자청하는 것이며, 그나마도 떨굴까 하여 여러 특산 공물을 바치고 집강이 요구하는 여하한 조건마저 다 응낙하게 되는 것입니다. 그러니 집강은 소작권을 빼앗고, 빼앗은 소작권을 빙자하여 이중으로 착취하는데 조세와 종자 곡식에다 그나마 반타작 수확이니, 지조를 바치고 봄철에 고리로 꾸어간 환자 곡식을 갚고 나면 그해를 넘기지 못하여 굶주리게 됩니다. 국가에 바치는 조세까지 부담하였으니 이를 갚으려면 다시 손에서 피가 나도록 한 필의 베라도 짜내어 보상하여야 합니다. 그러고도 틈틈이 공물 수납에 응하니, 명년의 소작지 취득에서 집강의 지적을 받아 전지를 떨굴까 하는 근심 때문입니다. 실제로 그의 사옥에는 조세와 소작세의 기일을 어겼다 하여 갇혔다가, 그 식솔들이 가마솥을 팔고 온갖 날품을 팔아 메우고 풀려나오는 일이 비재합니다. 어찌 그뿐이겠습니까. 망월동의 모(某)는 집강 아래서 날뛰는 도장의 성화에 이기지 못하여 어린 두 여식을 내놓아 저들에게 바쳤으며, 선비 모인은 대들다가 곡괭이에 얻어맞아 야밤중에 암장되었습니다. 불만을 겉으로 드러내고자 하여도 어느 밤중에 느닷없이 들이닥쳐 잡아다가 때려죽여도 쉬쉬하는 고장이 되었으니, 서로 알면서도 감히 얘기를 꺼내지 못하고 얼굴을 돌릴 뿐이올시다. 다섯 집마다 주비라 하여 뽑아놓고 서로 살피게 하더니, 만약에 그중에 사망자가 나거나 질병이 들어 지조를 부담치 못하게 되면 주비가 나서서 벌충을 하게 되고, 재앙은 백성들에게만 있을 뿐이요, 하늘도 범접을 못 하는 악폐가 버젓이 시행되고 있습니다. 그러니 한 동리에 주비와 일반 백성들 사이에 믿지 못하는 마음이 널리 퍼져서 서로 만나도 외면하고 눈을 부릅뜨니 아름다운 풍속이 사라져 적막하기가 호환에 비운 절같이 되었습니다. 이는 어느 고을을 맡고 있는 탐관오리도 감히 저지르지 못할 바이고, 수령의 비호를 받는 아전이라 할지라도 하늘이 무서워서 범하지 못할 터임에도, 중앙에서 어명을 받잡고 내려온 암행어사도 감히 지적하여 아뢰지 못하고 감사는 아예 이곳을 모른 척합니다. 이는 실로 궁가의 장토라 하여 왕실과 척을 지어 혹시 주상의 미움을 받을까 저어함이니, 백성을 자식으로 하시는 상감의 뜻이 아니실 것입니다. 주비들 중에 항조할 뜻이 있어서 몇몇 마을과 더불어 수확을 숨기고 타작을 미루기도 하지만, 이는 오직 장리와 조세의 부담을 면해볼까 하는 도명의 소치이며, 탐욕으로 훔치는 바는 아니올시다. 집강 수하 사람들의 악형을 받고 사옥에서 죽은 식자가 몇이 되는데, 특히 부천골의 전 약정이던 모학생은 마을 사람들과 더불어 노적을 지키다가 처자식이 먼저 사옥에 갇히자 스스로 제 소출 곡식을 불지르고 뛰어들어 자진하였습니다. 집강에서 도장으로, 도장에서 마름으로, 마름에서 다시 몇몇 천한 주비들에게까지 몇겹으로 뜯기어 이제는 도산할 길만 남아 있는 백성들이올시다. 고을 수령은 집강의 심복이나 다름없고, 그 권세와 부는 실로 영상의 그것을 넘는 정도입니다. 뜻있는 이와 백성을 사랑하는 고귀한 이는 이 청원을 널리 굽어살피십시오."

머뭇거리던 노인은 점점 읽어나감에 따라 목소리도 맑아지고 비분할 곳에서 힘차게 강조하니 끝구절까지 뜻이 수월하며 막힐 데가 없었다. 모두들 듣는 중에 절로 눈물이 솟구쳐서 사랑 대청 위에 모여 앉은 자들이 소매를 들어 얼굴을 가리었다. 선흥이와 변가는 누구보다도 잘 아는지라 주먹을 쥐기도 하고, 한숨을 쉬기도 하며 부르르 떠니 그들 자신이 철들기 이전부터 겪어오던 터였기 때문이다.

"에라…… 이 고장에서 살지 않으면 그뿐이지. 달아날 생각을 해서라두 내 포한을 갚고야 가리라!"

"나두 용벌을 어차피 떠날 참인데, 동춘만이놈의 가죽을 벗기리라."

농군들이란 의뭉스럽고 느리기가 곰 같은데, 일단 성이 나면 닥치는 대로 쓸어버리고 뭉개버리는 기세가 또한 곰 같은 법이다. 이제 곰이 뒷다리를 세우고 이빨을 드러내었으니 동춘만의 목숨이 바로 초개였다.

"동춘만을 끌고 오라."

변가가 명하여 잠시 후에 그가 끌려들어오는데 우대용이께 맞은 안면이 터지고 부어서 펑퍼짐하였고, 도포의 앞자락은 벌겋게 되었으며 봉두난발에 맨버선발이었다. 사옥에 갇혔던 백성들이 보기에도 너무 초라한 몰골이어서, 예전에 밭두렁 멀리로 지나가기만 하여도 자기도 모르게 밭고랑 사이로 숨거나, 길 위에 엎드려서 고개를 못 들던 그러한 위세가 아니었다.

"형구를 갖추어 징치합시다. 내가 집장사령이 될라우."

"아니우, 징치구 뭐구 따질 거 없이 단매에 요정을 내버립시다."

그러나 강선흥이 작성된 글을 가지고 마루에서 내려가 그의 눈앞에 들이대었다.

"네 죄상이 낱낱이 적혀 있다. 그리고 숨겨둔 문서도 우리가 찾아내었다. 저 사람들이 삶아죽여도 네 죄는 하늘을 찌를 것이다. 겸인이 다시 읽으라."

겸인이 벌벌 떨며 글을 읽는 동안에 선흥이는 동춘만의 상투를 잡아 뒤로 젖혀서 그가 고개를 숙이고 얼굴을 감추지 못하도록 하였다. 동집강을 징치하는 중에 너무 흥분한 사람들이 행여 목숨을 앗을까 염려하여 우대용이 나서서 그에게 뒤볼 생각을 못 하도록 으름장만 놓기로 하였다. 즉, 나라에서도 모르는 은서를 빼앗았으니 여차직하면 금부에 올릴 것이고 동민들의 투서까지 첨부하겠다는 것이었다. 사옥에서 풀려난 백성들 중에 적극 나섰던 자들이 함께 입산하겠다 하였으나 돈을 나누어주었으니 다른 고장으로 떠나라고 신중히 타일러두고 나서 날이 새기 전에 부근에 있는 도장들만 모으도록 하였다. 혹시 소문이 새어나가 그들이 관군을 데려올지도 모르기 때문이었다. 겸인을 불러서 도장과 마름을 급히 소집하라 이르면서,

"만약에 그들에게 귀띔을 하거나 관군이 보이기라도 하면 집에 있는 네 식구들은 모조리 죽여버리겠다."

다짐을 두었으니 겸인이 감시역의 마을 사람과 더불어 그들을 데리러 나갔다. 그러고는 마을 사람들을 시켜서 용벌의 이곳 저곳에 퍼져 있는 작인들께 나라에서 높은 관리가 내려와 구휼미를 무상으로 내준다는 것을 알리도록 하였다. 만일을 염려하여 강선흥과 우대용

은 졸개들을 데리고 동집강네 집을 나서서 청수내가 갈리는 동구 밖과 송림산 어름에서 매복하고 있었다. 물론 갇혔던 사람들도 짝을 지어 고개에 올라 들판을 망보도록 하였다.

드디어 날이 밝아서 도장과 마름들이 모두 새옷을 입고 집강에게 현신하러 들어서는데 오는 족족 줄줄이 엮어다가 광에다 가두었다. 겸인은 가두지 않고 백성들을 맞아 의혹을 사지 않도록 구휼에 얼굴을 비치게 하였다. 하나둘씩 어슬렁거리고 감히 들어오지는 못하고 기웃거리던 사람들 중에 저희 동무 되는 자들이 옥에서 풀려나 행랑채 앞에 가 쌀섬 부리는 광경을 보더니 용기를 내어 두엇이 들어왔다. 들어오자마자 지게를 가져왔느냐니 빈손이었다.

“아니, 빈손으루 한 두어 줌 움켜갈려구 그러나, 돈이나 닷 냥 받으시게. 지게든 송아지든 가져와서 섬으루 가져가게.”

“아니, 이게 어찌된 세상이야. 역성(易姓)에 천지개벽이 오늘인가.”

“동집강이 파면되고 의금부에 끌려간다네. 재산의 반은 몰수되고 절반은 백성들 차지여.”

그럴듯이 얘기하니 그들은 나는 듯이 집으로 달려가 지게를 지고 나서는데 그 뒤에 수십여 명이 붙어섰다. 변가가 나서서 동집강네 외양간에서 기중 살집 좋은 황소 한 마리를 잡도록 하여 몰려든 이들에게는 점심까지 호궤하니 그런 잔치가 없었다. 오후가 되어 우대용이 먼저 졸개들을 데리고 청수내에서 돌아와 용벌을 벗어나기를 재촉하였다. 준총 다섯 마리를 모두 끌어내어 은자가 들어 있는 반닫이 한 개와 패물과 옷감을 실어놓으니, 사람들의 무리에 뒤섞여서 하나씩 동구 밖으로 빠져나가게 하였다. 우대용과 변가가 맨 뒤에 남아서 동춘만을 만나 다시 다짐하기를,

“우리는 멸악산에 있는 녹림당이다. 문서와 탄원서를 가지고 가

는데, 만약에 관군이 토포하려거나 뒤를 쫓으면 기필코 이것을 한양에 가져다가 발고하겠다. 재물은 또 모일 것이니, 고을 사람을 들볶는다거나 악행을 저지른다는 소문이 나기만 하면 곧 청석고개를 타고 조개여울을 건너 여기를 다시 들이칠 것이다. 자중해라, 빼앗긴 것이 아니라 진휼한 것이니 스스로 공덕비 세울 생각이나 하여라."
라고 눌러두었다.

그들은 지체없이 집강의 집을 나섰다. 동춘만에게 단단히 협박을 하고 나서 우대용과 강선흥은 송림산 아랫녘까지 나아갔다. 아무래도 그 많은 수의 장정들이 함께 버젓이 한길을 갈 수는 없었으므로 의논을 하였다.

"의관으로도 성님과 변두령이 양반의 행색이니 구종배처럼 졸개들을 거느리고 재령 삼거리로 해서 학령 아랫녘까지 가시우. 우리는 산줄기를 타고 달마산 연봉까지 나아갈 테요."

"그러나 말이 다섯 필이나 되고 짐이 그득히 실렸는데 나중에라도 소문이 나면 흔적이 밝혀질 게야."

우대용이 그렇게 말하니 변가는 잠시 궁리하고 나서 안을 내었다.

"이러면 어떻겠수. 은자 실은 말을 강두령과 우서방이 맡고, 나머지 짐이며 아이들은 내가 데리고 산줄기를 타지요."

"길도 없는 산비탈을 어찌 말을 끌고 오른단 말이우?"

역시 의논이 되기를 강선흥과 우대용이 은자를 실은 말과 다른 포목짐 실은 말을 끌고 졸개 서너 명을 데리고 한길을 가기로 하였고, 변가가 나머지 짐과 졸개들을 데리고 뒤처져서 따라가다가 재령 군계 어름에서 말을 버리고 짐들은 각자 나누어 짊어진 뒤에 산줄기를 타기로 하였다.

"까짓 도중에 포교의 기찰이라도 있으면 베어죽이고 갑시다."

선홍이가 배포 좋게 말하였다.

"하는 수 없지. 은자만 건져가도 이번 거사는 해서 곳곳에 소문이 날 만큼 큰일이여."

"뒤쫓으면 변두령이 두어 식경만 막아보시오."

그러나 변가는 여유가 만만하였다.

"무슨 그런 걱정까지 허시우. 토지대장과 투서는 가지고 있지요?"

우대용이 제가 끌고 있는 말 등을 툭툭 두드리며 말하였다.

"이 부담 속에 단단히 챙겨두었네."

"그것만 우리 손에 들어 있으면 감히 잡으려거나 앙갚음하려 대들지는 못할 거요. 동춘만이가 아마 명년 봄까지는 한양서 날벼락이 떨어질까 하여 밤잠도 제대로 자지 못할 거외다."

먼저 선홍이와 대용이 말짐을 끌고 떠났는데, 대용은 그래도 행색이 양반인지라 포목짐을 내리고 안장에 올라앉았다. 견마까지 잡히고 짐 진 구종배까지 옆에 붙었으니 어느 고을 수령의 친척붙이라도 되어 선사품을 얻어가는 양이었다. 선홍이는 맨 뒤에 은자 들어 있는 부담 실은 말을 끌고 갔으니, 짐 위에 거적을 둘둘 말아 감추어서 겉보기에는 길양식인 듯하였다. 그들이 서너 마장 갔을 무렵을 짐작하여, 변가는 뒤로 멀찍이 발걸음 날랜 자를 망보기로 처지게 해놓고는 뒤따라 떠났다.

수라장이 되어버린 동춘만네 집의 대문과 중문과 방문이며 장지문들은 활짝 열려 있었고, 마당에도 집 주위에도 사람의 기척이 끊어졌다. 청수방 백성들은 일단 불안한 중에도 명절을 맞은 듯하여 쌀과 돈을 받아 흩어진 뒤에 각자의 집구석에 틀어박혀서 바깥으로 나돌지를 않았다. 이제나저제나 마름과 도장의 무리들이 작당하여 집뒤짐을 하는 게 아닌가 가슴을 졸일 뿐이었다. 아름드리 통나무가 빗장 대신 받쳐진 광 안에서는 묶인 자들이 몸으로 치받느라고 쿵쾅대는 소리가 요란하였다. 용골 사람 중에 마음 약한 자가 있어 혹시나 후환이 어떨까 하여 슬그머니 집안으로 들어섰고 광문을 열게 되었다.

광문에 받쳐놓았던 나무들을 치우니 문가에 몰려서서 밀어붙이던 자들이 묶인 채로 우르르 쏟아져나왔다. 그들은 서로 결박을 풀고 나서 광마다 갇힌 사람들을 풀어주었다. 아낙네들은 모두 넋이 나갔고, 동춘만은 엊저녁에 우대용에게서 얻어터진 면상이 부어올라 콧날이 펑퍼짐하게 죽어서 볼품없는 몰골이었다. 그는 눈이 부신 듯 한참 동안 소매로 얼굴을 가리고 엎드렸다가 일어나 수라장이 되어버린 집안을 둘러보았다. 아낙네들은 뒤늦게 정신이 들어서 곡성을 터뜨렸고, 서기사 쪽으로 달려갔던 장정들이 다치고 죽은 자들을 끌어냈으니, 그들도 한 권속인지라 분심이 일어나 눈물을 흘리는 것이었다.

"소란 피우지 말고 아녀자는 모두 안채로 들어가도록 하여라. 그리고 자네는 시체를 수습하고 잃은 재물이 얼마나 되는가 점고해보아라."

동춘만은 겸인에게 이르고 나서 역시 흙 발자국과 부서진 가구들로 너저분한 큰사랑 마루에 걸터앉아 있었다. 도장들 몇이 다가와 아뢰었다.

"그놈들이 얼마 가지 못했을 테니 동민을 일으켜서 뒤를 쫓읍시다."

"저희는 읍에 나가 재령 관아에 적경을 알리고, 관병을 끌어오겠습니다."

그러나 동춘만은 고개를 저었다.

“아니다, 그럴 틈이 없다. 읍내까지 갔다가 오는 사이에 도적들은 벌써 산속으로 자취를 감출 게다. 그보다는 너희 중에 잽싼 자를 내어 도적들의 뒤를 밟아보도록 해라. 산채가 어디 있는가를 알게 된다면 내 온 재산을 털어서라두 토포를 하구 말 테니까……”

“저희가 가겠습니다.”

“그놈들이 멸악산 화적패가 틀림없습니다. 저희끼리 멸악산이 어떻구 하는 말을 들었습죠.”

동춘만은 고개를 끄덕였다.

“산으로 자취를 감춰버렸다면 하는 수 없지만, 지금 산성 쪽으로 쫓아간다면 곧 뒤꼬리는 밟을 게다. 멸악산의 어느 봉우리 어느 골짜기에 있는가만 알아오너라. 논 열 두락을 떼어주마. 그리고 옥에 가두었던 자들을 며칠이라도 인근 사방의 야산과 마을을 뒤져서 잡아내도록 해라. 이놈들을 대매에 때려죽일 테다.”

겸인이 물러가지 않고 마루 아래에서 우물쭈물하며 말하였다.

“나으리…… 이번 일에 큰 낭패거리가 있었소이다.”

“뭐냐, 패물이나 은자 따위는 또 생기겠지. 흉년 만나 농사 망친 것쯤으루 접어두구 말지.”

“그게 아닙니다. 옥에서 나온 놈들이 적당과 공모하여 투서를 작성했답니다. 그리고 숨겨두었던 토지대장을 가지고 가버렸습니다.”

동춘만은 고개를 끄덕였다.

“도적들이 그렇게 협박을 하여서 나두 그런 줄은 안다. 하지만, 그런 따위는 걱정할 게 없지. 미리 궁에다 봉물을 보내어 만일을 대비할 수도 있고, 까짓 집강 노릇을 그만두면 될 게 아니냐. 집집마다 돌아다니며 이잡듯이 뒤짐을 하여 쌀이나 돈을 가져간 자는 도로 바치게 하고, 만일 감추는 자는 즉시 잡아오너라."

동춘만네 하인배들과 장정들이 도장이며 마름의 지휘를 받아 청수방의 몇몇 마을을 뒤지기 시작하였고, 그중 영리하고 동작 빠른 자 두 명은 멸악산 방향을 바라고 길을 떠났다. 그들이 떠나고 나서 거의 해가 넘어갈 즈음해서야 군의 관병들이 당도하였다.

우대용과 강선흥은 땅거미가 덮일 무렵에 이미 신천계를 벗어나 송화계의 수유고개로 나아가고 있었으며, 변가는 나머지 졸개들과 더불어 말을 버리고 등짐을 지고서 천봉산 줄기에 올라 있었다. 수유고개에 오르면 곧 달마산인데 학령과 마찬가지로 망대가 있어놔서, 두셋의 졸개들이 마중을 나와 조력하였다.

변가와 일행들은 천봉산 줄기를 타고 연이어 달마산으로 향하였으니, 그들의 행적을 누가 보았다손 치더라도 능동산과 다락다리 부근까지가 고작이었다. 엉뚱하게 멸악산 방향을 짚어 조개여울과 청석재를 더듬어 쫓았던 동집강네 사람들은 얼마 못 가서 곧장 돌아왔으니, 아무도 그들을 보지 못하였다는 것이다.

우대용과 선흥의 일행은 전혀 반대방향으로 대를 나누어 갔고, 더구나 행색은 양반의 나들이 차림이거나 장사치의 차림새였기 때문이다. 그로부터 며칠 동안 재령 청수방은 시끌벅적하였고, 백성들 사이에 소문이 퍼지기를 재령에 의적이 났다며 술렁이었다. 나라도 징치하지 못할 자들을 의인들이 나서서 다스렸다는 소문이었으니, 군의 수령들도 모두들 그런 일이 자기네 고을에서도 일어날까 겁을 내었고, 백성들의 술렁이는 분위기를 은근히 두려워하였다.

밤이 이슥해서야 재령 나갔던 달마산 패거리는 산채로 돌아올 수 있었는데, 워낙에 많은 재물도 털었고 겪은 일이 대견한지라 피로한 줄을 몰랐다. 대강 털어온 재물을 서열대로 나누어주고 끌어온 말을 잡아 밤늦도록 마신 뒤에 사흘간을 산채에서 푹 쉬었다. 그러고는 변가만을 남겨두고 선흥이와 우대용이 졸개 두 사람께 짐을 지워 불타산의 첫봉이께로 갔다. 배를 댈 곳을 임시로 정하였으니, 우선 아쉬운 대로 멍구미섬과 장산곶 사이의 좁다란 만을 이용하기로 하였다. 울창한 송림 사이로 내륙의 큰내와 바다가 만나는 움푹하고 으슥한 곳이었다. 그리고 당분간 불타산에서 은거하기로 하였다. 첫봉이는 내켜하지는 않았으나, 선흥이가 겉으로 드러내고 불쾌한 기색을 보이니 할 수 없이 응낙을 하였고, 그의 처가 되어 있는 고만이는 다른 패가 들어오면 산채가 위험할까 하여 제 서방을 달달 볶았다. 그중에서도 둘봉이만이 우대용을 따르고 그가 수적질을 나가면 저도 데려가 달라고 조를 정도로 친숙하게 대하였다.

11

일단 조니포에서 석서방과 강화 대두를 데리고 떠났던 대용이는 모신이네 소실 집으로 가서 조선장이 박성대를 만났다. 그는 은근히 모신이를 믿지 못하여 그저 소선이나 몇척 마련해달라 부탁하고는 교동으로 나아가 배를 만들기로 하였다. 석서방은 모신과 함께 이리저리 나다니더니 드디어 제 식구가 풀려나와 대용으로부터 돈을 받아 먼저 교동으로 출발하였다. 그는 아내를 시켜 박성대의 모친과 더불어 교동에다 작은 주막을 내놓기로 하였다. 그믐께에 강추위가 몰아닥쳐서 경강은 꽁꽁 얼어붙었고, 우대용과 박성대가 모신이네를 떠나려는 참인데 모신이 반색을 하면서 그들이 묵어 있는 뒷방으로 내려왔다.

"좋은 소식이우. 방금 포청에 연을 달구 있는 자가 알리는데, 홍천수가 회령으루 관노가 되어 끌려간답니다."

"그게 뭐…… 좋은 소식이오?"

우대용이 신통찮은 느낌으로 중얼거렸으나, 박성대는 반색을 하였다.

"그 자식이 반병신이 되어 사람 구실을 못 할 줄 알았더니, 끌려갈 기운이 남은 걸 보면 아직두 몸이 성한 모양일세."

"북관길이라면 서린방 전옥서(典獄署)에서 끌려나와 흥인문을 나갈 게요. 뭔가 방도가 있을 듯허우."

모신이가 말하였고 박성대는 고개를 끄덕였다.

"구해냅시다. 홍천수가 칠패와 마포에서는 인심을 잃었으나, 그만한 재간꾼도 얻기는 힘들 게요. 기실 경강을 오르내리며 장물을 소선에 실어다 넘길 일을 해낼 자는 홍천수밖에 없지요."

박성대의 말이 그럴듯하였고, 모신이가 어째서 홍천수의 구명을 애쓰려는지 짐작할 만하였다.

"구명 비용은 내가 대겠수. 우선 그 식솔을 피하도록 주선해줘야 합니다. 그래야 홍서방이 달아나더라도 그 가족이 핍박을 받지 않을 거외다."

우대용이 듣고 보니 기왕 재령의 대사도 치렀고 수적으로 나서는 바에 못 할 짓이 없었으며, 더구나 홍천수는 자기네가 필요로 해야 될 사람임에 틀림없었다.

"일은 모대인이 꾸미시지요. 내가 이 댁 아이들 몇을 데리구 나가서 도모해보겠소이다."

우대용이 처음 태도와 달리 적극적으로 나오니 모신이가 말하였다.

"아니오, 이런 일에 우서방까지 나설 거야 없습니다. 내가 빼어다가 예성강으로 하여 교동에 가 있는 석범철이에게로 보내두겠소. 두 분은 오늘밤에 양화나루를 건너 육로루 떠나시우."

"정 그렇다면 우리는 가겠습니다. 허나 한 보름 날이 풀리기를 기다려야 할 테니 좀이 쑤셔서 그러는 게요."

"홍서방하구 함께 갈 테니 그동안 좋은 선재목이나 골라놓으슈."

모신이는 우대용이 불려와서도 반색은커녕 어딘가 자기네를 의심하는 듯한 기색을 보였으므로 마음속으로 자못 섭섭하였다. 조선비용은 따로 장만이 되었다며 사양하였고, 겨우 소선 네 척을 준비해주기를 요구조건으로 내세웠던 것이다. 그리고 교동에서 배를 짓겠다고만 할 뿐, 기착지를 어디로 정한다든가 인원은 몇명이라든가 절대로 말을 꺼내지 않는 것이었다. 모신이는 혹시 우대용이 경강 무뢰배인 자기를 믿지 못하여 따돌리려는 게 아닌가 싶었고, 이럴 때 홍천수를 끼워넣어 장물의 거래선을 끊지 않는 것이 현명하리라 생각했던 것이다.

날씨가 계속 매섭게 차갑더니 해를 넘기면서 꾸물꾸물 흐려져서 눈발이 자주 비치는 날씨가 되었다. 홍천수는 이미 태형 백 도에 살아남았으나, 그전에 반짝이던 눈의 총기는 사라지고 건달의 날렵한 활기도 잃어버려 곧 중년에 접어든 사내처럼 보였다. 그뿐인가, 희고 번듯하여 이목구비가 선명하던 얼굴에는 무참하게도 자자형(刺字刑)이 가해져서 이마빡과 콧잔등에는 곰보보다 더욱 흉측한 먹점이 무수히 찍혀져 있었다. 그는 북관의 진 만호 아래 수종 드는 관노로 집행이 떨어진 뒤로는 줄곧 칼을 벗고 지내었다. 그의 순박한 아내는 전옥서 앞에 와서 서성거리는 숱한 아녀자들과 더불어 이리저리 쫓기면서 밥을 대었고, 그의 흉측한 몰골을 대할 적마다 외면하고 눈물을 닦아냈다. 해가 옥창에 비스듬히 비껴드는 늦은 아침나절에야 잡인의 옥마당 출입이 허가되어 그날도 아내가 밥을 들이미는데, 웬일인지 아내는 새옷을 입었고 머리도 말끔히 빗어넘겼다. 홍천수는 아내의 훤한 몰골을 보자, 그만 가슴이 철렁 내려앉았다. 저년이 필시 샛서방을 만나지 않았다면, 갈데없는 깍정이에 종놈 팔자가 되어버린 남편을 두고 안색이 저럴 리가 없겠다고 그는 놀라버렸던 것이다. 홍천수의 아내가 옥창살 앞에 다가앉아 옥리가 물러가기를 기다렸다가 속삭였다.

"여보, 우리는 오늘 칠패를 떠나요."

홍천수는 뜨던 밥술을 놓고서,

"뭐라구……"

하고는 더이상 묻지 못하였다. 사실 그가 지내온 사정으로 보나, 지금의 꼬락서니로 미루어서도 아직도 팽팽하게 젊은 아내가 단심을 가질 리도 없겠다고 생각했던 것이다. 그는 시무룩하게 말하였다.

"내 귀양살이를 마칠 때까지 어찌 기다리겠나. 어서 좋은 사내 만나 속현하오. 아이들이나 굶기지 말구."

"아니, 무슨 그런 섭섭한 소리를 하시우. 서강의 모대인이 왔습디다. 당신이 내일 식전에 길을 떠날 게라면서……"

아내는 머뭇거리며 주위를 다시 살폈다.

"홍인문을 나서면 곧 누군가 뒤를 쫓을 거예요. 다락원에서 몸이 아파 걷지 못하는 시늉을 허시구 걷질 마서요."

홍천수가 구명될 방도가 있다는 소리에 깜짝 놀라서 얼결에 목소리가 커졌다.

"어디서 말인가?"

"양주 다락원 말이에요. 난전이 서잖아요. 아마 무슨 꾀가 있기는 있는 모양입디다."

홍천수는 눈물이 왈칵 쏟아져서 아내의 손을 부여잡고 한참이나 흐느꼈다.

"내가 당신 볼 면목이 없소. 그나저나 어디루 가서 어찌 산단 말이오. 이 몰골로는 누구든 경친 놈이라 하여 알아보고 능멸하며, 조그만 일이 생겨도 관에서 데려다 치도곤이를 줄 터인데…… 공연히 식구를 고생시키느니 북관 가는 길을 영 마지막으로 작별허는 게 낫겠소."

아내는 홍천수의 그런 양에 저도 따라서 눈물을 질금거리며 말했다.

"여보, 어찌 다 방도가 없겠수. 우리는 이 길루 교동에 나갑니다. 석대두하구 박서방이 다 생리 도모할 방처를 해놓았다지요. 내일 꿈이나 잘 꾸시고 부디 잊지 마셔요, 다락원이어요."

홍천수는 그저 고개를 끄덕일 뿐이었다. 밥 들일 시간이 넘어 아내가 물러간 뒤에 홍천수는 이제는 끝장이로구나 했던 심정이 사그라져, 새로이 바깥세상을 활개칠 용기가 솟아났다. 어차피 버젓이 양인 한잡배로는 살지 못할 형편이니 어디 으슥한 산속이나 섬에 찾아가 화전갈이라도 하여 처자를 먹여살릴 작정을 하였다.

이튿날은 눈발이 비치었다. 새벽에 옥리가 와서 그를 칸에서 꺼내어 광통교를 건너 종루를 지나갔다. 그는 팔목에 포승을 지고 있었지만, 발길로 내차고 달아날 수도 있었다. 달아나 보았자 자자가 되었으니 곧 시정배들 눈에 발각되어 되잡힐 것이 틀림없었다.

홍인문을 나서니 동북방에서 오고 가는 상인들이 이곳 저곳에 무리지어 모여 있어, 그를 구출해갈 자가 어디 있는지 알 수가 없었다. 옥리는 그를 홍인문 밖의 주막으로 데려갔다. 주막 안에는 울긋불긋한 철릭이며 검정색 더그레를 입은 군병과 군노들이 몇몇 보였다. 그중 장교인 듯한 자가 기다리고 있다가 홍천수의 신병을 인수하였고, 옥리는 수결을 받고 돌아갔다. 장교가 일렀다.

"내가 대강 들었다. 우리 진의 잡인으로 온다니 이제부터는 군례에 따라 행동하라. 만일 조금이라도 한눈을 팔거나 하면 매를 때려서 엄중히 다스릴 것이다. 이제 상장께서 오시면 현신하고 아뢰어라."

새로 부임해가는 진 영장(營將)이 드디어 홍인문을 나서서 오는데, 곁에 자제인 듯한 소년 하나가 따르고 있고, 짐을 진 노비 한 쌍이 걸어서 따라왔다. 경저리(京邸吏)가 주막에 쫓아들어와 진장의 도착을 알리니, 장교는 군졸과 노자들을 휘동하여 길가에 도열하여 서 있었다. 진장은 젊은 오명마(五明馬)에 올라탔는데 말 치장이 호화스러웠다. 번쩍이는 광안 붙인 굴레를 씌웠고, 갈기마다 주홍 상모를 꼬아 붙였으며 안장은 수달피에다 등자는 은이며 밀치와 꼬리털에도 장식이 붙어 있었다. 몸치장 또한 볼만하여 구슬상모의 전립에다 붉고 푸른 구군복에 전복(戰服) 걸쳐입고, 손에는 등채 들고 허리에 환도 차고 띠에는 기다랗게 병부 주머니가 늘어졌으며 또한 전통과 동개에 꽂은 활을 함께 메었다. 차림새는 그러하건만 눈알을 이리저리 굴리고 잔기침이 연방이라 채신머리가 없어 보여 무인이라기보다는 어느 촌 관가의 책방짜리로나 되어 보였다.

"전도(前導) 문안이오."

장교가 말 탄 진장께로 나아가 환도를 받쳐들어 이마에 올려붙이며 고개 숙여 군례를 드렸다.

"그래, 진영에 별일이 없느냐?"

"예, 별무하옵니다."

진장은 경저리를 가까이 오게 하여 쇄마전이 얼마나 걷혔는가를 묻고, 거기서 얼마를 떼어 본가에 보내라 일렀다. 쇄마전은 여비이니 나라에서 다 주게 되어 있건마는 향청에서 백성들로부터 거둬주는 폐단이 생겨서 부임 첫길부터 관리는 수입을 올리게 마련이었다. 전관(銓官)에게 부임시켜준 댓가도 치러야 하고 병판에게는 뇌물을 바치고 도목(都目)에 올랐으니 빚이 있을 것은 뻔하며 잡다한 궐내행하(闕內行下)를 치르게 되니 비용이 많이 드는 법이었다. 진장이 아랫것들을 일일이 현신받고 안면을 익히는데 군졸들과 노자들 차례가 되었고 자자당한 홍천수도 끼여서서 예를 올렸다.

"가만있거라, 너는 원래 진에 있던 자인가?"

홍천수가 고개를 들지 못하고 주저하니 곁에 섰던 수노(首奴)가 머리를 조아려 아뢰었다.

"예, 실은 형조에서 판결이 떨어져 관노로 박힌 자올시다."

"도형수(徒刑囚)란 말이냐?"

하고 나서 진장은 눈살을 찌푸리고 등채를 들어 휘저었다.

"물러가라, 그리고 전도는 어서 앞장을 서고, 길을 떠나야겠다."

부임행차가 나아가는데 수노가 앞장서서 권마성(勸馬聲)이라 하여, 물렀거라 쉬이 비켜라, 어쩌고 하면서 나아갔고 그 뒤로 전도가 환도를 차고 눈을 부라리며 걸었다. 좌우로 역시 병장기 든 군졸이 지키며 걸었고 아전이 배행으로 따라붙었으며 뒤에 구종배들이 짐 실은 말을 끌고 혹은 등짐을 지고 따랐으며 맨 뒤에 장정 노자 하나와 내행인 계집종이 따라왔다. 도령은 제 아비 뒤에 약간 처져서 말에 탔는데 온갖 성외 풍물이 신기한지 연신 돌아보고 하여서 뒤쪽에서 따라오던 구종배들이 서로 속삭여 비웃었다.

"상장의 풍채를 보아하니 복색만 그럴듯할 뿐이요 인물은 볼품이 없어, 꼭 쥐새끼 같은 것이 병졸 아이들깨나 두드리고 들볶아치겠구나."

"대개 첫대면이 중한 법인데 부자가 함께 채신이 없어 보이니, 여정이 길고 고되겠구나."

안암내를 건너서 수유고개를 지나 양주로를 가는데 삼각산은 흰 눈을 가득 이고 있었으며, 멀리로 도봉산의 이빨 같은 연봉이 우뚝 솟아 있었다. 다락원이 도봉산 어름이니 홍천수는 노비들에 끼여 걸으면서 혹시나 뒤를 쫓는 자들이 없는가 하여 몇번이나 돌아다보았다. 뒷전에 멀찍이 떨어져서 행상 차림의 사내들과 마바릿짐을 끌고 오는 상고들이 보였고, 앞에도 부담을 실은 말을 끌고 가는 사람들이 보였다. 그들 중에 누가 자기를 빼내간다는 것인지 천수는 도무지 알아볼 재간이 없었다. 들판의 동북 방향으로는 수락산의 밋밋한 산봉우리가 보였다. 다락원에 가까워오는지 북어(北魚)를 몇두름씩 실은 마바리들이 꾸역꾸역 몰려나오고 있었다. 벌써 난전의 거래가 시작된 모양이었다. 앞에 가는 수노가 권마성을 외치며 벽제하는 소리가 드높았는데, 마주 오던 자들은 양옆으로 길을 비켜나 읍하며 기다리는 것이었다.

그들이 다락원으로 들어가는데, 때마침 거래가 활발하게 이루어지고 있어서 청어, 북어 등속의 건어물과 포나 조개류나 버섯이나 약재 같은 것들이 다락원에 급작스레 번성한 주막들 앞에 무더기로 쌓여 있었다. 홍천수가 저자의 가운데쯤에서 드디어 결심한 대로 배를 싸쥐며 주저앉았다. 진장 댁의 가노가 놀라서 그의 겨드랑이에 팔을 끼어올리며 소리를 쳤다.

"이 자식아, 엄살 부리지 마라. 상장께서 아시면 당장에 등채에 맞아 대갈통이 뚫어질 게야."

"아이구, 더는 못 걷겠소. 창자가 몇겹으로 꼬여서 상하좌우로 땡기는데 걸음이 다 무에요."

홍천수는 허리를 반절로 접고 사타구니 사이로 상투꼭지를 처박아 끙끙대면서 모로 넘어졌고, 가노가 그의 궁둥이를 호되게 걷어찼다.

"이놈, 경치고 관노가 되어 끌려가는 놈이…… 네 따위를 베어죽이고 간댔자 혀 한번 두드릴 사람이 있는 줄 아느냐."

뒤에서 술렁거리자 배행하던 아전이 무엇인가 하여 쫓아내려왔다.

"무슨 일이냐?"

가노가 그를 일으키다가 다시 놓아버리면서 말하였다.

"예, 갑자기 뱃속이 뒤틀린다며 넘어져서 이 지랄이올시다."

"떠나기 전에 뭘 먹였느냐?"

"대궁밥을 물려주었습니다."

아전이 혀를 찼다.

"관격이 들린 것이로다. 평위산을 가지구 있겠지."

진에서 올라온 군노 하나가 자기 짐을 가리켰다. 이렇게 지체를 하게 되니 자연히 앞에서도 알게 되어 행렬이 멈추었다.

"저 뒤에서 무슨 일이냐?"

아전이 황공하여 어쩔 줄 몰라하면서,

"관노 한 놈이 관격으로 쓰러졌습니다. 그래서 평위산 한 첩을 먹이는 중이올시다."

진장은 아랫것들의 일인지라 겉으로 내색하지 않았다. 행렬이 멈춰 있는 앞으로 동이를 머리에 인 아낙네가,

"자, 따끈하고 구수한 동지죽이오. 동지죽 드시오. 동지죽……"

하면서 지나니 장꾼들이 삽시에 몰려들어 나도 주시오, 나도 한 그릇, 하면서 제각기 사발을 들고 좌판이나 짐 곁에 앉아 사먹는 것이었다. 보기에도 과연 그럴듯하여 김이 무럭무럭 오르고 찹쌀지단이 하얗고 후루룩 쩝쩝 소리가 요란하였다.

"거 먹음직하게 보이는구나."

마침 꼭두새벽에 나와서 꾸무룩한 겨울길을 걷다가, 남들이 죽 먹는 광경을 보게 되매 시장기는 물론이요 우선 속이 떨리던 판이라 모두들 입맛을 다셨다. 도령이 한마디 중얼거리니 견마 잡았던 하인 하나가 저도 먹고 싶던 중에, 상전 코밑이 내 목구멍이라고 한마디 거들었것다.

"맛이야 기가 막힙니다. 저잣바닥의 동지죽은 코를 빠뜨리며 먹는 맛입죠."

"얘, 한 그릇 가져오너라. 마상에서 한술 뜨련다."

해놓고 보니 앞에 있는 엄친께 또한 예가 아닌지라 머뭇머뭇하다가,

"아버님, 한기가 드시지 않습니까?"

인사 겸 여쭙고는 입맛을 다셨다. 진장이 집 같으면야 누가 보든 듣든 아랑곳없이 그저 한 사발 홀짝하고 싶건마는 말 치장이며 구군복 본새에 영장의 체면이 있는지라 큰기침 해놓고 한다는 소리가,

"엥이, 아랫것들이 있는 데서……"

하고는 말에서 천천히 내렸다. 그가 내리니 도령도 내리고 전도 군관도 따라왔다.

"비켜라, 물렀거라."

하며 인파를 헤치고 나아가 주막에 들어서서 안방을 치우게 하고 들어앉으니, 군관이 영을 받아 도령에게는 따끈한 동지죽 한 사발을, 영장에게는 컬컬한 농주에 우거지곰국을 대령하였다.

“아이들도 더운 것을 먹이도록 하여라.”

아전이 나와서 노자를 내어 하인배들까지 죽 한 그릇씩 돌려주어 모두들 여기저기 앉아서 희희낙락하며 죽을 먹었다. 원래 관노로 박힌 도형수 홍천수는 수노의 소임이나, 그는 미처 돌아볼 겨를이 없었다. 형식상으로는 수노가 말 그대로 우두머리이지만, 실상은 상전의 가노가 노비들 중에서도 가장 입김이 센 법이었다. 관노들이야 관가의 사무 절차에 따라 명을 받들지만 가노는 소싯적부터 상전과 한몸인 식솔이기 때문이었다. 가노는 홍천수의 몰골이 다소 가련하여 그에게 평위산을 먹이고 행차가 멈춘 틈을 타서 쉬도록 해주었다.

주막의 부엌 아궁이 앞에다 앉혀놓고 불을 쬐도록 하였으니, 한기가 가득 찬 배를 데워주려는 뜻이었다. 만약 수노였더라면 그대로 아랫배나 걷어차버렸을 터이나 가노처럼 임집 더부살이란 인정이 있게 마련이었다. 제각기 둘러앉아 죽을 퍼먹으면서 가노는 이따금 빤히 보이는 부엌 쪽을 힐끔거렸다. 행여 그의 모습이 없어지면 당장에 쫓아갈 태세였다.

홍천수는 불가에 쪼그리고 앉아서 이제나저제나 무슨 수가 나겠지 틈만 엿보던 터인데, 슬그머니 곁문으로 웬 사내가 쭈그리고 들어와서는 옆구리를 툭 치면서 속삭였다.

“뒤꼍으루 나가슈.”

홍천수 눈치라면 캄캄칠흑에 깨알인지 모래인지 분간하는 재간인지라 더 되물을 말도 필요없이 그대로 앉은뱅이걸음으로 부엌을 슬쩍 빠져나와 얼굴을 소매로 잔뜩 가리고 주막 뒤꼍을 돌아나갔고, 어떤 자가 기다리다가 홑청을 널름 씌워서는 둘둘 말아서 등에다 업는 것이었다. 홍천수는 아무것도 보이지 않는데 어딘가로 쑤

서박히고 보니 내행으로 꾸민 가마 속이었다. 잠시 후에 목소리가 들리는데,

"나 모신일세. 포를 쓰고 꼼짝 말구 있게."

하는 것이었다. 홍천수는 다시 홑청을 둘러쓰고 쭈그려앉았다.

모신이 다락원에 온 것은 그들의 행차 전날이었으니, 홍인문 앞에 졸개가 망을 보며 기다렸고 삼각산 어름부터 앞질러 당도하여 천수 구해낼 준비를 갖추고 있던 터였다. 일부러 죽장수에게 돈을 주어 행렬 근처에서 어른거리게 하고 졸개와 난전꾼들을 시켜서 죽 사먹는 법석을 떨게 하여 천수의 엄살로 멈춘 행차를 아예 주저앉게 만든 것이었다.

그들이 다락원을 택하였던 것은 반수 이상이 칠패에서 나온 난전꾼들이라 홍천수를 동정하는 이가 많았고, 우선 인총이 빽빽하여 어떻게든 빠져나올 빈틈이 많겠기 때문이었다. 진장 일행이 뜨거운 음식으로 한기를 잠시 달래는 사이에 임기응변으로 천수를 빼내리라 계획하였는데, 천수가 부엌 아궁이 앞에서 불을 쬐게 되었으니 바로 잘 맞아떨어진 일이었다. 모신이는 홍천수를 가마 안에다 처넣고 나서 하녀 하나만을 그 옆에 지키고 섰도록 해두었다. 그가 사람들을 휘동하여 가마를 메고 출발하지 않는 것은 의심을 받을까 해서였다.

천수가 달아난 것을 알고 나면 곧 군졸들이 풀려나와 장터뒤짐을 하거나, 출발한 자들을 뒤쫓아 수색하게 될 터인데 공연히 눈에 띄게 할 필요가 없었던 것이다. 모신이 갓에 도포 차림으로 장죽 엇비슷이 빼어물고 사람들 틈에 서 있었는데, 여차직하면 달려나가 수색하는 자를 꾸짖기 위해서였다. 아니나다를까, 진장이 주막에서 나오고 구종배들이 짐을 고쳐 지고 말고삐를 잡는 등 떠날 채비가 한창인데, 가노는 아직도 부엌에 쭈그려앉은 홍천수를 불렀으나 아무 대

꾸가 없어 쫓아들어가는 것이었다.

"이 자식아, 어느 안전이라고 감히 네 따위가 더운 데 찬 데를 가리느냐."

하면서 어깨를 잡아젖히는데 그자는 눈을 멀뚱히 뜨고서 올려다보았다. 그러고는 어안이 벙벙해진 가노를 오히려 질책하는 것이었다.

"아니 이 자식이 눈깔에 곰팡이 슬었나. 이놈아, 네가 보아하니 천예인 모양인데 얻다 대구 욕지거리야."

"허! 이런 변고가 있나……"

"미투리가 해어져 발감개가 얼었기로 불을 쬐다 보니 별놈 다 보겠군."

"여보, 예서 방금 불 쬐던 사람 못 봤수. 얼굴에 먹점이 찍혔소이다."

짐짓 홍천수 대신 쭈그렸던 자가 일어나 삿대질을 하였다.

"비어 있는 부엌에서 불 좀 쬔 것이 무슨 범법 사유라두 된다더냐. 왜 이리 딱딱거려. 느이 상전이 높은 분이면 너두 높은 놈이라더냐."

가노가 더이상 할말이 없어 물러나가 곧 아전에게 사실을 알렸고, 아전은 군졸을 앞세우고 주막으로 들어서서 부엌과 뒤꼍과 마당을 이리저리 뒤지고 다녔으며, 방금 가노와 말다툼했던 자를 찾으려 하였으나 그도 어디로 슬그머니 새어나갔는지 자취가 없었다. 주막 주인에게 물으니 그의 대답도 또한,

"오고 가는 장꾼들이 가끔씩 들어와 언 발을 녹이고 가는데 어느 놈인지 우리가 어찌 알겠습니까."

하는 식의 애매하기 짝이 없는 소리였다. 아전은 먼저 진장께 고하고 나서 어쨌든 형조에서 넘겨진 죄인이니 버리고 떠날 수도 없어서 이리저리 주막을 살피고 다니는데, 그런 일은 장사치들이 딱 질색이

라 제가끔 입이 있는 대로 한두 마디씩 불평들을 지껄이니 더이상 뒤지고 다닐 신명이 풀어져버리게 되었다. 에라 모르겠다, 중도에 병들어 죽는 수도 많으니 뒈진 것으로나 해두자며 아전은 다시 행차 곁으로 돌아갔다. 관노 한 녀석에 행차를 마냥 늦출 수는 없는 일인지라 장교가 다시 장터를 건성 뒤짐하고 나서 그들은 떠나갔다. 제깐 놈이 달아나봤자 한양 성내에서는 나다닐 수가 없을 테고, 언젠가 되잡혀 중벌을 받으려니 하였던 것이다. 그들이 다락원을 빠져나가는 것을 지켜보던 모신이가 데리고 온 졸개들께 명하였다.

"얘들아, 가자."

이제까지 장꾼들 사이에 끼여서 우왕좌왕하던 칠팔 명의 곁꾼들이 다가왔다. 그중에서 둘을 골라내어 이인교를 걸머지게 하고는 모신은 나머지 졸개들에게 모두 돈 열 푼씩을 나누어주고 나서 성내로 돌아가도록 하였다. 그들은 양주서 위탁받은 장물을 넘겨받아 볼일도 겸사하여 끝낸 다음이었다. 모신이 말 위에 오르고 뒷전으로 가마가 따르는데 길은 유명산(維鳴山)을 곁에 두고 분수원(分手院) 사거리로 나가는 오십 리 길이었다. 다시 분수원서 북으로 바꾸어 파주를 우회하여 탄포(炭浦)에서 임진 수로를 지나는 배를 잡아 교동으로 향하게 되었다. 홍천수는 이미 자자당한 이마에 두꺼운 두건을 동여 가리었고 안색은 꺼칠하였으나 전처럼 해끔한 건달기가 가신지라 어딘지 뚝뚝한 믿음성이 있어 보였다.

예성 임진 수로와 강화해협이 만나는 요지의 북나루는, 벌써 우대용 일당에게는 집동네와도 같아서 구석구석 새새틈틈을 모르는 곳이 없을 정도였다. 교동 북나루에 석서방댁이 와서 주막을 개설하였고 다시 홍천수의 식구들마저 와서 얹히게 되었으니 초가 두 채가 널찍하였으나 군식구들이 많아 밥이나 술 손님보다도 제 식솔이 먹어치우는 형편이었다. 우대용과 박성대가 교동의 서쪽을 나돌아다니며 좋은 선재목이 있는 송림을 찾아다니더니 드디어 서쪽의 수정산(修正山) 아랫녘에서 맞춤한 숲을 발견하였다. 곧고 둥치 굵은 소나무들이 햇빛을 가리우고 빽빽이 늘어섰는데 바다 쪽은 수심이 깊고 파도가 잔잔하여 배를 띄우기에 적당하였다. 그러나 문제는 수영(水營)에서 겨우 이십 리 상거이니 가끔 지나는 관선에도 주의해야 되고 낮에는 도저히 작업을 할 수가 없다는 점이었다. 배의 건조는 나무가 나는 곳에서 해야 되었으니 재목을 으슥한 곳으로 나른다 할지라도 물길이 멀면 또한 곤란하였다. 그들이 교동에 내려온 사이에 진척된 일이 그쯤이었을 때 모신이 홍천수를 건져가지고 북나루에 당도하였던 것이다.

홍천수는 뛰어나와 부여잡고 우는 아내를 달래느라고 정신이 없다가 사람들 눈에 띄겠다며 뜯어말린 석서방과 뒤늦게 반가운 상봉을 하고 나서 사내들끼리 주막 뒷방에 모여앉았다. 우대용은 교동에서 배를 짓는 것은 이젠 그른 일이라며 반대를 하였다. 그러나 박성대는 석서방의 의견에 찬성하였으니, 어차피 삼강의 수로를 휘어잡으려면 어느 정도는 관의 묵계가 있어야 한다는 것이었다. 우대용은 기왕에 이렇게 되었으니 장산곶으로 올라가자고 주장하였다. 장산곶이 비록 선재를 쉽게 구할 수 있기는 하지만, 워낙에 관선의 별채장으로 알려져 있어서 만약 포착되면 모면하기가 어려우리라는 것이 모신의 의견이었다. 교동의 수정산 기슭은 후미진 곳이기도 하려니와 이쪽에서 건조하여 나중에 선착지를 해서로 옮긴다면 그 더욱 안전한 일이라는 것이었다.

박성대와 우대용은 머리를 맞대고 배를 어찌 만들 것인가를 날마다 궁리하였다. 우선 배가 날렵하고 가벼우며 관선보다는 무장이 잘

되어 있어야 하였고, 겉모양은 어디서나 쉽게 볼 수 있는 세곡 조운선과 닮아야만 하였다. 대개 관선들은 속도와 견고함을 함께 지니기 위하여 나무못과 쇠못을 섞어서 절반씩 쓰는 법이었는데, 수명은 한 삼사 년쯤 차이가 나던 것이다.

그러나 박성대는 배 전체를 나무못으로만 쓰기로 제안하였으니, 무엇보다도 배의 속도를 중시한 것이었다. 그 대신에 기항하여 은거할 동안 수시로 석회를 바르고 불에다 그슬리며, 자주 수선할 작정이었다. 다른 배들처럼 노상 떠 나다니며 긴 항해를 하는 게 아니요, 일이 있을 때만 슬그머니 나타났다가 후딱 해치우고는 은거지로 달아나게 될 것이니 배가 그렇게 쉽사리 노후하지는 않을 것이었다. 또한 박성대는 안을 내기를 강화에 모신이를 보내어 주상(舟商)들이 쓰던 중선 몇척을 사오게 하라는 것이었다. 새 나무만을 쓰면 튼튼하기는 하여도 나무를 건조할 기일이 많이 걸리게 되며 배가 물을 먹게 되면 더욱 속도는 줄 것이기 때문이었다. 따라서 몇년쯤 운행한 중선들의 판자를 뜯어서 배의 침수 부분을 짓도록 하며 골격과 갑판은 새 나무로 쓰자는 것이었다.

박성대는 다시 근심거리를 덧붙였다.

"배만 지어서 어찌합니까. 까짓 일반 조운선이야 창칼 가지구 눈만 부릅떠도 쉽사리 제압할 수가 있지만 무장한 관선을 만나면 꼼짝없이 침몰되구 맙니다. 그러니까 화포가 있어야 허우."

"야밤에 관창을 습격하여 전함의 무장을 탈취해올 수 없을까?"

"공연히 덧들여서 배도 만들기 전에 잡히구 맙니다. 어디서 화포장을 만나면 될 듯한데…… 소문두 못 들으셨습니까. 전라도 변산이 오래 전부터 수적들의 소굴루 유명합지요."

"나두 들은 적은 있지."

“그자들이 주로 삼남서 올라오는 세곡선을 잡아먹구 살지요. 무장이 대단하다 그럽디다. 용맹하구 민첩하기가 왜구들 같다지요. 모두들 화승총에다 대포를 배에 장치했답니다. 우리는 총은 없어두 포는 가지고 있어야지요. 원래 홍서방이 이런 데는 훤하니 한번 물어봅시다. 무장만 든든하면 봄철부터는 일을 나갈 수 있을 게요.”

홍천수를 불러 물으니 역시 그는 소상히 알고 있었다.

“아, 그런 일이라면 내게 맡기슈. 우리 모대인두 잘 아는 사이지만 이도장이라구 숨어 사는 이가 있지요. 시방 파주에서 주막을 하구 삽니다. 그 사람이 화약은 물론 화포에 대하여는 훈련도감의 화포장이나 약장들보다두 더욱 잘 압니다. 은밀히 화약도 팔고 화승총도 만들어 파는데 상단이나 포수들의 주문을 받습지요.”
하면서 홍천수는 의외에도 이경순의 이야기를 꺼내었다. 이경순이라면 묘옥이를 따라서 고달근의 안성 사당패에 끼여들어 당진까지 갔다가 살인을 하게 되었던 사람이다. 이경순이 여주 이방을 살해하고 달아난 뒤 집안은 적몰되고 관에서도 계속 그 행방을 찾다가 흐지부지되었더니, 양주에 잠시 은거했다가 파주로 나가 주막을 열었던 모양이다. 그런 사정까지야 홍천수가 알 턱이 없었으나 다만 그가 어떤 죄를 저지르고 숨어 사는 이라는 것은 눈치를 채었던 것이다.

“지금 당장 찾아가 부탁할 거야 없지마는 대강 배의 건조가 이루어질 즈음하여 나하구 함께 찾아가보세.”

우대용은 천수의 말을 듣고 한시름을 놓았다. 모신이는 일단 서강으로 돌아갔다가 강화로 나아가 중선 두어 척을 사오기로 하였고, 우대용과 석범철, 박성대 등은 그들에게 따라붙인 강화 사공들을 동원하여 벌채를 나가기로 하였다. 톱이며 밧줄이며 등속의 활목도구와 목수도구를 챙기고, 그간에 먹을 식량, 쇠솥, 식기 등을 지고서 그들은 교동의 서해안을 따라서 수정산 기슭으로 돌아 내려갔다. 수정산은 말포 어귀로부터 일직선으로 서쪽을 향하여 흘러온 형상인데 해안 근처에 우뚝 솟은 주봉이 있고, 다시 바닷속으로 그 맥이 숨었다가 맞은편에 작은 서도(黍島)가 삿갓 둘이 겹친 듯이 솟아나왔다. 그들은 벌채장으로 맞춤한 송림을 골라놓았으니 수정산과 싹머리 사이의 움푹한 뻘밭 가녘에 있는 평지에 빽빽한 숲이었다. 그들은 먼저 산 아래에 움을 팠고, 그 위에는 솔가지로 지붕을 엮었다. 여기서는 벌채할 동안만 기거할 곳이며, 벌채가 끝나 배를 짓는 것은 서도 뒤편을 택하기로 하였다. 여기서 벌채된 통나무들을 엮어 뗏목을 만든 다음에 바로 앞의 서도로 끌고 가서 거기서 판자를 만들고 다듬어 배를 만들 작정이었다. 바다가 훤히 내려다보이는 수정산의 둘째 봉에 한 사람을 올려보내어 망을 세우고 관선이 지날 때면 일단 작업을 그치고 숲속에 숨기로 하였으며, 만약 발각되어 추궁을 받으면 수영 비장을 끌어대어 관선을 위탁받아 건조하는 중이라고 둘러댈 판이었다.

그날로부터 벌채가 시작되어 둥치가 굵고 곧은 소나무만을 골라서 잘라냈다. 다행히 원하는 만큼의 나무가 벌채되는 동안 아무의 눈에도 띄지 않았다. 그들은 열흘 만에 작업을 서도로 옮겼고 이미 모신이가 끌어온 중선들도 해체되어 재목으로 변하여 서도의 비좁은 모래밭에 쌓여 있었다. 벌채에 동원되었던 인원들 중에 절반은 북나루로 돌아갔고, 우대용과 박성대와 그리고 목수일에 경험 있는 자들만이 결꾼으로 남았는데, 박성대는 과연 조선장으로도 나무랄 데가 없어서 배의 구조에 관하여 모르는 일이 없었다.

수군 진영에서 가장 큰 배는 다락을 올린 전선(戰船)이었는데 승선

인원이 백육십여 명이나 되는 규모였다. 너무 쓸모없이 크기만 하여 바람이 자면 곧 움직이지 못하거나, 또한 바람이 거세면 조종하기가 어렵고, 간조 때와 물이 얕은 곳에서는 움직이지 못하니 큰바다에서나 수전에 적합할 뿐 연안에서는 거의 쓸모가 없다는 게 박성대의 의견이었다. 이쪽에서 규모는 작지만 날렵하고 가벼운 배로 맞서면 마치 황소가 쥐를 잡지 못하는 경우와 같다는 것이었다. 배를 경쾌하게 하려면 먼저 파도의 위험을 무릅쓰는 한이 있더라도 배 밑을 날카로이 하며 좁고 길게 만들어야 하였다. 그리고 판자를 두 겹으로 붙이는 갑조법(甲造法)이 견고하기는 하여도 항행에는 둔하므로 차라리 단조(單造)로 하는 것이 유리하였다. 선체를 조직할 때 판자의 틈을 짓이긴 마(麻)로 두껍게 막고서 그 위에는 어유(魚油)에 갠 석회를 바르면 훨씬 가볍고 간편하였다. 대부분 수영의 관선들이 소형 선박들이었는데, 큰 전선이 건조 비용도 많이 들고 수심 관계로 정박 사정이 곤란하며 실제 연안의 기찰에도 불필요한 까닭이었다. 소형 선박으로 병선(兵船)과 사후선(伺候船)의 두 종류가 있는데 어선이나 상선을 감독 기찰하기에 사후선이 알맞은 고로 대부분의 경강 수로의 관선은 그 배였다. 사후선에는 키잡이 한 명에 노꾼이 네 명이며 포수는 없고 장교가 타게 되어서 이쪽에서 무장만 하면 대번에 격파할 수가 있었다. 따라서 박성대는 그보다는 규모가 나은 병선을 가늠하고 있었다. 병선에는 대개 키잡이 하나, 노꾼이 열넷, 포수가 둘로서 모두 열일곱 명으로 성원이 되는데 포수를 더 늘려서 스물 안팎으로 무장을 강화할 작정이었다. 해서의 황당선을 추격하는 배가 거의 병선인데 이쪽에서는 최소한 관군의 그것을 제압할 수가 있어야 하였다.

길이를 마흔 척으로 잡고 높이는 여덟 척, 너비는 여섯 척에, 선두는 네 척 반이며, 선미는 네 척으로 잡았다. 돛은 중심 부분에 둘을 나란히 달게 하고 돛대를 수시로 접었다 올렸다 할 수 있도록 하여서 싸움이 일어나면 돛대를 접어버리고 접전하도록 하였다. 또한 해서의 병선들은 대부분이 갑판에다 방패를 세워두고 그 뒤에 숨어서 포수가 방포하도록 되어 있으니 이쪽에서는 뱃전의 노꾼 자리와 포수 자리를 층이 지도록 하여 전투 시에는 아래로 내려앉아 숨도록 하였다. 그리고 숨는 자리 바깥쪽으로는 번철만 한 크기의 놋쇠판을 띄엄띄엄 부착시켜서 탄환을 막을 셈이었다. 키잡이 한 사람을 빼고는 모든 노꾼과 포수가 구별 없이 일시에 젓고 일시에 싸우도록 하여, 배에 타는 일당 스무 명 남짓이 하나라도 빈자리가 없도록 할 것이었다.

작업은 새벽부터 시작하여 정오까지에 그치고, 불을 다루는 일은 주로 낮에 하였으며, 먼 데서 일반 상선의 자취가 비치기라도 하면 작업을 중단하고 나뭇가지로 재목과 선체를 가려두었다. 배의 골격이 있는 곳은 모래밭을 판 뒤에 물이 넘쳐들어오지 못하도록 바다 쪽으로 높은 둑을 쌓고 구덩이 속에 들어가서 작업을 하였다. 나중에 배를 띄울 적에 바다로부터 물길을 내어 둑을 터뜨린 뒤에 물길을 따라 배를 끌어낼 작정이었다. 박성대는 노상 서도에 틀어박혀 있었고 일기가 험하거나 추워지면 일단 수정산 아랫녘의 움에 대피하곤 하였다. 골격에 판자를 대기 시작한 지 보름이 지나서 배가 대략 겉모양이 이루어졌다.

우대용은 홍천수와 더불어 패랭이에 행전 치고 감발하여 보부상 차림새를 하고서 교동을 출발하였다. 이제 남은 일은 모두 박성대와 석범철이 계획에 따라서 알아서 할 것이라, 그들은 별로 할 일이 없었던 것이다. 모신이가 정확히 알려주어 그들은 파주 임진강변의 문산포(汶山浦)로 이경순을 찾아나선 길이었다.

홍천수가 빠져나왔던 길을 되짚어 역으로 밟아나갔는데, 과연 예성강과 임진강과 경강의 삼강 수로와 강화 교동 간의 해협 수로는 저잣바닥처럼 대소선으로 바글거리는 듯하였다. 개중에 겉보기에도 화물이 풍성하고 값나갈 듯한 것을 가득 실은 대선이나 중선을 만나면 홍천수는 연상 침을 삼켰다.

"저런 것을 먹으면 반년은 일나가지 않고 빈둥거리며 지낼 게유."

우대용은 그의 신명이 한창이 되면 조용히 혀를 차서 주의를 주곤 하였다.

"우리 배의 형상이 기중 날렵하고 단단하게 여겨집니다. 하여튼지 나섰다 하면 아마 이 수로께가 좀 시끄러울 테지요."

그러나 우대용은 해주서 나다니던 예성 임진의 수로들을 지나치며 물굽이와 여울과 한적한 곳이며 번잡한 곳을 다시 확인하여보았다.

문산포는 파주 읍치서 이십 리 가량 떨어져 있고, 이 부근의 가장 중요한 임진나루와 함께 하류에 있는 저포(猪浦)나루로 통하는 길목이었다. 또한 한강이 굽이쳐 흘러 임진 수로와 역류하여 맞닿는 어귀가 삼십여 리 서남쪽에 트였고, 한미산 아래로부터 흘러내린 광여울이 임진강으로 흘러가다가 강처럼 넓게 터져나간 지점에 있는 주막거리가 바로 문산포였다.

이경순은 양주 천보산의 작은 암자에 숨었다가, 시일이 지나자 전생이와 더불어 다락원에 나가 장사를 하면서 정착할 곳을 찾았다. 처남 집으로 가끔 전생이를 보내어 살피게 하였는데, 포교가 어쩌다 들러서 기찰을 하고 간다더니 나중에는 아예 찾기를 그만두었는지 아무 일도 없었다. 드디어 이경순은 보부상이며 난전꾼들과 북쪽으로 오르내리는 상단 사람들과도 안면이 생기게 되어 교통의 요지인 파주 문산포에 정착을 하였던 것이다. 한 해가 넘어가도록 그는 여주의 나루터에서 군졸의 칼에 맞아 비명횡사한 아내를 이장시키지 못하고 있었다. 맨손으로 파헤친 강변의 무덤이었으니 큰물에 떠내려가지나 않았는지 자못 걱정이 되었으나, 버려두고 달아나온 고향을 되밟을 수가 없어 차마 발길이 돌아서지 아니하였다. 그런대로 주막이 번창하여 마방도 딸리게 되고 역의 퇴마이긴 하였어도 말도 두어 필이 생겨서 세마도 놓았고, 중노미에 마부까지 고용살이하는 자도 서넛이 불어났다. 전생이의 도움이 컸던 고로 경순은 그를 친동기간 대하듯 하였는데, 전생이는 또한 그 나름대로 주인에 대한 예를 버리려고 하질 않아서 두 사람의 고집이 이상스런 예절을 만들어내고는 하였다. 이경순이 여보게 아우, 하면 전생이는 예 성님, 하지 않고 불러 계십니까 도장어른,으로 받았다. 그런 관계가 지워지지 않더니, 한번 이경순이 술에 만취하여 전생이의 뺨을 치면서 호된 주정을 하였다.

이놈, 너는 정이 없기가 돌산 위에 덮인 얼음장 같은 놈이로다. 온 산천에 식구의 정을 나눌 사람은 이제 너뿐인데, 끝까지 주종을 고집하니 나는 적막하여 어찌 살란 말이냐. 차라리 이리 살지 말고 가산 나누어 흩어지자꾸나.

전생이 또한 이경순의 목을 잡고 울면서, 아무리 주인께서 가산적몰되고 부인은 비명에 가셨으며 이제는 한갓 길바닥의 객점주가 되었다 할지라도 제게는 은인이올시다, 하는 것이었다. 그러나 마침내는 경순의 고집이 이겨서 주종관계를 파하고 말았으니, 전생이는 경순의 아우가 되었던 것이다. 여주에서와 마찬가지로 이경순은 주막 뒤에 작은 풀뭇간을 만들어두고 연철장과 수철장의 숙수 하나와 조역 두 사람을 두어 농기구나 그릇 따위를 만들었다.

도자기 가마를 지으려도 흙과 나무를 구득할 조건이 적당치 않으니 경순은 옹기와 사기를 구워내지 못하는 것이 한이었다. 그 대신에 경순은 일꾼들을 모두 보내고 풀뭇간에 전생이와 함께 틀어박혀, 총포를 만들어내어 큰 이윤을 얻을 수가 있었다. 매우 믿을 만한 사람이나 파주 근처에 연고가 없는 타처 사람들에게서 주문이 들어올 때만 응하였는데, 값은 부르는 대로였다. 기실 주막을 열어둔 것은 풀뭇간을 숨기려는 눈가리개에 지나지 않았다. 일꾼들이 낮에는 무쇠로 솥이나 호미나 낫을 만들지만, 밤에 그들을 돌려보낸 뒤부터는 주문받은 총포의 총열을 달구어내는 것이었다. 이경순은 앞으로 석삼년만 부지런히 돈을 벌면 여주에서 잃었던 것들을 거의 되찾을 수 있으리라고 믿었다. 손님의 내왕이 잦아지는 정오 무렵부터 저녁녘까지 그는 술청에 나와 앉아서 몸소 들고 나는 손님들을 접대하였다. 그러나 그때가 더욱 경순으로서는 못 견딜 시간이었던 것이다. 겉으로는 곰방대 빼어물고 중노미를 불러 지시하고, 말도 돌보고 하면서 바쁜 듯해 보이지만 가슴속은 웬일인지 텅 빈 것만같이 허전하였다.

선달 그믐께에 미처 은둔처로 돌아가지 못한 거사패들이 추위와 굶주림에 떨며 문산포를 헤매다닐 적에 경순은 그들을 거두어 공짜로 재워주고 먹여주고 한 적이 있었다. 그중 어린 사당의 해사한 얼굴과 젖은 눈이 꼭 묘옥이를 보는 듯하여 이경순은 절로 가슴이 메어지는 듯하였다. 그 일이 있고부터 경순은 문득문득 묘옥의 얼굴을 떠올리는 버릇이 생겼던 것이다. 술청에 나와 앉았다가도 그런 잡념으로 머릿속이 어지러워 견딜 수 없을 때 경순은 슬그머니 주막의 제자리를 떠났다.

그러고는 광여울을 따라서 헐벗은 갯가를 거슬러오르며 밤이 되도록 헤매고 다녔다. 저녁녘에 지는 해는 임진강의 아래쪽에 벌겋게 걸려 있고, 바람은 눈 덮인 빈 들판에 스치는데 까마귀들이 나뭇가지에 드문드문 앉아서 적막하게 울부짖었다. 구름은 흰머리의 묏봉우리와 맞닿았고 조수로 빠지는 여울물 흐르는 소리가 투명하였다.

경순은 광여울의 광탄원까지 갈 적도 있었고, 임진나루까지 걸어갈 적도 있었다. 전생이는 주인의 그러한 마음을 알고 있는지라, 새 연분을 맺어주노라고 양주의 창기 하나를 불러다 주막에서 머물며 주모 노릇도 하라 일렀건만 경순은 거들떠보지도 않았고, 창기는 발끈하여 떠나버렸다. 그 대신에 주모로 들어앉은 것이 파주 마산역 역졸의 늙은 과부인 석정 어미였다. 장사일이 잘되면 가셔지리라 여겨졌던 이경순의 허탈증은 날이 갈수록 드러날 뿐이요, 더욱 말수가 적고 우울한 사람이 되어가는 것 같았다. 우대용과 홍천수가 큰마음을 먹고 찾아간 문산포 주막에는 그날도 주인은 보이지 않고 전생이가 대신 나와서 손님을 영접하는 중이었다. 홍천수는 그가 이경순의 충복임을 잘 알고 있었다. 그들이 자리 깔린 대청에 앉자, 전생이가 다가와서 말하였다.

"뭘 드시렵니까?"

"이 댁 주인장 계시우?"

"어디서 오신 뉘십니까?"

"우리는 서강 객점주 모신이의 동무 되는 사람이외다. 쇠를 좀 사러 왔소."

전생이는 슬그머니 그들 곁에 걸터앉았다.

"쇠라니요, 여기는 수철점두 아니구 술과 밥을 파는 곳입니다."

"공연히 그러지 마시우."

하고 나서 홍천수는 바로 눈썹 위에까지 쓰고 있는 무명 두건을 위로 슬쩍 올려 보였다. 이마에 자자된 먹점이 흉하게 드러나자, 전생이는 말없이 일어섰다.

"잠깐만 기다려주시지요. 성님은 시방 마실 나가셨소이다."

그들은 술국에 마른안주를 놓고 탁주를 석 되쯤 갈라 마셨는데, 도통 아는 체하는 기색이 보이질 않았다. 참다못한 홍천수가 주막의 뒤꼍으로 나갔다. 전생이는 마당 앞에서 서성대고 있었다.

"여보, 이거 사람 대접이 너무하지 않소. 주인을 만나려고 불원천리 찾아왔는데, 부르러 가는 기색도 없으니 우리가 무슨 박다 남은 말뚝이우."

전생이가 공손히 대답하였다.

"죄송합니다. 성님께서는 대개 점심을 드시구 나가셨다가 저녁녘에야 돌아오십니다. 이제 거의 오실 때가 되었으니 좀 기다리시지요. 헌데 무슨 쇠를 구하러 오셨는지?"

"총과 화포요."

전생이는 별로 놀라지 않았다.

"요즈음 철물값이 과하여 비용이 많이 들겠는걸. 그러면 화약은 있습니까?"

"유황만 얻을 수 있다면 따로이 만들 사람이 있소."

"석유황도 싸게 구입할 길을 가르쳐드리지요."

홍천수가 안쪽을 손가락질하며 말하였다.

"우리 성님이 우선 사오백 냥을 가져왔으니…… 그거면 되겠소?"

전생이가 잠시 생각하더니 뒷방으로 모시겠다는 것이었다. 우대용과 홍천수는 비로소 뒷방에 드는 것이 허용된 셈이었다. 따로이 지어져 있는 헛간이 바로 풀뭇간인 모양이라, 쇠를 두드리고 달군 쇠를 물에 식히는 소리가 요란하였다. 내다보니 헛간 앞으로 방금 빠진 삽날이라든가 낫, 호미 따위 등이 늘어세워져 있었다. 규모가 보통 동네에 흔히 있는 대장간처럼 보잘것이 없어 저기서 무슨 화포가 나오랴 싶었다.

"저 외팔이에 외눈박이는 이 집의 무언가?"

우대용이 의아하여 물으니, 홍천수는 아는 대로 원래는 이도장의 종인데 면천하여 아우가 되었다고 말해주고, 그가 군기시(軍器寺)의 종이었는데 화포, 총통, 화약을 다루는 데 솜씨가 있다는 얘기를 해주었다. 날이 거의 저물어서야 밖에서 기침소리가 들리더니 전생이가 누군가와 소곤거리는 기척이 들리고 잠시 후에 문이 열렸다.

"내가 이경순이외다."

두 사람은 엉거주춤 일어나 박명 속에 서 있는 키 큰 중년의 사내를 바라보았다. 그는 날카로운 눈으로 두 사람의 행색을 재빨리 살펴보았고, 서로 방바닥에 손을 짚고 읍하며 인사를 나누었다. 홍천수가 먼저 말하였다.

"한양 서강의 모대인을 아십니까?"

이경순은 잠깐 기억을 더듬는 듯하였다.

"몇번 뵈온 적이 있는 듯허우."

"나두 그 사람을 따라와서 술 한잔을 했던 일이 있습니다. 그때가 양주에 계실 적이우. 칠패에서 건어물을 좀 해봤지요."

"아…… 그러시던가."

딱히 반색하는 표정도 없이 이경순은 고개만 몇번 끄덕거렸다. 그러고는 말없이 천장만을 바라보고 있으니 홍천수는 애가 달아 우대용과 이경순을 연신 번갈아 둘러보다가,

"실은 뭣 좀 흥정거리가 있어서 찾아왔수."
하고 불쑥 꺼내었다.

"우리집에서 약간의 철물을 다루기는 허지요. 내가 밖에서 아우에게 들으니 보통 철물이 아니던데, 어물장사에 그리 요긴한 듯하지는 않습니다."

이경순이 침착하게 말하였고, 잠자코 앉았던 우대용이 가라앉은 목소리로 천천히 얘기하였다.

"하늘 아래 떳떳이 고개 들고 양민으로 살 수 없는 것이 한이긴 하오만, 우리는 버젓한 놈이 아니외다. 그저 이 사람의 말을 듣고 막연히 찾아오긴 하였으나, 실은 털어놓자면 우리는 수적질을 나서려는 놈들이우. 딸린 식솔도 많고 몸 붙일 데가 없는 장정이 스물 남짓인데 이제 막판에 몰려 있는 셈이지요. 어찌됐든 살아보다가, 세월이 지나면 더러는 버젓한 짓두 하게 될지 모르오. 비용이 얼마가 들지는 모르지만, 총포와 화포가 필요허우."

"물에서라면 오히려 호포(虎砲)가 유리하겠군."

이경순은 응낙의 말을 그렇게 하고 나서, 전생이를 불렀다.

"등록(謄錄)을 가져오너라."

전생이가 문서함을 가져왔고 이경순은 한 장씩 펼쳐들고 짚어가며 설명을 해주었다. 병선의 규모라면 육 척이 넘는 거대형의 포는 오히려 거추장스럽고 한 방향밖에는 쏠 수가 없으므로 있으나마나 하다는 것이었다. 더욱이 천지현황(天地玄黃)의 포들은 포신도 길 뿐 아니라 한 방에 소요되는 화약이 삼십 근이나 되어 소모가 많다고 하였다. 그러한 대형포들에는 동차(動車)가 부설되어야 하는데, 그 위에 대포를 장치하고 쏠 때 앞으로 밀어내고 쏜 뒤에는 안으로 끌어들이는 식이었다. 이유는 그러한 포들이 무게도 그러려니와 탄환과 화약을 포구로부터 장전해야 되기 때문이었다. 불랑기(佛狼機) 같은 대포가 포의 후미에서 장전하기는 하지만 역시 배 위에서의 이동이 불가능하기는 마찬가지라는 것이었다.

주로 공성(攻城)에 쓰이는 각종 완구(碗口)나 진천뢰(震天雷)는 곡사(曲射)이므로 수전에서 별 쓰임새가 없었다. 전함 규모가 아니라 병선 정도이니 빠르고 정확하게 타격하고 필요에 따라서 화력을 집중시키기도 하며, 전후좌우로 아무 곳이나 공격 목표를 정할 수 있는 소형포가 유리하였다. 호포는 길이가 일 척 구 촌이요, 무게는 서른여섯 근이며, 주로 근거리의 직사포이니 배의 크기에 따라 단 방 두 방 세 방을 임의로 선택해 선복의 판자를 때려부술 수가 있다는 것이었다.

"호포 네 대는 좀 과하고, 두 대쯤만 장치한다 하여도 장정 이백의 힘을 얻는 거나 마찬가지요."

"비용이 얼마나 들겠소?"

우대용이 물으니 이경순은 오히려 홍천수에게 말을 걸었다.

"서강의 모대인과 잘 안다구 하셨지요?"

"예, 신세진 일두 많구 해서 한집안 식구나 다름없습니다."

"시방도 칠패에 계십니까?"

홍천수는 어찌 대답할까 잠시 망설이다가 기왕에 우대용이 허심탄회하게 바른 말을 했는지라 자기도 그렇게 하는 것이 나을 성싶었다.

"실은 장사일로 율에 저촉되어 경을 쳤소이다. 당분간은 한양에서 떠나야지요."

"그럼 안 되겠군."

하면서 이경순은 고개를 저었고, 우대용이 얼른 눈치를 채었다.

"무슨 일이신지요. 부탁이 있다면, 이 사람말고도 한양 성내를 손바닥 들여다보듯 하는 사람들이 주위에 많이 있소이다."

"여인 하나를 찾구 있소."

"까짓 것 요즈음 성내에 살기만 한다면야 사흘 안으루 찾아낼 수가 있습니다. 내가 비록 관에 발견되면 포박될 몸이지만 칠패 동무들이 날이면 날마다 어물을 지고 온 성내로 풀려나가니 다방골 열두 골목일지라도 안마당의 삽살개가 털빛이 무슨 색인지두 알아내지요."

이경순의 울적한 얼굴은 잠시 밝아지는 듯하였다.

"만약에 그 여인을 찾는다면 비용을 받지 않구 호포 두 대와 화승총 열 정을 만들어드리리다."

이경순은 갑자기 묘옥의 얘기를 꺼내려니 가슴이 묵직하고 여주 남한강의 밤이 떠올라서 입이 떨어지질 않았다. 그녀를 업고 당진을 달아나오던 새벽이 생각났고 당진서 배를 타고 내륙으로 들어오던 날이 잊혀지질 않았다. 그러고는 피 묻은 아내의 숨진 얼굴까지가 겹쳐졌다가 다시 묘옥의 해사한 얼굴로 변하는 것이었다. 경순은 띄엄띄엄 묘옥의 용모와 나이와 내력을 간단간단히 얘기하였다.

"마포든 서강이든 경강으로 올라간다고 했다니, 젊은 주모가 있는 주막집은 모두 찾아봐야 할 것이오. 아니면 어디 색주가에 창기로 얹혀 있는지두 모르는 일이지요. 그러니 광통교와 서대문 밖의 색주가도 뒤져야 할 게요."

얘기하는 동안 이경순은 몇번이나 말을 끊었다가 천장으로 얼굴을 들었고, 눈에 반짝이는 것이 비치는 듯하더니 두 뺨으로 눈물이 주르르 흘러내렸다.

우대용은 그 중년 사내의 무덤덤한 얼굴 위로 흘러내리는 눈물을 보고 저도 모르게 감동이 되어가는 것을 느꼈다. 사내의 눈물이 어찌 사내다움을 덜게 하는 것이기만 하겠는가. 사는 고생과 죽는 고생, 정붙이고 정 떼이고, 만나고 흩어지고 하는 살아 있음의 고통을 겪은 자는 눈물을 남겨두어야 하고 그 눈물이야말로 마지막 힘이 아니고 무엇이겠는가. 대용은 망연히 앉아 있는 이경순에게 대답해주었다.

"염려 마우. 우리가 수소문한다면 열흘 안으루 찾아낼 거외다. 만약에 한양에만 있다면 까짓 술집이 몇이나 되겠소?"

이경순이 다시 고개를 떨구었다.

"그렇지요…… 한양에 있다면 말이지요. 거기서도 떠났다면 다시는 만날 길이 없는 셈이오."

우대용은 방 안에 들어설 때부터 이경순의 서글서글한 인상이 좋았고, 그의 꾸미지 않는 태도와 분명한 점이 마음에 들었다. 대용이 늘상 접해본 장사치들의 간교한 태도가 그에게서는 찾아볼 수 없었다. 우대용은 다만 자기가 여색에 미혹된 적이 없으며, 본시 여인은 그저 밥이나 해주고 애나 낳는 것들로 알고 있는지라, 창기까지 되었다는 여인을 애타게 찾는 이경순이 이상스레 보이기는 하였다. 대용은 남을 빈정거리기보다는 좋은 면을 보면 진심으로 상대를 이해하려는 편인지라, 홍정으로가 아니라 사내끼리의 정리로 그 여자를 찾아주고 싶었다.

"모신이라는 사람이 경기 일대에 조그만 저잣바닥이라도 사람 많이 모이는 곳에는 제 수족을 보내지 않는 곳이 없다니, 내가 함께 행보하여 우겨서라도 주인장의 원을 풀어드리리다."

우대용이 다만 위로하는 뜻으로 겉말을 하는 게 아니라 진심으로 우러나서 얘기를 하니, 이경순은 처음 보는 낯바닥 검은 자가 미덥기는 하여도 좀 겸연쩍어지는 것이었다. 손님으로 찾아온 상대방에게도 미안하고 나잇값도 못 한다는 생각이 들어서 이경순은 얼른 일어섰다.

"주안상을 올릴 터이니 잠시들 앉아 노시우. 나는 긴히 만날 사람이 있어서 잠시 다녀오겠소이다."

그가 자리를 비운 동안에 전생이가 주모에게 주안상을 들려서 방에 들어섰다. 홍천수는 여태껏 궁금했는지라, 이경순의 내력에 대하여 이것저것 묻게 되었는데, 전생이도 이제는 이마에 자자 흔적까지 있는 그를 의심하지 않아 술술 얘기가 나오게 되었다. 여주에서 사분원을 경영하던 일이며, 안성 사당패와 알게 된 일, 처음에는 자식이나 하나 보자며 묘옥을 찾아다니던 일이며, 또한 살인을 하여 이방의 간계에 넘어간 일들과, 그의 처가 칼 맞아 죽던 일 등등을 얘기하여 홍천수와 우대용은 혀를 차기도 하고, 한숨도 쉬며 주먹을 부르쥐기도 하였다. 이윽고 이경순이 돌아와 합석하였을 적에는 이미 들은 것이 상세하여 몇년지기처럼 그가 낯익어 보였다.

좀처럼 마음을 열지 않던 이경순도 우대용의 허심탄회한 태도와 거침없이 쏟아져나오는 세상에 관한 강직한 적의라든가, 또는 어린애 같은 천진함으로 인하여 저절로 말문이 열려 그에 관한 내력도 묻고, 나중에는 나이까지 따져서 자연스레 하게를 놓게까지 되었다. 이경순이 여주를 떠나고부터 그렇게 대취했던 날이 없었다. 우대용은 문산포를 떠나면서 말하였다.

"요 건너 장단 지나 수십여 리 지경이 송도인데 우리 성님이 계십니다. 한담 잘하고 술 잘 먹고 인정이 많지요. 다음에 올 제는 경순이 성님 모시구 우리 대근이 성님 댁에 놀러 가십시다."

그 정도가 되었으니 경친 놈끼리 첫눈에 가슴이 통했던 모양이다.

이경순이 비록 중인이기는 하여도 행세는 양반 부럽지 않게 하여, 여주를 떠난 뒤에도 잡류들과 섞이지 않아 명색이 주막 주인이요 하는 짓은 낙백선비와도 같았다. 외롭고 쓸쓸하기가 남의 영에 붙잡힌 항장(降將) 같더니 그렇게 즐거워할 수가 없었다.

그날부터 묘옥과 만날 생각을 염두에 두고서 안방 치장부터 일러두는데 도배도 새로 해놓고 한양까지 사람을 보내어 방물도 사들였다. 해서에서 돌아나오는 상고들께 좋은 쇠와 동철을 부탁해놓고는 우선 등록에 따라서 흙을 구워 포의 모형을 떠내고 화승총은 이미 제작을 시작하였다.

재령의 수철점에서 나온 무쇠는 모래가 많이 섞여 있어 몇번이나 다시 제련해야만 하였다. 무쇠만 가지고는 열과 폭압을 견딜 수 없으니 동래 쪽에서 올라오는 동철을 구득하여 함께 섞어 제련하였다. 벌건 쇳물을 원형 판에 부어 한쪽 반면을 떠내고 다시 다른 쪽 반면을 판에서 떠내어 열을 가한 뒤에 붙이는 작업이었다.

그러고 나서도 통째로 포 전체를 불에 달구고 물에 식히는 과정이 오랫동안 계속되었다. 밤중에 이경순과 전생이 둘이서만 풀뭇간을 지키며 작업을 계속하였다. 경순이 주로 숙수(熟手)가 되어 일을 하였고, 전생이는 한 팔이 없으니 풍구로 숯불에 바람이나 넣으며 잔일거리를 도왔고 석유황, 염초 등을 가지고 화약을 개었다. 아직 시사를 놓아보지는 않았으나 겉모양은 네 다리가 달려 고정시킬 수 있게 되었으며, 뒤편의 화약과 포환을 쟁이는 곳은 넓고 측면에 불구멍이 뚫렸는데 머리와 눈 같았고, 포구는 점점 좁아지는 것이 몸통의 꼬리 같으니 호랑이가 뛰려고 움츠린 모양이었다.

호포가 제작된 다음에는 총열이 달구어졌으니 김지(金墀)의 승자총(勝字銃)은 예로부터 알려져 있던 것이나 그와는 달랐다. 승자총은 총신이 짧고 구멍이 얕아서 위력이 조총(鳥銃)에 훨씬 못 미치는 것은 왜란부터 밝혀진 일이다. 뒤에 이필종(李必從) 등이 조총의 장점을 취하여 승자총을 개량하였는데 나중에 군기시에서 조준장치와 방아틀이 있는 화승총이 더욱 개량된 형태로 나왔던 것이다. 총열은 구경이 돈닢만 하고 길이는 대금에 맞먹었으니 뒤에 달리는 나무판과 합치면 어른의 팔 기장보다 훨씬 길었다.

이경순이 총포의 제원을 정확히 알게 된 것은 전생이의 도움이 컸던 바 있었다. 총 열 자루와 호포 두 대를 만드는 데 불과 보름이 걸렸으니 이경순은 하루도 빠짐없이 밤을 새웠던 것이다. 낮에는 쓰러져서 정신없이 자고 저녁녘에 일어나면 풀뭇간을 비운 뒤에 전생이와 더불어 새벽까지 작업을 하였다. 그렇게 하지 않고는 이경순은 묘옥을 못 만나게 될지도 모른다는 조바심 때문에 견디기가 힘이 들었다. 일이 끝난 날 새벽에 이경순과 전생이는 호포를 청룡포(靑龍砲)와 황룡포(黃龍砲)로 명명하였다. 그래서 화구 아래편에 음각으로 제작 기일과 포의 이름을 새겨넣었다.

"시사(試射)를 놓아봐야겠다."

경순이 화포를 제작한 것은 처음인지라 마음이 놓이지 않았는지 포를 쳐들어보며 말하였다.

"포성이 제법 클 텐데 어디서 방포를 한단 말이우?"

"임진강을 건너서 정자포(亭子浦)를 지나면 들판이니 인적이 드문 곳이다. 지금 나서서 한 시오리 걸어나가면 될 게다."

경순은 전생이에게 호포를 짊어지우고 포환이며 화약 등속을 챙겨들고 집을 나섰다. 임진강변의 삭막한 들판에는 흰눈만이 어디에나 끝없이 펼쳐져 있었다. 그들은 집 앞의 광여울에 내려가 작은 조각배를 타고 강을 건넜다. 과연 동강(東江)을 따라 거슬러올라가니 장단과 송도 사이의 들판에는 행인은커녕 기러기와 바람소리만이 있었다. 들판의 이곳 저곳에 구부러진 소나무들이 한두 그루씩 띄엄띄엄 서 있었는데, 경순은 그중의 나무 하나를 보아두고 그 앞 오백 보쯤에 떨어져 호포를 내려놓았다. 곧 화약과 포환을 재어넣고 부시로 불을 붙여서 방포하니 폭음이 일어나며 나무가 쓰러지는 것이 보였다. 나무둥치의 중동이 부러져나갔는데, 칼로 벤 듯하지는 않고 삐죽삐죽한 나무 속이 드러났으니 포환의 충격으로 꺾어져나간 것이었다. 경순은 나무를 쓰러뜨리고 뒤편 땅속에 깊이 박힌 포환을 살피면서 말하였다.

"이 정도라면 웬만한 배는 관통되어 가라앉을 것이다. 배를 격파하려면 포환을 장전하고 인마를 살상시키려면 작은 무쇠 연환을 장전하면 되겠다."

"화약을 충분히 쓴다면 지금보다는 위력이 더할 겝니다. 포성을 걱정하여 제가 화약을 다 쓰지 않았어요."

"길이도 맞춤하고 무게는 겨우 서른여섯 근이니 말 등에 싣거나 줄에 매어 짊어지고 다닐 수도 있겠지. 우서방이 반가워하겠구나."

이경순은 이렇듯 일을 빈틈없이 마쳐놓고서 우대용이 올 날짜만을 기다렸다. 즉 그 날짜란 묘옥이 함께 오는 날이거나, 아니면 그 거처가 알려지거나, 최소한 소식이라도 알려지는 날을 의미하는 것이다.

약속한 날짜가 하루이틀 넘어가더니 닷새가 지나서야 서강 모신에게서 사람이 찾아왔다.

"저희 주인께서 좀 오시랍니다. 좋은 소식이 있답니다."

"그래, 우서방도 너희 집에 계시냐?"

"벌써 달포가 넘도록 들락날락하셨지요. 서강의 곁꾼들이 한양

근방의 색주가는 모두 뒤지고 주막은 물론이요, 은밀한 바침술집까지 모조리 수소문하였습니다. 허나, 찾지를 못하고 손을 들어버리구 말았었는데, 오늘 아침 느닷없이 파주엘 가서 모셔오라구 그러십니다."

이경순은 행여나 하였다가 그러면 그렇겠지 내가 쓸데없는 과욕이었고나, 스스로 탄식하였다. 어쨌든 기별이 왔으니 경순은 한양엘 다녀오기로 하였다. 말을 내어 모신이 보낸 자로 견마를 잡게 하고 저녁때까지는 들어갈 요량이었다. 전생이가 쫓아나와 경순을 잡고서 당부하였다.

"성님, 소식을 얻지 못하더라도 심기를 든든히 가지십시오. 그리구 정 못 견디시겠거든 어디 창기 집에라두 가셔서 실컷 놀다 오시우. 저는 날씨만 풀리면 혼자서라두 여주로 나가 아주머님 시신을 모셔올랍니다."

전생이의 말에 경순은 다시금 자책을 느꼈고, 묘옥을 만나든 못 만나든 이번에 나가서 아예 그 일까지 마무리를 지으리라 작정하였다. 오후 늦게 출발하여 삼각산이 보이는 다락원 근처에 왔을 적에 날이 저물기 시작하였고, 그들은 성내로 들어가지 않고 흥인문 곁을 우회하여 이태원을 지나 용산 삼개로 빠졌다. 강변을 따라 걸어서 모신이네 주막에 당도한 것은 밤이 깊어서였다. 모신이는 작은집에 나갔으므로 없었고 우대용이 안채 쪽에서 자고 있다가 뛰어나왔다. 마주 앉자마자 경순은 다급하게 물었다.

"좋은 소식이 있나?"

"가만 계십시오. 오늘 성님이 못 오시는 줄 알었수. 성님을 잘 안다는 자가 여기 와서 묵고 있습니다."

우대용은 지난 스무 날 동안의 온갖 행각을 간단히 추려서 얘기하였다. 모신이 알고 있는 한양성 안팎의 주막과 색주가를 모조리 찾아다녔으나 경순이 말한 그런 여인은 보이질 않았다.

"홍제원서는 별감배들하구 자리 시비로 주먹질까지 하였수."

그들이 찾기를 포기하고 있던 중 그전부터 모신이와 거래가 있어 드나들던 자가 있었는데, 등잔 밑이 어둡더라는 것이었다.

우대용이 얘기를 하는 중인데, 방문이 벌컥 열렸고 누군가 문턱에 서서 껄껄 웃었다.

"살아 있으니 이렇게 만나게 되는군, 오랜만이우."

경순은 그를 알아보지 못하였다.

"누구시던가……?"

"제미랄, 누구긴 나지."

하면서 그 사내가 등불빛이 비치는 방 안으로 고개를 쑥 들이밀었다. 방금 자다 나왔는지 상투머리는 흐트러졌으나 얼굴에 뒤덮인 곰보 자국은 여전하였다.

"아니…… 다, 달근이."

"왜 아뉴, 당신 땜에 모가비질두 못 해먹게 된 고달근이우."

달근이가 황회와 더불어 광주서 거래하지 못할 물건들을 가지고 모신을 찾아왔을 때, 우연히 모신이가 거여 송파의 주막집 사정을 묻고 사람을 찾는다는 말을 꺼냈다가 묘옥의 얘기가 나오게 되었던 것이다. 우대용이 이경순의 얘기를 하게 되어 달근이는 바로 그가 당진에 함께 연희 나갔던 안성 사당패의 모가비였음을 밝히게 되었다.

"집안이 적몰되었다는 걸 들었지. 난 어디 북관에 가서 숨어 사는 줄 알았더니 겨우 파주야?"

고달근은 예전 같지 않으므로 마음 놓고 이경순에게 말을 놓았다.

"이 사람아, 묘옥이가 시방 어디 있는가?"

"그게 어디 맨입에 나올 말인가. 그애가 비록 몸값 없이 우리 패에 끼여들었지만, 이녁 때문에 당진서 그 수라장이 벌어졌으니 관재수 액땜할 값은 받아내야지."

지분거리는 것을 은근히 밉게 본 우대용이 고달근을 흘기면서 말하였다.

"시방 송파에서 색주가를 열구 있답니다."

이경순은 달근이의 손을 덥석 잡았다.

"지금이라두 당장 가세. 배를 띄우면 새벽녘에는 닿겠지."

"허, 여전하구먼. 여보, 나두 볼일이 있어서 여기에 온 게야."

"내일 아침에 내려가봅시다. 먼 길을 오셨으니 피로할 텐데."

우대용이 그렇게 안심을 시켰고, 고달근은 꼬치꼬치 캐묻는 이경순의 안달이 재미있었는지 자꾸만 요리조리 빼면서 약을 올렸다. 그러나 경순의 태도는 변함이 없어 달근이도 어느덧 지분거리는 재미가 없어져서 순순히 대꾸를 하게 되었다.

"묘옥이네 주막에는 창기가 넷이나 되우. 송파 들르는 장꾼이면 묘옥이네 술집을 모르는 자가 없지. 다른 색주가에서는 계집 내놓는다는 핑계루 술은 싱겁고 안주는 먹을 것이 없는 법인데, 그 세 가지가 모두 인근에서 으뜸이라더군."

이경순은 무엇보다도 장사에 성공한 묘옥이 자기 따위를 어찌 생각할 것인가가 걱정이었다. 아무리 천성이 착하다 할지언정 창기는 흐르는 물과 같으니 이미 마음이 어느 사내에게로인가 흘러가버렸을지도 모르는 일이었다. 그러나 묘옥이 지금도 여주에 사람을 보내어 혹시 그가 잡혀오거나 무슨 기별이 없는가 수소문한 적이 있었고, 그의 아내가 비명에 죽었다는 말을 듣고는 강변에 나가 대굿도 벌였다는 것으로 보아 묘옥이도 경순을 달리 생각하는 양이었다. 그러나 묘옥의 그런 행동은 다만 도리 때문인지도 몰랐다. 묘옥은 경순을 따르고 순종하며 그에게 안기기까지 하였으나, 마음을 주지는 않았던 것이다. 이경순이 묘옥을 애타게 찾는 것은 바로 그녀가 한 번도 마음을 주지 않았다는 것 때문인지도 몰랐다.

"그애가 아직도 혼자 있는가?"

이경순은 갑자기 불안한 생각이 들어 중얼거렸고, 고달근이 히죽이 웃었다.

"넘보는 놈팽이들이 한둘이 아니지. 그나저나 내게는 아뭇소리 없이 그냥 넘어갈 건가. 어느결에 머리 얹는 값두 없이 재취를 얻는다니 그런 법이 어디 있수."

경순은 고달근의 비아냥대는 말을 상대하지 않았다. 우대용도 그만 달근의 말버릇에 기분이 상하여 입맛을 다시면서 흘겨보았다.

"두 사람이 허물이 없는 사인 줄은 몰라두 좀 듣기가 거북한걸."

"허허허, 물론입죠. 이 사람이 일찍이 우리 사당패의 으뜸 손님이었거든. 모가비야 이런 손님 믿구 살지. 내일 길안내를 할 터이니 내 부탁두 들어주오."

하고 나서 달근이가 우대용을 바라보며 다시 말하였다.

"그리구…… 노형은 우리 솔부리에나 놀러 가십시다. 황서방두 노형을 산채에 모시겠다구 별릅디다."

우대용은 그들 고가와 황가가 지난번에 홍천수로 하여 혼찌검이 난 뒤에, 은근히 결기를 품고 있음을 눈치채고 있었다.

"왜, 솔부리인가 솔방울인가 데려가서 코피 터칠려구 그러우?"

그러나 달근이는 눈을 크게 뜨며 펄쩍 뛰었다.

"어, 무슨 말씀이 그리 무지막지허우. 앞으루 서강 모대인 신세를 피차에 함께 지어야 할 사인데, 타시락댄다구 쥐뿔이나 뭐가 유리하겠소. 서루 돕구 삽시다. 실은 황서방하구 나허구 솔부리에서 패를 갈라 나가려는 참이지요. 우리두 거기 얹혀지내기가 갑갑하여 그러는 게요. 기왕에 여기 이도장두 만났으니 어디 산채나 열까 하구 그러우."

이경순은 잠자코 앉았더니 의관을 벗으며,

"피곤하군. 그만 잡시다."

하여 달근이를 쫓아내려 하였고, 우대용도 의향을 알아챘다.

"그러지요. 노형은 이제 그만 내려가우. 날이 새면 깨우러 가리다."

달근이가 물러간 뒤에 두 사람은 불을 끄고 누웠는데 이경순이 말하였다.

"호포 두 대와 화승총 열 자루를 다 만들어놓았네."

"예, 잘되었군요. 저놈은 내가 별로 신용을 하지 않으니 절대루 우리 얘기는 해주지 마십시오."

"그리 나쁜 사람은 아닌데…… 좀 경망스럽지. 그애를 잘 돌보아 주었다니 고마운 일이군."

우대용은 그들과 동행하기가 싫어서 나중에 경순이 돌아오면 함께 파주로 가서 물건을 싣고 교동으로 돌아갈 작정을 하였다. 이튿날 새벽에 이경순은 고달근과 함께 경강에 배를 띄워 광주 쪽으로 거슬러올라갔다.

송파 저자의 혼잡은 여전하였다. 달근이와 함께 객주거리로 헤치고 나아가 묘옥이네 주막 앞에 이르니 삽짝 앞에 주기가 걸려 있었고, 아직 손님은 없고 밥 손님이 들기 시작하는 모양이었다. 주막 안에는 국밥을 시켜먹는 장사꾼이 몇 있을 뿐이요, 묘옥이는 보이질 않았다. 이경순은 노랑 저고리를 보자마자 그것이 혹시 묘옥인가 하여 숨을 흑 들이켜며 그 자리에 멈추었다.

"왜 그래, 오금이 저리시나?"

고달근이 이경순의 소매를 잡아끌었고, 돌아다본 여자는 이 집의 창기였다. 그 여자는 치마를 감싸쥐며 반색을 하는 것이었다.

"아저씨, 어서 오셔요. 큰성님을 부를까요?"

창기가 이경순의 안색을 살피고 키들거리면서 뒤꼍으로 돌아가는데, 이경순은 이미 벌건 얼굴이 되었다. 기역자의 초가에 바깥쪽은 술청으로 쓰고, 뒤편의 방들은 장쇠 할머니와 함께 쓰고 있었던 것이다. 이경순은 큰마당을 등뒤로 돌리고 앉아 있었으며, 고달근은 삽짝을 바라보며 앉았다. 이경순은 가슴이 터져나갈 듯한데, 빤히 속셈을 들여다보는 고달근은 연신 히죽거리고 있었다.

묘옥은 풍로에 약탕관 올려두고 활활 부채를 부치지만, 아침부터 뭔가 짚을 수가 없으되 공연히 일손이 잡히질 않아 모두 건성이었다. 물동이를 내리다가 박살을 내었고, 타진 치마 솔기를 꿰매다가 바늘에 호되게 찔렸던 것이다. 어느결에 약이 넘쳐서 지글거리는 소리가 요란하였으나 묘옥은 넋을 잃고 계속하여 부채질을 하다가,

"에구…… 얼 나갔네!"

하며 재빨리 뚜껑을 잡으니 몹시 뜨거워 땅바닥에 동댕이를 쳐버렸다. 손가락을 불다가 묘옥은 스스로 혀를 차며 중얼거렸다.

"웬일일까…… 간밤 꿈 탓인가 몰라."

묘옥은 다시 쪼그려앉으며 한숨을 푹 몰아쉬었다. 이제 그녀의 눈가에는 깊은 그늘이 가셔 있었고 볼에 홍조가 퍼져 있으니 신관이 전보다는 한결 핀 때문이었다. 아직도 몸매는 흐트러지지 않았고 머리카락의 검은 윤기도 여전하였으나 다만 표정이 전보다 훨씬 익어

서 아기를 낳고 새댁을 면한 아낙 같았다. 묘옥은 장쇠 할머니가 밤새 헛소리를 하여 새벽녘까지 찬물수건을 갈다가 닭이 울고 나서 잠깐 눈을 붙인 둥 만 둥했다.

눈앞이 어슴푸레한데 끝간데 없는 들판이 있었고 아득한 들판 가득히 장다리가 한창이었다. 흰 장다리꽃이 바람에 하늘하늘 흔들리고 허공중에 흰나비 범나비가 가득히 떠서 까불랑거리는 게 보였다. 길을 가는데 맞은편에서 얼굴을 알 수 없는 봇짐 진 사내가 휘적휘적 다가왔다. 안달이 나고 애가 커서 견딜 수 없다는 느낌이 가득 찼을 때 그 다가온 사내가 얼굴을 들었다. 어디서 보았던가, 그는 휘익 지나쳐갔다. 묘옥은 한참이나 뒤척거리며 알아내려고 애를 쓰다가 문득 잠이 깨었다. 묘옥은 벌떡 일어나 앉았다. 그러고는 방문을 바깥으로 힘껏 밀었다. 먼 데서 새벽배가 떠나는지 배따라기 소리가 청아하게 들려오고 있었다.

"꿈이 얄궂기도 하다……"

그 낯선 사내는 송화의 광대였던 듯싶었다. 아니, 질끈 동인 두건, 행전 친 다리, 괴나리봇짐, 그리고 날카로운 눈길이 틀림없는 길산이 그 사람이었다. 처음 꾸어보는 꿈이었다. 아침 내내 뭔가 마음이 허황하게 비어서 원경을 바라보듯 지향점이 없었다.

"성님…… 손님 오셨수."

묘옥은 뒷전에 와서 불쑥 해대는 말에 퍼뜩 놀랐다.

"솔부리 아저씨 오셨어요. 어떤 분을 모시구 왔는데…… 반가운 손님이래요."

묘옥은 돌연 가슴이 덜컥 내려앉았다. 아뿔싸, 꿈이 맞는구나. 놀라는 일은 이젠 싫다고 묘옥은 가슴을 내리쓸었다.

"반가운 손님이라니……"

묘옥은 마음보다는 훨씬 침착하게 되물었다.

"몰라요. 처음 뵙는 분인데 아주 점잖아 보여요. 의관도 멀끔한 걸 보면 강 건너 솔부리 사람은 아닌 모양이죠."

묘옥은 머리를 쓰다듬어 올리고 옷매무새를 살폈다.

"약은 조금만 더 달이면 될 게다. 네가 먹여드려라."

묘옥은 뒤꼍에서 돌아나가다가 부엌 옆에 잠깐 서 있었다. 마루 위에 드문드문 앉은 사람들을 살피다가 달근이의 곰보 면상을 알았고, 등을 돌리고 앉은 사내에게 시선이 멎었다. 묘옥은 그가 누구인지 집어낼 수가 없는 채 주춤주춤 앞으로 걸어나가는데, 달근이가 얼른 알아보고 말하였다.

"아따, 주모 얼굴 보기가 이렇듯 어렵구먼."

묘옥은 경순의 바로 등뒤에까지 다가왔으니, 곧 상기둥 앞이었다. 이경순은 묘옥의 지분 냄새가 등뒤에서 끼쳐오고 있음을 느꼈다. 달근이도 그때는 농지거리할 맛이 없는지 싱긋이 웃고 반쯤 남은 술잔에 첨작하여 마셨다. 이경순은 슬그머니 고개를 돌렸다.

"잘 있었느냐?"

묘옥은 상기둥에 기대었다가 신방돌께에 스르르 쪼그렸다. 경순은 감정이 격해지는 것을 가까스로 눌러앉히며 다시 고개를 돌려 술잔을 쳐들었다. 묘옥은 주위 사람들의 이목을 느꼈는지 일어나서 이경순에게 말하였다.

"나으리, 안쪽으루 옮기시지요. 여기는 잔술을 파는 곳이라 춥습니다."

"괜찮겠느냐."

"어서 내려오십시오."

경순이 숫총각처럼 수줍어 우물쭈물하니 고달근이 먼저 일어났다.

"가서 밀린 얘기들이나 하지. 우린 정담 있는 처소에선 오금이 저리고 삭신이 근지러워서…… 얘, 건넌방 비었으면 나는 거기 있을란다. 느이 집 아이나 하나 보내다우."

묘옥이가 흐트러진 신발 중에서 얼른 경순의 미투리를 바깥쪽으로 나란히 놓았다.

육바라기며 삼미투리에 마른신도 있었건만 묘옥이 어찌 알았으랴. 기중 끼끗하고 뒤축이 빳빳이 서 있는 것을 골랐는데 경순의 미투리였다. 신발이 주인을 닮는다는데 정인의 눈썰미는 그 임자를 알아보는 것일까.

묘옥이 앞서서 뒤곁으로 돌아나가고 경순은 뒤를 따랐다. 묘옥은 제 방문을 열어놓고 기다렸다. 경순은 들어서서 묘옥의 손길과 체취가 배어 있는 방 안을 휘둘러보았다. 경대 하나 없고 윗목에 작은 반닫이와 함이 나란히 놓였으며 나무 촛대와 오지 화로가 있을 뿐이었다. 경순이 아랫목에 앉으니 묘옥은 들어와서 옆으로 방문을 닫고 나서 일어섰다.

"기간 평안하셨습니까?"

조용히 주저앉으며 문안인사를 드리는 묘옥을 경순은 뜨거워진 눈시울로 묵묵히 대하였다.

"그래, 혼자서 얼마나 고생이 많았느냐?"

"고생이야 나으리께서 막심하셨겠지요. 이 몹쓸 년은 내내 포한이 되어 도장나으리의 은혜를 갚지 못하면 서서 죽는 몸이 될 뻔하였습니다."

"이리 가까이 내려오려무나."

묘옥이 아미를 숙이고 앉았더니, 경순은 제가 다가앉아 손을 잡았다. 마치 정 노래가 고즈넉하게 들리는 듯하였다.

갈까 보다 임한테로 멈살러 갈까 보다, 왕백이 신짝을 터덜털 끌면서 임을 따라 갈까 보다. 어찌 살까나 정든 임 그리워, 임이 날 괄세하더라도 불원천리 갈까 보다, 아무래도 임을 위해 병이 나리외다.

꿈이 와서 보이는 임은 신이 없다 하건마는, 오매불망 그리우면 꿈 아니고 어이 보리, 멀리멀리 그리운 임아 혼이라 말고 보여다오.

바람은 살라랑 꽃 따러 가고 구름은 살라랑 비 실러 가고, 나도 언제 저 구름같이 살라랑거리고 임 찾아 나설거나.

배는 고파 등에 붙고 방은 추워 턱이 딸딸, 간밤에 성튼 몸이 불과 같이 병이 나서, 먹는 것은 차운 냉수 찾는 것은 임이로다. 바람 불어 쓰러진 낡이 눈비 온들 일어나며 임으로 들린 병이 약을 쓴들 일어나랴.

"다시는 못 만날 줄 알았구나."

이경순이 묘옥의 흘러내린 귀밑머리를 젖혀주며 말하는데, 묘옥은 그냥 맡겨두었다가 살그머니 손을 빼고 무릎걸음으로 물러나 앉았다.

"부인께서 비명에 떠나셨다니 얼마나 가슴이 아프셔요. 시방 어디서 오시는 길이어요?"

"파주에서 주막을 열구 있다. 전생이가 다 맡아하고 나는 그저 마실이나 다닌단다."

"빨래는 누가 해드리나요. 돌보아주는 이라두 있습니까?"

"응…… 주모가 있긴 있다만……"

묘옥은 사는 물정을 뼈저리게 겪어 알고 있는 여인인지라 빨래 소리를 발설해놓고는 콧마루가 시큰하여 저절로 옷고름이 올라갔다. 아낙 없는 사내의 설움은 속곳 빨래에 절어 있는 법이다. 어려서는 똥 묻고 오줌 밴 데를 엄마가 빨래하여주고, 나이 들면 마누라가 넘겨 맡는 셈이건만, 혼자 남은 사나이의 속곳 빨래처럼 썰렁히 외로운 물건은 없는 것이다. 은밀한 데를 나눌 곳이 없으니 잠자리 빈 것은 고사간에 꿈도 휑뎅그렁하니 비어 있다. 또한 혼자 남은 계집의 밥상처럼 차디찬 것이 없나니, 누구를 위해 찬을 짓고 누구와 함께 먹을꼬.

"묘옥아…… 내 오늘 예서 묵어가도 좋겠느냐?"

"무슨 말씀이십니까. 이 집은 도장나으리의 집이올시다. 여주강을 떠나올 제 부인께서 대금을 장만하여주셔서 이만이라도 이루어놓았지요. 하지만…… 제가 빈몸으로 떠들어와 문전걸식한다손, 흉악한 팔자가 준동하여 나으리 댁을 적몰하여놓고 결초보은이라도 부족하지요."

경순의 말은 밥 한끼에 숙박하자는 게 아니요, 너를 가슴에 안아보고 싶다는 것이었으나 더 말을 하지 못하였다. 묘옥이 일어나더니 밖으로 나가 술상을 보아왔고, 감홍로를 찰찰 넘도록 따라서 권하였다.

두 사람의 기미를 잘 아는 식솔들은 안채 쪽으로는 얼씬도 아니하였고, 장쇠는 공연히 수줍어져서 제 할미 앓아누운 방에도 들어가지를 못하였다. 밤이 이슥하여 잔별이 수북한데 완연한 봄밤이라 흉년에 죽은 계집아이 혼이 들씌운 소쩍새는 벌써부터 목이 메어 조떡을 달라고 보채었다. 조떡 조조 조떡떡조떡……

묘옥은 경순을 금침 위에 남겨두고, 혼자 나와서 마당을 서성거렸다. 이미 술청 손님들은 모두 돌아가고 불마저 꺼졌는데 어느 무심한 식구인가 코 고는 소리만 드높았다. 묘옥은 샘에 두레박을 담가 찬물을 길어올렸다. 묘옥은 물동이에다 샘물을 그득히 길어 부었다. 동이를 이고 뒤곁의 헛간 구석으로 갔으니, 청석돌을 편편히 놓아 몸을 씻는 곳이었다. 묘옥은 치마끈을 풀어놓고 저고리를 벗었다. 속치마와 속적삼을 벗으니 단속곳이 나왔으며, 헝겊신과 버선을 벗고 나서 고쟁이 바람이 되었다. 이윽고 온몸을 벗은 묘옥은 청석돌 위에 꿇어앉았다.

"물을 주오 물을 주오 용소심네 물을 주오. 동해바다 용왕님은 서해수를 당겨주고 서해바다 용왕님은 남해수를 당겨주고 남해바다 용왕님은 북해수를 당겨주오."

표주박으로 물을 떠서 무릎에 끼얹고 팔에 끼얹으니 한기가 머릿속을 찌르는 듯하였다. 다시 가슴으로 등으로 아랫도리로 정갈한 냉수를 끼얹으며 중얼거렸다. 한기가 지나가자 나중에는 살갗에 끼친 오한보다는 샘물이 오히려 뜨뜻하였다. 이곳 저곳을 씻고 나서 몸이 얼얼하여 묘옥은 몸을 닦고 옷을 입었다. 전신이 가뿐한데 하늘의 잔별들은 맑고 차갑게 반짝였다. 묘옥은 다시 샘물을 길어 대접에 담아 소반에 받쳐들고 자세 갖춘 뒤에 빈손을 쳐들어 둥글게 합장하며 절을 세 번 하고 나서 꿇어앉아 손바닥을 비비며 빌었다. 묘옥은 해주 송림방의 말바위에 가 있는 느낌이었다.

눈을 감은 그녀의 앞에는 평면적인 어둠이 깊은 바다처럼 펼쳐졌고 귓가에 파도의 아우성 소리가 들려왔다. 길산을 이제는 저승의 인연으로 돌리고 말았은즉, 자기 때문에 모든 것을 다 잃어버린 살아 있는 경순을 또한 어찌하랴. 묘옥은 오늘밤 몸과 마음을 다 함께 그에게 닿게 하려는 참이었다. 묘옥은 합환(合歡) 전에 그의 가슴에 연비를 새기고 떠나간 길산의 영(靈)께 하직인사를 올리려는 것이었다. 지난 새벽의 꿈도 꼭 들어맞았다고 그녀는 생각하였다. 경순이 나타나매 길산이 꿈에 보였던 것이다. 창기가 뒷전에 와서 반가운 손님이 오셨다고 할 때 묘옥은 계집의 직감으로 이경순이 나타난 줄을 알았다. 대개 과부가 애지중지한 자식의 일을 꿈꿀 적에 망부가 나타남과 같은 이치가 아니던가. 꿈에서는 저승이요 깨어나면 이승이니, 본디 속인이란 덧없는 꿈 안에선 살 수 없고 훌쩍이고 먹고 마시며 돌아다니는 세상 안에서 사는지라, 마음도 세상의 것이어든 따로 잡아둘 데가 있겠느냐. 이제 거두어 살아 있는 이에게 모두 주련다고 묘옥은 작심하였다. 작심이었으되 슬펐다. 그녀는 빌기를 그치고 자그맣게 노래를 읊조리며 바로 콧잔등에 우수수 쏟아질 듯한 별들을 올려다보았다.

"모란꽃이 피거들랑 다시 오려마 다시 오렴 연지 곤지 단장하고 다시 오려마 다시 오렴 초가삼간 집일망정 금실 좋으면 그만이지 호강 없이 살지라도 마음만은 너를 주마 모진 바람 고이 피해 다시 오려마 다시 오렴 쪽도리를 고이 쓰고 다시 오려마 다시 오렴 소금 반찬 밥일망정 맘 맞으면 그만이지 백년해로 살지라도 사랑만은 너를 주마 당사실에 복을 차고 다시 오려마 다시 오렴 색가마에 올라앉아 다시 오려마 다시 오렴 기화요초 없을망정 웃고 살면 그만이지 호사 없이 살지라도 내 가슴은 너를 주마."

까불거리는 잔별과 영롱한 왕별들 사이에서 별똥이 주욱 흘러 지나갔다. 묘옥은 젖은 눈을 감고 앉았다가 소반을 치웠다. 그러고는 헛간에서 새끼줄을 꺼내어 삽짝을 돌아나갔다. 노송이 어우러진 야산까지 가서 다른 여인들이 하는 대로 연줄(緣繩)을 걸었다. 묘옥은 길산의 영과 하직하고 이제 경순에게 모든 것을 바치기 전에 합환방수연리지(合歡芳樹連理枝)의 정성을 드리려는 것이었다. 일찍이 당진 가던 노중에서 고달근이 해우채를 받아 묘옥은 경순에게 몸을 맡긴 적이 있었다. 그때에는 손님 받는 사당으로 마음은 돌덩이처럼 굳어 있었으며, 이를 아는 경순도 끝끝내 묘옥을 건드리지 않았던 것이다. 묘옥은 연줄을 매어놓고 나서 부시를 쳐서 소지(燒紙)에 불붙여 올리며 나무를 왼쪽으로 돌아나갔다. 우리는 저 음양나무에 맨 연줄처럼 얼크러져 끊이지 않는 연분의 부부가 되려 하옵니다 하는 소망을 비는 것이다. 연리목에 치성을 드리는 사이에 묘옥의 육신은 달아오르기 시작하였다. 손끝을 태우기 전에 놓아버린 소지가 힘없이 흐느적이며 날아가 땅바닥에 사그라졌다. 묘옥은 가슴이 두근거리고 볼에 열기가 올랐다. 그녀가 삽짝으로 들어서려는데 마당에 희끄무레한 자취가 보였다.

"묘옥이냐……?"

"예, 어찌 나와 계십니까?"

"바람을 쐬러 나왔다."

묘옥이 경순의 팔을 붙들고 등을 살그머니 밀면서 속삭였다.

"그만 들어가 주무셔야죠."

묘옥이 어디 가서 무엇을 하다가 오는지 모르는 경순이었으나 그러한 태는 그의 오관을 콕콕 찌르는 듯하였다. 방 안에 들어서자 묘옥이 경순의 앞으로 다가서며 청하였다.

"나으리께서 치마끈을 풀어주십시오."

경순은 머뭇거리며 그녀의 검은 눈을 내려다보았다.

"오늘부터 저는…… 나으리의 계집이어요."

경순은 떨리는 손을 자제하며 치마끈의 매듭을 풀었다. 그러자 묘옥은 스스로 저고리를 벗었다. 단속곳 바람으로 묘옥은 웅숭그리고 이불 안에 쪼그려앉았고 경순도 저고리를 벗고 드러누웠다. 두 사람은 한동안 천장만 바라보고 있었다.

"밖에 나가서 치성을 드리고 오는 길입니다."

묘옥이 팔을 뻗쳐 그의 덥수룩한 턱수염을 쓰다듬으며 말하였다.

"무슨 치성을 드렸니……"

"저희를 잘 맺어달라구요."

하면서 묘옥은 경순의 겨드랑이 아래로 파고들었다.

"나으리…… 안아주셔요."

경순은 중년 사내답지 않게 떨고 있었다. 그의 손길은 마디마다 떨리고 어찌해야 좋을지 갈피를 잡을 수가 없었다. 경순은 자기도 옆으로 돌아누워 파고든 묘옥을 안았다. 거칠지 않게 포근히 감싸안고는 한 손으로 묘옥의 미끈한 등을 쓸어주었다. 묘옥의 손이 경순의 바지춤을 끌어내릴 때에야 경순은 느슨한 묘옥의 단속곳과 고쟁이를 벗겼다.

묘옥은 스스로 허리를 들고 다리를 구부려 그 껍질뭉텅이를 발치의 이불자락 밖으로 밀어냈다. 맨살들은 서로 닿아 부딪치자 팔딱팔딱 살아나서 춤을 추는 듯하였다. 다리들이 엉키고 가슴은 서로 밀착되어 절로 좌우로 비벼대는데, 묘옥은 경순의 몸을 이리저리 만지며 한 손으로는 그의 얼굴을 더듬었다. 경순이 위로 오르고 몸을 섞으면서 묘옥의 머리를 끌어안았으나 재간부리거나 서두르지 않고서, 어미새가 알을 깃 안에 감싸듯이 두 팔로 묘옥의 머리를 안고서 부드럽게 애무하였다.

강경 시진포(市津浦)에 누만 전의 부자가 있었으니, 여각에 객주에 상선이며 상단이며 갖추지 않은 것이 없는 대상(大商)이었다. 모두들 강경 원(元)부자라고 불렀는데, 삼남의 상인들은 강경 가서 그와 거래하지 않은 자가 없을 정도였으며, 심지어는 송상들까지도 그의 성명은 익히 들어 알고 있을 정도였다. 그가 오늘과 같은 부를 누리게 되었던 것에는 위로 한양 세도가인 모(某)가문의 입김에 크게 덕을 본 데 있다고 하였다.

지금은 호조판서로 있는 이의 아우가 아직 젊었을 때 원씨와 인연이 닿게 되었다는 것이다. 판서 아우가 일찍이 벼슬에는 뜻이 없고 가세를 이용하여 거금을 벌어보고자 하여 돈을 놓아 변리를 불리기도 하고 남에게 장사밑천 대었다가 물화를 늘려 받기도 하면서 치산을 해나가더니, 한번은 한량패들과 더불어 주연을 베풀어 노는 자리에서 비아냥거리는 말을 들었다.

사내 대장부로서 그만한 세도를 등에 지고 십만 전을 차고서 도회로 돌아다니며 대리를 취하지 못하다니 차라리 우리처럼 무과에나 오르는 게 낫겠소이다.

까짓 벼슬이야 마음만 내키면 내일 당장에라도 조보에 오를 수가 있네. 그러나 가형이 이미 출사하여 나가 계시니, 나는 가산을 도주공만큼 일으켜놓아야겠어. 설사 재상이 되었단들 밑구멍이 송곳처럼 될 정도로 빈한하여 무슨 소용이 있단 말인가. 벼슬이라는 것은 요즘 세상에는 재산 없으면 고작 해보았자 당상관에 오르기도 전에 외직 몇번 돌다가 내쳐지고 마는 게야. 그 이상이 되려면 식객도 거느려야 하고 따르는 파당도 있어야 하네. 그러려면 가산이 있어야지. 그래 도회지란 어디 말인가?

송도, 평양, 의주, 동래, 원산포, 함흥, 전주, 강경 등지를 꼽지요.

그의 전장이 마침 충청도에 있었으므로, 십만 전을 말 여섯 바리에 싣고 떠나 강경으로 내려갔다. 마침 봄과 여름이 바뀌는 철이라 해물이 한창이고 선박이 즐비하였고 인마가 구름처럼 몰려들어 안개 낀 집들은 벌집처럼 부산하였다. 그는 눈이 어지럽고 마음은 산란한데, 갈 만한 곳을 찾지 못하여 말을 언덕의 풀밭에 매어두고 턱을 괴고 앉아 있었다. 이때 해진 패랭이에 허름한 옷을 걸친 곁꾼 차림의 사내가 멀찍이 앉아서 담배를 피우는 것이었다. 사내가 바로 원씨였는데 한양 서방님이 말을 걸었다.

당신 어디 사오?

바루 강경 살지요.

강경이 대도회지란 말을 듣고 돈을 싣고 와서 보니 누구를 주인으로 삼아야 할지, 어떤 물건을 사들여야 할지 막연하오. 어떡하면 좋을지?

우리집이 요 아랜데 옹색하고 누추한 대로 처소를 정하시고, 물건을 사들임에 당해서는 의당 사람들이 경쟁하지 않는 걸 골라야지요.

그럼 내 당신 집에 묵으리다. 그리고 당신에게 돈을 맡길 터이니, 당신 임의대로 해보시오.

드디어 십만 전을 몰고 원서방을 따라 게딱지집에 당도하니 집이란 말뿐이어서 달랑 단칸방짜리 초가에 문도 없고 말을 세울 곳도 없었다. 그는 하룻밤을 묵으면서 원서방의 위인됨을 잘 살펴보고는 짐짓 일어나면서 말하였다.

돈은 이미 당신 수중에 맡겼으니 내 더이상 관여하지 않으리다.

이런 말세에 사람을 어찌 믿는다고 방임하십니까. 여기 계시면서 일이 되어가는 걸 보셔야죠.

당신이 속이지 않는다면 내가 간들 달라질 일이 무엇이요, 당신이 만약 속이려 한다면 또한 내가 여기에 머무른다 한들 무엇이 이로워지겠소?

하고는 한양 서방님은 말을 채찍질하여 떠나갔다. 원씨가 뒤쫓아가 말고삐를 잡고 물었다.

언제쯤 다시 내려오십니까?

내 평생에 지방 출입은 해보지 않았고, 이번 먼 걸음은 나로서는 괴이한 일이라 다시 오지 않겠으니 알아서 조처하시오.

성명은 뉘시며, 서울 어느 방(坊), 어느 동, 어느 골목에 사시는지요?

그는 자기 집과 가문에 대하여 짤막이 얘기해주고 나서 떠나간 후 일자무소식이었다. 원씨는 만인이 경쟁하는 바가 해물에 있고, 연초는 지천이라 남아 쌓여 통 거래가 없음을 보고, 십만 전을 모두 풀어 연초를 사들였다. 그것을 견고하게 포장하여 이곳 저곳 완옥(完屋)에 보관하였는데, 맡긴 집만 백여 군데나 되었다. 이듬해 연초가 품귀해져서 값이 열 배로 뛰어 일약 백만 전을 벌었다. 따로 이십만 전을 떼어놓은 나머지의 팔십만 전으로 시진포에다 여각을 차리고 밭을 장만하고 노비와 마소를 정비하여 졸지에 부호가 된 것이었다. 이에 원씨는 한양의 세도 권문인 서방님의 집을 찾아갔다.

서방님의 돈을 이용하여 일 년 만에 열 배의 재물을 모았습니다. 댁 앞으로 본전의 두 곱을 정하여두고도 팔천 냥이 내 몫으로 들어왔습니다. 이처럼 졸부가 된 터에 감히 와서 고하지 않을 수가 없습니다그려. 저와 동행하여 내려가셔서 상단 묶는 일을 보시고, 남방의 방물을 사들여서 배로 실어보내고 서방님은 육로로 상경하시지요. 내 기필코 해운하는 화물로 열 배의 이득을 다시금 보시도록 해드리리다.

하더니 과연 곁꾼으로 장바닥에서 반평생을 보낸 원씨의 경험과 판서 댁의 자본 및 권세가 서로 맞아떨어져서 상권을 잡는 일은 손바닥 뒤집기와도 같았다. 더구나 한양 모댁이 점점 위세를 더해가며 형은 돈을 주무르는 호조의 판서직에 오르고, 원씨와 줄이 닿게 되었던 아우는 선달에서 선전관으로 출사하게 되어 차츰 탄탄대로가 되어갔다. 그 무렵에 한양 벼슬아치들은 혹은 가노, 겸인 등속의 밥붙이들이나 시골 먼 친척 아니면 원씨 같은 지방 저자배들과 결탁하여 이를 도모하는 일이 흔하였다.

강경은 삼남의 심장부였으니 그곳의 상권을 장악한 원씨와 호조판서의 결탁은 가장 이상적인 관계가 되었던 것이다. 강경은 원래 은진현(恩津縣)에 속해 있으며, 공주 부여를 감돌아 내려오는 금강 줄기가 더욱 넓어져서 휘돌아 서해로 나아가는 중간지점이었다. 따라서 모든 상거래는 거의 수로에 의하여 이루어지며 송상이나 한양의 주상들이 강경을 드나들 적에도 바로 서해 수로를 타고 들어왔다. 원씨네서는 수시로 상선을 띄워 삼남과 경강(京江)을 왕래하였는데, 그중에 일 년에 두 차례씩 중선 두 척으로 호위한 상행(上行)이 있었으니 널리 알려진 사실이었다. 즉 사업의 반년 이익 중에서 분배금과 각종 진물을 진상하는 봉물이 실려 있었으며, 그 봉물짐은 한양판서 댁으로 올라가는 것이었다. 먼저 한양에서 무장한 가노를 거느린 판서 댁의 겸인과 서기가 강경으로 배를 타고 들어오면 틀림없이 사나흘 뒤에는 밤늦게 금강 수로를 세 척의 배가 빠져나갔다. 바야흐로 여름으로 접어들어 산야의 물산이 처음 나오는 때가 첫 상행이게 마련이었다.

강경산 봉수대를 감돌아나오면 금강 수로는 서쪽으로 뻗어나가며 강의 폭도 넓어져서 물살이 여간 빠른 게 아니었다. 특히 바다로 나가는 어귀는 간만의 차가 심하여 물때를 이용하면 삽시간에 바다 한복판까지 빠져나갈 수가 있었다.

중선 두 척이 배의 앞뒤를 지키게 마련인데, 변산반도 쪽에서 가끔씩 수적의 일당들이 금강 물목을 덮치러 나오는 때문이었다. 그들은 대부분이 도망 노비로 조직된 수적들이었는데 형세가 강고하여 관군이 여러차례 토벌을 하였건만, 멀리 내륙으로는 지리산까지 적굴을 두고 있다는 것이었다. 금강 물목만 벗어나면 교동 강화 수로까지는 별일이 없었으므로 전라수영에서 관선들이 몇척 나와 부근의 도서 주위를 순찰하곤 하였다.

원씨네 상단의 차인 행수가 대선에 타고 직접 물길을 살폈고, 한양 댁의 서기와 겸인은 각각 중선에 타고 있었다. 동이 틀 무렵하여 그들은 서해 어귀에 도착하였다. 몇척의 어선들이 살같이 빠르게 물목을 빠져나가고 있었다. 행수가 고물에 서서 살피며 도사공에게 물었다.

"관선은 나와 있는가?"

"예, 저쪽 섬돌이에 두 척이 나와 있는 모양입니다."

"앞 배와 간격이 머니 좀 늦추게 하라."

대선에서 고함을 쳐서 앞서가던 중선이 속력을 늦추었고, 뒷배도 바짝 대선에 가까이 다가왔다. 서해로 빠져나오고서도 주위에 수상한 배가 없는가 하여 그들은 경계를 게을리하지 않았다. 아래쪽에 십여 척의 대선단이 팽팽히 돛을 올리고 나아가는 게 보였다. 깃발을 보니 전라수영의 전선이 선도하고 있는 세곡선이다. 중선에서 북을 울리고 기를 올려 강경에서 나가는 배임을 알리도록 하였다. 원씨 댁 차인 행수는 그제야 마음을 놓았다.

"이젠 되었다. 대선단에 끼였고 호송하는 전선(戰船)도 함께 있으니 경강 수로까지는 별일이 없겠고나."

그들은 세곡선의 옆을 따라붙었다. 일기는 고른 편이고 바람도 알맞게 불어왔다. 가끔씩 고깃배가 그들을 비켜 먼바다로 나아갔다. 그들은 아산 앞바다를 지나 일로 북으로 향하였다. 일단 교동에서 배를 대었다가 임진 수로를 통하여 경강으로 거슬러오르기로 되어 있었다.

그들은 강화와 교동이 갈리는 곳에서 세곡선단과 헤어졌다. 그리고는 내쳐서 교동의 서쪽을 돌아 북나루로 들어갔다. 사흘 밤낮을 보내고 저녁녘에 삼강 수로의 정박지인 북나루에 당도한 것이었다. 그들이 선창으로 진입할 때 야거릿배 하나가 재빠르게 좇아오며 앞에 탔던 사내가 외쳤다.

"저희 객주에 드십시오. 배도 돌보아드리고 숙식비도 절반입니다. 한양에 기별을 보내실 급주도 준비되어 있습니다."

아무도 그에 답하는 이가 없더니, 작은 배의 사내가 계속 말을 걸었다.

"삼남서 올라오시는 길입니까?"

사공 하나가 무심코 대꾸하였다.

"강경 원대인 댁에서 올라오는 선단이오."

작은 배의 사나이는 자기네 유숙할 손님이 아니라고 믿었는지 다시 방향을 돌려 바다로 다른 배들을 좇아 사라졌다. 먼저 중선이 포구에 대어지고 곁에 큰 배가 그리고 다시 중선이 대어졌다. 닻을 내린 뒤에 수직할 자들만이 남고 원씨네 선단 사람들은 북나루에 올랐다. 그들은 자기네 단골 주막에 들어 물때를 기다릴 참이었다. 그들이 주막에 들어 봉놋방을 잡고 앉아 몇은 눈을 붙이고, 또한 몇몇은 대청에서 술을 마시는데 서너 명의 사내들이 들어와 맞은편에 섞여 앉았다.

"어이구, 컬컬하다. 술 좀 가져와라."

"그나저나 돌려태기를 하다가 그만두었으니 여기서 계속하지."

"술이면 술이고 노름이면 노름이지 잃구 나서 무슨 잔소리야. 얌전히 술이나 먹으라구. 물때에는 나가서 배를 띄워야지."

그러나 노름 얘기를 꺼냈던 자가 허리춤에서 딱지를 꺼내서 차곡

차곡 간추리며 패를 떼어보더니 다시 전대에서 돈을 꺼내어 무릎에 쌓아놓았다.

"젠장할, 돌릴 테면 돌려……"

"돈을 내놓아야지."

어쩌고 법석을 떨면서 그들은 제각기 엽전꿰미를 끌러놓고 앉아서 돈을 태는데 절그렁 소리가 요란하였다. 그러잖아도 무료하던 판에 원씨 댁 사공들은 기웃이 넘겨다보더니 이윽고 도사공 되는 자가,

"여보, 나두 한 판 끼입시다."

하였고, 돈을 긁어모으던 자가 쾌활하게 웃으며 대답하였다.

"한 판 아니라 몇판이라두 끼이슈. 돈만 던지면 누구나 패 잡구 먹는 게여."

돌려태기란 패를 나누어놓고 석 장을 잡아 가보를 찾는 것이니, 딱지를 나누는 자는 제 패거리를 슬며시 돌아다보더니 주욱 돌려주고,

"자, 오늘 일진이 잘 맞아떨어지네. 이런 끗발이면 배는 타지 않아두 되겠구나. 한 푼 두 푼 세 푼 모두 여섯 푼 던졌다. 나는 다 샀수."

"나두 사지."

그의 동료들도 제각기 돈들을 태니 새로 낀 도사공은 제 패를 들여다보고는 눈꼬리가 빳빳해졌다. 그도 그럴 것이 일 삼 오 가보였던 것이다. 패를 까고 도사공이 판돈을 모두 긁어가니 곁에서 넘겨다보던 다른 사공들도 끼이고 싶어서 바짝 다가앉았다. 그런 판이 두어 차례 돌아가고 나니 도사공 앞에 엽전이 수북이 쌓여갔다. 나중에 들어온 세 사내들은 툴툴거리면서도 종내 자리를 뜨지는 않고 엽전꿰미를 계속 뽑아던졌다.

드디어는 마루에서 술 먹던 자들이 모두 판에 끼여들어 가보잡기에 정신을 팔고 있었다. 도사공과 그 패거리들은 돈을 따기도 하고 잃기도 하다가 도사공이 나중에는 스멀스멀 돈이 나가기 시작하더니 드디어 한 꿰미를 모두 날리고 말았다. 그는 분이 올라서 다시 몇 사람에게 밑천을 구걸하여 태워놓고 패를 까기에 정신이 없었다. 노름판이 한창 무르익어 있었는데 갓 쓴 차인 행수가 큰기침을 하면서 대청으로 나왔다.

"아니, 물때가 되었을 텐데 배를 띄울 생각들은 않구 뭘 하는 겐가?"

그러나 도사공은 그쪽에 얼굴도 돌리지 않고서,

"어디 물때가 한번 가면 안 온답디까, 괜찮습니다."

건성 대답하니, 차인 행수는 노기가 벌써 안면에 가득하여 주막 주인을 불렀다.

"밀물때가 되었소? 상행인데……"

"때가 된 게 뭡니까. 벌써 시작했는데요."

"아니, 그러면 상행 배는 모두 떴는가?"

"예, 벌써 배들이 포구를 떠나더군입쇼."

차인 행수는 노름판이 되어 있는 돗자리 방석을 홱 들쳐서 엎어버렸다.

"배를 띄우지 못하겠나?"

"허, 이런 경우가 있나. 여보, 아무리 당신네 아랫사람들이라 하나, 남의 노름판을 뒤집는 실례가 어디 있소."

다른 패 중에 두건을 깊숙이 내려쓴 사내가 차인 행수에게 얼굴을 붉히며 대들었고, 그의 일행도 들고 있던 패를 동댕이치며 일어났다.

"젠장, 우리가 무슨 댁네 노복이라두 된다우. 무슨 행패야……"

행수는 판돈을 모두 발로 밀어내면서 그들을 오히려 꾸짖었다.

"이놈들이 감히 누구게 대고 성을 내는 거야. 어디서 봉놋방이나 노리고 다니면서 사공들 급료나 후리쳐내는 모양인데, 당장 잡아다 승선을 시켜서 경강까지 끌구 갈까. 아예 한양 포도청에다 떨구어버릴 테다."

그들은 곧 풀이 죽더니 슬금슬금 판돈을 추려서 일어나려 하였다. 도사공이 아직도 제 밑천을 건지지 못하였는지라 그중 한 사내의 멱살을 잡고 흔들었다.

"딴 돈 내놓아라."

그러나 아예 사그라진 줄 알았던 그들은 다시 열을 내어 도사공의 멱살을 마주 잡고 대들었다.

"별놈 다 보겠군. 누가 땄는지 알 수도 없고, 설사 그렇다손 파흥을 해버리고 판막음시킨 것은 네놈들인데 적반하장도 분수가 있지."

도사공이 멱살을 잡히는데 다른 사공들도 참지 못하여 제각기 다른 자들을 붙들고 실랑이가 벌어졌다. 행수는 혹시 망신이라도 당할까 하였는지 몇번 호통만 내지르다 뒷전에 물러났다. 이러느라고 또 한 식경쯤이 덧없이 지나간 연후에야, 주막 주인과 그들 일행 중의 뒤늦게 나타난 자들이 가운데 들어서 사화를 붙여 다툼은 끝이 났다. 곧 판돈을 공평히 나누어 갖자는 데 합의를 본 것이었다. 행수는 겸인과 더불어 배가 뜨는 시각이 늦어지는 것에 안달을 하였으나, 도사공이 워낙 수로에 소상하고 문제없다는 장담이 거듭되어 그들은 늦은 대로 닻을 올리고 선창을 떠났다. 아직은 만조인지 임진 예성 수로가 합치는 북나루와 승천 사이의 십자 수로에는 사주와 암초가 보이질 않았다. 물은 육지 가녘에서부터 흐름이 완연한 복판으로 돌며 굽이치는데 바닷물이 가세하여 익숙한 사공도 소용돌이 가운데서 물길을 잡기가 힘이 들었다.

강물은 역류하고 강화 북단으로 가느다란 흐름이 있으니 외줄기 수로를 타고 오르다가 임진 수로의 중반에 가서야 겨우 바다의 영향권을 벗어날 수가 있었다. 동남풍이 순조로이 불고 새벽별이 비치매 갑자기 급한 바람이 일거나 비가 올 날씨는 아니었다. 호위하여 왔던 중선 두 척은 교동 북나루 선창에 남고, 조운선(漕運船)만이 경강으로 오르게 되었던 것이다. 그들이 십자 수로에서 벗어나지 못하고 한참이나 갈팡질팡하다가 겨우 수로가 안정되어 강화 북단의 승천나루 앞을 지나는데 물이 썰기 시작하였다. 돛은 올리나마나 소용이 없고 노꾼 열둘이 죽을 힘을 다하여 노를 저었으나 소용이 없었다. 이맘때에 그들은 임진 수로 깊숙이 들어가 있어야만 하였던 것이다. 해암나루에서 동남으로 접어들면 곧 경강 수로가 나오는데 강화 수로마저 통과하지 못하였으니 여울에 빠진 가랑잎과도 같았다.

"하는 수 없다. 배를 돌려서 다음 물때를 기다려야겠다."

차인 행수의 닦달을 각오하며 도사공이 명하였다. 다시 서쪽을 바라보고 선수를 돌리자 배는 급류를 뱃전에 받아 기우뚱거렸다.

"키를 바로 잡고 돛을 내려라!"

돛을 내리고 방향을 돌리니 그제야 썰물에 실린 배가 쾌적하게 빠져나가기 시작하였다. 그들이 거의 십자 수로에 이르렀을 즈음 맞은편의 예성강구 당두포(堂頭浦) 산봉우리 아래쪽에서 날렵한 배 한 척이 엇비슷이 그들의 수로에 접어들어 나란히 다가왔다. 강경 상단의 조운선에서는 배의 자취만 어렴풋이 느꼈을 뿐 거의 어떤 형상의 배인지 알아보지 못하였다. 물살이 빠른데다 양편에 열 명씩의 노잡이가 가세하여 저으니 배는 잔잔한 웅덩이 위로 미끄러지는 물뱀과도 같이 다가왔다.

"관선인가…… 빠르기도 하다."

도사공이 의아하여 중얼거렸으나 배가 두어 길 거리만큼 다가오더니 노를 접었고, 뱃전에 불쑥 머리를 드러낸 장정들의 자태가 보였다. 조운선에서는 더욱 정체를 몰라서 얼떨떨하는 중인데 뭔가 휘익 바람 가르는 소리를 내면서 날아와 이쪽 뱃전에 투덕투덕 떨어졌다. 그것은 밧줄에 매어진 여덟 자 꺾쇠였다. 줄을 당기면서 장정들이 일어났고 그들은 아뭇소리 없이 이쪽 뱃전으로 날렵하게 뛰어넘어오기 시작하였다. 그제야 도사공이 외쳤다.

"수적이다!"

그러나 이미 때는 늦어서 뱃전을 넘어들어온 자들이 사공 두어 명을 단칼에 베어넘겼다. 그들은 아무 고함도 없이 뚜렷하게 목적한 대로 행동하였다. 우선 몇명은 화승총을 겨누고 선실 입구가 있는 판자 앞과 이물을 막아섰고, 나머지는 반항하려는 사공들을 혹은 칼로 베고 찌르며 견제하였으며 그중 하나가 잽싸게 뛰어가 고물대의 키잡이를 꿇어앉히고 대신 자리를 차지하였다. 그제야 저쪽 배에서 한 사내가 건너뛰어와 명하였다.

"배를 떼어놓고 앞장서라."

밧줄들이 걷혀지고 돛대를 뒤로 완전히 젖혔던 그 배에서는 두 돛대를 올리고 돛을 올렸다. 십자 수로는 저만큼 벗어나 있었으며 교동 앞의 너른 바다가 펼쳐지는 중이었다.

"네가 이 배의 도사공이냐?"

무장도 하지 않은 두목인 듯한 사내가 꿇어앉은 사공들 틈에서 도사공의 목덜미를 잡아일으키며 물었다. 도사공이 그렇다고 대답하니 그는 계속 말하였다.

"우리가 시키는 대로 하면 목숨은 물론이려니와 배도 온전히 보내주겠다. 그대신 조금이라도 맞서려는 기미가 보인다면 모두 하백 앞으로 수장을 지내주마. 이 배가 경강으로 오르는 본선이 틀림없는가?"

"예, 그러하오."

"호위선은 북나루에 있는가?"

"그렇습니다."

"차인 행수와 한양 사람들은 이 배에 타구 있으렷다."

그는 이 배의 내막을 소상히 알고 있는 모양이었다. 그는 졸개를 지시하여 선복 판자 아래의 선실에 있는 자들을 끌어내라 일렀다. 그들이 타고 왔던 배는 앞서서 천천히 헤쳐나가고 있었다. 가끔씩 고깃배가 지나갔으나 어둠속을 항해하는 사이좋은 두 배를 의심하는 것 같지는 않았다. 그들은 행수와 서기와 겸인을 모두 끌어내어 갑판에다 무릎 꿇게 하고는 단단히 결박을 지었다. 그러고는 선복에 실린 봉물짐들을 갑판으로 져날랐다. 날이 부옇게 밝아오고 있었다. 그들은 다시 포로들을 비좁은 선실 판자 아래로 몰아넣고 바다 가운데서 닻을 내리고 배를 멈추었다. 연안의 유두곶을 돌아나간 해서 지경인 반니도(班尼島) 부근 해역이었다. 수적들은 갑판으로 끌어내었던 봉물짐들을 가까이 대어진 자기네 배에다 옮겨실었다. 그러고는 쌍돛을 올리고 서북방을 향하여 나아가더니 수평선 너머로 사라져버리고 말았다. 파도에 부서진 햇살들이 여러 수만 조각으로 반짝이고 있었다. 약탈당한 강경 상단의 배는 정오 무렵까지 한가하게 바다 가운데 떠 있었다. 어선단도 지나가고 세곡선도 지나갔으나 평화롭게 떠서 찰랑대는 그 배를 별로 이상스레 여기지는 않았다. 마침 해주서 용매섬을 지나던 사후선이 반니도를 돌아나가다가 그 배를 발견하였다. 사후선의 임무란 해로의 기찰에 있으므로 그냥 지나칠 수 없어 다가가게 되었다. 군관이 하나, 키잡이와 노꾼과 포수를 합하여 병졸 여섯인데 연안 순시선이었다. 가까이 가보니 갑판에는 사람의 흔적이 없어 비워진 배가 적실하였으나 사후선 규모로는 예인도 불가능하였다. 표류한 배치고는 너무도 말짱하였으므로 군관이 몸소 올라가 수색을 하다가 선복 판자 아래서 묶인 사람들을 발견하였다. 그들은 제각기 입을 열어 수적에게 약탈당하던 일을 상세히 말하였다.

"혹시 청인이나 왜구의 배가 아닙디까?"

"아니오, 우리네와 똑같은 행색입디다. 실로 행동이 기민하고 잔인하여 손써볼 틈도 없었지요. 사공 셋이 죽었습니다."

"거침없이 베어죽이고는 곧 바다에 던져버렸지요. 삼남 해역에만 수적이 극성한 줄 알았더니 바로 경강의 코앞에서 당했소이다."

수군 장교는 아직도 믿어지질 않는 모양이었다.

"배는 어떻게 생겼습디까?"

대꾸하던 겸인이 도사공을 돌아다보았다.

"글쎄요, 어두워서 자세히 살필 틈이 없었습니다. 처음에는 관선인 줄 알았지요."

"관선이라면 전선을 말하는가?"

"우리 배보다는 뱃전이 낮고 좁은 것으로 보아 병선(兵船)만이나 할까요?"

군관은 머리를 흔들었다.

"그럴 리가 없는데, 좌우지간 우리가 교동까지 호송을 해드리지."

단단히 혼이 난 강경 상단의 사람들은 기진맥진하여 북나루에 당도하였고, 이어서 급주를 한양으로 보내어 사건의 전말을 판서 댁에 알리는 한편 강화유수에 통기하여 수적의 적경을 알렸다. 그러나 수영진장과 만호는 흔히 인근의 강과 바다에서 일어나는 좀도적들의 짓이거니 믿고 있어서 대단치 않게 여겼다. 따라서 그뒤에 몇번 상선이 습격을 당했을 때까지도 그리 신경을 쓰지 않았던 것이다.

드디어 그해 가을 무렵하여 평안도에서 올라오던 상선들이 약탈을 당하여 해서의 사후선 두 척과 병선 한 척이 소청(小靑) 근해에서 수색을 하다가 수상스런 배를 포착하게 되었다. 그 배는 얼핏 보아 흔히 있는 상단의 중선과도 같았으나 그보다는 폭이 좁고 기름하였다. 쌍돛을 잔뜩 부풀리고 북쪽을 향하여 치닫고 있었다. 우선 북을 울리며 방향을 잡아 뒤를 좇았으나 여느 배 같으면 관선의 정지신호를 받고 멈추어 지시를 기다릴 터인데 아무런 반응도 없이 항해를 계속하는 것이었다. 병선이 앞장을 서서 그 배를 추적하였다. 대청(大靑)을 지날 때까지 비슷한 간격으로 추적은 계속되었으나 황당선의 속력이 비상하여 따라잡지 못하였다. 햇무리가 보이고 구름이 서향(西向)하니 반드시 비가 올 조짐이 보였다.

대청도의 기암절벽이 수중에 솟아 기관(奇觀)을 이루어 수평선에 병풍처럼 서 있었다. 곧 이것이 매의 떼가 몰려와 사는 분암(粉岩)이었다. 앞에서 달아나던 배가 서쪽으로 방향을 돌리더니 분암의 벽을 향하여 달리는 것이었다. 병선에서는 그 배가 상륙할 곳을 찾는 줄 알고 잘되었다며 좇아나갔고 두 척의 사후선도 병선을 따라서 나가다가 황당선이 돌아나간 섬의 반대편으로 접어들었다. 배의 앞뒤를 찔러 포위하려는 뜻이었다.

그러나 이것은 황당선 쪽에서 바라던 일이었으니 화력의 분산으로 하나씩 상대할 수가 있었던 것이다. 병선은 서향을 잡고 분암을 돌아 나가는데 바람이 불고 파도가 높아져서 절벽을 때리고 마주쳐 밀려나오는 물결 때문에 방향을 제대로 잡을 수가 없었다. 비가 부슬부슬 뿌리기 시작하였다. 분암의 돌출부를 돌아나가면 그 안쪽에 배를 댈 만한 작은 만이 있었다. 병선에서는 포수들을 이물간 앞에 붙여두고 적당한 거리에 배가 나타나면 방포할 작정이었다. 분암 돌출부를 돌아서 들어가는데 그때에 겨우 천여 보 앞에 황당선이 떠 있었다. 그 배는 돛대를 모두 내리고 만 안에 고요히 떠서 병선이 나타나기만을 기다리고 있었던 것이다.

요란한 폭음이 들리며 포탄이 날아와 뱃머리를 맞혔는데 이물간이 부서져나간 것은 물론이요, 거기 엎드려 있던 포수도 즉사하였다. 호포 한 방으로 병선의 무장을 해제시킨 수적들의 배는 연이어 노를 저으며 만을 빠져나가 병선의 측면이 보일 만한 곳까지 가서 다시 방향을 돌렸다. 수군들은 뱃전에 붙어서 화승총을 내놓고 쏘았으나 상대편 배의 노꾼들은 상투 끝도 보이질 않았고, 번철만 한 방갑이 앉은 자리마다 붙어 있어 총탄에 맞아도 소용이 없었다. 다시 번쩍 하고 폭음이 들리며 병선은 진저리를 치듯이 흔들렸다. 키가 달린 선미 쪽의 딸딸이 받침이 날아가버렸다. 이제 배는 방향을 잡을 수 없는 장님이 되어버린 것이다. 부서진 선미로부터 물줄기가 새어들어왔다. 간단히 포 두 방으로 관선을 제압한 적선은 바로 가까이까지 다가왔다가 엇비슷이 방향을 틀어 뒤로 빠져나갔다. 수군들은 제각기 환도와 장창을 꼬나잡고 엎드려서 단병접전(短兵接戰)할 태세를 갖추고 있었으나 배가 차츰 기울고 스며든 물이 선미의 밑창에 찰랑거렸다.

적선에서는 화승총 한 방 쏘지 않고 그대로 섬 주위를 돌아나갔다. 사후선 두 척은 포성을 듣고서 전투가 시작되었음을 알고는 방향을 돌려서 다시 동북방으로 섬을 돌아나오는 중이었다. 그러나 키잡이와 노꾼이 도합 대여섯에 포수도 없는 사후선이 민간 세곡선이나 어선도 아닌 무장선을 어찌 기찰할 수가 있으랴. 병선만을 믿고서 마주 내달아오는데 앞에 문득 나타난 배는 적선이었다. 이미 방향조차 돌리지 못할 거리였다. 두 사후선은 각각 좌우로 벌어져서 적선의 날카로이 치솟은 선수를 피하기에만 여념이 없을 정도였다. 황당선은 유유히 진로를 계속하여 그 사후선들의 가운데로 다가왔다. 수군들은 솔개미 바라보는 병아리들마냥 무력하게 겁에 질려서 옆으로 빠져나가는 배를 올려다보기만 하였다. 좌우로 열 대의 노가 규칙적으로 움직이고 있었다. 비는 더욱 거세어졌는데 사후선은 가랑잎같이 흔들거리건만 그 배는 돛을 전부 내리고 화살처럼 저어서 섬을 빠져나갔다.

대청도 앞바다의 작은 충돌로써 해서 일대와 경강 어귀에 수적이 발호한다는 것이 증명이 된 셈이었다. 그러나 관선에서는 기찰을 하려도 워낙에 그쪽 해로에 갖가지 조운선 세곡선 어선 들이 많아서 수적의 배가 어디서 나타나는지 가늠할 수가 없었다. 그리고 수적들은 정확한 내사를 하고 어느 배가 무엇을 싣고 어느 방향으로 가는지를 알아내고는, 눈 깜짝할 사이에 덮쳐 빼앗고는 곧 광대무변한 바다로 사라지는 것이었다. 관선이 가끔 외떨어진 어선이나 상선들을 정지시키고 수색할 적도 있었으나, 그들이 딱히 수적의 도당인지 분간해낼 도리가 없었다. 해서의 포와 도서에 있는 수군 진영이나 강화 교동 근처의 영에서는 두어 달에 한두 차례씩 일어나는 수적들의 습격 때문에 골머리를 앓았다. 심지어는 그들이 서해 근방에 가끔씩 출몰하는 왜나 청의 수적들이 아닌가 여겼다가, 적경을 고한 상인들에 의하여 변산 일대의 수적들과 같은 아조의 백성들임이 밝혀지기도 하였다. 너른 바다에서 불쑥 나타났다가 사라지는 배 한 척을 찾기란 짚더미 속에서 좁쌀 한 알을 집어내듯 어려운 일이었다. 따라서 서해를 항해하는 배들에게 선단을 이룰 것과 각별히 경계하여 자위하라는 주의를 줄 따름이었다.

수적들이란 곧 우대용의 일당이었으니 두목이 대용이요, 항해를 책임지는 도사공은 박성대가 맡고 있었다. 그들에게는 따로 중선과 소선이 한 척씩 있었으니 약탈한 물건을 송도나 강화로 부리러 가는 것이었다. 그 배들을 석범철이 맡아 운영하였으며 교동의 주막에는 석서방의 식구와 홍천수의 식구가 있었는데 홍천수는 주로 모신이와 연락하여 물건을 한양에다 먹였다. 그들의 선착지는 예정하였던 대로 장산곶을 지나자마자 불타산의 또다른 산줄기가 닿은 으슥한 만이었다. 조니포와 멍구미섬은 위로 시오 리가량 나아가서 있었다. 그들은 오차포를 지나서 소금바위섬이 있는 어름에 배를 대어놓고 밤이 되기를 기다리는 것이었다. 일단 어두워진 연후에 장산곶을 몰아나가는데 배에서 횃불을 올리면 선착지에서 역시 불빛으로 신호를 하도록 되어 있었다. 배가 송림 사이의 비좁은 만에 대어지면 거기서 개천처럼 파헤쳐진 인공 수로를 통하여 밧줄로 배를 끌어들이는 것이었다. 배가 완전히 숲 안에 들어오면 솔가지로 이리저리 덮어놓았다. 거기서 중선이나 소선에 약탈한 물건들을 옮겨싣고는 밤을 타고 해주, 송도, 경강 등지로 그때의 시세를 따라 운반해나갔다. 벌써 반년 가깝도록 장산곶 부근의 숨겨진 선착지를 이용하였으나, 아무래도 기찰군관이나 밀고자에게 뜨일까 하여 우대용 일당은 마음을 놓을 수가 없었다. 따라서 뚝 떨어져 관서까지 올라가 으슥한 무인도를 정하기로 하였다. 뿐만 아니라 남의 산채에 빌붙어 더부살이를 하자니 불타산 두령인 첫봉이의 눈치가 보이는 것이었다.

그들은 그해에 벌써 대여섯 차례의 벌이를 통하여 자기네 은거지를 가질 만큼 형세가 불어났다. 벌이를 하고 나서 산채에서 은거하던 어느날 강선흥에게서 전갈이 왔으니, 송도서 박대근 행수가 왔다는 것이었다. 우대용은 인편에만 소식을 전하고 있다가 드디어 그가 달마산을 찾아왔다는 말을 듣고는 부랴부랴 해지점으로 나아갔다. 달마산 산채에서 우대용은 박대근과 이갑송을 만났다. 선흥이는 그들을 부여잡고 어린아이처럼 느껴 울었다. 세월은 그들로 하여금 이렇게 다른 모습으로 만나게 한 것이다.

| 제2장 |

귀소
歸巢

1

은율 장림(長林)은 구월산 서쪽에서 흘러내린 물과 묵산 북쪽에서 흘러내리는 물이 합쳐져 한내[漢川]를 이루고 가녘에 보를 쌓았는데 그 위로 자라난 숲을 이르는 것이다. 이 숲은 울창하기가 큰애기의 삼단 머리카락 같아서 햇빛도 들지 않도록 빽빽한데 바람맞이인지라 나뭇잎과 가지가 서로 비벼대는 소리가 항상 파도와도 같다.

곳곳에 소로가 있기는 한데 휘늘어진 나뭇가지를 이리저리 젖히며 근 오 리 사방의 숲을 헤집어나가야만 하였다. 봄에 답청철이 되면 숲가에는 술자리가 여기저기 벌어지고 여름철에는 더위를 피하는 한량들이 모여들었고, 가을 또한 단풍이 그럴듯하여 좋은 정치(情致)를 이루던 곳이다. 또한 그뿐이랴, 활달하고 거칠 데 없는 상것의 남녀가 제멋대로 눈 맞고 배가 맞아 통정하는 곳이기도 하였다.

연중에 가장 심할 적이 단오절이니 그날은 일반 백성들뿐만 아니라 천예(賤隷) 노비들도 모두 쏟아져나와 각색 놀이를 즐기고 구경하니 자연히 장림에서는 음사가 심심치 않게 벌어지곤 하였다. 그래서 말깨나 한다는 한잡배가 일컫기를, 장림춘색(長林春色)은 운우지수(雲雨之水)로 번창한다 할 지경이었다. 따라서 일반 부녀자가 그 근처에서 얼씬하기라도 하면 실절(失節)이나 한 것처럼 쑤군거렸다. 장림에 바야흐로 추색이 깃들여 나뭇잎은 각색으로 변하였는데 들새가 가득 날아들어 지저귀고 있었다.

도화는 읍내를 벗어나서 역참거리로 내려가다가 누가 보는 이가 없는가 살피고 나서 얼른 숲으로 내려갔다. 그녀는 숲으로 뛰어들고 나서 할딱이는 숨을 진정시키노라고 잠깐 주저앉아 있었다. 숲속에는 켜켜로 낙엽이 떨어져 폭신하고 그것의 썩는 싱그런 냄새가 가득 차 있었다. 도화는 갑송이가 집을 비우기만 하면 잇달아 탑고개를 내려오는 버릇이 들어 있었다.

그 버릇은 날이 갈수록 심하여졌고 갑송이가 집에 있을 적이면 공연히 짜증을 내고 한숨을 쉬고는 하였다. 탑고개의 다른 식구들이 대강 눈치는 채고 있었으되 갑송이에게 넌지시 일러주지 못하였던 것은 그가 제 처를 남달리 끔찍하게 사랑하는 때문이었다. 도화는 아직도 아이를 낳지 못하였으며 봉순이가 달덩이 같은 아들을 낳아 놓은 뒤부터는 갑송이도 더욱 안달이 나서 은근히 아내의 몸에 이상이 없는가를 묻곤 하였다. 그러나 갑송이의 성격이 자상하지를 못하고 정을 표함에 있어서도 우악스러우니 온갖 남자를 접했던 사당인 도화가 안타까워지는 것도 당연하였다. 다감한 도화로서는 무지하고 바위 같은 갑송이가 원망스럽기만 하였다. 도화는 얼굴이 곱상하고 말씨 부드러우며 태가 점잖고 손길이 은근한 서생을 좋아하였다.

그녀의 첫사랑이던 유도령이 그러하였거늘 어찌 갑송이께로 마음이 기울어지겠는가. 곰퉁이, 밥쇠, 못난이 하면서 제풀에 노여워 애꿎은 주발을 동댕이치기도 하고 혼자서 가슴을 쥐어 비틀며 달래고는 하였다.

도화가 읍내의 배서방과 통정하다가 그가 얼씬도 않게 되자 틈만 있으면 탑고개를 내려가 기웃거리더니, 다시 만나게 되었다. 그자는 집을 떠나는 길산에게 마침 적발되어 혼찌검이 난 뒤로는 아예 탑고개로 얼씬하려 들질 않았다. 그러고는 주변의 한량들에게 도화와 통정하기를 권하였으니 나중에라도 무슨 일이 일어나면 혼자 책임을 지지 않으려는 생각이었다. 도화는 처음에는 빼는 체하다가 다른 사내와 한번 그러고 나서는 별로 싫은 기색을 보이지 않았던 것이다. 그중에 가장 마음이 가는 사내가 있었는데 조산벌 부자의 데릴사위인 안(安)서방이었다.

안생은 배서방처럼 은율서 밥깨나 먹고 지내는 처지인데 본시는 처갓집 서기의 아들이었다. 궁중미가 나는 조산틀 쌀이라면 차지고 기름진 것으로 유명한데 이 조산틀에 수백 결의 토지를 가진 그의 처가에서 더부살이로 자라난 자였다. 그러니 원래부터가 남의 행랑붙이였던 셈이다. 주인에게 외동딸 하나만이 있고 후사가 없더니, 하는 수 없이 그래도 한울타리 사람이 믿을 만하다 하여 영리하고 인물도 잘난 제 집 서기의 아들을 사위로 삼았던 것이다.

『명심보감(明心寶鑑)』에도 졸부귀불상(猝富貴不祥)이라고 하였거늘 갑자기 행랑채에서 작은사랑으로 올라앉아 부가옹의 유산을 상속받을 유일한 사위님이 되었으니 몸은 편할망정 마음에 병이 들었던 것이다. 아내가 은근히 그를 멸시하며 집안 천예들까지도 그의 말이라면 슬슬 코방귀를 뀌는 것이었는데 안생이 어려서부터 그들과 함께 자라났고 동무였던 까닭이었다. 그는 차츰 집에 있는 것이 불편하여 도저히 견디지를 못하였고 읍내의 할 일 없고 신관 편한 한량들과 어울리다 보니 집을 메로 삼게 되었다.

그의 동무들이 집안 내력을 잘 알면서도 안생을 받아주었던 것은 그가 놀이 비용의 대부분을 대었기 때문이다. 체면 때문이라 하여 서기 하던 그의 아비와 가족들은 솔가하여 따로 나갔는데, 그 직임을 자연히 안생이 맡아서 미곡 수십여 석쯤은 마음대로 할 수가 있었다. 이러한 은율의 한량잡배가 대략 칠팔 인이 되었는데, 시회 핑계로 주연이요, 활쏘기 핑계로 오입질을 하며, 인근 사방을 몰려다녔다.

배서방은 길산에게 들킨 뒤에도 정작 도화의 서방인 갑송이는 전혀 눈치도 모르는 벽창호임을 알고 나서, 차츰 기탄이 없어져 무시로 사람을 보내어 도화를 내려오도록 하였다. 재미있는 여인이 있으니 국초의 어을우동(於乙于同)이 환생한 듯하다고 말하여 주위에서 모두들 군침을 삼켰다. 그들은 시회를 한답시고 탑고개 가까이의 계곡에 나아가 도화를 불러오게 하였고, 도화 역시 갑송이가 된목이골에 나아간 참이라 기꺼이 놀러 나왔다. 그러고는 노래와 춤으로 즐긴 연후에 그 자리에서 눈 맞은 안생과 더불어 물가에서 어울렸다.

안생이 말하기를, 만약 그대의 맛을 음식에 비하자면 팔진미나 표태(豹胎)와 같고 우리집 년은 명아줏국이나 보리밥과 같네, 하였다. 그러나 안생은 역시 데릴사위인지라 소문이 나는 것을 두려워 않을 수가 없었다. 그래서 날이면 날마다 도화를 만나고자 애를 키우는데, 마침 그 서방이 멀리 출타했다는 것을 듣고는 대뜸 사람을 보내어 내려오라 일렀다. 그는 행음도 행음이려니와 우선 급한 의논이 있었던 것이다. 도화가 몇번 만났던 장소에 앉아 있으려니 기침소리가 들리며 흰 옷자락이 어른거리는 게 보였다.

"여기예요."

알려주며 일어나니 키가 훤칠하고 눈은 어글어글하며 낯빛이 희멀끔한 사내가 숲 안으로 들어섰다. 들어서자마자 그는 계집의 손목을 잡아끌어 안으려 하였다. 도화가 허리를 틀며 그의 가슴을 밀어내었다.

"아이, 백주 대낮에 선비님이 이게 무슨 짓입니까."

"얘, 말 마라, 나는 아예 숨넘어갈 뻔하였다. 이제 벌써 한 달이 지났지 않느냐. 느이 서방은 어디에 갔니?"

"송도 댕기러 갔나 본데, 한 달포 집을 비울 거예요."

"거 참 잘되었구나."

"마을 사람들 눈두 있으니까 대낮에 사람을 보내구 그러지 말아요. 만약에 우리집 곰퉁이가 알면…… 나는 물론이구 선비님두 맞아 죽을 거예요."

도화가 눈을 흘기며 말하였고, 안생은 껄껄 웃었다.

"도둑놈은 한 죄요 잃은 놈은 열 죄라구 않더냐. 제놈이 서속밥 먹고 팔심이 약간 세다구 하나 천생 광대가 우리를 어찌하겠니. 은율 읍내에 내려와 활개만 치면 즉시루 잡아다가 관가에 떨굴 작정이다. 그래두 너를 보아 모른 척하는 것이지만 탑고개에 수상한 자들이 모여 산다는 건 우리두 대강 알구 있다. 구월산의 화적당들과 한통속일 것이다."

도화가 아무리 다른 사내와 배가 맞았다손 치더라도 그런 말에 함부로 끄덕일 수는 없었다.

"아이 참 뻔뻔하기는…… 남의 계집 후려내구, 화적당이 따루 있답디까?"

"그건 내가 할 소리다. 너를 만나 우리집 것은 서방 두고 홍살문 세우게 되었구나."

"안에서 아시면 쪽박 들고 쫓겨나는 신세이시니, 사내 대장부가 배알없이 그런 더부살이를 어이 하시겠수."

두 사람은 낙엽을 깔고 누워서 서로 툭툭 치며 이런 농을 주고받았다. 도화가 한숨을 폭 쉬고는 하늘 위에 떠가는 구름을 올려다보았다.

"이년의 팔자 기박하기두 하다. 어쩌다 산중에 묻혀서 먹는 것은 서속밥이요, 입는 옷은 무명 치마, 서방이라는 게 아내 괼 줄 모르는 반편이니, 차라리 시집 못 가구 연희나 나댕기던 사당질이 좋았구나. 백련이가 부러워 죽겠네. 이것 봐요, 날 데리구 어디 해주나 송도나 한양 같은 대처루 가서 살아요. 한 몇백 냥 준비하여 떠나면 우리 둘이서 끼니 걱정 않구 유복하게 살 수 있다우."

안생은 옷과 도포를 벗어 나뭇가지에 걸고 도화의 치마를 슬슬 걷어올리며 말하였다.

"내게 다 생각이 있다. 오늘 그렇지 않아두, 우리집 아이를 보내어 돈을 치르게 하였는데…… 너두 마음에 들 게다."

"그까짓 패물이나 옷감 따위는 사주어도 가질 수가 없어요."

"우리가 만날 집을 구해두었다."

안생은 한내를 북쪽으로 올라가 그의 집동네가 있는 반대편의 건지산 아랫녘에 방이 세 칸 딸린 아담한 초가를 구입해놓았던 것이다. 원래 누가 살다가 옮긴 빈집이었던 것을 싸게 사들여 수리해두었던 것이다. 위치가 마을에서 벗어나 으슥한 산길 초입에 있으니 밀회를 하기에도 안성맞춤이었다.

"잘하셨어요. 그 집에 입 무거운 할미나 데려다놓으면 좋겠네요."

"다 조처해두었다. 네가 집에서 나올 수 있을 제 언제든지 산을 내려와 알리면 된다. 우리가 만나고 싶거나 같이 지내고 싶으면 그 집에 가서 열흘이구 보름이구 함께 살 수 있게 되었다."

"동무들께 알려주지 말아요. 번거롭고 또 한 입 건너 말이 퍼지면 큰일나요."

"이건 아무도 모른다."

안생이 더 참지 못하고 도화의 치마를 걷어올리고 속곳을 벗기니 희고 따스한 배와 팽팽한 허벅지가 드러났다. 도화는 백주가 부끄러워 두 다리를 오므리며 낙엽 위에 드러누웠는데, 안생이 바지를 급히 내리고 엎드렸다.

안생이 도화에게 오금을 못 쓰고 빠져버린 것은 그의 성정이 원래 음탕해서가 아니었다. 행랑살이로 잔뼈가 굵어 대번에 데릴사위가 되고 나서 생전에 겪어보지 못한 운우를 도화로부터 겪게 되었고, 집안에서는 늘 기를 펴지 못하는데 도화는 심정으로 만만하였던 것이다. 처음에 읍내의 악우들과 놀러 가서 도화와 어울릴 제 그녀가 남의 처라는 기이로움과 또한 본래부터 지니고 있는 요기에다 능숙한 행음질에 중도에서 토설하고 말았다.

안생의 어린 처는 다만 사지를 내던지고 죽은 듯이 누워 있거늘 웬일인지 양물이 움츠러들어 방사가 도저히 이루어지지 않았다. 공연히 새벽잠을 설치고 찌뿌듯한 몸으로 아침을 맞곤 하였다. 그것은 아가씨로 대하였던 느낌이 여전히 남아 있는 탓이기도 하였다. 도화가 안생을 접하고 보니 배서방이나 그의 동무들과는 달리 사람이 유순하고 야무진 데가 없었다. 도화는 본시 색정이 강하고 나긋나긋한 괴임을 목마르게 원하는 여자인지라 맞춤한 상대를 만난 셈이었다.

사내의 무뚝뚝함과 정 없음과 무심함에 진저리를 치는 여자란 본시 과도히 사내를 겪은 여자들에 흔히 있는 법이다. 도화는 저도 모르게 안생의 어수룩한 구석에 끌려들어 남편보다도 정이 들고 말았다. 사람이 제 성정의 근본을 따지면 모두 핑곗거리도 있고 너그러이 용납할 면도 있건마는 하늘에서 정한 인연이 서로 남의 처와 남편이니 위태롭고 사악한 일이 아닐 수 없었다.

안생이 도화와 행사하는데 구렁이 만난 쥐와 같았다. 온몸이 떨리고 초조한 기색은 말잠자리가 수면을 적시는 것과 같은 바쁜 태깔이라 도화가 거조를 보아하매, 용두질 외에 아무것도 모르는 시골 선머슴이나 다름없었다. 음사의 횟수가 잦아질수록 안생은 차츰 능숙하여졌고, 도화는 갑송이 따위는 까맣게 잊을 정도로 탐닉하였다.

도화는 낙엽 위에 드러누워 안생의 허리를 안고 입을 맞추고 혀를 물며, 또한 체질하듯 흔들어서 허리를 가볍게 놀려 엉덩이가 자리에 붙지 아니하였다. 자연히 안생은 앓는 소리를 내고 정신이 흩어지고 혼백이 날아가서 길게 한숨과 신음을 내지르고는 옆으로 넘어졌다. 그들은 나란히 누워서 한참이나 숨을 몰아쉬었는데, 흠뻑 젖은 땀이 가을바람에 썰렁히 식어갔다. 계집이 아직도 음기가 남아 다정하게 사내의 가슴에 머리를 기대고 목을 쓸어안으며 푸념하였다.

"우리 이렇게 죄짓고 만날 것이 아니라, 어디 먼 대처에 나가서 살자니까…… 노상에 주막을 내고 당신은 점주가 되고 나는 주모가 되면 취재가 쏠쏠할 거예요."

만약 음사 직전에 계집이 말하였다면 사내는 진심으로라도 반드시 한번 어울린 연후에 그렇게 결행하리라 마음먹겠지만, 이미 탕정한 바라 이기심만 바닥에 조금 괴어 있게 마련이었다.

"조산들의 기름진 논밭을 버리고 너와 달아나면 내 일신 패망은 물론이요, 부모님들은 어찌되겠느냐. 어서 옷을 입구 우리집으루 가

보자꾸나."

"나는 그럼 고양이처럼 몰래 암행만 하란 말이우."

"그러면 나두 사내 대장부라, 너희 주인에게 가서 이러저러하였으니 내 소실이나 삼겠노라고 얘기하란 말이냐."

도화는 그 말에 퍼뜩 정신이 들었는지 일어나 치마끈을 죄어 감으며 종알거렸다.

"범의 코털을 뽑는 격이지……"

"오늘 집에 돌아가지 않아두 되지?"

안생이 아직도 음욕이 미진하여 옷매무새를 고치고 흐트러진 머리와 붙은 나뭇잎을 털어내며 쓰다듬는 도화를 가볍게 안으며 물었다.

"안 돼요. 늙은이가 어찌나 입이 잰지 동네방네 나다니며 지껄이는 것은 물론이요, 주인이 돌아오면 낱낱이 일러바칠 거예요."

"젠장할, 그렇다면 집칸을 마련하나마나 아닌가."

"흥, 꼭두새벽부터 저녁녘까지 붙안고 계시구려."

두 사람은 아쉬운 대로 일어서기로 하였다. 도화가 곧 돌아가기 전에 안생이 구해둔 집도 알아둘 겸 둘러보려는 것이었다. 그들은 장림숲의 반대편 쪽으로 나아가 한내를 따라서 자갈밭을 올라갔다. 한내가 탑고개 쪽과 읍내 쪽으로 갈라지는 어름이 곧 건지산의 뭉뚱그린 마지막 봉우리가 멈춰진 곳이다. 앞서서 걷던 안생이 개천을 건너려고 옷자락을 걷고 버선을 벗었다. 그는 등을 돌려대고 쭈그려 앉았다.

"자, 이리 와서 등에 업혀라."

"남이 봐요. 그냥 건너지 뭘."

"보긴 누가 본단 말이냐."

둘이서는 싫지 않은 실랑이를 하다가 안생이 도화를 업고 냇물을 건너갔다. 매사에 이러하니 도화는 언제나 읍내에 내려오면 탑고개를 까맣게 잊어버렸고, 더구나 갑송이의 얼굴조차 떠오르지를 않았다.

동구 밖에 외따로 떨어져 있는 집이라 임집으로 쓰기보다는 주막에 걸맞을 집인데, 그들에게는 꼭 알맞았다. 싸리울을 허물고 대신 토담을 쌓았으며 부엌 옆으로 안방과 윗방이 나란히 달렸고 방 앞에 비좁은 툇마루가 나 있는 초가가 마당 가운데 덩그러니 있었고, 그 건너편에 사랑채가 있었는데 방이 한 칸이었다. 그러나 오랫동안 쓰지 않은데다 수리도 하지 않아서 벽은 무너져 수수깡이 드러났고 구들도 꺼져 있었다. 결국은 안방과 윗방만 쓰게 되어 있는데 밀회처로서는 충분하였다. 도배도 깨끗이 되어 있고 세간살이도 필요한 것만 간추려서 부엌에 들여놓았는데 도화는 여기가 안생과 도방살림을 차리는 자기 집만 같았다. 집 마당에만 섰으면 은율인지 어딘지 알 필요가 없었다. 도화가 툇마루에 걸터앉으며,

"아…… 이게 우리집이었으면……"

하였다.

"그럼 뭐 어디 봉노에라두 온 줄 아느냐?"

"어쩌면 저럴 때엔 우리집 밥쇠하고 똑같을까."

안생이 도화의 손을 끌었다.

"잠깐 들어가서 다리쉬임이라두 하구 가자."

"얼마나 걸었다구 쉬어요. 난 빨리 가야 해요. 저녁을 지어야지."

도화가 손을 뿌리치며 난처한 기색을 보이자 안생은 금방 기겁을 하였다.

"한 달 만에 겨우 만났는데, 벌써 가겠다니…… 이젠 네가 식었구

나."

"아이 참, 어린애같이 굴지 말아요. 그렇게 안달이 나면 날 데리구 뛰라니까. 오늘은 이만 들어가보세요. 집에서도 기다릴 거예요. 내가 내일 아침 먹자마자 내려올게요. 그리구 어서 집 보는 할미 하나 데려다놓아요."

"알겠다, 내일 일찍 와야 한다."

그들은 서로 눈짓으로 헤어지기 싫은 정을 주고받고 한내를 사이에 두고 헤어졌다. 이튿날 도화는 탑고개에서 일찍 내려왔고 저녁녘에 다시 올라갔다. 도화는 하루도 탑고개에 붙어 있는 날이 없었다.

"얘, 오늘도 바위넘이에 나가느냐?"

갑송의 모친은 설거지를 끝내고 툇마루에 앉아서 머리를 빗고 있는 도화에게 물었다. 그러나 도화는 못 들은 체하고 머리를 틀어올리고 있었다. 겨우 아침밥을 디밀어놓고는 밥 한 그릇 따로이 아랫목에 넣어두고 휘적 나가서는 땅거미가 질 무렵에 돌아오는 며느리가 못마땅하기보다는 불안하였다. 모친은 갑송이가 출타할 적마다 집을 비우는 며느리가 처음에는 심심하고 답답하여 그런가 보다 하였으나, 차차 이상스런 기미를 알아채게 되었다. 어디선가 불쑥 떠꺼머리 아이놈이 나타나 며느리를 불러내어 쑤군거리다 갔는데, 누군가 물으면 된목이골에서 전갈하러 온 사람이라는 것이었다. 만일 된목이골에서 온 사람이라면 자기를 꺼릴 까닭이 없다고 생각한 모친은 그의 며느리를 의심하기 시작했던 것이다. 더구나 밭을 매러 나간다는 년이 곱게 세수하고 지분을 바르고 머리를 감으며 단장을 하는 것이라, 언젠가는 갑송이에게 넌지시 말해주리라 하면서도, 제 처를 끔찍이 귀여워하는 기색을 알고는 또한 입을 떼지 못하고 말았던 것이다.

"얘야, 사람이 말을 시키는데 어찌 대답이 없느냐?"

모친은 드디어 짜증이 나서 빠끔히 열었던 방문을 바깥으로 탁 쳐냈다.

"에구, 깜짝이야."

질겁을 하며 비켜앉은 도화가 눈꼬리를 치켜뜨며 시어미를 노려보았다.

"아이 참 못살겠네. 왜 또 아침부터 절 들볶으셔요?"

"뭘? 들볶는다구…… 그래 젊은 년이 가장두 없는데 아침부터 저녁까지 싸돌아댕기니 잘하는 노릇이냐?"

"왜요, 가장이라구 맨날 할 일 없이 동분서주 다니면서 떼돈을 벌어다 줍디까. 바위넘이 건이를 끝내야 하잖아요."

"내가 다 보았다. 사람 손 간 흔적두 없는데 벌써 며칠째나 그 핑계를 대련?"

"난 몰라 정말……"

도화가 발을 구르더니 얼굴을 두 손에 가리우고 우는 시늉이었다. 모친은 한숨을 길게 내쉬고 나서 방문을 닫고 중얼거렸다.

"에구, 인연 없는 부부는 원수보다 더하다더니 너희들을 두고 하는 말이다. 얘, 장서방댁 좀 보아라. 남편이 집을 비운 지가 벌써 몇 해째더냐? 그 집엘 가보면 부엌 안방 사랑 할 것 없이 포실한 살림 기운이 넘치더구만, 그게 다 아낙네의 할 탓이다. 우리집을 보아라. 썰렁하고 적막하기가 꼭 원의 객사방 같으니……"

"어머니는 그저 툭하면 그 집을 들어 저를 꾸중하시지."

"눈에 뵈는 대루 하는 얘기다."

도화는 일부러 싸리비를 들고 마당을 홱홱 쓸어내면서 못 듣는 양을 하였다. 그러고는 부엌으로 들어가서 공연히 그릇들을 왈강달강

하며 심사를 부리는 것이었다. 며느리가 아무리 그리해도 모친은 단 한마디만은 참았다. 바로 노류장화 사당년이란 말이었는데 언젠가 야단을 치다가 그 말이 입밖에 나오자 도화는 감나무 가지에 목을 맸던 적이 있었다. 갑송이가 끌어내려 손발을 주무르고 코를 빨아서 구명해내었는데 갑송이는 제 가슴을 두드리며 답답해하였고 모친은 그런 꼴이 불쌍하여 다시는 입 밖에 내지 않았다. 모친은 질금거리며 눈시울을 씻고는 혼자서 탄식하였다.

"에유…… 불쌍한 내 새끼……"

갑송의 모친은 무력하게 도화의 안달을 말리지도 못하고 한탄하였다. 잠시 후에 아무런 기척이 없어서 방문을 열고 내다보니 이미 도화는 살짝 빠져나간 뒤였다.

"이것이 분명히 샛서방이 생겼고나. 그렇지 않고서야 저리 미친 꼴을 보일 리가 있을까."

갑송의 모친은 시름에 겨워 앉았다가 가끔씩 도화가 되돌아오는가 하여 귀를 기울여보고는 하였다. 며느리는 포악을 부리며 나갔으니, 공연히 빈집에 올데갈데없이 떨어진 것만 같아서 갑송의 모친은 저도 모르게 방에서 나왔다. 그러고는 삽짝을 열고 마을길을 거슬러 올라갔다. 때는 가을철이라 괴뢰배 사람들은 거의 연희 출행을 나가서 마을에는 아녀자들만 남았다. 그전 재인말 사람들도 몇몇이 된목이골에 들어갔을 뿐 나머지는 대를 지어 연희를 나갔던 것이다. 갑송의 모친은 길산네 집으로 갔다.

재인말에서부터 친척처럼 가까이 지냈고 길산의 양모 안무당이 언제나 성님이라 부르며 잔시중도 들고 걱정도 해주던 것이다. 그녀가 길산네 삽짝 안으로 들어서니 장충은 툇마루에서 담배를 썰고 있었고 안무당은 손자를 안아 어르고 있는데 봉순이는 절구질을 하는 중이었다. 안무당이 아기를 어르다가 들어서는 갑송 모친을 보고 반겼다.

"성님, 어서 오슈. 우리 수복이 웃는 것 좀 보우. 수복아, 큰할머니 오셨다."

길산의 아들 수복이는 눈이 부리부리하고 가무잡잡한 게 판박은 듯이 제 아비를 빼었다. 수복이는 뭐라고 홍얼거리면서 손을 뻗쳐 갑송모의 손을 잡았다.

"갑송이 집에 없지요?"

장충이 물으니 갑송모는 지레 한숨부터 내질렀다.

"에구, 속상해. 그저 이 집에 오면 사람 사는 집 같구먼. 어디 보자 수복아, 큰할머니가 안아주랴."

갑송모가 수복이를 안고 어르니 수복이는 깔깔거리며 좋아라고 다릿짓이었다. 저도 따라서 웃던 갑송모가 다시 혀를 차니, 안무당이 아이를 도로 데려가며 물었다.

"아니 성님은 서방 생각이 나서 그러우. 웬 한숨이 그리 청승맞어."

"늙마에 혈육이라고는 갑송이 하나뿐인데, 그 녀석이 무심하여 에미 속을 썩인다네."

"아니 갑송이가 왜 성님 속을 썩이우. 그런 효자가 없는데…… 무심하기는 제 새끼 태어난 줄도 모르고 소식 한번 없는 우리 길산이가 더 무심하지."

안무당이 말하자 장충이 작두질을 멈추고 말하였다.

"그 댁 며느리 집에 있소?"

"에이, 집이 다 뭐예요. 갑송이가 출타하면 덩달아 어디론가 내빼서는 저녁에야 들어오군 하지요. 그래서 내가 이렇게 심란허우."

안무당이 안심을 시키노라고 말하였다.

"다 젊고 철이 없으니 그러는 게유. 기운은 남아도는데 펄펄한 것들이 서방두 없는 집에 박혀 있을라나."

"아니…… 그럼 이 댁 며느리는 기운이 쇠진한 늙은이라던가. 아무래두 그년이 샛서방을 보는 모양이야."

절구를 찧고 있던 봉순이가 소매로 땀을 씻으면서 일손을 놓았다.

"아이 참 별생각을 다 하셔요. 아무러면 아우님이 그런 짓이야 하겠어요. 어디 산에 약풀이라도 따러 다니겠지."

갑송모는 어림없다는 듯이 손을 홰홰 내저었다.

"약풀 따러 댕기는 년이, 분단장을 해?"

봉순이는 어려서부터 길산의 동무로 자라난 갑송이에게 오빠라며 흉허물없이 지내오던 터에, 또한 같은 날 같은 곳에서 함께 혼사를 치러 은근히 도화에게는 친동기간 비슷한 정을 느끼고 있었다. 처음에는 음식을 하면 서로 나누어먹기도 하였고, 바느질을 하면서 둘이 밤도 새워보았다. 길산이 집을 떠난 뒤에 혹시 적적해하고 상심할까 염려한 갑송이가 저녁마다 봉순이에게 마실을 보냈던 것이다. 봉순이는 애무당으로 자랐으니 겉으로는 비록 평범한 아녀자로 보였으나 안으로는 거센 열정과 신명을 담고 있었으며 물건을 볼 줄 아는 눈도 날카로웠다. 바느질을 할 제 보아 알지만 도화는 참을성이 없고 손길이 세밀하지 못하였다.

감치기를 하는데 실밥이 사선으로 촘촘 박혀야 하건마는 첫 실부터 중간쯤까지가 고작이고 그 뒤부터는 줄이 비뚤어진다든가 사이가 뜨거나 사선이 길어지고 짧아지고 들쭉날쭉해지던 것이었다. 얹은머리에 스리슬쩍 맺어두고 걸을 때나 바람이 불 적마다 한들한들 볼을 스치는 제비댕기가 있는데, 봉순이는 금박에 은장식이 달린 호사스런 것을 가지고 있었다. 무더리 나갔던 안무당이 혼사 전에 송도 보부상에게서 방물을 사올 적에 큰맘을 먹고 사왔던 것이다. 그러나 봉순이는 가장도 없는 집에서 구태여 단장이 무슨 소용이랴 하고 함에다 넣어두었다. 아침에 일어나 세수하고 참빗에 물을 발라 단정히 빗어올리면 그뿐이었다.

어느날 도화가 제비댕기를 보고는 눈을 빛내며 머리에 달아보고 고개를 흔들어 나풀대는 댕기끝을 보기도 하며 탐하는 기색을 보고는, 봉순이는 마지못하여 시어머니 몰래 내주고 말았다. 바위념이 나한암 뒤의 밭을 매러 갈 적에도 도화는 그 댕기를 매달고 나다녔다. 봉순이는 그외에도 여러가지를 보고는 도화가 여느 사내를 만날 것이 아니라 다감한 오입장을 만나 도방살림을 해야 성정에 맞을 것이라 짐작하게 되었다. 어느 봄날인가 둘이서 산나물을 캐러 나갔는데 골짜기를 다니다 보니 도화의 행적을 잃고 말았다. 한참이나 아우님을 부르며 이골 저골을 찾다가 혼자서 나물바구니를 채워가지고 돌아오는데 동구에 이르러 잡가를 흥얼대는 도화의 목소리를 들었다. 풀숲을 헤치고 들어가보니 도화는 흐트러진 매무새로 네 활개를 펴고 누워서 봉순이가 오든 말든 상관하지 않았다. 눈자위가 발그레하고 가쁜 숨을 몰아쉬는 것이 술잔이나 좋이 들어간 듯하였다.

아마도 어느 시냇가에 답청 나온 한잡배들 틈에 끼여 잡가타령으로 흥을 돋우고 한바탕 신명을 달랜 모양이었다. 아우님, 날 저물면 호랑이가 나온다우 어서 가십시다, 하였으나 도화는 코방귀를 뀌었다. 나올 테면 나오라지 차라리 총각 호랑이면 좋겠네. 날 업어다 호강시켜 줄 테지. 봉순이가 억지로 일으키려니 도화는 막무가내로 뿌리치고 드디어 조용히 꾸짖으니 갑자기 어린애처럼 달려들어 봉순이의 가슴을 두드리며 울음을 터뜨리는 것이었다. 봉순이는 어쩐지 가엾고 애처로워서 취한 도화를 부여안고 느껴 울기도 하였다. 사내들은 도둑질을 하여도 뜻이 있다는데 계집의 님에 대한 야무진 기갈은 어찌하여 티끌과 같다 할 것인가. 봉순이는 남의 분을 빌려서 제 마음을 풀었다. 가끔 된목이골에 강말득이란 총각이 들러서 금강산에 다녀온 소식을 전하더니 길산이 아버지가 되었고 수복이라 이름 지었다고 전언한 뒤에도 식구들에 대해서는 아무 말도 전하지 않았던 것이다. 이미 도화가 논다니 버릇이 있음은 마을에 알려져 있었고, 갑송이조차도 아내가 사당시절의 신명을 아주 떼버리지 못하여 마음이 울타리 밖을 배회함을 진작에 눈치채고 있었다. 그렇지만 탑고개는 괴뢰배들이 모여 이루어진 마을이고 갑송이 또한 재인말 출신이라 아이를 낳게 되면 저절로 까라지려니 여겨왔다. 아마도 여염향리였다면 도화는 벌써 통장고 메고 돌림을 수십 바퀴 당하였을 터이다. 도화가 산기가 없었으니 어려서부터 사당으로 팔려 팔도를 누비며 몸을 마구 굴린 탓이었다. 간장을 마시고 지치를 몇사발이나 마셨는지 몰랐다. 모가비는 출행날부터 돌아올 때까지 매끼니마다 지치 달인 쓴물을 들이켜게 하였으니, 만약 손님의 아기라도 가지게 되면 행하가 줄고 공밥 식구가 늘기 때문이었다. 과묵한 갑송이는 성미 한번 내지 않고 노모가 건강이 좋지 않음을 도화에게 사정도 하고 은근히 달래기도 하였다. 그럴 때에는 도화도 눈물을 글썽이며 제 서방이 미륵이라도 된 듯이 섬기는 빛을 보이기도 하였으며, 딴에는 금실을 도탑게 하느라고 갑송이와 더불어 정다운 농지거리도 하였다. 하지만 그럴 때뿐 며칠 지나면 다시 남편을 원망하고 탑고개를 벗어나려는 마음이 가득해져서 혼자서 가슴을 꿍꿍 치며 안절부절못하였다.

"아마 심을 보러 다니나 봐요."

봉순이가 느닷없이 그런 얘기를 꺼내었으니 도화의 출타벽을 발명도 해줄 겸 갑송모의 근심도 덜어주려는 뜻이었다.

"심…… 제깟 것이 신령이라두 보았나. 도라지 한 뿌리 캐오지 못하는 것이……"

"아니에요, 어제 저녁에 날 찾아와 하는 말이, 어머님이 근력이 없으셔서 아무래두 한 뿌리 드셔야 회춘하시겠다면서요 심을 보러 다닌대요. 나더러 산신경을 가르쳐달래서 배워줬지요."

장충은 헛기침을 하면서 담배 썰기에 주의를 돌리는 척하였고, 안무당은 수복이를 안고 마루를 서성거렸다. 갑송모가 믿기지 않는 안색이다가 봉순이를 살피며 찬찬히 되묻고는 한결 수심을 더는 듯해 보였다.

"정말이라면 거 참 신통한 일두 있구나. 어디 그애가 산삼을 캐오면 내야 먹을 수가 있나. 젊은 것이 여태 산기가 없으니 제가 먹어야지."

비로소 갑송모에게서 이런 말이 나오게 되어 주변 사람들은 마음이 가벼워졌다. 수복이와 어르고 놀다가 봉순이 해내온 수수범벅을 얻어먹고는 갑송모는 다른 얼굴이 되어 돌아갔다. 안무당이 갑송모가 삽짝 멀리 가버린 것을 확인한 뒤에 정색을 하고 말하였다.

"애, 무슨 쓸데없는 말을 그리하느냐. 행여 그애가 심을 캐러 다니겠다. 읍내 출입에 눈이 뒤집힌 걸 온 동네가 다 아는데 오히려 어른을 속이는구나."

봉순이는 고개를 숙이고 잠자코 섰다가 어쩐지 콧마루가 찡하여 조그만 소리로 대답하였다.

"불쌍해요."

"어이구, 저애 말하는 것 좀 보아라. 그년이 늙은 시어미를 독방에 버려두고 읍내 내려가서 무슨 음행을 하구 다니는지 모르는 터에 불쌍해?"

안무당이 손가락질을 하며 혀를 차니 장충은 곧 봉순이를 안다는 듯 고개를 끄덕였다.

"잘했다. 오늘 저녁이라두 네가 마실 가서 슬쩍 귀띔해주어라. 티눈은 일찍 빼면 발을 절지 않느니라. 경계가 되면 삼가겠지."

장충은 또한 갑송 어미의 실심보다는 파가한 갑송이의 절망을 염려하였다.

갑송의 모친은 이미 해가 서쪽 모을산 너머로 사라진 뒤에 방에서 나왔다. 골짜기라서 해가 일찍 지는데 오늘은 어쩐지 봉순의 말이 믿어져 자기가 미리 저녁을 지으리라 작정했던 것이다. 모름지기 혈육의 정도 징표가 그때마다 드러나고 쌓여서 눈송이처럼 불어나는 것이라, 하물며 고부지간이겠느냐. 산을 헤매다가 물먹은 솜처럼 피곤하여 돌아올 며느리에게 배고프지, 어여 따듯한 밥 먹어라, 해준다면 식후의 등잔 밑에서 나누는 한담은 또한 얼마나 돈독하랴 싶었다. 모친은 쌀과 서속을 함께 일어 안쳐두고 땔나무를 부엌 봉당에 주워오는데 문득 감탄하였다.

아마 갑송이 손길일시 분명하였다. 장작뿐만 아니라 그것을 때기 좋도록 갑송이는 아내를 위하여 밥짓기 맞춤한 크기로 잘게 쪼개어 두었던 것이다. 군불 지피는 용으로는 한 손아귀쯤의 장작으로, 취사용으로는 관솔 섞어 기름지고 속이 찬 땔감을 따로이 쌓아두었다. 과연 불을 붙여보니 바지직거리며 좋은 불길이 솟고 솔가지처럼 매운 연기도 일지 않았다. 아궁이를 들여다보느라고 불눈에 익어서인지 돌아다본 바깥이 어느결에 새까맣게 변하였다. 갑송모는 이글거리며 타오르는 불을 무심히 바라보다가, 에이 속없는 년, 심을 보든

서방질을 하든 시어미가 이럴 제야 마음에 고이는 구석이 있겠지. 갑송이놈의 간절하고 애틋한 꾐을 보아 나두 지난 건 모른 체하리라고 넉넉한 마음이 되어갔다. 뜸이 다 들고 밥을 푸는데 발걸음 소리가 삽짝 밖에서 다가들더니,

"에구 어머니, 이러시면 어떡해요……"

하는 자지러진 목소리가 들렸다. 돌아보니 도화는 손으로 치마를 감싸쥐고 부엌 앞에서 어쩔 줄 몰라하였다. 찬찬히 훑어보는데 도화는 머리도 단정하고 옷매무새도 흐트러진 데가 없으며 한 손에 새끼줄 감은 호미를 들고 있었다. 갑송모가 그것을 보고는 역시 봉순의 말이 틀림없음을 확인하고 얼른 주걱을 솥에 꽂으며 말하였다.

"그냥 있기가 갑갑하여 내가 지었다. 원, 해주는 밥만 얻어먹으니 살루 가지 않는 듯하구나. 어서 올라가 쉬어라."

도화는 육신이 그렇다 치더라도 인정은 있는 계집이라 얼른 그 얄미운 호미를 던져두고, 바가지에 물을 떠서 손을 씻는데 마음이 볶이어 견딜 수가 없다.

"들어가셔요. 제가 반찬해서 상 들여갈게요."

고부간에 서로 들어가라거니 안 들어간다거니 실랑이를 하다가 시어미가 들어가 앉고 며느리가 저녁상을 보았다. 두 여인이 마주 앉아 전에 없던 환담을 나누는데 밖에서 계시냐는 소리가 들리고 바느질감을 챙겨가지고 봉순이가 들어섰다. 도화는 오히려 이런 때에는 마음 씀새가 지나치다고 은근히 부아를 내면서 봉순이를 맞았다. 도화가 바쁜 걸음으로 나한암을 허위허위 오르는데 봉순이가 누구인가를 마중 나와 있는 양하였다. 그러고는 아무 말 없이 집에서 어머님 근심이 대단하시더라고, 산삼을 캐러 나다닌다고 근심을 덜어 드렸으니 호미나 가지고 들어가라고 아무렇지 않게 말해주던 것이

었다. 그러고는 집 앞에 이르러 봉순이가 등을 밀어주면서 내일부터는 심 보기는 그만두고 우선 어머님 새옷이나 지어드리자고 뜻있게 말하였다. 마침 겨울이 가까우니 솜을 두툼히 넣은 누비옷을 장만할 철이었다. 도화는 갈팡질팡 탑고개와 건지산 아랫녘 밀회처로 마음이 뜬구름같이 넘나들더니 이상스럽게도 제 집에 있다는 안도감이 들었다.

도화가 며칠간 집에 붙어 있더니 바느질에 그만 역증이 나고 말았다. 골무를 끼운 손가락이건만 몇번이나 마음이 산란하여 찔리기도 하고 바느질감을 밀어두고 눕기도 하고 일어서기도 하며 방 안을 서성거리다가 차마 집밖에 뛰쳐나가지는 못하고서 방문을 열어두고 삽짝 밖을 하염없이 내다보는 것이었다. 밤이 깊어져서 산새들이 고즈넉이 울부짖고 갑송모는 숨결도 잔잔하게 잠이 들었는데, 도화는 윗방에 홀로 앉아 서성거리다가 그 밤을 꼴딱 새우고 말았다. 그녀는 기다리다 애가 단 안생이 하인을 탑고개로 올려보낼 날만 고대하고 있었다.

샛별이 돋아나자마자 아침을 짓는다고 샘과 부엌을 공연히 오락가락하였고, 연신 바위넘이 고갯길을 올려다보았다. 드디어 삽짝 밖에 인기척이 들리며 사람의 머리가 보였는데 의관도 걸치지 않은 맨상투 바람의 안생이었다.

"아니…… 웬일이셔요?"

"도화야, 너를 기다리느라고 어제는 그 집에서 한잠두 못 자구 뒤척였다. 어찌된 거냐. 내가 싫어졌느냐?"

도화는 얼른 손짓하여 그를 안으로 들여 뒤곁에 세워두고 말하였다.

"늙은이가 어찌나 눈을 부릅뜨고 살피는지 문밖에 나설 수도 없어요. 차라리 죽어버렸으면 좋겠어."

"애, 네가 죽으면 바로 그 뒷날이 내 장삿날이다."

하면서 안생은 정을 이기지 못하여 마주 서 있는 도화의 잘록한 허리를 으스러뜨릴 듯이 껴안았다. 도화가 안겨서 가쁜 숨을 몰아쉬면서도 안방의 기척에 두 귀를 곤두세웠다가 부스럭거리는 소리를 듣고는 재빨리 안생의 가슴을 밀어내었다.

"쉿, 늙은이가 일어났어요. 어서 돌아가시라니까……"

"어찌하겠느냐. 오늘 내려올 테냐?"

"이따가 저녁에 갈게요. 낮에는 동네 사람들 눈이 많아 빠져나갈 수가 없어요. 이제부턴 밤에 만나요."

안생이 그럴듯이 여기고 삽짝을 재빨리 빠져나가면서 다짐하였다.

"오늘밤에 기다리겠다. 만약에 오늘도 오지 않으면 아예 그 집을 폐하여버리고 나는 당분간 어디 유람이나 다녀올까 한다."

그 소리에 도화는 더욱 안타까워졌다. 오죽 애가 달았으면 스스로 끊고 집을 떠나려 하겠는가마는 사실 그렇게 된다면 더욱 못 견딜 사람은 자기 자신이었다. 요즈음의 도화는 애처로울 정도로 안생의 손길에 단단히 붙들려 있었었고, 바로 그 때문에 이 적막한 탑고개의 나날을 이겨낼 수가 있었던 터이다. 안생을 보내고 나서 도화는 부엌에 쪼그려앉아 잠깐 울고 있었다.

"애야, 웬일로 그러구 앉았니?"

언제 일어났는지 갑송모가 부엌을 들여다보며 물었고, 도화는 얼른 눈을 비비며 돌아앉았다.

"아궁이 속을 불다가 티가 날아들었나 봐요."

"이리 좀 와보아라, 어디 보자꾸나."

"괜찮아요."

남의 속도 모르는 갑송모가 딴에는 며느리 사랑함을 보이느라고 도화의 손목을 잡아끌어 눈을 까뒤집어 혀로 티를 핥아내려 하였다. 도화는 저도 모르게 손을 뿌리치며 내쏘았다.

"괜찮다는데 왜 이러셔요. 제발 좀 괴롭히지 마셔요. 저하구 무슨 원수가 졌다구 날마다 들볶아요."

하고 나서 어리둥절한 갑송모의 시선을 느끼며 도화는 제 잘못을 알아차렸다.

"어머니, 제가 잘못했어요. 간밤에 잠을 설쳤더니 너무 피곤하여 그랬나 봐요."

갑송모가 도화의 이상스런 짓에 놀랐다가 제풀에 화를 삭이며 고개를 흔들었다.

"몹쓸 것…… 무얼 하노라구 잠을 설치구 야단이냐. 네 서방이 집을 비운 지가 이제 겨우 열흘두 못 되는데 벌써 사내 생각이 나는 모양이구나. 너는 피가 많아서 큰일이다."

갑송모가 더이상 콩이네 팥이네 따지기가 싫었는지 연신 혀를 차면서 돌아섰다. 안생과 약속한 도화는 저녁을 먹고 나서부터 더욱더 조바심을 치며 안절부절못하였다. 도화가 윗방으로 들어가려니 갑송모가 불러세우는 것이었다.

"얘, 오늘부터는 나허구 같이 자자. 윗방에는 아무도 없는데 너 혼자 자기가 더욱 썰렁할 게다. 내가 간직한 단주(短珠)가 있는데…… 옜다, 이걸 갖구 자거라."

하면서 농에서 보리수 단주를 꺼내어 내밀며 다시 말하였다.

"내가 네 남편을 낳고 나서 곧 혼자가 되었는데 그뒤 몇해 동안 잠을 이루지 못한 밤이 많았느니라. 어찌 그것을 말루 얘기할 수야 있겠느냐. 잠이 안 오는 밤마다 단주를 손에 쥐고 보리수를 헤아리면서 밤을 새우다 보면 새벽녘에는 저도 모르게 잠이 들곤 했단다. 서방두 없는 년이 그렇게 하였는데, 너야 남편이 두 눈을 시퍼렇게 뜨고 살아 있어 며칠 참으면 돌아올 텐데 못 참겠느냐. 에구…… 아기라두 하나 낳아서 볶이구 시달리면 그런 생각이 한결 덜할 텐데. 너는 너무 복에 겨웠다."

도화가 품에 안길 서방이 출타하여 허전해서 잠을 못 이루는가 싶어서, 갑송모는 제 곁에 이부자리를 펴주고 도화에게 단주까지 내주면서 권하였다. 그러나 해 저물녘에 내려가리라고 안생과 약속한 도화로서는 단주 따위가 더욱 못 견딜 형틀이나 다름없었다. 마다하지도 못하고 갑송모 곁에 따라 누운 도화는 터지려는 한숨을 씹어삼키느라고 목구멍에 돌이 걸린 듯하였다. 갑송모가 잠들기를 기다리는데 단주는 두 손아귀에 쥐고 있건만 전혀 헤아려지지 않고 눈앞에 안생의 해사한 얼굴만이 떠오르는 것이었다. 몸은 스스로 열이 올라 가슴이 답답하고 아랫배는 오줌이 마려울 때처럼 근지럽고 다리가 저절로 이리저리 이불자락을 헤치며 맴돌았다. 갑송모의 숨결이 고르게 되어가자 도화는 살그머니 일어나 앉았다. 버선을 꿰고 벽에 걸린 치마를 두르고 저고리를 입었다. 그러고는 벽을 짚으며 어두운 방 안을 더듬어 문 쪽으로 다가서는데 등뒤에서,

"네 이년…… 어디 가니?"

하는 갑송모의 날카로운 외침이 들려왔고 도화는 얼어붙은 듯이 벽에 두 손을 대고 딱 멎어버렸다. 갑송모가 누운 채로 덧붙였다.

"서방질하러 가는구나……"

도화는 돌아서서 누워 있는 시어미에게 발작적으로 달려들었다. 아니 이년이 미쳤나…… 중얼대며 일어나려는 갑송모의 머리 위로

도화는 제가 덮었던 이불을 들씌웠다. 손을 허우적거리고 머리를 들려고 꿈틀거리는 시어미를 도화는 사정없이 덮어씌운 이불 위에 베개까지 얹고는 깔고 앉았다. 그러고는 온 힘을 다하여 갑송모가 빠져나오지 못하도록 짓누르고 있었다. 이불자락 밖으로 늙은이의 손이 빠져나오더니 도화의 저고릿고름을 부여잡아 당겼다. 도화는 놀라서 무릎을 베개 위에 대고 힘껏 타눌렀다. 도화의 옷고름을 잡았던 손이 스르르 풀려지더니 아래로 툭 떨어졌고, 두어 번 위로 치켜질 듯이 오르다가 아귀를 풀면서 요 위에서 문득 움직임을 멈추었다. 도화는 전신에 땀을 흘리며 한참이나 그 자세로 꿇어앉아 있었다. 도화는 한숨을 토해내고 머리를 흔들고 나서 그제야 제가 깔고 앉은 것이 무엇인가를 알아차렸다. 황급히 무릎을 세우고 베개를 집어던지고 이불을 젖혔다. 얼굴을 더듬다가 스스로 소스라쳤다.

"어머니……"

어깨를 잡아흔들었건만 이미 절명한 사람이 대답할 리가 없었다. 도화는 다시 이불을 시체 위에 들씌워버리고는 문을 차고 나왔다. 온몸이 덜덜 떨리고 우선 그 집에서 멀리 떠나야만 두려움이 가실 것 같았다. 도화는 허우적거리며 나한암 바위넘이를 올라갔다. 발을 헛딛고 넘어졌다가는 다시 일어나 허둥지둥하면서 달려내려가는데, 등뒤에서 되살아난 갑송모의 손길이 곧 뒷덜미를 잡아채는 느낌이었다. 건지산 아랫녘까지 도화는 오로지 밀회처의 안생을 바라고 뛰었다. 어서 누군가 남자의 가슴에 얼굴을 감추고 두려움과 자책감을 달래야 할 것 같았다. 도화는 열려진 삽짝 안으로 뛰어들어갔다. 안방문이 열리면서 초조하게 기다리던 안생의 짜증스런 얼굴이 내밀어졌다.

"뭘 하다 인제사 오는 거냐."

신짝을 발로 뿌리치며 도화는 뛰어들어가 엎어졌다.

"난 몰라…… 나는 어떻게…… 몰라요."

안생이 도화를 잡아일으키며 물었다.

"뭘 모른다는 게야, 무슨 일이야?"

"무…… 무서워요."

안생은 자기도 당황하여 우선 문밖을 살피고 나서,

"느이 남편이라두 쫓아온다더냐, 왜 이러느냐?"

"시어머니가 죽었어요……"

도화가 말하자 안생은 난 또 뭐라고 하는 표정이 되어 굳게 잡아 흔들던 손을 놓고서 물러나 앉았다.

"늙은이가 죽는 게 당연하지 않은가."

도화는 울기를 멈추고 오히려 안생의 가슴에 몸을 던졌다.

"몰래 빠져나오려다 들켜서…… 놀란 김에 나두 모르게 이불자락으루 덮었더니 그만 숨이 끊겼나 봐요."

"뭐라구?"

안생이 다시 물었다.

"네가 눌렀단 말이냐?"

도화가 고개를 끄덕였다.

"얼결에…… 베개루 타눌렀어요."

안생은 잠시 생각에 잠겼다가 도화의 등을 토닥여 달래주었다.

"분명히 누르기만 하였다면 상처는 나지 않았겠구나."

"자던 채루 이불을 씌었으니까 말짱해요."

도화의 말이 떨어지기가 무섭게 안생은 벽에 걸린 도포를 내어 걸치고 갓을 썼다.

"안 되겠다. 지금 당장 돌아가야지."

"아니 이이가…… 이제 알구 보니 제 발뺌만 할려구……"

안생이 도화의 손을 잡으며 타일렀다.

"찬찬히 생각해보아라. 우리가 나중에라두 의심을 받지 않으려면 이럴 때일수록 너는 집에 있어야 한다. 집에 돌아가서 이웃집에두 알리구 머리 풀고 방성대곡하여 상 입은 양을 해내야 하는 것이여. 홀홀 단신두 아니구 범 같은 아들이 있으니 나중에 밝혀지게 되면 너와 나는 곤쟁이젓을 면하지 못할 것이다."

"여기만 바라구 정신없이 달려왔는데 그 무서운 길을 어찌 가오. 난 못 해요. 제발 우리 달아나요. 은율서 떠난다구 설마 굶어죽을까 봐."

도화의 말이 심히 맹랑하여 안생은 어림도 없다는 표정으로 입맛을 다시고 앉았다가 다시 설득하였다.

"죽은 것이 어찌 네 죄라고만 할 수 있겠느냐. 사람이 늙어지면 숨이 절로 넘어가고 자다가 고요히 죽는 것은 또한 복 중에 하나이다. 지금 네가 돌아가서 상을 알리면 동네 사람들이 몰려올 터인즉 뭐가 무섭겠냐. 그리고 집안 정리가 된 다음에 네 남편이 돌아오고 나서 한참 있다가 떠날 때 떠나더라도 의심받지 말아야 한다. 나두 당장 널 데리고 해주나 송도루 나가고 싶다만 이번 겨울만 넘기자는 것이다. 그러니 나허구 살구 싶으면 이를 악물구 돌아가서 초상을 치르도록 해라."

도화가 냉정하게 얘기하는 안생의 말을 듣고 보니 이치가 정연하여 마다고 할 수가 없었다.

"알았어요."

도화가 고개를 끄덕이고 일어서서 나가려다가,

"그런데 무서우니 나한암까지만 바래다주실 테유?"

하였으나 안생은 손을 홰홰 내저으며 펄쩍 뛰는 것이었다.

"얘, 그런 정신없는 소릴랑 하지 마라. 그러다가 누구 눈에라두 뜨이면 대번에 지목을 받을 게다. 오늘처럼 일이 생긴 날 그리되면 꼼짝없을 것이다. 내가 아이를 보내어 별일이 없는가 살피도록 할 테니 어서 돌아가거라."

"언제 봐요?"

"좀 동안을 두었다가 네 남편이 집을 비우면 이 집 할멈에게 통기하여라."

밀어내듯 하고서 안생은 잽싸게 걸어가버렸고, 길 위에 남은 도화는 오도카니 서서 갈피를 잡지 못하고 발을 구르다가 탑고개로 돌아섰다. 나한암을 돌아 고개를 넘어 내려오는데 온 동네는 캄캄하고 더구나 자기 집 쪽은 더욱 컴컴한 것 같아서 걸음이 떨어지질 않았다. 후닥닥 울타리 밖을 지나쳐 수복이네 집 쪽으로 가서 동정을 살폈다. 잠시 망설였다가 도화는 목을 쥐어짜듯이 새된 비명을 질렀다.

"성님, 성니임…… 문 좀 열어요. 큰탈이 났어요!"

"거 누군가?"

놀라서 잠에서 깨어난 장충의 목소리가 들리고 잇달아 속곳 바람의 봉순이가 마루로 뛰쳐나왔다.

"아우님 아니우."

"예, 저희 어머님께서 돌아가셨나 봐요."

그 소리를 듣자 봉순이는 오한이 온몸으로 쭉 훑고 지나가는 듯하였다. 도화의 비명이 어딘가 예사롭지가 않았고 불길한 예감이 들었다. 봉순이는 어려서 신이 들렸다 하여 안무당이 데려왔던 신딸 출신이었으며, 그런만큼 직감이 빨랐다.

"갑송이댁 아니냐?"

장충이 방문을 연 채로 물을 제에야 봉순이는 언뜻 대답할 수가 있었다.

"네, 아버님…… 그 댁 모친이 별세하셨다는군요."

봉순이가 뛰어나가 사립을 여니 도화는 곧장 쏟아져들어와 봉순이의 어깨를 부여안았다.

"아이고, 어쩔거나 어머님께서 숨을 끊으셨어요."

장충과 안무당도 깨어났고 이웃집에서도 술렁술렁하는 인기척이 들렸다. 장충이 앞장서서 갑송이네 집으로 달려갔고 안무당과 도화를 부축한 봉순이가 그 뒤를 따랐다. 건너집 사람들도 깨어나 하나 둘씩 갑송의 집으로 모여들었다. 장충이 불을 켜고 방 안에 들어서니 젖혀진 이불자락 아래로 험상궂게 일그러진 갑송모의 얼굴이 보였다.

"허허…… 괴이하다."

두 눈은 감고 있었으되 반쯤 벌려진 입술 사이로 악문 이빨이 보였으며, 이빨 사이에는 뜯긴 천조각이 끼워져 있었다. 경직하고 있는지라 우선 손을 가지런히 하여 몸 위에 올려두고 머리 아래 얇은 옷을 접어 받치고 다리를 안치해서 어그러지지 않도록 해두었다. 그러고는 홑이불에 싸서 누이고 초종(初終)을 치를 준비를 해두었다.

"상주(喪主)가 출타 중이니 큰일일세. 호상(護喪)은 역시 김선비가 맡을 수 있겠고 우리가 곁에서 도우면 되겠지만 갑송이가 돌아오면 얼마나 애통해할 것이냐."

즉시 마당에 나가서 고인의 옷을 들어 지붕 위로 던지면서 초혼하고 나서 염습은 날이 밝아 시행하기로 하였다. 김기가 와서 이리저리하라고 지시를 내리고 나서 된목이골에도 사람을 보내어 마감동과 오만석을 내려오도록 하였다. 그러고는 강말득을 불러서 송도 박대근네 집에 있을 갑송이에게 모친상을 알리도록 하였다. 삼일장이지만 상주가 없는 판이니 날짜를 조금 늦추기로 하였고, 염습만 해놓았다. 나흘이 지나도록 소식이 없더니 강말득이 돌아와 전하는 말이 박대근과 갑송이가 함께 집을 나갔는데 행방을 모른다는 것이었다.

그때에 그들은 달마산에서 강선흥, 우대용 들과 오랜만의 회포를 풀고 있었으니 갑송이는 모친의 급서를 모를밖에 없었다. 하는 수 없이 입관이 치러지고 발인하여 상여가 나가는데 탑고개 사람들이 상여꾼이 되었고 장충이 향도잡이가 되었다. 머리 풀고 상복을 입은 도화는 구슬피 울면서 상여의 뒤를 따랐다.

초상을 치른 뒤에 도화는 줄곧 빈집에 처박혀 있었다. 탑고개 사람들은 갑송모가 잠자다 죽은 것은 복이라지만 그 아들의 치송을 받지 못하고 묻힌 것은 역시 과수댁의 박한 팔자소관이라고들 말하였다. 도화는 마치 빈 절에 홀로 남은 상좌처럼 적막하고 두려워서 대번에 집 밖으로 뛰쳐나가고 싶었지만 워낙에 저지른 죄가 있는지라 꾹 눌러 배기는 중이었다. 바로 근처의 야산 양지바른 곳에 묘를 썼으니 도화는 아침마다 올라가 곡을 하는 양을 보이기도 하였다.

도화가 드디어 좀이 쑤셔서 상복 입은 채로 단장하고 머리 빗고 저녁녘에 집을 빠져나가는데 누구인가 사람의 그림자가 울 밖에 어른거리는 것이 보였다. 도화는 제풀에 켕겨서 스스로 기침을 하고 나서,

"게 누구요?"

해보았으나 아마도 저녁 먹고 마실 나왔던 모양인지 대꾸 없이 지나쳐버리는 것이었다. 도화는 집 밖에 나서서 누가 없는가를 재삼 확

인하고 나서 나한암을 올라갔다. 그때 갑송이네 집 울 밖에 숨어 있던 사내가 도화의 행방을 살피고 나서는 곧장 김기네 집으로 달려갔다. 그는 김기가 탑고개에 머문 뒤로 된목이골과 연락하기 위하여 붙여둔 졸개였다. 그는 김기의 방문을 열고 급히 말하였다.

"방금 이두령댁이 집을 나와서 나한암으로 오르는 걸 보고 오는 중입니다."

김기는 그럴 줄 알았다는 듯이 침통하게 고개를 끄덕였다.

"뒤쫓아가서 누구와 어디서 만나는가를 자세히 알아보고 오너라."

졸개는 김기의 지시를 받자 나는 듯이 어둠속으로 사라졌다. 김기는 책상 위에 펼쳐진 병서 위에 한 손을 누른 채로 까물거리는 등잔불을 물끄러미 바라보고 있었다. 그는 갑송이의 신혼 초부터 그들 부부의 장래에 대하여 은근히 근심해오던 바였다.

김기가 본 상(相)으로는 도화의 눈자위에 어린 불그죽죽한 기운과 입술의 색이 몹시 음란해 보였으며, 특히 둔부가 뒤쪽으로 치켜올라간 형상은 더욱 색정 강한 여인의 태였기 때문이다. 그에게는 갑송이가 비록 의제이긴 하지만 그의 생명을 구하여주고 헛된 반생을 되돌이키게 하였던 은인이기도 하였다. 따라서 구월산에서 형제지의를 맺었던 어느 사람보다도 갑송이는 그에게 소중한 아우였다. 비록 갑송이가 우직하고 무식한 천출 광대이긴 하였어도, 생각하는 도량과 인정은 책상물림으로 소심하고 주변없는 자기보다 낫다고 생각되었다.

우선 그는 봉산에서 침탈당한 딸마저 저버리고 찾지 못하였으며, 나라에 거역하고 있다는 불안스런 마음을 아직도 끝내 저버리지 못하고 있었다. 비록 겉으로는 된목이골에 올라가 감동이나 만석이와 더불어 벌이의 의논 상대도 하여주고 대작도 하면서 왕후장상들의 일화도 지껄이며 곡식섬과 돈냥이나 얻어쓰고 살지만, 낙백선비 시절의 회한은 떨쳐지지가 않았던 것이다.

그에게는 우울한 날마다 갑송이가 나타나 유쾌한 농지거리로 수작해주는 것이 유일한 낙이었다. 갑송이는 때로 김기에게 드러내놓고 불평도 하고 핀잔도 주면서 유생의 습성을 탓하였으며, 은근히 그의 넓은 지식을 자랑스러워하는 눈치였다. 언젠가 갑송이가 아내와 다투고 울적해서 술을 마시는 꼴을 보고 김기가 슬그머니 말을 떠보았던 적이 있었다.

차분히 집안살림을 꾸려나가기에는 너무 화려한 듯하니 소담하고 어리석은 듯한 여자를 구하여 새장가를 들고 도화는 어디 도방에다 내려보내면 어떻겠느냐고 조심스럽게 운을 떼었던 것이다. 갑송이가 코를 벌름거리며 눈을 부라리고 질그릇 깨어지는 소리로 주정을 할 줄 알았더니 정반대였다. 이 사내는 어디에 그런 가녀린 정이 담겨 있는지 고개를 숙이는데 제비알만 한 눈물이 무릎 위로 뚝뚝 떨어졌다. 그리고 연신 주먹으로 눈을 씻으면서 그 가엾은 년이 나만 한 사내라도 만났으니 일부종사를 하지 그렇지 않았다면 노류장화로 떠돌다가 어느 봉놋방에서 하혈 서 말을 쏟고 객사했을 게요, 라는 것이었다. 김기는 갑송이의 심정을 알 듯하여 오히려 제 소견 없는 발설을 수습하노라고 술잔이나 좋이 비워낼밖에 없었다. 갑송이가 또한 제 어머니에 대해서는 알려진 효자였다. 갑송의 어머니도 다른 광대들의 아낙과 마찬가지로 거의 반평생을 길 위에서 보낸 여자였다. 아버지가 노중에서 악질에 걸려 약 한 첩 병구완 한번 받아보지 못하고 비를 맞아 쓰러진 뒤에, 갑송이는 어려서부터 살판꾼으로 뛰어돌아다니며 오직 어머니만을 등대고 자라났던 것이다.

김기는 장충에게서 그 노모의 운명 모습을 전해들어 대강 눈치를 채고 있었다. 악물린 입에 이불자락을 뜯어물고 있었다니 틀림없이 누구에겐가 숨이 막히어 고통 속에서 살해된 것이다. 김기는 떠나간 지 달포가 되어오는 갑송이가 곧 돌아올 듯하여 아침마다 삽짝 밖을 내다보는 것이 못 견딜 고통이었던 것이다. 김기는 장충의 귀띔을 전해듣고 나서 당장이라도 마을 사람들을 들썩여서 도화의 죄상을 밝히고 처단해버리고 싶었다. 그러나 어찌하랴. 부부의 일이란 하늘도 모른다 하거늘 지아비의 손을 떠나 누가 마음대로 생사를 결정하겠는가. 더구나 갑송이는 노모 못지않게 제 아내를 사랑하고 있었으며, 확증이 없이는 도저히 믿지를 못할 게 분명하였다. 김기는 갑송이가 돌아와 노모의 급서와 함께 아내의 악행을 알게 되면 얼마나 가슴이 찢어질까 안타까웠다.

"아…… 몹쓸 짓이다!"

그는 병서를 덮고 물러나 벽에 기대어 앉으면서 탄식하였다. 갑송이로 하여금 아내를 스스로 죽일 수밖에 없도록 몰아댈 자신의 처사가 참으로 통탄스러운 것이었다. 그러나 일이 그렇게 매듭지어지지 않는다면 아무리 녹림에 묻혀 세상을 등지고 살아가는 무리라고 하나 어떻게 무릎을 비비며 마을을 이루어 오순도순 살아갈 것인가.

"다녀왔습니다."

밖에서 헐떡거리는 졸개의 숨찬 소리가 들려왔다.

"어서 들어오너라."

김기는 방으로 들어오는 졸개를 향하여 차마 입을 떼지 못하고 노려보기만 하였다.

"원 세상에…… 별꼴을 다 보았구먼요. 바로 턱밑입디다. 고개 넘어 한내를 따라가다 건지산 옆길루 접어들었지요. 북바위골 쪽으루 가더군요. 헌데 동구 밖에 외딴집이 있어요. 거기서부터는 연신 뒤를 돌아다보는데 혹시 눈에 띌까 조심하노라고 아주 진땀을 빼었습니다. 숲속으루 길두 없는 데루 바짝 붙어서 가다가 옷을 모두 찢겼습니다."

"잔소리 말구 어떤 놈이던가 말해보아라."

졸개는 집안으로 도화가 들어가는 것을 확인하고 잠시 후에 토담을 넘어 안으로 들어갔다. 부엌에 딸린 방 쪽에서 두런두런 말소리가 들려서 가까이 다가들어 창호를 뚫고 들여다보니 도화는 어느 훤칠한 선비의 가슴에 안겨 있더라는 것이다.

"아, 그것들이 얘기를 하는 소리를 들어보니 분명히 그년이 이두령의 모친을 눌러죽인 모양입디다. 계집은 이두령이 돌아올 일을 걱정하여 안달이고 사내는 연신 달래며 이릅디다."

"그래, 뭐라더냐?"

"두어 달만 참으라고, 그 안에 모든 채비를 차렸다가 송도루 달아나자구 그럽디다."

"그런 천하에……"

김기가 책상을 두들기며 수염을 떠는 양에 졸개는 깜짝 놀라면서 덧붙였다.

"그뿐입니까. 그런 말두 사그라지더니 종내에는 상복을 훨훨 벗어 던지구 두 연놈이 불을 켜놓은 채로……"

"그만…… 그만 해두 알겠다."

김기가 눈을 지그시 감으면서 중얼거렸다. 졸개는 다시 머쓱해져서 입을 다물었고 김기는 한참이나 눈을 감은 채로 자제하는 것 같았다.

"건너가서 쉬어라. 그리고 내일은 일찍 일어나서 나한암고개를 지키구 있거라."

"예…… 그년의 모가지를 비틀어 죽여버릴까요?"

"그런 게 아니다. 계집이 몇번을 넘나들든 모른 체하구 내버려두어라. 다만, 하루이틀 새로 이두령이 돌아올 것인즉 아무 말 말고 그저 내가 급히 보잔다구 모셔오너라. 절대로 입빠른 소리를 미리 내어서는 안 된다."

갑송이는 달마산에서 강선흥, 우대용, 박대근 등과 같이 오랜만의 회포를 풀고 일단 송도로 박대근과 동행하였다. 송도에 가니 구월산에서 이미 사람이 다녀갔다는 전갈이 기다리고 있었다.

"내 그날 밤 꿈이 꼭 맞았구나……"

갑송이는 허탈하여 마루에 무너질 듯이 주저앉았다. 날짜를 따져도 딱히는 모르겠으되 대취하여 달마산의 선흥이 방에서 잠들어 있을 적에 꺼림칙한 꿈을 꾸었던 것이다. 길에서 어느 여인을 만났다. 여인은 낯을 알아볼 수가 없었다. 집에서 노시다가 며칠 묵어가라고 하였다. 함께 가는데 깊은 산중이고 골짜기 사이에 묘지기의 집 같은 초막이 보였다. 방이 두 칸인데 한 방에는 불이 꺼졌고 다른 방에만 잔등이 까물대고 있었다. 들어가 앉았는데 여인이 잠시 나갔다가 오겠다더니 종내 소식이 없었다. 창호지가 부옇게 보이는데 누군가가 밖에 서서 울고 있었다. 갑송이가 요사스런 생각이 들어 고함을 버럭 지르며 문을 차고 나가보니 집안은 괴괴한데 건넌방 문이 활짝 열려 있었다. 방 안에 누가 있는가 하여 들여다보니 뜻밖에도 노모가 곱게 단장을 하고 젊은 여자처럼 황의홍상을 입고서 앉아 있었다. 어디 가시냐니까 시집을 가신다면서 가마를 기다린다는 것이었다. 가마가 들이닥쳐 노모가 가마에 오르는데 갑송이는 그 뒤를 쫓으려고 무진 애를 썼으나 점점 멀어져갔다. 갑송이는 악을 쓰고 허우적거리다가 문득 잠이 깨었다. 눈을 뜨고 천장을 올려다보니 온몸에는 땀이 흘러 축축하고 손을 뻗칠 수 없도록 딱딱하게 경직되어 풀어지지가 않았다. 눈을 멀뚱히 뜨고서 끙끙거리다가 드디어 박대근이 잠을 깨어 흔들어주는 바람에 겨우 후유 하면서 한숨을 토해냈다. 모두들 속이 불편하여 가위를 눌린 게라고 말하였다.

박대근이 마주 앉은 갑송이의 어깨를 두드렸다.

"아우님, 이 길루 떠나게. 나두 평양에 갈 일이 있으니 북상하다가 들르지."

대근은 갑송에게 돈꿰미를 내어주며 상비에 보태쓰라 하였다. 갑송이는 허둥지둥 왔던 길을 되짚어 은율로 돌아갔다. 탑고개에 당도하여 저절로 애통한 마음이 일어나 훌쩍이며 코도 풀고 스스로 불효하였던 자신을 탓하면서 나한암을 지나는데, 된목이골 졸개가 등성이에 우두커니 앉았다가 황급히 뛰어내려오는 것이었다.

"이두령님……"

갑송이가 발을 멈추고 그를 바라보았다.

"왜 인제사 오십니까?"

"글쎄나 말이다. 이런 불효가 어디 있겠느냐."

"장사는 무사히 치렀습니다."

갑송이는 울음을 터뜨리며,

"그래…… 어디 모셨느냐. 앞장을 서라."

하였으나, 졸개는 단단히 다짐을 받았는지라 갑송의 소매를 끌었다.

"아니오, 그것보다 김선비님께서 꼭 보시잡니다. 긴히 드릴 말씀이 있다구, 일부러 길목을 지키게 하였습니다."

"뭐라구…… 아니 상 입은 놈이 산소에 가는 길이 더 급하지 무엇이 그리 바쁘단 말이야?"

졸개는 갑송이가 급히 서두르는 기세를 막을 수가 없어서 하는 수 없이 말을 꺼내었다.

"실은…… 저…… 모친께서 돌아가신 것이 어딘가 괴이한 일이올시다."

갑송이는 눈을 번쩍 뜨고 졸개의 멱살을 움켜잡았다.

"그게 무슨 소리냐, 다시 한번 말해보아."

"이…… 이것 놓으십쇼. 그래서 김선비님이 꼭 보시자는 겝니다."

갑송이는 졸개의 말을 더 들을 생각도 않고서 잰걸음으로 김기의 집으로 들어가니 마침 마당에 나와 있던 김기가 마주 달려와 갑송이의 손을 덥석 잡았다.

"어디 갔다가 이제야 오시는가. 어서 안으루 들어가세."

"어머니가 괴이하게 돌아가셨다니 그게 대체 무슨 말이우?"

김기는 아무 말 않고 그의 방으로 갑송이를 이끌고 들어갔다.

"그래 형제들은 모두 별고 없으시던가?"

말머리를 돌려놓고 나서 김기는 갑송이의 욱하는 성미를 진정시키려 하였다.

"성님, 딴소리 마우. 우선 그 얘기부터 들읍시다."

"아우님이 낭패당하지 않으려면 성미부려서는 안 되오. 무슨 말이 나오더라두 진득이 마음을 가라앉히구 나허구 의논하겠다면 말을 해 주지."

김기는 첫마디에 도화의 얘기를 꺼내었다.

"내가 계수씨에 대하여는 일전에두 말한 적이 있지마는 아우님의 아내로는 매우 적당치 않은 여자였소. 전부터 아우님이 집을 비우기만 하면 늘 읍내 출입이 잦더니 어머님과 가끔 다툰 모양이오."

갑송이는 고개를 숙이고 듣다가 수긍을 하였다.

"그건 나두 알구 있소."

"새벽에 계수씨가 수복이네 집을 찾아가서 모친께서 임종하셨다고 알렸지. 수복이 할아버지께서 초종을 치르고 내가 호상이 되었는데, 그이가 임종하신 모친의 시신이 좀 이상스럽다구 그러시더군. 이불자락을 뜯어 꼭 다문 이빨 사이에 물고 계시더란 말이야. 그래서 나 혼자 생각하기를 누군가 이불을 덮어누른 게 아닌가 의심이 들더군."

거기서 김기는 차마 얘기를 계속하지 못하였다. 갑송이가 조용히 되물었다.

"우리집 것이 그런 짓을 저질렀습니까?"

"그건 아직 모르지. 내가 된목이골 아이를 시켜서 계수씨의 거동을 살피라 하였더니 아마…… 간부가 있는 모양이데."

"간부라뇨……"

"북바위골에 사통하는 집까지 구해놓은 듯하오."

갑송이의 눈에 사뭇 불이 붙은 듯이 이글이글 타올랐고, 주먹을 쥐는데 저절로 관절마다 꺾이는 소리가 우두둑 들려왔다.

"그 집이 어딥니까. 아니, 그것보다 먼저 이년을 당장에……"

"이두령, 내 얘기를 더 들어보라니. 간부간부(姦夫姦婦)는 등시포착이라 하였소. 우선 두 연놈의 사통하는 현장을 덮쳐 나란히 놓고 문초한 다음에 처단하여도 늦지 않아. 그렇지 않으면 누구의 죄인지도 밝힐 수가 없고 사내는 놓치구 마네. 알다시피 놈은 은율 읍내에서 버젓이 고개 들고 사는 놈이고, 우리는 숨어 사는 산림처사란 말이야. 내가 미리 아우님을 불러 말을 하는 것은 일을 잘 도모하기 위해서요. 지금 집에 가면 계수씨가 없을 테니 침착히 기다렸다가, 저녁에 오더라도 절대루 내색하지 말고 모친의 죽음이나 슬퍼하는 양만 보이면 충분하오. 그러구 나서 이틀쯤 사이를 두었다가 다시 구월산에 한 열흘 다녀오겠다며 집을 비우란 말이지. 집에서 나와서는 곧장 우리집으로 오시게. 틀림없이 계수씨가 건지산 아래로 내려갈 테고, 우리는 뒤를 밟을 필요두 없이 한밤중에 그 집을 덮치는 게야."

갑송이는 눈앞이 그렁그렁하여 아무것도 보이질 않았다. 김기가 갑송이의 무릎 앞으로 다가앉아 팔을 잡아흔들었다.

"아우님, 제발 내 시키는 대루 하시게."

갑송이는 고개를 끄덕였다. 김기가 술을 마시고 가라는 것을 억지로 뿌리치고 집에 돌아온 갑송이는 천하에 홀로 남아 마음을 의지할 데가 없는 듯 여겨졌다. 빈방 안에 망연히 앉았으려니 배신당한 사내의 고독이 뼈저리게 마음에 젖어들어왔다. 부엌에는 벌써 며칠이나 불을 땐 흔적이 없는지라 그릇과 선반에는 먼지가 앉았는데 왕거미가 아궁이 앞에 그물을 쳐놓았다. 옹색하고 을씨년스런 세간살이들이 더욱 갑송이의 빈 가슴을 치는 것이었다. 이윽고 신 끄는 소리가 들리더니 도화가 들어오는 모양이었다. 에구, 한숨짓고 나서 도화는 툇마루에 걸터앉아 가쁜 숨을 달랬다. 버선을 벗어서 탕탕 털고는,

"이놈의 집구석……"

하는 종알거림이 들렸다. 갑송이는 열화 같은 분노가 치밀어 대번에 끼년, 외치고 뛰어나가 한주먹에 대갈통을 으깨버리고 싶었다. 그러나 침을 꿀꺽 삼켜서 치미는 분노를 함께 넘겨버린다. 이제 도화가 의심하지 않도록 이틀을 보내야 할 텐데 그것은 도화를 한 손아귀에 비틀어 죽이는 일보다 더욱 어려운 노릇일 것이다.

"여보……"

"아이고 깜짝이야!"

도화는 그야말로 엉덩방아를 찧으며 뒤로 주저앉았다. 그도 그럴 것이 집을 메로 삼아 싸돌아다니다가 겨우 싫은 걸음을 떼어 돌아왔는데, 빈집 안에 사람이 들어 있기 때문이었다. 그러나 처음 놀람은 무념 중에 놀람이요, 그가 갑송이임을 알고는 이제 뭔가 드러난 게 아닌가 하여 입술을 달싹거렸다.

"어, 언제, 오, 오셨수?"

"응, 방금 왔네. 어디 갔다가……"

갑송이는 어쩔 줄 몰라하는 도화를 보니 저도 모르게 침착해지고 있었다.

"아, 저, 성님하구 마실 갔더랬어요."

도화는 급할 때마다 하는 버릇대로 봉순이를 끌어대어 변명하였다.

"혼자서 얼마나 고생이 많았어. 초상을 치르노라구 혼났지?"

도화는 키득키득 어린애처럼 비쭉거리더니 허리를 구부리고 방바닥을 치며 곡성을 읊조렸다.

"아이고오, 우리 어머님 불쌍도 하시지. 당신이 곁에 계실 젠 그리 정정하시더니 꼭 집을 떠나신 날을 택하여 혼자 쓸쓸히 가시다니. 아이구, 우리 어머님 어찌 눈을 감으셨나."

갑송이는 한참이나 도화의 사설을 그대로 내버려두었다가 조용히 말하였다.

"그만 해둬. 사초는 잘 입혔는가?"

"예…… 모두들 팔을 걷고 나서서 봉분도 그럴듯하구 자리두 아주 좋아요."

고개를 끄덕이고 나서 갑송이는 짐짓 말하였다.

"내가 집을 자주 비워서 미안하오. 집에 혼자 박혀 있으려면 갑갑하구 월정사 옛날 동무들 생각두 나겠지. 나두 이제는 산골 사는 것이 싫어졌으니 어디 도방에 나가 장사라도 하며 살아볼까."

그런 말에 도화는 눈을 빛냈다.

"여보, 지금 하신 말 정말이셔요?"

"음…… 내가 이번에 나가서 살 만한 곳을 알아보구 왔지."

도화가 허리를 굽히고 문턱을 넘어오더니 갑송의 무릎을 안으며 엎드러져 애걸하였다.

"제발 탑고개를 떠나요. 내가 살림 잘할게요. 바느질, 물긷기, 방아찧기 아니면 머리라두 잘라 팔아서 돈을 벌게요. 이 산골 구석만 면한다면 무엇이든지 하겠어요. 미칠 것 같아요."

"작은 주막집 하나를 보아두구 왔지. 내가 내일이나 모레나 된목이골에 올라가서 한 열흘쯤 뜸을 들였다가, 감동이에게 돈을 돌려보도록 하겠어."

산골에서 밥짓고 물긷는 일도 제대로 해내지 못하는 여자가 어찌 눈코 뜰 새 없는 도방의 살림을 해내겠는가. 이는 다만 도화가 죄를 저지른 집과 탑고개에서 배겨날 자신이 없기 때문이었다. 그녀는 마을 사람들이 시어머니의 죽음에 대해서 의혹을 품고 있다는 것을 잘 알고 있었다.

이튿날 갑송이는 뒷산의 모친 묘에 올라 늦은 인사를 드렸고, 새삼 마음속으로 불효를 자탄하였다.

"내 오늘 올라가면 적어도 열흘은 잡아야 할 테니 집 비우지 말구 참구 있어. 내려오는 길루 이사를 해버립시다."

"예, 저두 대강 이삿짐을 꾸려놓구 기다릴게요. 송도라구 하셨어요, 해주라구 하셨어요?"

"멀리 갈 것 있나. 은율 읍내 역전거리에 내려가지……"

도화로서는 더욱 잘된 일이었다. 안생이 술 손님으로 드나들게 되면 아무의 눈총도 받을 필요가 없었던 것이다.

"그래요, 은율 읍내만 나가두 가슴이 탁 틔어질 듯해요."

도화의 기뻐하는 꼴을 음울한 시선으로 내려다보는 갑송이는 노기를 참느라고 이빨을 지그시 물고 있어야만 하였다. 도화는 남편이 구월산 된목이골에 오르는 것이려니 여기고 집 앞에서 대강 배웅을 하였다. 갑송이는 산길로 접어들어 더이상 오르지 않고서 후미진 숲속에 자리를 잡고 앉았다. 날이 저물기를 기다려 다시 내려가 김기네 집으로 숨어들 작정이었다. 한편 마음속으로는 도화가 제발 집에서 참고 진득이 있기를 간절히 바랐다. 이제라도 마음을 바꾸고 바른 아내가 되어준다면 갑송이는 저간의 악행을 모두 용서해줄 마음이 들었다.

주위가 어두컴컴해져서 갑송이는 탑고개로 내려와 김기네 집으로 스며들었다. 김기는 저녁상을 받지 않고 기다리던 중이었다. 둘이 마주 앉아 저녁을 먹는데 망보러 내보냈던 된목이골 졸개가 돌아와서 방금 갑송의 아내가 건지산 아랫녘으로 갔다고 알렸다. 갑송이는 마치 마음 한구석이 일시에 무너져내리는 것만 같았다.

"이년을 당장에 쫓아가서……"

갑송이가 벌떡 일어서려니 김기가 그의 손을 잡아끌어 앉혔다.

"참으시게. 일을 빈틈없이 끝내려면 성질 가지군 안 되어."

김기는 말없이 담배를 담아 피웠고 갑송이는 공연히 앉았다가 일어섰다가 마당으로 나섰다가 하면서 안절부절못하였다. 밤이 제법 이슥하여 졸개를 앞세우고 김기와 갑송이는 집을 나섰다. 갑송이는 제 집 앞을 지나다가 무슨 생각이 들었는지 캄캄한 마당 안으로 들어갔다. 그는 선반을 더듬어 먼 길 갈 적에 품고 다니던 비수를 찾아내어 가슴에 넣었다. 건지산 줄기를 따라서 걷는데 졸개가 들판 끝에서 반짝이는 불빛을 가리키며 중얼거렸다.

"바로 저 집입니다."

집 앞에 이르자 김기는 갑송이의 등을 밀어주며 속삭였다.

"우리는 밖에서 기다리겠소."

갑송이는 이미 노기로 전신이 타올라 아무 말도 들리지 않았다. 그는 가슴에서 비수를 꺼내어 들고 불빛이 비치는 방문 앞으로 다가섰다. 창호를 뚫어 들여다보니 희미하게 등잔불이 밝혀져 있는데 사내의 상투꼭지가 보였고, 그의 팔베개 안에는 벗은 어깨를 드러낸 도화가 기대어 잠들어 있었다. 갑송이는 저도 모르게 문을 벌컥 열었다. 불빛이 몹시 흔들렸고 인기척에 놀란 도화가 먼저 눈을 떴다가,

"에구……"

자지러지면서 이불을 끌어 가슴과 어깨를 가리고 일어났고, 덩달아 사내도 상반신을 일으켰다가 그 자리에 얼어붙은 듯이 딱 멎어버렸다. 갑송이는 성큼 방 안으로 들어서서 뒤로 방문을 닫았다. 그의 손에 들려진 비수를 보자 사내가 목을 움츠리고 흘러내리는 이불자락을 끌어다 가슴을 가리면서 중얼거렸다.

"주, 죽을 죄를 지었소. 하, 한 번만 사, 살려주오."

도화는 아예 이불 속으로 파고들어 모습이 보이질 않았다. 갑송이는 가슴이 천 갈래로 찢어지는 듯하였다. 우뚝 서서 내려다보던 갑송이가 조용히 말하였다.

"옷을 입어라."

갑송이는 윗목 쪽에 아무렇게나 던져져 있는 옷꾸러미를 내려다보았다. 치마며 속곳이며 바지며가 한 뭉치로 엉켜 있었다. 계집은

한 손으로 옷을 집어다가 이불 속에서 부스럭거리며 꿰었고 사내는 바지를 입고 나자 반벌거숭이로 일어나 부지런히 옷을 걸치는데 저고리의 팔을 끼우지 못하고 몇번이나 허우적거렸다. 그들이 옷을 다 입고 나자 갑송이는 말뚝처럼 서 있는 채로 말하였다.

"거기 앉아라."

사내는 저절로 무릎을 꿇고 앉았으며 도화는 방구석에 벽을 향하여 돌아앉았다.

"언제부터 이런 사이가 되었느냐?"

"지난 여름에 읍내 배서방이 탑고개에 놀러 가자구 하여서 소개를 받았습니다."

"배서방은 또 누구냐?"

"이쪽과 가깝던 사람입니다."

갑송이는 그런 얘기를 서슴없이 지껄이는 사내 앞에서 부끄러워 견딜 도리가 없었다. 사내는 발각된 창피와 욕스러움을 조금이라도 면하기 위하여 도화의 음란함을 은근히 빗대어 말하였다.

"노는 여인은 하나이고, 상대하는 사내가 열이라면 어찌 그중 열 사내가 죄이겠습니까?"

"닥쳐라……"

갑송이가 안생의 가슴팍을 걷어차버리자 그는 얼굴이 하얗게 질리면서 뒤로 넘어갔다. 갑송이는 다시 묵묵히 선 채로 그가 숨을 돌릴 때까지 기다렸다.

"이 집은 뉘 집이냐?"

"자꾸 도방으루 달아나자고 하여 제가 빌려두었습니다."

"그래, 네가 진정 내 마누라를 데리고 달아나서 살 작정이었느냐?"

사내는 고개를 떨구고 아무 대답이 없었다. 갑송이는 차라리 그가 물불 가리지 않고 도화를 사랑하여 당당하게 이 여자는 내 계집이니 앞으로는 내가 데리고 살겠노라고 말해주었으면 싶었다. 그러나 갑송이 보기에도 도화는 그의 노리개에 지나지 않았고, 그런만큼 갑송이는 도화가 찢어죽일 듯이 미워지는 것이었다.

"앞으로 이 계집을 도방으루 데리구 가서 잘 살 테냐?"

사내는 잠잠히 있다가 기어드는 목소리로 대답하였다.

"연로하신 부모님들을 두고 집을 떠날 수가 있겠습니까?"

하더니 갑송이에게 앉은걸음으로 다가들어 올려다보며 애걸하였다.

"돈을 원하신다면 드리지요. 미곡을 원하시면 당장 실어내오도록 하겠습니다."

갑송이는 칼 든 손을 늘어뜨리고 두 사람을 멍하니 내려다보았다.

"너희 둘이서 공모하여 우리 어머니를 죽였느냐?"

안생이 펄쩍 뛰며 도화를 가리켰다.

"아, 아니올시다. 저 여자가 하루는 허겁지겁 달려와서 엉겁결에 노모를 이불과 베개로 눌러버렸다구 그랬지요. 저는 얘기를 듣고는 어서 올라가보라구 타일렀습니다."

사내가 다급하게 얘기하더니 눈을 번쩍 뜨고 노려보는 갑송이의 시선과 부딪치자 안절부절못하다가 어처구니없게 어린아이처럼 울음을 터뜨렸다.

"저는 정말…… 이렇게 될 줄은 몰랐지요. 배서방과 동무들이 원망스럽습니다. 한 번만 용서해주신다면 다시는……"

갑송이가 침착하게 도화를 향하여 물었다.

"이 자가 말한 것이 틀림없겠지?"

도화는 나란히 세운 무릎 위에 팔을 얹고 고개를 파묻고 있었으며, 간간이 어깨가 떨리는 것으로 보아 조용히 울고 있는 듯하였다. 갑송이가 안생을 거들떠보지도 않고 도화의 어깨를 잡아흔들었다.

"일어서, 집에 돌아가자구."

도화는 차가운 시선으로 안생을 노려보더니 발딱 일어났다. 갑송이는 다시는 사내를 바라보지도 않았다. 안생이 믿어지질 않는지 몇 번이나 주춤거리더니 그들 부부가 등을 보이자 얼른 일어나 들창문을 열고, 혹시나 그가 돌아오면 이번에는 잡히지 않고 달아날 태세를 취하였다. 그러나 갑송이는 더이상 아무 말도 없이 방문을 닫았다. 도화가 그 집을 나서려다가 돌아다보았고 갑송이는 나직하게 말하였다.

"어서 걸어……"

어둠속에서 기다리던 김기와 졸개가 그들 앞으로 나타났다. 김기는 방 안에서 갑송이가 칼날을 날리고 이미 피투성이가 되어버린 시체만 둘이 남은 줄로 알고 있었던 것이다. 그런데 아내를 앞세운 갑송이의 행색은 마치 나들이라도 가는 모양이었다.

"사내는 어찌하오?"

갑송이가 대답이 없자, 김기는 졸개에게 다시 일렀다.

"쫓아들어가 해치워버려라."

졸개가 등을 돌리려는데 갑송이가 고함을 꽥 내질렀다.

"그냥 두지 못해?"

김기와 졸개는 어리둥절하였다. 갑송이가 말하였다.

"먼저들 가우. 우리끼리 할말이 있으니까."

김기는 갑송이의 괴로움을 누구보다도 잘 알 만했으므로 묵묵히 돌아서서 그들과 갈라섰다. 갑송이와 도화는 건지산을 따라 걸으며 저마다의 생각에 잠겨 있었다. 풀벌레가 요란하게 울었고 초승달이 구월산 아사봉 위에 비스듬히 걸려 있었다. 갑송이는 이 길이 끝나지 않았으면 싶었다. 밤새껏이라도 도화와 더불어 산길을 걸어가고 싶었다. 그러나 이 길은 그들 부부에게는 되돌이킬 수 없는 마지막 길이어야 하였다. 갑송이는 목쉰 소리로 도화의 등뒤에다 말하였다.

"자네가 가고 싶다면 보내줄 테여. 어디로든지 가겠다면 말리지 않겠어."

도화는 고개를 숙이고 있었다. 그들은 어느결에 나한암에까지 와 있었고 바로 그 너머에 모친의 새로 쓴 묘지가 있었던 것이다.

"왜 말이 없나. 나허구 사는 게 웬수 같아서 이런 짓을 저질러놓구……"

"어디루…… 가란 말예요."

"저엉 탑고개에서 살겠단 말이지?"

"아무 데서두…… 살 수 없어요. 용서해주셔요. 나두 모르게, 아마 팔자에 액이 든 모양이어요. 당신은 나허구 살면 안 돼요. 또 죄를 저지를 거예요."

도화는 고개를 들고 갑송이의 무뚝뚝한 얼굴을 마주 보았다. 온 얼굴에 눈물이 번져서 어지러이 흘러내리고 있었다. 도화의 어조에는 이상스런 열기가 있었다.

"해만 지면 미치겠어요. 마음은 공연히 떠돌고 세상만사가 미워져요. 당신은 바위 같은 내 남편인데, 나중에는 당신까지 미워져요."

갑송이가 소매를 들어 눈시울을 쓱 닦았다. 그러고는 아내의 손을 잡아끌고 야산으로 올라갔다. 등성이 위에 달빛이 희게 내려앉았다.

"어머니께 인사드려."

도화는 남편을 등뒤에 두고 무덤 앞에서 삼배를 올렸다. 그녀가 절을 마치고 일어나는데 갑송이가 뒤에서 가슴을 껴안으면서 오른

손으로 비수를 들어 옆구리에 깊숙이 박았다. 도화가 입을 딱 벌렸다. 그리고 두 사람은 함께 마른 풀 위에 넘어졌다. 도화는 고통으로 일그러진 입을 가까스로 다물고 젖은 눈을 들어 남편을 올려다보았다. 흰 소복 위에 피가 검게 배어나왔다. 갑송이는 아내를 껴안은 채 다시 비수를 쳐들어 한 번 더 찔렀다. 도화의 몸이 움칫했다가 아아, 하면서 짧은 비명을 지르고 축 늘어졌다. 갑송이는 아내의 시신을 안고 허공을 향하여 누워 있었다. 초승달이 검은 구름의 자취를 헤치며 하늘 위로 달려갔다. 그의 빰에 찰싹 대어진 아내의 볼이 차차 식어갔고 몸이 굳어지고 있었다. 그의 옷자락으로 스며들던 도화의 뜨뜻한 피가 바람결에 축축해져갔다. 갑송이는 이를 물고 터져나오려는 오열을 씹어 삼켰다. 그는 아내의 몸에서 칼을 뽑아내어 머리 위로 던지고 일어섰다. 그러고는 뜬 채로 멎어 있는 눈시울을 내리쓸었다. 갑송이는 아내의 다리를 가지런히 놓고 두 손을 모아 배 위에 얹어준 다음에 산을 뛰어내려갔다. 그의 집으로 들어가니,

"이제 오시나……"

하는 김기의 목소리가 들려왔다. 김기는 오랫동안 갑송이네 집 툇마루에 앉아서 그를 기다리고 있었던 것이다. 갑송이는 방 안으로 들어가 등잔불을 밝혔고, 김기는 온통 피로 얼룩진 그의 옷을 보고 무슨 일이 있었다는 것을 알아차렸다. 갑송이가 고리짝을 뒤져서 아내의 화사한 옷을 꺼내었다. 김기가 서성거리며 말을 던졌다.

"뭐 도울 일이라두 없겠소?"

"없수."

갑송이가 퉁명스레 대꾸하고 방을 나서며 괭이를 찾아들었다.

"그대신 소문내지 마우. 누가 물으면 집을 떠났다구만 말허우."

김기는 미친 듯이 뛰어나가는 갑송이에게 아무 말도 해줄 수가

없었다. 갑송이는 다시 아내 곁으로 돌아가 피 묻은 옷을 벗기고 상처에마다 무명옷을 찢어 싸맨 다음에 새댁시절에 입었던 푸른 저고리 붉은 치마를 입혔다. 그러고는 무명을 필째로 풀어 시신을 감싸주었다.

갑송이는 새벽 동이 훤히 틀 무렵까지 땅을 깊숙이 파헤쳤다. 그는 무명포에 감싼 도화의 시신을 구덩이에 누이고는 차마 흙을 덮지 못하여 곁에 주저앉았다. 새벽바람이 불어오기 시작하자 아내의 시신을 덮은 천이 한들거리며 나부꼈다. 젖혀진 천 사이로 도화의 검은 머리카락이 드러나 바람에 흩날렸고, 갑송이는 얼결에 아내의 상반신을 잡아흔들었다.

"여보……"

그러나 이미 차디차게 굳어버린 시체가 대답할 리 만무하였다. 갑송이는 제 손을 펼쳐들고 들여다보았다. 검게 말라붙은 피가 손바닥에 남아 있었고, 손톱에는 온통 검붉은 피의 흔적이 보였다. 갑송이는 다시 천을 시체의 머리 위로 당겨서 감싸고는 흙 한줌을 집어 그 위에 흩뿌렸다. 그는 발치 끝에서부터 한 줌 두 줌 흙을 뿌렸다. 뒤에서 누군가 그의 어깨를 짚었고 갑송이는 흠칫 놀라서 돌아다보았다. 김기가 한 손에 호리병을 들고 서 있었다.

"어한이나 하라구…… 가져왔지."

갑송이는 넋이 나간 사람처럼 무심하게 술병을 건네받았다. 김기가 그의 겨드랑이 사이에 팔을 끼워올리며 말하였다.

"저리루 내려가서 잠깐 기다리시게. 매장은 내가 할 테니……"

갑송이는 멍하니 김기를 바라보다가 허청거리며 산비탈을 내려갔다. 그는 언덕 아래 쭈그려앉아서 병나발로 소주를 들이켰다. 그 동안에 김기가 괭이로 흙을 밀어 덮기 시작하였다. 흙덩이들이 투덕

투덕 떨어져 시신을 덮더니 드디어 완전히 보이지 않게 되자 김기는 흙무더기를 재빨리 쏟아넣었고, 곧 구덩이는 메워졌다. 김기가 땅을 다져 밟는데 허기진데다 화주를 마시고 눈자위가 불콰해진 갑송이가 다시 올라왔다. 김기는 못 본 체하고 땅을 다지고 나서 둥글게 봉분을 올려 쌓았다. 아침놀이 구월산 위로 번져가고 있었으며 잠 깬 산새들이 요란하게 울부짖었다.

"우리집으루 가지. 아니면 나하구 같이 된목이골에 오르든지, 아이들 데리구 멧돼지몰이나 가게."

김기가 땀을 씻으면서 갑송이에게 말을 던졌건만, 그는 비워진 술병을 불쑥 내밀어주고는 앞장서서 야산을 내려갔다. 김기는 못내 걱정이 되어 부지런히 그의 걸음을 따라잡았고, 갑송이는 썰렁한 집안으로 들어가더니 나올 기색이 아니었다. 김기는 뒷짐을 지고 마당을 서성거릴 뿐이었다. 잠시 후에 새옷을 입고 행전 치고 머리에 두건 질끈 동인 갑송이가 작은 보퉁이를 옆에 끼고 마루로 나왔다. 보아하니 먼 길 갈 차림새였다.

"아니…… 어딜 가시게?"

"탑고개를 떠날라우."

김기는 갑송이의 보퉁이를 잡으며 다급하게 말하였다.

"아우님, 이러시면 안 되네. 비록 이런 끔찍한 일이 있었다고는 하지만, 사람 사는 일이란 다 음양이 있게 마련이오. 며칠 동안 한 바퀴 휙 돌고 오면 모두 잊어버릴 것이고 그 다음엔 다시 정숙한 아낙을 맞아 새장가를 들구 정 붙여 살면 되는 거야. 이제 장서방두 없는데 아우님까지 휑하니 떠나버리면 나는 누굴 믿구 탑고개에 눌러 있으란 말인가."

갑송이는 슬며시 김기의 손을 잡아 떼어놓으며 고개를 숙였다.

“성님 볼 면목이 없수. 곧 돌아올 게요. 누구에게두 아무 말 마우.”

갑송이는 충혈된 눈으로 김기를 한참 건너다보더니 등을 돌려 집을 나갔다.

갑송이는 고개를 숙이고 빠른 걸음으로 바위넘이를 올랐다. 그는 모친과 아내가 나란히 묻힌 야산을 돌아다볼 수가 없었다. 구구월(口九月)의 산줄기가 갈리는 등성이까지 갑송이는 아무 생각도 없이 걸었다. 얼른 참혹한 기억이 남은 집을 떠나고자 달아나다시피 나선 길이라 뚜렷한 방향이 있을 리가 없었다. 갑송이는 등성이의 끝에 불쑥 솟아나간 바위에 걸터앉아 다리쉼을 하였다. 울창한 송림의 바위가 층층이 연잇고 있었다. 그런 바위틈으로 섬처럼 붉은 흙을 드러낸 밭뙈기가 보이고, 사람들이 사는 마을이 띄엄띄엄 흩어져 있었다. 갑송이는 탑고개마을의 낯익은 지붕들을 내려다보면서 언젠가의 적막하던 느낌과 똑같다는 생각이 들었다. 그가 재인말의 빈집들에다 불을 싸지르고 광대산 마루턱에서 뒤돌아보던 때처럼, 이제 사람 사는 마을에는 마지막이 아닌가 하는 생각이 들었다. 천하에 육신을 담을 데 없이 인간세의 밖으로 내쳐진 듯하였다. 이러한 파가(破家)의 설움을 누구와 나눌 수가 있겠는가. 뼈저린 설움도 잠들면 코를 골고 배가 고파지면 허겁지겁하는 법이다. 갑송이는 밤새 분노와 슬픔으로 시달리고 두 끼니나 걸러서 기진맥진해 있었다. 뜨거운 국에 밥을 말아 훌훌 들이켜고 구들을 지고 한숨 자고 나면 살 것 같았다.

“월정사에나 들렀다 갈까……”

갑송이는 이런 때에 중놈들을 만나 집안 얘기를 꺼냈다가는 또 알쏭달쏭한 말이나 지껄이며 곤한 사람을 어지럽히기나 할 것이라 전혀 내색하지 않기로 하였다. 다만 느긋하게 웃을 듯 말 듯한 부처님 무릎 아래 절이라도 하고 나면 들볶이는 마음이 편해질 듯도 하였다. 옥여에게 재나 올려달랄까 하는 생각도 들었다.

갑송이는 구구월을 지나 구월산 본령으로 들어서서 아사봉을 올랐다. 된목이골의 반대편 북록에 월정사가 있으니 암벽 사이의 조도(鳥道)를 지나야 하였다. 암벽 아래편에는 아사봉에만 자라는 적송들이 지옥의 바늘천지처럼 솟아올랐고 언제나 그렇듯이 바람 새어나가는 소리가 떠도는 넋들의 아우성처럼 들렸다. 조도를 지나자 계곡 아래로 월정사의 기와지붕이 보였다. 갑송이는 문루를 지나 월정사 경내로 들어갔다.

절 뒤편에는 여전히 사당패들의 통나무 귀틀집이 틀어박혀 있었으나 마침 때가 때인지라 모두들 출행을 나가고 몇몇 저승패들이 집을 보는 모양이었다. 그렇지 않아도 백련이나 각심이 같은 도화의 동무 사당들과 부딪치면 어찌 견딜까 두려워했던 갑송이는 조금 안심이 되었다. 대웅전과 명부전을 돌아서 대중방이 잇단 곳에 가니 마침 행자 하나가 나오다가 그를 보고 합장하며 반겼다.

"옥여스님 계시우?"

행자가 마루를 걸어나가 끝방 문을 열고 갑송이가 찾아왔음을 알렸고, 옥여가 텁석부리의 얼굴을 내밀었다.

"이처사, 어서 오시오. 통 발길을 않길래 어디 송도에 가셨나 했소."

"송도에 갔었지요. 스님과 곡차를 나눈 지두 오래되어서…… 주지스님두 별고 없으시지요?"

"된목이골에는 더러 올라가시우?"

"예, 자주 갑니다. 그나저나 이 절 공양참이 아직 멀었나. 절밥 한 번 얻어먹게."

"허…… 벌써 지났는데 설마하니 이처사 밥이야 굶기겠소?"

옥여가 밖으로 나가 행자승에게 점심상을 이르고 돌아왔다.

"이제 문득 처사의 몰골을 대하니 깃 잃은 새 같고 굴 떠난 범 같소이다. 안색이 초췌하고 눈빛이 불안하니 마음이 평안하지 않은 듯하오."

옥여는 역시 승려라 갑송의 어딘가 흐트러진 기색을 잘 알아보았다. 그러나 갑송이는 우물쭈물,

"몸이 안 좋아 그런가……"

하였다. 밥이 들어와 갑송이가 달게 먹느라고 숟갈로 듬뿍 떠넣고 손으로는 나물을 쥐어 볼을 부풀리며 우물대는데 갑송이를 이윽히 바라보던 옥여가 중얼거렸다.

"공양 들구 나서 큰스님에게나 가보십시다."

"가만있수, 한숨 자구 나서 스님을 뵙든지 말든지."

"곤하고 배고플 제 월정사에 찾아와 아주 잘되었소."

갑송이가 물을 부어 훌훌 들이마시면서 농을 던졌다.

"아따, 이 잘난 서속밥에 산채 나부랭이를 한 그릇 먹인다구 너무 부처님 공덕 찾지 마슈. 실은 내 먹구 싶은 건 너비아니 안주에 술 한 말이우."

옥여는 빙긋 웃었다.

"그럽시다. 사당말에 내려가 닭이나 잡지 뭘. 곡차두 있을 테니까…… 나두 오랜만에 이처사 덕으루 파계하겠는걸."

밥그릇을 모두 비우고 나자 갑송이는 입가심질을 하고 중얼거렸다.

"어휴, 이젠 좀 살겠고나."

옥여가 앞장을 서면서 갑송이를 데리고 밖으로 나왔다. 그들은 사

당마을로 내려갔고 모가비 임가네 집으로 갔는데 노파 혼자서 집을 지키고 있었다.

"곡차 남은 거 있으면 한잔 먹읍시다. 그리고 닭두 한 두어 마리 잡아주오."

"에이그, 술도 있고, 닭도 스무 마리 남짓 있건마는 알이나 걷어오라면 모를까 우린 차마 잡지 못허우. 요 아랫집에두 늙은이들이 몇이 있는데 와서 잡아달래지요."

"그럴 거 없네. 오늘은 이처사께서 내 파계를 도우려고 오셨으니 내가 잡아야지."

"저런…… 스님이요?"

"못 할 게 무어요. 내가 극락세계로 보내주면 내세에는 봉이 되어 태어날 게야."

옥여는 갑송이를 바라보며 껄껄 웃었고, 갑송이가 맞받았다.

"여보, 아무리 스님이 땡초라지만 그럴 수가 있나. 내가 잡을 테니 스님이 고기 한 점 주워먹는 것은 모른 체할 테유."

그러나 옥여는 승복을 벗어던지고 털로 가득한 가슴을 드러내고 뒤꼍으로 돌아나갔다. 잠깐 동안 푸드덕거리는 소리와 쫓기는 울음소리가 부산스럽더니 옥여가 우악스런 양손에다 두 마리의 닭을 잡아들고 마당을 돌아나왔다.

"나무아미타불…… 방금 열반하였으니 어서 피를 뽑으시우."

목이 비틀려 축 늘어진 닭을 부엌으로 들여주며 옥여는 몸소 술상을 들고 방으로 들어왔다. 소반 위에 양푼으로 그득히 거른 탁주와 나물 한 대접이 전부였다. 사발을 양푼에 담가 그득히 술을 떠서 서로 한잔을 주고받았다. 갑송이는 겉으로는 쾌히 농도 지껄이고 산천 경개를 둘러보러 나온 풍류객인 듯하였으나 속마음은 차차 끓기 시작하여 옥여를 바라보던 눈도 흐려지고 술만 벌컥벌컥 들이켰다. 옥여는 이미 그런 기색을 아는지라, 말문이 열리기를 기다리는지 한 양푼의 술이 다 비워지도록 술잔만을 건네었다. 백숙이 되어 들어온 닭을 한 마리씩 차지하여 승속이 함께 뜯었다. 옥여는 침울한 얼굴이 되어 있는 갑송이에게 다시 말을 걸었다.

"내가 어째서 중이 되었는지 그 사연이나 한번 들어볼라우. 일찍이 천성이 게으르고 우매하여 땅뙈기 조금 있던 것을 갈아보지도 못하고 집을 떠났소. 내가 건망병이 들기 시작하여 골수에 병이 스며서 아내가 누구인지 자식이 몇인지 집은 어디인지도 다 잊어버렸지요. 그러니 이웃 마을에 마실을 나왔다가 영영 집을 다시 찾아가지 못하구 만 게요. 찾을 생각도 안 나더구먼. 어디엔가 발길이 멎어야 할 텐데 내가 소중히 여기던 오죽 담뱃대를 잃어버려서 그걸 찾노라구 백리 길을 헤맸으니 발길이 멎을 게 뭐요. 그냥 걸었지. 헌데 실상은 내 오른손에 그 귀물을 꼭 쥐고 있었단 말이야. 그런데 걸어가노라면 팔이 앞뒤로 휘저어지거든. 팔이 뒤로 가면,

아, 내 담뱃대 어디로 갔나?

하였다가 다시 팔이 앞으로 나올 제,

응, 요기 있구나.

하면서 내처 길을 걸었단 말이지. 그러니 잃었다가 찾았다가 하여 내 손에 쥔 것인지 없어졌는지 분간이 되어야지.

내 담뱃대…… 아 여기 있다. 내 담뱃대 어디 갔나, 아 여?네.

계속 그렇게 씨불거리면서 걷노라니 어느 중놈과 동행을 하게 되었는데 그자가 내 짓거리를 눈여겨보았던 모양이라. 담뱃대를 잃었다가 찾았다가 하면서 꼬박 하루를 걸어 드디어 날이 저물었지. 하는 수 없이 길에서 노숙을 했는데 잠이 들어서야 귀물 찾는 일을 그

쳤지 무어요. 내가 잠이 든 사이에 중놈이 내 꼴을 보고는 그만 크게 깨닫고는, 이놈의 건망병이 이제 나을 것이고 나는 대오각성하였고나, 그랬다지. 중놈이 내 머리를 깎아버리고 내 몸에 승복을 입히고 저는 내가 썼던 갓에다 도포 입고는 날이 밝자마자 내 궁둥이를 호되게 질러서 잠을 깨워놓고 휘적휘적 걸어갔소. 그때 내가 뭐라구 했는지 아시우. 이렇게 하였지.

어라, 같이 자던 중놈만 여기 있고, 나는 어디로 갔나.

그러고 보니 앞에서 누가 걸어간단 말이야. 나는 소리 지르며 쫓아갔지.

옳지, 내가 저기 있나 보다. 여보 여보, 거기 가는 사람…… 혹시 나 아니우?

한데 아무리 쫓아가두 내가 잡혀야지. 고개를 넘는 사이에 나는 어디론가 달아나버려서 영영 놓치구 말았소. 그래서 중놈만 남았거든. 하는 수 없이 절을 찾기루 하였지. 어쩔 수가 있어야지. 남들이 날더러 모두 중이라구 합장두 하구 공양도 해주며 산사로 오르는 길을 가르쳐주더구만. 이게 내가 중이 되어버린 내력이우."

그들은 거듭 양푼의 술을 비워 어지간히 취기가 올라 있었다. 갑송이는 그의 말을 듣는 둥 만 둥하고 있다가,

"여보슈, 그럼 나허구 그 승복이나 바꿔입을까?"

"좋지……"

"그럼 내가 중이 되고 당신은 도적놈이 되겠구먼."

"그래서 중이 살생을 하구 이렇게 희희낙락하는 거 아니우. 자, 내 옷을 입으라니……"

옥여가 회색 저고리와 바지를 벗어던지니 갑송이도 술김에 모든 것을 잊고 아이처럼 히히거리며 옷을 바꿔입었다. 옥여가 갑송이의

옷을 입고 머리에는 두건까지 질끈 동이고 나니 텁석부리며 큰 눈알이며가 어찌나 험상궂은지 속한 중에도 쓰잘데없는 개백정놈이 되어버렸다.

"헤헤, 이녁이 바로 나로구먼."

"거긴 옥여라는 땡초중이지."

서로 손가락질하면서 웃어대다가 갑송이가 문득 입을 다물고 옥여를 멀뚱히 들여다보았다. 옥여도 표정을 고치고 뭔가 기다리는 듯하는데, 갑송이가 어이없게도 입술을 일그러뜨리더니 비죽비죽 울기 시작하는 것이었다.

"나무관세음보살……"

옥여는 눈시울을 가라앉히며 중얼거렸다. 옥여도 월정사에 오기까지 숱한 수도의 날을 보냈고, 불심도 어지간한 승려였던지라 첫눈에 갑송이의 열기 띤 눈초리와 지치고 수심 깃들인 안색을 보아 심상치 않게 여겼던 것이다. 마치 아들의 간난을 살로 아는 어버이처럼, 그리고 외양간 곁에 두어 그가 스스로 깨달아 알 때까지 기다리는 장자(長者)처럼 옥여는 손수 갑송이께 닭도 잡아주고 어서 무슨 말이든지 나오기를 기다렸다. 갑송이가 제 옷을 입은 옥여의 몰골을 보자 어쩐지 자신의 모습이 세상에서 아무짝에도 쓸모없는 것으로 보였고, 새삼 홀홀단신으로 내쳐진 듯하여 울음이 나오는데 제 모습의 옥여는 다시 눈을 감고 조용히 염불을 외우고 있었다.

"스님, 나 중 될라우……"

갑송이 연신 소매로 눈시울을 씻으며 불쑥 말하니 옥여가 되물었다.

"무슨 일이 있었구려."

갑송이는 고개를 푹 숙이고 대답하였다.

"집사람을…… 찔러죽였수."

"왜 죽였소이까?"

"내가 못나서 사내 구실을 못 하여 그만…… 죄를 짓게 하였지요. 그래서 살려두느니 차라리 저세상에서나 청정히 되라구……"

"잘하셨소이다."

옥여는 더이상 묻지 않고 그렇게 대꾸하였다. 갑송이는 양푼째로 들어서 벌컥이며 들이마셨다. 그러고는 비척거리며 일어났다.

"풍열스님께 갈라우. 나두 중을 만들어달라구 해야지."

"이처사는 벌써 중이 되었소."

하면서 옥여가 갑송이의 손을 잡아끌어 앉혔다.

"까짓 속세에서 마지막으루 먹는 술인데 계를 받자마자 곡차 먹자구 조를려우. 실컷 마셔둡시다."

갑송이와 옥여는 마주 앉아 사당마을에 묻힌 술독을 거의 비우고 대취하였고, 피로에 지쳤던 갑송이는 뒤로 넘어져 일어나지를 못하였다. 갑송이는 드높게 코를 골며 네 활개를 펴고 뻗어 있었다.

"이처사…… 이처사."

옥여가 갑송이의 몸을 흔들어보았으나, 그는 바윗덩이처럼 요지부동이었다. 옥여는 빙긋 웃고 나서 비틀거리며 일어났다. 그는 마당으로 나가서 목구멍에 손가락을 넣어 이제껏 마신 술을 시원스레 좔좔좔 토해냈다.

"오늘은 터줏대감께서 땡초의 복중주를 공양받으시도다! 이게 모두 새로 오신 행자의 덕이니 흔쾌히 마시구 취하소서."

옥여는 중얼거리고 나서 샘에서 물을 떠서 달게 먹고 입가심하였다. 옥여의 걸음걸이가 비로소 꿋꿋해졌다. 그는 방에 들어가 갑송이의 팔을 들어 등에다 걸치고 끄응, 하면서 일어났다.

"육근이 들어 몹시 무겁도다!"

옥여는 갑송이를 등에 업고 대웅전 앞마당을 질러갔다. 옥여는 구척 장신에 기골이 떡벌어진 장한이었으나, 워낙에 축 늘어진 갑송이의 몸이 무거워서 몇번이나 바위 모퉁이에 걸터앉아 숨을 돌리곤 하였다. 갑송이는 팔을 늘어뜨리고 옥여의 등에 얼굴을 대고 깊이 잠들어 있었다. 그는 월정사 뒤편 계곡 사이의 달마암으로 올라갔다. 선방의 문을 여니 풍열은 간 곳이 없고 동승만이 놀란 눈으로 두 사람의 꼬락서니를 올려다보았다.

"스님 오시거든 행자가 새로 왔다구 말씀드려라. 아마 이 사람이 일어나기 전에 스님께서 돌아오실 것이니라."

"꾸중 들으면 저는 모르겠수."

"큰스님은 날마다 이 사람이 찾아오기를 기다렸다. 취한 사람을 선방에 들여놓는 연유를 잘 아실 게다."

옥여는 대강 이르고 나서 달마암을 내려와 갑송이의 옷을 벗고 다시 승복으로 갈아입었다. 그러고는 법당에 나아가 조용히 진혼하는 독경을 읊기 시작하였다. 취한 세상에서부터 깨어나자마자 갑송이는 불자(佛者)로 바뀐 자기를 보게 될 것이다. 옛글에도 세상사의 허랑함을 비긴 것이 많지마는 기장밥의 꿈〔黨梁夢〕이란 얘기도 있으니, 노생(盧生)이 여옹(呂翁)에게서 얻어 베고 잤던 부귀영화의 꿈이 서린 베개가 그러하다. 그 베개 위에서 노생은 영화가 극성한 일세를 꿈꾸고 깨어났으나 잠들기 전에 짓기 시작했던 밥이 아직 익지도 않았다는 얘기이다.

근거 없는 광대패로 험상궂게 자라나 어머니는 아내 손에 죽이고 다시 그 아내를 제 손으로 찔러죽인 갑송이가 다시 어느 곳에 넋 한 끄틀이라도 매어볼 데가 있을 건가. 갑송이는 지친 몸에 옥여의 회색빛 승복과 장삼을 걸치고 풍열의 선방에서 열반이라도 한 듯이 곤하게 잠들어 있었다. 얼마큼이나 잤을까, 오줌보가 가득 차서 저절로 눈이 떠져 방 안을 둘러보고 스스로 소스라쳤다.

"아니……"

갑송이는 어제의 참사를 깜박 잊고는 이곳이 여전히 탑고개의 정다운 삼간초가이려니 생각했고 목청을 돋우면 도화가 부엌에서 예쁜 웃음을 흘리며 나설 듯하였다. 정수리가 찌르르할 정도로 차가운 냉수 사발을 받쳐든 도화의 흰 손에서 뿌려지는 한기가 얼굴에 떨어질 것만 같았다. 두리번거리며 자기 주제를 살피니 엉뚱하게도 승복을 걸쳤고 얼결에 놀라서 머리를 만지니 상투꼭지가 잡히는데 그제야 갑송이는 옥여와 장난하던 생각이 났다. 그리고 끊겨서 없어진 줄 알았던 어젯밤의 일로 이어지는 것이었다. 갑송이는 한숨을 내쉬고 나서 방문을 열고 마당으로 나섰다. 아직 초저녁인 듯 아래편 월정사의 낮은 굴뚝마다 청솔 타는 연기가 안개와 더불어 자욱하였다. 하늘에 드문드문 별들이 또랑또랑 맑게 박혔다. 갑송이는 계곡 아래편에 대고 길고 긴 오줌발을 날리면서 서 있었다. 소피를 끝내고 돌아서니 등뒤에 누구인가 서서 기다리고 있었다.

"잠이 깨었느냐?"

나직한 목소리와 단단해 보이는 체구의 주지스님인 풍열이 마당가에 서 있었다. 아마도 마당을 거닐며 행선(行禪)에 잠겼던 듯싶었다.

"이리 와서 물 좀 마셔라."

풍열은 샘에서 표주박 가득히 물을 떠서 내밀고 있었다. 아마도 갑송이가 자는 동안에 돌아와 줄곧 마당을 거닐었던 모양이다. 갑송이는 제 꼴이 좀은 부끄러워 머뭇거리면서 허리를 숙이고 어색하게 합장해 보였다.

"큰스님, 그동안 별고 없으십니까?"

"그래, 네가 웬일이냐. 나는 어떤 객승이 유숙하러 온 줄 알았구나."

"아닙니다…… 저 옥여스님하구 농을 좀 했었지요."

갑송은 거의 바닥이 비워지도록 마셨다. 물맛이 달고 시원하여 정신이 번쩍 드는 듯하였다. 갑송이가 우물쭈물하다가 말하였다.

"스님…… 저는 인제 그만 내려갈랍니다."

"어디루 가겠느냐?"

"글쎄요…… 옥여스님 방에서 함께 자든지 아니면 된목이골에 들렀다가……"

하다가 갑송이는 말을 멈추었다. 그 다음에는 어디로 갈 것인지 작정해본 적도 없었기 때문이다. 풍열이 선방으로 들어가며 말하였다.

"들어오너라. 오늘은 나하구 얘기나 하다가 같이 자자."

갑송이는 풍열을 따라서 잠자던 방으로 들어갔다. 풍열이 불을 켜고 갑송이와 마주 앉았다.

"승복이 썩 어울리는구나. 잘되었다, 여기서 얼마 동안 상좌 노릇이나 하며 지내거라."

풍열이 제 마음대로 결정을 내려 말하니 갑송이는 눈을 둥그렇게 떴다.

"예……? 절더러 중이 되라구요?"

"그래, 내가 일찍이 뭐라구 그랬느냐. 너는 불자가 되어야 할 사람이다. 이제 옥여가 네게 승복을 입혀 내 방에 재운 걸 보니, 네가 부처님과 인연이 닿을 모양이다."

"에이, 저 같은 도적놈이 어찌 승려가 된답디까?"

풍열은 고개만 흔들고 더이상 갑송이에게 권하지 않더니,

"거의 평생을 살생으로 보낸 자가 부처님의 이적을 나타낸 적두 있다. 이건 내가 묘향산 있을 때 겪어서 아는 일이다. 자비사의 상좌로 있을 때인데 어느 백정 하나가 중이 되겠다구 찾아왔었다. 주지 스님께서는 기특하긴 하여도 바탕이 백정인지라 받아들이시지는 않고서 다만 절의 불목하니로 지내게 하였다. 절의 다른 중들이 모두 그를 무지하고 어리석다 비웃으며 별호를 대덕(大德)이라고 붙였는데, 절의 대소사는 물론이요, 농사라든가 벌채라든가 모든 잡일에서 힘드는 일까지 그를 시켜 부려먹곤 하였고, 동승들도 그를 업수이여겨 함부로 해라를 하였다. 재를 올릴 적은 물론이요 작은 불사가 있을 때에도 그는 얼씬도 못 하였고 십여 년이 넘을 때까지 염불은커녕 독경 한 줄을 외지 못하였다. 늘 누더기의 베옷에 삭발한 머리로 대덕이란 그럴듯한 별호만으로 불자임을 겸손하게 자처하였느니라. 절에서는 물론이요 아랫마을에서도 그는 널리 알려져서 동네에 돼지를 잡는다든가 집을 고친다든가 걸핏하면 대덕을 빌려다 부리곤 하였다. 그래도 그는 늘 합장하고 언제나 웃는 얼굴이었다. 그가 절밭을 매러 아래로 내려가면 아이들이나 부인네들까지도 농을 걸며 그의 바보스런 대답을 듣고 배를 잡노라고 법석이었더니라. 대덕은 소처럼 일이나 하고 장마에 물이 불으면 새로운 징검다리를 놓고, 누가 아프면 쫓아가 시중들며, 초상나면 몸소 염해주고, 연고 없는 이의 장사를 치르고 호곡을 하기도 하였다. 그러다가 뒤에 들으니 병들어 굶고 있는 이를 위하여 품을 팔아 도와주고 산을 넘어 오다가, 눈 속에 묻혀 얼어죽었다 한다. 사람들은 그이가 살았을 때엔 여러가지 도움도 받았으나 아무도 돌보지 않아 대덕은 골짜기에 파묻혀서 그대로 이듬해 봄에는 풀숲에 덮이고 말았지. 그가 어디서

어떻게 죽었는지 모르는 사람들은 모두들, 그러면 그렇지 대덕이 어디서 연고 없는 과부라도 만나 함께 떠났을 게라구 생각들을 했다. 대덕이 자비사에서 없어지니 나무할 사람도 밭맬 사람도 거름 치울 사람도 없어 그제서야 그이가 얼마나 귀한 사람이었는가를 알았지. 사람들도 귀찮고 번거로운 일거리를 맡아줄 사람이 없고 보니, 장마에 물이 불어도 대덕이 없어서 징검다리를 놓을 이가 없다며 아쉬워하였다. 헌데…… 대덕이 얼어죽었던 그 자리에서 보리수나무가 자라났지. 대덕은 언제나 누더기옷에다 그래도 제깐에는 중이랍시고 목에 백팔염주를 소중히 걸고 다녔는데 그 말라붙은 염주알에서 싹이 트는 기적이 일어났다는 게다. 어느 객승이 지나다가 보리수나무를 보고 그 아래서 반쯤 묻힌 형해(形骸)를 발견하고 느낌이 있어, 바위에다 불상을 쪼아놓고 갔다지. 내가 나이 들어서 다시 그곳을 찾아갔더니 다치고 병든 사람들이 움막을 짓고 그 골짜기에 모여 있더구나. 미륵의 영험이 대단하여 누구든 기도만 드리면 어떤 불치병이나 고질병도 씻은 듯이 낫는다는 것이었다. 대덕은 자비사의 주지와 그를 비웃던 다른 어느 승려들보다도 훨씬 진여(眞如)의 경지에 있어서 미륵으로 현신한 것이다. 대덕의 실행은 내게도 많은 가르침을 주었다. 어떤 묵정밭이든 부지런히 갈고 거름을 주면 옥토가 되느니라. 병이 낫고 나서 약을 제하면 바로 이전의 그 사람이니라(病差藥除依前只是 舊是人). 갑송이는 이미 근실한 비구이니 독실하게 행하면 대사가 될 것이다."

갑송이는 풍열의 말을 듣고 공연히 목구멍이 뿌듯하고 가슴이 빠근해지도록 마음이 움직였으나 지난 세월을 생각하니 공연히 빈웃음이 나오는 것이었다.

"부처님께 절이나 하구 오겠습니다."

풍열은 갑송이가 이 자리를 빠져나가려는 것을 모르는지 고개를 끄덕여주었다. 갑송이는 선방을 빠져나왔다.

"젠장, 저녁두 안 먹구 시장한데 또 술 생각이 나는구나."

갑송이는 월정사로 내려가 대중방을 기웃해보니 불이 꺼져 있는데 옥여도 잠이 든 모양이었다. 그는 사당말로 내려가 모가비 임가네 집을 찾아들었다. 노파는 등잔을 돋우고 앉아 바느질을 하고 있었다. 내일 가기 전에 무명을 내어주기로 하고 술과 밥을 청하니 방안에 들여주었다. 갑송이는 낮에보다 훨씬 더 많이 술을 퍼마시고는 주흥이 도도하여 월정사로 다시 올라가는데, 옥여를 깨워 지분덕거릴 작정이었다. 낮잠을 늘어지게 잤으니 새삼 잠이 올 리도 없었고 어쩐지 마음이 휑하니 비어서 실없는 웃음만 새어나왔다. 그가 절마당 앞을 지나는데 어둠속에서 우렁우렁하는 소리가 들린 듯하였다. 누가 그를 부르는 것 같았다.

"왜 그래……"

또 부르는 듯하여 갑송이는 혼자 주절거렸다.

"가면 술 줄 테여……"

그러마고 들은 듯해서 갑송이는 대웅전 쪽으로 비틀거리며 걸어가 문을 열었다. 법당 안에는 등잔이 켜져 있고, 세존의 웃는 얼굴이 보였다.

"어이구, 부처 성님…… 여기 계시구먼요."

갑송이는 저 혼자 꾸벅해 보이고는 불단 앞으로 다가섰다. 불상은 입가에 미소를 머금고 갑송이를 고요히 내려다보고 있었다.

"성님, 절 받으슈."

갑송이가 중얼거리더니 불상을 향하여 합장하고 넙죽 엎드렸다. 다시 일어나 합장하고는 또 엎드리고 삼배를 드린 연후에 불상을 마주하여 자리 잡고 앉으니 세존은 정말 갑송이의 큰성님이라도 된 듯이, 어디서 헤매다가 이제야 온단 말이냐 하는 표정이었다. 절을 올리고 가부좌하니 갑송이는 절망과 자책으로 들끓던 마음이 편안해지고 전신이 놓여나는 듯한 기분이었다. 갑송이는 이제 혼잣소리를 지껄이지도 않고 세존의 느긋한 눈길을 바라보기만 하였다. 그는 예불시간이 가까워질 때까지 혼자 앉아 있었는데 저절로 술이 깨고 머리는 차차 맑아졌다. 계명 무렵에 옥여가 법당에 들어왔다가 그 모습을 보고 중얼거렸다.

"오늘 예불은 벌써 끝났군."

옥여는 갑송이 모르게 법당 문을 다시 닫고 탑돌이를 하면서 염불을 외웠다. 그날 갑송이는 월정사를 떠나지 못하였다. 풍열에게 중이 되겠노라고 하여 삭발하고 계를 받으니 법명을 대성법주(大聖法主)라 하였다. 법주스님은 겨울이 깊어갈 때까지 월정사 선방에 박혀 있다가 금강산으로 운부(雲浮)를 찾아 떠났다. 갑송이가 승려가 된 것은 된목이골에서는 물론이요, 김기도 알지 못하였다.

2

함경도와 평안도를 가르고 달리는 낭림산맥은 높고 깊기가 백두산에 버금가는 무수한 봉우리들이 다투어 연이어서 남북으로 서 있는 벽과도 같았다. 양덕(陽德)에서부터 북으로 치달리는 산맥을 따라서 박달령, 운령, 오강산, 병풍산 등이 하늘을 찌를 듯 솟아 있고 맹산에 이르러 두무령 철옹산으로, 다시 안도리산과 만건덕산 등의 지류가 갈리며 황천령에서 동북으로 빠져나가게 된다. 그 가운데 철옹산 채 못 미쳐서 우뚝 솟은 운봉산(雲峯山)은 그야말로 이들 산줄기 중에서는 가장 험하고 높은 산이었다. 가깝기는 맹산에 사오십 리 상거이나 그보다 훨씬 먼 영흥에 속해 있었다. 운봉산 바로 남동쪽으로 나란히 솟은 병풍산(屛風山)은 봉우리가 많으나 산세가 부드러워서 곳곳에 넓은 분지가 많고 산정에는 큰 못이 있었다.

길산은 이미 지난 여름에 금강산을 떠나 바닷가를 따라서 북으로 올라 묘향산을 향하여 서쪽으로 방향을 잡았다가 그만 도중에서 발을 멈추었던 것이다. 운부에게서 떠난 것은 혼자 수도하기 위함이었고 기왕이면 묘향산에 있을지도 모르는 친부 보의 뒷소식이나 수소문하려던 것이다. 그러나 그런 생각은 어언 사라지고 길산은 맹산을 향하여 두무령(頭無嶺)을 넘다가 그만 운봉산에 발을 들여놓았던 것이다.

산세에 반하여 심메마니들이 모여 사는 부락에서 여름을 보내고는 병풍산으로 들어갔다. 그리고 대지(大池) 가까이의 분지에 오두막을 짓고 거기서 기거하였다. 그는 수락사(水落寺)까지의 계곡을 따라서 오르내리며 폭포도 맞고 밤이라든가 송실 따위의 산과도 채취하여 겨울을 나기 위한 갈무리를 해두었다. 길산은 금강산에 있을 적에 운부로부터 밤마다 천자(千字)를 배우고 『소학(小學)』을 떼어 겨우 글을 읽을 줄 알게 되었다. 그저 늙은 광대들에게 춤사위를 배우는 틈틈이 익혔던 태껸은 이제는 내공으로부터 시작하여 외공으로까지 나아가는 선법(禪法)의 권술로 익어져서 제 몸의 분수껏 향상되었다. 원래가 수도란 저 혼자 떨어져 자기 자신과 대면할 때부터가 가경인지라 길산은 병풍산의 오두막에서 겨울을 날 작정이었다.

만폭동(萬瀑洞)의 운부암(雲浮庵)에는 각처에서 불경교승의 무리가 모여들었는데, 삼십여 명이나 되었다. 뒷봉의 오두막은 여러 채로 늘어났고 서속밭도 많이 개간되어 있었다. 최헌경과 정학 정신 형제들은 수시로 운부암에 드나들었으며, 설유징은 비록 강릉으로 이사를 하였으나 정학 형제들과 자주 만났다. 운부암이 자리가 잡혀가자 길산은 유점사의 일여가 알선하여 깊은 골의 석굴 암자에서 줄곧 수도하였다. 처음 일 년 동안은 운부와 길산 둘이서 암자에 같이 기거하며 글도 배우고 틈틈이 무술도 익혔으나, 다음 일 년은 길산이 혼자 수도하는 사이사이에 운부가 가끔씩 나타나 잘못을 고쳐주기도 하였다. 삼 년 기한이 가까워졌으므로 길산은 운부대사에게 금강산을 떠나겠다고 아뢰었다. 운부는 길산이 떠날 때 그가 명심해야 할 바를 몇가지 일러주었다.

지나간 몇해의 수도생활이 네게 많은 힘을 주었으리라 믿는다. 지금 암자에는 보살 중생의 도를 구하는 이들이 많이 모여 있으나, 길산이 너와는 다르다. 너는 네 말처럼 천한 백성이요, 나라를 등진 도적놈이니라. 실상 네가 천민으로 살면서도 그 안에서 깨우치지 못하고 무엇인가 배우겠다며 나를 찾은 것을 혹자는 평하여, 스스로 성품을 잃고 배운 놈들께 투신하였다고 탓할지도 모른다. 그러나 그렇게 탓하는 이들이야말로 책상물림의 그럴듯한 생각에 지나지 않는다. 무엇인가 의지는 있건만, 어떻게 해야 될지 모를 때에 얼마나 안타깝더냐. 사람이란 모두 계기가 있어야 하나니, 저 숱한 백성들이 원통하고 억울하게 살면서도 언제나 막연할 뿐 종잡히는 생각이 없을 제 또한 어찌하더냐. 길산이 네게는 스스로를 먼 데서 바라보는 지난 몇해였구나. 네 모습이 어떻더냐? 너는 바로 우리가 도모해야 하는 일의 중심이 되어야 한다. 너는 팔도 천민들의 중심이요, 그들을 위해서 배운 것이다. 늘 너와 같은 백성들과 함께 있고, 언제라도 교만하고 잘난 자들과 같은 느낌이 들 적엔 차라리 자진하든지 너와 같은 자들의 토멸을 받아야 한다. 나 같은 사람은 네 이루어짐과 더불어 죽을 것이다. 우리는 거름이요, 너희는 씨앗이며 뿌리와 같으니라. 언제 어느 곳에 가 있더라도 잊지 말아라. 너는 천대받는 백성들의 울분이 화한 마음이요, 그 손발이고, 그 머리며, 그 무기가 되어라.

길산은 운부대사와 하직하고 내쳐서 묘향산을 향하여 고원(高原), 안변(安邊)을 지나 영흥(永興)으로 해서 맹산(孟山)을 거쳐 북상하는 길을 잡았다.

길산은 병풍령을 넘어 맹산을 향하다가 하늘을 찌를 듯이 구름 위로 솟은 운봉산을 바라보고 그쪽으로 발길이 끌렸다. 백두산 다음이라는 운봉산의 산세는 과연 낭림산맥의 콧마루라고 할 만하였다. 길산은 산삼 채집꾼들이나 화전민들이 두어 집씩 모여 사는 골짜기들을 헤맸고 여러 곳에서 끝을 알 수 없는 자연동굴도 보아두었다. 그러나 운봉산은 험하고 깊어서 혼자 지내기가 어려웠다. 거기서 가을을 보낸 뒤에 길산은 같은 산맥의 동남 지류에 오 리쯤 내려가서 있는 병풍산으로 옮겨갔다. 산의 연봉이 고만고만하게 동서로 펼쳐져 다시 그 남은 줄기가 육십여 리나 계속되어 철수내에 닿아 있어 병풍을 세워둔 것과 같았다. 특히 병풍산의 위쪽에는 드넓은 초원이 있고 가운데 못이 있어서 대지봉(大池峯)이라 하였다.

길산은 못이 바라보이는 초원 가녘에 통나무 귀틀집을 지었다. 나무들을 엇갈려 차곡차곡 묶고 틈바구니마다 진흙을 이겨 발랐다. 그리고 지붕 위에는 나무껍질을 벗겨서 너와를 얹었다. 땅을 파고 진흙을 개어 고래를 만들고 그 위에 편편한 돌을 덮은 다음에 다시 진흙을 발랐다. 그러고는 마른 풀을 덮었으니 훌륭한 온돌이 마련되었다. 단칸방이었으나 아궁이 쪽은 침소로 쓰고 윗목에는 갈무리한 양식을 쌓아두었다. 길산의 일과는 이러하였다. 만물 조생시(調生時)에 눈을 뜬다. 조생하는 때란, 별이 빛을 잃기 직전에 더욱 투명해지며 하늘에는 부연 빛의 전조가 퍼지기 직전인데 음(陰)이 양(陽)과 바뀌기 전에 세상의 기(氣)가 고요히 가라앉는 때이다. 모든 산짐승도 그 때쯤 눈을 뜨는데 초목도 그때에 숨결을 바꾸고 바람도 방향을 바꾼다.

눈을 뜨면 잠시 누운 채로 어제 일을 차례로 하나씩 되살려 기억해 낸다. 잘못이 있었으면 곧 염두에 둔다. 일어나서 곧 밖으로 나와 오두막 앞의 바위 위에 대지 쪽을 향하고 정좌한다. 양 무릎을 바위에 붙이고 등은 꼿꼿이 펴며 두 손을 겹쳐서 배꼽 아래 단전(丹田)에 올려놓고 눈은 내리깔아 삼 보 거리를 응시하는 것이었다. 태가 생겨날 때부터 배꼽 중심으로 상체와 하체에 이어서 머리가 형성되나니, 탯줄이란 자양과 숨을 받는 생명줄이고 열 달이 찬 연후에 탯줄을 달고서 태어난다. 배꼽이야말로 사람이 가진 생명력의 근원이요, 기혈(氣血)의 중점이며 예로부터 제하단전기해(臍下丹田氣海)라 하여 선(禪)의 요체로 알려져 있다. 길산은 천천히 숨을 쉬며 단전에 기를 끌어모은다. 외계의 대자연은 대아(大我)요, 자기 몸은 소아(小我)라 여겨 자연 속에 흩어진 기를 흡수하여 몸에 축적한다. 자연의 기(氣)는 대자연의 법도대로 움직이고 변화하나니, 아침놀이 번지고 초원에는 이슬이 내리며 짐승들은 물을 마시러 못가로 나오고 새는 날아오르며 안개와 바람은 들판을 향하여 움직인다. 천하의 영기(靈氣)를 단전에 끌어모아 조식(調息)으로 교류하는 데 세 가지가 있다. 조식이란 조화된 숨결이란 말이니 한 숨을 한 식(息)이라 한다.

첫째로 복식(腹息)이 있으니 한 번 내뿜고 한 번 들이쉬는 숨결에 능히 배를 채운다. 들이마시면 공기가 폐부에 들어가 두루 충만해져

다시 그 아래로 늘어나 넘쳐내리는데, 폐부를 거친 기가 가슴을 비우고 배를 팽창시킨다. 또한 공기를 토할 때에도 배는 줄어들고 가슴을 압박하여 그 속의 흐린 공기를 전부 밖으로 몰아낸다. 숨결의 출입은 극히 미세하여 비록 자기 귀라 할지라도 분간하기 어려울 정도이다.

둘째로 체식(體息)이 있나니, 자세는 태산처럼 묵중하게, 생각은 깃털처럼 가벼이 하고 참선을 계속할 적에, 호흡이 더욱 가늘어져 한 번 나가고 들어오는 것을 스스로 깨닫지 못하는 상태를 이른다. 어언 호흡이 없는 듯한 상태로 들어가 비록 몸이 있을지라도 없는 듯하여 숨결이 마치 전신의 땀구멍으로 드나드는 듯하다.

셋째로는 족심식(足心息)이라는 것이 있는데 마음과 기를 두 발의 용천(湧泉) 중심에 모은다. 몸의 기혈을 아래로 내리는 것이다.

좌선을 마치고 나서는 입을 열어 몸의 열기를 밖으로 흩어지게 한 연후에 몸을 천천히 흔들고 어깨를 풀며 목을 움직이고 손과 다리를 펴서 편한 자세로 고쳐앉는다. 그러고는 안면과 양손과 몸을 이리저리 비벼주고는 일어나 천천히 걷는다. 곧 행선(行禪)으로 들어가는 것이다.

잠시 동안 선 채로 배꼽 아래에 힘을 주고 숨을 쉬는데 머리는 쳐들어 세 길 높이의 허공을 바라보아 잡생각이 들지 않게 마음을 다잡는다(意念氣血操神相 禪立凝視魔不犯). 발을 떼어 걷는데 마치 학이 외다리로 서듯이 걸을 때마다 한쪽 다리 끝에 힘을 주고 배꼽 아래로 힘과 정신을 모아 숨쉰다(隻脚集中全體重 力臍禪息使利法). 발끝에 온몸의 무게를 모아서 단전에 힘을 주고 위로 오르는 듯 걷는 중에 배에 더욱 힘이 들어가게 된다(昇階力臍隻脚先 降段加重臍一脚). 몸의 기혈이 눈 깜짝할 사이에 전신을 두루 돌아감을 알고서, 모든 정신과 말초

감각을 한 점으로 통제한다는 생각을 지닐 적에 신목(神目)이라 한다. 배에 힘을 주고 단전이 걸어가는 듯이 생각하면서 걷는다(神目恒存丹田下 以臍鶴行之字形).

행선이 끝나고 나서는 곧 오두막 앞에 직립으로 꽂아세운 오행목(五行木) 위에 올라선다. 사방 네 귀퉁이에 수화목금의 나무 기둥을 세우고 중점에다 토의 기둥을 세웠는데, 같은 높이로 기둥을 박아 토 기둥을 안으로 하고, 이 다섯 지점을 기둥으로 연결해두었다.

그리고 다시 바깥 둘레 수와 화의 중간, 화와 목의 중간에서부터 중점을 향하여 기둥의 열을 지으니 모두 열두 줄의 기둥들이 서로 엇갈리게 되었다.

이 네모난 기둥 위에서 처음에는 한 발짝씩 걸어서 중점의 토 기둥에까지 밟아 들어가고 다시 바깥으로 나오면서 속도를 빨리한다. 기둥을 건너뛰기 시작하면 화와 목의 중간에서 다시 목과 금의 중간하는 식으로 건너뛰고 차차 간격을 넓혀 화에서 목으로 목에서 금으로 단번에 뛰었다가, 더욱 간격을 넓혀 사선으로 화에서 저쪽 금으로 목에서 저쪽 수로 건너뛴다.

두 다리로 건너뛰기가 다하면 외다리로 걷고 외다리로 뛰어다니기를 한다. 그러고는 중점인 토 기둥에 서서 아무 곳이나 화, 또는 금이라 부르짖으며 중점에서 몸을 뒤집어 그 마음먹은 기둥 위에 선다. 마지막으로는 땅 위에 내려서서 정좌하고 앉았다가 짧은 기합소리를 내지르며 토 기둥에 가서 올라앉고 다시 앉은 자세로 상체를 흔들어 다른 기둥으로 건너뛰기를 한다. 이 운신으로 오행목 수련을 끝낸다. 다음엔 권고(卷藁)의 수련이니 고정된 것과 움직이는 것이 따로 있다. 풀밭 가운데에 기둥을 꽂고 꼭지에다 격점을 둔다. 그리고 둘레에는 움직이는 권고를 여섯 세웠는데 기다란 나무 봉 둘을 나란히 세워 그 가운데에 짤막한 봉을 매달아둔 것이다.

한 번씩 건드려놓으면 단봉들은 춤을 추듯이 전후좌우로 흔들거리는데 높낮이가 모두 다르다. 길산은 호흡을 재고 나서 재빠르게 단봉을 치거나 찌르며 둘레를 돌고 나서 중심의 고정된 권고를 향하여 파고들어간다. 어느 때는 단봉이 뒤통수를 노리며 달려들고, 등덜미 또는 옆구리, 명치, 다리, 면상으로 날아드는데, 일방 피하며 한편 팔굽과 다리로 막아내는가 하면 흔들리는 단봉의 폭은 더욱 크고 거세어진다. 그러고는 복판의 권고를 타격하고 다시 단봉을 피하여 빠져나오기를 거듭한다. 더욱 들고 나기를 재빨리 계속하고 드디어는 단봉의 난무에 사지를 접촉함이 없이 권고를 치고 나오는 데까지 이른다. 이러한 단련은 운부암에서도 계속해오던 것이었다.

왕모래를 깔고 잘게 쪼갠 나뭇가지들을 총총히 박아놓은 땅 위에 곧게 편 손을 찔러넣는다. 큰 돌의 윗부분을 뾰족이 갈아서 그곳을 엄지나 검지 또는 약지와 새끼손가락으로 집어올려서 수평으로 들었다가 놓기를 거듭한다. 한 아름드리 통나무를 절구통만 한 크기로 잘라 줄에 매어 다리에 달고 그것들을 끌고 폭포 있는 곳까지 재빨리 걷는다. 폭포에 이르면 위에서 떨어지는 물줄기를 뒤통수에다 받고 두 손은 기혈을 장심에 모으듯 하면서 정좌한다. 찬물을 맞아서 온몸은 저려오고 폭포의 거센 흐름 때문에 곤두박질칠 것 같지만 열기를 스스로의 몸에서 내고 척추를 굳건히 지키면, 어느결에 두 손과 배가 더워지고 등판은 굳건해지는 것이다.

내공과 외공의 단련을 마치고 돌아오면 곧 허기가 지고 미칠 듯이 시장하지만 눈은 만 리를 바라보듯 깨어 있고 정신은 잔잔한 천중수(泉中水)처럼 맑다. 길산은 잣과 송화와 은행, 밤 등의 산과로 영이(靈餌)의 조반을 든다. 그는 봄까지의 양식을 장만해야 되었으므로 병풍산의 연봉을 오르내리며 산과를 채집하러 돌아다닌다. 땔나무도 하고 양식도 장만하며 돌다가 오후에 다시 오두막으로 돌아온다. 운부가 내어준 책을 펴놓고 글자의 한 획 한 자를 새겨서 읽고 생각하노라면 해가 뉘엿뉘엿 저물었고, 방에 불을 지피고는 저녁을 좁쌀죽과 산과로 든든히 먹는다. 다시 정좌하여 예전의 자기를 되씹으면서 유래를 살펴 따지고 반드시 여러 방면으로 그 일들을 생각해본다. 북두칠성이 오두막 앞에 비칠 적에 마른 풀 위에 누워 잠든다.

길산의 풀어헤쳐진 머리는 어깨를 덮었고 수염은 자랄 대로 자랐으며, 과묵한 표정 위에 눈만이 번쩍였다. 어느덧 화려하던 단풍은 산천마저 소롯이 잎을 벗어 겨울로 접어들었다. 길산은 오직 산, 하늘 그리고 별 가운데 녹아 있어서 제가 있는지조차 알 수 없었다. 북도의 겨울은 매서운 바람과 눈보라가 섣달에서 정월까지 끊이질 않았다. 낭림산맥은 마치 빙한지옥처럼 얼음과 눈에 뒤덮였고 빽빽한 침엽수림들도 눈 속에 거의 파묻혀 애송이 도령의 턱밑 수염과도 같았다.

길산은 눈보라 속에서도 정좌와 수련을 그치지 않았다. 그러나 그에게도 정다운 벗이 생겨나게 되었으니 그것은 주먹만 한 눈송이들이 아예 하늘과 땅의 중간에서 비껴 쏟아지듯 하던 날 밤의 일이었다. 길산은 잠들어 있었는데 뭔가 머리꼭지와 귓가에 끼쳐오는 남의 기색이 있어 눈을 떴다. 누운 채로 얼굴을 정면에 둔 채로 이 어둠속에 무엇인가가 자기와 함께 있는 것을 똑똑히 느낄 수가 있었다. 그는 슬그머니 고개를 옆으로 돌리고 그것을 보았다. 상대방에서도 길산이 잠을 깨었다는 것을 알아챈 듯하였다. 두 개의 푸른 안광이 이쪽을 노려보고 있었다. 길산은 그게 무엇인지 알았고 대번에 일어나 그 머리를 잡아 목을 조이며 미간을 부숴버릴까 하였다. 그런 적의를 갖자마자 그르렁하는 낮은 소리를 내면서 상대편이 움찔하였다.

길산은 그대로 얼굴만을 돌린 채로 응시하고 있었다. 한참이나 바라보는 사이에 그는 어쩐지 무관심해져서 그것이 윗목에 놓인 곡식자루처럼 여겨졌다. 길산은 고개를 돌리고 다시 잠들었다. 조생시(調生時)가 되어 그가 잠에서 깨어나보니 그것은 이미 자리를 뜨고 없어졌다. 아마도 폭설에 몰려 잠잘 곳을 찾다가 맞춤한 곳을 발견하고 기어든 모양이었다. 오두막의 입구에는 마른 풀로 짠 엉성한 거적 비슷한 것을 막아두었는데 그 아래로 기어든 것 같았다. 짐승은 아마도 안에 사람이 있는 냄새와 기색을 알고 있었으나 스스로 자신이 있는데다가 인가 없는 산중에 홀로 있는 그를 대수롭지 않게 생각했던 것이다. 아니, 그보다도 취락의 생활 냄새가 가셔버리고 낭림산맥의 일부분이 되어버린 그를 경계하지 않았던 까닭인지도 모르겠다.

이튿날 저녁에 길산이 관솔불을 켜두고 정좌하여 지난 일 살피기를 계속 중인데, 뭔가 커다란 덩치가 거적 아래로 꾸무럭거리며 스며들어왔다. 황갈색에 검은 줄무늬가 얼룩진 송아지만 한 칡범이었다. 턱 아래로 수염처럼 털이 늘어졌고 꼬리는 뒷전에 비스듬히 서 있으며 눈이 호박을 박아놓은 듯하였다. 범은 그를 아무렇지도 않게 바라보고 나서 입에 물고 있던 것을 내려놓고 배를 깔고 엎드렸다. 회색 털의 토끼를 물어온 것이다. 어젯밤을 자고 나가 온종일 싸다니다가 역시 따뜻하고 아늑한 오두막을 못내 버릴 수가 없어 다시 찾아들었다는 꼴이었다. 그는 먹이를 뜯다가 가끔씩 고개를 들고 정좌한 길산을 빤히 올려다보고는 하였다.

길산은 아무 생각 없이 정면을 바라볼 뿐이었다. 범이 먹이를 다 먹고 나더니 발등을 핥고는 턱을 올려두고 길산을 물끄러미 바라보았다. 짐승은 다른 것은 다 좋은 잠자리인데 저 자가 버티고 있는 것이 마음에 걸린다고 생각할지도 몰랐다. 길산이 정좌를 풀고 움직이자 범은 조금 긴장이 된 모양인지 어깨를 펴고 고개를 들어 어제처럼 낮게 그르렁거렸다. 길산은 혼자 있는 듯 예사롭게 불을 끄고 자리에 누워 잠들었다. 새벽에 범은 없어졌다. 그날 길산은 하루종일 큼직한 활덫을 여러 개 만들어 눈 쌓인 골짜기의 바위틈과 등성이에다 장치하였다. 동숙하는 것에게도 식량이 필요하겠기 때문이었다. 길산이 만약 수도하는 도중이 아니라 산속에서 길을 가다가 범을 부딪쳤다면 자신의 기량과 담력도 시험해볼 겸 하여 싸움을 벌였을 것이다. 견물필찰십방(見物必察十方), 처사필찰유래(處事必察由來)의 정진을 하는 그로서 비록 자신을 해칠지도 모르는 맹수라고는 하여도 마음으로 다스리지 못하고서는 모든 내공은 수포로 돌아갈 듯하였다. 며칠 동안 범이 보이질 않더니, 어느날 밤인가 손님은 또 불쑥 거적 아래로 기어들어왔다. 역시 매서운 눈보라가 몰아치는 날이었다. 그동안에 덫에 걸렸던 노루를 오두막 밖에 두었더니 눈에 쌓인 채로 주인을 찾지 못하고 버려져 있었다. 범이 그것을 먹고는 남은 것은 다시 제자리에 갖다두고 돌아와 거적 옆의 윗목에 배를 깔고 엎드렸다.

길산이 소피가 마려워서 정좌를 풀고 일어났지만 범은 고개를 들었을 뿐 그르렁거리지는 않았다. 그는 곧장 출구 쪽으로 갔으며 범이 슬쩍 일어나서 거적 아래로 새어나갔다. 길산이 소피를 보고 다시 들어와 앉으니, 잠시 후에 자리를 비켜주었던 범도 도로 들어와서 제자리를 차지하였다. 그로부터 범은 아예 길산의 오두막을 제 집으로 알게 되었고 날마다 찾아와서 폭설과 폭풍을 피하여 한식구가 되어버렸다.

어느 때는 길산이 골짜기를 돌아다니다가 그 짐승을 만나는 때도 있었는데, 그것은 한참이나 길산의 주위를 가까이서 배회하며 먼 산을 노리기도 하고 언덕을 뛰어오르기도 하며 그르렁거리기도 하면서 머물다가 제 볼일을 보러 일단 헤어지는 수도 있고, 때에 따라서는 함께 귀가하는 날도 있었다. 길산은 범이 누운 자리를 슬쩍 건너뛰어 오두막 밖으로 나가기도 하는데 짐승은 미동도 않고 턱을 받치고 엎드려 있었다.

어느덧 따뜻한 온돌에 맛을 들였는지 범은 거적 밑이 아니라 길산이 자리한 아랫목 가까이로 옮겨왔다. 그것은 마른 풀과 따뜻한 흙바닥이 몹시 좋은 모양이었다. 정월이 다 가도록 둘은 함께 기거하였는데, 둘 다 쾌적하게 지내었다. 그들은 서로 기분의 반응을 재빨리 알았고 상대방에 대하여 예의를 잃지 않았던 것이다. 어떤 날은 범의 털이 길산의 등에 닿아 모처럼 따뜻하게 자는 때도 있었으며, 범의 허리에 팔을 올려둘 때도 있었다.

눈이 걷히고 날씨가 따스해지자 범은 들어오지 않는 날이 많았다. 어느날 길산이 대지봉 너머 병풍산의 지류인 다른 골짜기에서 무수한 칡의 밭을 알아냈는데 거의 팔뚝 만한 굵기에 모두 하나같이 알을 배고 있었다. 그것은 마르고 딱딱해진 산과로 겨울을 넘긴 길산에게는 훌륭한 양식이었다. 하루종일 칡을 캐고 있었는데, 벌써 여러 날 보이지 않던 짐승이 맞은편 골짜기에 나타나 물끄러미 내려다보고 있었다. 길산은 반가워서 스스로 정한 아묵(啞默)의 율을 깨뜨릴 뻔하였다. 그는 입을 벌리다가 스스로 멈추고 범에게로 좇아올라가니 범도 마주 내려와서는 주위를 배회하며 꼬리를 빳빳이 쳐들었다. 길산이 칡을 한짐 그득히 캐는 동안 범은 바위에 올라앉아서 사방을 바라보고 있었다. 길산이 한참 만에 작업에서 놓여나 바라보니 이미 범은 간 데가 없었다. 길산은 기다렸으나 짐승이 어디론가 거처를 옮겼음을 알았다. 길산은 그 밭에서 커다란 동자삼을 두 뿌리나 캐었다. 그러나 그는 먹지 않고 다음에 활인할 때를 생각하여 낡은 바랑 속에 넣어두었던 것이다.

북관의 겨울은 천천히 알지 못하는 사이에 지나갔다. 아직도 골짜기마다 두꺼운 얼음이 남아 있었으며, 눈이 쌓여 있기도 하였다. 그러나 산 아래쪽에서는 벌써 푸른 새싹들이 돋아나와 봄을 반기고 있었다. 길산은 대지봉서 내려와 산줄기를 타고 운봉산 골짜기로 들어갔다. 그가 처음에 운봉산에 있을 적에 사귀었던 산삼 채집꾼들의 귀틀집 동네를 찾아가려는 것이었다. 그나마 저녁마다 죽이나 끓여 먹던 서속이 다 떨어져서 간직하고 있던 무명 끝동과 바꾸어오려는 참이었다. 그가 진대골로 들어가니 마침 봄철 첫 심을 보러 나가는 산신제가 벌어져서, 서낭목 아래 노구메와 폄을 벌여놓고 또한 흘림까지 따라놓고 경을 읽는 중이었다.

"유세차 운봉산 진대골서 메정성 드리오니 소례(小禮)로 드리는 정성 대례(大禮)로 받으시구, 대례로 드리는 정성 소례로 받으시구 눌러 짐작하올 적에 정성이 부족타 하더라도 부족타 마옵시구, 내루 희망하옵시구, 빛으로 운감하옵시구, 짚음으루 희망하옵시구, 감사히 받으소서. 축원 발원하옵니다. 축원 발원하올 적에 미련한 인수 인간은 소지 한 장으루 앞을 가려두 앞을 내다보지 못하는 인간이 되오니 풀어 해갈하옵시구, 인간은 산삼이 귀한 고로 산삼을 많이 점지하여주시옵소서."

소지하고 사례치성을 드리고 나서 그들이 뒤늦게 길산이 온 것을 보고 아는 체를 하였는데 길산이도 오랜만에 수수떡을 맛보았고 술도 한잔 마셨다. 존장인 어이님이 길산을 보고 말하였다.

"산에서 혼자 공부하려거든 심이라두 보러 다니지."

길산은 말없이 빙그레 웃기만 하였으니 이미 그가 칡밭에서 동삼을 캐었단 말은 입 밖에 내지 않았다.

"근년에는 반들개가 고작이고 세닢부치 이상은 보지두 못하였네. 강계에서두 향산 삼보다 우리를 더 알아주지만 그만큼 희귀하거든."

"요새는 제값두 많이 떨어졌지."

"어제 꿈 잘 꾸었거든 장서방이 내게 파시구랴."

심메꾼들이 음복하면서 떠드는데, 소장마니 하나가 앳된 목소리로 불평을 하였다.

"그런데요…… 우리 할아버지가 젊었을 때 육구만달을 다섯 뿌리나 캐어내셨다는 데가 바루 서산이목인데 거기가 심밭이란 말이에요. 내가 보기에두 골이 깊어서 햇볕이 잘 들지 않구 나뭇잎이 켜켜로 앉아 흙이 보이질 않는데 반음 반양이라고 바람이 들질 않아서 골짜기 속이 폭 싸여 있거든요. 그 앞의 서산이 바위가 아주 좋은 바람막이니까요. 우리가 그 골에 못 들어간 게 벌써 하메 보냈죠, 달메 보냈죠. 인제 눈이 녹았는데두 또 들어가지 못하지요."

젊은이가 말하니 제주를 섰던 어이님이 혀를 찼다.

"죽고 싶으면 들어가려무나."

그러고는 모두들 더이상 말을 않고 침통한 얼굴이 되는 것이었다. 길산이 궁금하여 물었다.

"거긴 왜 못 들어갑니까. 누가 해치기나 하나요?"

존장이 고개를 절레절레 흔들었다.

"우린들 아오. 작년 봄부터 어디선가 장정들이 몰려와 산에다 구멍을 뚫고 온통 뒤죽박죽을 만들어놓고는 목책까지 둘러놓았는데,

그 안에 얼씬거렸다가는 온전히 나올 수가 없쇠다."

"깊은 산에서 뭘 한단 말이오?"

길산은 차차 의문이 나서 자꾸 물었다.

"잠채꾼들인 모양이지. 아예 풀뭇간도 지어놓고 마바리로 실어내는 눈치더군."

"아니, 그러면 잠채하러 다니는 놈들이 땅이나 열심히 팔 일이지, 뭣 땜에 남의 생업은 방해하구 사람까지 해친단 말이우?"

"글쎄, 우리네야 뭘 아는가. 군관들이 창검으로 엄중히 지키는 것을 보면 나라에서 하는 일 같지만, 꼭 짐을 은밀히 실어내는 꼬락서니를 보면 그렇지두 않은 모양이데. 하여튼 가까이 가지 않는 게 좋아."

길산은 슬슬 거기 들어가보고 싶은 마음이 동하여 잠자코 앉았다가 그들이 후하게 되어준 서속 두어 말을 자루에 받아넣고 돌아섰다. 그러고는 먼저 발설하였던 소장마니를 슬그머니 잡아당겨서 물었다.

"서산이목이 어디요?"

"왜요…… 거기 가시게요?"

"사람 해친단 말을 들으니 구경이나 하구 싶어서…… 또 알우, 나두 금쪼가리나 주워가지게 될지. 거긴 육구만달을 열 뿌리쯤 캘지두 모르고……"

"연봉을 주욱 타구 한 사십 리쯤 올라가서 철옹성 있는 곳이에요."

길산이 돌아서서 진대골을 나서려니 뒤에서 소장마니가 따라왔다.

"나두 붙여주세요. 거길 못 가면 늘 꿈자리가 께름칙할 것 같아서 혼자서라두 가려던 참이거든요."

"같이 가봅시다."

길산은 젊은 심메꾼과 동행하여 산줄기의 북쪽을 타고 내려갔다. 사십여 리라고는 하나 길이 험하고 숲이 빽빽하여 자작령을 넘어서는 평지로 내려갔다가 다시 산으로 오르기로 하였다. 운봉산, 병풍산이 그러하듯 철옹산도 함경도의 영흥도호부에 속하여 있었으나, 기실 평안도의 맹산 양덕에 가까웠고, 이들은 두 도의 사이를 가르는 담과도 같았던 것이다.

철옹성은 그 암벽의 둘레가 육백오십여 척으로 깎아지른 듯한 절벽이 항아리의 입같이 솟았는데 그 위에 토벽을 쌓아 요새를 만들었다. 진장 하나가 있고 그 밑에 진군이 주둔하였다. 서산이목이란 두무령에서 철옹성에 닿는 말뚝벙거지 모양의 뾰족한 골짜기의 끝을 이르는데 거친 바위와 전나무들이 가득 찬 곳이었다. 은광이나 금광이 발견되면 수령이 즉시 장계하여 산금처에다 점(店)을 설치하는 것이 원칙이건만 수세를 피하여 발견자들이 직접 은밀하게 캐어먹는 잠채잡이가 한창 성행하였으니 특히 동북(東北)지방과 평안도지방이 극심하였다. 땅 없고 집 없는 유민들은 물론이요, 도망친 남의 사천들도 맨손에 곡괭이 한 자루면 밥을 먹을 수가 있었으므로 채굴광을 찾아들게 마련이었다. 이것이 나라의 금점 설치에 따라서 공개가 되어 있는 곳이라면 또한 모르되, 돈냥이나 있어 금맥이나 은맥을 보고 투자하여 잠채꾼들이 일꾼을 부리니 자연히 폐단이 자심하였다.

서산이목의 금줄을 쥔 것은 맹산 고을 현감과 평안도 일대에서 유명한 잠채잡이로 알려진 유복령(劉福領)이었다. 그들이 우연히 금맥을 찾게 되었던 것은 유가의 아랫사람들이 양덕에서부터 사금의 원류를 훑어오르다가 바위 밖으로 노출된 원광석을 발견한 뒤부터였다. 유가는 곧 몸소 맹산을 찾아가 현감의 동업을 얻어내는 데 성공하였다.

워낙 궁벽한 산골인데다 철옹성 가까운 곳에 있으니 현감이 진장과 더불어 눈가림만 해준다면 그냥 산에서 돈농사를 지을 수가 있다는 제의였다. 현감은 그리 부패한 관리는 아니었으나 그렇다고 청렴은 더욱 못 하여서 결국은 재해시의 진휼비를 비축한다는 구실로 유가와 손을 잡았다. 우선 유복령이 밑도 끝도 없이 대처를 바라고 모여들어 유리걸식하는 무리들을 장터에서 그러모았다. 돈은 충분히 낼 터이니 일꾼을 산다는 말에 무의무탁한 자들이 모였고 그중에서 가장 팔팔하고 기운이 넘치는 자들만을 삼십여 명 모아서 서산이목으로 끌고 왔다. 그러고는 일을 시키는데 노임은커니와 죄수처럼 다루어 골짜기 안에 가축사 같은 오두막을 지어두고 골짜기 어귀에는 목책을 두른 다음, 산성을 수비할 진군들이 둘러싸고 지켰다. 아무리 유민의 무리라 하나 개중에는 제법 사리판단에 밝고 바르게 처신할 줄 아는 자들이 있게 마련이었다.

김선일(金先一)이란 자가 그들 억울하게 죄수 아닌 죄수가 되어버린 잠채 광부들 가운데 끼여 있었으니 그는 정주(定州)에서 응모하여 속아서 끌려온 사람이었다. 김선일은 남의 고공살이를 하다가 사천으로 떨어지지는 않고 새경을 모아 정주로 나와서 장사를 하였다. 그러나 남의 밥으로 머리가 굵어진 놈이 도방 장사꾼의 수완을 따를 수가 없어 한 달 만에 다 털어먹고 부근의 부잣집을 찾아다니며 날품을 팔아 연명하였다. 그러는 중에 장터에 나타난 유복령의 잠채꾼들을 만나게 되었고, 하루 열 푼씩 준다는 바람에 그들을 따라나섰던 것이다. 그가 다른 응모자와 함께 봉놋방 신세를 지며 두무령까지 와서 서산이목으로 들어가니 군복 차림들이 창검 엄정하게 비껴

들고 요소마다 서 있었으므로 더욱 안심이 되었다.

나라에서 시키는 일이니 부역이 아님만 다행이라 여겼다. 골짜기는 손바닥을 벌리고 손가락의 끝만을 붙인 듯한 형상인데, 골짜기가 삼각으로 삐죽하게 좁아진 끝에 입을 검게 벌린 굴혈 두 구멍이 보였다. 김선일은 목책을 지나 안으로 끌려갔고 거기에는 풀과 나무로 엉성히 지어진 광부들의 오두막이 있었다. 그는 유복령의 수하 사람 앞에 끌려갔는데, 웃통을 벗기고 체격을 조사받고 풀뭇간에 배치되었다. 맨흙에다 마른 짚더미를 깔아놓았고, 문은 단 하나였다. 그러고는 당장에 작업장에 끌려들어갔는데 저와 같은 자들을 만나고 나서야 그들이 사노들보다 더 비참하다는 것을 알았다. 그들은 일할 때 외에는 어둡고 냄새나는 오두막에 갇혀 있어야 하였고, 품삯은 아예 없었으며 고작 후한 것이 밥뿐이었다. 나물국에 짠지와 밥은 양껏 먹을 수가 있었다.

굶주리던 자들은 그런대로 배나 곯지 않고 지내게 된 것에 자족하는 축도 있었으나 김선일은 두 번이나 도망을 시도하였다가 기둥에 매달리고 압슬을 당하였다. 그러고는 풀뭇간에서 쫓겨나 채굴광으로 들어가게 되었다. 가끔씩 몇명이 깔려죽고 병신이 되어 나왔으며 잠채잡이의 장정들이 그들을 데려가서 어디론가 보내고 돌아왔다. 그들이 어디로 갔는지 알 수 없으니 분명한 것은 그들이 목책 밖으로 나가지는 않았을 거라는 사실이었다. 겨울 동안에 작업은 부진하였으나 계속된 추위에 시달린 그들은 하나같이 발에 동상이 걸려 발가락이 몇개씩 떨어져나갔다. 김선일은 날씨가 따뜻해지면서 이제는 도망이 아니라 서산이목을 뒤엎을 궁리를 하게 되었다. 김선일은 혼자서 빠져나가면 반드시 잡혀서 실패해버리고 만다는 것을 깨달았고 우선 동참자들과 더불어 저들과 싸울 준비를 할 작정이었다.

원광석을 캐내는 굴속은 그야말로 아비규환이었으며 가끔씩 천장이 무너져내려 깔려죽거나 다쳐서 실려나갔다가 은밀히 매장되기도 하고 산골짜기에 버려지기도 하였다. 김선일은 총명하고 언변이 좋은데다 한번 탈출에 실패하고 쫓겨서 굴광에 들어온지라 모두들 그의 말을 의심하지 아니하였다. 선일이 안을 내어 우선 지키는 장정들이며 진군과 맞서려면 무기가 있어야 하나니 곡괭이와 자루정이라든가 쇠메를 한 가지씩 빼돌리기로 하였다. 식전에 일어나면 잠채잡이 무뢰배가 들어와 그들의 족쇄를 풀어주고 나서 한 줄로 서서 국밥 한 사발씩을 나누어주었다.

아침밥을 먹고 나서 작업대가 갈려나가는데 대개 삼 오가 합쳐서 한 대를 이루었고, 한 대에는 두 명의 장정이 감시역으로 따라붙었다. 첫 오는 막장 끝에서 원광석을 캐는데, 우선 자루정을 대어 쇠메로 치면서 암벽에 구멍을 뚫고 구멍을 중심으로 하여 각자가 끌과 끌망치를 가지고 암벽을 떼어냈다. 삼십여 보 간격으로 횃대가 밝혀져 있어 굴속은 어둠침침하였다. 둘째 오가 원광석을 칡바로 싼 채롱에 걸머지고 허리를 굽힌 채 낮은 굴을 지나 널찍한 입구로 져나르면, 이어서 셋째 오가 지게에 져다가 도가니가 펄펄 끓고 있는 풀뭇간까지 운반하는 것이었다. 제련장에는 다시 감야(監冶)하는 장정들이 있고, 광석을 잘게 쪼개고 나서 잡석을 골라내는 오와 신탄을 대는 오와 제련한 금을 다시 되풀이하여 녹여내는 오가 있었다.

그들의 감시의 눈이 소홀한 곳은 역시 막장에서부터 광굴의 입구까지여서 채금터 안에서 도구들을 하나씩 빼돌려 약속한 장소에 파묻어두기로 하였다. 점심때 오가 바뀌게 되는데 하루 걸러 채롱짐을 지게 되었으며, 대개 오전에 막장에서 암벽을 깨는 작업을 하고 나면 오후에는 굴 입구에서 지게짐을 나르게 되어 있었다. 저녁때 작업이 파하여 광구에 도열하여 서서 인원 점검을 받을 적에 작업도구들을 장정들에게 반환하였다. 장정들은 그것들을 모아다가 자기네 숙사로 운반해가는 것이었다. 그로부터 각 채금굴마다에서 도구가 한 가지씩 모자라는 일이 빈번해지게 되었다.

처음에는 부러졌다든가 잃었다는 식으로 넘겼으나 저들의 추궁이 심하여지자, 고의로 암반을 건드려서 막장을 무너뜨리고 피하여 빠져나오는 위험한 일도 감행하게 되매, 저들은 구태여 잃어버린 작업도구들을 파내어 오라고는 하지 못하였다. 드디어 곡괭이가 스무 자루, 쇠메와 자루정이 각각 대여섯씩 모이게 되었다. 원래 수가 적고 약한 쪽에서 강대한 쪽을 꺾으려면 정면으로 대들어서는 불리한 법이니 저들이 병장기 겨누고 지켜보는 훤한 대낮에 일어났다가는 서산이목 안에 갇힌 채로 협살을 당할 것이 뻔하였다. 일시 그들을 누르고 채금터를 벗어난다 할지라도 사방의 바위와 입구의 목책을 둘러싸고 지킬 진군에게 모조리 잡혀버릴 것이었다. 김선일은 우선 밤을 택하기로 하고서 아침 저녁으로 움막에 들어와 그들에게 족쇄를 채울 적에 그 열쇠를 유심히 보아두기로 하였다. 한 줄로 늘어져서 자게 되는데 그들의 왼발목에 고리를 끼우고 거기에 기다란 쇳대를 가로지른 다음에 끝에다 자물쇠를 채워두는 것이었다. 그러니 일시에 일어나서 다같이 움직이면 몰라도 하나씩 제각기 발을 뗄 수가 없었다. 김선일은 일부러 순서를 바꾸어 자물쇠를 달게 되는 끝자리에 누워 지내는데, 장정 둘이서 들어와 하나는 장창을 비껴들고 그들이 멋대로 움직이지 못하도록 감시하고 다른 하나가 그들의 발목고리에 쇳대를 질러놓고 자물쇠를 채웠다. 누워 있는 자리에서 머리만 조금 움직여도 창끝을 갖다대고 발길로 내지르니 꼼짝할 도리가 없었다. 김선일이 날마다 잠깐씩 내밀어지고 허리춤으로 사라지는 열쇠를 관찰하여 그 모양을 자세히 알아냈다. 열쇠는 완자(卍字)처럼 구부러져 있었는데 그 기장이 검지손가락의 한 배 반쯤이었다. 자물쇠에 그냥 밀어넣으면 받침쇠가 빠져나오고 자물쇠의 몸체가 반으로 갈라지게 되어 있었다. 기장과 모양을 보아두고 나서 선일은 열쇠구멍에다 진흙덩이를 말랑말랑하게 뭉쳐서 붙여두었다가 밤을 새우고 나서 장정들이 오기 전에 떼었다. 흙덩이에는 훌륭하게 열쇠구멍이 새겨졌고, 그는 풀뭇간에 있는 자들에게 기장과 모양을 똑같이 하여 판을 짜서 움막의 수에 따라 부어내도록 하였다. 까짓 일은 풀뭇간에서 틈틈이 눈을 피하여 이삼 일이면 녹여낼 수가 있었던 것이다.

열쇠를 쥐고 나서도 그들은 오랫동안 기다려야 하였다. 눈이 내려서 멀리 달아나지 못하여 발자취로 잡히거나, 아니면 다행히 벗어난다 할지라도 길을 잃어 눈밭에서 얼어죽기가 십상이었던 것이다. 날씨가 따뜻해지고 푸릇푸릇 나뭇잎이 돋아나자 그들의 마음은 차차 조급하여졌다. 이름 없는 노비로 전락하여 짐승처럼 아무도 모르는 산골짜기에서 죽을 날만 기다리던 그들은 예전에 고향에서 땅을 갈고 씨 뿌리며 들판을 걸어다니던 생각으로 가슴이 뛰었다. 드디어 봄비가 촉촉히 내리던 날 오후에 그들은 그날 밤에 결행하기로 의논이 되었다.

우선 움막마다 신호를 정하여 선일의 움막에서 소리가 들리면 일시에 밖으로 뛰쳐나와 숨겨두었던 도구들을 들고 절반은 유복령이네 패거리가 있는 숙사를 급습하고 나머지는 번을 서는 자들을 처치하고 나서 목책을 넘어 달아나기로 하였다. 밤이 되어 밖에서는 보슬비가 내려 별빛도 없이 캄캄한데 선일은 모두들 지켜보는 가운데 자물쇠를 열었다. 몇번이나 열었던 터라 틀림없을 터인데도 공연히 실패할까 하여 가슴을 졸였다. 자물쇠를 빼어던지고 선일이 쇳대를 뽑으니 모두 자리를 차고 일어났다. 그들 중의 하나가 밖으로 고개를 뽑고 휘파람 소리를 내었다. 한참 뒤에 잇달아서 마주 신호하는 소리가 들렸고 그들은 하나씩 움막을 빠져나가 차례로 채금터까지 뛰어갔다. 번을 서는 자들도 그들의 움직임을 알아채지 못하였다.

채금터에 들어가 파묻어두었던 도구들을 캐내어 저마다 하나씩 손에 들고 나오니 이곳 저곳에서 움직이는 사람들의 자취가 보였다. 그들은 대를 나누어 민첩하게 장정들의 귀틀집으로 내려갔고 한편은 번 서는 곳곳마다 셋씩 다섯씩 기어들었다. 그들이 숙사에 이르니 사방은 괴괴한데 깊은 잠에 빠졌는지 가끔씩 바람에 들창문이 삐걱대는 소리만 들려왔다. 김선일이 문을 살짝 밀어두고는 곡괭이를 치켜들고 뛰어들었다. 아뿔싸, 안에는 아무도 없었다. 이 방 저 방을 차고 다녔건만 모두 비어 있어 뛰쳐나오는데 벌써 밖에는 화광이 휘황하였다. 눈앞은 훤하고 그 너머에 무엇이 있는지도 모르는데, 살수가 숨어 있었는지 화살이 비 오듯 날아와 그들을 꿰었다. 화광이 빛나는 그 너머의 캄캄한 어둠속에서, 무릎을 꿇으면 살려준다는 호통소리가 들리며 일단 화살이 그쳤으며 팔이나 다리에 살을 꽂은 채로 그들은 땅에 주저앉았다. 그제야 십여 명의 살수들이 걸어나왔고, 환도를 빼어든 군관이 나서서 그들을 포박할 것을 명하였다. 망보기들을 해치우러 갔던 사람들도 오히려 유복령이네 장정들에게 맞고 깨어지거나 붙잡혀서 서산이목의 오두막 앞으로 끌려왔다. 풀뭇간의 번수로 있는 평안도 사내가 가까이 와서 김선일이며 그와 동모하였던 사람들 몇을 집어냈으니, 이미 열쇠를 부탁했을 때 미리 야장에게 알리고 그는 곧 감관과 유가의 점장(店長)에게 일러바쳤던 것이다.

유복령은 그들이 도망하려는 뜻을 발본색원한답시고 진군을 불러다 매복시켜놓고 그날 밤을 기다렸던 터다. 대여섯 사람이 살상되었으며, 김선일 이하 세 사람의 모의자들이 잡힌 뒤에 서산이목의 소요는 간단히 진압되었다. 유복령은 친히 나와서 진군들과 함께 있더니 풀뭇간의 번수는 자기네들 잠채배의 한 사람으로 넣어주고 나서, 김선일 등 나머지 세 사람을 더불어 녹로(轆轤)에 거꾸로 매달아두라는 명을 내렸다. 녹로란 두 개의 나무 기둥을 세운 뒤에 가로지름대에다 도르래를 달고 아래편의 활차에 밧줄을 연결시킨 두레박틀이다. 흙과 바위나 광석이나 무거운 것들을 위로 끌어올리는 데 쓰는 기구였다.

그것은 바로 채금광의 작업장 가운데 놓여 있어서 그곳을 오가며 일하는 자들이 하루종일 코앞에서 바라볼 수가 있었다. 유복령은 그들이 피로와 허기에 지쳐서 굶어죽을 때까지 거기 매달아두려는 생각이었다. 김선일과 세 사람은 녹로의 줄에 발목이 묶인 채로 허공중에 끌어올려졌다. 가끔씩 잠채배의 장정들이 곁으로 지나가며 발길로 면상이건 등판이건 가리지 않고 올려차거나 목을 잡아 좌우로 흔들어놓기도 하고 돌려서 맴돌이를 시키곤 하였다. 하루가 지나고 이틀째 오후가 되자 그들은 모두 기력이 쇠잔하여 거의 죽은 사람과도 같았던 것이다.

길산과 젊은 심메꾼이 두무령과 철옹산 사이의 비좁은 골짜기에 들어선 것은 늦은 오후였다. 전나무와 잣나무들이 빽빽한데 바람소리가 스산하였다.

"서산이목에 다 왔수?"

"저기 빙 둘러서 있는 것이 철옹산성 쪽이구요, 이 골짜기의 안으루 들어가다 보면 끝에 서산이목이 있지요."

길산과 소장마니가 더욱 골짜기를 따라서 들어갔건만 사람의 자취도 없고 숲은 더욱 울창하며 양옆의 암벽들이 깎인 듯이 험하여질 뿐이었다. 계곡 사이에 통나무 여럿을 묶어 걸쳐놓은 다리를 지나면서야 길산은 과연 그 골짜기 안에 무엇인가 있다는 것을 믿을 수 있었다.

두 사람은 안으로 들어갈수록 숲 사이나 계곡의 가녘으로 길을 낸 흔적을 역력히 알아볼 수 있었다. 한참을 걸어들어가던 길산이 잠깐 귀를 기울이더니 젊은 심메꾼의 소매를 잡아당겼다. 그들은 얼른 숲 사이로 들어가서 엎드렸다. 잠시 후에 말발굽 소리가 들리더니 망구를 양쪽에 달아맨 작달막한 과하마(果下馬) 일곱 필쯤이 지나갔다. 아마도 제련이 끝난 금을 모아두었다가 내어가는 모양이었다. 짧은 행렬이 지나간 다음에 그들은 다시 일어났다. 길산이 중얼거렸다.

"아주 가까이 온 모양이니 들키지 않게 암벽으루 올라가지……"

"내가 길을 잘 알구 있습니다."

소장마니는 주위를 두리번거리더니 곧 낮익은 바위를 찾아내고는 재빠르게 기어올랐다. 과연 바위 뒤편으로 돌아가니 굴 비슷하게 위로 열린 통로가 있고 잔돌과 흙이 쌓여서 고사리가 그득한 틈서리가 있었다. 그곳을 통하여 그들은 절벽 위로 비스듬히 올랐고 연이어 아래로 늘어진 마른 덩굴을 붙잡고 바위절벽의 불쑥 튀어나온 곳으로 오를 수가 있었다. 그들은 한참이나 절벽 위를 오르내리며 걷다가 드디어 눈아래 넓게 벌어진 빈터를 발견하였다. 서산이목이었다.

그들은 먼저 양쪽에 지켜 서 있는 군사를 발견하고 몸을 납죽 엎드렸다. 맞은편으로 검은 굴혈이 보이고 아래편 빈터에서 일하고 있는 사람들과 오두막과 그들을 부리는 자들이 한눈에 들어왔다. 길산이 무엇보다도 주의 깊게 보았던 것은 두레박틀에 거꾸로 매달린 네 사람이었다. 그들은 빨래처럼 축 늘어져 있었다. 시체인가 싶었으나 잘 알 수 없는 노릇이었다.

"매달린 사람들은 뭐요?"

"글쎄요…… 아마 말을 듣지 않은 사람들이겠지요. 지나치다 몇 번 훔쳐보았는데 일꾼들을 마구잡이루 부려먹습디다."

"군사가 지키는 걸 보니 경치는 죄수들인 모양이네."

소장마니는 혀를 찼다.

"저 아래 낮은 솔밭이 보이지요? 거기가 바루 심밭입니다. 그런데 코앞에다 두고 들어가질 못하니…… 이 뒤의 골짜기라두 뒤져봐야겠어요."

길산이 무슨 생각을 하였는지 젊은 심메꾼에게 물었다.

"거 망태기에 부시 가지구 있수?"

"염려 마세요. 모래미에 질과 백사는 이삼 일분씩 가지구 다니니까요. 실리기 없이 어찌 산속에서 며칠씩 다닐 수가 있나요."

곡식에 장에 소금에 부시를 모두 갖추고 있다는 젊은 심메꾼의 대답이었다.

"오늘 저녁은 생식하게 되었구먼."

길산이 엉뚱한 소리를 하자, 그는 영문을 모르고 말하였다.

"산에서 먹는 메맛으루 심을 보러 다니는데 생곡식을 씹는다니요?"

"이 근처에서 밥을 짓다가는 연기 때문에 들켜서 곧장 잡혀들어갈 걸세."

"저쪽 골루 내려가지 않을래요?"

"어두워지면 가도록 하지."

길산은 그전에 할 일이 있었던 것이다. 그는 거꾸로 매달려 늘어진 사람들을 보자마자 그들을 구해내야 한다고 생각하였다. 그들에게서 이곳의 실정을 소상히 알고 나면 또한 다른 사람들까지도 구해낼 묘책이 생길 듯도 하였던 것이다.

그는 해가 지기를 기다렸다. 굴혈에서 사람들이 나오고 그들이 밥을 나누어 받아 오두막 안으로 밀려들어가고 빈터 가운데에는 모닥불이 타올랐다. 잠깐 어둠침침했다가 산곡(山谷)에는 순식간에 짙은 어둠이 내려덮였다. 길산은 망보는 자리를 자세히 보아두었으므로 우선 번을 서는 군사를 해치우기로 하여 먹이를 덮치려는 호랑이처럼 잽싸고 날렵하게 그곳으로 다가갔다. 서너 걸음까지 다가들었다가 획 뛰쳐오르면서 상대의 목덜미를 수도로써 짧게 끊어 내리쳤다. 캑 소리를 뱉으면서 주저앉는 것을 그대로 한 팔로 안아 뒤로 운반해다가 뉘어두었다. 길산은 군졸의 더그레를 벗겨서 걸치고 머리에는 털벙거지를 썼다. 그러고는 놀라서 숨을 죽이고 있는 소장마니에게 차분하게 일렀다.

"우리가 사람으로서 저런 꼴을 보구 모른 체할 수야 있겠소. 내가 저기 매달려 있는 사람들을 구해낼 것이니 좀 도와줘야겠소."

길산은 역시 자세히 봐두어 알고 있는 큼직한 오두막을 가리켰다.

"저기에다 불을 지르며 소란을 부리는 사이에 이녁은 매달린 사람들을 끌어내려만 두시우. 그중에 두엇쯤 업어나르면 더욱 좋겠수."

잠깐 고개를 숙이고 있던 소장마니가 응낙을 하였다.

"해보십시다. 하지만 급해지면 나는 덮어놓구 뛸라우. 그나저나 이 절벽 아래루 어떻게 내려가요?"

"나만 따라오면 되오."

길산이 군졸처럼 버젓이 허리를 펴고 걸었고 상체를 숙인 젊은 심메꾼이 뒤를 따랐다. 길산은 군졸이 망을 보던 곳에서부터 비스듬한 바위 아래로 걸어내려갔다. 가파른 곳에는 깊이 홈을 파서 발디딤을 만들어놓았으며 그곳이 통로인 듯싶었다. 마당에는 화톳불이 훤하게 밝혀졌는데 군사 하나가 장창을 들고 불가를 우왕좌왕하고 있었다. 그들은 태연하게 아래로 내려갔다. 심메꾼을 어둠속에 남겨두고, 길산이 혼자 빈터를 돌아나가는데 지키는 군사는 무심하게 그를 바라보는 양이었다. 길산은 우선 오두막들의 뒤편으로 돌아가 나지막한 너와지붕에서 바싹 마른 나무껍질 한 조각을 뽑아냈다. 그러고는 깃털에다 부시를 쳐서 불을 일으켜 나무껍질에다 불을 댕겼다. 불이 제법 커진 다음에야 다른 나무껍질 하나를 또 벗겨내어 불을 붙여서 지붕에다 얌전히 올려두었다. 그러고는 들고 있던 불씨는 옆집 지붕 위에 던졌다. 길산은 다시 빈터의 주위를 돌아서 굴혈 쪽으로 가서 그 안으로 댓 걸음 들어가서 쭈그리고 앉았다.

처음에는 오두막의 지붕들 위로 작은 불똥들이 보이더니 워낙 오랜날에 바싹 말라 있던 나무껍질이라 대여섯 자의 높이로 불길과 연기가 치솟으며 맹렬하게 타올랐다. 그때는 벌써 집안에 들었던 자들도 알고 있어서 소리들을 내지르며 밖으로 쫓아나와 이리 몰리고 저리 몰리며 어찌할 바를 몰랐다.

"물, 물이 어딨나? 물을 끼얹어라."

진군들은 망보기만 남겨두고 대부분이 산성으로 돌아가버렸으니 족쇄를 풀어 광부들을 시켜서 불을 끄지도 못하고 잡채배들끼리 목책 밖에 있는 물을 길러 달려나갔다. 길산은 굴혈 안에서 그들의 분주한 무리가 불난 집 주위에 쏠리는 것을 보자 천천히 걸어나갔다. 그러고는 매달린 자들을 바라고 뛰어갔다. 심메꾼이 겁을 먹었는지 얼씬하지도 못하였으므로 그들은 아직도 매달려 있는 채였다. 길산이 다급하여 맨손으로 줄을 잡아당기려니, 그중에 하나가 눈을 또렷이 뜨고 잔뜩 쉰 목소리로 중얼거렸다.

"화톳불에서 나무 하나 빼어오슈."

길산은 바로 맞았다며 달려가 모닥불에서 불타는 나뭇가지를 뽑아 되돌아갔다. 밧줄에 갖다대니 줄이 타면서 끊어지는데, 물론 먼저 말을 걸었던 자였다.

"뛸 수 있으면 저쪽으루 곧장 가오."

길산이 다시 다른 자의 묶인 줄을 태우는데 벌써 풀려난 자는 절뚝이며 절벽을 향해 걷고 있었다. 길산이 다른 자를 풀어낼 때 잠채배들 중에 하나가 뒤늦게 발견하고는,

"저놈 봐라……"

소리를 쳤다. 불난 곳에서 서성대던 군졸이 길산을 바라고 달려왔으며 길산은 의식 없이 축 늘어진 자를 들쳐업고 뛰었다. 긴가민가하던 다른 자들도 와, 몰리면서 뒤를 쫓기 시작하였다. 소장마니가 먼저 김선일을 부축하여 암벽의 발디딤을 타고 오르는데, 길산은 다급하여 한 사람만을 들쳐업고 뛰었다. 장정들의 일부는 불을 끄고 진군들과 몇몇이 쫓아왔다. 길산은 위로 오르다가 그들이 바로 발뒤꿈치에까지 다가온 것을 알고는 돌아섰다. 돌아서니 장창을 겨눈 자가 멈칫거리다가 창으로 아랫도리를 바라고 찔러들어왔다. 길산은 껑충 뛰면서 뒷걸음질로 물러섰다. 몇발짝 위로 오르니 그쪽에서도 발디딤을 디디며 한 걸음씩 다가드는데 뒤로는 환도와 몽둥이를 가진 자들이 차례로 서 있었다. 길산이 등을 보이기만 하면 벌떼처럼 기어올라 그를 뒤로부터 찌르거나 벨 것이 분명하였다.

"뭣 하는 게냐, 맨손이다."

"한 놈을 두고 진을 친단 말이냐."

밑에서 떠드는 소리가 들리자 아무리 위치가 불리하다 한들 참으로 맨손에 혼자인 놈이 어쩌랴 싶어서 앞장섰던 자가 창으로 길산의 배를 꿰려고 앞으로 내달았다. 길산은 등에다 혼절한 광부를 업은 채로 몸을 비켜서 창이 빠져나가게 한 다음에 잇달아 일 보 내려서면서 올려차기로 그자의 턱을 내질렀다. 정확하게 발끝이 날아가 붙자 돌무더기 무너지듯 불안스럽게 몰려섰던 자들이 아래로 와그르르 쏟아져내려갔다. 길산은 등을 돌려 재빨리 암벽 위로 뛰어올랐다. 밑에서 화살 몇대가 날아와 바위에 맞고 퉁겨져나갔다. 위에 닿으니 젊은 심메꾼이 손을 내밀어 그를 끌어올려주었다. 아래편 빈터에는 그들이 싸지른 불길로 화광이 어른거렸고, 다시 진군과 장정들이 망대에 오르려고 모여섰는 게 보였다. 길산은 벙거지와 더그레를 벗어던졌고 곁에 누워 있던 김선일이 목쉰 소리로 중얼거렸다.

"저놈들이 거의 올라올 때까지 기다렸다가 바위를 내려굴립시다. 감히 뒤를 따르지 못할 거요."

길산도 딴은 그럴듯이 여겨 그와 나란히 엎드려서 아래를 내려다보았다. 무기를 든 자들이 잽싼 동작으로 허리를 굽히고 암벽을 뛰어오르고 있었다. 칠팔 보쯤 왔을까 할 적에 길산이 앞에 있던 바위를 들어 암벽의 턱을 넘겨버리니 무서운 소리를 내면서 굴러내려갔다. 심메꾼도 길산을 따라서 바위를 굴리는 데 신이 났다. 무지막지한 바윗덩이들이 굴러내려오니 당황한 그들 중에 어떤 자는 지레 손을 앞으로 뻗치고 줄줄 타내려 미끄러져갔고, 어떤 자들은 아예 그 자리에 오금을 박고 찰싹 붙어버렸다. 김선일이 피로한 음성을 돋우어 으르대었다.

"어서 내려가지 않으면 젓 담글테."

그들은 두려운 듯이 움직이지 못하다가 길산이 다시 바위 하나를 받쳐드는 시늉을 하자 벌벌 기어서 뒷걸음질을 하였다. 그들이 암벽에서 자취를 감춘 다음에 길산은 들었던 바위마저 굴려버리고는 두 무령을 넘을 채비를 하였다.

"괜찮겠수?"

길산이 묻자 선일은 연신 침을 삼키며 대답하였다.

"물 한 모금만 들이켜면 기력이 돌아올 게요. 양식 가진 거 있으슈?"

길산이 대답 대신에 심메꾼이 메고 있는 망태를 툭툭 두드려 보였다. 선일은 비틀거리며 일어났고 소장마니가 그의 겨드랑이를 껴안았다. 길산은 아직도 혼절해 있는 광부의 얼굴을 토닥여보았으나 그대로 늘어져 있으므로 손목을 잡아보니 맥은 뛰고 있었다.

"숨이 끊기진 않았구먼."

그는 다시 광부를 들쳐업었다.

"길을 잘 알우?"

선일이 물으니 소장마니가 말하였다.

"염려 놓으슈, 서산이목이 원래 우리 골이었수. 당신들 땜에 나는 우리 조상께 원풀이를 못 해드리구 있지요."

길산이 벼랑 위를 걷다가 목책 부근에서 일렁이며 움직이는 횃불들을 바라보고 말하였다.

"아까 보아두었는데 잔교(棧橋)가 있으니, 그 아래 계곡 어디루 가야 허우. 필시 다리는 저놈들이 막을 테구 우린 그 아랠 지나야지."

"참 그렇지요."

그들은 벼랑의 반대편으로 더듬어 내려갔는데 어둠속에서 길 없는 길을 찾느라고 옷이 찢어지고 피부가 벗겨지는 신고를 치렀다.

드디어 바닥에 닿으니 숨은 턱에 닿았으며 땀이 전신을 흠뻑 적시었다.

"나는 이젠…… 서 있을 기운도 없소."

김선일이 돌밭 위에 누워서 중얼거렸다.

"잠깐만 쉽시다. 저 너머에서는 아마 우리를 잡으려고 모두 풀려 나왔을 텐데, 되도록 멀리 가서 아예 밥이나 지어 먹지."

길산이 말하니 선일이도 잠자코 대답이 없었다. 그들은 다시 계곡을 내려갔는데 아직 물은 대여섯 자의 넓이에 지나지 않았다. 선일이 물가에 다가오자 그대로 엎어져서 손으로 움켜서 오랫동안 마셨다. 심메꾼이 그의 목덜미를 잡아올렸다.

"어지간히 마셔요. 물로 배를 채우면 금방 지치니까."

과연 그들이 다리가 걸린 곳 가까이 가니 횃불 가진 자들이 웅성거리고 있었다. 서너 길밖에 안 되는 높이에 다리가 걸려 있어 무슨 기척이라도 있으면 곧 들릴 만한 거리였고 횃불만 아래쪽으로 비추면 골짜기가 환히 보일 듯하였다. 물살은 거세었다. 길산이 망설이다가 지나온 길을 거슬러올라가서 쓰러진 나무등걸을 끌고 왔다.

"하는 수 없지. 물길을 타구 지납시다."

길산이 앞을 들고 한 팔은 혼절한 사람을 끼고 물에 들어갔으며 가운데 선일이, 그 뒤에 소장마니가 붙었다. 제법 넓어진 시내의 경사가 급하여 그들이 물에 들어서자마자 거세게 휩쓸려내려갔다. 길산이 앞을 바라보니 거뭇한 물체가 다가오는데 바위였고 그 주위를 헤치고 내려가는 물의 소용돌이가 대단하였다. 부딪치지 않으려고 발을 허우적거리다가 바위를 내지르니 미끈하면서 비켜났다.

그러나 소용돌이에 휩쓸려 곤두박질을 쳤고, 나무만을 죽어라고 붙잡고 놓지 않았다. 산협의 물이 뼈를 녹이는 듯 차가운데 몇번 더

이리저리 부딪치면서 다리 아래로 빠져나갔다. 길산이 악물어 참았던 호흡을 다시 터뜨리며 물 위로 고개를 들고 보니, 두 팔 모두 나무둥치를 껴안고 있었다. 그의 왼팔에 끼었던 사람은 이미 온데간데가 없었다. 아마도 첫 번째 물굽이에서 놓친 것 같았다. 그들은 한참이나 떠내려가다가 물살의 흐름이 비교적 완만해진 곳에 이르러 가녘으로 헤쳐나왔다. 선일은 물 밖에 나오자마자 온 기력이 다하였는지 얻어져서 꼼짝도 못 하였다. 길산이 그를 업었다. 이제 서산이목의 골짜기 초입은 지척이었다. 두무령고개 아래 이르러서야 그들은 숙영할 자리를 잡았고, 길산이 선일의 배를 문지르며 또한 인중의 수구혈(水溝穴)을 힘껏 눌러주며 소생을 시켰다. 소장마니가 젖은 깃을 버리고 나뭇잎으로 가까스로 불을 일으킨 것과 거의 동시에 선일의 숨통이 터졌다. 모닥불이 피워지자 소장마니가 서속을 씻어다가 밥을 지었고, 길산은 겨우 기색을 되찾은 김선일을 간호하였다. 탈출할 때 마지막 남아 있던 힘을 다 쏟아냈는지, 그는 입을 벌리고 가쁜 숨을 토해내고 있었으며 온몸이 냉천에 젖어서 싸늘하였다. 선일의 팔다리를 비벼주는데 그는 눈을 가늘게 뜨고서 길산을 바라보았다.

"정주 살던 김선일이라구 합니다. 이렇게 살려주시니 정말……"

"장길산이우. 뭣 좀 먹고 기운을 차려야 할 텐데."

"내야 이렇게 살아났으나, 뒤에 남은 사람들이 걱정이지요."

길산은 은연중에 선일의 동무 걱정하는 마음씨를 알고 가슴이 뭉클해졌다.

"헌데…… 무슨 죄를 지었길래 그 산중에 갇혀서 고초를 겪으시우?"

"모두 끼니가 간데없어 산지사방을 떠돌다가, 잠채배들의 감언에 속아서 끌려온 사람들이지요. 죄라니 당치두 않습니다."

소장마니가 불씨를 옮겨다가 모닥불을 그들 근처에 다시 피웠고, 한기가 훨씬 덜해졌다.

"일부러 물을 많이 부어 죽을 끓였어요."

시냇물 흘러내려가는 소리와 침엽수림을 흔들고 지나가는 바람 소리가 마치 아우성치듯 하였다. 산협의 밤은 아직도 차가웠고 그들의 젖은 몸은 모닥불로도 쉬 녹여지질 않았다.

"꼼짝없이 죽는 줄 알았소이다. 오늘밤을 넘기고 내일 저녁때쯤에는 아마 기력이 다하였겠지요. 매달려 있던 자들 중에서 하나는 이미 죽었습니다."

"무슨 일루 뽑혀서 벌을 받는 게요?"

선일이 저간의 사정을 얘기하였고, 길산은 끄덕이며 듣기만 하였다.

"지금 서산이목에는 금맥이 다하였다구 합니다. 그래서 아래로 파구 내려가서 다른 맥을 잡는다는데, 그리되면 사람도 더욱 많이 상하고 또한 우리 인원 가지고는 어림도 없지요. 차라리 위에 고하여 나라에서 금점(金店)을 설치함만 같지 못합니다."

"모두들 거기서 달아나기를 원하구 있겠군."

"그렇지요. 이제는 더욱 어려워질 것입니다. 우리가 한번 소란을 일으켰으니 잠채배들이 눈에 불을 켜겠지요."

"진군들은 몇이나 되오?"

"산성에는 원래 유사시에 삼백여 명이 수비를 하게 된답니다. 그러나 모두들 역을 지는 인근 백성이 대부분이라 실제 군졸은 오십 명도 채 못 되지요. 그러나 십여 명 거느린 장교 하나가 파견을 나와도 우리는 꼼짝을 못합니다. 대적할 병장기두 없으려니와 마음이 맞지를 않습니다. 이번 일만 성사하였더라면 간단히 서산이목을 뒤집고 모두 고향으로 돌아갈 수 있었습니다. 이 포한을 갚기 전에는 고향에 가지 않으렵니다. 풀뭇간의 번수로 있던 자를 박살내야지요."

"요기나 좀 하십시다."

죽이 끓는 단지를 내려놓으면서 소장마니가 권하였다. 숟가락이 없으니 나무껍질로 죽을 떠서 적당히 식혀서는 길산이 선일의 입으로 넘겨주었다. 선일은 간신히 몇모금을 넘긴 뒤에 고개를 저었다.

"자꾸 물만 먹고 싶소."

"너무 곤하여 그런 모양이우. 새벽까지 쉬었다가 운봉산으루 들어갑시다."

김선일이 손을 들더니 길산의 손을 잡고 꽉 움켜쥐었다. 김선일이 눈을 스르르 감더니 잠시 후에 깊은 잠에 떨어졌는데, 길산은 일어나 앉아서 가끔씩 그의 코밑에 손가락을 대어 아직 숨이 들고 나는가를 확인하였다. 마른 나뭇잎을 긁어다가 그의 몸 위에 수북이 덮어주고 나무를 모닥불에 얹어 불을 더욱 일구었다. 혼자 불을 향하여 앉으니 일렁이는 화광이 그의 얼굴에 어른거리고 주위의 바람소리는 더욱 스산하였다. 그 소리는 먼 데서 수많은 군중이 목청을 합하여 지르는 함성과도 같이 길산의 가슴을 적시었다. 함성은 끊이질 않고 불길은 그의 눈앞에서 활활 타올랐다. 길산은 손에 무심히 들고 있던 나뭇가지를 꺾어 불속에 던지면서 중얼거렸다.

"구월산으루 돌아가야겠구나."

그의 눈앞에는 병장기를 든 장정들의 행렬이 떠올랐다. 그들은 모두들 고개를 숙이고 어깨를 굽힌 채 가파른 산비탈을 지나고 있었다. 행렬은 길게 계속되었다. 여러 마을에서 수많은 사람들이 그 행렬에 섞이기도 하고 손을 흔들기도 하면서 그들을 따라왔다. 그리고 어둠 가운데서 그들이 밝혀든 횃불들이 들꽃처럼 피어나서 흔들거리고 있었다. 함성소리는 길산의 귓가에 꽉차서 가슴을 뒤흔드는 듯하였다. 길산은 깜박 졸다가 소스라치고는 하였다.

새벽 동이 트자마자 소장마니와 길산은 나뭇가지로 담기(擔機)를 만들었다. 김선일을 일으키려 하니 그는 나약한 숨을 내쉬며 의식을 돌이키지 못하였다. 두 사람은 선일을 담기에 태워 운봉산 심메마니 마을로 돌아갔다. 진대골에는 산행에서 아직 내려오지 않은 심메꾼들이 많아서 오두막들이 반나마 비어 있었다. 길산은 선일을 소장마니에게 맡겨두고 일단 병풍산으로 돌아갔다. 그는 이제 산 아래 마을과 저자가 있는 곳으로 되돌아가려는 것이었다. 지난밤에 길산은 서산이목의 사람들을 구원해낼 작심을 하였으며, 그로써 세상에 내려가는 첫발을 디디리라 생각했던 것이다.

길산은 겨울을 보낸 오두막과 대지봉의 이곳 저곳을 둘러보았다. 분지에는 파릇파릇한 신록이 돋아나고 있었다. 그는 보퉁이를 꾸려서 등에 엇갈려 메고는 그곳을 떠났다. 길산이 진대골에 돌아가니 젊은 심메꾼이 선일의 곁에 붙어앉아서 억지로 미음을 떠넣어주고 있었다. 길산은 보퉁이 속에 간직해두었던 산삼뿌리를 꺼내었고, 심메꾼이 눈을 빛내었다.

"육구만달은 못 되어도 젓솔배기는 되겠네요. 이거…… 어디서 보았어요?"

"서산이목보다두 더 좋은 심밭을 가르쳐주지. 병풍산 대지봉 뒷골에 내려가면 칡밭이 천여 평이나 밀생하였는데 그 주위에 심이 많을 게요."

소장마니는 얼른 부산스러운 동작이 되면서 망태와 꼬챙이를 챙겨 들고 일어났다.

"얼른 가서 캐어야지, 말 새구 부정 타겠네."

"거기가 호랑이 사냥길이니 조심허우."

길산이 빙긋 웃으며 말해주니 소장마니는 더욱 기뻐하였다.

"코짤맹이께서 다니는 길이라면 틀림없이 심밭이 있겠네. 후미진 골이 대개 반음 반양이거든요."

"오늘 돌아올 거요?"

"글쎄요…… 이왕에 말이 나왔으니 산신께서 삐치기 전에 모두 재어와야죠."

소장마니는 망태 속에다 식량과 취사도구를 챙겨서 진대골을 떠났다. 길산은 산삼을 찧어서 선일의 입에다 흘려넣었다.

선일에게 삼 한 뿌리를 다 먹이고 나서 길산은 군불을 넉넉히 때주었다. 그러고는 마을에 남아 있는 젊은 심메꾼들에게 가서 대지봉 뒷골의 심밭에 대하여 가르쳐주었는데 모두들 즐거워하며 진대골을 나서는 것이었다. 저녁녘에 원기를 회복한 선일은 길산이 먹여주는 미음 한 그릇을 다 받아먹고 나서 일어나 걸을 수 있게 되었다.

"내 목숨은 이제부터 당신 것이나 마찬가지요. 이 은혜를 어찌 잊겠습니까?"

"그런 소리 말고 어서 나을 생각이나 허우. 댁의 몸이 나아야 서산 이목에 붙잡힌 사람들을 건질 수가 있을 테니까……"

"여기서 혼자 무얼 하며 사시우?"

선일이가 심메꾼도 사냥꾼도 아닌 길산의 산생활이 못내 궁금하여 물었으나 길산은 웃을 뿐이었다.

"산림처사로 슬슬 나물이나 캐어먹고 살지."

그러나 선일은 길산이 그럴수록 더욱 그의 본색이 알 수 없어지는 것이었다. 무엇 때문에 위험을 무릅쓰면서까지 자기를 구해내었는지 또는 무엇 때문에 서산이목의 사람들을 구하자는 것인지 납득되지를 않았다.

"금 때문이우?"

"그럴지도 모르지요."

"어쨌든 내가 일어나야 할 텐데……"

선일이 일어나더니 비틀거리며 걷다가 아랫도리에 힘이 빠져서 주저앉아버렸다.

"한 사나흘 지나야 기운을 차리겠지요. 그동안에 나는 여기 심메꾼들 중에 젊은 사람들 몇을 가담시킬 테니 서산이목을 뒤집어버리고 떠납시다."

"고향이라야 찾아가 만날 사람도 없습니다. 저두 여기서 나물이나 캐며 살지요."

"아니우, 나두 여기서 떠납니다."

"함께 데려가주십시오."

그러나 길산은 더이상 말하지 않았다. 다음날 저녁녘에야 대지봉에 나갔던 소장마니가 앞장서서 돌아왔다. 그는 오자마자 길산에게 불평을 털어놓았다.

"아니…… 내게만 심밭을 가르쳐준다더니 온 동네에다 장광설을 퍼뜨려서 저잣바닥이 되었어요."

"그래서 한 뿌리도 못 캐냈수?"

"허긴 육구만달 하나에 세닙붙이 두 뿌리를 캐었지요."

그의 뒤를 따라 마을의 젊은 심메꾼 너덧이 희희낙락하여 돌아왔다. 그들은 모두들 삼을 한두 뿌리씩 캐어냈던 것이다. 소장마니는 마을 사람들이 돌아오자 더이상 투덜거리지 못하게 되었다.

"어디 심을 그토록 캐냈으니 기분들이 어떠시우. 내가 보아둔 심밭이 한두 군데가 아니오만 역시 가장 풍성한 곳은 두무령이 제일이오."

이미 심을 캐어냈는지라 진대골의 심메꾼들은 길산의 말에 혹하여 눈을 크게 뜨고 기다렸다.

"그곳이 어딥니까?"

"일년에 두어 차례 이런 심밭을 보면 우리는 심메마니를 때려치우고 인가 마을로 내려가 살 수가 있을 겁니다."

길산이 잠깐 뜸을 들였다가,

"서산이목의 심밭이 그중 으뜸입니다."

말하니 모두들 놀랐고 그중에서도 소장마니가 가장 놀란 듯하였다.

"아니, 거기가 어딘데 심밭이라고 하는 겁니까? 발을 들여놓았다가는 진군들께 잡혀서 경을 치는 판인데 까짓 것 그렇다면야 북관으로 나아가 월경하는 게 낫겠소."

"서산이목에서 진군을 쫓아버리면 되지 않소."

"진군이 물러가보아야 철옹성인데 나라님 말씀도 아니고 어찌 쫓아낸다구 허우."

길산은 소장마니에게 되물었다.

"거기가 잠채광산이니 금점을 설치하라고 감영에 진고하여도 될 것이며 그러한 기색만 보여도 현감은 일단 군졸을 물리겠지. 그 다음에 십여 명 되는 잠채배들은 우리가 힘으로 하여도 못 쫓아내겠소?"

모두들 듣고 보니 이치가 분명하지만 원래가 심메꾼들이란 일찍이 속진을 떠나서 세상사와 등지고 살아온 사람들이라, 그것이 노루몰이라도 된다면 몰라도 직접 나라의 일에 끼어드는 일은 저어하는 터였다. 더구나 언성 한번 높이지 않고 심 한 뿌리 캐내려고 목욕재계에 백일기도까지 드리며 치성하는 그들로서는 공연히 티격태격하고 싶지가 않았던 것이다. 심메꾼들 중의 하나가 말하였다.

"심이 꼭 그 골짜기에서만 나오라는 법두 없구요, 우리가 구태여 서산이목을 찾아들 필요두 없지요. 우리가 상관할 일이 아니외다."

길산은 고개를 끄덕이며 듣고 있다가 혼잣말하듯 중얼거렸다.

"글쎄 상관이 되나 안 되는가는 두고 보아야지. 여기서 서산이목이 삼사십 리 길이요, 산줄기가 같으니 북으로 횡천령, 남으로 오강산까지가 이 진대골에서 발닿는 길이올시다. 이제 두고 보시우. 두무령을 넘지 못하게 될걸."

그러나 모두들 믿기질 않는지 심드렁할 뿐이었다. 소장마니가 말하였다.

"어쨌거나 이렇게 대심을 재게 해주었으니 우리 진대골에 이런 경사가 없어요. 강계 나갈 제 함께 가시면 노자나 두둑이 드리지요."

길산은 쓴웃음을 지으며 좋다 싫다 표시를 하지 않았다. 이튿날 그는 망태에 취사도구와 양식을 챙겨넣고 진대골을 떠났다. 선일에게는 한 사나흘 어딘가 다녀올 터이니 기다리라고 일러두었던 것이다.

길산은 그 길로 두무령을 넘어 서산이목의 골짜기가 지척에 보이는 곳까지 나아갔다. 골짜기 안으로는 들어가지 않고서 일단 멈추어 밤이 되기를 기다렸다. 어둠이 깔리고 조각달이 산허리에 비스듬히 떠올랐을 무렵에야 처음에 갔던 길을 따라서 잔교 아래를 지나 서산이목의 울타리 옆으로 접근하였다. 서산이목의 병 주둥이 같은 입구에 높다란 통나무 목책을 세우고 문을 만들어 밤낮으로 열고 닫고 하는 곳이었다. 길산이 살펴보기에도 손발 맞는 자들 대여섯이면 능히 벌집을 만들 수 있어 보였다.

그러나 한번 성사한다 한들 아예 싹을 근절치 못한다면 잠채배들의 악행은 더욱 계속될 것이었고, 더구나 그들은 부근의 관리들과 결탁하고 있는 게 아닌가. 목책의 틈으로 엿보니 번 드는 자가 문 앞에서 십여 보 떨어져 쭈그려앉아 졸고 있었다. 길산은 가로지른 나무를 딛고 담장의 꼭대기에 올라섰다가 사뿐 뛰어내렸다. 그러고는 발끝걸음인 채로 구름을 밟듯이 네댓 걸음에 뛰면서 졸고 있는 자의 목덜미를 껴안아 죄었다. 목젖을 움켜잡아 한번 힘을 주니 그는 대번에 기맥을 잃어 늘어져버린다. 그대로 질질 끌어다가 허리에 껴안고 목책 위로 올라 꼭대기에 걸쳐두고는 길산은 다시 바깥으로 뛰어내렸다. 길산은 그 이튿날 밤에도 오른편 절벽을 기어올라 수직하는 자를 해치우고는 골짜기 바깥으로 급히 물러나왔다. 이틀 밤 사이에 연거푸 두 사람이나 급사를 당하였으니, 서산이목은 발칵 뒤집혔다. 장교와 잠채배의 감장은 서로 이마를 맞대고 걱정들을 하였다.

"틀림없이 그날 밤에 여기 스며들어서 불을 지르고 김선일이란 놈을 구해간 놈들이 분명하오."

"진에 알려서 군사를 더욱 늘리게 하고 우리 유행수께도 알려서 대책을 의논해야겠소이다."

장교가 또한 진군을 더욱 늘릴 수는 없음을 밝혔다.

"원래 삼 초(三哨)는 수성 군사로 있어야 하건만 때가 태평성대인지라 요리조리 다 빠져나가고 겨우 일 초의 절반인 오십여 명이 될까말까 하오. 더구나 산성 군사를 마음대로 움직이려면 현감도 어쩌지 못하여 관찰사의 승낙을 받아야 하는데, 무슨 핑계를 댄단 말이오."

"그야 호환이 났다거나 도적이 출몰하여 토포하기 위하여 거병하였다면 되지 않겠소. 내일부터라도 군졸 십여 명을 내어 두무령 근처를 샅샅이 뒤져서 수상한 놈들을 잡아다가 문초를 하십시다. 뭔가 얻어걸리는 게 있을 게요. 아직도 금맥이 노출하여 있는데, 이런 거재를 두고 물러난단 말이오."

"지난번에 김선일 일당의 시체를 남쪽의 급여울에서 건져냈으니, 이들이 틀림없이 남쪽의 연봉을 타고 도주했을 것이고 또한 그쪽에서 오는 게 틀림없소이다. 내일 우리 아이들을 이끌고 두무령까지 나가보겠소."

그들은 산성에서 십여 명의 군사를 보충받아 서산이목의 방비를 강화하고, 다시 장교가 친히 나서서 군사를 이끌고 두무령까지 나가게 되었다. 그들이 골짜기에 이르러 한 오라기의 연기를 발견하였고 조를 나누어 양쪽으로 에워싸고 접근하였으나 이미 꺼진 불에 잿더미만 남아 있고 낟알이 흩어져 있어서 사람이 있던 자취가 역력하였다. 장교는 부하들을 격려하여 말하였다.

"얼마 달아나지 못하였을 것이니 급히 뒤를 쫓으라!"

그들은 여울의 양쪽으로 갈라져서 시냇가를 샅샅이 뒤지면서 나아갔으나 아무것도 발견하지 못하더니 군사 하나가 오른편 산등성이에 우뚝 서 있는 사람의 행적을 발견하고 손짓하며 외쳤다.

"저기 웬놈이 보입니다."

마침 두무령으로 오르는 길이었다. 장교가 아침부터 한나절을 쏘다니다 겨우 용병거리가 생겼으므로, 감격하여 환도를 빼어들고 외쳤다.

"저놈 잡아라. 먼저 잡는 자는 상을 내리겠다."

군사들이 제각기 소리 지르며 산 위로 쫓아올라가건만 그자는 먼 산을 바라보는 듯 꼼짝을 않고 서 있었다. 잠시 숲속에 가려져 근거리가 보이지 않다가 활짝 트인 바위에 이르니 인적이 간데없었다.

"방금 있었는데 어디로 갔나."

"저기다, 저기……"

그는 벌써 등성이를 타고 저만큼 가서 뒤를 돌아다보고 있었다. 십여 명의 군졸들은 더그레 자락을 펄럭이며 다시 뒤를 쫓았다. 이렇게 잡힐 듯 말 듯 숨바꼭질하기에 여러 시간을 허비하고 나자 군사들은 어언 쫓는 일에 역증이 나고 말아 그가 앞에 가끔씩 나타나서 먼산 바라보듯 우뚝 서 있어도 격하지 않게 되어갔다. 어느덧 쫓는 걸음이 두무령을 지나 자작령의 동서로 가로지른 나직한 연봉이 울타리처럼 펼쳐진 곳에까지 이르렀는데 두 연봉이 맞닿은 후미진 숲은 심메꾼들이 초산이터라 하는 곳이었다. 초산이터란 낙엽이 수백겹으로 쌓여 오랫동안 썩어내려서 땅이 기름지고 음습하여 심밭이 되기에 적당한 곳이라는 말이었다. 북으로 향하여 터진 모퉁이였으니 햇볕도 일찍 사라지게 되고, 높은 산맥과 낮은 산맥이 합쳐진 곳이라 또한 그 냉한이 적합한 곳이다. 영흥서 맹산으로 가는 세 갈래의 길이 있으니, 한 길은 병풍령을 지나는 길이며, 또 하나는 자작령을 지나며, 그러고는 두무령을 지나는 길이었다. 일단 낭림산맥의 등골인 이곳 세 길을 지나고 나면 대개가 평야지대라 안주, 영변 등지에 가기까지는 별로이 험한 길이 없었다. 추적하던 군사들은 두무령의 보행로가 나오자 앞에 보이던 자의 행적을 잃어버리고 아예 주저앉아버렸다. 산성에 박혀 지내다가 돌연 읍내로 나가는 길을 만나게 되니 모두들 인가에 내려가 따뜻한 밥 한술이라도 먹었으면 하였다. 그때에 남쪽 숲의 허공으로 곧게 올라가고 있는 두어 오라기의 흰 연기를 모두들 바라보게 되었다. 그곳은 인가는커녕 사람의 발길이 닿지 않는 곳이었다. 그들은 서로 얼굴을 마주 보았다.

"저기가 어딘가?"

"예, 자작령의 초입이올시다."

"한두 놈이 아닌 모양이다. 급히 쫓아가 잡아내자."

그들은 다시 힘을 얻어 초산이터까지 내려갔다. 길산은 진대골의 심메꾼들이 그들이 자주 다니던 초산이터에 있을 것을 미리 알고서 군사를 유인하였던 것이다. 길산은 뒤를 쫓던 군사들이 그쪽으로 방향을 돌리는 것을 확인하고 나서 운봉산 진대골로 돌아갔다.

초산이터에는 진대골의 심메마니 여러 명이 모여서 산뒤짐을 하고 나서 안침하고 있었다. 그들은 심을 보지 못하고 다른 약초들만을 캐고는 사오십 리에 걸친 골짜기를 이 잡듯이 뒤질 작정이었다. 노구를 걸어두고 밥을 짓고 있는데 어디서 나타났는지 더그레에 벙거지의 군사들이 병장기를 삼엄하게 겨눠들고 양쪽으로 갈라져서 몰려왔다.

그들은 지은 죄가 없으므로 달아나지 않고 있었는데 가까이 다가오는 양을 보니 장교가 환도를 빼어들고 그들을 잡으라고 외치는 것이었다. 대부분은 그 자리에 주저앉아 땅에 머리를 박고 그저 살려줍시사고 빌었지만, 몇몇은 산 타던 솜씨를 그냥 썩히랴 노루처럼 잽싼 동작으로 숲을 향하여 뛰었다. 군사들은 잡힌 사람들을 지키고 몇명은 죽어라 하고 달아난 심메꾼들을 쫓아갔다. 그러나 덩굴과 나뭇가지를 잡고 가파른 토벽을 이리저리 기어오르는 심메꾼들을 끝내 잡지 못하였다. 장교는 남아 있는 자들은 모두 뒷결박 짓고 한줄에다 엮도록 하였으니 그 수가 여섯이었다.

"너희놈들은 어디서 온 뭣 하는 놈들이냐?"

"예…… 저희는 운봉산에 부락을 이루어 사는 심메꾼들이올시다. 여기 초산이터는 우리가 하메철 달메철로 드나드는 곳이라 이번이 초행이 아닙니다. 전부터 아무 일 없더니 새삼 무슨 죄로 저희를 포박하십니까?"

진대골의 존장 어이님이 하소하였으나, 장교는 코웃음을 치는 것이었다.

"너희 중에 누군가가 서산이목에 몰래 숨어들어 불을 지르고 사람을 죽였다. 그놈들을 잡아낼 때까지 너희를 초달할 것이다."

위험을 모면하고 달아난 자들은 다른 사람들의 재난을 꼭 확인하려는 것이거늘, 산등성이에서 그들의 마을 사람들이 끌려가는 모양을 보게 되었다. 또한 장교는 진대골의 소재를 물으니 산길로 이삼십 리를 남하한다 하였으며 이에 땅거미가 졌는데, 무엇이 있는지도 모를 곳으로 찾아들었다가 화를 당할까 염려하였다. 십여 명의 병력으로는 잡은 여섯을 거느리기도 쉽지 않은 일이라 그 길로 곧 서산이목으로 갔다가, 이튿날 장정들까지 휘동하여 진대골을 뒤질 작정이었다. 그들이 서산이목에 돌아간 것은 늦은 밤이었고 군사들은 모두 녹초가 되어 있었다. 장정들이 심메꾼들을 넘겨받아 몇마디 문초하였으나 길산의 일을 모르는 그들의 입에서 분명한 대답이 나올 리 없었다.

길산은 곧바로 진대골에 돌아왔는데 선일이 일어나서 밥을 짓고 있다가 그를 반가이 맞이하였다.

"벌써 기운을 차렸소?"

"그럼요, 식욕이 동하여 오늘 아침부터 이 댁에 있는 곡식은 모두 바닥이 날 판입니다. 버섯과 고사리 맛이 꼭 쇠고기 같으니 목구녕에 켜로 앉은 때가 비로소 벗겨질 모양이우."

"내 서산이목에 다녀오는 길이지."

"예…… 혼자서요?"

길산은 그와 마주 앉아 저녁을 들면서 이제까지의 행적을 대강 얘기하여주었다.

"이제 조금 있으면 진대골이 술렁술렁할 게야. 우리는 모른 척하구 구경만 하구 있습시다."

선일이가 길산의 도모한 일에 일변 감탄하면서도 진대골의 순박한 심메꾼들에게는 미안하고 안쓰러운 생각이 들어서 말하였다.

"우리를 돕자구, 세상을 등지구 순박허게 사는 사람들을 꾀었구먼요."

그러나 길산은 냉담하게 대꾸하였다.

"순박하기로는 노루나 사슴이 제일이지. 그놈들은 일가를 이루어 몰려다니면서도 호랑이는 물론이려니와 늑대나 승냥이 한 마리두 당해내지 못하거든. 제 코앞에 위험이 닥치기 전에는 멀뚱히 보거나 달아나는 게 고작이오. 마을에서 살지 못하고 숨어 사는 자들이 제 몸 하나 지키지 못한대서야 말이 되나. 언제 진대골 사람 중에 누군가가 서산이목의 잠채배들에게 해를 당할지 모르는데 한사코 모른 성하다니…… 두어 치 앞의 산삼꽃만 살피고 인간세는 살피지 않으니 산삼이 보일 리가 있나. 원래가 삼이란 하늘이 산에 정기를 내려 불쌍하게 죽어가는 인생을 구완코저 함이거늘 이번에 못 배우면 평생 도라지뿌리나 보구 다닐 게여."

그들이 저녁을 마치고 오두막 안에 누워 있는데 갑자기 바깥이 소란하여지고 이어 서로 떠드는 소리들이 들렸다. 김선일이 궁금증을 참지 못하여 자꾸만 거적을 들치고 내다보려니 길산이 말렸다.

"내다보지 마오. 나두 자는 척할 터이니……"

길산이 팔베개를 하고서 짚더미 위에 벌렁 드러누웠고, 선일도 곁에 가서 누워 있었다. 아니나다를까 잠시 후에 거적을 들치며 소장마니가 들어섰다.

"대지봉 아저씨 큰탈입니다!"

소장마니는 다짜고짜로 길산의 다리를 잡고 흔들었다.

"큰일이 벌어졌어요. 초산이터에 나갔던 어이님이랑 모두들 군졸들에게 잡혀갔답니다."

길산이 짐짓 졸음이 아직 깨지 않은 듯 하품을 하며 일어나 앉았다.

"상관할 바 아니라면서 뭘 걱정하우?"

"아니…… 진대골의 어른들이 모두 잡혀갔는데 상관을 않아요?"

소장마니는 곧 울 듯한 목소리였다.

그에 뒤따라서 아마도 초산이터에서 간신히 빠져나온 성싶은 심메꾼이 쫓아들어와 장황하게 그들이 붙들려가던 일을 말하였다. 선일도 길산을 따라 시큰둥하니 앉았고, 길산이 오히려 그들에게 물었다.

"그래…… 진대골에서는 어찌들 하시려우?"

"어찌하다니요, 어르신들을 구해내든지 관가에 가서 직소해야지요."

길산은 그들의 말을 듣자 너털웃음을 터뜨렸다.

"관가에 간다구? 아니 잠채배들과 손잡은 놈들이 바루 쥐를 지킨다는 고양이인데 이미 양편이 한통속이 되어 있거늘 병아리의 하소를 듣겠소. 냉큼 잡아먹구 말지."

모두들 입을 다물고 길산의 말이 계속되기를 기다리는 것이었다.

"지키는 열 놈이 한 도적을 못 잡는다구 하였소. 저쪽은 병장기에다 힘도 우리보다 세고 수도 많지만, 서산이목의 좁은 골짜기에 갇혀 있는 형국이고 우리는 사방천지에 온 산줄기가 우리 안마당이나 다름없지. 한번 상대할 만허우. 더구나 그곳 사정에 통한 사람이 여기 있으니 아무 염려 할 게 없소."

심메꾼의 하나가 우물쭈물 대꾸하였다.

"설령 싸움에 유리하다 한들 우리는 여기서 계속하여 살아갈 터인즉, 그 후환을 어찌한단 말이오?"

"그 후환은 바로 허를 찔러서 실을 얻는다는 말이 있으니, 내가 맹산현감을 만나 담판을 하리다. 그리고 호되게 혼찌검이 나면 저들도 산속에 은거하는 이들을 두려워할 게요. 저 아래에서 조세를 바치며 아전들께 시달리지도 않는 당신네 같은 유민이 어찌 썩은 관리의 후환을 두려워하우."

진대골 사람들이 걱정 중에 길산의 장담을 듣고 보니 마치 암흑천지에 한 점 등불을 바라본 듯하였다. 김선일이 비로소 길산을 거들고 나섰다.

"나두 정주서 품팔이일을 하다가 대금을 만지게 해준다는 잠채배들의 꾀에 빠져서 응모하여 끌려왔지요. 그러나 모두 새빨간 거짓말이고 나 같은 몸 붙일 데 없는 사내들이 각처에서 끌려와 사천보다두 더욱 험한 학대를 받으며 갇혀 있습니다. 보아하니 진대골의 댁네들도 저 아래 세상에서는 떳떳지 못하여 식솔을 이끌고 산으로 들어왔겠지요. 당신네들 존장을 구하는 일 못지않게 죄 없이 축생 같은 목숨을 연명하는 사람들을 구하는 것도 또한 사람의 도리가 아니겠소."

의분이란 처음에는 제 코앞의 이해로부터 시작하여 차츰 넓혀져 가는 것이라, 어느덧 진대골 심메마니들의 마음속에는 부끄러움이 퍼져가고 있었다. 그들은 서산이목의 심밭을 버리면서까지 그 아수라장 같은 곳을 외면하였고, 길산이 대지봉의 심밭을 알려주고 나서 도움을 청하였을 때에도 자기네와 상관없는 일이라 하여 발뺌들을 하였던 것이다. 발뺌이 거듭되더니 이제는 모가지까지 거머잡히게 되었으니, 뒤늦게 길산의 말에 귀를 기울이게 된 것이 못내 부끄러웠다. 길산이 다시 말하였다.

"아마도 내일 오후쯤에는 서산이목에서 군사들이 진대골로 들어올 게요. 그전에 우리가 일단 여길 떠나야 되우. 늦어두 내일 새벽에는 이곳을 비워야지. 어서 의논을 끝냅시다."

먼저 길산이 몇가지 안을 내었고 선일이가 그 안들 중에서 가장 맞춤한 묘책을 택하였다.

서산이목에서는 진대골 사람 하나를 앞세우고 장정 대여섯에 군졸 다섯이 합세하여 운봉산을 향하였다. 즉 서산이목 채금터가 며칠 사이에 시끄러워지니 아예 불안의 연원을 없애버리려는 것이었다. 그들이 자작령에서 점심 요기를 하고 나서 진대골로 들어가니 심메마니의 마을은 온통 쥐 죽은 듯하였다. 귀틀집 오두막마다 텅텅 비어 있고, 그들의 초라한 살림도 다 없어져버린 듯하여 사람이 살았던 흔적이라고는 아궁이에 남아 있는 잿더미 속의 온기뿐이었다.

"여기 사람이 있습니다."

집뒤짐을 하던 군졸 하나가 일렀으므로 장교가 달려가보니 노파와 소년이 제각기 거적을 쓰고 숨어 있거늘 끌어내어 문초하였다.

"너희들은 왜 숨어 있으며, 마을 사람들은 모두 어디로 가버렸는가, 바른대로 말하여라."

노파는 이마를 조아리고 연신 치하를 드리면서 말하였다.

"예, 나으리들이 아니었으면 저희는 짐승들의 밥이 되거나 굶어 죽었을 것입니다. 어찌 속여 말을 하겠습니까. 한 댓새 전에 어디서 왔는지도 모를 사내들이 운봉산에 나타나 무리를 지어 돌아다니는 것을 보았지요. 그러나 철마다 나타나는 포수들이 사냥을 하러 왔거니만 여겼습지요. 그런데 저희 마을 식구들이 산신제를 지내고 심을 보러 떠나자마자 그날 밤중에 무리지은 놈들이 마을로 들어왔지요. 그러고는 모두들 끌어내어 묶어놓고 오두막에다 몰아넣었습니다. 그러더니 며칠 전에는 거의 빈사지경에 이른 사내를 끌어다가 간병하였습니다. 제가 미음을 쑤어 먹였고 그놈들의 시중을 들어 얘기하는 소리를 들었습니다. 운산서 왔다는데, 두무령에 좋은 잠채터가 있다니 빼앗아야겠다구 그럽디다."

거기까지 얘기하자 장정들이 서로 눈을 마주치며 주고받았다.

"운산 패거리들이 냄새를 맡았군."

"그놈들이 여기까지 나설 리가 없는데…… 모를 일이로군."

노파는 얘기를 계속하였다.

"그런데 요 며칠 사이로 수없이 마을을 들락거리며 서로 모이고 흩어지기를 여러차례 합디다. 어제 초산이터에 나갔던 우리 마을 사람들이 잡혀갔다구 알리러 왔던 사람들 말을 듣고는 저희끼리 마을 사람들을 모두 옮겨두어야 한다구 식전에 떠났지요. 아무래두 저희가 마음이 놓이질 않았던 모양입니다. 저는 무서워서 슬그머니 손자를 데리고 빈집에 들어가 여태껏 숨어 있었던 거예요."

"그놈들이 어디루 간다구 하더냐?"

"그것을 어찌 알겠습니까만, 식량을 모두 옮겨다 숨기는 것으로 보아 다시 돌아오겠지요."

노파의 말에 장교가 그제야 믿기었는지 장정들을 둘러보았다.

"식량을 찾아냈다지?"

"예…… 저 아래 풀숲에다 땅을 파서 숨기고 그 위에 나뭇잎을 덮어놓았습니다."

"잘되었소. 그놈들은 우리가 물러가기를 기다렸다가 다시 돌아올 거요. 모른 체하구 마을에서 나갑시다."

장교도 그럴듯이 여겨, 장정들에게 노파와 아이를 빈 오두막에 처넣고 빗장을 질러두도록 하였다. 그들이 물러가 부근에서 매복을 하는 한편 노파로 하여금 그들이 서산이목으로 물러갔음을 거짓 알리려는 생각에서였다. 그들은 진대골 심메마니 마을이 훤히 내려다보이는 산비탈에 매복하고서 타처에서 왔다는 잠채배들이 올 것을 기다렸다. 현감과 수성장과 유복령이 이해를 같이하여 잠채의 이를 나누는 터에 어찌 넘보는 자들을 내버려둘 수가 있겠는가. 털벙거지가 굴광 부근에 깔려 있는 셈인데도 담대히 침범하는 것으로 보아 저들은 오래 전부터 서산이목의 금을 노려온 듯하였다. 그들이 관군마저 무서워하지 않는 것은 아마도 불법의 채금터임을 아는 까닭일 것이었다. 장교는 그들이 마을로 돌아와 오두막 안으로 들어간 연후에 둘러싸고 모조리 잡아내거나 도륙할 심산이었다. 수성직이란 춥고 배고픈 것에 못지않게 도방과 멀리 떨어져 외롭기가 한량없는 직임이니, 돈을 차고 평양에라도 나아가 색주가의 광유(狂遊)라도 하였으면 원이 없는 군졸들이었다. 만일에 수상쩍은 잠채배들을 잡아내면 그런 은급이 올지도 몰랐다. 처음에는 모두들 눈과 귀를 잔뜩 긴장시키고 노리다가, 시간이 흐르매 차츰 피로해져서는 나무 위에 망보기 하나만을 세워두고 기다렸다.

한편 길산과 선일은 진대골의 젊은 심메마니 칠팔 명과 더불어 이미 서산이목의 계곡 어귀에 이르러 있었다. 강대하고 움직이지 않는 상대를 깨뜨리자면 우선 속여 교란시키고 움직이게 하여야 되는 것이니 기병(奇兵)이 즉 그것이다. 서산이목에는 물론 관군 십여 명과 장정들이 그만큼 있으나 그들에게 포한을 가진 광부가 삼십여 명이니 이를 테면 남의 진중(陣中)에 들어가 있는 복병과도 같았다. 길산과 선일만이 잔교 아래로 하여 서산이목까지 잠입하여 목책 가까이 스며들고, 진대골 사람들은 한 식경이나 지체했다가 제각기 흩어졌다. 서산이목에서는 바야흐로 작업이 끝나서 굴광에서 광부들이 끌려나올 무렵이었는데, 양쪽의 벼랑 위에 섰는 수직 군사가 둘뿐이고 하나는 목책 근처에 있었으며 나머지는 모두들 저녁밥을 먹는 중이었다. 갑자기 양쪽의 벼랑가에 사람의 흰 자취가 나타났고, 조롱하고 욕하는 소리가 들려왔다.

"이놈들아, 지금부터 너희를 어육(魚肉)으로 만들겠다. 죽고 싶으면 덤벼보아라."

"방금 너희 산성 군졸이 두무령서 떼죽음을 하였다. 살고 싶으면 그 자리에 엎드려 빌려무나."

두 손에 입나발까지 만들어 떠드는 판이라 목책 안의 모든 사람들이 들었고, 오두막 안에서 겸상을 받고 앉았던 감장과 군졸의 오장이 함께 뛰쳐나왔다. 마침 맥놓고 앉았던 망보기들이 저만치서 떠들어대는 두 사람을 잡으려고 황급히 벼랑 위를 뛰는 게 올려다보였다. 고함치던 놈들이 순식간에 사라지고 군졸도 그 너머로 없어졌다. 오장이 장교도 없는 판에 당황하여 잠채배의 감장에게 물었다.

"어쩌려오, 싸울 태세를 갖추리까?"

"까짓 두어 놈에 싸우기는……"

하다가 감장은 그들이 외치던 말을 되새겼다. 산성 군사가 두무령에서 떼죽음을 하였다니 믿기지는 않으나 지난번에 소요가 있었고 밤에 수직하는 자가 둘이나 희생을 당했으니 역시 가벼이 넘길 일은 아니었다.

"지난번에두 들어와 쑥대밭을 만들었는데……"

오장의 생각도 같은지 그렇게 중얼거리는데, 꺼림칙한 게 아니라 숫제 공포에 질린 어조였다. 그들은 초조하게 벼랑 위를 바라보고 있었다.

"잡았나?"

벼랑 위로 검은 더그레 자락이 너풀거리며 나타나자마자 오장이 외쳐 물었다.

"어디로 갔는지 종적이 없네."

"동작이 어찌나 재빠른지 꼭 산토끼들 같은걸."

감장은 그들과 상대 않고 수하 잠채배들께 일렀다.

"이놈들 모두 집안으로 들여보내구 족쇄를 채워라."

장정들이 칼과 창을 겨누어 광부들을 집안으로 몰아넣는데, 평상시와는 달리 두 명이 열다섯씩을 다루는 게 아니라 모두 풀려나와서 거들었다. 며칠 사이의 분위기가 어느덧 무르익어 광부들 자신도 슬슬 분이 일어나 술렁대는 판인데, 지척에서 정체 모를 자들의 고함소리를 듣고 보니 더욱 부풀었다. 그자들이 어떤 사람인지는 모르되 이들 잠채배를 적으로 삼은 게 틀림없다면 자기들의 편인 것이다. 광부들은 눈을 부릅뜨고 그들을 몰아대는 장정들을 향하여 피식 웃거나 비양대는 소리도 하였다. 그들은 오두막 안에 들어가서도 좀체 짚더미 위에 누우려 하지 않았다. 장정들은 겉으로는 서슬이 시퍼렜으나 초조감을 감추지 못하고, 보통때와는 달리 무기만 쳐들 뿐 욕설이나 발길질을 못 하였다. 가까스로 쇳대가 걸리고 자물쇠가 채워진 다음에 오두막의 문은 닫히고 통나무의 빗장이 걸렸다. 그제야 잠채배들은 겨우 안심이 된 듯하였다. 오장은 벼랑 위의 수직에게 동요치 말고 살피라 이르고는 군사들을 데리고 목책 앞으로 나아가 지켰다. 감장이 수하들을 모아두고 일렀다.

"그놈들이 길 위에는 나타나지 않을 것이다. 아마 급여울이나 계곡의 어디엔가 숨어 있겠지. 지난번에도 벼랑으로 오른 걸 보면 틀림없이 계곡으로 숨어든 게 분명하다. 짝을 나누어 양쪽 절벽 뒤의 후미진 계곡을 뒤져라."

벼랑 위에서 떠들던 두 사람은 소장마니와 또다른 심메꾼이었다. 워낙 산을 오르고 벼랑을 타며 바위를 건너뛰는 일이 생업인 사람들인지라, 뛰어 달아나도 그만이고 나무숲이나 바위틈에 숨으면 범도 알아채지 못할 정도였다. 길산이 그들에게 도움을 청할 적에 싸우라기보다는 바로 그 산 타는 걸음걸이로 상대를 현혹시키기를 바랐던 것이다. 장정들은 즉시 두 사람이 숨어 있음직한 곳을 찾아서 목책 밖으로 우르르 쏟아져나갔다. 나갈 때 감장이 오장에게 당부하였다.

"이쪽으로 쫓겨나오거든 얼른 가서 다리 위와 아래를 막으슈. 그러면 꼼짝없이 잡힐 테니."

"몰아만 내우. 산돼지 때려잡듯 할 테니까."

장정들은 곧장 벼랑 뒤의 비좁은 골짜기로 들어가 훑어나올 모양이었다. 오장은 군졸들과 함께 목책의 문을 활짝 열어두고서 앞으로 사람이 뛰쳐 지나가지 않는가를 살폈다. 그때 이건 웬일인지, 지나가는 것이 아니라 앞쪽 길 위에 세 사람이 버젓이 걸어오고 있었다. 오장은 주위의 동료를 둘러보았다.

"저게 웬놈들이냐?"

제각기 나갈까 말까 미적미적하는 중인데, 그들은 적당한 거리에서 멈추더니 악을 쓰며 욕설을 퍼부어대는 것이었다.

"에이, 이 오장육부가 썩어 문드러져서 쭉정이만 남은 허재비야."

"너희가 어디 군사냐, 동촌 서촌의 병정잽기 하는 애새끼들이냐. 고추를 뽑아서 술안주를 해버릴라."

"아니 저놈들이…… 구목(舊木)에 갈그랑 낫질일세."

하도 어이가 없으니 오장은 저만치서 욕설을 퍼부어대는 자들을 멀뚱히 바라보았다. 군졸들은 제각기 열이 나서 병장기 쳐들고 어깨를 추스르며 연신 욕지거리인데 곤장 맞은 놈 볼기짝처럼 붉으락푸르락하였다.

"허, 저놈들 아무래두 간에 곰팡이 슬었구먼."

"뭘 이러구 섰어. 쫓아가서 한 창에 산적꽂이를 만들지."

"얘, 물개똥을 톱으로 썰라, 창까지 쓸 것이 무에 있니, 한주먹감두 안 되는 놈들인데."

군졸들은 그러면서도 대뜸 목책 밖으로 뛰쳐나가지는 못하고서 우물쭈물하였으니, 의심이 들었기 때문이다. 무슨 대수가 텄다고 별스런 저녁에 낯선 놈들이 동서남북으로 나타나 을러대고 욕설을 하는지 모를 일이었다. 오장도 저놈들이 우리를 꾀려들지 하며, 돌아서서 상대를 않으려고 아예 동료들을 엉성한 문안으로 들어가도록 하였다.

"제풀에 지치도록 놓아두어라. 무슨 꿍꿍이가 있길래 저리 지랄들이지. 대체 어디서 온 놈들일까."

"아마 채금터를 노리는 놈들인 모양인데 우리에게 무슨 포한이 있다구 까스르구 그래. 신새벽에 참새 외입질하듯 요란하군."

군졸들이 목책 안으로 들어가자 멀리 떨어져서 욕설하던 자들 중에 하나가 겁도 없이 발짓을 까불대면서 다가왔다.

"얘 이놈들아, 갑자기 소금 먹은 푸성귀가 되었느냐, 회초리 맞은 좆자루가 되었느냐. 나는 맨손이고 너희는 병장기 가졌으니 대로에서 무더기로 덤벼보아라. 사추리를 훑어서 새 털벙거지 만들어주랴."

그자는 목책 십여 보 앞에 주저앉더니 다리를 꼬고 두 무릎을 손바닥으로 두드려 장단을 맞추면서 노래하였다.

"수수개떡 해먹고 키 사러 갔다 골 샀네, 골 사러 갔다 키 사지. 골 났다 불났다 뒷간에 호박국 띠 말아줄까, 에이 구려."

웃음이 터지다가 바로 수염 터럭 끝에서 간들거리는 꼬락서니를 보자니 손찌검 올려붙이지 않고 눌러 배길 재간이 없는지라, 에잇 망할 하면서 오장이 벌떡 일어나 목책의 문을 밀었다. 그야말로 오소리굴을 쑤셔놓고도 그자는 일어서기는커녕 연방 무릎 박자였다.

오장이 칼을 빼들고 쫓으니 다른 군졸들도 우르르 몰려나갔고 놀리던 자는 활시위 퉁겨지듯 일어나서 후닥닥 뛰어 달아났다. 군졸들은 뒤를 쫓아서 치달리는데 아무래도 잔교에까지는 나가려던 판이라 내쳐서 달려갔다. 세 사나이는 연신 웃는 얼굴로 뒤돌아보며 달아났고 오장 이하 여러 명의 진군들은 쫓는 중에 더욱 결기가 충천하여 잔교를 건넜다.

그들은 계곡을 건너 나무숲이 울창한 곳에 이르러서도 숲속에 숨거나 산비탈로 오르지 않고서 내쳐서 한길로만 뛸 뿐이었다. 그러니 군졸들은 잡힐 둥 말 둥한 놈들이 안달이 나도록 얄미워져서 정말로 잡혔다가는 두부처럼 물크러지고 으깨어질 판이었다. 그들이 잔교를 건너서 길을 감돌아 가버린 뒤에 바위 뒤에 숨어 있던 길산과 선일이가 슬쩍 나서더니, 재빠르게 준비해두었던 덤불을 다리 위에 수북하게 얹고서 불을 질렀다. 마른 덤불과 다리는 바자작거리며 탐스런 불길을 올리고 타올랐다. 그들은 훤하게 열려진 서산이목의 목책 안으로 들어갔다. 목책의 문을 닫고 통나무 빗장을 질러두고는 선일이 나무 위로 타고 올라갔다. 그는 길산에게 빈터의 가운데에 지어진 두 채의 오두막을 가리켰다.

"저기가 광부들 숙사요."

"알았소, 잠채배들이 곧 몰려올 것이니 크게 소리쳐 알려주오."

"여긴 일백 수를 헤아릴 만큼은 지체시킬 수가 있는데 정말 열쇠 없이 족쇄를 풀겠수?"

"어떻게든 되겠지."

길산은 오두막을 향하여 달려갔고, 선일은 문 아래를 한눈에 그을 만한 나무의 안전한 가지 사이에 앉았다. 그는 허리에 묶어두었던 팔매를 한 손 그득히 쥐었다. 길쯤하고 맞춤한 차돌멩이를 가늘게 엮은 칡줄에다 묶어 매단 것이니, 선일이 소싯적부터 익혀오던 물건이다. 줄의 기장은 한 팔굽만큼이며 머리 위로 돌려 방향에 따라 뿌리쳐서 던지는 것이었다. 선일이 진대골에서 나서기 전날 밤을 새워 줄을 꼬아 만들어 지녔던 팔매였다. 길산은 그가 만든 팔매를 보고 엄지 검지로 이리 흔들 저리 흔들흔들해보면서 과히 신통치 않게 여기더니, 선일이 나뭇가지에 앉아 있는 멧새의 대갈통을 박살내어 떨구자 머리를 흔들며 감탄하였다.

길산이 굳게 잠긴 오두막을 빗장이 걸린 채로 곧장 차고 들어가니, 문짝이 와지끈하면서 부서져나갔다. 광부들은 족쇄에 가로지른 쇳대 때문에 움직이지는 못하고서 깜짝 놀라 여기저기서 상반신만을 일으켰다.

"나는 며칠 전에 김선일이를 구해낸 사람이우. 쇳대를 뽑을 터이니 동요하지 말구 기다리슈."

길산이 그들을 안심시키고 나서 쇳대의 끄틀에 걸린 자물쇠를 보아하니 무지막지하여 비틀어질 물건이 아니었다. 다만 쇳대를 끼운 꺾쇠는 판자에 고정되도록 굵다란 꺾쇠로 박았으니 그것은 뽑아볼 만하였다. 그러나 꺾쇠를 뽑는 동안에 맨 가녘의 사람은 발목을 상하게 될 것이었다. 길산은 망설였다. 족쇄를 찬 발목의 살갗이 버들

피리 꼴이 될지도 몰랐다. 그가 쇳대의 끄틀을 잡으며 바라보니 누웠던 사내는 곧 알아채고 눈을 크게 뜨면서 상반신을 일으켰다.

"뭘 하려는 게요?"

길산은 부드럽게 되물었다.

"발목을 조금 다치려우, 여기서 평생 하천으루 바깥세상 안 보구 지낼려우?"

사내는 주저하면서도 대답할 말을 잊고 도로 누웠다. 그 곁의 광부가 제 몸을 일으켜 동료의 몸을 눌러주었다.

"명당자리라 하더니 이제 공평히 되었네. 고향 갈 제는 내가 업구 가지."

길산은 쇳대와 족쇄를 잡은 채로 일각 노렸다가 힘을 주어 당겼다. 역시 사내가 비명을 드높이 내질렀다.

"입을 막아, 입을……"

"모조리 잡힌다."

동요가 심해지는데 길산이 꺾쇠 뽑기를 잠깐 멈추고,

"서산이목에는 우리들뿐이오. 도망칠 틈이 충분하니 걱정들 마시우."

하여 안심을 시켰다. 꺾쇠를 비트는데 사내의 살이 족쇄에 찢겨서 피가 흘러나왔다. 길산은 대번에 힘을 주어 꺾쇠를 뽑아내고 가로질렀던 쇳대를 줄줄 잡아빼었다. 다리를 다친 사람만을 남기고는 모두 자유로운 몸이 되어 일어났다. 그들은 제각기 다리를 움직이고 만져보고 하였다.

"아…… 이제 풀렸구나."

"놓여났어, 뛰어봐야 믿어질까."

벌써 약삭빠른 자들은 출구로 몰려나가느라고 법석이었고, 발을 다친 자의 곁에 누웠던 자도 어느결에 약조한 소리를 까먹고 우선 제 자유부터 실감하려 하였다. 문으로 몰려나가는 사람들에게 길산이 외쳤다.

“여러분, 아직 풀린 게 아니우. 잠채배들이 서산이목 뒷골에 있으니 지금 몰려올 거요. 싸우지 않으면 잡히고, 잡히면 다시 묶입니다. 모두들 양쪽 바위 위로 올라가서 내가 이르는 대루 따르시우. 그리고 두어 사람은 나를 도와주오.”

“나두 데려가주오. 나는 어찌허우.”

발을 다쳐 누웠던 자가 깨금발로 일어나 길산의 목을 얼싸안았다. 길산은 그를 곁의 사내에게로 밀어주며 말하였다.

“식언할라우? 댁네가 맡으시우.”

길산은 얼른 뛰쳐나와 다른 오두막으로 달려갔는데, 이미 그들은 낌새를 알아채고 있어서 놀라기는커녕 소리를 지르며 어서 구원해주기를 하소하였다. 놓여난 광부들은 풀뭇간으로 달려가 잡혀 있는 자가 아닌 일반 야장들 중에 잠채배들께 붙었던 자들 두엇을 살해하였다. 그러고는 잠채배와 수직 군사들이 묵던 오두막에서 진대골의 어이님을 비롯하여 지긋한 심메마니들을 구출해냈다.

몇몇은 벌써 좌우의 벼랑 위 망대로 오르는 길로 뛰어올랐으나, 마음이 급한 자들은 목책을 향하여 뛰어갔다.

목책 앞에는 잔교가 타는 연기를 보고 뒷골에서 달려내려온 잠채배들이 칼과 몽둥이를 휘두르며 접근하고 있었다. 그들은 한참이나 계곡을 뒤지고 다니다가 연기가 오르는 것을 보고야 서산이목에 심상치 않은 일이 벌어졌음을 알았고, 외계와 잇닿는 유일한 통로인 다리가 타는 연기임을 알고 나서 뒤늦게 속임수에 빠졌다는 것을 깨달았다. 감장은 우선 급한 대로 가까운 곳에 있던 졸개들을 불러모아 내려왔는데 네댓 명이었다. 호기 있게 칼을 휘두르며 책문으로 다가섰던 자가 에쿠 하면서 이마를 감싸쥐고 주저앉았다. 그 뒤로 따라붙었던 자도 볼따구니를 두 손에 움키며 넘어졌다. 목책 너머 나무 위에서 시윗시윗 하는 소리가 들렸다.

"팔매입니다!"

다친 자가 터진 이마에 피를 줄줄 흘리며 달아나오면서 외쳤다. 우연히 맞았다기에는 두 사람의 면상은 너무 정확히 터져버린 것이다. 감장은 울타리 너머에서 시끌벅적한 광부들의 떠드는 소리가 들려오자 초조해졌다.

"아니, 수성 군졸은 모두 어디로 꺼졌나."

뒤미쳐 뒷골에서 내려온 잠채배들이 합하였으나 고작 열 명이 되지 않는 숫자였다. 그도 그럴 것이, 진작에 장교의 인솔을 받은 군졸과 함께 팔팔한 자들이 진대골을 수색하러 가서 돌아오지 않았기 때문이다. 뿐만 아니라 채금터를 지키고 있을 줄 알았던 군졸 몇사람마저 간데가 없으니, 목책 안에는 자기들 편이 한 사람도 남아 있지 않은 모양이었다.

"살수 한 명 없으니 돌팔매에두 꼼짝을 못 하지."

"달아나십시다. 폭도들에게 잡혔다간 우리는 죽음이라도 예사 죽음을 당하진 않을 거요."

잔뜩 움츠러든 졸개들이 말하였으나 감장은 서산이목이 어찌 자기들 손에 들어왔는지를 잘 알고 있는 터여서, 차마 포기할 수가 없었다. 이곳은 유복령과 자기네 식구가 마지막 운을 걸고 있는 광맥이었던 것이다. 이제 저들 광부들이 풀려나가 밝은 세상에 서산이목의 소문을 퍼뜨리거나 감영에 나아가 진고하면 일시에 무너질 탑이었다.

"좋다, 들어가지는 말고 오히려 우리가 여길 지키자. 뒤에 수성 군졸들이 오면 합세하여 들이치면 된다. 저들은 무기두 없는 오합지중이 아니냐."

감장은 맹산(孟山) 객사(客舍)에 머물러 있는 유복령에게 이 낭패한 소식을 가지고 달려가 벌을 받고 싶지는 않았다. 그들은 전열을 가다듬어 칼과 몽둥이를 벌여놓고 밖으로 쏟아져나올지도 모르는 광부들의 무리를 안으로 쓸어넣을 태세를 갖추었다. 감장이 길 위로 나와서 소리치며 잠채배들을 격려하는데, 선일이 이번에는 팔매를 두동무니나 잡아서 그를 노리며 휘둘렀다.

원래가 서북지방의 석전(石戰)은 고래로부터 드센 터인데, 특히 평양, 안주, 정주, 가산 등지에서는 아예 대보름, 단오마다 편싸움이 가열되어 깨어지고 상하며 심지어는 죽는 자마저 있으되, 토민의 풍습이라 하여 나라에서도 어쩌지 못하던 것이다. 김선일이 소싯적부터 투석전의 본고장에서 옹기 파편깨나 좋이 얻어맞고 자란데다 남의집살이에 잔뼈가 굵었으니 팔매질이라면 밥먹기보다도 즐겨하였다. 서북 사람치고 이마로 박치기하는 것과 돌팔매 못 해본 사람이 없는 터였다. 비록 한양의 만리재 석전이 장하다 하여도 서북에는 미치지 못하였으니, 전자는 성 밖이나 마을 부근에서 풍농기원 비슷이 행하였으나, 후자는 아예 자갈 많은 강변으로 풀려나가 물속이고 사장이고 가릴 곳 없이 싸우는 까닭으로 자못 사생결단이었다. 변경 지역이니 오히려 진에서는 권장하기도 하였다. 팔매질에도 뛰어난 재주를 가진 자가 있게 마련이니, 눈 겨냥이 정확하고 침착하며 손짓 빠르고, 손목과 팔심이 제법 남달라야 하였다.

선일이 정주에서 한창 팔매질에 골몰할 적에는, 옆구리에 전대를 차고 그 안에 아귀에 맞춤한 차돌을 가득히 넣고 또 한 손에는 줄에 맨 팔매를 여럿 들고서 장수의 반열에 섰던 것이다. 먼저 늘지래기로 휘휘 돌려서 상대편의 수장 되는 선머슴의 마빡을 깨고 나서 차례로 전열을 흐트러뜨린 뒤에는 한 손 전대에 처박고 한 손은 돌을 받아쥐어 던지면서 앞으로 뛴다. 석전에는 우박 쏟아지듯 하는 적방의 돌을 요리조리 깨금발로 피하면서 예봉으로 뾰족하게 적진에 파고드는 선두가 있으면 이기는 법이었다. 그러면 좌우에서 와아, 하는 함성을 내지르며 쫓아가게 되고 적진은 이내 좌우로 갈라지고 흩어지던 것이다. 돌을 던지던 무리가 흩어지면 싸움은 다 이긴 것이다.

선일이 감장을 노리다가 돌팔매를 날리니 돌 두동무니가 한 번에 날아가 눈두덩과 콧잔등에 정통으로 틀어박혔다.

"어이쿠……"

눈앞이 아득한 것은 고사간에 충격으로 뒤로 넘어지더니 곧 의식불명이 되었다. 눈은 망울이 터졌을 것이고 콧잔등은 내려앉았을 것이다. 이어서 선일이 다시 팔매를 들어 휘두르니, 슬금슬금 눈치를 살피던 잠채배들이 이마와 콧잔등, 앞니빨 모두 새근거려서 더이상 참지 못하고, 차라리 등판에 맞고 말지 하는 심사가 되어 발을 거꾸로 돌렸다.

선일이 나무에서 주르르 미끄러져 책문을 열었고, 목책으로 다가왔던 광부들이 기세 좋게 소리를 내지르며 몰려나갔다. 잠채배들은 칼과 몽둥이를 휘둘러볼 엄두도 내지 못하고 뒤를 돌아볼 사이도 없었다.

광부들이 일단 잠채배들의 뒤를 쫓으니 마치 보가 터진 듯하고 맞바람을 받은 불길과 같아서 걷잡을 수 없는 기세였다. 광부들은 선일의 본을 따라서 돌을 집어던지는데, 손이 한둘이 아니라 돌멩이가 우박처럼 잠채배들의 달아나는 등덜미 위에 쏟아졌다. 그들은 잔교에도 채 못 닿아서 모두 광부들에게 하나둘씩 잡히고 말았다. 이미 선일의 정확한 팔매에 맞은 감장을 뭇사람들이 짓밟고 차고 지나가는 바람에 그는 혼절이 지나쳐 죽은 듯이 널브러져 있었다. 다른 잠채배들도 광부들에게 잡히자마자 면상이 터지고 배와 가슴을 사정없이 얻어맞아 모두들 초주검이 되어 있었다. 그중에 채금터에서 광부 하나를 몽둥이로 때려죽이고 암장해버린 자가 있었는데 모두들 그를 단매에 때려 죽인다며 왁자지껄하였다. 책문 밖으로 다가왔던 길산이 큰 소리로 외쳤다.

"우물거릴 틈이 없으니 어서들 돌아오시우."

그러나 선일은 못 들은 체하고는 곁에 섰던 광부의 몽둥이를 빼앗아 잠채배의 어깨를 내리쳤다. 그가 아래로 풀썩 주저앉자 그것이 신호라도 된 듯이 다른 사람들이 쓰러진 자를 마구 때리고 짓밟았다.

"죽었거나 살았거나 모두 끌고 안으루 들어가세."

선일의 말 한마디에 따라서 모두들 붙잡은 잠채배와 늘어진 자들을 끌고 떠메고 목책 안으로 돌아갔다. 길산은 그들의 행동을 우두커니 바라볼 뿐이었다. 길산이 선일에게 말하였다.

"다리를 건너간 놈들이 반드시 지금쯤은 계곡물을 건너 되돌아오거나, 기미를 알아채고 산성으로 달아났을 것이오. 어서 우리두 빠져나갑시다. 이 많은 사람들이 한꺼번에 서쪽으로 대로행을 하다가는 모두 잡히구 말겠수."

"잠깐이면 끝낼 터이니 너무 재촉하지 마우."

선일이 잡혀 있는 잠채배들 틈을 이리저리 살피다가 지난번의 모의 때에 그들을 배신하여 일을 그르치게 했던 풀뭇간의 번수 사내의 멱살을 잡아 끌어냈다.

"이놈, 겨우 한 열흘 번수를 면하였으니 아주 장하구나! 그래 잠채배의 무리에 들어 겨우 이밥에 술잔이나 몇번 얻어 켠 것이 번수 노릇보다 낫더냐. 함께 도모하여 사나이가 죽는 한이 있더라도 동무들과의 약조를 저버리지 못할 터인즉, 오히려 유가 패거리에 일러바쳐 일을 그르치고 네 사람이나 숨지게 하였다. 너 같은 놈을 살려두었다가는 또 어디 가서 우리처럼 불쌍한 사람들을 못살게 할 것이다."

"선일이, 한 번만 용서해주게나. 살려만 주면 내가 금을 밀장해둔 곳을 가르쳐줄 테여……"

"그까짓 것 쓸데없다."

선일이 잠채배들에게서 빼앗은 병장기를 치켜들어 번수를 바라고 힘껏 내찔렀다. 그러나 창은 놈의 몸에 닿기도 전에 빗나가서 길산의 손아귀에 꽉 잡혀버렸다.

"금이 어디 있단 말이냐?"

길산이 창을 잡고서 번수에게 물었고, 그는 선일과 길산을 번갈아 살피며 미적미적하였다. 길산이 기다리다가 창 잡았던 손을 놓으며,

"하는 수 없군."

하니, 번수가 다급하게 외쳤다.

"우리 숙사의 마루 판자를 들어내면 그 안에 보름 밀린 금이 있수."

말이 끝나자마자 선일이 사정없이 번수의 가슴을 찔렀다. 창을 받고 쓰러지자마자 다른 광부들이 양편에서 또한 맞창을 내버렸다.

"어서 금을 찾아내어 맹산 경계를 빠져나갑시다."

길산이 선일에게 말하였고, 광부들 몇이 달려가서 금이 들어 있는

자루 둘을 꺼내왔다. 오두막마다 불을 지르고, 목책에도 불을 지르니 서산이목은 일시에 화광이 휘황하였다. 길산과 선일은 풀려난 사람들을 이끌고 서산이목의 벼랑 뒤로 돌아갔다. 거기서 서쪽 계곡의 험한 길을 내려가니 이미 주위는 캄캄하였고, 물소리와 바람소리만이 가득 차 있었다. 계곡을 벗어나자 바로 지척에 두무령이 있었고 맹산현 동창(東倉)으로 나가는 길이 나왔다. 그곳에 이르니 진대골의 심메마니들은 벌써 당도하여 기다리던 중이었다. 소장마니가 반가워하며 말하였다.

"우리는 성사하지 못한 줄 알구 걱정하던 참입니다."

풀려난 사람들 사이에서 진대골의 어이님과 어른들이 나서서 서로 손을 잡고 무사한 것을 반겼다. 처음에 서산이목의 벼랑 가에 나타나 잠채배들을 뒷골 계곡으로 유인하였던 것은 길을 아는 소장마니와 다른 심메꾼이었으며 나머지 세 사람이 진군들을 잔교 너머로 유인하였는데 그들은 한참이나 쫓다가 다리가 타는 것을 알자 되돌아섰다는 것이다.

"계곡을 건너는데 하마터면 오장이란 놈이 떠내려갈 뻔하였지요. 우리는 그놈들이 어디로 가는가를 알아두려고 숨어서 지켜보았지요. 그자들은 산등성이로 올라 산성으로 돌아갑디다."

"진대골에는 별일 없을까?"

어이님이 걱정하니 소장마니가,

"아마 거기서 숨어서 우릴 잡겠다구 지키다가 내일 아침쯤이면 제풀에 식어서 산성으로 돌아가겠지요."

하면서 장담을 하였고, 길산이 덧붙여 말하였다.

"너무 염려 마시우. 내가 현감을 혼구멍을 내놓을 테니까, 다시는 산성 군졸들이 꿈쩍하지 못할 게요."

"어서들 가십시다. 내가 길안내를 서서 오강산(吳江山) 너머까지 데려다줄 테니까……"

소장마니가 계획된 대로 광부들을 안내하기로 하였다. 산을 넘기만 하면 맹산계이니 거기서 산지사방으로 갈 곳을 찾아 흩어지면 무사할 듯하였다. 길산이 안을 내어 두 자루의 금을 내어 서너 조각씩 나누어 지니도록 하였다. 길산이 선일이와도 헤어지려고 어깨를 두드려주며 말하였다.

"고향에 가면 황당한 생각 말구 잘 사시우."

선일은 묵묵히 고개를 숙이고 섰더니 길산의 손을 잡았다.

"나두…… 성님을 따라갈려우."

"따라와봤자 밝은 세상살이두 못 하구 평생 숨어서 살아야 할 터인데, 날 따라와서 뭘 허우. 정주에나 가시우."

"까짓 어딘들 밝은 세상이 따루 있답디까. 성님이 날 데리구 가지 않으려면 차라리 여기 선 채루 죽여주시우. 성님이 살려놓은 목숨이요, 성님이 다시 보도록 해준 세상이니 맘대루 허우."

길산은 대답 않고 서산이목에서부터 끌고 내려온 감장을 데리고 오도록 하였다. 그는 면상이 피투성이였으나, 이제는 정신이 들었는지 살려달라고 애걸이었다. 길산을 따라가려는 광부가 선일이뿐만 아니라 다섯 사람이나 되었다.

"너희 광주(鑛主)가 어디 있는지 알구 있느냐?"

앞으로 끌려나온 감장에게 길산이 물었다. 그는 고개를 조아리고 엎드린 채로 간신히 대답하였다.

"예, 말씀드릴 터이니 제발 덕분 살려주십시오. 큰샘 객사에 있는데 보름은 머물고 또한 보름쯤은 안주(安州) 본댁으로 나갑니다."

"그래, 지금 객사에 있느냐?"

"금이 나가지 않았으니 머물고 있을 것입니다."

길산은 고개를 끄덕이고 나서,

"광주에게로 안내하라. 속이려 하지만 않는다면 살려주겠다."

라고 엄히 다짐하였다. 길산은 선일을 위시한 다섯 사람에게 물었다.

"당신들은 정말 나를 따라가기를 원하오?"

"저희들은 고향에 돌아가보았자 집도 가족도 없는 놈이고, 남의 고용살이나 사천으로 지낼 신세입니다. 차라리 작당하여 산에 남을지언정 돌아갈 곳이 없으니 장사님의 처분만 바랄 뿐이지요."

모두들 머리를 조아려 물러가지를 않으므로 길산은 그들과 더불어 구월산으로 돌아갈 마음을 먹었다.

"김서방만 나서고, 다른 이들은 읍치를 빠져나가 매화령(梅花嶺)에서 기다리시오."

길산은 속으로 생각하기를 북창까지 나아가 그 길로 남하하여 강동(江東), 수안(遂安)으로 닿아 해서로 들어가는 남행로를 택하기로 하였다. 길산과 선일은 감장을 앞세우고 밤길을 십 리쯤 걸어 맹산 읍내로 들어갔다. 남천의 돌다리를 지나 큰샘에 이르니 느티나무가 무리를 이룬 가운데 멀리 향교와 성황사가 떨어져 있었고, 그 사이에 객관의 기다란 집채가 있었다. 관아는 건너편의 송림 가운데 있으니 뛰어서 지척이었다. 객사의 솟을삼문을 바라고 다가들어 돌담가에 이르러 길산이 감장을 윽박질러 물었다.

"어느 방이냐?"

"뒤곁의 누마루가 길게 달린 방입니다."

"혼자 있느냐?"

"저희 아이들 둘이 건넌방에 함께 있습지요."

길산은 선일에게 일렀다.

"이 자를 데리고 기다리오. 내 잠시 다녀오리다."

"염려 없겠수?"

길산은 대답 대신 몸을 가벼이 날려 담 위에 뛰어올랐다가 고양이처럼 사뿐히 마당 안에 떨어졌다. 마침 보는 자가 없어서 별 말썽 없이 뒤곁으로 돌아나가니 정원이 있고 못이 있는데 객관치고는 집이 넓었다. 등불이 훤히 켜져 있거늘 슬그머니 다가가 들여다보니 유복령은 관기로 보이는 계집이 쳐주는 술잔을 들고 있었다. 길산은 미닫이를 쓱 열며 안으로 성큼 들어섰다. 계집은 놀라서 입을 가리며 물러앉고 유복령도 술잔을 떨어뜨렸다.

"네가 서산이목의 광주냐?"

느닷없이 물으며 유가의 도포 멱살을 움켜쥐는데 그도 소싯적에는 주먹깨나 쥐어본 잠채배의 수령인지라 상대가 맨손인 것만 얕보고,

"내가 유복령이다. 이놈, 너는 웬놈이냐?"

외치며 멱살 잡은 손목을 뿌리치려고 잡아채는데, 길산의 정권이 유가의 정수리에 기합 들려 꽂혔다. 찍짹 소리 없이 유가가 늘어지고, 길산은 관기의 목젖에 손가락을 질러 기를 뽑았다. 그때 마루에서 삐걱이는 발걸음 소리가 들리며 방문이 벌컥 열렸다. 유복령의 목소리를 들은 부하들이었다. 앞섰던 자가 들고 나온 환도를 급히 뽑았다.

"웬놈이냐?"

길산은 말없이 비켜서며 틈을 노리다가 방바닥을 차고 올라 그의 왼편 가슴을 내지르면서 뛰쳐나갔다. 길산이 정원 가에 서서 바라보니 누마루에서 길산의 발에 걷어채어 떨어진 자는 숨통이 막혀 질려 있었고 그 뒤에 섰던 자는 한 팔 길이의 쇠몽치를 들고 다가들었

다. 길산은 방심한 듯이 정원을 뒤로 두고 우두커니 서 있었다. 쇠몽치 가진 자는 동료가 한 발에 나가떨어지는 것을 보고는 감히 함부로 달려들지는 못하고 측면으로 돌면서 쓰러졌던 자가 다시 일어나는 꼴을 돌아다보았다. 그들은 유복령의 부하들 중에서 가장 날렵하고 무예에 자신이 있는 자들이었다. 그들은 서산이목의 잠채배들 가운데서 뽑힌 표한한 자들이었다. 금의 호송이라는 중책을 맡고 있었으며, 웬만한 노상 강도들은 둘이서 해치울 수가 있었다. 검과 단봉뿐만 아니라 태껸도 제법 익힌 자들이었다.

"흥, 어디서 발길질은 조금 배운 모양인데 당장 꺾어서 방아깨비를 만들어주마."

쓰러졌던 자가 숨을 돌리고 일어나 신중하게 칼을 두 손으로 잡고 비스듬히 세워 천유류(千柳流)의 자세를 잡고 길산의 오른쪽으로 돌았고 쇠몽치는 왼편으로 다가서며 획획 소리가 나도록 단봉을 천천히 머리 위로 돌렸다. 길산은 그들과 우물쭈물할 겨를이 없었으나, 제법 무예를 아는 것으로 보이는 자들과 마주 서고 보니 오랜만에 몸을 풀어보고 싶은 근지러운 전의가 전신에 퍼져나갔다.

길산의 서 있는 왼쪽 서너 걸음 곁에는 연못이 있고 오른편으로 열 발짝쯤에 담장이 가로막혔으며, 뒤로는 괴석이며 정원수들이 있는 정원과 그 훨씬 뒤로는 역시 담장이었다. 후원을 등진 셈이었다. 길산은 손가락을 펴서 슬슬 놀릴 뿐 미동도 않고 정면을 향하여 서 있었다. 칼이 앞으로 내찔러지면서 길산의 오른쪽을 급습해 들어오는데 쇠몽치가 상취분익(霜鷲奮翼)의 세로 허공중에서 아래로 휘돌려 찍으면서 길산의 왼편으로 들어왔다. 길산이 비록 맨손이었으나 운부암과 대지봉에서의 내공 외공에 단련되어 이미 광대시절 태껸의 경지를 넘어선 기량인지라, 온 전신이 병장기나 다름없었다. 길산은 그들이 공격의 기세로 호흡이 바뀔 때 서 있던 자세 그대로 자연스럽게 전우(前羽)의 자세로 들어갔다.

손을 주먹쥐지 않고 열어둔 채로 공격 방향을 향하여 날개처럼 펼쳐올리는 것이다. 마치 큰 새가 날개를 펼쳐서 뿌리쳐 날아오르려는 듯한 자세인데, 양팔로 원을 그려서 상대의 공격을 물리치는 것이다. 자기의 몸을 원의 중심으로 삼고 자기 팔이 그리는 원의 선 안에 들어온 상대방의 공격을 걷어내는 것과 동시에 공격으로 나서는 자세이다. 상대방에서 보면 평화스럽고 원만해 보여서 날카로운 공격이 가해올 것 같지 않은데, 실은 두 팔의 안에 숨겨져 있는 발이 반격의 무기이며 마치 발톱을 감춘 맹수가 무심하게 바라보는 것과도 같다. 이러한 평화로운 자세를 대한 상대가 빈틈으로 알고 예봉을 날카로이 하여 들어가게 되는 것이다. 칼과 쇠몽치가 길산의 두 팔이 그리는 원 안으로 들어왔다. 쇠몽치가 길산의 머리를 바라고 공중에서 비스듬히 휘둘러져 내리찍혔고 칼은 허리를 바라고 수평으로 들어와 용약(勇躍) 일자로 베었다. 양쪽의 공격이 수직과 수평으로 엇갈려나가니 제아무리 바윗덩이나 깃털 같은 몸이라 하여도 새어나갈 틈이 없었다.

길산은 전우의 몸을 풀면서 안쪽으로부터 바깥으로 손을 휘둘러 허공을 걷어내면서 손바닥 바탕을 높이 치켜들었으며, 단봉이 걸렸는데 아무리 힘껏 내리쳤으나 팔뚝이 휘청하면서 일단 약세를 시키니 마치 짚단 위에 떨어진 조약돌과도 같았다. 길산은 손바탕에다 쇠몽치의 무게를 실은 채로 원을 그리며 아래로 하여 자기 안쪽으로 끌어들였다. 이것이 반 호흡이요, 나머지 반 호흡에 두 공격을 방어하지 못하면 두 사람의 한 호흡 공격에 지고 마는 것이다. 쇠몽치를 잡은 채로 끌면서 상대방과 위치를 바꾸고 살점(殺點)을 빠져나가며 무릎으로 그 안면을 차올리며 한 바퀴 몸을 돌려서 마주 섰다.

그러나 그 서 있는 틈 역시 반 호흡이었다. 전우의 자세는 무서운 공격을 감춘 세여서 방어는 곧 공격으로 이어져 있었다. 사이를 준다면 두 사람의 적은 다시 양편으로 갈라서게 될 것이기 때문이었다. 비록 안면에 무릎 공격을 받았으나 혼절한 것은 아니니 완전히 기능을 잃지 않았다. 칼을 휘둘렀던 자는 앞으로 쏟아져들어오는 동료로 하여 길이 막혔으므로 길산을 베어버리려던 일각(一刻)을 놓쳤던 것이다. 첫 번 공격에 실패한 상대는 잇달아 대격(待擊)으로 칼을 곧추세워 들어왔고 길산은 미린(尾鱗)의 자세로 수도를 엇갈려 겨누고 앞의 관수를 생선의 꼬리처럼 날카롭게 흔들며 짓쳐들어갔다. 공격에서는 길산이 두어 발 빨랐다. 칼이 길산의 어깻죽지를 노리며 엇비슷이 베어나가는데 길산은 한 발을 옆으로 뻗어 무릎을 구부리며 피하니 작지(雀地)라는 것이다. 참새가 사뿐 앉았다가 날아오르듯이, 굽혔던 무릎을 펴서 퉁겨져 일어나며 공격에 실패한 상대가 대격에서 휘도(揮刀)로 바꾸어 칼을 휘두를 찰나와 마주쳤다. 칼이 날카로운 바람소리를 내면서 허공을 가르자마자 길산의 순란부(順鸞附)를 취한 발짓이 상대의 왼편 옆구리가 훤하게 드러난 곳을 놓치지 않았다. 나뭇잎이 베어져서 사방으로 흩어져 날렸고, 길산은 차고 나서 복호(伏虎)로써 엎드렸으며 상대는 뒤로 나가떨어져 있었다. 상대가 칼을 치켜든 것과 길산의 두발모둠이 날아가 엇갈려 차는 것이 거의 동시였다. 상대는 칼을 놓치고 맨손인 채로 제 손목을 쥐었고, 길산은 숨결 하나 흩트리지 않고서 가볍게 일어섰다. 제법 몸을 풀었다고 여기는 참인데 객관의 안마당에 두런거리는 소리가 다가오고 있었다. 길산은 우물거릴 여유가 없다고 느꼈는지라, 맨손인 상대의 팔을 잡아끌면서 계구(鷄口)로써 닭이 모이를 쪼듯이 머리의 총회혈(揔會穴)을 모은 손가락 끝으로 찍었다. 그러고는 터진 얼굴을 감싸쥐고 달아나려는 자의 뒤를 좇아가 곰손(手擊)으로 관자놀이가 있는 승령(承靈)을 휘둘러쳤다. 길산은 쓰러진 자를 하나씩 일으켜 정원 속에다 던져주고 칼을 집어들었다. 누군가 서로 이야기를 주고받으며 마당으로 들어서는 중이었다. 그는 칼을 들고 얼른 유복령이 혼절하여 쓰러진 방으로 들어가 방문 곁에 바짝 붙어섰다. 얘기 내용으로 보아 객관의 손님을 찾는 역졸(驛卒)들인 듯하였다. 길산이 문 뒤에 숨어서 기다리노라니 발걸음 소리가 다가와 밖에서 물었다.

"행수어른 계십니까?"

길산은 당황하지 않고 우선 기침소리를 내었다.

"무슨 일이냐?"

역졸은 밖에서 유복령이 내다보지 않는 것이 이상하였던지 잠시 대답을 하지 않았다.

"무슨 일이냐니까……"

길산이 재촉하고서야 역졸은 당황하여 얼른 대답해왔다.

"동헌에서 하명하시기를 내일은 서산이목으로 말을 보내랍니다."

"알았다."

길산이 목소리를 감추려고 잔뜩 쉰 목소리로 대답하였고, 역졸의 발자취가 멀어졌다. 방금 그가 알린 말로써도 현감과 유복령이 잠채에 함께 가담하고 있는 것은 분명한 사실이었다. 길산이도 갈데없는 백성들이 몇몇씩 짝을 지어 알려지지 않은 깊은 골짜기의 광맥을 캐러 다니는 것을 잘 알고 있었다.

특히 해서의 북부와 관서 관북의 내륙에는 그러한 잠채꾼들이 많았다. 그러나 기댈 곳 없는 가난한 백성들을 잡아다가 천예(賤隸)로 묶어 부려먹는 무뢰한도 용서할 수 없거니와 더구나 그들을 보호하고 애잔히 여겨야 할 고을 수령이 함께 가담하여 몰래 착복하고 있음은 더욱 용서할 수 없는 일이었다.

길산이 일단 서산이목의 광부들을 자유로이 풀려나게는 하였으나 그대로 일을 마무리짓지 못한 채 사라진다면 폐단은 끝없이 계속될 것이었다. 즉, 현감과 유복령은 다시 인근 지방으로부터 잠채 광부를 끌어다가 묶어두고 일을 시킬 것이며, 살인하고 집단으로 항거하였으며 뿔뿔이 달아난 자들을 잡는답시고 운봉산 두무령 일대의 산간 백성들을 괴롭힐 것이 뻔하였다. 그들은 먼저 진대골 심메마니 마을을 그냥 내버려두지 않을 것이다.

현감을 대번에 참수하고 싶었지만 길산은 그런 뒤에 더욱 큰 후환이 있으리라는 것을 잘 알고 있었다. 한 고을의 수령이 이름 없는 백성에게 살해당하였다면 감영에서 토포군이 나와 맹산 읍치를 쑥밭으로 만들지도 몰랐다. 길산은 계획하였던 대로 수령에게 다시는 잠채배들의 악행을 묵인하거나 협조하지 않을 만큼의 혼구멍을 내줄 작정이었다. 길산은 칼을 고쳐잡았다. 그러고는 정수리를 맞고 혼절하여 쓰러진 유복령의 상투를 한 손으로 끌어당겨 올렸다.

신명께서는 살생을 용서하소서.

마음속으로 외우고 나서 길산은 칼을 그었다. 끔찍한 것을 방바닥에 내려놓았다가 장지를 열고 홑이불을 뜯어내서 둘둘 감아 쌌다. 길산은 다시 바깥의 동정을 살피고는 마당으로 나와 눈여겨보아두었던 담장으로 달려가 훌쩍 뛰어넘었다. 잠깐 두리번거리는데 어둠속에서, 성님 나 여기 있수, 하는 선일의 목소리가 들렸다. 짙은 느티나무의 어둠속에서 나무둥치에 몸을 가리고 섰는 김선일은 혼자였으므로 길산은 물었다.

"헌데 감장은 어찌되었나?"

선일은 우물쭈물 대답을 미루다가,

"달아나려 하길래 잡아서 목을 졸랐더니 그만 저기 잡초 사이에 누워 있습니다."

하는 것이었다. 길산은 선일을 데리고 향교의 기다란 담장을 붙어 돌아가 송림으로 들어섰다. 관아에는 드문드문 등롱이 처마끝에 걸려 있고 수직하는 자도 없는 모양이었다. 맹산현감은 밤이 이슥하여 벌써 자리에 누워 잠에 떨어져 있더니, 홀연 방문이 열리고 누군가가 안으로 들어섰다. 그러고는 그를 흔들어 깨우니 현감은 처음에는 실눈을 떴다가 얼굴 위로 드리워진 낯선 사내의 모습을 보고는 소스라치며 일어났다.

"누…… 누구냐?"

머리는 아무렇게나 풀어헤쳤고 수염이 터부룩이 자랐는데 한 손에 칼이요, 또 한 손에는 피가 배어난 보퉁이를 들고 서 있었으며 안광이 날카롭게 번쩍이고 있었다. 현감이 바깥을 향하여 아무도 없느냐고 소리치려는 판인데 아래로 늘어져 있던 칼끝이 불쑥 올라와 그의 가슴에 차갑게 닿았다. 현감은 입을 벌린 채로 할 말을 잃고 뒤로 자꾸만 밀려나갔고 사내는 칼끝을 겨눈 채로 한 걸음씩 다가서서 현감을 벽에다 밀어붙였다.

"가…… 감히 여기가 어디라구……"

체통이라도 남아 있어 그렇게 중얼거리는데 사내는 들고 온 보퉁이의 끄트머리를 잡아 휙 던지니 보가 풀어지면서 뭔가 불길한 것이 현감의 발치에 굴러떨어졌다.

"에쿠……"

진저리를 치며 뒤로 물러나는데 이불 위에 피비린내가 낭자하였다.

"현감은 내 말을 들으라! 나는 낭림산맥의 어름에 있는 산간 백성으로 서산이목 잠채 금점의 참상을 잘 알고 있는 사람이다. 혼자의 원한이 아니라 의분으로써 일어나 서산이목의 무뢰한들을 징치하였다. 비록 나라에서 금점을 설치하여도 그런 비정의 일이 없을진대 하물며 관장이 몰래 숨어서 악소 패거리들과 결탁하여 갖은 악행을 하였으니 단칼에 죽어 마땅하다. 이것은 유복령의 목인데 그대가 관장의 책임으로 알고 장사를 치러줘라. 만약에 차후로 백성들을 침탈한다든가 우리를 잡는다는 구실로 산간의 사람들을 핍박하면 언제라도 관아를 습격하여 목을 베어줄 것이다. 이따위 담장과 좁은 마당이면 한 식경에 점령한다. 너는 지키는 자이고 우리는 산을 타고 돌아다니는 자이니 언제가 장삿날이 될지는 알 수 없는 일이다. 내 비록 이름 없는 백성이나 이미 죽기를 각오하고 너희 더러운 관리를 토멸시키리라 결심한 바이더니, 수령을 죽여 감영의 초달에 읍민이 시달림을 바라지 않는 터이라 그대의 목숨은 살려주겠다. 차후 근신하여 우리의 포한 맺힌 칼을 받지 않도록 하라."

길산이 낯빛도 엄정히 꾸짖고는 원래가 언변이란 칼 들고 일어선 자의 장기가 아니매, 제 느낌대로 수월스레 말을 끝냈다. 비록 관장된 자로서 나라를 속여 금점을 알리지 않고 잠채의 이를 취한 바를 꾸짖고는 싶었으나, 과연 누구를 위한 나라인지 길산에게도 스스로 애매하여 굳이 말을 꺼내지 않았던 것이다. 한양은 너무도 멀고 아득한데 핍박받는 백성은 도처 골골이요, 적은 수십 수백 겹으로 둘러친 담장과도 같았다. 일시에 일어나서 이것을 허물어뜨릴 날은 언제런가. 눈앞에 닿는 가까운 적부터 싸워서 무너뜨려야 하였다. 곳곳에서 농기구를 병장기로 치켜든 백성들이 제 가까운 적을 향하여 항거할 날은 언제인가. 곧은 관리나 바른 선비가 청정과 달문으로 느릿느릿 시정을 펴나간다 한들 암벽에 부딪는 물방울이요, 이제 노도처럼 때리고 밀어닥칠 저들의 함성만이 그것을 뛰어넘고 부숴버릴 수가 있을 것이었다. 피 묻은 칼을 내려다보는 길산은 눈시울이 뜨거워졌다.

길산은 칼등으로 맹산현감의 뒷덜미를 가벼이 내리쳤고, 그는 정말 목이 달아난 듯이 머리를 이불 위에 박고 엎어졌다. 길산은 관가를 빠져나와 망을 보던 선일과 함께 북창을 지나 매화령으로 향하였다.

"성님, 이제 어디로 가오?"

선일이 따라 걸으며 길산에게 물었다.

"곤하겠지만 강동까지는 부지런히 가야겠네. 거기서 봉노를 잡아 하루를 푹 쉬고 해서로 내려가야지."

"정말 우리가 따라가도 되우?"

길산은 선일의 새삼스런 물음에 슬그머니 짜증이 나서 불쑥 말했다.

"고향에도 못 가겠다 하는 사람이 할 짓이 따로 있을까. 나는 화적질하러 고향에 가네만……"

"화적이오?"

"구월산에 있는 녹림패에 들어가려구 돌아가는 길이지."

그러나 선일은 별로 놀라지 않았다. 아니 오히려 신명이 나는 모양이었다.

"알고 보니 성님이 두령이구려."

"왜 께름헌가. 지금이라도 등을 돌리면 홀가분하겠는걸."

"허허, 우리는 시방 몰린 신세요. 성님이 아니더라도 몽둥이를 꺾어들고 두무령 고개를 잡을 판이었수."

길산은 약속대로 매화령 굽이에서 기다리던 광부들을 만났고, 쉬지 않고 강동을 향하여 내쳐서 밤길을 걸었다.

고향이라야 구월산 기슭의 은신처에 불과하고, 이제부터 지난 삼년 동안의 묵힌 뜻을 펴나가야 할 길산으로서는 발길이 가볍지만은 않았다. 그는 부모들과 아내와 그리고 새로 태어났다는 아들을 잠깐 떠올리고 나서 누구보다도 갑송이와 박대근이 보고 싶었다.

드문드문 불빛이 반짝이는 마을들을 지날 적마다 길산은 그곳 인가의 낯모를 식구들과 따스한 사연들을 상상해보고는 공연히 빙긋빙긋 웃는 것이었다.

아, 나는 이제부터 수도자가 아니며, 혼자가 아니며, 광대도 아니다. 나는 지금부터 칼을 들고 일어선 도적이며, 아이를 가진 아버지며, 숱한 힘없는 자들과 함께 있는 것이다.

미풍이 귀향하는 길산의 얼굴에 간지럽게 부딪쳐왔다. 그는 어느결에 무르익은 성년이었다.

어와 동무들아, 각각 동서 우리들이 수십 년 헤어져서 상사지심(相思之心) 간절터니 향산에 봄이 와서 괴형지사 새롭도다. 천천기수 먼먼 길에 재촉하야 돌아오니 낙금선 빛난 곳에 학발(鶴髮)이 무강(無康)하고 그리던 동기 숙질 몇몇이 반기누나. 그간에 사생지몰(死生之沒) 감구지호(監舊之呼) 없을손가. 일촌(一村)을 회고하니 후진이 장왕일세. 석양에 산에 올라 남은 경개 다시 보니 산회수곡(山回水曲) 있는 곳에 낙이망반(樂以忘返) 되었도다. 낙조서천 저문 날에 목적(牧笛)소리 자욱하네. 오던 배 다시 오라고 창강을 건너서니 노정에 술을 부어 헛부기 작별이라. 고우금수(故友錦繡) 허사로다. 풍전(風前)에 낙화같이 동서로 흩어진 뒤에 음영이 막연하고 서신이 돈절하면 상사불견(相思不見) 그리던 정 풍편에 물어볼까. 어와 허사로다. 귀거래사(歸去來辭) 한 곡조에 만사가 부운(浮雲)이다. 이제야 생각하니 일과 일몽 황홀하다.

바람소리, 개 짖는 소리, 어린아이 우는 소리, 그러고는 가끔씩 길을 따라 흘러내려가는 시냇물 소리, 풍편에 전해오는 세상의 기척은 자못 다정하였다.

3

구월산에는 온통 신록이 파릇파릇 퍼져나가고 있었으며 골짜기마다 진달래가 불타는 듯이 활짝 피었다.

봉순이는 아침 설거지를 끝내고 나서 수복이를 들쳐업은 채 삽짝을 나섰다. 장노인은 밭에 나갔고 안무당은 박서방네로 나갔는지 보이질 않았다.

쑥을 캐겠노라고 집을 나서긴 하였으나 산에 피어난 꽃들을 바라보는 봉순이의 마음은 어쩐지 심란하고 허전하였다. 뒤에서 웅얼거리던 수복이는 팔랑대며 공중에 떠도는 나비를 손가락질하며 엄마, 엄마 소리를 하는데 봉순이는 평소처럼 잡는 시늉을 하거나 호들갑을 떨어 아이를 웃길 일도 잊고서 물끄러미 진달래의 무리를 바라보았다.

"차라리 도화는 좋겠다……"

봉순이는 폭 한숨을 내쉬며 혼자서 중얼거렸다. 나한암 바윗더미 초입에 있던 갑송의 삼간초가는 이제 폐가가 되어 있었다. 지붕은 새 이엉을 덮지 않아서 잿빛으로 폭삭 주저앉았고 문짝은 떨어져

바람에 삐걱이고 짐승들이 인기척에 놀라서 후닥닥 달아나고는 하였다.

갑송이가 사라진 뒤에 김기를 통해서 길산네 식구들은 전말을 들어서 사연을 자세히 알게 되었다. 봉순이는 도화가 꼭 자기 때문에 죽은 것만 같아서 눈이 퉁퉁 붓도록 울었다. 그리고 아내를 칼로 찌르고 탑고개를 떠난 갑송이의 심정을 모르는 바 아니로되 세상 사내들의 우둔하고 야멸찬 행사가 미워져서 남의 일에 공연히 원망도 하였다. 봉순이는 제 남편에게 죽음을 당한 도화가 이제는 부럽기까지 하였다. 얼마나 모질게 고와하였으면 죽이기까지 하였겠는가. 무심한 구름처럼 훌쩍 떠나가서 제 아이의 탄생조차도 감응하지 못하는 길산에 비긴다면 찔러죽이고 몸소 파묻어주고 갔다는 갑송이 오빠가 훨씬 다감한 듯 여겨졌던 것이다.

봉순이는 나한암이 내려다보이는 산비탈에 올라서서 수복이를 안전한 곳에 풀어놓고 풀 사이를 뒤지기 시작하였다.

나물을 캐면서 수심가라도 한 곡조 흥얼거리노라면 요즘 같은 날의 시름도 잠시나마 잊혀졌다. 봉순이는 낭랑하게 곡조를 높이기도 하고 멈추기도 하면서 진달래 그루 사이를 헤치고 다녔다.

봉순이는 갑자기 수복이가 왁 울어대는 소리에 소스라쳐서 벌떡 일어났다. 수복이의 울음소리는 더욱 커졌고 봉순이는 가슴이 철렁하여 나뭇가지를 젖히며 달려갔다.

웬 사내의 등판이 보였다. 봉순이는 문득 심장이 딱 멎은 듯했다. 숨을 들이켜고 선 채로 입을 벌렸으나 말이 나오질 않았다. 등만 보이던 사내가 슬며시 돌아섰다. 수염이 덥수룩하고 흐트러진 머리에 아무렇게나 무명 두건을 동였으며 얼굴은 검게 그을었고 옷차림도 남루하였으나, 그는 분명히 수복이 아버지 그 사람이었다. 예전의 앳된 기는 어느 결에 가시고 날카롭던 눈은 한결 부드러워졌으며 이마에 깊은 주름이 잡혀 있어 실로 장부의 표정이었다. 길산은 우는 아이를 서투르게 안고 있었다.

"아이 받게……"

수복이를 봉순이 쪽으로 내미는 길산의 몸짓과 얼굴은 마치 아침에 함께 자고 난 듯이 범연하여, 봉순이도 애틋한 상봉의 정을 나타내지 못하였다. 봉순이가 얼결에 수복이를 받아 안는데 길산이 아내의 어깨를 부드럽게 어루만지며,

"반가우이."

서투르게 말하였고, 그 말이 서운하고 또한 고마워서 봉순이는 그대로 길산의 널찍한 가슴에 이마를 묻어버렸다.

길산은 제 가슴에 얼굴을 기대고 있는 봉순의 어깨를 슬그머니 안아주었다. 아내의 어깻죽지가 만져져서 얄팍하게 느껴지니 남편의 사랑에 주린 아녀자는 마치 마른 잎인 듯하였다. 길산이 봉순이의 어깨를 잡아흔들며 말하였다.

"어서 집으로 가세……"

봉순이는 잠깐이나마 남편에게 안겼다가 눈물 자국을 내보이는 것이 부끄러워 얼른 돌아서서 치맛자락으로 훔치면서 한 손으로는 수복이를 등에 업고 추슬렀다.

길산이 산비탈을 지나는 봉순의 자태를 보고 쫓아올랐다가 나무 아래 뉘어진 아이를 보고 그것이 자기 아들인 줄 알아보았다. 아이는 방금 강보에서 빠져나와 나무를 잡고 걸음마를 하던 중이었다. 길산은 모르는 결에 와락 아이를 안아올렸던 것이다. 그것이 제 아들이라니 믿어지질 않았다.

"이제는…… 집에 계실 건가요?"

봉순이가 뒤따라오면서 길산에게 물었다. 물으면서 자기 질문이 아무 쓸데가 없음을 봉순이도 재삼 확인할 수 있었다.

저런 사내가 아내와 자식에 눈이 팔려 구들목장군이 될 리 없었고, 실상 길산의 그런 변모도 그녀는 참지 못할 것이었다. 그러나 마음 한편으로는 아들을 대하는 길산이 기꺼고 대견한 듯한 모양이어서 혹시나 그가 울안에 만족할 범상한 가장으로 변하지 않았을까 하는 기대가 솟아올랐다. 길산은 대답을 바꾸었다.

"이서방은 무고한가?"

"어느 이서방 말이어요?"

"내가 찾는 이서방이란 갑송이말구 누가 있나?"

"시방은 탑고개에 안 계셔요."

"음, 된목이골에 올라가 있나?"

봉순이는 미적미적하다가 말하였다.

"구월산을 떠났어요."

길산은 멈추고 돌아서서 놀란 듯 되물었다.

"아니, 그럼 아주 여길 떠났단 말이오?"

봉순이는 차마 도화의 일을 말하지 못하였다.

"몰라요. 아마 김선비님께서 잘 아시겠지요. 강서방이 알리러 금강산에 갔었는데…… 얘 이름 아시지요?"

그러나 길산은 그런 말이 귀에 들어오지 않았다.

"식구들이 모두 떠났단 말이지?"

"글쎄…… 저는 잘 몰라요."

길산은 가슴이 덜컥 내려앉는 느낌이었다.

"허, 이렇게 답답할 데가 있나!"

길산의 걸음이 조금씩 빨라지더니 아예 뛰는 걸음이 되어 산비탈을 내려갔고 아래에는 동행인 듯한 여러 사내들이 기다리고 있었다. 그들이 사라져간 동구로 봉순이도 타달타달 걸어들어갔다. 그는 구월산의 동무들께로 돌아온 것이지 자기에게나 또는 식구들에게 돌아온 게 아닌 모양이었다. 봉순이가 아기에게 속삭였다.

"수복아, 아부지가 오셨다. 인제는 우리들하구 맨날 같이 사신단다. 아부지가 업어주고 무동도 태워주고 우리 수복이는 인제 좋겠구나."

봉순이는 오늘밤에 작은 무꾸리를 준비할 참이었다. 가장이 돌아왔으니 무리떡이라도 하고 고사 천신(告祀薦神)을 해서 부정을 없앨 작정이었다. 봉순이가 집으로 나는 듯이 돌아오니 장노인은 밭을 매고 돌아와 있다가 며느리의 희색을 보고 의아해하였다. 봉순이 외쳤다.

"수복 아부지가 돌아와요."

"응? 길산이가……"

장노인은 방금 며느리의 뒷전에 아들이 따라 들어오는 줄로만 여기고 얼른 마루에서 신발을 거꾸로 끌며 문께로 갔다가 어안이 벙벙하였다.

"어디 돌아온단 말이냐?"

"방금 김선비님께 갔으니 곧 올 거예요."

장노인은 어서 아들의 모습이 보고 싶은지 대문을 나서서 김기네 집으로 달려갈 양을 보였다.

"아버님, 어디 가셔요?"

"응, 김선비네 가볼란다."

"가지 마셔요. 수복 아부지 열쩍어하겠어요."

봉순이는 거기서 그쳤으나, 집에 돌아와 일단 부모님을 뵙고 나서 동무들을 찾아보는 것이 상례인데 길산이 그 일을 거꾸로 하였으니 아버님은 모른 척하시라는 뜻이 내포되어 있었다. 봉순이는 장충이 노여워하거나 섭섭해하지 않을 것을 알면서도 덧붙였다.

"갑송 오빠 소식을 듣고는 참지 못하구 급히 달려갔어요."

장노인도 길산이 능히 그러리라 싶어 고개를 끄덕이며 다시 마루로 올라왔다.

"느이 에미는 어딜 가면 이렇듯 오래 걸리는지 모르겠다."

"사람을 보내어 곧 오시라구 그러지요. 형님 댁에 가셨으니 별일 없으면 저녁에는 돌아오실 테구요."

"얘, 수복이 이리 다우. 그리구 길산이 저녁 준비해라. 닭도 두어 마리 잡구."

봉순이는 분주하게 부엌으로 들어가면서도 수복이는 풀어놓지 않았다.

"애나 이리 달라니까."

"애가 번잡스러운데 그냥 업구 하지요 뭐. 남들은 두셋씩 데리고도 밥하구 빨래하구 밭매구 못 하는 일이 없던걸요."

장노인은 아이를 빼앗듯이 띠에서 뽑아갔다.

"그래, 너희두 한 서넛만 더 낳아라. 이제는 길산이두 애비가 되었으니 아이 기르는 맛을 배울 게다."

"아버님두…… 별말씀을 다 하셔요."

봉순이는 일부러 큰 소리로 그릇을 챙기고 씻으면서 부끄러움을 감추느라고 애썼다. 공연히 볼이 화끈거리는 것이었다. 잠시 후에 밖에서 두런거리는 소리가 들리더니 길산이 들어서는 게 보였고, 마당에 넙죽 엎드려 큰절을 하는 것도 보였다. 그리고 방에 들어가 앉았더니 곧 나오는 것이었다.

"오자마자 어딜 간단 말이냐. 저녁이라두 먹구 나가거라."
하는 장노인의 목소리가 들렸다.
"동행한 이들 때문에 날이 저물기 전에 된목이골에 올라가야겠습니다."
"원 사람두 무심하기두 하다."
장노인의 말에 길산이 웃는 소리가 들렸다. 봉순이는 물 묻은 손인 채로 삽짝 밖으로 뛰어나갔다. 길산은 김기와 또한 몇사람의 사내들과 아사봉으로 오르는 길로 접어들어 있었다. 장노인이 보고 딱하였던지 위로를 하였다.
"된목이골에 가보았느냐?"
"예, 그전에 두 번 갔었어요."
"바람이라두 쐬일 겸 하여 수복이 데리구 올라가봐라."
봉순이는 그냥 웃고 말았다. 칭얼대는 수복이를 안아 젖을 먹이면서 그녀는 툇마루에 시름없이 앉아 중얼거렸다.
"우리 수복이는 좋겠네. 아부지가 와서 안아주고 업어주고 얼러줄 테니 얼마나 좋을까."
그러나 집안에 길산이 돌아온 흔적은 마치 바람이 지나간 듯 자취도 없었다.
김기와 길산이 된목이골로 향하는데 미리 앞질러갔던 졸개의 연락을 받고 마감동이 마중을 나왔고, 그들은 조도(鳥道)께에서 서로 마주쳤다. 감동이 달려나와 길산의 소매를 부여잡으며 외쳤다.
"성님, 어째 이제서야 오시우."
"그간 별고 없는가?"
"여전히 이나마 형세를 유지하노라고 옹색합니다."
길산은 싱긋이 웃었다.

“밥 세 때 놓치지 않고 먹으면 이런 세월에 정승 팔자보다 낫지. 굶주리는 백성들은 힘이 없어 작당두 못 하지 않는가.”

마감동은 길산의 남루한 차림과 깊은 주름살이 팬 얼굴을 바라보며 열쩍게 끄덕였다.

“딴은 옳은 말씀이우.”

길산은 부두령 오만석이 안 보이는 것을 알고 물었다.

“만석이는 산채에 있나?”

“말득이네 주막에 나갔습니다. 상고 한 패거리가 온다는 기별이 와서 정탐하러 갔지요.”

오공랑 강말득과 그의 누이 끝춘이는 진작부터 안악에 나아가 주막을 열고 있던 터였다. 수렛고개와 배고개에 소두령들이 나아가 목을 잡고 있었으니 앞은 은율 송화 방면이며 구월산의 서쪽이요, 뒤는 안악 방면인데 구월산 동편이다.

“말득이가 작년에 금강산 행보를 하였더니 이미 떠나셨다구 그럽디다. 그래 우리는 성님이 엇갈려서 이리 오시는 줄만 여겼지요.”

감동이 길산의 뒤를 따라오는 사내들을 눈여겨보며 계속 말하였다.

“어디 가서 무얼 하시다 오는 길이우. 만석이는 성님이 아예 산생활에 역증이 나서 송도 대근이 성님께루 가신 줄로 알고 있수.”

“어서 산채에 가서 천천히 얘기하세. 내가 아까 김선비께 대강 들었지마는 갑송이가 구월산을 떠났다며?”

“예, 우리두 선비님한테서 듣고 알았수. 사람이 그렇게 야속할 수가 없습디다. 아무리 세상이 싫어졌다 한들 설마하니 우리에게까지 싫증이 났겠수. 차라리 우리께루 와서 술이나 실컷 퍼마시구 주정이나 횡포를 부렸어두 이렇게 섭섭하진 않을 게유. 성님이 산에 계셨다면 모른 체 사라지진 않았을 테지요."

"임집 살림이란 살아본 놈들만이 아는 걸세. 자네두 장가가서 계집 거느려보아."

"아이구…… 그런 말 하지두 마슈. 혼잣몸두 부잡스러운데 계집은 둬서 무엇에 쓴답디까."

산채에 당도하니 된목이골에 자리 잡을 무렵부터 길산을 알고 있던 졸개들은 모두 달려나와 그를 반겼다. 길산의 일행이 회당에 들어갔고 감동이는 그를 상석에 권하였으나 길산은 김기에게 앉기를 다시 권하였다. 김기는 건성 사양하는 것이 아니라 낯빛을 고쳐서 정연히 말하였다.

"차서를 새삼 정하자는 것이 아니라, 장두령은 이제 구월산 식솔들의 대가장이오. 처음부터 우리가 혈당하였던 뜻에 따라서 이끌어나가야 할 책임이 있소이다. 마땅히 상석에 앉고 의논을 정하며 결정을 내리되 나 같은 자는 두령의 생각을 도울 뿐이외다. 그리고 나를 선비라 부르는 것두 당치 않은 노릇이니 그저 김서방이라 불러야 하오. 이곳은 저 아래 있는 촌락이 아니라, 녹림산간의 의협을 펴나갈 산채요."

"그러구 참…… 이번에 북관에서 나허구 동행한 사람일세."

하면서 길산은 김선일을 마감동에게 소개하였다. 선일과 김기는 먼저 인사를 나누었으므로 감동이와 선일이만 둘이서 좌정한 채로 꾸뻑하였다. 김기가 상좌에 앉은 길산에게 말하였다.

"장두령, 우리가 결의형제를 맺으면서 모여앉았던 것이 벌써 삼년 전이외다. 그동안에 서로 나누었던 얘기를 하나도 실행하지 못한 채 뿔뿔이 흩어져 있었지요. 강선흥이는 그뒤 한 번도 구월산에 오른 적이 없었고 우대용이두 마찬가지요. 안악 나간 강서방이 송도까지 행보를 하여 박대근 성님으로부터 뒷소식은 듣구 있었습니다. 이제 우리도 그 형세를 펴나갈 때가 온 것 같소."

길산이 고개를 끄덕이며 듣고 있더니 의견을 말하였다.

"산채의 형세를 늘리느니보다는, 여러 곳으로 나누어 긴밀한 연결을 가지는 것이 유리할 듯하오. 선흥이가 해서의 서쪽 불타산과 달마산을 점하고 있으며, 대용이는 선단을 끌고 북으로 올라 평안도 어름의 해안에 있다구 그럽디다. 우리 구월산에서는 애초의 예정대로 자비령을 먹어야 허우."

"참으로 나는 봉산을 떠나 여기 입산하고서도 스스로 의심하는 바가 많었수. 장두령이 떠난 뒤로 이두령과 더불어 아무 일도 해보지 못한 채 마두령이 보태어주는 양식만을 축내고 있었지. 선흥이가 아무런 기별도 없이 산에 올라 수돌이네 패와 심백이 패를 쫓아내고 두령이 되었단 소식을 듣고는 더욱 허송세월인 듯 안타까웠수. 박대인께서 오셔서도 늘 말씀이 길산이가 곧 돌아올 것이니 산채나 잘 지키라 하였소이다. 작년에 이두령까지 집안일로 구월산을 떠났을 적에는 실로 이 쓸모없는 김기도 산을 떠날 작정이었지요."

길산이 말하였다.

"김선비님은 갑송이가 어디로 떠났는가를 아시지요?"

"또 선비라고 부르는구려."

"허허, 정말 잊어버렸소이다. 성님은 갑송이가 금강산의 운부대사님을 찾아 떠났음을 아시지 않소. 갑송이는 우리에게서 떠난 것이 아니올시다. 오히려 거기 가면 할 일이 많이 있지요. 아마 정학이와 좋은 짝패가 되겠지요. 우선 자비령을 점령하기 전에 강서방을 보내어 대근이 성님이며 선흥이, 대용이를 모두 산채로 오도록 하십시다."

"강말득이 말을 들으니, 선흥이헌테 전갈하면 나머지 두 사람께는 즉각 연락이 닿는갑디다."

마감동이 그렇게 대답하고 나서,

"성님이 여기 계시지만…… 그 사람들 나허구 만석이헌테는 정이 없는 모양이우."

섭섭한 듯이 돌아앉으며 말하였고, 김기도 수긍이 가는지 고개를 끄덕이는데 길산이 말하였다.

"사람은 나서부터 자라며 사는 동안에 성품이 천차만별로 바뀌어지고 또한 몇번이나 제 성품을 버리기도 허지. 내 아는 바로는 잘 다니는 길로 거듭 돌아다니는 것과 마찬가지로 사람 사귀고 정을 주는 일도 그런 것이오. 대용이나 선흥이가 비록 저희끼리만 의기투합하여 구월산으로 발길을 돌리지 않았다손 치더라도 만석이와 감동이는 어찌하였나. 달마산에 한 번이나 들러보았나. 그러면 그들과 다정히 지내는 대근이 성님이 여기에는 발길을 끊었던가. 대근이 성님은 두루 같이 생각하는 것이니 어느 쪽에도 차별이 없겠지만 자네들은 공연히 저희끼리 시뚝하는 것이 꼭 계집들 같구먼. 서로 이웃에 마실이나 댕기듯이 할 수 없는 처지이니, 마음으로라도 곁에 있거니 여겨야지, 하물며 곁에 두고 보지두 못하면서 멀리 두고 정이 있느니 없느니 해서야 될 말인가. 우리가 녹림처사로서 무에 잘난 노릇이라구 결의형제를 하였겠나. 비록 그 뜻이 잘 펴나가지 않을지라도 잊지 말자는 얘기 아니겠는가. 백성들과 더불어 썩은 세상을 바로잡아보자는 것이지 서로 다투어 도적질하여 부귀영화를 누리자고 결의한 게 아니여. 내가 북관에서 해서로 내려오자니, 마침 춘궁기라 백성들의 참상이 말로 할 수가 없데. 이렇게 우리가 산간에서 밥이나 배불리 먹고 있으니, 대의를 잊기가 쉬운 법이여. 이번에 강서방을 내보낼 적에는 마두령과 만석이두 동행하여 아우들도 만나고, 세상도 둘러보아. 그리고 성님도 나하구 같이 봉산에 나가보십시다. 아까두 들었지만, 예전의 기막힌 포한을 풀지 못하였다는데…… 여기 산채의 사람들을 일으킬 일은 아니고, 어디까지나 성님 개인의 일이외다. 내가 성님 집안일을 도와드릴 것이니 우리 둘이서 내려가면 족할 듯허우."

길산이 말하니 좌중의 사람들은 모두 물을 끼얹은 듯 조용하였다. 길산의 얘기가 모두 대의를 들어 말하는 것이나, 그중에서도 세심한 대목들을 잊지 않고 경우와 뜻에 따라서 다시 자상히 얘기하여 모두들 더 할 말이 없었다. 김기도 길산의 말을 듣는 동안에 서선비께 언제든 포한을 갚으리라 먹었던 마음도 부끄러워지는 것이었다.

"집에는 들르셨수?"

감동이가 물으니, 길산이 빙긋 웃었다.

"갑송이네 허물어진 초가에두 들렀지. 사람 사는 일이란 다 그런 게여."

마감동이 졸개를 불러 안악의 강말득과 정탐하러 내려간 오만석을 산에 오르도록 지시하였다. 그날 밤은 김기와 길산이도 산채에서 자고 월정사에 들르기로 하였고 이튿날 아침을 먹고 났을 때 만석이와 말득이가 돌아왔다. 말득이는 여전히 깡마른 몸매에 영리한 얼굴이었고, 만석이는 전보다 몸이 좀 나았다.

"아이구 성님, 제게 헛걸음시키구 어디루 사라졌다 이제 오셨수."

하며 강말득이 반겼다.

"그래, 우리 오공랑 자고 쓰는 솜씨는 여전하신가. 끝춘이두 잘 있구, 노모께서두 정정하시구……"

"끝춘이는 성님께서 오셨다니까 떡을 해서 갖구 오르라구 붙듭디

다."
"끝춘이두 시집을 보내야겠지. 어찌 마음에 드는 장정이 없다던가."
"성님, 애비 되신 기분이 어떠시우?"
오만석이 무뚝뚝하게 인사를 건네니 길산의 얼굴에 잠깐 그늘이 지나간 듯하였다. 길산은 말을 바꾸어,
"그동안 탑고개 식구들 돌보느라구 골치 아팠겠네. 산채를 이만이나 지켜왔으니 수고가 많았어. 우리는 이제 월정사에 들렀다가 봉산으로 나갈 터인즉 자네는 감동이허구 말득이 따라서 달마산에나 다녀오게."
하고 일렀다.
"달마산에요? 선흥이헌테 말이지요."
"싫은가……?"
오만석은 별로 달갑잖은 눈치였다.
"싫은 건 아니지만, 정말 우리는 그렇게 생각허지 않는데 그쪽에서 우리를 별루 반기지 않을 겝니다."
그러나 곁에 있던 마감동이 좋게 말하고 김기도 권하여서 만석이도 응낙하였다.
김기가 봉산을 떠난 지 여러 해가 지났건만 한 번도 월당강(月唐江)의 풀나루를 건너지 아니하였다. 갑송이가 그를 산채로 데리고 들어올 때 피맺힌 몰락의 한을 지니고 있었으며, 사연을 알던 갑송이나 길산이가 몇번은 서좌수와 여첨지를 징벌하러 간다고 나서기도 하였다. 길산이 구월산을 떠난 직후에 마감동과 갑송이 사이에 계획이 이루어져 막상 진행을 시키려 하였으나 김기는 못내 사양하고는 하였다. 그 이유는 빚보로 여첨지 집에 끌려간 딸 때문이었다. 만약에

여럿이 몰려가서 여가와 서가를 살해하고 그의 딸을 데려오게 되면 모두들 은밀히 봉산을 떠났던 김기의 짓임을 알게 되겠기 때문이었다. 봉산에는 그의 선영이 있었고 아직도 김씨 문중의 일가 친척들이 살았다.

그는 되도록 산 아래의 세상에서 있었던 일들은 모두 백지로 돌리기로 작심하고 있었다. 때때로 화적당의 군사(軍師) 비슷한 처지가 되어 있는 자기를 돌이키고는 죽어도 조상에 뵐 면목이 없고, 살아서 제사에도 참가하지 못하는 신세를 탄하였다. 아마도 지척의 고향에서는 그가 욕스러워 더는 살지 못하고 어디 가서 일가 자진하였거나, 인가를 떠난 깊은 산골에 은둔하며 화전민이 되었다고 여길 것이었다. 그러한 김기가 딸의 소식을 듣게 된 것은 지난 겨울이었다. 말득이가 봉산 만동이 형제의 풀뭇간에 다니러 갔다가 우연히 얻어온 소문이었다. 그의 딸이 두 해 가까이 여첨지네 안채에서 기식하더니 어언 식구들과 정이 생기고 드디어 안주인의 눈에 들어 아예 여가의 장남과 혼인을 맺었다는 소식이었다. 여가가 원래 내수사 노비였다는 소문이고 보면 비록 가난하나마 양반의 가례 규범을 배운 김기의 딸이 과분하달밖에 없었다. 소식에 접한 김기는 턱을 떨며 분하게 여겼다.

그 지체의 다름으로 능욕당하였다는 느낌 때문이 아니라 아무리 철모르는 계집아이라 하나 제 부모의 원수임을 사무치도록 알련마는, 오히려 죽지 않고 살아서 그 집 대를 잇게 하였다는 생각 때문이었다.

그러나 봄이 되어 그의 딸이 임신하였다는 전갈이 오자 김기는 그만 심한 번뇌에 빠지고 말았다. 그의 아내는 제발 딸아이에 관하여는 잊어버리고 봉산 쪽으로는 아예 생각조차 돌리지 마시라고 몇번이나 애원하였다. 기왕에 남의 집 귀신이 되어버렸는데, 무엇 때문에 고이 살고 있는 아이와 그 집에 여한을 갖느냐는 것이었다. 김기도 이제는 여가의 목을 친다든가 집안을 구몰시킨다든가 딸년을 데려올 생각은 가셨다. 오히려 딸아이를 한 번만 보고 싶었고, 그애가 낳을 건강한 외손자라도 안아보고 싶은 심경도 들었다. 그러나 김기는 다시 김씨 문중과 고향에 남아 오랫동안 떠돌아다닐 모욕스런 풍문을 떠올렸다. 내로라 하던 책상물림 김기의 딸년이 빚보에 잡혔다가 여가놈의 며느리가 되었다더라 하는 풍문은 오랫동안 문중 사람들을 괴롭힐 것이었다. 드디어 길산이 당도하기 전에 김기는 스스로 어떤 결정이 내려져 있었다.

길산과 만났을 때 김기는 그런 뜻을 비쳤고 길산은 종내 묵묵부답이었다. 그러다가 뒤늦게 여러 사람 앞에서 자기와 단둘이서 봉산에 나갈 뜻을 내보였으니, 모를 일이었다. 갑송이의 얘기가 먼저 나왔지만 그때에도 길산은 아무 말 없이 듣기만 하였다. 그들은 월정사로 내려가 함께 풍열스님을 뵈었다.

풍열스님과 옥여와 길산, 김기 등이 둘러앉아 밤 가는 줄 모르고 여러가지 이야기를 하였다. 특히 풍열스님은 갑송이의 얘기를 꺼내어 짤막한 설법을 하였다.

"내가 뭐라더냐. 갑송이는 좋은 사문(沙門)이 될 성품을 가진 사람이다. 그 녀석이 속진을 빨리 면하게 하시려고 부처님께서 깊은 번뇌를 주셨으니 파가(破家)가 오히려 그의 출가를 도운 셈이니라. 세존께서 일찍이 반특의 선량함과 정직함을 보시고 그가 깨달을 것을 미리 아셨다. 반특은 다른 불자들이 모두들 어리석다고 손가락질하던 사람이다. 그가 계송을 외지 못하여 수도장에서 쫓겨나게 되었는데 세존은 그를 거두셨다. 걱정 말고 내게로 오너라. 제 어리석음을 스스로 아는 자는 지혜로운 자이니라. 어리석은 자는 자기가 지혜롭다고 스스로 말한다. 그리고 그렇게 말하는 것이 참으로 어리석은 것이다. 세존께서는 타이르시고 아난타(阿難陀)에게 그를 가르치도록 하였으나 도무지 우둔하여 가르쳐줄 방도가 없었다. 그래서 세존께서는 짧은 글 두 줄을 가르치고 외우게 하셨으니 티끌을 털고 때를 닦아 없애리라 하는 글귀였다. 그런데 그 짧은 글귀조차 반특이는 외우지 못하였다. 모두들 반특이 불자의 그릇이 전혀 아니라고 하였지만 세존께서는 저버리지 않고서 다른 비구들의 신발을 닦고 소제하는 일을 시켰느니라. 비구들은 제 신을 닦는 것도 수행이었으므로 반특이 신발을 닦으러 올 적마다 거절하니, 세존께서 반특을 위하여 신발 닦는 일을 거절하지 않도록 해주었다. 반특이 비구들의 신발을 닦으러 가면 모두들 그의 우둔함을 동정하여, 티끌을 털고 때를 닦아낸다는 글귀를 가르쳐주었다. 반특이는 열심히 신발을 닦으며 혼자 글귀를 되뇌어 마침내 외울 수가 있게 되었다. 그리고 그 글의 뜻도 깨닫게 되었으니, 티끌이나 때는 안과 밖에서 오는 것이 있음을 알았다는 것이다. 밖의 때는 재와 흙과 기왓장 등의 눈에 보이는 먼지요, 없앤다는 것은 깨끗하게 한다는 뜻이다. 안의 티끌과 때는 마음의 속박이니 지혜는 이것을 풀어 없애어 마음을 청정하게 하는 뜻임을 스스로 깨닫고, 반특이는 마음이 밝아져서 더욱 나아가 생각하였다. 티끌은 탐욕이니 지혜로운 자는 이 탐욕을 없애야 한다. 이것을 없애지 않으면 부끄러움을 모르는 자가 되고 여러가지 귀찮은 인연이 생겨서 사람을 속박하고 움직일 수 없게 하며 이윽고 불행 속에 떨어지게 한다. 반특이는 애증이 없는 평등한 마음을 가지고 무명(無明)의 껍질을 벗어 모든 만물을 투시할 마음의 문이 열렸느니라. 아무리 학식이 넓다 한들 그 참된 뜻을 깨닫지 않으면 무익한 것이며, 그것을 실행치 않으면 헛된 것이다. 우리 대성법주(大聖法主)는 참으로 큰 불기이니 운부께서 필찰하시고 긴히 쓰실 것이다."

말없이 고개 숙여 듣고 있던 좌중에서 길산이 조용히 말하였다.

"그것은 불자뿐만 아니라, 우리 같은 자들에게도 합당한 이치올시다. 탐욕의 근원으로 하여 제 마음에 속박되면 모든 일을 그르치고 말겠지요. 비록 악덕한 자의 목을 베는 일각에도 탐욕이 깃들여서는 안 될 것입니다."

"할(喝)! 불법을 빌어 살생을 말하다니 고이한 놈이로다."

풍열은 껄껄 웃었다. 풍열선사는 할을 부르짖고 나서 정색을 하고 말하였다.

"이제는 구월산에 있을 작정이냐?"

"금강산에 머물던 만큼은 있게 되겠지요."

"너는 다시 금강산에 가게 되지는 않으리라."

풍열스님의 말을 길산은 금방 알아들었다.

"갑송이가 돌아간 것처럼 저는 여기 돌아왔습니다."

선사가 고개를 끄덕였다.

"그렇다. 전보다도 너는 우리에게서 훨씬 먼 곳에 있구나. 내려가거라. 거기서 떠나지 말고……"

풍열이 묵주를 헤아리며 눈을 감았으므로 길산은 옥여, 김기와 더불어 조용히 물러나왔다. 선방에서 묵은 김기와 길산은 봉산을 향하여 부처고개를 넘어 큰내를 건너갔다. 길산은 흩어진 머리를 질끈 동인 두건 속에 아무렇게나 쑤셔넣었으며, 김기는 갓과 도포의 차림이었다.

"말득이네 주막에 들러서 행장이나 다시 갖추고 갑시다."

김기가 말하여 그들은 안악(安岳) 읍내로 들어가지 않고 배고개 쪽으로 나아갔다. 길이 세 갈래로 나뉘는 곳에 인가가 몇채 있었고 제법 울타리가 크고 기다란 방이 딸린 초가가 보였다.

용주 씌운 장대와 술 주(酒)자가 뚜렷하여 한눈에 그곳이 말득이네 집임을 알았다. 길산은 일부러 고개를 숙이고 먼저 술청으로 들어갔고 김기는 바깥에서 뒷짐을 지고 기다렸다. 길산이 끝춘이를 시험해보고 싶어 김기에게 청하였던 것이다. 길산은 일부러 다리를 절면서 마당 안으로 들어갔다. 마침 몽당치마에 수수한 차림새로 나물을 다듬고 있던 끝춘이가 인기척을 반기며 부엌에서 나왔다. 그러고는 신통치 않은 행색을 보고는 떨떠름하니 물었다.

"무슨 일이오?"

길산이 고개를 숙인 채로 공손히 말하였다.

"예…… 점심이나 하려구 왔소마는……"

"그런데요……"

"돈이 없수."

끝춘이는 배시시 웃고 나서 길산의 행색을 찬찬히 훑었다.

"별일이네. 아직 마수도 못 했는데 첫 손님이 빈손이라니."

끝춘이는 부엌으로 들어가며 종알거렸다.

"나중에 형편 피면 갚으셔요. 설렁탕 말아드릴게."

길산은 절뚝거리며 마루 위로 올라가 앉았다. 부엌 안에서 끝춘이가 물어왔다.

"어디서 오우?"

"관서(關西)에서 옵니다."

"에구, 먼 데서 오시네."

끝춘이는 더운 물 속에서 설거지할 식기들을 모두 꺼내더니, 개숫

물 함지를 들고 문밖으로 나가서 요란하게 퍼붓고 돌아왔다. 그러고는 설렁탕을 말아가지고 개다리소반에다 받쳐 먹음직한 무청나박김치와 함께 들고 가까이 다가왔다. 길산이 잔뜩 기다리고 있는데, 가까이 서서 상을 내려놓으려던 끝춘이가 애개개 하면서 상째로 둘러엎었다. 길산은 뜨거운 국물이 허벅지에 떨어지는 바람에,

"에크크……"

하면서 벌떡 일어나 두어 걸음 물러서고 말았다. 끝춘이는 얼른 길산의 바짓가랑이에 묻은 밥알과 건더기 따위를 털어내는 시늉을 하면서 호들갑을 떨었다.

"마루에 윤이 나서 동짓달 얼음판 같네."

끝춘이는 다시 길산의 미투리를 집어서 섬돌에다 탁탁 털었다.

"에이그, 사람 괄시한다구 그른 맘을 먹지 마시우. 이녁이 마수로 와서 대신 일진을 때웠으니 매일 이런 마수걸이라면야 누가 쌀 한 톨인들 아까워하겠나요."

길산은 어쩌나 짓을 보자고 팔짱을 끼고서 무덤덤히 앉았다. 끝춘이가 다시 소반을 들고 와서 조심스레 내려놓는데, 이번에는 술 한 병이 더 얹혔다. 끝춘이가 술을 찰찰 부어놓는다.

"반주로 드시우. 그러구 내가 찬감 때문에 방금 다녀올 곳이 있으니 앉아서 천천히 드시구려."

끝춘이는 안방으로 들어가 뭔가 수군덕거리고 나서 집 밖으로 나갔다. 김기가 그 나가는 양을 보고는 들어와서 길산과 마주 앉으니 길산은 참았던 웃음이 절로 터져나왔다.

"역시 서녀(鼠女)라는 별호대로 깜찍한 아이요."

"눈치를 챕디까?"

"글쎄 두고 봅시다. 하는 꼴에 옹이가 배겼으면 함께 데리구 봉산

으루 나갑시다그려."

김기와 길산은 술잔만 나누며 끝춘이 돌아오기를 기다렸고, 국물 위에 기름이 허옇게 둥둥 뜨고 나자 울타리 밖에서 검정 더그레에 육모 방망이, 털벙거지 갖춘 포졸 하나가 썩 들어섰다. 김기는 놀랐고, 길산은 대수롭지 않은 중에도 너무 의외라서 눈이 휘둥그레졌다. 마당으로 들어섰던 포졸이 역시 영문을 모르는 듯하였다.

"아니…… 김선비님 아니슈. 난 또 누구라구."

김기가 찬찬히 바라보니 그는 분명 배고개 산막에 나와 있는 졸개들의 한 사람이었다. 포졸 행색이 울타리 밖으로 내밀고 외쳤다.

"여보게, 들어오게. 산채 김선비님이시네."

뒤따라 들어서는 것은 역시 산막의 졸개들이었다. 포졸 복색이 말하였다.

"끝춘이가 사람을 보내어 잡을 놈이 있다기에 부랴부랴 달려내려 오는 길이올시다. 어유, 숨차다……"

뒤따라 숨이 턱에 닿아서 들어오던 끝춘이가 그런 판을 보고 당황하였다가 김기의 곁에 앉아 싱글거리는 길산을 보자 그만 주저앉아 버렸다.

"어머니나…… 난 몰라. 장두령님일세."

"잘 있었느냐. 어때 이번엔 자네가 헛걸음하였군."

"몰라뵈었습니다."

길산은 그제야 안방으로 들어가 눈 어둡고 귀 어두워 노망기로 오락가락하는 말득의 노모를 뵙고 인사를 드렸다. 그래도 총기는 남아서 곧 길산을 알아보는 것이었다. 산막 패거리들은 곧 돌아가고 다시 중화상이 들어와 끝춘이가 몸소 길산과 김기에게 술을 따랐다.

"하마터면 내가 포졸에 속아 삽짝을 나가다가 머리가 깨어질 뻔하였다."

"정탐꾼이나 다른 패에서 나온 줄만 여겼습니다."

"그래 어찌 수상쩍게 보았더냐?"

끝춘이는 배시시 웃고 나서 또라지게 대답하였다.

"처음에 절름거리는 다리를 성하게 쓰는 것으로 알았고, 그 다음에는 가까이서 몸을 보아 걸인이 아님을 알았으며, 끝으로 신발을 보고 알았습니다. 더구나 밖에 인기척이 있는 듯하여 물을 버리는 척하고 나가보니 한 사람이 등을 돌리고 서 있겠지요. 원래가 사람을 대할 적에는 한번 언뜻 보고 그 인상을 새기는 법이니 두령께서 마루로 올라설 때까지 남는 얼굴이 없기로 께름칙하였습니다. 이는 그 얼굴을 은연 감추려는 심사가 제게 전해진 것이지요. 또한 걸식하는 자는 음식이 나오는 것도 확실히 모르고서 마루 위로 올라가 앉지는 않습니다. 음식 먼저 그 다음에 사람이 오르는 법입니다. 그래서 일부러 소반을 엎었습니다. 신을 보아하니 아직 삼올이 생생한데, 대개 동냥아치나 떠돌이들은 육바라기를 신지요. 생생한 미투리란 관서에서 오지도 않았을뿐더러 각설이도 아니란 뜻입니다."

이번에는 김기가 혀를 찼다.

"거 상당하구나. 내 강서방 누이가 재주가 있단 말은 들었지만, 오늘에사 알았구나."

길산이 물었다.

"그만하면 우리와 동행하여도 되겠다. 주막 지킬 이는 있느냐?"

"오라버니도 어제 산에 오르시고 저뿐이지만 멀지 않다면 산막 장정들 중에 중노미 구실할 사람이 있겠지요."

김기는 점점 영문을 모르게 되었다. 그가 애간장이 타서 일단 길산이 앞에 발설을 하여놓고는 막상 월정사에서 밤을 지새며 곰곰 생각하노라니 차츰 후회되는 마음이 들었다. 이제 와서 가문이란 무엇이며, 여첨지의 목을 베어 어쩌자는 것인가. 그뿐 아니라 딸년을 죽여 이미 깊은 상처로 남은 치욕의 흠집이 사라질 것인가. 그러나 어떻든지 실정과 마주치면 판단이 확실해질 것이로되, 지금은 그 자신도 갈피를 잡을 수가 없었다.

봉산 서쪽의 백학암(白鶴岩)은 월당강을 마주한 너른 평야에 있으니 백학동은 부촌이었다. 장리며 고리며 닥치지 않고 재물을 그러모은 여첨지네는 백학동의 마을 한가운데 주인처럼 들어앉은 기와집이었다.

여첨지가 빚보를 핑계로 김기의 딸을 데려올 때에는 사실 그 인물이나 재주를 알지 못하고 다만 김기 식구들이 야반도주하지 못하도록 묶어두자는 데 있었다. 김기의 딸은 십사 세였으나 어려서부터 글을 읽고 쓰며 운자에 붙여 시도 지었고, 비록 가난하게는 자랐으나 범절과 기품이 숙성하였다. 가족들과 떨어지고 여첨지네 하인배들에게 업혀온 뒤에도 두 번이나 자진을 시도하였다. 여가네서는 공연히 처녀 귀신이나 생겨서 집터를 버릴까봐 밤낮으로 감시하는 하녀를 붙여두고 함부로 날뛰지 못하게 하였다. 처음에는 미음도 먹지 않고 눈만 멀거니 뜨고서 벽에 기대어 앉았더니, 가엾이 여긴 여첨지댁이 아예 안방으로 데려다가 말을 시키고 우스갯소리도 하며 달래었다. 여첨지댁은 소탈하고 입담 좋고 인정이 많은 아낙네였고, 김처자도 한 달이 못 가서 팔다리도 주물러주고 얘기책도 읽어주며 마음을 차차 돌이키게 되었던 것이다.

여첨지에게는 열세 살짜리 아들이 있었고, 자연히 제 집에 들게 된 김처자에게 소년다운 정을 지니게 되었으니 맛있는 것이 생기면 계집종들 몰래 고의춤에 감추어 와서 씩 웃으며 쥐여주고 가던 것이었다. 여도령이 워낙에 글공부를 싫어하여 영민하긴 하여도 놀이에 정신이 팔려 있었다. 제기차기는 동네 첫째요, 연 끊어먹기도 백학동을 위시한 인근에 당할 아이가 없고, 닭서리도 선봉을 섰다. 그렇게 놀이에 정신이 없던 여도령은 김처자가 안방에 들게 된 뒤로 안채의 마당 주위를 떠나지 않았다.

마음이 어언간에 풀린 김처자는 쾌활하고 순진한 여총각으로 하여 그 집에 스스로 동화되어갔다. 혼인을 치르게 되기까지는 또 한 번의 고비가 있었다.

막상 날짜를 받아놓고 아무리 반 식구가 되어 있는 사이라 할지라도 단자를 들이려니, 색시네 양친부모가 간데없어 그런 쓸쓸한 노릇이 없었다. 공연히 덧들인 셈이랄까, 부모에 대한 포한과 그리움이 되솟아난 김처자가 돌연 식음을 전폐하고 골방에 숨어버려서 여첨지네서는 다시 소동이 벌어졌다. 여도령이 따라서 식음을 물리치고 또한 작은사랑에 틀어박혔던 것이다. 여첨지네서는 공연히 집에 화를 불러들인 꼴이었다.

신분의 차이는 그나마 여가네서 첨지 직함이라도 얻어두었으니 그렇다 치고, 불화는 고사간에 빚돈으로 전답 문서를 빼앗았으니 원수끼리 사돈이 되는 셈이며, 행방이라도 안다면야 여첨지 부부가 달려가 이내 빚청산하여주고 전답 문서를 돌려주어 화해를 틀 수도 있었다. 원한을 품은 채 봉산을 떠나 지금은 어딘가에서 유리걸식할 사돈네를 모른 성해버린 채 그의 딸을 며느리로 맞을 수는 없는 노릇이었다. 여첨지네서는 김기 가족의 행방을 찾아보는 시늉이라도 해야만 되었다. 그러나 설령 김기를 찾는다 한들 일이 이렇게 되어버렸으니, 당신네 딸을 주소 할 수는 없는 처지였다. 그냥 사이좋게 지내온 집안들이라 할지라도, 유학으로 세습하여 내려온 양반가에 고리대금업과 장리로 악착스레 돈을 모은 허울만의 첨지네서 통혼을 넣지는 못할 입장이었다.

하물며 한 집안을 망쳐버린 원수임에야 어찌할 것인가. 여첨지네 집에서는 사람을 놓아 백방으로 찾는 듯하다가 일가가 연안 쪽에서 자진하였다는 그럴듯한 소문을 지어 봉산 일대에 널리 알렸고, 인정으로 그럴 수 없는 일이라 하여 심심산골에 가매장하였다는 유골을 수습하여 봉산에 장사 지낸다 하였다. 그리고 여첨지네서는 잡아두었던 전답과 가옥에다 또한 많은 토지를 덧붙여 김처자 앞으로 내주었으니 겉으로나마 체면은 차린 셈이었다. 부모의 유골을 모신 상여가 들어오는 날 김처자는 소복을 입고 며칠 동안이나 목놓아 울었다. 이미 죽은 지가 두 해나 넘었는데 한 해만 넘기면 상도 벗게 되어 이듬해에 서둘러 혼인을 시켰던 것이다.

김처자가 원래 제 부모의 심정을 모르는 바 아니고 효도가 무엇인지도 엄정한 가훈으로 몸 깊숙이 배어 있었건마는 여자란 출가하면 외인인지라, 어느덧 부모의 포한과 가족의 슬픔을 잊고서 아기까지 배어 완전히 여첨지네 식구가 되어버린 것이다. 여도령도 제 아내의 총명함과 정숙함을 사랑하여 아버지인 여첨지에 대해서는 야속한 생각과 멸시하는 마음을 가지고 있었다.

아내가 아기를 가졌다는 것이 알려지자 여도령은 손수 보약을 지어다 먹였고, 좋다는 것은 무엇이나 구하려고 인근을 뛰어다녔다.

여첨지는 읍내로 출타하고 여도령도 마름들을 만나러 이웃 고을에 나가 잤는데, 누군가 퇴창 앞에 와서 여첨지댁에게 알렸다.

"마님, 누가…… 왔습니다."

여첨지댁이 문을 열고 보니 새파랗게 젊은 여자가 무명 치마저고리에 흰 수건을 쓰고 목에 염주 걸고 작은 보퉁이를 들고 서 있었다.

여첨지댁은 의외의 얼굴에 어리둥절하였고, 하녀는 어쩔 줄 몰라하였다.

"자꾸 들어오지 말라는데두 이 댁에 산모가 있다며 뵙자구 합니다."

"댁은 어디서 오신 뉘신가?"

첨지댁은 곧 퇴할 태세로 얼굴을 찌푸리며 물었다. 여자가 공손히 합장하며 인사를 하였다.

"예, 저는 자비령 지장암에서 공부 중인 우바이올시다. 약간의 역술을 배웠는데, 우연히 이 집을 지나다 보니 문가에 검은 구름이 잔뜩 끼었기로 근심이나 덜어드릴까 하여 문안 올리는 것이지요."

첨지댁은 역술이라는 소리와 검은 구름이란 말에 가슴이 철렁 내려앉았다.

"아니, 아침부터 게 무슨 요사스런 소린고……"

"나무관세음보살. 그렇게 보인달 뿐 어떻게 되어 그러한지는 이제 알아보아야겠지요. 보고 짚이는 대루 말씀을 드리는 것입니다. 이 댁에 며느님께서 아기를 잉태하지 않았습니까?"

첨지댁은 이것 봐라, 하였다가 어디서 소문을 주워듣고 왔는지도 모르겠다 싶어져서 태연스레 말하였다.

"성혼한 지 해를 넘긴 아이들이니 임신하는 게 당연하잖은가."

우바이라는 젊은 여인은 계속 공손히 중얼거렸다.

"이 댁 며느님은 살이 끼어, 그 살을 풀지 않으면 서방님은 물론이요, 아기까지도 해를 입게 되겠습니다."

살이라니. 좌우지간에 나쁜 인연이 맺힌 바 틀림없고, 보살짜리로 보이는 여인의 말이 하도 의미심장하여 첨지댁은 저도 모르게 기가 팍 죽어버렸다.

"어서 안으루 드시게나……"

"죄송합니다."

여자는 공손히 들어와서 무릎을 꿇고 앉았고, 첨지댁은 벌써부터 주눅이 들어 저 입에서 무슨 말이 떨어질까 조마조마하였다.

"보살님! 어서 속시원히 말이나 해주소."

반말이 하소로 바뀌며 보살님자가 붙여졌다.

"사주를 알려주십시오. 주인 어르신과 마님과 서방님과 며느님의 것을 차례로 알려주셔요."

첨지댁이 일일이 알려주는 대로 여자는 단주를 주물럭거려서 사주를 뽑아냈다. 그러고는 고개를 살래살래 젓기도 하고 천장을 우러러 한숨을 토하기도 하며 제 가슴을 치며 답답하다는 시늉도 내었다. 그 모양에 첨지댁은 차차 좌불안석으로 연신 방바닥을 두 손으로 토닥거렸다.

"생병을 앓겠고만. 어서 알려주오."

"하…… 사정이 아주 위급하군요."

보살이 종알거리며 알아본 결과를 토설하였는데, 첨지가 갖은 방법으로 돈을 모은 것이며 그들 부부가 석삼 년을 허리띠 졸라매고 걸식하며 지낸 것, 그리고 여첨지네와 며느리 친정 사이에 풀지 못할 원한이 맺혀진 것, 그러나 그 부모는 아직도 살아 있다는 것 등등을 소상히 풀어내는 것이었다. 그 부모들이 아직도 살아 있음을 꿰어내는 실력으로 보아 세상 소문과는 무관한 족집게임을 알 수가 있었다. 첨지댁은 완전히 젊은 보살에게 마음을 빼앗겨버렸다.

"그래서 주인 어르신께서는 지난 세월 동안 쌓인 악이 있어 그것을 풀어야 하며, 또한 이 댁 며느님께서는 다 조상의 앙화를 미리 막아야 합니다. 그냥 두었다가는 아이와 며느님이 죽고 주인 어르신은 전신불수가 되겠으며, 그 남은 적악이 미쳐서 서방님까지도 괴질에 걸리실 터이오니 어서 살풀이 재를 올려얍지요. 서두르십시오. 날짜가 얼마 남지 않았습니다. 저희 암자에 와서 재를 한 번만 올리시면 모든 살이 풀릴 거예요."

첨지댁은 그제야 한숨을 쉬면서 마음을 놓았다.

"액땜이 된다면야 백일기도인들 어렵겠수. 더구나 하루만 재를 올리면 된다니 지금 당장 나섭시다."

그러고는 곧 일어나서 나갈 기색이었고, 젊은 보살이 만류하였다.

"가만 계십시오. 아무 때나 가는 게 아니라 좋은 날을 받아야만 합니다."

"어서 그럼 택일을 하시우."

보살은 손을 꼽아보더니 고개를 끄덕였다.

"마침 내일이 좋겠군요. 그러고 나면 한 보름은 기다려야 좋은 날이 오겠는데요."

"아이고, 참 잘되었수. 내일 당장 오르기로 하고, 공양미는 얼마나 준비할까?"

보살은 방그레 웃으면서 고개를 저었다.

"아무 비용도 들지 않습니다. 그저 며느님과 주인 어르신과 서방님이 평소에 입으시던 겉옷 한 벌씩이면 되겠어요. 그리고 초와 향만 준비하십시오."

"어디 그런 쓸쓸한 재가 있을까. 염려 말구 말해보우. 내가 암자의 불사를 도와줄게."

"아닙니다. 그러시면 액땜이 되질 않습니다. 그저 아무도 모르게 다른 가난한 이들께 보시나 해주시지요. 겉옷에다 식구분들의 함자와 사주를 적어 법당에 올려 재를 올리면 되겠어요."

공양을 따로 받겠다는 것도 아니고 더구나 모르는 이들께 보시를 하라니 여첨지댁은 젊은 보살을 굳게 믿어버리고 말았다. 보살은 다시 주의를 주었다.

"제가 이 댁의 불운한 조짐을 미리 알아본 것은 천기와도 같으니 절대로 밖에 새어나가지 않도록 하셔야 합니다. 이웃이나 집안 하인들은 물론이요, 식구들 당사자간에도 절대로 눈치채도록 하셔서는 안됩니다. 만약 알려지면 정성스런 기도에 부정이 들어 아무 효험이 없지요. 그리고 며느님은 함께 오도록 하십시오. 태 안의 아기도 살을 풀어 안산하도록 해야겠으니까요."

"잘 알었수. 일가를 구하는 일인데 열 손가락에 불을 달라면 못 할까, 뭐든지 해야지."

"그럼 저는 이만 물러가겠습니다."

보살이 일어서니 첨지댁은 그가 어디로 달아나서 다시는 나타나지 않을 것만 같아 와락 옷소매를 붙잡았다.

"가긴 어딜 가우. 아예 우리집서 푹 쉬고 내일 같이 절에 오릅시다."

"아닙니다. 제가 이 댁에 머물면 다른 사람들 눈도 있거니와 기도에 좋지 않습니다. 내일 식전에 올 터이니 걱정 마십시오."

첨지댁은 한사코 마다하는 보살에게 돈 한 꿰미를 무명끄틀에 둘둘 감아서 들려주었고 보살도 못 이기어 받아들었다. 첨지댁은 집안 사람들이 의아하여 바라보는 것도 눈치채지 못하고 보살을 대문 밖에까지 전송하며 내일 올 것을 신신당부하는 것이었다.

보살은 학암에서 읍내로 들어가다가 인적이 드문 들판에 이르러 수건을 벗고 염주도 벗어버리고 회색의 긴 저고리도 벗었다. 그러고 나니까 그것은 여염 여자의 모습이었다. 보살은 끝춘이었는데 읍내의 호젓한 객줏집에서 기다리던 길산, 김기와 더불어 만났다.

여첨지댁은 보살이 돌아간 뒤에 며느리를 안방으로 불렀다.

"그래 몸은 어떠냐?"

"입맛이 없고 헛구역질이 조금 있을 뿐 괜찮은 것 같아요."

"조심해야 한다. 내가 널 부른 것은 다름이 아니라, 어젯밤 내 꿈자리가 몹시 뒤숭숭하기로 절에 올라 기도나 드려볼까 하여 그런다. 여기서 산수원(山水院)까지는 말이나 가마를 타고 갈 수가 있겠지마는, 그 다음부터는 산으로 올라야 하는데 네가 걸을 수 있을까 걱정이다."

김규수는 총명한 눈으로 첨지댁을 건너다보았다.

"아니…… 안 가시던 절에는 뭣 하러 오르시려구요. 저두 가풍이 절에 다니는 집안이 아니라서 그런 일은 생소합니다. 아버님이나 서방님께도 의논하여 허락을 맡아야 되지 않겠습니까."

첨지댁이 보통때 같았으면 이년 양반집 자식이라고 함부로 시어미께 내댄다고 은근히 아니꼽게도 생각하였겠지만 지금 그럴 계제가 아니었다.

"내 기분이 하도 심상치 않아 그러는 것이다. 설사 네 아버님께 말씀드리면 쾌히 승낙할 듯싶으냐. 그 어른이야 쌀 한 톨 돈 한 닢에도 가슴을 졸이는 분이시니 틀림없이 펄쩍 뛸 것이다. 또한 안채 일에는 나름대로 아녀자들끼리의 일이니 사랑채에서 모르시게 하여도 무방하니라. 아무 말 말고 이것은 네 시어미의 부탁이니 내일 채비를 해두었다가 살그머니 둘이서 다녀오기루 하자. 아예 네 남편에게도 발설하지 말아라."

김규수도 내키는 일은 아니건만 그렇게 간곡히 부탁을 하니 며느리로서 주장을 세울 수만도 없는 노릇이었다.

"분부대로 하겠습니다."

"아무렴, 그래야지. 다 집안을 위해 하는 일이고 네 서방과 자식을 위한 일이거니 하여라."

첨지댁은 생각하기를 아무래도 가마를 내었다가는 구설이 많을 듯하여 읍내까지 나아가 객주의 세마를 내어 산수원으로 하여 자비령 근처까지 타고 가기로 하였다. 그리고 집안 사람들께는 읍내에 용한 의원이 묵고 있어 며느리의 진맥이나 잡히고 온다고 할 작정이었다.

보살은 약속대로 식전에 찾아왔고 은밀히 찬방에 안내되었다. 첨지댁은 일단 마음을 놓았다. 여느 때처럼 주인의 밥상머리에 앉아 시중들어주고, 그가 사랑으로 건너간 뒤에 며느리와 더불어 보살을 따라 나섰다. 읍내까지 시오 리를 쉬엄쉬엄 걸어서 세마 놓는 집에 당도하니 아직 이른 오전이었다. 말을 타기는 하였으나 워낙에 견마 잡은 마부에 주의를 주었던 탓으로 김규수가 탄 말은 뒤로 멀찍이 떨어지곤 하였다.

걷는 것보다 별로 빠른 편은 아니었지만 그래도 힘은 덜 드는 셈이었다. 며느리가 지체되면 첨지댁과 곁을 따라가는 보살은 한참이나 기다리곤 하였다. 산수원을 지나 적암산(赤岩山)의 산줄기를 따라 샛길을 오르게 되어 세마를 뒤에 머무르게 해놓고 보살이 김규수를 부축하여 걷기 시작하였다.

김기와 길산은 계획한 대로 송림이 울창한 산길 모퉁이에서 여자들이 나타나기만 기다리고 있었다. 풀 위에 드러누웠던 길산이 무슨 소리를 들었는지 벌떡 일어나서 잠깐 노려보았다.

"오는군."

김기도 그가 바라보는 방향을 내다보니 희끗희끗한 옷자락이 나무 사이로 어른거리는 게 보였다. 김기는 어쩐지 가슴이 마구 뛰기 시작하였다.

김기는 딸의 모습을 보자 길 위로 뛰쳐나가 와락 껴안고 싶은 충동이 일어났다. 딸은 무거운 걸음걸이로 끝춘이의 부축을 받으며 올라오고 있었다.

"차라리 죽지 못하고."

그들 일행이 가까워질 때까지 김기는 길 위로 나서지를 못하였고, 길산은 이것이 혈육지간의 일인지라 뭐라고 조언조차 할 수가 없었다. 그는 김기의 표정만을 주의 깊게 살필 뿐이었다. 김기는 바로 눈앞으로 여자들이 지나기까지 차마 뛰어나가지를 못하였다. 끝춘이도 어느쯤에서 그들과 마주칠지 모르므로 자꾸만 주위 숲과 골짜기를 두리번거렸다. 여자들이 멀어진 뒤에 김기는 길 위로 나섰다가 길산에게 말하였다.

"그 단검 좀…… 주시오."

"뭣 하시게요……"

"저년을 내 손으로 베어버리려오."

길산은 아무 말 없이 품안에서 반팔 길이의 예리한 짧은 환도를 꺼내주었다. 김기는 칼을 뽑아서 서투르게 잡고 잠깐 서슬이 퍼런 칼날을 바라보았다.

그러고는 지나간 여자들의 뒤를 잰걸음으로 쫓아갔다. 얼마 가지 않아서 여자들의 모습이 보였고, 김기는 차마 쫓아들어가지는 못하고 고함만 질렀다.

"게 섰거라!"

여자들이 뒤를 돌아다보자마자 자지러지는 소리를 지르며 먼저 여침지댁이 땅바닥에 주저앉았고, 며느리는 망연히 돌아서서 김기를 바라보았다. 끝춘이는 얼른 김규수의 손을 놓고 몇걸음 물러났다. 김규수는 낯익은 목소리와 모습에 얼이 나간 듯, 반쯤 입을 벌리고 두 손을 올려 뭔가 잡을 듯이 휘젓더니 김기의 앞으로 치달아왔다.

"아버님……"

딸은 김기의 가슴에 안길 듯이 달려들다가 부릅뜬 눈과 꾹 다문 입술에 질려 댓 발짝 앞에서 멈추었다.

"아버님……"

중얼거리는데 벌써 눈물이 비 오듯 하고, 그대로 서러운 양을 받아줄 데를 찾지 못하여 제풀에 김기의 발 아래 엎어지며 느껴 울었다. 아무러면 김기에게 부녀의 정마저 없을쏘냐, 가슴에 울컥 치밀어오르는 격한 감정을 눌러앉히느라고 김기는 이를 지그시 물고 눈을 감았다. 밑에서는 딸의 울음 섞인 목소리가 들려왔다.

"집을 떠난 뒤로 부모님의 가신 곳을 몰라 애를 태우더니…… 돌아가셨다는 소식만 듣고 차라리 죽어버릴까 하였습니다. 이미 장사까지 치르어 불효하였음을 뼛속 깊이 깨닫고 있었어요. 이렇게 정정하신 모습을 뵈오니 앉아 죽어도 한이 다 풀린 듯합니다."

김기는 칼을 늘어뜨리고 서 있었고 길산은 멀찍이 떨어져서 팔짱을 끼고 바라보고 서 있었다.

"내 일찍이 네게 어찌 가르쳤관대 이다지도 뻔뻔하냐. 누가 널더러 욕되게 살아 원수놈의 자부가 되어 그 씨를 배라더냐. 애비가 못나서 가산 구몰되고 너까지 이 모양이 되어 욕된 목숨으로 살아서 봉산 고을을 휘젓고 다니니 가문을 위하여 없애버림만 같지 못하다."

김기가 소매를 걷고 칼을 치켜들었다. 딸은 타는 듯한 시선으로 아비를 올려다보면서 울부짖었다.

"진작에 죽으려 하였으나 이루지 못하였더니, 이제 아버님 손에 죽으면 여식이 더 바랄 게 없습니다."

칼을 치켜들고 성큼 딸의 머리 위에 다가선 김기의 눈에는 드디어 눈물이 줄지어 흘러내렸다.

그때 외마디 소리가 들리더니 여첨지댁이 달려와 김규수의 몸을 감쌌다. 그녀는 한 손으로는 위로 쳐들어 막는 시늉을 하고 몸으로 자부를 가리고는 하소하였다.

"비록 우리 주인이 몹쓸 짓으로 선비님께 원한을 샀다 하나, 사람의 일은 하늘에서 주관하는 것이라 우리 며늘아기가 된 것도 양가의 운세요, 악연은 연이 아니랍디까. 이제는 댁네 따님만이 아니라 우리 맏며느리에 우리 손을 배고 있는 여씨집 여인이외다. 차라리 원한이 있다면 우리에게 있으니 우리 두 늙은 양주 죽어지면 젊은 것들이라도 대를 물려 살아갈 터이온즉 어서 원한풀이를 하시우."

김기는 쳐들었던 칼을 차마 내려찍지 못하고서 부들부들 떨었다. 그러고는 한동안 하늘을 향하여 고개를 치켜들고 있었다. 김기는 스스로 욕스러워 견딜 수가 없었다. 벼슬을 한답시고 고향을 떠나던 날이며, 자진하려고 봉노에서 목을 매다가 갑송이를 만나던 날이며, 딸을 여첨지 댁 장정들에게 빼앗기던 날들이 두서없이 스쳐지나갔다. 하늘에는 드문드문 솜 같은 구름이 바람에 천천히 흘러가고 있었다. 구름의 속은 깊고 정결하였고 그 모양은 바람결에 따라 일그러지기도 하고 뭉뚱그려지기도 하였다. 김기는 돌연 눈앞이 아득해졌다. 칼이 떨어지는 소리가 들렸다. 어느결에 그가 손을 내려뜨렸고 손길을 벗어난 칼은 땅바닥에 맥없이 떨어져 있었다. 길산은 그렇게 될 줄을 알았다는 듯이 김기의 뒤에 와서 속삭였다.

"따님의 손이라도 잡아보우."

김기는 그런 말이 귀에 들어올 리가 없었다. 휘청거리는 걸음으로 돌아서서 산을 내려갔다. 갑자기 실신한 듯 늘어져 있던 김규수가 땅바닥에 떨어진 칼을 집어들었다. 목을 찌르려고 칼날을 거꾸로 세운 것과 길산이 그 여자의 손목을 휘어잡은 것은 거의 동시였다. 길산은 슬쩍 비틀어서 칼을 떨구게 하고 나서 칼을 집에다 꽂았다.

"끝춘아, 돌아가자."

길산이 창백한 얼굴로 서 있는 끝춘이에게 말하였으나 끝춘이는 고개를 설레설레 저었다.

"저 지경을 버려두고 어찌 가겠어요."

며느리의 손발을 주무르고 있던 여첨지댁이 김기를 쫓아서 달려 내려가더니 그의 발을 가로막고 붙잡았다.

"못 가오, 선비님…… 아니 이제는 바깥사둔입지요. 사둔어른, 이대로 훌쩍 가버리시면 우리 아기는 못 삽니다. 그러잖아도 식음전폐하고 부모를 그려 애태우는 정경을 보다 못하여, 우리가 그애 정을 떼노라고 거짓 장사까지 지내었소. 하물며 이런 질책 끝에 가버리시면 그냥 애가 달아 실심하여 죽고 말 것이니 우리 새끼는 또 어찌한단 말이우. 제발 우리 죄 용서하시구…… 잃은 재산도 저애 앞으로 모두 돌려주었어요. 마음을 푸시우."

김기는 까짓 첨지댁의 손을 뿌리치고 그 자리를 피해버릴 수도 있었으나, 못박힌 듯이 움직이지 않았다. 이제 산속에 들어와서 바깥세상의 전례를 들어 양반의 처신만을 염두에 두었으니 이 어찌 어리석은 일이 아니랴. 징벌하고자 하였다면 구월산의 녹림당으로 하여금 여첨지의 곡간과 돈궤를 털게 하는 것으로 충분하였으리라. 아, 이것은 이미 내가 몸담은 세상 밖의 일이로구나. 김기는 벌써 오래 전에 봉산 땅에 묻힌 백골이다. 김기가 방금 칼로 쳐낸 것은 저 세상의 삶에 대한 미련이었다고나 할까.

"놓으시오."

김기는 제 발을 붙잡고 엎드린 첨지댁에게 말하였다. 첨지댁은 그를 올려다보며 애소하였다.

"저 아이는 어쩌라구 이러시오, 밭사둔님."

김기는 다시 냉정하게 중얼거렸다.

"내가 관여한 혼사도 아니고 나의 딸도 이미 아니니 사돈이라 함부로 부르지 마오."

여첨지댁은 고분고분하고 얌전한 여자가 아니었다. 과연 치가치산(致家治産)하여 집안을 일으킨 여첨지의 아낙답게 과감한 데가 있었고 끈질겼다. 그 여자는 더욱 김기의 발목을 끌어안았다.

"그렇다면 한 걸음도 떼지 못하십니다. 도대체 원한 때문이라면 이제 앗긴 재산을 다 물려주고 복구할 터이요, 양반의 지체 탓이라면 요즘 시속에 아무리 첨지라지만 남부끄러울 것이 무에 있소. 김씨 댁에 현관이 나온 지 몇대가 되었다구 그러시우. 우리 아이 가슴에 못박아 놓고서 혈육지정을 끊고 가실 수는 없습니다."

한참이나 굳어진 얼굴로 묵묵히 서 있던 김기가 내외마저 잊어버린 이 아낙네에게 아까보다는 한결 부드럽게 말하였다.

"어서 놓으시오. 댁네 며느리나 주인이나 모두 내 칼에 의당 죽어야 할 것들이지만 그냥 돌아갈 테니……"

아낙네는 김기의 다리를 놓으며 뒤로 물러나 앉는데 이마에는 땀이 번지고 입술은 까맣게 죽어 있었다.

"아이고, 우리 가장이야 찌르시든 베이시든 뜻대루 하시구려. 늙은 것들이야 살 만큼 살았으니 이것과 함께 죽여주십시오마는, 제발

저 애들에게는 포한 갖지 마시우."

김기는 조용히 말하였다.

"제가 낳은 자식을 죽이려는 미움도 어버이의 정이요, 또한 차마 그러지도 못하고 돌아서는 것도 같은 정일진대 어찌 댁네가 아들을 생각하고 자손을 걱정함과 다르겠소. 이미 우리는 봉산을 떠나고 세상을 떠난 사람이지만 여서방이 개과천선할 기미가 보이질 않으니 다른 이들의 손에 죽기 전에 차라리 내 혈육이라도 몸소 베이려던 것이오. 이제는 눈에 흙이 들어갈지라도 당신들 앞에 나서지 않을 테니……"

하다가 김기는 말을 끊고 뒤를 돌아보았다. 끝춘이가 김규수를 부축하여 가까이 오고 있었으며, 길산은 팔짱을 낀 채로 서서 그들을 바라보고 있었다. 김기는 딸이 창백한 얼굴로 다가서는 모습이 두려운 듯 얼른 고개를 돌렸다.

"다시 말하지만 여서방에게 내 말을 전하시오. 나는 예전 김씨 문중의 사람이 아니외다. 능멸을 당한 양반으로는 다시 여서방을 죄주지 않으려니와 만약에 악독한 소문이 들리면 내 대신 사람을 보내어 목을 베이겠소."

비틀거리며 다가서던 딸이 넘어지듯 김기에게 달려왔고 돌부리에라도 걸렸는지 기웃하면서 주저앉으려는데, 김기가 얼른 안아서 일으켰다.

딸은 아비의 손에 잠깐 잡혀 있었지만 김기는 그 손을 얼른 놓았다. 그러고는 엇비슷이 누구에게 하는지 방향 없이 말하였다.

"집안에 악한 일이 성하면 곧 실인의 잘못이니 규간(規諫)하여 안 되면 죽음으로 바로잡으라. 그리도 못할새 불효와 부정(不貞)을 거듭 저지르게 되니 짐승이나 다름없을 것이다."

김규수는 눈물로 얼룩진 고개를 숙이며 단정하게 김기 앞에 인사를 올렸다.

"아버님 말씀 명심하겠습니다."

딸을 죽이려던 아버지가 내훈(內訓)을 던지고 돌아서게 되니 그것은 김기의 성정이 뒤가 물러서도 아니요, 혈육의 정이 강렬하여서도 아니었다. 김기는 칼을 쳐들었던 순간에 여염 세상의 허무한 법도가 이미 자기에게서 사라져, 스스로 새로운 윤리에 따르지 않으면 바로 살 수 없음을 깨달은 때문이었다.

그때 김기는 길산이 자기와 단둘이 내려오자던 뜻을 깊이 생각하였다. 나는 아직도 글 아는 사람이며, 글을 아는 새로운 사람이라는 자각이 이마를 쳤던 것이다. 김기는 걸음을 재촉하여 산모퉁이를 돌아나갔고 끝춘이와 길산은 그 뒤를 좇았다. 김기의 딸은 하직인사를 하던 채로 땅에 엎드려 있었고, 망연해진 첨지댁은 넋이 빠져서 그 옆에 다리 뻗고 주저앉아 있었다.

"이런 일 다시는 못 하겠어요."

끝춘이가 길산을 따라 걸으면서 말하였다.

"낮모를 행인의 보퉁이를 털구 말지 이 무슨 애잔한 노릇인가요?"

길산은 침통하게 대답하였다.

"어려운 일이구나, 원한이란 저렇듯 애매한 것이다. 알고 보면 티끌보다두 하찮은 것이고, 작은 것이지. 나두 이전엔 그랬었다. 김선비께서는 이제 완전히 구월산의 녹림당이 되었구나. 봉산에 함께 오길 잘했는걸."

그러나 끝춘이는 무슨 소리인지 짐작이 가질 않았다. 길산은 또 말하였다.

"원한 가지고는 안 된다. 원한은 안 되어. 마치 캄캄한 밤중에 코끝을 베는 것과도 같구나. 광명 천지에 태산을 무너뜨리는 것이 되어야 한다."

김기의 뒷모습이 보였다. 도포자락이 바람에 한껏 부풀어 나부끼고 있었다. 산수원으로 향하는 길에 이르러 길산은 끝춘이에게 말했다.

"너는 먼저 돌아가거라. 우리는 봉산에서 볼일이 있으니."

"예, 그러잖아두 주막이 걱정되어 돌아가려던 참입니다. 구월산 가실 적에 다시 들르셔요."

"그래, 네게 물어볼 것두 있구, 꼭 들러야겠다."

끝춘이는 산수원에서 그들과 헤어졌고, 길산은 아까부터 아무 말이 없는 김기와 동행하였다. 남의 눈도 있고 하여 길산이 김기의 뒤에 하인마냥 몇걸음 떨어져서 걸었다. 김기가 멈추더니 길산을 돌아보았다.

"왜 뒷전에 따라오시오?"

"당연하지요. 복색이 다르지 않습니까?"

"나두 갓을 벗어던지고 도포두 벗겠소."

"아닙니다. 김선비께서는 그런 차림을 하는 게 여러가지로 유리합니다. 갓에 도포 차림이 가장 잘 맞지요. 억지로 무리하는 것은 무엇이나 좋지 않습니다. 포졸의 눈을 속이기도 쉽지요. 우리 사이에 반상이 따로 없으니 새삼스레 짓지 마십시다. 지금 내가 선비님 뒤를 따르는 것은 남들의 유별난 눈길을 받지 말자는 외에 다른 뜻이 없소이다."

"내가 어디루 가는지 장두령은 아시오?"

"글쎄요…… 나는 읍내에 가서 할 일이 있다고 생각되어서."

"우리 동접들을 무고하여 장형당하게 한 서가놈을 처치할 작정이오."

길산은 싱긋 웃었다.

"실은 그 일이 남은 듯하여 끝춘이를 먼저 보냈지요. 아마 서가는 몸소 베이셔야 될 겝니다. 배신은 고사간에 가난한 벗들을 팔아 영달한 자를 살려둘 수는 없지요. 잘 생각하셨습니다."

김기가 말하였다.

"삼 년이 지난 이제 와서 뒤늦게 포한을 풀고자 함이 아니라 대의를 스스로 세워 앞으로 바로 살아가겠다는 작심을 굳히기 위해서라오. 이런 작심이 없이 내가 어찌 두령들 같은 녹림처사가 될 수 있겠소. 비록 우리 부녀지간의 일은 이렇게 마무리지었다 하지만, 여첨지에 대한 징치를 잊은 것은 아니외다. 그자의 횡포는 봉산 고을 일반 백성들께 널리 알려진 일이오. 아이들을 시켜서 그 집의 재물과 차용증서들을 탈취하게 할 작정이오. 그 일은 김기가 하는 게 아니라 활빈당이 하는 것이오. 그렇지 않으면 내가 여식을 살려둔 명분도 없어지고 말겠지."

"내가 알아서 하리다. 헌데 서선비라는 자는 어찌 징치하시려오?"

길산이 물으니 김기는 차갑게 내뱉었다.

"목을 베어야지요."

하고는 덧붙여 말하였다.

"먼저 그자를 잡아내어 끌고 갈 데가 있소이다. 동접들의 산소에 참배를 시키고 그동안의 죄를 낱낱이 따져서 스스로 죄상을 알게 하고 나서 죽여야겠지. 그러고는 죽은 벗들의 넋과 천지와 더불어 그자의 죽음을 흠향(歆饗)케 해야지."

길산과 김기는 비로소 다시 만나는 듯하였다. 어느 한 사람의 평생에도 태산 같은 세상의 바른 도리가 깃들여 있나니, 나라를 구하고 민생을 건지는 일만큼 중대한 일이다. 더구나 백성들을 위하여 살겠다는 사람들끼리 바른 관계를 다져나가지 않고는, 애초부터 아무런 행적도 이룰 수가 없으리라.

"봉노에 가지 말구 만동이네 집으루 가십시다."

길산이 제의하여 그들은 읍내의 만동이네 풀뭇간으로 찾아갔다. 만동이네 풀뭇간은 듣던 대로 번창하여 있었고, 웃통을 벗어붙이고 풀무질하던 번수 중에 김기의 얼굴을 아는 자가 나와서 반가이 맞았다. 그자가 알려서 곧 구월산의 소두령 하나가 뛰어나왔다. 그는 길산을 보자 곧 예를 올리며 반가워하였다.

"관서에서 이제 돌아온 참입니다. 내일쯤에는 여기 성님을 모시구 산에 오를 작정이었지요."

"그래, 이번 잠채는 많이 하였나?"

"예, 은이 좀 나왔지요."

길산이 그와 수작하며 안으로 들어가는데,

"아이고, 성님이 언제 오셨습니까?"

하면서 천동이가 맨발로 뛰쳐내려왔다.

"그래, 무고한가?"

"이게 몇년 만입니까. 소문도 없이 해서를 떠났다더니 이렇게 또 한 슬그머니 나타나시다니요. 언니…… 이리 나와보우. 길산이 성님이 오셨수."

천동이가 안에다 대고 외치자, 비단 배자에 잔뜩 도주공의 풍채를 갖춘 만동이가 뛰쳐나왔다.

"아주 팔자가 피었네."

길산이 놀리듯 말하니 만동이가 뒤통수를 긁적거렸다.

"다 구월산서 염려해준 덕분이올시다."

그들은 잠채를 오갈 때 구월산 장정들로 호송을 하던 중이었다. 모두들 안으로 들어가 둘러앉아 시시둥한 장사 얘기로 한바탕 돌아갔다. 길산이 만동이를 한쪽으로 불러 은근히 말하였다.

"자네 손을 빌릴 일이 있는데……"

"무슨 일입니까. 성님이 시키기만 허시우."

"사람 하날 잡아와야겠어."

길산이 서좌수에 관해 물으니 만동이는 아주 소상히 알고 있었다.

"시방은 도림골에다 일대 장원을 차려 살지요. 그깟 일이라면 여럿이 나설 것두 없겠습니다. 천동이께 말해두지요. 그런데 잡아다가 몸값을 받아낼려구 그러시우?"

"아니……"

길산은 손바닥을 제 목에 갖다대어 보였다.

"허어, 그러면 천상 아무도 모르게 덮쳐서 끌어올밖에 없겠는걸."

"그럴 필요 없네. 산채 아이들을 시켜서 꾀어내두 되겠지."

"오늘이오?"

"오늘밤까지. 우리는 내일 산으로 올라가야 하니까."

"알겠습니다. 헌데 저희 집에는 워낙에 눈들이 많아서 곤란합니다. 아예 목을 끊어가지구 오게 하지요."

"아니야, 꼭 살려서 잡아와야 허네. 그러니까 천동이더러 산으루 끌구 오라구 하게."

만동이는 곧 천동이와 졸개를 불러 이러쿵저러쿵 저희들끼리 안을 내어 의논들을 하였다. 그들은 날이 저물 때까지 노닥거리며 운신할 기미가 없더니 저녁을 먹고 나자 슬그머니 나가버렸다. 김기와 길산은 둘이서만 도림골 뒷산으로 나갔다. 비가 부슬부슬 내리고 있었다. 길산은 김기의 청에 따라 화주 한 병을 들었고, 김기는 마른 육포와 잔으로 쓸 사발 두어 개를 지니고 있었다. 김기는 어둠속이나마 고향의 살던 마을 가까이 다가와 낯익은 바위와 나무와 길을 대하니 마음이 착잡하였다. 그는 눈물을 뿌리며 떠나던 동구 밖에 이르자 갑자기 길산을 불렀다.

"장두령…… 생명이 귀한 것이라구 생각허우?"

"귀하지요."

길산은 잠시 생각하고 나서 말하였다.

"그렇지만 그것을 귀히 여기지 못하는 자들의 생명은 귀하지가 않겠지요. 다른 사람들을 못살게 하고 저 혼자만 잘살겠다는 자들의 생명은 가치가 없지요."

"내가 평생을 배운 바로는 인명처럼 귀한 것이 없었건마는……"

"그런 자들을 없애버릴 제 우리는 굶어죽은 아이나 병들어 죽은 아낙네, 맞아죽은 종, 억눌린 채 헛살아버린 숱한 세월들을 생각해야 허우. 죽이지 않고 무엇이 얻어지며 창칼 없이 잃어버린 것들을 어찌 빼앗을 수 있겠소이까."

김기는 고개를 끄덕였다.

"아까 구월산 소두령에게 지시하였소. 그애들은 여첨지네 집을 털어 월당의 풀나루로 나올게요. 여첨지의 목을 치라구 하고 싶었으나 여식을 생각하여 차마 그러지는 못하였소. 그러나 서가놈은 꼭 내 손으로 죽여야겠소이다."

"일에는 모두 구분이 있는 듯허우. 여식을 위하여 원수를 베이지 못함과, 벗을 위하여 원수를 죽이는 일은 얼핏 공평하지 못한 듯하나 잘 고른 듯합니다. 우리가 남의 목숨을 빼앗는 짓은 어린아이가 벌레를 발로 뭉개버리듯 하는 게 아니지요. 사람의 정은 버릴 수도 없고, 또한 버려서도 안 됩니다. 내가 김선비와 관계없이 여가를 들이쳤다면 죽였겠지요. 그러나 김선비는 그를 죽이지 못함이 마땅합니다. 대의를 내세워 처자를 베이는 일도 있습니다마는 그것은 명리를 위한 짓이지 사람의 짓이 아닙니다. 부자에게 재물이란 더러운 목숨과도 같은 것이니, 그에게서 재물을 빼앗아 가난한 이들께 보시하는 것도 죽이는 일만큼의 징치가 되겠지요. 그렇지만 글을 읽고 세상의 도리를 아는 자의 죄는 더욱 용서할 수 없이 큰 듯합니다. 이런 일을 잘 분간하여 행하는 일이야말로 가장 어려운 것 같습니다."

길산이 잔잔하게 이야기하니 김기는 스스로 탄식하며 중얼거렸다.

"내 이제껏 코끝의 일만을 생각하였더니, 언제나 가야 망상(忘想)이 걷히랴."

그들은 도림골의 뒷산에 올라 천동이 일행을 기다렸다. 초경(初更) 무렵이 되어 먼 곳에서 부엉이 울음소리 스산하고 비는 계속 뿌려졌다. 주위는 아무것도 보이지 않는 캄캄칠흑이었다. 이윽고 밑에서 인기척 소리가 들리고,

"천동인가?"

하며 길산이 불러보니 곧 대답해왔다. 그들은 모두 셋이었는데 천동이가 앞장을 섰고 둘은 희읍스름한 것을 어깨에 메고 있었다. 길산이 나서면서 물었다.

"어찌하였나?"

"말두 마시우. 들킬까보아 조마조마하면서 오는데 다행히 비 오는 날이라 행인이 없습디다. 입에다 재갈을 물리고 손발을 돼지 엮듯이 했지요."

등에 메고 오는 자들은 킬킬 웃었다.

"처음엔 요동을 치구 꿈틀거리길래 골통을 한 대 쥐어박았더니, 이렇듯 잠잠합니다."

"수고했다."

"관아에서 급히 좌수의 현신을 기다린다구 전하고서 나오는 걸 뒤쫓다가 냉큼 업어왔습니다."

"분명히 서좌수더냐?"

천동이가 대답하였다.

"그래서 내가 따라갔지요. 좌수놈이 분명합디다."

김기는 마음만 급하여 도림골 뒷산의 벗들이 묻힌 묘지를 찾느라고 이쪽 등성이로 올랐다가 저쪽으로 내려가고 하더니 드디어 찾아내었다. 부슬비에 그들의 옷은 폭삭 젖어버렸고 길산의 머리는 봉두난발이 아니라 아예 두건 아래로 흘러내려 산발이 되었다.

"이리 내려놓게."

김기가 가만히 속삭였고 졸개들은 허연 물건을 내려놓았다. 그 안에서 울뚝불뚝 움직이는 걸로 보아서 아마도 잡힌 자가 정신을 차린 모양이었다. 김기가 칼을 뽑았다. 길산은 곁에 섰고 천동이와 졸개들은 저희 손으로 붙들어오긴 하였으나 거기 머물기가 꺼림칙한 모양이었다.

"우린 그만 가볼라우."

"잠깐 있거라. 너희들 할 일이 있느니라."

길산이 그들을 머물게 하였고, 김기가 홑청을 칼로 죽 찢었다. 그는 얼굴을 바짝 들이대고 서좌수인가를 확인하고 나서 조용히 말하였다.

"내가 누군지 알겠느냐. 네 말처럼 역적의 동접 동무이던 김기

다."

김기는 서좌수의 입에 물렸던 무명끈을 아래로 끌어내렸다. 그러나 서좌수는 아무 말도 하지 않았다.

"너는 내가 굶어죽은 줄로 알았겠지. 동무들을 팔아 혼자서 영달하였다는 것이 고작 시골 좌수냐. 여기가 어딘지나 아느냐. 관가에서 장형에 못 이겨 죽어나오던 날 그의 식솔들이 몸부림을 치면서 여기에 묻었다. 그리고 또한 저쪽 마을에는 다른 동무가 달포나 혈분을 내며 신고 끝에 죽어서 묻혀 있다. 아무것도 모르는 봉산 고을 사람들도 모두들 네놈의 뒤꼭지에 침을 뱉을 게다. 어째서 아무 말이 없느냐?"

"무슨 말을 하겠나……"

서좌수가 중얼거렸다.

"죽기 전에 네 속셈이나 털어놓아보아라. 너는 잊지 않았겠지. 둘이서 동선방 외딴 암자에서 두 해나 함께 글을 읽었다. 그때에 우리는 어떤 약속을 하였더냐. 성현의 도를 입으로만 욀 것이 아니라, 행함이 따르지 않으면 학문하는 자의 길이 아니니, 차라리 무명의 선비로 죽을지언정 그릇되게 입신하지 말자고 아니하였더냐?"

서좌수가 문득 픽 웃는 소리가 들렸다.

"왜 웃느냐?"

"자네들이 내 가난에 대한 탄식에 그렇듯 야박하게 성을 내더니, 그뒤 어찌하였던가. 자네는 자모전가에서 빚돈을 내어 벼슬을 구하러 한양까지 가지 않았는가. 일찍이 감영에 투서할 제 자네의 이름은 없어서 빠졌으나, 나는 서명을 했었지. 그때에 이름이 올라 우리 동접들이 모두 잡혀갔을 제 나는 구명할 길을 찾지 않을 수가 없었지. 자네가 나였더라도 마찬가지였을 걸세. 아마 더했을 게야. 나는 동무들을 모역죄로 발고해버리고 살아났지. 이미 우정도 선비로서의 처신도 모두 빼앗긴 내가 뭣 하러 도리를 지키노라 헛고생할 것인가. 나는 자네들보다 훨씬 현실적이었네. 명리와 허울 좋은 선비의 아름다운 행실을 허심탄회하게 내던지고 작은 것에 족하기로 하였어. 그래서 나는 향소의 좌수를 자청한 것이네. 지금 같으면 이방을 못 할까, 호방을 못 할까. 지금 보아하니 자네는 무뢰배와 동류인 듯하니 무슨 대단한 서릿발로 나를 감히 베려는가."

김기는 참을성 있게 서좌수의 말을 듣고만 있었다.

"네 말은 옳다. 허나 그것은 허욕에 눈이 가리워졌던 그 예전의 김기에게 하는 말이고, 이제 나는 세상을 버리고 다시 태어난 사람이다. 내가 너를 죽이려는 것은 첫째로 혈육 같은 동무들을 무고하여 죽인 죄를 갚자는 것이요, 둘째로 탐욕으로 관명을 얻어 고향의 백성들을 착취한 죄를 징치하려는 것이며, 셋째로는 너 같은 자들이 쉽사리 악행을 저지르고도 버젓하게 잘산다는 전례가 없도록 경계하기 위해서다. 이 김기는 너의 목숨을 벗들의 혼에 바치고 맹서하리라. 바른 도리가 떳떳하게 밝혀질 세상을 준비하기 위해서 나머지의 인생을 살아갈 것이다."

김기는 칼을 쳐들었다. 그제야 서좌수가 두 손이 묶인 채로 벌떡 일어났다.

"잠깐만…… 살려주게."

김기가 차마 찌르거나 베지 못하고 머뭇거렸다.

"내게두 노부모와 처자식이 있네."

"식솔은 누구에게나 있지. 죽은 벗들에게도 헐벗은 식솔들이 있었고, 너희 처자가 호강할 제 그들은 슬픔과 굶주림으로 고향을 떠났다."

김기가 두어 발 다가서며 서좌수의 멱살을 잡아끌었다.

"제발……"

그러나 김기는 서좌수의 가슴에 칼을 꽂았다. 기다란 비명소리가 들렸다. 김기는 칼을 꽂은 채로 엉겁결에 서좌수의 몸을 떼밀었고, 그는 뒤로 나자빠졌다. 어둠 가운데서 허우적대는 그의 팔과 다리가 보였다. 김기는 두 손을 꽉 쥐고 부들부들 떨고 있었다. 길산이 성큼 다가들어 꾸부리더니 서좌수의 몸에서 칼을 뽑았고, 어떻게 하였는지 그의 잔명이 완전히 끊어진 듯하였다. 길산은 김기를 모른 체하고서 졸개들에게 말하였다.

"저 아래쪽에 구덩이를 파두어라."

김기는 초라한 무덤 앞에 술잔과 육포를 벌여놓고는,

"칼 좀 주오."

하며 길산에게 청하였다. 길산은 미리 알고 있었으므로 김기를 위하여 그가 필요로 하였던 것의 상투 끝을 잡아서 주효(酒肴)의 곁에다 놓아주었다. 김기는 얼이 나간 듯이 아래를 한참이나 내려다보았다. 그러고는 잔 그득히 술을 부어놓고 삼배를 정중히 올리고 나서 엎드린 채로 중얼거렸다.

"뜻을 펴보지도 못한 채 간악한 자의 배신과 무고로 말미암아 분사(憤死)한 원혼은 이제 한을 풀고 고이 눈을 감으소서. 간인(奸人)의 목을 베어 바침은 우리들의 우정에 대한 것만이 아니요, 자연의 밝은 덕을 본받아 가라지〔稂莠〕를 제거하여 곡식을 가꾸려는 이치와 같소이다. 간활한 자의 목을 베는 것은 또한 세상에 경계하여 이른바, 매가 화하여 비둘기가 되게 하고(鷹化爲鳩) 사나운 범을 살쾡이가 되게 한다(暴虎成狸)는 것과 같은 일이매 우리들의 통분스런 원한이 더욱 넓고 편편해지도록 해주소서. 벗들끼리의 원한을 갚는 일로 그치지 말고 이런 짓이 세상의 정의를 드러내는 일로 나아가게 하옵소서. 혼자 살아남은 나는 오늘밤의 일로 벗들과의 약속에서 벗어나는 게 아니요, 더욱 굳게 맺어졌으니 내 스스로 배신할 제 누가 나의 목을 베리까. 부디 그대들의 넋이 굽어살피사 신의를 저버리지 않도록 행사하시고 구천에서도 중벌을 사양치 마소서."

말을 마치자 김기는 나직하게 곡을 터뜨렸다. 벗을 위하여 배신한 벗을 죽이고 엎드린 김기의 마음은 실로 처연하여, 수년간이나 쌓여왔던 잘못 살아온 세상살이에의 회한이 터져나오는 것이었다. 이미 자정 무렵인지라 비 오는 밤의 야산에는 부엉이 소리만 간간이 들려왔다. 길산이 서좌수의 목과 몸을 함께 수습하여 아래편에다 암장하고 김기와 더불어 술을 음복한 뒤 그들은 만동이네 집으로 돌아갔다.

이튿날 아침 일찍이 두 사람은 월당강을 건너 풀나루에 이르렀는데 나무리벌의 넓은 들을 가르고 지나는 강의 지류까지 내려가야 하였다. 마침 물이 불어서 물살이 세고 강변에는 물이 범람하여 있었다. 나루를 지키는 안악의 군졸들을 피하기 위하여 그들은 장사꾼들 틈에 섞여 있었다. 중화는 아직 멀었건만, 어제 맞은 비로 젖은 옷이 채 마를 사이도 없이 비를 맞았으므로 어한이나 하느라고 길가의 동이술깨나 마셨다. 나룻배 둘이 앞서거니 뒤서거니 하면서 지류를 타고 비스듬히 대어졌고, 거기서 구월산 소두령 이하 졸개들 다섯이 장사꾼 차림새로 마바릿짐과 등짐들을 가지고 내려왔다. 서로 눈짓으로 안 체를 하고서 그들은 앞뒤로 멀찍이 떨어져서 월호산 봉수대까지 진흙길을 걸었다.

"구월산으로 갈 거요?"

김기가 물으니 길산은 오히려 반문하는 것이었다.

"나와 함께 내려왔으나 김선비께서는 먼저 오르시렵니까?"

"아니, 좋을 대루 허우."

"그렇다면 나허구 구월산 인근 사읍(四邑, 安岳·文化·松禾·殷栗)의 촌가나 둘러보십시다."

으슥한 산길에 와서 김기, 길산은 소두령 일행과 합하여 둘러앉았다. 김기는 아무 말이 없고 길산이 물었다.

"그래, 일은 잘해낸 모양이군."

소두령이 피로한 기색으로 충혈된 눈을 비비며 말하였다.

"세상에 가장 어려운 것은 사람을 상하지 않도록 하면서 화적질하는 노릇입디다. 천상 임집털이처럼 은밀히 숨어들어 야반에 자는 사람들을 덮칠 수밖에 없었지요. 그 통에 저희는 밤새껏 비를 맞으며 한숨도 못 잤습니다."

"안채도 건드렸는가?"

"예, 아무리 뒤져도 큰 재물이 없기에 부득이 거기까지 집뒤짐을 했습니다."

김기는 묵묵히 듣고만 있었다. 졸개가 나서며 말하였다.

"그 댁 며느리는 참으로 담대한 계집입디다. 저희들이 혼이 났습죠. 돈을 뒤지네 피륙을 꺼내네 하였더니 이것은 가난한 사람들께 내어줄지언정 화적당에게는 줄 수 없다고 한사코 발악입디다."

"보통때 같았으면 단칼이나 단매로 치워버렸을 것을 두령님의 분부를 생각하여 꾹 눌러 참았지요. 그래서 제가 차용증서와 어음이나 그런 것들을 찾으니 왜 그러냐구 하더군요. 빚진 자들을 위하여 태워 없애련다고 하였더니 그제사 기쁜 낯이 되어 숨겨진 농짝 속을 들추어 가르쳐줍디다."

길산이 김기의 안색을 넌지시 살피니 표정이 굳어져 입은 꾹 다물었으되 눈시울이 이리저리 씰룩이고 있었다. 길산이 또 물었다.

"여첨지라는 자는 어찌하였는가?"

"몹시 인색한 놈입디다. 죽는 것이 무서워서 사족을 못 쓰고 엎드려서도 무슨 물건이든 우리의 거친 손길에 닿기만 하면 어이구 그건 어디의 어느 물건인데 값이 얼마요, 또는 제발 얼마든지 가져가도 좋으니 증서만은 돌려주오, 그러고는 제 코앞에서 그것들을 태우자 그만 혼절하여버립디다."

"죽지는 않았겠지."

"모르지요. 안색이 퍼렇게 되어 쓰러지더니 손발을 부들부들 떠는데 아녀자들을 불러 간병하도록 해주었습니다. 우리가 떠나도록 깨어나지 못합디다. 저희끼리 하는 얘기가 머리로 피가 몰렸다는데 아마 늙은이들 잘 일으키는 풍이 들어간 모양입디다. 나올 제 그 집 젊은 주인 되는 자의 태도가 정대하여 우리두 관군의 추적을 그리 염려하지는 않았습니다. 묶인 채로 말하더군요. 자기네 가진 농지가 제법 광활하여 요식에 부족함이 없으니 자모전을 놓지도 않으려니와 다시 들이칠 생각을 말라구요."

길산은 쾌한 얼굴로 그자들의 말을 들으며 일변 김기를 돌아보곤 하였다. 그러고는 지시하기를,

"너희는 앞서서 안악의 말득이네 주점에 가 있거라. 그리구 거기에 짐을 풀고 먼저 산채로 돌아가두 좋다."

하고 마무리를 지었다.

"마두령께는 어찌 아뢸까요?"

"마두령과 오두령은 얼마 동안 산채를 비울 게다. 내가 며칠 사이로 곧 올라가지."

얘기가 끝나 그들은 앞서서 월호산 기슭을 지나 배고개 아래쪽의

말득이네 주막으로 나아가고, 길산과 김기는 산촌을 찾아서 과객질을 하며 사나흘 돌아보기로 하였다. 이번 일이란 길산의 의중으로 김기를 구월산의 참 모사(謀士)가 되게 하려는 뜻이 있었으니 동지를 얻는 일이란 천하를 얻는 일만큼 무겁고도 귀한 일이었다. 김기는 갑송이가 떠난 다음에 비워졌던 허전한 마음에 수많은 민생을 담게 될 터이었다.

4

후선방의 용두원 원사를 사이에 둔 천불사 주지의 사삿집에는 밤이 이슥하였건만 전 부치는 냄새, 그릇 씻는 소리로 제법 소란하였다. 방 안에는 주지와 몇사람의 사내가 둘러앉아 있었다. 다른 이들은 모두 평복 차림이었건만 그중에 기골이 떡벌어지고 눈매가 사납게 생긴 구군복 차림의 군관 하나가 동석하고 있었다. 그들은 음식이 날라 들여질 적마다 말을 멈추었다가는 다시 조심스럽게 계속하는 것으로 보아 분명히 밀담을 나누는 것 같았다. 군관 곁에는 갓 쓰고 도포 입은 자 둘이 마주 보고 앉았는데 주지는 주인이면서 말석에 앉아 있었다.

"어서 얘기를 계속하오. 용두원 사찰 장토의 마름들이 도적들이라면 어째서 여태껏 발고치 않고 내버려두었단 말이오."

군관이 눈을 부라리며 말하자 주지는 얼른 말을 내지 못하고 대신에 갓 쓴 자가 말을 꺼내었다.

"장토를 운영해나가려면 여간 수완으로 곤란할 뿐 아니라, 우리 관내에서도 대사의 부조에 의하여 관아의 급한 결손을 메꾼 것이 한

두 번이 아니외다. 이제까지는 잘해나왔으나, 돌연 그놈들이 뛰어들어 장토 관리를 방해할 뿐만 아니라 인근 산골로 나다니며 버젓이 화적질까지 한답니다."

또 한 갓 쓴 자가 덧붙였다.

"소문에 의하면 저쪽 달마산에도 근년에 화적패가 웅거하였다는데 같은 패거리라고도 합디다. 이쪽 불타산 놈들을 토벌해놓지 않으면 나중에 무슨 후환이 될지 모르지요. 대사가 우리에게 아뢰기로 하고 우선 별장(別將)어른과 의논하려는 것이외다."

별장은 대답하였다.

"이방, 별장의 말을 듣고 우선 탐문해보려고 내가 왔은즉, 대사는 나라를 위하여 도적들을 토멸시키는 데 앞장을 서시오. 산채의 내막을 소상히 듣고 나서 진군과 군병(郡兵) 휘동하여 한 놈도 남김없이 잡아냅시다. 그렇게만 되면 대사도 도적들과 내통하였다는 혐의를 풀게 될 것이고……"

"여부가 있겠습니까."

하면서 대사는 미닫이를 열고 설렁줄을 당겼다.

"실은 이번 거병 시에 꼭 필요한 사람이 있습니다. 현신을 시키지요."

관리들은 놀라고 의아하여 서로 눈짓을 교환하였다. 전갈을 받은 하인이 물러가고 나서 뜰안으로 사람의 자취가 나타나는데 계집이었다. 계집은 수수한 무명옷에 첫눈으로도 대수롭지 않아 보였으나 인사할 제 방 안의 불빛으로 드러난 자태가 제법 요염하였다.

"문안드리오."

하면서 살짝 아미를 들어 방 안의 사람들을 살피자 그 눈매는 더욱 색기가 있어 보였다. 이방이 먼저 말하였다.

"아낙에게 동석하자는 것은 예가 아니다만, 워낙 우리 일이 중하고 보니 기밀을 지킴이 먼저인지라 안으로 들어와서 아룀이 어떠할꼬?"

"그렇지만……"

계집은 한 손을 쳐들어 입가에 가져가면서 수줍은 양을 하였고 별장이 자못 음침한 목소리로 말하였다.

"어서 안으로 들라. 예를 따지는 자리가 아니니라."

"얘, 괜찮다. 안으로 들어와 아뢰어라."

대사가 덧붙여 권하여 계집은 수줍다는 듯이 고개를 숙이고 치마를 잡고 방 안으로 들어와 윗목에 현신하였다.

"그래, 네가 도둑의 소굴로 길안내를 서겠다니, 너는 어디 사는 누구이며 어찌 그곳을 아느냐?"

궁금증을 참지 못한 별장이 대사의 소개가 있기도 전에 물었고, 계집은 더이상 머뭇거리지도 않고서 또라지게 대답하였다.

"예, 저는 본시 탑벌 두내리에 살던 양민이올시다. 일찍이 상부를 하고 나서 살 길이 없더니 장연 장터에 나가 행상을 하였지요. 연전에 오라비를 따라서 도적당에 입당하였습니다."

계집은 돌연 눈물을 닦으려는 듯 마른 얼굴을 감추고 옷고름으로 찍어내는 시늉을 하였다. 대사가 곁에서 말을 거들었다.

"전에 심백이라는 가승(假僧)이 저희를 핍박하고 갖은 악행을 저지르던 중에, 허초봉이란 조니포의 잠상놈이 당을 모아 불타산 자리를 빼앗았지요. 헌데 이는 바로 그 허가놈의 내자나 다름없는 여자입지요."

"사실 그렇다면 네 서방을 발고하는 이유가 무엇이냐."

계집은 연신 어깨를 들먹이며 우는 흉내를 내었다.

"제가 도적들의 싸움에서 오라비까지 잃고, 이 천한 몸을 의탁할 데가 없더니 허가와 부부의 악연을 맺구 말았습니다. 그동안 수적들도 무시로 드나들고 달마산 패거리까지 이러쿵저러쿵 산채를 두고 말들이 많은데, 벌이는 신통치 않아서 겨우 밥술이나 먹구 지냈지요. 그런 판에 이제는 불타산을 폐하고 달마산으로 들어간다니 그 고생이야 겪지 않아두 훤하옵니다."

"잠깐…… 달마산 산채에 대하여도 잘 아느냐?"

"아는 정도가 아닙니다. 거기 살았으니까……"

별장의 물음에 천불사 주지가 대꾸하였고, 말을 끊었던 계집이 다시 종알거려 얘기를 계속하였다.

"몸을 빼쳐나오려 하여도 혼잣몸이 오갈 데가 없고, 장연에 있다가는 되잡혀 올라가 반죽음이 될 것이라 죽지 못해 살구 있었지요. 다행히 대사님께서 저를 거두어주셔서 용기를 내어 발고를 하려는 게올시다."

관리들은 서로 고개를 주억거리며 계집의 얘기를 들었다. 별장이 술상을 탁 치면서 말하였다.

"좋소, 까짓 내응이 있는 터에 뭘 망설이겠소. 이미 공은 따놓은 것이나 다름없소이다. 내 수하 군사 십여 명만 데리고 가도 섬멸할 수가 있소이다. 불타산 토벌이 끝나면 까짓 달마산은 저절로 손안에 들어오겠지."

이방이 곁에서 달싹거리며 말하였다.

"사또께 먼저 아뢰고 별장은 첨사께 아뢰시오. 이번 일은 백성들도 눈치를 채지 못하도록 은밀히 하십시다. 그리고 토벌이 끝난 다음에는 감영에 장계하여 장연 고을의 선정현치(善政賢治)를 알려야지요."

"하여튼 대사의 공이 크오. 우리는 이만 일어서겠소이다. 내일 밤에 다시 와서 상세히 의논하기로 하고 이번달 안으로 들이칠 날짜를 잡읍시다."

별장과 고을 관리들이 일어났고 주지는 그들을 안마당에서 배웅하였다. 혹은 문간으로 몰려나가면 누군가의 눈에 띄겠기 때문이었다. 주지가 방에 돌아오니 계집은 아무 거리낌 없이 질펀히 앉아서 자작 술을 따라 마시는 중이었다. 주지가 껄껄 웃으며 은근한 목소리로 계집을 뒤에서 껴안았다.

"이제는 고만이와 내가 살 길이 열렸구나."

"그러게 생불이 되려면 내 말을 잘 들어야 한다구……"

계집은 술을 홀짝 들이마시고 안주를 집었다.

"온 징그럽게 치근덕거리기는, 저리 좀 비켜요."

"고만아, 오늘도 산에 올라가기는 영 글렀으니 이부자리나 펴라."

주지는 여전히 뒤로부터 고만이를 껴안고 한 손은 젓가슴에 다른 한 손으로 허벅지를 어루만졌다.

"쳇, 나 기가 맥혀! 온통 도(道)가 고것으로만 통했는가베. 이거 못 놔?"

하더니 고만이는 손을 돌려서 서슴지 않고 주지의 다리를 힘껏 쥐어 비틀었다. 호되게 엄살을 부리면서 뒤로 벌렁 자빠지는 주지를 곁눈질로 돌아보는 고만이의 시선은 냉혹해 보였다.

"괜히 섣부르게 주인 행세 하지 말어. 내 입방아 잘못 놀리면 대사구 목탁이구 꿈꾸는 사이에 골루 가는 게야."

야무지게 중얼거리는 고만이를 주지가 잠깐 멍하니 바라보았고, 고만이는 술을 따라 그 입술에 대어주었다.

"자, 마셔, 생불님……"

주지는 엉겁결에 꿀꺽이며 마시는데 고만이가 그 삭발한 정수리에 입을 맞추었다.

“머리 한번 잘생기셨어. 이러니 내가 생불님이라면 사족이 노골노골하지.”

“얘, 제발 얼 좀 빼놓지 마라.”

고만이가 뭐라고 말을 계속하려는 주지의 입에다 전 조각을 물려버렸다.

“내가 들어앉기 전에 저년들 피 토하구 쓰러지는 꼴들 보기 싫으면 어서 내보내라구요.”

“차마 인정이 그럴 수 있겠느냐.”

“흥, 나를 셋째집으루 들어앉힐 생각이겠지만 그냥 안 놔둘 테야.”

고만이는 연거푸 술을 들고는 양볼이 발그레해지고 눈이 가물가물해지는 것이었다. 고만이가 첫봉이로부터 지레 물러버린 데에는 몇가지 이유가 있었다. 그 첫째는 산채의 형세가 좁아서 벌이가 신통치 않은 점이었다. 벌이가 좋지 않은 데는 여러가지 원인이 있었으나 우선 장연 읍치의 배꼽이라 할 중앙에 우뚝 솟은 불타산하고도 잘 알려진 천불사 부근이라서 함부로 집털이나 노상 약탈을 할 수가 없었다. 그렇다고 용두원의 마름직만 바라다가는 가을까지 별로 할 일이 없어 고기맛을 보려면 노루사냥이라도 해야 할 판이었다. 고만이가 불평이 끝까지 치달았던 때는 바로 우대용네 식구들이 더부살이를 했던 무렵이었다. 그들이 재물을 내가고 들여올 적마다 인사조로 몇가지의 짐을 내주기는 하였으나 실로 별의별 진물들이 많았던 것이다.

고만이는 그때에 우대용에게도 몇번 후리는 추파를 던져보았으나 우대용이란 자는 아예 거기에 바윗덩이가 달렸는지 꿈쩍도 않는 벽창호였다. 수적들이 산채를 관서로 옮겨가자 불타산은 흥청대던 분위기도 가시고 갑자기 적막해졌다. 둘째로는 고만이와 허두령의 아우 둘봉이의 불화였다. 둘봉이는 백운산에서 제 형이 고만이와 배가 맞았을 적에도 몹시 창피하게 여겼고, 더욱이 불타산에 자리를 잡은 뒤에 그들이 완전히 부부 행세를 하는 꼴을 달갑지 않게 여기는 눈치였다. 둘봉이는 고만이를 한 번도 형수 대접 한 일이 없었다. 언젠가는 첫봉이가 달마산으로 출타했을 적에 고만이에게 입에 담지 못할 욕지거리를 퍼부은 일도 있었다. 물론 취중의 주정 비슷은 하였으나 기실 그것이 둘봉이의 속마음이기도 하였다. 그리고 셋째로는 장래라고는 전혀 없는 생활이었다. 달마산에서는 언제 산채를 폐하고 입산하랄지 몰랐다. 진작부터 달마산 두령 강선흥은 불타산이 별로 유리한 곳이 아니며 형세가 궁하여 몰리면 꼼짝없이 관군에게 당하리라 믿고서 첫봉이에게 달마산 입산을 자꾸 권유하였다. 고만이의 생각으로는 만약 달마산에 들어가게 되면 자기와 첫봉이와의 관계는 여지없이 깨어질 것이 눈앞에 훤히 보였다. 선흥이는 둘봉이보다 더욱 고만이를 마뜩찮게 여기고 있음을 그녀는 잘 알고 있었던 것이다. 근래에 와서 첫봉이는 달마산 출입이 잦았고 은근히 고만이를 멀리하는 듯한 기색이 보였다. 벌써 두 달째나 잠자리를 함께하지 않았다. 고만이는 초조할밖에 없었다. 졸개들끼리의 숙덕공론에 의하면 그들은 곧 달마산으로 옮겨가고 수확철에만 용두원으로 나온다는 것이었다. 그리고 평소에는 네댓 명을 거느린 소두령이 불타산에 남는다는 것이었다. 그렇지 않아도 근년 들어서 해서에는 녹림당들이 곳곳에 일어났고 감영에서도 골치를 앓고 있다는 것이었다. 이제 가까운 시일 안으로 각 고을마다에서 장정과 포도 군사들을 동원하여 차례차례 토벌이 시작되리라고도 하였다. 고만이는 고기가 역류를 타고 뛰어오르듯 거친 장바닥과 무뢰배들의 사이를 헤치고, 오직 나긋나긋한 허릿짓과 음탕한 눈웃음을 밑천으로 살아온 여자였다. 고만이는 한시바삐 태도를 결정하지 않으면 안 되게 되었다. 그녀는 드디어 첫봉이와 갈라서기로 작정하였고, 갈라서되 빈손으로 장연 저자의 들병 술장수로 되돌아갈 수는 없다는 생각이었다. 오냐, 기왕지사 버려질 몸이니 내가 모질게 먼저 버려주마. 고만이는 첫봉이를 팔아넘길 마음을 먹었다. 문득 겁많고 탐욕스러운 용두원 원주 불타산 주지인 늙은 중놈이 떠올랐다. 그는 심백이네 대신 들어선 첫봉이네께로 꼬박꼬박 관리전을 냈다. 관가에 찔러박을 생각은 늘 가득 차 있겠지만 후환이 무서워서 옴쭉달싹을 못 하였다. 고만이는 스스로 쓴웃음을 짓고 탄식하였다. 계집이 그릇되다 보니 드디어 중놈의 셋째 첩이 되려나 보다 하였다. 너른 장토가 있으니 아무도 파내어가거나 빼앗아갈 염려가 없었다. 이제 나이도 차차 들면 어느 놈이 거들떠보기나 하랴 싶었다. 고만이는 첫봉이가 출타한 어느날 곱게 단장을 하고서 탑벌에나 갔다오겠다며 산채를 빠져나왔다. 그 길로 고만이는 용두원을 찾았던 것이다. 주지는 고만이의 말을 듣고 벌벌 떨며 어찌할 바를 몰랐다. 고만이는 늙은 중을 후려서 그날 밤 끌어안고 정을 통한 뒤 제 주장대로 실행하도록 윽박질렀다. 주지는 완전히 고만이의 손안에 들어왔던 것이다. 고만이는 첫봉이에 대한 증오가 더욱 터져나왔다. 고만이는 후환거리인 불타산 산채를 싹 쓸어버리고 달마산까지도 소탕이 되면 주지를 한손에 쥐고 실상 용두원 안마님이 될 셈이었다. 주지에게는 가끔 허리를 받쳐주고 튼튼이 젊은 장정들과 살 붙이는 재미도 보면서 나이를 먹어갈 것이었다. 떡도 해먹고 엿도 고아먹고 술도 빚어먹고, 꽃

놀이도 다니고 뱃놀이도 다니고 도방에 나들이도 나가보고, 그런 호강이 어디 있으랴 싶었다. 되도 않은 화적 와주의 마누라가 되고 보니 호강은커녕 음습한 산골짝에서 날이면 날마다 하품에 기지개밖엔 할 노릇이 없고, 무엇보다도 심사가 불안하여 밖에 무슨 소리만 들려도 정탐꾼인가 가슴이 덜컥 내려앉고는 하던 것이다.

"어서 자리에 들자꾸나."

곁에서 주지가 치근덕거리니 고만이는 눈을 곱게 흘겨 주지를 후리면서 슬며시 치마를 무릎 위로 들쳐 보였다. 무릎과 허벅지가 드러나자 주지가 더 참지 못하고 움켜쥐면서 사뭇 애걸조인데 이미 눈가는 흐물흐물 짓물러져 탐심이 탱천하는 참이었다.

"흥, 나 이외에도 계집이 둘씩이나 되는데 정 생각이 나면 건너가시구랴. 나는 별로이 생각이 없수."

하면서 슬그머니 요 위에 자빠지는데 그 비스듬히 꼰 다리며 저고리 사이로 살짝 삐져나온 젖가슴에 주지는 눈이 뒤집히는 양이었다. 훅 불어서 등잔을 끄고 주지는 옷을 벗어 팽개치며 잠시 고만이의 몸을 내려다보았고, 고만이는 저고리를 벗고는 스스로 치마를 걷어붙였다. 달이 만정(滿庭)하여 방 가운데 비치는지라 고만이가 젖힌 치마 아래 하체를 드러냈는데 바야흐로 뜨거워서 풍만하고 팽팽한 살이 닿으면 녹을 듯 한 번 보매 정신이 아찔하고 두 번 보매 혼백이 꺼질 지경이었다. 고만이가 음사에는 그 어느 년에게도 뒤지지 않을 자신이 있는데다 이제부터 주지의 얼을 쏙 빼내어 용두원의 실권을 장악하려 할 즈음이라 속으로 생각하기를 행방(行房)의 묘리가 각기 다름을 보여주어야 유리하겠다 싶었던 것이다.

"나 좀 살려다우……"

간신히 더듬거리며 열에 들떠서 고만이의 위로 엎어지니 고만이는 몸을 잽싸게 비틀며 다리로 주지의 가슴팍을 밀어냈다. 주지가 다시 허겁지겁 달려드니 고만이는 다리를 잔뜩 오므리고 모로 돌아누웠다. 주지는 빳빳해진 양물로 고만이의 둔부를 눌러대면서 연신 살려달라는 말이었는데 고만이는 음기를 가득 실어서,

"어서 벗겨주오."

속삭이니 주지가 다시 분심을 일으켜 벌떡 일어나 고만이의 다리께에 걸터앉아 위로 젖혀진 치마며 고쟁이를 벗기려 드니 다리를 오므린데다 치마끈이 단단한 옭매듭이라 벗겨지질 않는다.

일찍이 주지란 놈이 아무리 계집을 둘씩이나 원사 근처에 두고 탐색을 하는 처지지만 두 여인이 모두 시골의 양가 과부들이라 행방술이 따로 없어 서로 끌어안으면 말뚝이나 고작해야 뻣뻣한 죽은 고기 정도인데, 고만이의 하는 짓거리는 펄떡이며 살아 꿈틀거리는 장어와 한가지였다. 드디어 고만이가 완전한 나신으로 다리를 열어주니 중놈은 얼른 넣기만 바빠서 고만이의 아래께에 겨냥하고 힘을 주었으나 요리로 비틀 저리로 배틀하여 허무하게 요 위에다 박치기만 시키는 것이었다. 주지가 안타까워 입에 침이 마르고, 소리는 목구멍을 채 넘지 못하는데 고만이는 슬쩍 허리를 들어 용납하여주었고, 주지가 그제야 남의 몸에 들어가는 것을 알고는 갑작스런 포만감으로 으흐흐 하면서 푹 잠겨버리는데 아뿔싸, 그만 실정하여 꽁무니의 근력을 놓치고 만다. 이런 망신이 없어 어찌할 바를 모르고 온몸이 녹적지근하여 퍼져 있으려니, 고만이가 새쭉하여 정 없는 손으로 밀쳐내며 빠져나가버렸다.

"흥, 공연히 깎은 독두만 장대하고 그것은 초봄의 고드름 아녀?"

쫑알거리지만, 주지는 은근히 열쩍어서 스스로 부끄러운 마음을 이기지 못하여 얼굴에 홍조가 오르고 수족이 떨리며, 그 초조한 행사

는 마치 말잠자리가 물을 차는 듯이 바쁜 태깔인지라 행방에 죽을 쑨 것이었다. 고만이가 원래 그럴 기미를 알고 기를 죽여놓자는 짓이니 어찌 뉘를 원망하랴. 스스로 뒤늦은 색욕이 발동하여 이제는 달려들어 엎드린 주지의 허리를 안고 제가 뒤에서 이리저리 비벼대었다. 주지가 고만이를 감당하려고 돌아누우니 입을 맞추고 혓바닥을 물며 발가락으로 곰실곰실 주지의 사타구니 주위를 어루만졌다. 어느덧 양물이 부풀어 하늘로 치키게 되자 고만이가 발랑 뒤집어지면서 통나무를 얼싸안듯 주지의 몸을 얽고는 한다는 소리가,

"외눈박이를 죽입시다!"

였다. 드디어 합환이 되었는데, 고만이가 허리를 상하좌우로 틀고 두 손으로는 주지의 겨드랑이에서 옆구리까지 살근살근 어루만지며 허리뼈를 받쳐주기도 하고, 또한 손바닥을 펴서 구르는 일을 도와주느라 주지의 궁둥이를 꽉 눌러대니 주지는 그 행방술에 마치 열반이 이미 가까운 듯하였다.

고만이의 행방술에 이미 고기맛을 보아 천하의 오입쟁이로 여겨오던 주지는 완전히 사지가 녹아버렸다. 부처고 석가고 모두 귀찮아 이대로 고만이의 몸과 더불어 열반에 상주하고 싶은 것이었다. 주지가 아직도 색에 젖어 후줄근히 늘어져 있는데 고만이가 슬슬 그의 사타구니를 쓸어주며 쫑알거렸다.

"어떡헐 거야. 불타산이 말끔해지면 저년들을 모두 쫓아낼 거야? 안 그러면 감영으로 달려가 관찰사에게 직소한다고…… 승려가 도적들과 내통하고 관리와 결탁하여 양민들을 괴롭힌다고 한마디 하면 당장에 참수형을 받겠지."

주지는 만정이 떨어지는 소리에 소스라쳤다.

"어이구, 이거 홍시 먹다가 이 빠지겠구나! 설마하니 네가 나를

그렇게 할 수 있겠느냐. 닭이 천이면 봉이 한 마리라는데 다른 년들은 진작부터 닭은커녕 참새도 못 되는데 봉 하나만 품에 들어도 불감당이고 선경이 적실하다. 저런 년들과 오래 몸을 섞지 않아 좀이 쑤실 지경이더니 이제사 네가 내 때를 싹 벗기는구나. 대번에 신발을 거꾸로 신겨서 행방도 못 하는 년들을 쫓아내리라."

고만이는 그제야 주지의 겨드랑이 밑으로 파고들며 아랫배를 싹싹 붙여서 비벼대었다.

"아무렴 그렇지. 보살 많은 절의 화상 성불할 날 없다더니 이제사 내 지성을 입어 득도하시겠구랴."

그리하여 고만이와 용두원 불타산의 주인인 주지승과의 결탁이 이루어졌던 것이다.

이튿날 그들은 남의 눈에 띌까 하여 우선 은밀히 읍내로 나가 별장이며 하리들과 모의하여 손발을 맞춰놓은 다음에 고만이는 황급히 창암골의 불타산 천년암으로 돌아갔다. 첫봉이는 며칠이 지나서야 천년암 산채로 돌아왔다.

거병하기로 모의된 날 별장은 군졸 이십여 인에 변복을 시켜서 곁에는 주지가 붙여준 길 안내인을 이끌고서 사슴사냥이라도 나가는 행색으로 불타산에 들어섰다.

그들은 실지로 사슴사냥을 하면서 불타산의 동편으로 접근해 올라갔다. 마침 산봉우리 하나만 넘으면 불타산성의 옛터였으니 거기서 날이 어둡기만을 기다리자는 것이었다. 우선 군졸 하나가 등성이에 올라 정탐하고 돌아와 붉은 치맛자락이 천년암 곁의 나뭇가지에 걸려서 펄럭이더란 얘기를 했다. 그것은 즉 아무 때나 밀고 들어와도 된다는 군호였던 것이다.

첫봉이도 둘봉이도 그 밖에 졸개들도 관군이 밀어닥친 것을 알지 못하고 망보기조차 세우지 않았다는 군호였다. 관군은 지체하지 않고 봉우리를 넘어서 산채로 다가들었다.

관군은 미리 고만이로부터 천년암 부근의 지세와 허실을 샅샅이 들은 터였다. 뿐만 아니라 그들은 탈출로가 될 수 있는 불타산의 동쪽 연봉인 백운산으로 잇닿는 목감원(牧甘院) 부근을 미리 끊어놓았다. 별장은 도적을 잡아 가자(加資) 받을 일에 몰두하여 현감에게는 호언장담하며 감영에의 장계를 미루었다. 원래 같은 적당으로서 도적을 잡는 데 공을 세우면 면죄하고 은 백여 냥을 지급하는 것이니 고만이가 그에 해당되나 얌전하게 사양하였다. 이는 목감원의 안마님이 그녀의 원래 소망이었던 탓이다. 별장이 지시하여 관군의 반수는 천년암을 마주 바라볼 수 있는 맞은편 등성이에 오르기 위하여 골짜기로 내려갔고, 반수는 그대로 암자와 귀틀집들이 자리 잡은 불타산성의 유지(遺址) 후면으로 내려갔다. 차츰 날이 저물기 시작하여 어둠침침한 그늘이 창암골에 드리워지고 있었다. 때는 바야흐로 산채에서 저녁을 먹을 참이라 가장 방심할 무렵이었다.

고만이는 평소와는 달리 곱게 단장하고 산채의 아낙네들과 더불어 저녁 준비를 하고 있었다. 그러면서도 연신 골짜기 건너편의 맞은편 등성이를 내다보곤 하였다. 이윽고 여러 점의 불빛들이 어둠 가운데 반짝이는 것이 보였으니, 오십여 보 밖의 숲속에 매복한 진의 포수들이 부시를 쳐서 신호한 것이었다. 고만이가 태연자약하게 아궁이에서 조약돌만 한 숯덩이를 부젓갈로 집어내어 슬쩍 치마 뒤에 가리우고 나와서는 빈터에 높다랗게 쌓아둔 땔나무 더미로 다가갔다. 그녀는 솔잎을 수북이 긁어 잔솔가지 밑에 깊고 우묵한 구멍을 만든 뒤에 그 안에다 숯덩이를 던져넣었다. 살살 타들어가는지 연기가 가늘게 피어올랐다. 고만이는 지체 않고 그곳을 떠나 겉모양만 암자인 천년암의 두령 방으로 들어섰다.

둘봉이는 아래채에 살고 있었으니 이 집은 고만이와 첫봉이의 살림집이었다. 첫봉이는 방금 낮술에서 깨어나 저녁밥을 기다리던 중이었는데, 요즘 들어 그는 술을 먹고 소일하거나 장연 읍내의 색주가를 출입하는 적이 많았다. 첫봉이는 언제부터인가 예전에 조니포에서 가족과 더불어 오순도순 살면서 잠상질로나마 편히 밥 먹던 시절을 그리워하는 양이었다. 고만이가 활짝 웃으며 들어섰건만 그는 거들떠보지도 않고 팔베개를 하고서 천장을 멀거니 바라보고 있었다.

"배고프지요. 저녁밥 다 되었수."

하였으나 첫봉이는 아무 말이 없었다. 고만이는 다시 아양을 부리는데,

"낮술에 아직두 곤한 모양이구려. 팔다리 좀 주물러드릴까요?"

첫봉이가 희미하게 고개를 끄덕이자 고만이는 다리를 주무르기 시작하였다.

"여보게, 아무래두 달마산으루 옮겨야겠어. 산채의 형세가 이렇게 궁박해서야 까짓 숨어 살 바에 이게 무슨 꼴인가."

고만이는 그깟 말은 이제 들으나마나 옆으로 건성으로 대답하였다.

"정 그러시면 마음대루 하셔요."

첫봉이는 의외라는 얼굴로 고만이를 물끄러미 쳐다보았다.

"그러구 말이지…… 내 주지에게 말하여 돈을 좀 우려낼 테니, 자네는 탑벌에 알뜰한 초가라두 한 채 장만하여 내려가 있게. 달마산에 선홍이가 혼자인데 내가 버젓이 산채 살림을 할 수야 있나."

첫봉이는 고만이의 순순한 응답에 내처 의견을 내었는데 역시 침

묵을 지키는 꼴이 그에 따르겠다는 뜻인 것 같았다.

"그래서 한밑천을 잡으면 나두 녹림당에서 발을 뽑으려네. 둘이서 아무두 모르는 고장에 가서 버젓하게 밝은 세상을 살며 부부해로하면 좋지 않어?"

하마터면 고만이는 그게 진심이냐고 물을 뻔하였다. 그래서는 그의 손목을 쥐고 목전에 어떤 위험이 닥쳤다는 것을 알려주고도 싶었다. 하나 때는 이미 늦은 것이다. 고만이는 스스로 생각을 다지기를 이제 와서 자기를 버리려고 갖은 감언을 다 꾸며댄다고 여기기로 하였다. 고만이는 복잡한 생각으로 괴로워하며 대답 않고 칫봉이의 다리만을 주물렀다. 처음엔 매캐한 청솔 타는 냄새가 산간의 저녁에는 으레 있는 일이라 아무도 눈치채지 못하였다. 이윽고 화광이 크게 일어나 창문이 벌겋게 물들었을 때, 밖에서 불이야! 하는 외침이 들려왔다. 칫봉이가 반사적으로 벌떡 일어나더니 문을 열고 나갔다. 암자를 노리던 포수들이 그때를 놓칠 리가 없었다. 연이은 방포소리 서너 방이 한꺼번에 들렸고, 잇달아서 총성이 계속되었다.

탄환이 바람을 가르는 소리들이 날카로웠다. 고만이는 방바닥에 납죽 엎드려 있었다. 열어젖혀진 암자의 마당에는 총에 맞은 칫봉이가 피를 흘리며 넘어져 있었고, 귀틀집과 바위굴에서 뛰쳐나왔던 장정 몇이 총에 맞아 쓰러지는 게 보였다. 산채의 한가운데에 붙은 불기둥은 마치 쥐구멍을 비추는 횃불과도 같았다. 고만이는 칫봉이가 아직 죽지 않은 것을 보았다. 그는 일어날 기운이 없는지 두 팔로 몇 번이나 긁어대며 앞으로 기어나갔다. 한 댓 발짝쯤 기었을까, 기운이 다하였는지 칫봉이의 몸이 땅 위에 털썩 늘어지더니 다시는 움직이지 않게 되었다. 고만이는 그런 꼴을 바라보며 눈시울이 젖고 목구멍이 답답하여 견딜 수가 없었다. 고만이는 저도 모르게 흐르는 눈물을 손등으로 씻으면서 흥, 코웃음을 날렸다.

"잘 돼졌다. 아이 잘코사니야."

산채의 혈당들은 탄환이 어디에서 날아오는지를 알고는 빈터 앞으로 나서지 않았다. 화광 안으로 몸을 드러내면 쏘아달라고 스스로 표적을 청함과 다름이 없었다. 둘봉이는 아직은 제 형이 이미 사살당한 것을 몰랐다. 그는 총성이 들릴 때 집 바깥으로 뛰어나가려다가 불리함을 알고 뒤편의 들창으로 빠져나갔던 것이다. 둘봉이처럼 뒤로 빠져나온 자들이 제법 되었으니, 열댓 명의 혈당들 중에 대략 네댓이 상하고 죽은 듯하였다. 제각기 경황 중에도 산림처사답게 환도와 몽둥이를 가지고 있었다. 둘봉이는 비좁은 골짜기를 건너기가 어렵다는 것을 잘 알고 있었다. 적이 어떤 자들인지도 알지 못하고, 몇이나 되는지도 모르는 일이라 우선은 건너편 산등성이의 포수들을 해치워야만 하였다.

둘봉이는 산채에서 그중 날래고 병장기깨나 휘두르는 자들을 지목하여, 집들의 뒤편으로부터 화광이 미치지 않는 숲 그늘까지 단숨에 달릴 셈이었다. 그러고는 눈짐작의 방향을 목표로 뒤에서 덮칠 판이었다. 지세에 밝은 것은 이쪽이니 수가 적더라도 일단 어두운 숲속에서는 승산이 있을 듯하였다.

"총포에는 단병접전이 상수다. 어서 나가자."

둘봉이가 앞장서서 빈터를 빠져나가는데, 어쩌랴…… 벌써부터 관군은 양편을 둘러싸고 장창과 칼을 부르쥐고 기다리던 터였다. 한 오는 산채의 오른편으로 짓쳐들어오고, 다른 편에서는 달려지나가는 둘봉이 일행의 배후를 급습하였다.

관군은 비록 평복 차림이었으나 머리에 붉은 천을 묶어 표를 하고 있어 피아를 알아보게 되어 있었다. 그들은 무턱대고 붉은 헝겊이 없는 자들은 도륙을 할 모양이었다. 일단의 장정들이 달려오자 관군들은 기다렸다가 옆에서 창으로 찌르고 뒤에서 칼로 베었다. 돌아볼 틈도 없이 둘봉이 일행이 죽어 나자빠지고 둘봉이도 허벅지를 창에 찔렸다. 둘봉이는 앞으로 고꾸라졌다가 일어나려 하지 않고 그대로 머리를 처박고 고통을 깨물며 엎드려 있었다. 서로들 부르는 소리가 들리고 계곡 건너편의 포수들이 산성터로 올라오는 듯하였으며 이미 산채는 완전히 점령당한 게 분명하였다. 주고받는 말로 보아 그들은 토포군인 모양이었다.

"살아남은 자들은 포승으로 엮어라."

"죽은 자들은 확인하여 한군데에 모아놓고 수급을 베어라."

"두령을 찾아내라."

지시하는 소리가 요란한데 실눈을 뜨고 살피니 오락가락하는 평복 차림의 관군들만 보이고 혈당은 반나마 살상된 듯하였다. 한데 마당에서 우두머리인 듯한 사내와 함께 호들갑을 떨고 있는 것은 고만이가 아닌가. 그들의 목소리가 또렷하게 들려왔다.

"이번 토벌은 자네의 공이 크네. 아마 은급을 받을 것이고 친히 관찰사께서 포상을 하실 게야."

"저기 있는 게 적괴 허가놈이어요."

"수고하였네. 얘들아, 어서 수급을 베어라. 산채에는 불을 지르고 재물은 모두 관아로 나른다. 너희들이 나누어 가지게 될 테니 한 점도 빼놓지 말라."

둘봉이는 불길이 타오르기 전에 이곳을 빠져나가지 못하면 마지막임을 알았다. 그는 관군이 눈치채지 못하도록 성한 팔과 한쪽 다리로 기었다. 힘줄이 땅기고 목이 타는 듯하며, 귓속에서는 쉴 새 없이 벌의 날갯짓하는 소리가 들렸다. 둘봉이는 댓 발짝 앞의 계곡을 바라고 몸을 굴려서 주저함 없이 아래로 떨어졌다.

"저놈 살아 있었다."

"놓치지 마라."

떠드는 소리가 들리고 포수들이 계곡 위에 서서 어둠을 향하여 총을 놓았다. 골짜기가 쩌렁쩌렁 울렸다. 둘봉이는 온통 돌에 부딪치고 미끄러져 상처투성이인 채로 계곡 바닥에 굴러떨어졌다. 나무를 잡고 일어나 둘봉이는 필사적인 힘을 내어 절뚝이며 뛰기 시작했다. 저쪽에서 연달아 총을 쏘았고 탄환이 허공을 스치며 지나갔다.

둘봉이는 두어 식경은 허겁지겁 달렸는데 드디어 온몸이 땀과 흙으로 범벅이 되고 입안은 갈증으로 찢어지는 듯하며 하체에 디딜 힘이 없어져서 몇번이나 넘어졌다가 일어나곤 하였다. 차츰 땅바닥에 넘어져 쉬는 간격이 길어졌다.

"살아야 한다. 달마산에 알려야 한다."

둘봉이는 넘어져 쉬면서도 그렇게 수없이 중얼거렸다. 그는 달마산으로 가는 지름길을 눈을 감고도 찾아갈 수가 있었다. 그러나 이런 상처를 입고 백운산 줄기로 하여 학령의 연봉에 닿는 산등성이를 타고 갈 자신이 없었다. 무려 팔십 리 길이라 보통때도 하루종일이 걸리던 것이었다. 더구나 토벌이 시작되었다면 곳곳의 산협에는 포도 군사들이 번을 설 것이다. 둘봉이는 눈물을 머금고 길을 바꾸지 않을 도리가 없었다. 그는 막내아우 네봉이가 동승으로 있는 연지봉 아랫녘 금사사(金沙寺)로 몸을 의탁할 작정이었다. 둘봉이는 중얼거렸다.

"원수 갚은 응보(應報)가 이것인가……"

장교가 거느린 관군 삼십여 명은 대를 나누어 학령에 나아가 달마산을 들이칠 태세를 갖추었고 그중 칠팔 명의 관군은 해지점 주막을 덮치게 되었다. 그들은 산마루에서 일단 평복으로 바꾸어 입고서 육모방망이나 쇠도리깨 등속을 옷자락 안에 감추어넣고서는 해지점 주막 나무리집으로 하나둘씩 기어들었다. 해주에서 출발한 각종 상고들이 붐빌 시간이었다.

"여기 밥 한 상 올리게."

"청어도 구울까요?"

"술도 두어 되 주고……"

포도 장교가 주인과 수작하며 둘러보니 술청에는 보부상들이 떼지어 앉았고 건넌방에 장정 두엇이 앉아서 드나드는 사람들을 자세히 살피고 있는 듯하였다.

중노미라는 자는 허우대가 크고 손이 오동잎새처럼 너부죽하고 두툼하여 완력깨나 쓸 듯싶었다. 포도 장교의 생각에도 그들 셋과 주인만 때려잡으면 별로 대들 놈들이 없을 것 같았다. 포교가 군졸 하나를 턱짓으로 불러서 속삭였다.

"아이들 셋쯤 데리고 뒤꼍으로 나가서 적당히 막아두어라."

"점심은 안 드시게요?"

"잡아놓고 느긋이 들도록 허지."

그들이 슬슬 기동을 하려는 참인데, 다부지게 어깨가 바라지고 얼굴은 진한 잿빛이며 광대뼈가 불거진 자와 키가 구 척 가까이 되어 보이고 등이 구부정한 사내가 나무리집 안으로 들어섰다. 포교가 그들을 살피자니 모두 패랭이에 홀저고리 차림인데 짐을 진 곁꾼 하나가 따르고 있었다. 그들은 보부상들 가운데 끼여들었는데 혼잡한 마루에서 사람들을 건너가느라고 연신 인사를 차렸다.

"저 자들을 잘 노리고 있어. 여차직하면 포승을 던지도록 하여라."

포교는 곁에 앉은 오장에게 넌지시 일러두었다. 마침 중노미가 뒤곁으로 돌아나간 뒤에 포교는 마루 쪽을 내다보고서 썩 일어났다.

보부상 차림의 두 사내는 주인에게 주문을 하는 것인지, 뭔가 긴요한 얘기를 하는지 쑥덕이고 있었다. 포교가 일어나니 뒷전에서 포도 군사 넷도 따라 일어났다. 포교가 성큼성큼 마루를 뛰어 건너자 술청엔 작은 혼란이 일어났고, 서로 밀쳐서 상이 엎어지고 욕설이 터져나왔다. 포교는 이미 짤막한 쇠도리깨를 쳐들고 있었다.

"도적들 순순히 오라를 받으라."

건넌방에 앉았던 달마산의 정탐꾼들은 잠시 어리벙벙하여 포교의 짓거리를 바라보더니 그중의 하나가 후닥닥 뛰어 마루에서 술청으로 내려가는데 포교는 사람들의 어깨 너머로 건너뛰어가면서 쇠도리깨를 후려쳤다. 대번에 등줄기를 얻어맞고 질척한 술청 위에 엎어지고 나머지 사내는 군사들을 가로막으며 맨손으로 주먹을 휘두르다가 순순히 오라를 받았다. 포교는 아까부터 마음에 걸렸던 자들을 돌아보았는데 그들은 이미 마루에서 술청으로 빠져나가 있었다. 사람들이 일어서고 떠들고 하자 포교가 호통을 쳤다.

"우리는 포도 군사들이다. 아무도 기찰을 받기 전에는 여기서 나갈 수 없다. 움직이는 자들은 누구나 체포한다."

사람들은 움칫하고서 제자리에 앉았다. 일단 술청으로 내려섰던 두 사내는 포교가 아래로 내려서자 서로 눈짓을 하더니 짐을 지고 따라왔던 자에게 외쳤다.

"칼 던져라!"

입구 쪽에 섰던 자가 보퉁이에서 짤막한 환도를 꺼내어 새까맣고 다부져 보이는 사내에게 던졌고 그는 곧 한 손으로 칼을 받아쥐자마자 칼집에서 뽑아 포도 장교에게로 나섰다. 키가 큰 다른 사내는 재빨리 밖으로 나가더니 주기(酒旗)를 걸게 되어 있는 장목을 거두어들고 입구에 버티고 섰다.

나무리집의 달마산 정탐꾼 둘을 손쉽게 잡았으나 이렇듯 행동이 민첩하고 담대한 자들에게 기가 질려서 포교는 선뜻 나서지 못하였다.

"음, 이제 보니 너희도 적당이로구나. 어디 해지점을 빠져나갈 듯싶으냐?"

비좁은 주막 안에 사람은 가득 찼으니 어디서 합을 겨루랴. 그러나 환도 가진 사내가 뒷전에다 나직하게 말하였다.

"만석이, 아랫것들을 맡아라."

입구에 섰던 키 큰 사내는 오만석이었고 칼 가진 자는 마감동이었다. 그들은 달마산의 강선흥을 만나기 위하여 해지점 주막에 들렀던 것이다. 곁꾼 차림의 사내는 길안내로 나선 강말득이었으니 제아무리 포도 군사들이라 하나 그들이 수걱수걱 포승을 받을 리가 없었다. 마감동은 칼을 정면에 세워들고 포교를 노려보았고 포교는 쇠도리깨를 쥐고 연신 손바닥에 침을 뱉었다.

"다른 사람들이 상한다. 밖으로 나가서 결딴을 내자."

감동이가 말하였다. 평복의 포졸들은 칼 가진 자와 육모방망이를 가진 자들로 왼쪽 방에 서 있었다. 때마침 뒤꼍에서 중노미를 잡아끌고 나오던 포졸들이 그 광경을 보자 슬그머니 뒤꼍으로 다시 빠져나갔다. 나무리집 주인은 마루 위에서 이러지도 저러지도 못하고 사람들 틈에 웅크리고 있었다. 마감동이 말하였다.

"손님들은 양편 벽으로 물러서시오."

일시에 술청 안의 손님들이 양쪽으로 비켜났다. 이제 술청 가운데와 마루는 휑하니 비어 있었다. 마감동은 일찍이 훈련원 교련관 임태룡에게서 검을 배운 바 있었고 도적질 수년에 대소 수십 전을 겪은 터라 검을 잡으면 웬만한 상대는 물론이요 병장기 가진 자 서넛을 너끈히 해낼 수가 있었다. 더구나 오만석이 장창 대신에 주기의 장목을 잡고 버티고 섰는데 어찌 포도 군관 따위에 뒷걸음을 치겠는가. 말득이도 별로 조바심치지 않고서 느긋하게 바라보고 있었다. 말득이는 허리에 자고를 열 대쯤 차고 다니는데 여차직하면 눈이나 정강이에 던져줄 참이었다. 감동이가 칼을 쥐고 잠시 호흡을 고르더니 몇걸음을 크게 떼어 앞으로 다가들면서 봉두(鳳頭)의 자세로 칼이 부리인 듯 찔러들어갔고 포교는 마루에서 뛰어내리면서 쇠도리깨를 휘둘러 좌외대당(左外大當)으로 칼날을 쳐받으면서 마감동과 엇갈려 지나갔다. 오만석이 마루를 향하여 날렵하게 뛰어올라 장목을 곧추세워서 칼 가진 자의 가슴을 찔러들어갔다.

가슴에 타격을 받자 그가 헉 하고 숨을 몰아쉬며 주저앉았고 이어서 만석이는 장목을 수평으로 주마회두(走馬回頭)로써 휘둘렀다. 다른 포졸들이 머리와 등줄기를 얻어맞고 나뒹구는데 이어서 틈을 주지 않고 넘어진 자들의 머리통을 한 번씩 질러주었다.

벌써 뒷전에서는 포도 군사 셋을 장목으로 해치운 오만석이 마루를 건너 왼쪽 방에 묶여 있던 달마산 정탐꾼을 풀어주었다. 문 앞에 강말득이 버티고 서 있는데다 술청 가운데에서는 멍석 위로 이리저리 뛰고도는 두 사람 때문에 손님들은 모두들 나갈 염도 못 하고 양편 가녘에 몰려 있었다. 포교는 차차 초조해지는지 연신 마른 입술을 핥았고, 쇠도리깨의 가죽끈을 꽉 움켜쥐고는 감동이의 측면으로 돌았다. 감동이는 그의 방향을 따라서 칼을 한 손에 쥐어 비스듬히 겨누고서 몸만을 돌렸다. 그때 포도 장교는 편신중란(扁身中欄)의 세로 쇠도리깨를 좌우로 휘두르며 감동이의 오른편 겨드랑이로 파고

들었다. 감동이는 뒤로 물러나며 칼을 아래로 늘어뜨려 허리를 막는 은망의 자세를 취하며 몸을 돌려 역린(逆鱗)으로 포교의 목덜미를 내려치려는데 그만 무엇인가 발에 걸려 넘어지고 말았다. 먼저 포교의 쇠도리깨에 등줄기를 맞고 널브러진 자의 몸이 가로걸린 것이다. 감동이는 미처 일어날 겨를이 없었다. 마루 위의 오만석이 주춤하였고, 강말득은 허리에서 자고 표창을 날쌔게 빼었다. 마침 뒤곁으로부터 술청 안을 치려고 앞으로 돌아나온 포졸들이 문 앞에 보였고 말득이는 재빠르게 좌우를 둘러보았다. 술청에서는 포교가 사정없이 쇠도리깨를 휘둘러 마감동을 후려치려는 순간이었다. 강말득은 자고를 곧게 편 손바닥에 거꾸로 쥐고서 날릴 참이었다.

육모방망이를 휘두르며 포졸들이 들어섰다. 포교가 감동이의 안면을 바라보고 쇠도리깨를 대당(大當)으로 번쩍 치켜든 일각에 무릎을 꿇은 감동이는 훤히 비어 있는 포교의 복부를 안에서 바깥쪽으로 흔격(掀擊)하여 베었다. 옷이 북, 찢겨나가는 소리와 함께 피가 마감동의 가슴에 흩뿌려졌다. 감동이가 칼을 날릴 적에, 강말득은 두 손에 뽑아들었던 표창 중의 한 대를 문 쪽으로 던졌다.

"싯……"

이빨 사이로 날카롭게 소리내며 던지는 것이 오공랑(蜈蚣郎) 강말득의 버릇이었다. 날아간 표창이 앞장선 포졸의 정강이에 가서 박히자 그자는 펄쩍 뛰었다가 곤두박질쳐서 죽는소리를 내었다. 말득이는 남은 자고 표창을 눈앞에 세워 보이며 문 앞의 포졸들을 을러댔다.

"이번에는 어디다 박아주랴. 눈에다 박아줄까, 배꼽에다 박아줄까."

하면서 말득이가 이빨 사이로 새는 소리를 내니까 포졸들은 손을 앞으로 하여 달아나기 시작하였다. 말득이가 돌아서려는데 감동이가 급히 외쳤다.

"멀리 가지 못하도록 해줘라."

"알았수."

말득이가 문밖으로 쫓아나가 자기도 달리면서 자고 두 대를 연달아 던졌다. 하나는 허벅지에, 또 하나는 종아리에 맞고 포졸들은 깡충거렸다.

"손님네들, 중화참을 망쳐놓아 대단히 죄송허우. 우리가 멀리 갈 때까지 밖으로 나오지 마시우."

마감동이 나무리집의 손님들에게 인사를 차렸다. 오만석은 포졸들에게 묶인 동안 방망이에 얻어맞아 이마가 깨진 정탐꾼을 부축하여 마루에서 내려왔다. 만석이가 술청에 쓰러진 자를 턱짓하며 물었다.

"이 사람은……?"

"밥술 놨네. 혈당이 몇인가?"

마감동이 정탐꾼에게 물었다.

"중노미 구실까지 셋입니다."

"가서 데려와."

감동이가 말득이에게 지시하여 그가 뒤꼍으로 달려가보니 중노미는 포졸들에게 몰매를 맞아서 혼절한 채로 묶여 있었다. 어느틈에 술청을 빠져나와 헛간에 숨어 있던 나무리집 주인이 평소에 말득이와 안면은 있다고 부스스한 꼴로 나왔다.

"가, 강서방 아니슈? 이게 무슨 변이란 말입니까."

"이녁이 발고한 것은 아니겠지."

매운 눈초리로 말득이 노려보니 주인은 소스라치며 질겁을 하였다.

"어이구, 날벼락허구두 오뉴월 우박이우. 내가 달마산 장사들 덕택에 이만한 주막이라두 일으켰는데 그럴 리가 있겠습니까. 아까 송화서 내려오는 상고들한테 들었는데 장정들이 학령에 하얗게 섰더랍니다."

말득이는 주인에게 물을 청하여 바가지째로 혼절한 자에게 들씌웠다. 정신이 들었는지 눈을 가물가물하였으나 앓는 소리를 내며 운신을 못 하였다. 그냥 두고 가자니 나중에 관군들이 몰려오면 꼬리를 밟힐 듯하여 무리를 해서라도 데려가는 수밖에 없었다. 말득이가 중노미를 등에 업고 나서며 주인에게 다짐을 주었다.

"관가에서 나오면 무조건 모른다구만 허시우."

"그나저나 이거 큰일입니다. 갖은 악형을 당할 터인데…… 우리 식구들은 어찌하랍니까."

"이보시우, 주막 주인이 겪는 게, 술 손님, 밥 손님, 노름 손님, 잠 손님, 외상 손님에다 각설이까지 온갖 사람을 상대하는 터에 언놈이 녹림당인지 장사치인지 개코나 알겠느냐구 발명하면 될 거 아니오."

말득이가 중노미를 업고 나오니 손님들이 소란을 피우지 못하도록 환도를 들고 가로막고 섰던 감동이가 물었다.

"중상인가?"

"온몸을 되우 얻어맞아 몸을 쓰지 못허우."

그들은 문밖으로 나오자마자 주막 앞에 즐비하게 매어놓은 부담마를 한 필 골랐다. 우선 짐을 내려놓고 정탐꾼과 중노미를 태웠다.

"잠깐 기다려."

감동이가 말득이의 짐 속을 뒤져 엽전꿰미를 내더니 다시 주막 앞으로 갔다. 안에서는 사람들이 웅성거리고 있다가 그가 나타나자 모두들 말을 뚝 멈추었다.

"밖에 있는 말 중에 한 필만 끌어가겠소. 말 임자는 받아두슈."

감동이가 돈꿰미를 술청 안으로 휙 던져넣고 돌아섰다. 그들은 급히 해지점을 떠났다. 말득이가 말하였다.

"주인에게서 들으니 학령에 장정들이 하얗더랍니다. 그게 아마 관군들이겠지요."

"그렇겠지…… 이제 토벌이 시작되는 모양인걸."

오만석이 걱정스럽게 말하였으나 마감동은 태연해 보였다.

"걱정할 거 없다. 아마 장연서 공명심깨나 있는 장교 나부랭이들이 일을 벌인 모양인데 감영에 장계하여 군병을 움직이려면 보통 일이 아니다. 관찰사가 선뜻 토벌에 나서려 할까. 아마 벌집 건드리지 않으려고 흐지부지할 게 틀림없어. 허나 경계는 해두어야겠지."

그들은 학령으로 오르지 않고 검단내(儉丹川)의 상류를 따라서 막바로 지름길로 향하였다. 말득이가 견마를 잡고 부상당한 두 사람 중에 하나가 이리저리 길안내를 해주었다.

"바로 저곳입니다."

말 위의 졸개가 가리키는 데를 모두들 바라보니 골짜기를 막아선 언덕이 수풀 사이로 보였다.

"언덕빼기에 아무것두 없는데."

"저게 토벽이지요. 나무와 풀을 입혀서 언뜻 보면 언덕 같습니다. 저쪽에서는 아마도 우리가 오는 것을 보았을 겝니다."

라는 말이 떨어지자마자 골짜기 훨씬 위쪽에서 화살이 비 오듯 날아왔다. 그들은 황급히 바위 뒤에 흩어져 숨었으며 말득이는 고삐를 쥔 채 엉거주춤하여 위험하기 짝이 없었다.

"활 쏘지 마라. 손님이다."

안내한 자가 외치니 곧 위에서 응답이 왔다.

"신표 있느냐?"

"신표구 뭐구 나를 보면 될 거 아니냐?"

"잔소리 마라. 시방 관군들이 쳐온다는 기별이 와서 쥐새끼 한 마리 못 들어온다. 해지점에두 관군들이 내려갔다는데 어찌 무사히 나왔느냐. 돌아가지 않으면 죽는다."

바위 뒤에 숨어서 서로의 얼굴만 살피노라니 여간 답답한 노릇이 아니었다. 마감동이 외쳤다.

"우리는 구월산 녹림당이다. 같은 처지에 이럴 수가 있느냐. 정 그렇다면 우리는 맨손이 될 터이니 너희가 산채까지 잡아가거라."

그 말이 곧 이치에 맞는다고 여겨졌던지 달마산 패거리들은 잠깐 대답이 없었다. 살펴보니 가파른 벼랑의 바위틈에 일대의 사수들이 숨어 있는 모양이었다. 과연 고슴도치 꼴이 되기 전에는 안으로 들어가는 것이 불가능해 보였다.

"기다려라."

위에서 소리가 나고 한참 있다가 멀리서 고함소리가 다시 들려왔다.

"아무도 없다. 뒤에 따라온 놈들이 안 보인다."

아마도 골짜기 너머를 살피느라고 더욱 위쪽으로 감시자를 올려보낸 것 같았다. 다시 목소리가 들려왔다.

"가지고 있는 물건을 전부 길 밖으로 버려라."

그들은 보퉁이를 밖으로 던졌고 감동이가 혀를 찼다.

"과연 조련이 잘된 녹림당이다. 저 자가 소두령이겠지?"

"업복이라구 여기 그전부터 있던 터줏대감입니다."

관군을 막기 위해 달마산의 셋째두령 업복이가 십여 인의 사수를 이끌고 좁은 길목을 수비 중이었던 것이다.

"밖으로 나와서 한 줄로 서라."

그들은 모두 한 줄로 나와서 섰다. 그제야 가까이 왔던 업복이와 졸개들이 숲으로부터 나타났다. 그들은 재빨리 살피고 무기를 거두었다.

"죄송합니다. 워낙 급박한 기별을 받아놔서 결례가 이만저만이 아니올시다."

감동이는 털털하게 웃을 뿐이었다.

"우리는 해지점에서부터 쌈복이 터진 사람들일세. 강두령 계신가?"

"예, 벌써 알고 계실 겁니다. 화살을 날렸으니까요."

과연 그들이 토성 아래로 가까이 가니 좁은 문에는 돌이 쌓여 들어갈 수가 없었고 위에서 사다리가 내려졌다.

"허, 달마산의 형세가 이런 줄은 몰랐는걸."

오만석이 감탄을 하였다. 그들이 성벽을 넘어가니, 선흥이와 변가가 나란히 서서 기다리고 있었다.

"아니…… 이건 구월산 성님들 아닌가."

선흥이는 몰라보리만큼 변하였다. 장난기 어렸던 눈가에는 불그죽죽한 살기가 어렸고 이마에 깊은 주름이 새겨졌으며 의젓하게 상투까지 올렸다. 맨살에 노루가죽 등거리 걸치고 허리에는 띠 두르고 엄파 쇠몽치를 찼다. 마감동과 오만석은 일찍이 길산과 더불어 결의형제하였음에도 선흥이께는 아직 서먹서먹하였다. 결의 후에 선흥이는 구월산에 한 번쯤 들렀을 뿐이고 그것도 박대근, 이갑송, 우대용 등과 동행하여 탑고개에만 들렀던 것이다.

"아우님 보구 싶어 왔네."

마감동은 길산이 일러주던 말을 스스로 되새기며 부드럽게 말을 건넸다. 말득이가 참지 못하고 먼저 발설하였다.

"길산이 성님 오셨수."

과연 선흥이는 깜짝 놀라서 두리번거리다가 말득이의 손을 잡았다.

"어디…… 어디에 오셨단 말이냐?"

"구월산에 계시네."

마감동이 먼저 대답하였고, 선흥이는 평소처럼 벌써 덤벙대기 시작하였다.

"허 이것 참, 지금 당장에 길 떠날 채비를 해야겠군."

"두령, 지금 그럴 때가 아닙니다."

하며 변가가 주의를 주지 않았다면 선흥이는 벌써 길 떠날 준비를 했을 것이다. 마감동이 말하였다.

"그래서 아우님을 데리러 왔네만, 사실은 우리두 산채 구경을 한 번도 못 해봤기에 이렇게 때늦은 걸음을 하였네. 아우님이 용서하시게."

선흥이는 아무런 사심 없이 그들을 반겼다. 예전에는 어리고 그만큼 자만심이 많았으나, 산생활을 겪은 지도 어언 삼 년이나 되어버린 선흥이로서는 그들이 어제 헤어진 형제들처럼 느껴졌다.

"내가 하도 뜻밖의 일이라 성님들을 이렇게 세워두었구려. 안으루 드십시다."

선흥이가 감동이와 만석이의 등을 밀어주었다.

"성님은 키가 더욱 자란 것 같소. 꼭 우리 옛날 집 대추나무만이나 허우."

선흥이가 만석이에게 농을 걸었고 만석이도,

"소금짐 내던지더니 이제는 바루 도깨비 삼촌이 되었군."

하며 받았다. 선흥이가 그제야 생각이 미쳤는지 그들과 부상당한 졸개들이 동행한 것을 되돌이켜서 감동이께 물었다.

"헌데 해지점에서 무슨 일이 있었던 모양이우? 틀림없이 관군이 거길 덮쳤을 텐데."

"왜 아닌가. 우리가 거기서 한바탕 벌이고 피를 좀 보이구 오는 길이지."

선흥이가 고개를 끄덕였다.

"어저께 불타산 쪽에서 졸개 두엇이 간신히 빠져나왔습니다. 목감원 쪽에 내려가 있던 아이들인데 다행히 잡히지 않은 모양이지요. 내 동무가 죽고 거의가 잡혔지요. 이번에는 우리 차례인 모양이라 이렇게 법석입니다. 학령에 나가 목을 잡고 있던 아이들은 정탐할 망보기만 남고 모두 돌아왔지요. 만약에 대병력이 토벌해오면 하는 수 없이 송화 쪽으루 달아날 수밖에 없지만 좀 버티어볼 작정이우."

오만석이 말하였다.

"우리두 곁에서 형편을 두고 보다가 아우님을 돕겠네."

그들은 산채의 바깥쪽으로 둘러싼 두어 길쯤의 돌담을 지났는데 짚더미들이 한 줄로 주욱 늘어놓여져 있었다. 아마도 바깥 토벽이 점령되면 안에서 화공으로 시간을 끌며 탈출하려는 계획인 듯하였다.

"제놈들이 짓쳐오면 얼마나 오겠나. 우리도 돕겠네. 정 버티기 힘들면 까짓 우리 산채루 이사 오게."

오만석이 말하였고, 곁에 앉아 의형제끼리의 얘기에 끼어들지 않고 있던 변가가 말하였다.

"아니올시다, 겨울이면 몰라두 지금 같은 녹음지절에 달마산을 토벌하진 못하지요. 온 산골짜기와 등성이와 바위가 모두 우리들 은신처요, 우리는 숨어서 저쪽의 일동 일정을 한눈에 바라보며, 저쪽에서는 어림짐작으로 산채를 안다 할지라도 우리를 볼 수가 없으니 벌써 싸우나마나 합지요. 관군이 학령서 구이령 줄기를 지났다 하면 우리는 매복을 하러 나갈 참이니까요."

"야습으로 들어오지 않을까?"

말득이가 말하니 감동이가 고개를 저었다.

"그건 더욱 어렵겠지. 이쪽에서 이미 알고 있는 이상 들어왔다가는 오히려 저희가 함정에 빠지니까. 내 보기에두 달마산의 이만한 형세라면 토포군이 삼백여 명은 와야겠는데, 그리구 호랑이 포수들이 한 오십여 인 있다면 모를까."

강선흥이 대강의 방어진의 형세를 알려주었는데, 산채의 서쪽 골짜기 앞에는 사수를 거느린 업복이가 매복하여 있으며 학령의 목지기로 있던 일오(一伍)는 구이령 줄기와 닿은 등성이까지 철수하여 관군의 행방을 탐지 중이었다. 만약에 그들이 그대로 구이령을 넘어설 때는 달마산 패의 정수만 추린 십여 명이 강선흥의 인솔로 동편 골짜기 너머에 매복하고, 변가는 만일을 위해서 산채 식구들을 이끌고 산채 뒤편에서 북으로 흘러나간 산줄기를 타고 신천 방면으로 빠져나갈 참이었다. 그러나 그것은 선흥이들이 격파되고 관군이 외다리 앞에까지 이를 경우였다.

"우리는 식솔들이 있어놔서 산채를 절대루 호락호락 내놓지 않을 작정이우."

변가가 얼굴이 굳어져서 말하였고 선흥이는 공손히 사죄하였다.

"먼 길 오신데다 해지점에서 봉욕을 당하시고, 이제 남의 집 우환에까지 동참하시게 되어 면목이 없습니다."

“총포는 없수?”

말득이가 물었다.

“두어 자루 있다 하지만 장약도 연환도 없으니 쓸 수 없지. 예전에 심백이란 놈들에게서 빼앗은 것인데 까짓 없어두 된다. 우리는 기왕 지사 근병접전을 벌일 테니까.”

관군의 내습을 대비하는 터에 술을 마실 수가 없어서 해지점에서 놓친 중화를 뒤늦게 들었다. 과연 변가의 보필과 선흥이의 치가 통솔이 훌륭하여 달마산 산채의 음식은 정갈하고 짜임새가 있어 보였다. 박주라고 머루주 한 병을 내왔는데 산채의 아낙네들이 담근 듯하였다. 상을 물리고 감동이, 만석이, 말득이 그리고 선흥이 등이 둘러앉아서 형제들의 근황을 주고받고 있었다.

“대근이 성님은 안녕하시다던가?”

“나두 못 뵈온 지가 근 일 년이나 되었수. 아마 혼례를 올린 것 같습디다. 송도 임방에서 올렸으니 우리네 처지로야 가볼 수도 없었고. 아마 대용이 성님이 의주 상인들 틈에 끼여 참례했다지요.”

선흥이의 말에 감동이가 나섰다.

“참 그 대용이 성님두 우리가 만나든지 기별을 주어야 할 터인데. 시방 어디서 뭘 하고 있다던가?”

“평안도 어름에 계시지요.”

선흥이가 더 말을 꺼내려는데 밖에서 누군가가 뛰어와 전갈하였다.

“관군이 구이령에 닿았답니다.”

방 안의 사람들이 모두 긴장하여 일어섰고, 강선흥은 벽에 세워두었던 엄파 쇠몽치를 다시 허리에 질렀다. 마당에는 칼과 창을 가진 십여 명의 장정들이 모여 있었다. 선흥이가 산채에 남을 변가에게 당부하였다.

"망보기를 세워두었다가 관군이 서편 계곡까지 나타나면 다리를 끊어버리시우. 그리구 업복이를 시켜서 막아 싸우게 하고 변두령은 산채 식구들부터 우선 안전한 곳까지 피신을 시키도록 허우."

변가는 어쩐지 비감해져서 선흥이의 손을 꽉 잡고 놓지 못하였다.

"두령은 어쩌시려오?"

"염려 마오. 관군도 대병력은 아니고 사오십이 미처 못 된다니까, 물리칠 수가 있겠지."

"뭐 병장기 남은 것 없나?"

오만석이 중얼거리자,

"참, 성님은 장창을 잘 쓰시지요."

선흥이가 말하고는 졸개들 중에서 장창을 가져오도록 하였다. 감동이는 이미 산채를 떠나올 때 지녔던 짜른 환도가 있었고, 말득이도 늘상 길을 다닐 적마다 허리에 자고를 두르고 다니는 처지라서 별다른 병장기가 필요치 않았다. 매복할 소부대는 곧 산채 서쪽 계곡 위에 걸린 외나무다리를 건너 구이령을 바라고 행군하였다. 구이령에 닿기 전에 달마산의 산줄기가 해지점 쪽으로 뻬쳐나간 지점이 있었는데 그 골짜기에는 송림이 하도 빽빽하여 낮에도 해가 들지 않고 음습하며 길도 없는 곳이었다. 나무숲의 아래쪽에는 또한 풀이 키가 넘도록 자라나 가히 범이 숨을 만한 장소였다. 선흥이가 이끄는 일당은 전혀 그쪽 호림(虎林)에는 주의를 돌리지 않았으니 워낙 가파르고 깊은 골인데다, 구이령 쪽에 관군이 있다는 전갈을 받았으므로 다른 곳은 살필 겨를이 없었다. 사실 구이령을 넘어서기만 하면 곧 달마산 연봉의 초입이라 어물거릴 여유가 없었던 것이다.

그들이 구이령과 학령이 만나는 산줄기에 이르자 기다리고 있던 학령 목의 졸개들이 반가이 맞았다. 그들과 합쳐서 스물이 못 되는 인원이었으나, 산길에는 워낙 익숙한 그들인지라 사기가 높았다. 만약에 들판에서 대군과 부딪쳐 진을 친 형세라면 그렇게 유유하지 않을 듯하였다. 모두들 사냥이라도 나온 듯 농지거리들이 한창이었다.

"관군이 어디로 갔는가?"

"구이령을 지나서 이쪽으로 들어오다가 멈추었습니다. 살피시렵니까?"

"어디 좀 보자."

선흥이가 졸개와 수군거리고 나서 비탈 위로 오르니 감동이도 얼른 엿듣고 그들의 뒤를 따랐다. 앞선 졸개가 하는 대로 그들은 등을 잔뜩 구부리고 뛰어가 편편한 바위에 가서 엎드렸고 그 끝까지 기어 나갔다. 바위가 끝난 곳은 아슬아슬한 벼랑이었는데, 저 아래 툭 터진 저지대가 내려다보였으며 희끗희끗한 사람들의 무리가 보였다.

가끔씩 번쩍하면서 빛을 내는 것은 아마도 창날인 듯싶었다. 관군은 첫봉이네 불타산을 들이칠 때와는 달리 검은 털벙거지에 더그레를 걸치고 있었다. 그들은 엎드려서 잠깐 동안 이곳 저곳을 관측하였다. 관군들은 쉬고 있는지 띄엄띄엄 흩어져 앉아 있었고 주위에는 높고 낮은 산과 구릉이 둘러싸여 있었다. 선흥이가 대강 눈짐작으로 헤아려보니 겨우 삼십여 명이 될까 말까 하였다.

"참으로 모래로 방천(防川)한다더니, 저깟 소병력으로 우릴 어쩌겠다는 건가?"

잔뜩 긴장을 하고 관군과의 대접전을 각오하고 왔던 강선흥은 맥이 풀리는 모양이었다. 대오는커녕 싸울 기강도 없어 보이는 무리였다. 마감동이 곁에서 중얼거렸다.

"뭔가 기다리고 있는 듯하군."

"기다리다니……"

"뒤에 대병을 숨겨뒀는지두 모르니까."

졸개가 말하였다.

"그럴 리가 없습니다. 학령에 몰려 있던 것은 군복을 입은 저 자들과 인근 촌락에서 부역을 지구 끌려나온 민정들이 있었지요. 처음에는 우리두 산채의 연락을 받기 전에는 장연 고을에 호환이 난 줄로 알았지요. 그래서 호랑이몰이에 동원된 줄로만 여겼습니다. 불타산이 떨어졌다기에 우리 산채가 다음 차례인 줄 알았습니다. 우리가 번을 들며 쭉 지켜보았는데 구이령 초입에서 민정들은 모두 해산하여 돌아갔습니다. 그리구 저것들만 고개를 넘은 셈이지요."

"아마 감영에서 무슨 하달이 있었던 게로구먼. 토포군의 대병이 올 모양인가?"

"그때까지 움직이지 않을 듯합니다."

"그냥 돌아갈 수도 없고, 그렇다고 저놈들이 올 때까지 기다리는 것두 그렇구…… 시방 급습하여 뜨거운 맛을 보여주는 게 상책이겠군."

선흥이가 결정을 내려버리자 감동이는 오랫동안 산사람 생활을 해왔는지라 아무래도 꺼림칙한 마음이 가시질 않는 듯하였다.

"혹시 복병이 없을까?"

"복병은 없습니다. 우리가 정오경부터 한눈을 팔지 않고 지켜보았으니까요."

"관군 쪽이 너무 태평해 보이는데, 우리를 꾀어들이자는 계략이 아닐까. 내 생각으로는 산채로 돌아가 계속 관군의 동향이나 주시하며 방비하는 것이 나을 듯한데."

그러나 선흥이는 이미 작정을 내린 이상 여러 말을 듣고 싶지가 않았다.

"여하튼 달마산 경계로 들어왔으니 고스란히 걸어들어오도록 할 수는 없지. 덮쳐버려야지."

감동이 편에서도 남의 집 일이라 육고간의 중처럼 이래라저래라 하지 못할 입장이었다. 선흥이는 아래로 내려와서 졸개들에게 지시를 하였다.

"이 너머에 관군이 스물 남짓 있는데 보아하니 군율도 없는 오합지졸이 적실하다. 우리가 습격하면 패주는커니와 그 자리에 주저앉아 항복을 하게 될 것이다. 정 대드는 놈들은 살상하되, 되도록 사로잡도록 하여라. 저들의 속내도 캐어보고 인질로 삼아 관군을 기롱(欺弄)하는 데 써야겠다."

우선 졸개들을 두 패로 나누어 한 패는 마감동, 오만석이 인솔하여 곧바로 산을 넘어 쫓아내려가기로 하였으며, 선흥이와 말득이는 구이령 줄기를 향하여 돌아 저들의 배후를 치기로 하였다. 이른바 협살하려는 안이었다. 먼저 선흥이, 말득이 등이 출발하여 산을 돌아나가 관군이 머문 저지의 뒷산 등성이로 올라갔고 마감동과 오만석 등은 산마루에서 기다렸다. 이윽고 맞은편 산 위에 졸개가 나타나 손을 휘저었고 감동이가 인솔한 일대는 소리를 내지르며 산비탈을 달려내려갔다. 맞은편에서는 선흥이가 앞장서서 달려내려오고 있었다. 관군들은 부리나케 일어나더니 언제 그런 대오라도 짜두었는지 반수는 골짜기 아래로 달려가고 나머지는 살을 메겨서 일시에 쏘아댔다. 졸개들 중에 화살을 맞고 쓰러지는 자도 있었으나, 워낙에 공격의 예봉이 곤두서 있어서 그들은 멈추지 않고 다가들었다. 사수들도 뛰어 달아나기 시작하여, 양편으로 갈렸던 달마산 패는 자연스레 합대하여 그들의 뒤를 쫓아갔다. 기민하게 뜀박질 잘하는 자들을 뽑았음인지 그들은 민첩하게 숲 사이로 빠져 달아나고 있었다. 역시 말득이의 발이 기중 재빨라 맨 선두로 뛰어가며 양손에 자고를 뽑아 날렸다. 자고에 맞은 관군 서넛이 고꾸라졌으나 그들을 중도에 수습할 사람은 아무도 없었다. 선홍이는 그들을 인솔한 장교를 사로잡으려는 생각이었다. 그들도 관군의 뒤를 따라서 숲 안에 이르렀는데 그곳은 골짜기의 다른 지류였고 바로 호림이었다. 숲 안에 들어서자 주위는 갑자기 어두워졌으며 서늘한 냉기가 가득 차 있었다. 방금 앞서서 숲으로 쫓겨갔던 관군들은 일순에 종적이 없어졌다. 달마산 패들은 섬뜩하여 그 자리에 주춤 서버리고 말았다. 사방이 괴괴한데 바람소리만 송림에 가득 차 있었다.

"속았다!"

뒷전에 섰던 마감동이 외치자마자 총성이 귀청을 에며 일어났고 사방에서 와 하는 함성이 그들을 에워쌌다.

그야말로 호랑이몰이와 똑같은 살진이었던 것이다. 말편자 형으로 벌려두고 열린 배후에서 방포를 하게 되면 울안에서 이리 뛰고 저리 뛰다가 죽음을 당하게 되는 것이었다. 방포소리가 다투듯이 일어났고 주위에는 비명과 매캐한 화약 연기가 가득 찼다. 포위망을 뚫고 숲 밖으로 나가려고 앞장을 섰던 선홍이가 총알을 맞고 튀어오르듯이 댓 걸음 앞으로 나가떨어졌다. 화살이 전면에서 날아왔는데 오만석도 왼쪽 팔이 꿰이었다.

"선홍이 구해내라."

마감동이 큰 고목 뒤에 숨어서 외쳤고 말득이가 납죽 엎드린 채 뛰어가 선홍이의 팔을 잡아 옆구리에 끼듯이 부축해올렸다. 그동안에도 총성이 연이어 들려왔고 연환이 나무에 날아와 박히는 소리가 날카로웠다. 말득이가 다가오자 감동이가 손을 내밀어 두 사람을 끌어들이고 나서 외쳤다.

"오두령, 저쪽을 뚫자."

감동이는 칼을 잡고 두어 번 추스르며 말득이에게 당부했다.

"우리가 활로를 뚫을 테니, 자네는 선홍이만 맡아라."

"염려 마우. 한 손을 쓸 수 있으니까."

말득이는 한편 어깨에다 강선홍을 부축하고 한 손에는 자고를 뽑아들고 있었다. 만석이는 왼팔뚝에 박혀 있는 화살을 부러뜨려놓기만 하고서 한 손으로 창의 중동을 잡아 휘두르고 있었다. 역시 감동이가 앞장을 섰다. 말득이의 어깨에 팔을 두르고 부축당한 선홍이는 오른쪽 허벅지와 종아리에 총알을 맞았던 것이다.

"나두…… 싸워야지."

그러나 아무리 황소의 뿔을 뽑은 남대천 장사 선홍이라 할지라도 다리를 쓰지 못하여 해볼 도리가 없었다. 이미 그들이 몰려섰던 공터에는 죽거나 다친 자들이 즐비하게 쓰러져 있고, 요행 살아남은 졸개들도 이리저리 뛰어나가다가 둘러싼 민정들의 작대기나 쇠스랑에 얻어맞고 나뒹굴었다.

마감동은 칼을 역으로 쥐고 수비의 자세를 취하면서 뛰었다. 역시 그가 고른 곳은 흰옷 입은 부역꾼들의 무리가 막아선 곳이었다. 감동이가 칼을 익숙하게 휘두르고 파고들자 만석이도 창대를 휘둘러 닥치는 대로 후려갈겼다. 역시 사람의 벽은 휑하니 열리고 그들은 재빨리 키를 넘게 자라난 잡초 속으로 뛰어들었다.

"한 놈도 놓치지 마라."

포수와 민정을 지휘하던 것은 역시 첫봉이의 불타산 산채를 함몰시킨 별장이었다. 그는 해지점에서 장교 이하 포도 군사들이 오히려 패한 뒤에 정탐꾼을 잡아 앞세워 산채를 들이치려던 계획을 바꾸게 되었다. 불타산 일당들 중에 생존자의 추국을 통하여 달마산 형세에 대하여는 소상히 알고 있던 터였다. 그는 우선 저들이 관군을 얕보고 있음을 눈치채고 있었으며 그들이 달마산 초입에 이르면 분명히 적의 주력이 매복을 하거나 공격해올 것을 알았다. 그는 인근 촌민으로부터 호림의 지세의 유리함을 듣고는 몇몇 관군을 미끼로 오히려 그들을 유인하였던 것이다. 도적들의 주력을 꺾은 뒤에 산채를 쳐부수는 일은 이빨과 발톱 빼고 범 잡는 격이었다.

목숨이 두려워 궁지에 몰린 자들의 칼날을 피하여 우하니 비켜났던 민정들이 별장의 호통에 다시 돌아섰다. 그러나 그들은 필사적으로 달아났는지라 키를 넘게 자란 풀숲의 어느 방향으로 갔는지 알 길이 없었다.

"그 총 맞은 자가 달마산 화적 두령 강선흥이다."

별장은 강선흥에 관한 소문은 진작부터 알고 있었고, 그가 입산한 뒤에 그들의 식솔도 어느날엔가 슬그머니 장연을 떠나버렸는데 어디에선가 고대광실을 짓고 호강한다는 뒷소문이었다. 그를 잡아야 이번 토벌의 목적이 이루어지는 셈이었다.

"산 채로 못 잡겠거든 시체라도 찾아라. 상금이 은자 백 냥이다."

별장은 포수들을 앞세우고 풀숲 안으로 들어갔다. 댓 발짝 간격으로 나란히 벌려서서 그들은 숲을 샅샅이 뒤져나갔다. 호림은 위로 갈수록 가파르게 되어 곧 달마산 연봉의 한 지류에 닿게 되어 있었다. 저들이 아무리 날래다 할지언정 그렇게 쉽사리 경사가 급한 비탈을 넘어가지는 못할 것 같았다. 포수들 앞에는 민정들이 늘어서서 풀숲의 사방을 작대기로 두드리며 나아갔다. 드디어 비탈에까지 이르렀으나 별장은 민정들만을 되짚어 수색해나가도록 하고 포수들을 이끌고 비탈로 올라갔다. 연신 미끄러지며 나뭇가지를 잡고 오르는데도 한참이나 걸려 겨우 전원이 등성이에 올라보니 눈앞에 보이느니 나무와 바위뿐이었다. 그들은 이미 저편 골짜기로 몸을 감춘 듯하였다.

"다 잡은 고기를 비늘만 떼고 놓아버렸구나."

"과연 산에 사는 놈들 걸음은 당할 수 없소이다. 그토록 재빨리 산등을 타고 넘었으니 꼭 노루새끼나 같지요."

관군들은 하는 수 없이 호림으로 되돌아내려왔다. 그러나 감동이, 만석이, 말득이, 그리고 부상당한 선홍이는 아직 호림을 빠져나가지 못하고 있었다. 감동이는 첫눈에 함정에 빠졌음을 알아차리자마자 탈출로를 그려보고는 혼자라면 몰라도 부상한 사람이 있는 처지에서는 호림 끝의 산마루를 대번에 타넘기가 불가능함을 알았다. 그렇다면 인근에 숨을 수밖에 없는데 맞은편에 바위 벼랑이 막아선 곳이 눈에 들어왔다.

그런 곳이라면 서너 사람이 숨을 만한 바위틈이란 쉽게 찾아질 것이었다. 감동이는 풀숲에 숨자마자 그쪽 방향을 잡아 우회하였다. 과연 네 사람이 몸을 붙이고 엎드려 있을 만한 바위틈이 있었고, 그들은 그 속에 비집고 들어갔다. 물론 앞에는 우거진 잡초가 가려 있었으나 저쪽의 동정이나 말소리는 환히 들을 수가 있었다. 수색하는 자들은 그들이 숨은 바위 옆으로 여러 번 지나쳤건만 위쪽에서 볼 때는 그저 편편한 암벽이라 송곳 들어박힐 틈도 없어 보였을 것이다. 한참이나 어수선하게 두런거리는 말소리가 들려왔다. 부상한 자들만 추려서 압송해가는 모양인데, 별장은 곧이어 산채를 들이치자고 큰소리를 쳤고, 수하 장교들은 감영의 거병이 있을 때까지 기다리자는 의논들을 하는 모양이었다. 그러나 공격의 세를 늦추어서는 안 된다며 별장은 내일 날이 밝자마자 진의 군사를 더 내어서 산채를 들이쳐야 한다고 주장하였다. 그들은 일단 학령 부근에서 숙영을 할 모양이었다. 관군들이 호림을 빠져나갔을 때 숲속은 이미 캄캄하고 풀벌레들만이 요란하게 울고 있었다. 그들은 바위틈으로부터 기어나왔는데, 선흥이는 바짓가랑이가 흠뻑 젖을 정도로 피를 흘리고 있었다. 우선 상의를 찢어서 묶도록 하고 오만석도 부러뜨린 채 박아두었던 화살을 제 손으로 뽑았다.

"산채로 가야지……"

선흥이가 땀에 젖은 얼굴을 찡그리며 힘없이 중얼거렸으나 마감동이 설득하였다.

"우선 아우님이 살아야 하네. 산채로는 말득이를 보내어 연락하도록 해두고 우리는 일단 신천 방면으로 피하여 어디서 치료를 해야겠네. 우리 연줄이 닿는 주막이 있으니까 거기까지만 무사히 간다면 별일은 없을 걸세."

"이대로 달마산을 내놓구 어디루 간단 말이우?"

선흥이가 이를 악물고 아픔을 참으며 비통하게 뱉어냈다.

"달마산만 산인가, 해서에는 여기보다두 깊구 크구 안전한 녹림이 여러 곳일세. 오히려 이만이나 당하구 그쳤으니 다행일세. 예서 거기까지 대략 얼마나 될까?"

감동이가 물으니 말득이가 잠깐 생각하고 나서 대답하였다.

"글쎄요…… 탄다릿내가 삼십 리니까 그쯤 될 겁니다."

"삼십리쯤 걸을 수 있겠나?"

"걸어보겠수. 헌데 배 아래로 기가 싹 빠져나가버린 듯허우."

"오두령은 어떤가?"

감동이가 물으니 만석이는 씩 웃어 보였다. 걷는 데는 지장이 없을 듯하였다. 감동이가 다시 말득이에게 말하였다.

"네가 또 수고를 해야겠다. 우리는 곧 구월산으루 돌아가겠지만, 너는 산채에 가서 알려주고는 곧 송도루 내려가거라. 대근이 성님께 길산이 성님이 돌아왔다구 전갈하구 대용이 성님 소식까지 알아가지구 오너라."

"쳇, 또 다리품 팔게 되었군. 자, 이러니 나는 언제 어엿한 객줏집 주인 노릇을 하룬들 해보겠수. 득달같이 달려갔다 오지요. 아마 성님들 우물쭈물했다간 내가 먼저 구월산에 가 있게 될걸요."

"그래, 어서 가거라."

말득이가 횡허케 어둠속으로 사라진 뒤에 그들은 서로 부축하여 달마산을 넘었다. 그러고는 탄다릿내의 거친 들판을 절뚝이며 걸었다. 감동이의 어깨와 만석이의 어깨에 거의 매달려가듯 하던 선흥이가 문득 무슨 생각이 들었는지 고개를 떨군 채 말하였다.

"지금 생각하니 내가 성님들께 너무 서운하게 하였수. 요즘 와서야 겨우 녹림처사루 살아갈 마음이 잡혔는데, 전에는 주제넘게 내가 실은 천인 잡배의 소생이 아니라구 은연중 자부했었지요."

그러나 마감동과 오만석은 아무 말 없이 빙글대며 웃기만 할 뿐이었다.

5

풍천(豊川)에서 북쪽으로 시오 리쯤 나아간 바다 한가운데에 주위가 이십여 리나 되는 초도(椒島)가 있었고, 그 훨씬 위로 삼십여 리쯤 올라간 곳에 돛점이라 불리는 석도(席島)가 있었다. 초도와 풍천과는 좁은 해협을 끼고 있어 대개들 초도수도(椒島水道)라 하였는데 섬

안에는 산악이 중첩하여 이 산악 위를 검은 구름 흰구름이 언제나 감돌고 있어서 풍천 팔경의 제일경으로 초도춘운(椒島春雲)이라 하였다.

병풍처럼 둘러싼 춘운산의 암벽이 바다를 면하여 가파르게 막아섰고, 그 아래로는 푸른 솔숲과 목초지가 넓게 끝간데 없이 펼쳐졌다. 따라서 일찍이 풍천감목관이 읍치의 안에 상주하고 있으며 진첨사가 나와서 해상 경계를 감시하였다. 더욱이 부근은 각종 어류의 산란장이라 조기철이 돌아오면 서해안 각처의 대소 선박들이 고기떼만큼 몰려들어 일일이 규찰하기가 어려웠다. 특히 중국의 산동성과 서로 마주 보고 있는 탓으로 중국 사신의 행차와 무역선들이 당관포(唐館浦)에서 떠나고 돌아오고 하였으니, 가장 선박의 출입이 잦은 곳이었다.

초도의 서북쪽 은율군과 경계 지점에 있는 돛점(席島)은 마치 합죽선을 펼쳐서 물 가운데 던져놓은 것과 같은 섬이었다. 짧은 모래사장이 잇달아 있으며 대부분이 가파른 바위와 울창한 송림으로 이루어져 아무도 감히 근처에 얼씬하지 못하였다. 벼랑을 때리고 돌아오는 파도도 문제려니와 암초가 곳곳에 일어서, 일부러 비파곶이나 허사포로 가려면 멀리 우회하여 가는 곳이었다.

돛점의 가운데는 드높고 가파른 바위 벼랑이요, 양편으로 산꼬리가 미인의 눈썹처럼 잦아지면서 바닷속으로 감춰지는데, 서편 꼬리 부근에 비좁은 수로가 있었으며 이 수로는 배 두어 척이 간신히 닿을 만한 모래사장에 이어지고 있었다. 일단 좁은 수로 안으로 들어가면 그렇게도 포효하고 일렁이던 물결이 거울처럼 맑고 잔잔해지면서 산에서 흘러내리는 담수와 만나고 있었다. 앞으로 길게 뻗어나간 꼬리가 일종의 방파제가 되어지는 모양이었다.

먼 해상에서 쌍돛을 올린 배가 나타나 일로 동북쪽을 향하여 치달려오더니, 돛을 하나씩 차례로 내리고 천천히 노를 저어서 다가들었다. 수로의 훨씬 위쪽에 높은 바위 벼랑이 있고 편편한 반석이 있어서 요망대(瞭望臺)라고 하였는데, 그 위에서는 한 사내가 앉아 있다가 마치 만장처럼 생긴 기다란 깃발을 장대에 달아 올렸다. 남색, 다홍색, 노란색, 흰색 등등의 사명기(司命旗)가 있는데, 그 깃발의 색깔로써 배가 들어오거나 피하거나 기다리거나 멀리 가거나 등등으로 통신하게 되어 있었다. 배는 남색 깃발을 보자 서슴없이 돛점을 향하여 저어 왔다.

배가 일단 산꼬리의 울퉁불퉁한 암초에 이르자 수로를 잡고서 아주 조심스럽게 바위를 피해 들어오더니 바위와 바위 사이로 뚫린 천연의 월문(月門) 앞에까지 이르렀다. 파도가 이리저리 일어나 자칫하면 배가 부딪쳐 산산조각이 나버릴 판국이었다. 그러나 월문 안쪽의 수로에서 기다리던 작은 배들이 나타나 배의 머리 양쪽에 줄을 걸고서 팽팽히 당겨놓은 다음 장정들이 나타나 수로 안쪽으로 배를 끌어들였다. 일단 월문을 통과하자마자 배는 마치 극락계로 들어온 망령처럼 고즈넉하게 한 점의 미동도 없이 미끄러져가는 것이었다. 배는 천천히 수로 안쪽으로 깊숙이 끌려들어가 산에서 쏟아져내려오는 민물과 바닷물이 합쳐진 인공의 연못에 이르렀다. 모래가 허물어지지 않도록 안으로 석축을 쌓고 아래로는 바닷물이 넘쳐들어오는 수로를 뚫었으며 위로는 시냇물이 흘러와 괴도록 잔돌멩이로 하상을 깔았다. 천여 평 넓이의 연못에는 야거리배 한 척과 거룻배 두 척이 정박하여 있었다. 배를 끌었던 장정들은 연못 가녘의 말뚝에 밧줄을 잡아매었으며, 휘청거리는 나무다리를 뱃전에다 걸쳤다. 발을 절름대면서 박성대가 앞장서서 내려왔고, 마중 나온 자는 석범철이었다.

박성대의 뒤에는 돛점 일당이 아닌 패랭이의 사내가 따라 내리고 있었다.

"어찌…… 벌이는 좋았던가?"

석범철이 물으니 하역을 지휘하던 자가 대답하였다.

"말도 마시우. 경강 수로에는 기찰이 심하여 범접을 못 하고 그저 외롭게 항행 중인 평안도의 상선을 한 척 털었는데 모두가 피혁류뿐이라, 하는 수 없이 빼앗기는 하였으나 이번 출행은 죽을 쑤고 말았습니다."

"허허, 그러면 이번에두 송도나 서울 갈 일이 없겠구먼."

"안녕허시우?"

"아이구, 난 또 누구시라구. 송도 재미는 어떠시우?"

석서방과 패랭이의 사내가 반기는데, 그는 송도 박대근 상단의 곁꾼을 맡아보는 좌장이었다. 석서방이 다시 박성대에게 물었다.

"천수 안 왔지?"

"경강 나갔다가 강화에 눌러 있는 모양이야. 두령은 계신가?"

"음, 누군가 기다리는 참이라 여기서 벌써 열흘째 꼼짝두 않으시네."

"우두령 좀 뵈입시다."

그들은 돛점의 바위산으로 뚫린 꼬불꼬불한 길을 따라서 석도산의 깊숙한 골짜기로 올랐다. 그들의 뒤에는 배에서 내린 짐을 부리는 장정들이 따라오고 있었다. 돛점의 수적 산채는 짙은 송림과 기암에 가려져 전혀 바다 쪽에서나 육지에서나 눈에 띄지 않도록 되어 있었다. 배가 대이는 곳도 좁은 수로여서 앞이 바위산으로 가려졌고 잇달아 두 갈래로 갈라진 언덕빼기 사이에 깊숙이 박혔으니 산채는 마치 계집의 옥문처럼 돛점의 최심처에 박힌 셈이었다. 위로 오르면

석도산 중턱의 짙은 송림이 둘러싸인 곳에 넓은 터가 있고, 가운데에 우대용과 오가는 손님들이 묵어가는 집이 한 채 있었고, 그 옆으로 기다란 창고와 맞은편에는 방이 십여 칸 달린 행랑채 비슷한 집이 있었다.

그들 집 주위로 나직한 돌담을 쌓았으니 여염의 부잣집과도 같은 모양이었다. 오른쪽 돌계단으로 오르면 요망대가 있어서 섬 주변은 물론이요, 먼바다와 삼십 리 안쪽의 육지 방향을 한눈에 내려다볼 수 있었다. 그러므로 다른 방비가 필요없고 다만 요망대에다 번 드는 자만 하나 올려보내면 족하였다. 마당 안에도 꼿꼿한 해송이 빽빽이 늘어서서 서늘한 그늘이 드리워졌고 골짜기를 휘돌아온 해풍이 송림을 흔들어주고 있었다. 벌써 배에서 내린 그들 일행이 오는 것을 알고 우대용은 아까부터 마루에 나와 서성대며 기다리고 있었다. 그는 서늘한 삼베 등거리에 잠방이 차림이라 드러난 팔다리가 마치 고등어의 등처럼 잿빛으로 반들거리고 있었다. 머리는 흐트러진 채로 아무렇게나 넘기고 띠를 질끈 동였다.

"그래, 별일은 없었느냐?"

"예, 공연히 기일만 보름씩 잡아먹으며 강화 수로와 교동 수로를 맴돌기만 하였습니다. 해가 지면 나아가 돌고 낮에는 반니도로 돌아가 숨었지요."

"방갑을 내리고 돛을 바꾸며 노를 빼면 그 누가 우리 배를 알아보겠느냐. 선창의 수많은 배들 사이에 끼여 있는 게 더욱 안전할 게다."

우대용은 벌이에 대하여는 전혀 묻지 않았고 곧 그를 찾아온 송도상단 사내를 발견하고 반색하였다.

"자네가 웬일인가?"

“저희 대인께서 전하시는 말씀이 있어서 이렇게 억지로 승선하여 오는 길이올시다. 강화의 석서방과 홍서방 객주에 통자하여 사흘이나 묵었다가 배를 탔지요.”

“요사이 기찰이 심해서 그런다네. 헌데 대근이 성님 전갈이란 뭔가?”

“곧 구월산으루 떠나셔야겠습니다. 구월산에 장두령이 오셨다구 합니다.”

우대용은 눈을 크게 떴다.

“장두령이라니…… 길산이 성님 말인가. 아니 언제?”

“누군지 저야 알겠습니까. 그렇게만 전하면 아실 게라면서 구월산서 만나자구 하십디다. 새달 초하룻날 구월산으루 오시라구 하십디다.”

우대용은 공연히 마음이 설레는지 뒷짐을 지고 마루를 서성대었다.

“새달이라면 이제 겨우 열흘도 못 남았군. 구월산이라면 여기서는 한 발만 성큼 내디디면 산의 초입인데 어서 야거리를 띄워라. 허사포(許沙浦)로 오를란다.”

대용이 일찍이 해주감영 옥에 갇혀 있을 때 언제 죽을지 모르는 대시수로 함께 지내었고, 또한 같이 대근의 도움으로 탈출하여 생사지경을 겪었으니 길산과는 남다른 우애와 실로 혈육 같은 정이 있었다. 대용이 보기에도 길산이 몇몇 의형제와 다른 점은 그가 뭔지 이해 못 할 어떤 뜻을 향하여 꾸준하게 자기를 성숙시켜나가고 있는 듯한 느낌 때문이었다. 옥에서 나왔을 때 길산은 그전의 죄수시절보다 훨씬 다른 사람으로 변하였고 그가 돌연 집을 떠나 금강산으로 향했던 일도 예사스런 일로 보이질 않았다. 그는 늘 녹림당 이상의 무엇인가를 염두에 두고 있는 듯 여겨졌다.

"허사포에 가시려면 해가 진 다음이 안전할 듯합니다. 거기는 진영(鎭營)이 있어서 해안을 파수하고 있습니다."

대용은 자신이 말을 꺼내놓고도 박성대가 그렇게 일러주는 소리를 듣고서야 퍼뜩 깨달았다. 뒤늦게 석범철이 그가 잊고 있던 일을 환기시켜주었다.

"물치가 곧 돌아올 텐데 사행선(使行船) 일은 이제 와서 그만두지는 못하십니다."

"그렇군…… 앞으로 날짜는 넉넉하니 일을 마치구 떠나도 별 차질이 없겠구먼."

하고 나서 대용이 송도 상단의 사내에게 물었다.

"우리 아주머님은 아직 산달이 멀었다던가?"

"웬걸입쇼, 아주 국색으로 자랄 귀한 따님을 보셨지요."

귀례 아씨는 이미 박대근의 아내로서 딸을 낳았고, 대근은 배대인의 뒤를 이어 임방의 태행수가 되어서 각처 상고들을 지휘하고 감독하느라고 송도에서 꼼짝도 못 하고 있다는 것이었다.

"이러다가는 성님만 몽달장군으로 남겠습니다. 피차에 열없는 노릇이올시다."

석범철이 은근히 우대용의 미혼을 놀려대었다.

돛점에 배가 귀항한 뒤 한참이나 지나서 요망대에서 외치는 소리가 들려왔다.

"동남방에 거룻배 한 척이오!"

우대용이 고개를 들어 산채 뒤로 우뚝 솟은 망대를 바라보며 중얼거렸다.

"허사포에 나간 정탐선인가……"

곁에 앉았던 석서방이 마루 끝으로 나아가 입에 손나발을 대고 되뇌었다.

"우리 정탐선인가?"

"기다리오."

잠시 살피던 망보기가 다시 외쳤다.

"검은 신표를 휘두릅니다. 우리 배요."

거룻배에는 사공과 정탐꾼 둘이 타고 있었는데 그들은 돛점이 가까워지자 품에서 검은 수건을 꺼내어 머리 위로 휘저었던 것이다. 거룻배는 역시 돛점의 서편 수로를 타고 월문을 통과하여 선착 연못으로 빠져들어왔다. 정탐꾼은 오솔길로 뛰어올라와 산채 본채의 사랑 마루 앞에 부복하였다.

"사행이 당관 객사에 당도하였습니다. 글피 아침에 허사포를 떠날 예정이랍니다."

우대용은 고개를 끄덕였다.

"수고하였다. 헌데 어찌 날짜가 늦춰졌다더냐?"

"감영에서 은의 차용이 늦어진데다 해주 부상 신복동의 차인들이 역관들의 종인(從人)으로 가담하여 인가를 받는 데 시일이 걸렸답니다."

대용과 송도 결꾼 좌장과 성대는 서로 마주 보며 빙긋이 웃었다.

"역시…… 대근이 성님의 제보가 틀림없었군. 글피라면 배를 정비하고 총포를 단속하며 아이들이 쉴 여유는 충분하다. 너는 지금 곧 돌아가라. 석서방도 함께 가도록 하게. 상부사와 서장관과 역상들은 따로 배를 탈 터이니 어떤 모양의 배가 준비되어 있는가를 탐지하고, 물화의 내역은 어떠하며 수비하는 군사는 얼마나 되는가를 자세히 살폈다가 출범하기 전 미명에 돌아와 알리라."

석서방이 말하였다.

“저는 그럼 이번 일이 끝난 다음에 송도로 나가야겠습니다.”

“그렇게 하게. 대근이 성님이 이번 사행에서 빠진 것은 그 신가놈 때문이고, 예전부터 구원이 많다네. 또한 사행선을 먹지 않구 우리 같은 수적이 무엇을 먹겠는가. 다만 정부사는 나라의 중책을 지니고 가는 것이니 선불리 건드렸다가는 안 될 것이고, 물화도 전혀 상고들의 것이니 우리는 상고들의 배만 골라서 습격하면 되지.”

곧 돛점의 정탐선이 석서방과 정탐꾼을 태우고 허사포로 되돌아갔다. 우대용과 박성대는 졸개들을 독려하여 배를 끌어올리고 뱃전을 불에 그슬리고 석회와 마유를 개어 곳곳을 바르도록 하며 돛대도 새것으로 갈도록 하였다. 그리고 십여 일 동안 바다의 누습한 장기(瘴氣)를 쐬어서 녹슨 호포와 총기들을 기름칠하고 화약을 새로 조제하였다. 우대용은 졸개들을 격려하여 말하였다.

“이번 일이 끝나면 전원이 강화에 나가 달포쯤 놀고 오도록 해준다. 그뿐 아니라 산채의 경제가 좋아지면, 관서의 한적한 해변에 우리가 여염 살림을 할 만한 마을도 이루어낼 수가 있을 게다.”

졸개들은 모두 우대용의 그러한 말을 진심으로 믿었다. 수적으로 결당이 된 뒤로 대용은 부하들에게 한 번도 식언을 한 적이 없었고 재물 분배에서도 공평무사하였던 것이다. 그리고 그들은 언제나 안전하고 확실한 대상만을 손쉽게 습격하여 한 번도 실패가 없었다.

사행이 부상들의 좋은 돈벌이 구실이 되었던 데는 여러가지 원인이 있었다. 일찍이 역관(譯官)의 과거인 역과(譯科)도 역시 문무과와 다른 잡과와 함께 삼 년에 한 번씩 치러졌는데, 삼 년마다 십구 명의 역관이 쏟아져나오게 되니 어언 육백여 명이 넘게 되었다. 그러니 일일이 그들 모두에게 실직(實職)을 내릴 수도 없었고, 직제를 늘릴 필요도 없었다. 정직의 녹봉을 지급할 재정 능력도 없어서 권장지도(勸奬之道)라 하여 체아직(遞兒職) 제도를 실시하였다. 명예직으로서 임시직을 준 것에 불과하였으니 녹봉은 전혀 없어 오로지 사행으로 나갈 기회만이 유일한 소망이 되었다. 이는 연경(燕京)에 가는 역관이 사행 중에서 모든 재정적인 준비 감독의 직책을 맞게 되기 때문이었다. 사행에는 매행(每行)과 절행(節行), 별행(別行)이 있었으므로 몇년에 한 번씩의 차례가 돌아왔던 것이다.

역과 출신이 대폭 늘어나 역관에게 실직 정관을 내려서 생계를 보장해주지 못하고 임시로 사행이 있을 때 체아직으로서 대기시킴으로 해서 몇년에 한 번 돌아오는 사행기간에는 그들은 큰 이익을 취하기 위해서 대규모의 밀무역을 하지 않을 수가 없었다. 이에서 그치지 않고 역관들은 그들이 직접 가지 않더라도 부자 형제간이면 물론이고 친척이나 동료 중에서 연경에 가는 편을 이용해서도 서로 모리를 탐하였던 것이다. 뿐만 아니라 수많은 종자와 수행원들은 모두 명칭만 그럴듯할 뿐이요 실상은 이들과 결탁된 사상(私商)들이 대부분이었다. 이것이 거의 나라에서 조장하고 오히려 도와준 결과로 이루어진 일들이었다. 세종조에 금은의 세공(歲貢)이 면제되면서부터는 은으로 비용을 쓰지 못하게 금지시키고 한 사람에 인삼을 열 근(斤)씩 지니고 가도록 규정하였다. 그것은 일정액의 한도 안에서 사무역(私貿易)을 허용한 셈이었다.

다시 인조조에 이르러 매인당 열 근의 정액을 팔십 근으로 증가 책정하였고, 그 인삼을 열 근씩 여덟 꾸러미로 배정하니 이를 팔포무역(八包貿易)이라 부르게 되었다. 즉 팔십 근의 인삼 정액을 한계액으로 사행원에게 허용했던 사무역을 가리키는 것이다. 그러나 이 팔포의 정액은 반드시 팔십 근의 인삼만으로 따져지는 게 아니었고,

다만 당시에 인삼이 국내 생산물 중에서 가장 가격이 비싸고 교역상 유리한 물품이었기 때문이다. 그러다가 근래에 이르러, 인삼이 비록 우리나라에서 생산되고는 있으나 상고들이 북경과 동래로 모두 빼내어 여염의 약용이 떨어져서 남북 두 곳 중에 어느 하나는 금지시켜야 한다고 건의하기에 이르렀다. 이에 따라 종래의 인삼으로 충당되었던 팔포 정액은 은으로 충당하게 되었으니, 은은 당시의 시가에 맞추어 인삼 한 근당 스물다섯 냥으로 환산하여 팔십 근의 인삼 대신에 이천 냥의 은으로써 정액을 삼게 되었다. 그러나 이것이 무역자금의 전부는 아니었다. 각 군 아문에서 별포라 하여 따로이 무역자금을 내어 참가하거나, 공사를 빙자하여 무역 허가장과 같은 증빙서류를 역관에게 만들어주고 역관들로 하여금 사무역을 시키는 방법도 있었다. 그러므로 막대한 자금이 정액 외에 더 첨가되었다. 이러한 각 아문의 무역권은 돈으로 사고 파는 이권이 되어갔다. 또한 국가재정의 공용 은을 빌려서 이자를 붙여 몇번에 나누어 갚아나갈 수도 있었다. 그러므로 근래의 사무역의 자금 융통은 활발하게 이루어지고 있었다. 대개 저들의 무역자금을 식리(殖利)로써 빌려준 부서는 훈련도감(訓鍊都監), 어영청(御營廳), 총융청(摠戎廳), 금위영(禁衛營), 수어청(守御廳), 호조, 병조와 진휼청(賑恤廳)을 비롯하여 개성부, 강화부, 평안감영 병영, 황해감영 병영, 의주부 등이었다.

이번에 해로로 별행이 떠날 것이라는 소문이 송도 부상들간에 진작부터 낭자하게 나돌았다. 박대근은 그 기회를 놓치고 싶지 않아서 개성부에 통자하여 무역권을 얻고자 하였으나 이미 해로 사행이니 장연이나 풍천서 떠날 것인즉 황해감영에서 자금도 나갔고, 그쪽의 해주 부상이 무역별장직을 따냈다는 것이었다. 무역별장이란 부상 중에서 임시로 별장을 뽑아 재화를 관장케 하고 면세 거래하도록 해주는 특혜였으니 송도에서는 모두들 분히 여겼던 터이다.

아무튼 박대근은 돛점 일당들에게 진작부터 해로 사행의 일을 알려 두었으니, 해주 부상들이 낭패를 보고 우대용은 손쉽게 대금을 쥐게 되리라 믿었던 것이다. 실상 풍천이나 장연서 바닷길로 떠나는 일이 공공연해지면, 그가 의주와 동래로 대청, 대일 무역의 길을 넓히는 데 있어 지장이 많을 터였다. 우선 해로 무역의 길이 끊기고 육로 쪽이 번창해야만 더욱 많은 상고가 참여하여 외국인과 직접 무역을 하게 될 것이었다. 대근은 길산이 구월산으로 돌아왔다는 소식에 접하고는 당장 대용과 합류하여 함께 입산하고도 싶었으나 기간을 넉넉히 잡아 구월산에서 만나자 하였으니, 사실은 길산이 산채의 형세를 늘리고 주변 백성들의 민심을 사는 데 그 탈취한 자금의 일부가 필요하겠기 때문이었다. 대근은 자신의 재화가 무역권을 획득하여 북에서 의주, 남으로는 동래에 이르기까지 거대하게 늘어날 때면 가히 대병을 감당할 수 있으리라 믿었다.

우대용으로서도 일반 상선이 아니라 나라의 사신 행차를 습격하는 일이 어떤 결과가 되리라는 것을 잘 알았다. 단순히 해안을 기찰하고 전선이 출동하여 여러 곳의 섬을 뒤지는 일로는 끝나지 않을 듯하였다. 당분간 연안 해로에 출몰할 수도 없을 것이며 수적질은 적어도 일 년쯤은 못 하게 될지도 몰랐다.

정탐꾼 물치와 석범철은 거룻배에 늘 지니고 다니는 어망과 고기 망태를 각각 짊어지고 허사포에 올랐다. 객사는 운유방(雲遊坊)에서 당고개(唐峴)를 넘어서 있으니 포구에서는 이십여 리쯤 떨어져 있었다. 객사 주변에는 고목들이 울창하고 그 아래 빈터가 널찍하여 인마 수백이 머물기에 맞춤하였다. 환관교목(環館喬木)이라 하여 객사 주변의 은행나무숲은 풍천서도 가장 볼만한 것들 중의 한 가지였다.

은행나무 뿌리 근처에는 간혹 불탄 자리가 남아 있는 곳도 있었으니 성종조 육년 단옷날에 왜구들이 배를 타고 포구에 들어와 밤에 읍내를 들이치고 방화 약탈하였던 흔적이었다. 또한 이쪽 해상에는 청이나 왜의 황당선의 출몰이 잦았고, 간혹 외떨어진 마을이 약탈을 당하는 경우도 있었다. 상사(上使)와 부사(副使)는 해주감영에서 송영 겸 수검(搜檢) 나온 도사(都事)와 더불어 풍천부사(府使)의 주연에 나가 있었다. 객사 앞의 숲에는 곳곳마다 모닥불이 피워져 대낮같이 밝았는데 마필과 봉물짐과 선적할 물건들이 종류대로 분류되어 무더기로 쌓여 있었다. 역관과 상고들이 객관 마루에서 기생들과 술을 마셨고, 또한 아랫것들은 그들대로 사행을 바라고 몰려든 창기들과 노닥거렸다. 물치와 석서방은 객사 앞에 임시로 차일과 멍석만으로 개점한 가가(假家)에 들어가 저녁밥과 술을 청하고는 노자(奴子)들과 슬슬 안면 틀 기회를 노리고 있었다. 진안주는 바닷가인지라 주로 해물인데 생선 굽는 냄새가 진동하였고 기다란 흙화덕 위에는 석쇠가 벌겋게 달아올라 있었다. 사행을 따라온 상것들로 보이는 사내들이 몰려와 주모와 농지거리들을 하였고 중노미 대신 시중들러 나와 앉은 창기들은 무슨 음담을 들었는지 자지러지며 꼬집는 모양이었다.

"아니다, 이건 정말이라니까. 이 코를 봐라. 자고이래로 상말에 코가 크면 양물이 크다는 것은 헛말이 아니니라."

"아이고, 그래서 내가 진작부터 코 큰 사내 한번 만나서 어우러지기가 소원이더니 코 큰 놈 코값 못 한다고 생기기는 꼭 대추알 모양인데 그것마저 풀기가 죽어서 손가락으로 튕기면 툭 터져버리겠습디다."

곁에 앉았던 자가 초를 쳤다.

"얘얘, 그런 소리 말아. 옛말에도 코로 한다구 되어 있느니라. 코 큰 놈은 원래가 그 코로 방사하는 게야."

창기들이 깔깔대고 요절을 하며 뒹굴었다.

"그러면 코 박고 미음 뒤집어썼다는 말이 맞는 게요."

코 큰 사내가 양물 자랑을 하려다가 오히려 망신당할 참이었다.

"예끼 이년들……"

하며 코를 킁킁대는데 곁에 앉은 동료들이 떠들었다.

"허, 이 사람 미음을 먹었으면 입맛을 다셔야지, 코는 왜 킁킁대나."

"쇤네가 비단 줌치를 예쁘게 만들어드릴 테니 그 귀한 코를 싸고 다니시옵소서. 난다 하는 계집들이 줄을 설 테지요."

곁에 앉아서 참예할 기회만 노리고 앉았던 물치와 석서방은 슬쩍 그쪽 좌석으로 다가앉으며,

"거 재담이 아주 걸찍하외다."

"나두 한마디 거들어볼까."

각각 한마디씩 하노라니 모두 사행길에 따라나선 상것들로 여기고 금방 껄껄대며 자리를 좁혀준다.

"내가 고향이 강화요. 형제가 셋이 되는데 저는 그중에 둘째지요."

석범철이 마포 서강지간을 휘젓고 다니며 봉놋방에서 패설깨나 씨부린 솜씨로 점잖게 운을 떼었다.

"우리 형제가 일찍이 송도의 가난한 행상집 딸 삼형제에게 한날 한시에 장가를 들었거든. 아우가 이십이요, 내가 삼십줄인데 형님은 오십이 넘었소그려. 하루는 큰댁 제사에 모두 모이게 되었는데 아녀자들끼리 저희 서방 얘기들을 합디다. 우리 계수씨가 말하기를, 남

자의 양물이 반드시 뼈가 있더라고 그럽디다. 헌데 우리 여편네가 쫑알거리기를, 아니다 나는 심줄이 있는 것 같던데, 하니까 형수님이 나서며 손을 홰홰 젓습디다. 너희들 모르는 소리 말아라. 남자의 그것은 오직 껍데기와 고기뿐이니라. 그때 나하구 나란히 앉아 그 얘기를 들었던 장인이 한숨을 쉬며 말합디다. 우리 집안 형편이 일시에 기울었는지라 첫째와 둘째가 모두 뼈맛을 보지 못하니 참으로 한스럽도다."

석범철이 능청스레 주워섬기니 모두들 손가락질을 해대며 박장대소를 하였다. 그들은 자연스럽게 상사람들끼리의 인정에 휩쓸려 들어갈 수 있었다. 물치와 석범철은 자연스럽게 그들과 섞여들어갔는데 그들 중에 거먹초립에 무릎치기〔短衣〕 차림의 역졸(驛卒)인 듯한 자가 맞장구를 쳤다.

"좌중에 내 재담을 알아들을 자가 있을까는 모르겠소만, 한마디 하지. 호주 봉당묵(好酒逢當墨)이요…… 술을 좋아하며, 만나면 마땅히 먹[墨]고, 미인 견즉필(見則筆)이라…… 미인은 보면 곧 붙〔筆〕더라. 평생에 차사연(此事硯)이러니…… 평생에 이 일을 벼르〔硯〕더니, 금일 양득지(今日兩得紙)라…… 오늘 둘 다 얻으니 좋의〔紙〕. 대개 문자속이라면 이 정도는 있어야지."

좌중 사람들이 개중에는 어안이 벙벙한 자도 있었으나 몇몇 노자와 마부는 연신 바닥을 치며 웃어대었다. 석범철이 은근히 목소리를 낮추어 말을 캐어본다.

"보아하니 이렇게 저희들과 동석할 분이 아니신 듯하오."

"뭐 우리 같은 잡배가 아무러면 어떻겠는가."

"실은 저희는 강계의 상고들이올시다. 혹시 사행에 연이 닿을까 하여 소문을 듣고 왔습니다만……"

석범철이 미끼를 던지니 그자는 주위를 둘러보고 나서 먼저 술자리에서 일어났다. 석서방도 소피를 보는 척하고 그를 따라나섰다. 그 사내가 객사 앞을 떠나 으슥한 나무 밑에 가서 기다리고 섰다가,

"용무가 무엇인가?"

묻는데 다짜고짜로 또라진 반말지거리였다.

"나는 해주 상단의 차인 행수 되는 사람이다. 어서 말해보라."

그는 아까 좌중에서 하던 태도와는 달리 우락부락하고 예의 없이 말하였고, 석범철은 당황하지 않고 공손히 대답하였다.

"다름이 아니라, 저희는 봉산서 그저 돈 백 냥이나 들고나는 물상 객주를 하고 있으나 이번 사행에는 감히 수행을 넣을 길이 없어 이렇게 구경이나 해보겠다구 온 것입니다. 차인 행수로 오셨다니 이에서 더욱 반가울 데가 없습니다그려."

"우리 상단에서 수행한 것은 관에서 모두 허가된 일이고, 우리 상단서 별장직까지 따내었으나 남의 눈도 있어 피치 못하여 종자의 시늉을 하는 걸세. 무슨 물건인가?"

"예, 인삼 백 근이올시다."

"무어, 인삼 백 근?"

차인 행수는 놀란 듯이 눈을 크게 떴다가 다시 차근차근히 물었다.

"강계라면 의주 육로를 바랄 터인데 어찌 해로를 뚫으려는가?"

"그러니 이렇게 행수어른과 은밀히 줄을 달려고 하는 게 아닙니까. 해서의 사행은 송도와 해주에서 주도권이 있다고는 하나 저희가 어찌 사행을 그냥 보고만 있을 수 있겠소이까. 행수어른 혼자만 아신다면 나중에 당물을 무역하여 오실 제야 어느 댁으로 가는 짐인지 모를 것입니다. 슬쩍 객사나 역에 떨구고 가시면 되겠지요."

"인삼이 백 근이라…… 무슨 물건을 원하는가?"

"물론 백사(白絲)와 주단입지요."

"좋다. 물건은 지금 가지고 왔는가?"

"사처방에 보관해두고 있습니다. 문서나 직접 수결하여 써주시면 곧 내드립지요. 나중에 돌아오실 제 제가 직접 마중 나왔다가 물건을 받고 곧 문서를 돌려드리도록 하겠습니다."

차인 행수라면 상단의 봉물과 인원을 관리 감독하는 처지라 무역의 이익은 상단의 이익이요 그 개인의 이득이 아니었다. 그런 고로 대개들 자기 나름대로 다른 상고들의 무역을 대행하여야 사리를 취할 수가 있었다. 행수는 역관들이 그러는 대로 위탁해오는 각 중소 상인들의 무역 위임을 맡게 마련이었다.

"사처가 어디에 있는가?"

"운유방의 차가 객주입니다."

"내일 그리로 찾아가겠다."

일단 첫번째 타협은 이루어진 셈이었다. 그러나 석범철이 정말로 인삼 백 근을 무역해보려는 생각은 추호도 없었다. 다만 사행 날짜와 물품의 내역이며 사행 인원과 수행원의 승선 배치 등을 자세히 알아내려는 꾀였을 따름이다. 그렇게 해서 가장 물품이 실하고 정사와 부사가 타지 않은 실속 있는 무역선 한 척만을 습격하려는 것이었다.

이튿날 석범철은 물치를 허사포로 보내어 정박한 배를 탐지케 하는 한편 백 근의 인삼을 준비하기에 고심하였다. 우선 돛점으로 사공을 보내어 인삼 열 근을 급히 내오도록 하고, 나머지 구십 근의 인삼은 굵기와 모양이 그럴듯한 도라지로 채우도록 하였다. 열 근의 인삼을 포장하지 않고 채롱에 보기 좋게 벌려두고 나머지는 잘 포장하여 섞어두었다. 과연 중화참이 지나서 차인 행수 되는 사내가 사처방에 찾아왔다.

"어이구, 어서 오십시오. 오전 내내 좌불안석하며 기다렸습니다."

사내는 얼른 들어와서 문을 꽁꽁 닫고 문고리까지 걸어잠그고는 다짜고짜로 채롱을 끌어당겼다.

"이게 모두 인삼인가?"

"보십시오. 아주 상등입니다. 강계에서두 기중 약이 찬 골짜기에서 취한 물건입지요."

차인 행수라면 첫눈에 물건의 질을 알아보는 게 직업이라 얼른 한 뿌리를 들어 뿌리와 몸통이 상한 데가 없는가를 살피고 냄새도 맡아 보았다.

"중품이로군."

석범철은 펄쩍 뛰었다.

"인삼 처음 보십니까. 강계 삼이라면 연경에서는 송도 삼보다두 높이 쳐줍니다. 굵기를 보십시오."

"속이 실한 것 같지 않은데."

"찐 것이 아직 덜 말랐기 때문에 그렇습니다."

행수가 방 안의 포장된 물건들을 죽 둘러보았다.

"저것들도 모두 이와 같은가. 좀 봐야겠네."

석범철은 채롱을 탁 거두어가면서 역증을 참지 못하는 시늉을 내었다.

"허…… 답답한 일이로군. 가져가셨다가 시세가 맞지 않거나 물건이 좋지 않다면 돌려주면 되지 않습니까. 저희가 어르신께 물건을 위탁할 제야 서로 믿고 살자는 것인데, 그리 의심이 많아 무슨 무역을 하겠다구 그러십니까. 자, 보십시오."

하면서 단단히 포장된 꾸러미들을 거칠게 뜯어 보였다. 쌓여 있던 도라지들이 와르르 쏟아져나왔다.

"이게 상등품이 아니라면 백 년 묵은 산삼도 보기에 따라서는 칡뿌리가 되겠지요."

차례로 뜯어 보이는데 한결같이 굵기가 실해 보였다. 행수는 자신의 공연스런 까탈이 열쩍어져서 턱을 쓸며 앉았다가 자신 없이 중얼거렸다.

"내가 의심하여 그리하는 게 아니라, 장사 흥정이란 다 그런 거 아닌가. 마음을 풀게. 지필묵을 가져오게. 물품 보관증을 써주고 인삼은 내가 맡을 테니."

해주 상단의 차인 행수가 까다롭게 굴었던 것을 겸연쩍어하면서 당장 매듭을 짓고자 하였다. 그러나 석범철은 슬그머니 꽁무니를 빼는 것이었다.

"기왕에 이렇게 꼼꼼히 따지시니 오히려 우리 쪽에서 트미하게 할 수야 있겠습니까? 아직 수검도 끝나지 않았고 날짜가 있으니 배에 오르실 제 넘겨드리도록 합지요. 보관증은 미리 써서 지니고 계십시오."

"허, 이 사람, 내가 좀 따졌다구 그러는 겐가?"

"아니올시다. 저희들이 따져보건대 만일에 승선 인원에 차질이 생긴다면 물건은 넘겨드리나마나 아닙니까?"

행수는 까짓 이틀간을 참지 못하는 바 아니고 물건만 받으면 되는데 흥정을 깨고 싶지는 않았다. 에라 그만두어라, 하고 싶은 것을 꾹 참고 말하였다.

"여보게, 자네두 딱하네. 수검받지 않은 물건을 어떻게 배에 싣는단 말인가? 내일 오전에 수검이 시작되니 우리 물건 틈에 끼여 있어야 하지 않는가?"

"그럼 이렇게 하십시다. 우리 차인을 하나 붙여드립지요. 그가 우리 물건의 수검을 받도록 해주십시오. 물건을 넘겨드렸다가 행수어른께서 승선 인원에서 빠지면 피차 낭패가 아닙니까?"

"좋도록 하게. 여하튼 보관증을 써두어야지."

석범철이 지필묵을 내었고 행수는 보관증을 썼다. 석범철이 말하였다.

"반쪽씩…… 어떻겠습니까."

"그러지."

행수는 방금 써갈긴 보관증을 반으로 잘라서 내밀었다.

"제가 물건을 넘겨드리면 나머지 반쪽을 넘겨주셔야 합니다."

"아무튼 임자는 송상 빰치게 따지는군. 장사는 그렇게 해야지. 승선하는 날 포구에서 만나세."

행수가 일어나자 석범철이 말하였다.

"우리 차인을 시켜서 곧 보내드리도록 하겠습니다."

그들이 무역해올 물건의 흥정을 않는 것은 따지나마나 반분하게 되어 있는 것이 상례이기 때문이었다. 백사와 주단을 현지 가격에 따라 바꾸어오면 화주와 무역인이 반씩 물건을 나누어 갖게 되어 있었다. 석범철은 무역할 생각은 티끌만큼도 없었고 그래서 애초부터 도라지 뿌리를 포장하였던 것이다. 사행 전반에 걸친 내막을 소상히 알아낸 다음에 보관증이 어쨌건 물건을 넘기건 알 바가 아니었다. 물치가 객주로 돌아오자 석서방은 머리를 맞대고 의논하였다.

"해주 신생원의 물건이 어느 배에 실리는가를 아는 것이 가장 중요한 일이다. 그리고 정사와 부사 및 서장관은 어느 배에 오르는가도 알아내야 한다. 그 다음에 호송하는 수군의 배가 어떤 규모이며 어느 만큼 따라가는가도 알아내야 하고, 배에 탄 군졸은 몇이며 배의 무장은 어떤 것인가도 알아야지."

"염려 마십시오. 수검장에만 참예하여 있으면 물품의 내역이나 신 생원네 봉물짐은 어떻게 구분될지 소상하게 알게 되겠지요. 그리고 될 수만 있다면 포구에 대어진 사행선에 올라 샅샅이 살피겠습니다."

"어서 인삼짐을 신구 가게."

그들은 흐트러진 가짜 인삼짐을 다시 탄탄하게 포장하여 열 꾸러미로 나누었다. 물치가 말 두 필에다 다섯 꾸러미씩 싣고서 객관으로 나갔다.

인삼 백 근이면 이천 냥이 넘는 큰 재물이고 쌀로 따져도 천오백 석쯤 되는 셈이었다. 아무리 사행에 따라붙은 상단의 차인 행수라 할지라도 그만한 재물이면 역관들도 잡지 못할 자금이었다. 따라서 행수 혼자서 입송시키기에는 어려웠고 어차피 역관과 짜고서 관문을 받아내야 하였다. 그러므로 사행의 직접 관장 부서인 해주감영의 임시 무역별장으로 수행하는 신생원에게는 알리지 않아야 행수가 남겨먹을 수 있었다. 즉 역관과 행수와 화주가 짜고서 삼분하려는 생각이었다.

물건은 도착되어 객관 앞의 사행 봉물짐들 틈에 섞였고, 물치는 행수의 차인을 빙자하여 마음대로 사행하는 노자나 수행원 틈에 끼여 이리저리 살피고 다닐 수가 있었다.

인삼은 원래 은으로 대치시킬 정도로 국외로의 유출을 절약하게 되어 있으므로 간단히 포장하고 겉에는 면포로 싸서 다시 포목인 듯 가장하였다. 물품의 내역을 살피니 은과 피물, 한약재, 지방 특산물, 잡물 등속이었다. 돛점 일당들이 노리는 것은 무역 은이니 그 은이 어느 배로 실릴 것인가를 알아내는 일이 물치로서는 급한 일이었다.

여하튼 별행(別行)의 수검(受檢) 때 꼭 살펴두어야 하였다. 사행선 출발 전날에 물건은 미리 배에 실어두어야 하므로 수검이 시작되었다.

서장관과 해주감영의 도사 풍천부사 등이 함께 입회하여 짐을 살피는데 공용 은과 방물 등은 따로 두었으므로 무역별장이 관장하는 물품과 관문을 가진 각 군 아문의 물품을 조사하였다.

대개 사상(私商) 무역은 거의 묵인된 일이었으므로 그 물품의 내역만을 적고 통과되었다. 그들은 일일이 화주가 되는 아문의 머릿글자를 포장한 짐 위에다 적어넣었고 번호를 붙여나갔다. 그 다음이 인원 점검이었다. 그것은 부서가 셋으로 나뉘는데 참사와 역관직과 잡직이었다. 참사에는 정사와 부사, 서장관이 각각 한 명에다 일곱 명의 군관이 따랐다. 역관직에는 당상관 두 명과 통사 두 명, 질문종사관 한 명과 그리고 물건을 관장하는 종사관이 여덟 명에 무역 은을 관장하는 종사관 세 명, 식량을 관장하는 종사관이 두 명과 청학직과 별차와 군관이 각기 한 명씩이었다. 그리고 잡직에는 의원과 화공필사며 노자와 종복, 마부, 사공 등속이 딸려 있었다.

수검이라 해보았자 정사, 부사는 그들 나름대로 한양 궁가와 세가의 무역 위임을 받았으며 역관은 하나같이 사상인과 결탁되었고, 이에 사행 전반의 뒷바라지를 해주고 무역별장으로 뛰어든 해서감영 파견의 상단까지 있었으니 서로가 피차일반이라 형식에 불과한 절차였다. 다만 승선하는 데 편리하도록 미리 준비하는 일이었을 따름이다.

허사포에 들어와 있는 배가 세 척이라 하니 정사와 부사는 외교문서를 각기 일 부씩 지니고, 제일 사행선과 제이 사행선에 나누어 타도록 정해졌는데, 이는 유사시에 다른 한 사람이 사신의 임무를 수행하기 위해서였다. 따라서 서장관은 제삼 사행선에 타도록 정해졌는데 이 배에 무역별장이 동승할 것이었다. 그렇다면 사상 무역품의 전부가 그 배에 실려질 것이었다. 서장관과 무역별장이 타는 배가 돛점 수적 일당의 목표가 되는 셈이었다. 수검이 끝나자마자 포구까지의 봉물 운반작업이 시작되었고 물치도 차인들 틈에 끼여 인삼짐을 마필에 싣고서 허사포로 나아갔다.

행수가 봉물 운반 행렬을 지휘하는데 행렬의 앞과 뒤로는 풍천부의 군졸들이 나와서 혹시 허가 없는 무역품이 중도에서 끼여드는가를 감시하였다. 허사포에는 사행선 세 척과 수군의 전선(戰船) 한 척, 병선(兵船) 두 척이 함께 떠 있었다. 수군의 함선들은 아마도 사행선을 호위할 모양이었다. 사행선은 모두 조선(漕船)이었으니 상장 부분이 닻판밖에 없었으며 선미 부분은 오리의 꽁지처럼 빠져 있고, 본판의 길이가 오십칠 척, 선복 부분의 넓이가 십삼 척, 선두 부분의 넓이가 십 척, 선미가 칠 척 오 촌이며 높이가 십일 척, 선두 높이가 십 척, 삼판이 열한 장에 본판이 열한 장이요 가로 지름대가 열일곱 장으로 되어 있는 규모였다.

물치는 다른 짐꾼들을 따라서 가짜 인삼짐을 짊어지고 널판자를 타고 배에 올라 화포나 그외의 무장이 없는가를 살폈다. 수군 화포장이 셋이 있었는데 낡은 포가 선두에 장치되어 있었다. 포는 육 척짜리 한대뿐이었다. 물치가 선복에다 짐을 쌓으면서 살피니 선미 부분에는 격벽으로 갑조되지 않은 단조 널판자였다. 아마도 속도를 고려하여 그렇게 건조한 모양인데 정통으로 후미에서 맞기만 하면 첫방에 뚫어질 듯하였다. 행수가 갑판에서 내려오는 물치를 기다렸다가 말하였다.

"자아, 틀림없이 실었겠지. 돌아가서 주인께 알리고 사행이 돌아오려면 석 달은 걸리니 일단 의주로 가 있다가 석 달 뒤 그믐께에 객주를 잡아놓으라고 하여라. 보관증의 반쪽이 여기 있다."

"예, 일각이 여삼추로 기다리겠습니다. 모쪼록 좋은 물건 많이 만나서 횡재하시고 원로에 몸조심하십시오. 헌데…… 저쪽 수군배들은 호송해주지 않나요?"

"너희 물건 잃을까봐서 그러느냐. 염려 마라, 수군의 함선들이 적해(赤海)까지 호송하고 그 다음 백해(白海)에서는 우리만 건너간다."

"적해는 무엇이고 백해는 또 무엇이오?"

"적해는 초도를 훨씬 지나 중국의 산동과 해서의 중간 지점에 바다가 붉은 황톳빛으로 보이는 어름이요, 백해는 그 너머부터 뿌연 탁즙빛으로 바뀌는 어름이라 거기서부터는 마중 나온 청선이 우리를 인도하게 된다."

"그러면 비용이 많이 들 텐데 어찌 해로를 탑니까?"

"별행이라 날짜가 촉박하기도 하거니와 비용은 육로와 비슷하다. 다짐하니 아예 다른 사람들에게는 사행에 물건을 보냈다구 떠벌리지 말아야 한다."

물치는 수군 함선이 먼 곳까지 호송한다는 말을 듣고는 그만 낙담이 되었다. 아무리 날래고 무장 든든한 용선(龍船)을 가졌다고는 하나 돛점 수적의 배 한 척이 수군의 전함 세 척을 당할 수는 없겠기 때문이었다.

"저 배 세 척이 모두 수행합니까?"

"아니다, 병선 두 척은 초도까지만 나갔다가 돌아오고 전선만이 호송한다."

물치는 그제야 일단 해볼 만하다고 마음을 놓았다. 그러나 물치는 또 캐물었다.

"병선은 어째서 돌아가지요?"

행수는 약간 짜증난 듯 눈살을 찌푸리고 대답하였다.

"보면 모르느냐? 저런 배로서는 대해를 가는 것이 무리다. 병선은 원래가 연안의 기찰선이니 당연하지 않느냐. 이제 물건도 실었고 무역도 잘되겠으니 마음 놓고 돌아가거라."

사행선은 명일 미명에 출범하기로 예정되어 있었다. 물치의 보고를 받은 석범철은 허사포에서 우물거릴 필요가 없었다. 곧 거룻배를 띄워 일로 돛점으로 향하였다. 저녁하늘에 고기비늘 같은 구름이 가득하였으니 아마도 내일의 날씨는 바람도 잔잔하고 쾌청이 될 듯하였다. 돛점으로 돌아가 우대용에게 정탐한 바를 낱낱이 아뢰었다. 우대용도 호위선이 전선 한 척이라는 말을 듣고는 안색이 밝아졌다.

"그만하면 우리가 한번 대적할 만하다. 용과 고래의 싸움이 되겠고나."

벌써 며칠 전부터 배를 빈틈없이 보수하고 어유와 석회를 새로 발랐으며, 호포에는 기름을 치고 포구를 번쩍이도록 닦았는데 화승총 열 자루도 잘 손질해두었다. 박성대는 석서방과 물치가 정탐하러 뭍에 오른 뒤로 수적 일당을 배에 태우고 정박한 채로 조련을 시켰다. 맨 처음에 돛을 내리는 것이 순서였다.

"돛을 내려라."

두 사람이 각각 돛대에서 용총줄을 끌어당기면 도르래를 통하여 줄이 풀리면서 돛이 아래로 미끄러졌다.

"돛대를 접어라."

비어 있는 돛대를 뒤로 당기면 수평으로 눕게 되는데 돛을 내리면서부터 노잡이들은 노를 힘껏 젓는 것이었다.

"전진."

북소리가 빠르게 울리고 노꾼들은 힘을 다하여 젓다가 우로 좌로 할 적에는 키잡이가 따라서 우로 좌로 하면서 키를 틀었다. 노꾼이 양편에 열씩 모두 스무 명인데 번철 크기의 방갑 뒤편에 노꾼들의 앉는 자리가 있고, 안쪽 갑판 위에 총가를 설치하여 장약을 잰 총 열 자루가 나란히 걸려 있게 마련이었다.

"방포."

라고 외치면 열 사람의 노꾼 중에서 한 사람씩 건너 다섯 사람의 노꾼이 총가의 총을 잡아 쏘는 시늉을 하였고, 갑판의 포수 네 사람 중에 둘이서 비워진 총에 다시 장약을 재어 총가에 걸었다.

"방포."

하고 나면 이번에는 나머지 다섯 자루의 총을 집어 쏘는 것이었다. 이때 또한 좌방포 우방포가 다르니 스무 명의 노꾼들은 또한 전원이 포수가 되는 셈이었다. 호포 두 대는 사방 어디에나 임의로 재빨리 겨눌 수 있도록 상갑판 위에 놓여 있었다. 건장한 포수 넷 중에 두 사람은 포를 옮겨 설치하는 자이며 나머지 둘은 직접 사격하는 자들이었다.

"선수에 황룡포, 선미에 청룡포."

박성대의 구령에 따라 서른여섯 근짜리 호포를 북방과 남방으로 가져가 포구를 뱃전에 내밀었다. 호포에는 호랑이가 버틴 것처럼 받침쇠가 넷이니 어디에나 놓을 수가 있었다. 포의 뒤꽁무니에 장약과 연환이 장진되고 발사하는 시늉을 하고 나면 다시 박성대가 소리쳤다.

"서방에 겹사."

호포는 다시 옮겨지고 두 대가 나란히 동시에 발사되는 것이다. 동방에 동북방에 서남방에 원하는 방향대로 포는 신속하게 움직여

지고 발사되었다.

"접전."

두 배가 닿는 데까지 이를 때 노꾼 중에 반수가 여덟 자 꺾쇠가 달린 밧줄을 상대편 배에 던져 당기고, 반수는 사격하니 뒷전의 다른 노꾼 열 명이 먼저 뛰어나가고 나머지가 그 뒤를 따르게 되어 있었다. 돛을 내리는 데서부터 접전까지가 조련의 시종이었다. 수적들은 일이 일이니만큼 불평 없이 호된 조련을 받았다. 가끔 우대용이 나와서 잘못된 점을 지적해주기도 하였다. 특히 해전에서는 포수의 기민한 동작으로 기선을 제압해야 하였으므로 나중에는 방포술과 포를 설치하는 훈련이 주가 되었다. 드디어 석범철의 정탐결과가 보고되자마자 치밀한 작전이 짜여졌다. 우대용이 말하였다.

"우선 제삼 사행선을 먼저 공격하여 달아나지 못하도록 해둬야 한다. 그 다음에 전선을 친다."

"제가 살핀 바로는 사행선의 선미가 아주 빈약하게 단조로 되어 있었습니다. 첫 방에 그쪽을 타격하면 배에 침수가 시작될 듯합니다."

물치가 말하였고, 배에 관해서는 어떤 모양이든지 손바닥 들여다보듯 하는 박성대가 전선의 규모와 장단점을 이야기하였다.

"관군에는 지휘계통이 엄중히 서 있으므로 그 수장을 먼저 없애야 합니다. 처음 공격할 곳은 중갑판에 올린 다락입니다. 틀림없이 영장이 거기 타고 있을 테니까요. 그리고 될 수 있는 한 접전은 피해야 합니다. 전선의 병력은 아시다시피 모두 백육십여 명이 타게 되어 있지요. 전선은 규모가 커서 기동성이 민활하지 못한 것이 흠입니다. 그러나 대총통이 세 대나 장치되어 있으니 원거리에서는 마치 진지처럼 난공불락이올시다. 가까울수록 우리가 유리합니다. 전선은 바람이 자면 움직이지 못하고 또한 바람이 거세면 조종하기가 힘이 듭니다. 적이 둔하고 우리는 민첩하니, 공격할 적에는 전후좌우로 방향을 바꾸어 적의 화력을 분산시켜야겠지요. 전선은 모두 갑조법으로 건조되어 격벽 처리가 되었으니 포 단방으로 침수를 시키기는 어려울 듯합니다."

우대용이 말하였다.

"첫 방은 사행선의 선미를 부수어놓고 두 방은 전선의 다락을 날려버린다. 황룡포와 청룡포를 다시 장전할 동안에 우리 배는 적의 화력을 피하면서 접근하여야 한다. 적의 총통을 피하려면 선미로 다가들어가야겠지. 총통은 무겁고 동차(動車)가 달려 있어 함부로 옮기기가 어렵다. 대개 좌우 뱃전에 두 대씩 설치되어 있으니 먼저 적이 방향을 바꾸지 못하게 하려면 닻판 부분을 부수어야 한다. 키가 떨어져나간 뒤에는 선복에다 겹사를 두어 차례 퍼붓고 나서 배의 밑창이 뚫어져버리면 우리는 그 배를 버리고 사행선에 오르면 된다."

공격의 순서가 정해졌고, 공격 지점은 초도를 지나 삼십여 리쯤 나아간 큰바다 한가운데로 정하였다. 나머지 두 척의 병선은 초도 어름에서 되돌아갈 것이며, 그만큼 나간다면 접전이 일어나 포성이 울린다 할지라도 육지에서 알아채지 못할 것이었다. 우대용은 관과 직접 대적하는 일이 전에 없던 노릇이라 전투보다는 뒤에 닥칠 기찰이 마음에 걸렸다. 대용이 중얼거렸다.

"우리 복색으로는 나중에 기찰이 귀찮을 텐데……"

"그 점은 염려 마십시오. 제가 벌써 검은 천으로 청인의 의복을 준비시켰습니다. 그러니 청인 시늉을 내야지요. 절대로 말을 해서는 안 됩니다. 일이 끝난 뒤 달아날 때에도 서방으로 나아가서 완전히 수평선 너머로 자취를 감춘 뒤에 멀찍이 돌아서 방향을 돌이켜야 할 것입니다."

그들은 습격의 계획을 빈틈없이 마무리지었다.

동녘이 부옇게 밝을 즈음하여 허사포에서는 사행선이 닻을 올리고 있었다. 풍천부사와 해주도사가 부두에 배웅 나왔고 악공들은 타루악(拖樓樂)을 연주하였으며 기생들이 일렬로 늘어서 배따라기를 불렀다.

금년 신수 불행하여 망한 배는 망했거니와 봉죽 받은 배 떠들어오네 봉죽을 받았단다 오만칠천 냥 여덟 곱절 받았다누나 지화자 좋다 어그야 더그야 지화자 좋다

돈 얼마나 실었음나 돈 얼마나 실었음나 오만칠천 냥 여덟 곱절 받았다누나

월명 사창 달 밝은 밤에 안팎 인물이 처절철 넘누나

뱃주인네 아주머니 인심이 좋아서 금가락지 팔아서 술 받아 오누나

배 띄워라 배 띄워라 만경창파에 배 띄워라 어그야너야 아하 어그야너야 아하 어그야너여 어허어허 어허어허야

간간 간다 아하 배 떠나간다 아하 순풍이 분다 아하 돛 달아라 아하

어야어야 어그야디야 어그야디야 어야어야 어그야차 어그야차 어야어야 어야차어야 어그야디여 어허어허야

요내 춘색은 다 지나가고 황국 단풍이 돌아를 왔구나 지화자 좋다

천생 만민은 필수 직업이라 각각 벌어먹는 꼴이 달라

우리는 구태여 선인 되야 타고 다니는 것은 칠성판이요 먹고 다니는 것은 사잣밥이라 입고 다니는 것은 매장포로다

요내 일신을 생각하면 불쌍코 가련치 않단 말이냐 지화자 좋다

이선하여 배를 타고 만경창파 대해 중에 천 리 만 리로 불려를 갈 제 양쪽 돛대는 지끈 뚝딱 뱃머리는 빙빙 정신은 아득하야 삼혼 칠백이 흩어질 제 난데없는 해풍이 일어나 파도소리는 천지를 뒤집는데 동서 남북이 어디로 붙었으며 평양에 대동강은 어디로 간단 말이냐 지화자 좋다

점점 휘어 내려를 갈 제 닥치나니 섬 중이로구나 그곳을 바라보니 별유천지 비인간 지화자 좋다

도로 휘어 내려를 갈 제 일주야 십이시에 향방을 못 찾으며 하늘을 우러러 탄식할 제 상어란 놈은 발목을 잡아댕기고 갈매기는 떼를 지어 요내 일신 생각하니 어찌 아니 가련탄 말이냐 지화자 좋다

점점 휘어 내려를 갈 제 천행으로 지나가는 배를 만났구나 사람 살리소 달려를 드니 무지한 선인들은 상앗대로 밀치면서 하는 말이 선중에는 무인정이라 도로 나가라 하는 소리 일촌 간장이 봄눈 녹듯 하도다 지화자 좋다

점점 휘어 내려를 갈 제 비회심사 우울한데 팔다리는 늘어지고 배는 고파 기진한데 고성대곡하는 소리에 해중이 뒤눕는 듯

집에서 풍편에 넌짓 듣고 자는 장손아 일어나 나가를 보아라 저기서 강중으로서 너의 아바지 음성이 나나보다 네 가보아라 지화자 좋다

부모동생 일가친척 처자권속이 다 나오면서 여보 여보 이게 웬일이란 말요 지화자 좋다

여보 급급한 말로 이내 말씀 들어보소 이제는 밥을 빌어다 죽을 쑤어 먹고 삼순구식은 못 할망정 다시 수상 장사는 돛 감아둡시다 지화자 좋네

여편네의 말을 듣고 뭍에 올라 살림하니 대해가 눈에 삼삼 에따

모르겠다 선인이 배를 버리랴 다시 타고 나오는구나 지화자 좋다.

풍악과 노래가 부두에 낭자한 가운데 두 척의 병선이 좌우에서 출범하였고 잇달아 세 척의 사행선은 차례로 떠나갔으며 맨 뒤에 수군이 도열하여 기치창검(旗幟槍劍)을 번쩍이며 전선이 떠나갔다. 선단은 포구를 따라서 우회하여 만을 천천히 벗어나갔고 돛은 바람에 한껏 부풀어서 펄럭거렸다. 선단이 접도(蝶島)를 지날 때 건너편의 초도 춘운산 위에는 붉은 아침놀을 담뿍 받은 구름이 높은 봉우리를 이루어 떠 있었고 푸른 솔이 바람에 나부끼고 있었다. 사행선단이 초도를 지날 즈음하여 돛점에서는 요망대로부터 전갈을 받아 뒤늦게 용선이 떠서 수문을 빠져나갔다. 가볍고 날렵한 용선은 돛 두 폭에 바람을 받자 살처럼 치달려갔다. 돛대 위에는 박성대가 몸소 올라가 있었으며 우대용은 이물간의 사령석에 앉아 있었다.

"사행선의 자취가 보입니다."

"어느 방향인가?"

"서남방입니다."

박성대와 우대용이 위와 아래에서 서로 주고받았다.

"속력을 늦춰라. 그리고 이 간격을 유지하도록 해라."

용총줄을 당겨 앞돛을 줄였다. 박성대는 뒷돛에 올라앉아 사행선 쪽을 놓치지 않으려고 주시하고 있었다. 병선이 되돌아갈 때까지 그들은 접근하지 않으려는 것이었다.

"서방으로 갑니다."

"정서(正西) 방향이다."

용선은 선단과 수평선이 육안에 들어올 만큼의 거리를 유지하며 계속 추적하였다. 이윽고 박성대가 외쳤다.

"선단의 좌우로 병선이 방향을 돌렸습니다. 되돌아옵니다."

"어느 방향인가?"

"선수가 동북방입니다."

우대용이 키잡이에게 지시하였다.

"서남방으로 돌려라. 돛을 모두 올리고 전속으로 병선의 시계를 벗어난다."

접혀졌던 앞돛이 다시 팽팽하게 당겨지고 배는 왼편으로 주욱 빠져나갔다.

"거리는 얼마쯤인가?"

"겨우 돛대가 보입니다."

"계속 서남방으로."

한참 뒤에 박성대가 외쳤다.

"병선이 보이지 않습니다. 수평선 너머로 사라졌습니다."

"다시 서북방으로 돌려라."

그들은 병선이 방향을 돌려 뒤로 빠져나갔음을 알고는 다시 추적하였다.

"보이는가?"

"안 보입니다."

"계속 서북방으로 나가자. 놓치면 공연히 뱃놀이나 하고 돌아가는 셈이다."

그러나 용선은 한참이나 우회하였고, 처음부터 일정한 간격을 유지하였으므로 선단은 훨씬 앞서가 있거나 또는 전혀 틀어진 방향에 있는 모양이었다. 우대용이 외쳤다.

"다시 정서 방향으로 계속 항진해라."

큰바다로 나올수록 파도가 높아져서 선수에 부딪치는 물결이 뱃전으로 넘치고는 하여 대용의 옷은 흠뻑 젖어버렸다. 박성대가 외쳤다.

"좌현 서남방에 선단이 보입니다."

"거리는?"

"수평선에 닿았습니다."

"인제 됐다. 다시 앞돛을 내리고 간격을 유지해라."

우대용은 그제야 마음을 놓았다. 정오가 지나서 노리던 먹이를 천천히 요리할 작정이었다. 박성대는 여전히 돛대 위에서 감시를 계속하였다.

사행선단은 일단 방향을 잡고는 오후까지 정서방으로 곧장 항해중이었다. 해가 중천으로부터 차차 선수 쪽으로 기울어지고 있는 것을 올려다보던 우대용이 드디어 지시하였다.

"앞돛을 올려라."

그것은 속력을 내어 접근하여 전투를 개시한다는 뜻이기도 하였다. 돛대가 세워지고 돛이 팽팽하게 펴졌다. 바람을 받은 배의 속력이 외돛을 올렸을 때보다 훨씬 빨라졌다. 처음에는 수평선 위에 거뭇한 점으로 보이던 사행선단이 차차 삐죽삐죽한 돛대와 배 모양으로 변하였다. 그때쯤엔 저쪽에서도 이미 이쪽의 배를 보았을 것이 틀림없었다.

"엎드려라!"

우대용은 저들이 가까이 갈 때까지 육안으로 이쪽 배에 타고 있는 사람들을 알아보지 못하도록 뱃전 너머로 쭈그리고 앉았다. 양쪽의 노꾼들과 상갑판에 섰던 포수들도 모두 뱃전에 등을 붙이며 몸을 감추었다. 선미의 키잡이만이 전방을 관찰하고 있었고, 돛대 위에 올랐던 박성대도 내려와 우대용 곁에 쭈그리고 앉았다.

사행선에서는 갑자기 나타난 배 한 척이 미끄러지듯 다가오는 것에 아연 긴장하였다. 언뜻 보아서는 방패선 같기도 한데 그보다는 좀 크고 또한 병선 같기도 한데 쌍돛이라 어떤 배인지 분간이 되질 않았다. 전선의 영장과 장교들이 이마에 손을 가리고 자세히 살폈으나 사람은 한 명도 보이질 않았다.

"저것이 무슨 배인가?"

"모르겠습니다. 모양은 관선 비슷도 하고 아주 독특합니다. 선체의 폭이 좁고 길군요."

"제법 빠르게 오는군. 혹시 청선이 아닌가?"

"가까이 오지 말라고 경고하라."

"사람이 보이질 않습니다."

"북을 울려도 방향을 바꾸지 않으면 신포(信砲)로써 알려주고, 그 다음에 총통을 방포한다."

사행선단은 마름모의 대형으로 항해 중이었는데 선두가 전선이고 오른편이 제일 사행선, 왼편이 제이, 후미가 제삼 사행선이었다. 따라서 제삼 사행선에서는 그 배의 한껏 펼쳐진 두 돛이 정면에 보였다. 전선이 속도를 늦추며 선두를 벗어나 제삼 사행선과 거의 나란히 되었으니 대형이 사각형으로 바뀌었다.

그동안에 그 정체를 알 수 없는 배는 거의 사람의 동정이 보일 만한 거리로 다가들어 있었다. 전선에서 북을 울렸으나 여전히 배 위에는 사람이 보이질 않았다.

"신포를 터뜨려라."

신포는 원래 척후선(斥候船)에서 쓰는 것으로 적이 발견되면 이를 발사하여 전군에 알리는 신기보변(神機報變)이라는 것이다. 그런데 이것은 신호용만이 아니라 적을 일단 놀라게 하는 데도 쓰니, 그 소리가 워낙 벼락 치듯 요란하기 때문이었다. 신포가 터지자 가슴이 썰렁하게 내려앉을 정도로 찢어지는 듯한 폭음이 들렸다. 그러나 그 배는 여전히 다가왔다. 이제는 공격할 순서이므로 전선은 선수를 돌려서 비스듬히 마중을 나갔다. 전선이 선수를 돌려서 그 배의 우현을 바라며 내려갔는데 이는 총통을 그 오른편 선복에다 쏘아맞히기 위해서였다. 우대용은 그것을 보자 외쳤다.

"돛을 내려라."

두 돛대가 재빠르게 내려갔다.

"돛대를 접어라."

돛대가 아래로 끌어당겨져서 선미 쪽으로 누웠다.

"노를 잡아라."

양편에 줄지어 앉았던 노꾼들이 놋쇠 방갑의 사이로 노를 내어 젓기 시작했고 대용은 북을 울리기 시작하였으며 박성대가 키를 잡았다. 배는 아까보다 더욱 빠른 속도로 엇비슷이 틀어져서 다가드는 전선의 방향으로 미끄러졌다. 즉 전선으로부터 달아나는 게 아니라 선수를 향하여 마주 달려드는 것이었다. 배의 옆구리를 전선에게 내보이려 하지 않는 것이니, 전선의 총통이 좌우 뱃전에 설치되어 공격하려면 언제나 상대편 배와 나란히 서야 하는 약점을 알기 때문이었다. 전선에서 거포인 총통이 불을 뿜었으나, 그때에는 용선이 재빠르게 방향을 틀어 전선의 선수로 곧게 들어섰던 것이다. 포탄이 날아와 용선의 선수를 비껴 지나가 왼편 멀찍이 높은 물보라를 일으키며 떨어졌다.

"오른쪽이 비었다."

우대용이 외치니 박성대가 전선의 선수를 가늠하였던 방향을 틀었다. 좌우 뱃전에 장치된 두 대의 총통 중에서 우편은 이미 쏘았으니 장전하는 참에 빠져나가려는 것이다.

"힘껏 저어라."

노꾼들은 죽을 힘을 다하여 노를 저었으며, 풍향과는 아무 관계도 없는 용선은 마치 해룡이 머리를 돌리고 꾸불거리며 나아가듯이 뱃머리를 틀어서 전선과 엇갈려 지나갔다. 바로 정면에 제삼 사행선의 후미가 들어오고 있었다. 전선에서는 첫 발이 빗나가자 그 배가 방향을 돌려서 맞은편으로 빠져나가는 것을 보았다.

"청인들입니다!"

놀란 화포장이 외쳤고, 모두들 바라보니 방갑 뒤편에는 노꾼들이 보이지 않았으나, 상갑판과 중갑판에 상체를 숙이고 있는 자들은 검은 청인의 복색을 하고 있었다.

"청국 수적들이오."

"배를 돌려라."

영장이 지시하였으나 펄럭이는 돛에 의지하고 있는 덩치 큰 배가 갑작스럽게 뱃머리를 돌릴 수는 없었다. 그러므로 가던 방향으로 나아가며 천천히 큰 원을 그리면서 선단의 외곽을 돌아 다시 들어가는 방법뿐이었다. 총통 한 방의 소요 화약은 무려 삼십 근이요 십여 리나 날아가는 무쇠 연환을 재야 하였으니 맞기만 하면 용선 따위는 중동이 부서져나갈 것이었다. 그러나 포신의 길이가 육 척이요 포의 무게가 천이백구십 근이나 되니 상대의 배를 따라 옮겨갈 수도 없었다. 한번 쏜 포는 동차와 함께 총안 안으로 끌어들여지고 커다란 꼬질대로 포구를 쑤셔 폭발의 때를 닦아낸 뒤에 포구에다 장약을 넣고 그 위에 연환을 재고 다시 동차를 밀어 총안 밖으로 포구를 내밀게 하고 나서 화승에 불을 댕기게 되는 것이다.

전선을 따돌려버린 용선은 그대로 제삼 사행선의 후미로 다가들었다. 정탐꾼 물치가 살펴두었던 사행선 후미의 선다리판을 갈기려는 것이었다. 그쪽에 격벽이 되지 않고 단조로 판자가 대어진 사실을 아는 까닭이었다.

"청룡포 방포."

선수에서 호포를 장치하고 겨누고 있던 포수 두 사람에게 우대용이 외치자마자 큰 독을 박살내는 듯한 메마르고 깡깡한 포성이 터졌다. 이어서 호포의 연환은 사행선의 꼬리를 박살내었으며 배가 기우뚱하며 요동을 쳤다. 이제부터 서서히 침수가 될 듯하였다. 전선은 이제 한 바퀴 돌아서 용선의 좌편 선미로 방향을 잡는 중이었다.

사행선의 선미를 두들겨부수어 움직이지 못하게는 하였으나, 이제 뒤편에서는 전선이 다가들고 있었고 앞으로 나아가면 비록 낡은 화포이지만 한 대씩 장치하고 있는 사행선에서 가만 둘 리가 없었다. 전선에서도 그것을 알고 뱃머리를 돌려 총통의 사선에다 용선을 잡아넣으려는 중이었다. 우대용이 외쳤다.

"모두들 방갑 뒤에 엎드린 채 노를 저어라. 사행선의 우현으로 피한다."

그들은 용선을 사행선의 반대 방향으로 몰아가 날아오는 포탄이 사행선에 가려지도록 하려는 것이었다. 전선에서는 보다 신중하였다. 그도 그럴 것이 비록 한 방만 맞아도 수적들의 배 따위는 박살이 나겠으나, 두 대뿐인 총통으로 한 번씩 빗나갈 적마다 목표물을 다시 잡으려면 보통 어려운 일이 아니었기 때문이다. 용선은 전혀 노꾼들의 손으로 젓고 있으니 우대용의 구령과 지시에 따라서 민첩하게 물러가고 나아가고 돌고 할 수가 있었으며, 전선은 그 거대한 선체로 순전히 바람의 방향을 따라 재빠르게 돌리기는 불가능하였다.

전선이 다가드는 사이에 용선은 선미를 맞고 기울어져 있는 제삼 사행선의 우현으로 숨어버렸다. 총통을 발사하려면 그대로 항진하여 사행선과 용선이 대각선으로 마주 보이는 곳까지 나아가야만 하였다. 사행선에서도 그저 방관만 하고 있는 것은 아니었다. 십여 명의 군졸과 사공들이 뱃전에 붙어서서 활과 화승총을 쏘았다. 그러나 용선에서는 방갑 뒤에 엎드려 있으니 놋쇠판이 뚫어질 리가 없었다. 포수들과 우대용은 중갑판과 상갑판에 세워둔 방패와 사령대 뒤에 웅크리고 있었는데 곧 호포를 방포하려면 사행선의 난사를 막아야 하였다.

"좌방포!"

우대용이 외치자 노꾼들은 한 사람씩 건너 총가의 총을 잡아 어지럽게 쏘았다. 사행선의 뱃전에 섰던 포수와 사수들이 쓰러지며 난사가 뜸해질 적에 포수들이 달려나가 선수에다 포를 설치하였다. 총알이 다시 어지러이 날아와 포수 한 사람을 쓰러뜨렸다.

"좌방포!"

나머지 다섯 자루의 화승총을 잡은 노꾼들이 쏘았다.

"전진."

사령대 뒤에서 우대용이 북을 재빨리 두드렸고 일단 사행선 뒤에 숨었던 용선은 방향을 획 돌리며 나아갔다. 전선이 사행선의 뒤편으로 돌아나오는 참이었다. 전선에서는 맞춤한 방향이 아니었으나 곧 빠져나갈까 조바심하여 급히 총통을 쏘았다. 온 바다와 하늘을 뒤집는 듯한 폭음과 함께 용선은 거세게 흔들렸고 뱃머리가 획 돌아가버렸다. 선미를 스친 포탄이 먼 곳에서 물보라를 일으키며 떨어졌다.

"계속 전진."

뱃머리를 다시 정면으로 바로잡은 용선은 방금 포를 쏘아버린 전선의 좌현을 향하여 쑤시고 들어갔다. 용선의 선수에는 호포가 날카롭게 겨누어져 있었다. 전선은 북방으로 빠져나가려고 그대로 항진

중이었다. 그러나 전선에서 총통에 새로 장전한다거나 우현의 포를 쏘기 위하여 방향을 돌리는 일은 이미 늦었다. 용선은 표적을 발견한 화살처럼 가차없이 전선의 왼편 옆구리로 파고들었다. 가장 정확한 사정 거리에 들어서자 대용은 자신만만하게 말하였다.

"청룡포…… 방포."

포수들은 첫 방에 어느 곳을 때려야 할 것인가를 며칠 동안의 조련을 통하여 너무나 잘 알고 있었다. 찢어지는 듯한 메마른 폭음과 함께 검은 연기가 가득 찼다. 전선의 영장이 지휘하던 다락이 날아가버린 것이었다. 우대용이 또 한번 지시하였다.

"황룡포…… 방포."

포탄은 정확하게 전선의 왼편 선복을 명중시켰다. 과연 갑조로 처리된 배여서 그리 치명타는 아니었으나 판자가 빠개지고 꺾어진 골조가 삐져나왔다. 또 한번만 그 자리에 맞으면 구멍이 뚫릴 듯하였다. 주위가 화약 연기와 전선의 갑판이 타는 연기로 가득 차서 방향을 분간하지 못할 정도였다. 용선은 가까스로 전선의 좌측으로 빠져나가는데 높은 뱃전에서 내려다보며 수군들이 총과 화전을 어지러이 쏘았다. 노꾼 몇이 상하였고, 화전 때문에 갑판에는 불이 붙었다. 그러나 우대용은 공격을 멈출 수가 없었다. 일단 전선의 왼편을 빠져나가는 사이에 호포 한 대의 장전이 끝났고 선미 쪽으로 옮겨졌다. 전선의 선미와 용선의 선미가 서로 엇갈려 헤어질 즈음하여 방포 지시를 내렸다. 계획대로 전선의 선다리 닻판이 부서져버렸다.

"이겼다!"

"전선을 잡았다."

수적들이 함성을 지르며 외쳤다. 그러나 전선에는 아직 쓰지 않은 두 대의 총통이 남았고 병력은 백육십여 명이나 되니 완전히 부쉬버리기 전에는 사행선을 덮칠 수가 없었다. 전선은 사령대의 누각이 날아갈 때 지휘계통을 잃었으며 돛대도 부러졌고 닻판까지 날아가버렸으니 완전히 장님에다 앉은뱅이가 되었다. 용선은 전선의 반대편 방향으로 나가면 아니되었으니 몸을 드러내고 쏘아달라는 격이기 때문이었다. 이미 반대 방향의 총통과 선수의 총통은 고철이나 마찬가지였다. 용선은 유유히 전선의 왼편을 향하여 되돌아왔다. 호포는 용선 우편에 나란히 장치되어 있었다. 용선은 서행으로 다가들며 전선과 마주 섰다.

"겹사!"

두 대의 호포가 불을 뿜었다. 높다랗게 벽처럼 막아섰던 전선의 뱃전이 보기 좋게 부서져나갔다. 빠개지고 부러진 판자와 나뭇조각들이 용선의 갑판에까지 튀어올 정도였다. 용선은 거기서 방향을 바꾸었다. 전선은 침수가 시작되고 있었다. 수적들은 일방 갑판을 정돈하고 총과 포에 장약을 재고 멀리 떨어져서 제법 기울어진 제삼 사행선 쪽으로 다가들었다. 배의 중갑판이 들여다보이도록 배가 선수를 치올리고 기울어지는 중이었다.

전선에서는 아우성 소리가 드높았으나 강 건너 불구경 식으로 사행선이 습격당하는 꼴을 건너다볼 따름이었다. 나머지 제일 제이의 사행선들은 설마 전선이 저따위 작은 배쯤 때려잡겠거니 여기고 멀찍이 항해하였다가, 그 꼴을 보고는 마침내 응원할 뜻을 버리고 달아나기 시작하였다. 일단 외교임무를 지닌 정부사 등이 안전하였고, 제삼 사행선에는 서장관과 무역별장이 탔으니 당상관들이나 살고 보자는 생각들이었다. 사행선에 가까워지자 수적들은 우대용 이하 모두들 옆구리에 차고 있던 수건을 풀어 눈 아래를 감쌌다. 복색은 청인이요 안면은 수건으로 가렸으니 전혀 아조 백성이 아니란 것을 저들에게 남겨줄 필요가 있었던 것이다. 근병접전 중에도 미리 조련한 대로 일사불란하게 움직일지언정 말은 하지 못하도록 되어 있었다. 사행선 옆에 다가들자 좌현에 대어졌던 호포 두 대가 뱃전을 맞히었으며, 칼 들고 창 가진 수군 몇이 나무판자와 함께 날아가버렸다. 사행선에는 부상당한 군졸과 역관이며 종자들뿐이었다. 태반이 맨손이었고 이제는 싸울 기력도 없었다. 용선의 좌현에서 일제히 화승총 열 자루가 내밀어지자 서장관이 상반신을 내밀며 소리쳤다.

"항복이오, 쏘지 마오."

그러나 수적들은 모르는 체 겨누었고, 우현에서는 뱃전을 넘어갈 기세로 칼과 창이며 사슬낫이며를 꼬나잡고 허리를 숙이고 노려보는 참이었다. 서장관이 다시 외쳤다.

"자…… 보시오, 우리는 무기를 버렸소."

잇달아서 장정과 수군들이 투덕투덕 무기를 내던지고 있었다. 수적들 몇이 사행선의 뱃전에다 꺾쇠 달린 밧줄을 던져 잡아당겼다. 두 배의 뱃전이 서로 맞붙게 되었고, 뒤편의 수적들이 먼저 칼과 창을 휘두르며 뱃전을 넘어갔다. 그들은 일단 사행선 사람들을 상갑판에 몰아다가 무릎을 꿇려놓았다. 이윽고 총을 겨눈 수적들과 우대용이 사행선으로 옮겨갔다. 총을 겨눈 자 다섯이 포로들을 지키고 나머지는 모두 선실과 선복을 샅샅이 뒤지기 시작하였다. 선실에 처박혀 있던 무역별장 신복동이 끌려나왔다. 정탐꾼 물치가 직접 화물 싣는 작업을 했으므로 앞장서서 동료들을 안내하였다.

그들은 말없이 짐을 날라 자기네 용선에 던졌다. 그들이 찾는 것은 오직 은자와 값나가는 약재뿐이었다. 물치가 빈틈없이 짐 사이에서 은자가 들어 있는 것을 골라냈다. 짐을 대강 옮겨싣자 그들은 늘 하던 대로 포로들을 뒷결박 지어서 선실에다 몰아넣었다. 그들은

고 뱃방에서 사람을 치고 행패를 저질러서 관에 쫓기는 자들이 대부분이었다. 어느 놈이고 세상에 내놓아 버젓이 드러내고 여염 생활을 할 놈들이 못 되었다. 대용이 자신도 일찍이 해주로 나와 선상들 틈에 끼였던 것은 잔푼벌이라도 하여 작은 고깃배나마 마련해보려던 것이었다. 이제 고향마을을 찾아간다 한들 그 누구도 아는 이가 남아 있을 듯싶지 않았다.

"이번에 구월산에 가면 의논을 해봐야겠다. 어디 으슥한 갯가가 있을 테지."

우대용은 박성대가 듣든지 말든지 혼자서 나직하게 중얼거렸다. 박성대가 조심스럽게 물었다.

"이번에 강화로 나가게 되면 석서방하구 둘이 경강에 나가볼까 하는데…… 괜찮을까요?"

"안 된다."

우대용은 단호하게 반대하였다.

"너희들은 이미 범법 화수꾼으로 호가 났고, 이번 사행선이 털린 소문은 선상들 사이에 자자할 게다. 만약 누군가 눈치를 채고 한마디만 벙긋하면 모두 기찰에 걸려들 게다."

그들은 이미 어두워진 바다를 헤쳐나아가 동북으로 항해하여, 이슥한 밤에야 돛점에 당도하였다.

6

송도 사대전(四大廛)에서도 가장 연로하고 임방회의에서는 좌장으로 존경받는 배대인은 이제는 모든 일을 박대근에게 맡기고 있었다.

배대인이 대근을 그의 가장 귀애하는 막내딸의 사위로 삼고 아예 가업까지 맡기게 된 것은 단순히 딸에 대한 애정 때문만도 아니었다. 비록 막내딸이 배냇병신인 외아들이나 두 딸에 비하여 영리하고 이재에 밝다고는 하나 무턱대고 한 사위를 정하여 가업 경영을 물려줄 배대인이 아니었다.

그는 본래부터 송도의 상권을 휘두르는 거부는 아니었고, 오히려 지방에 나가 있던 송방(松房) 차인의 아들이었다. 그의 먼 친척뻘에 목화장사로 돈 좀 모은 이가 있었는데, 본이 같은 경주(慶州) 배(裵)씨일 뿐이지 전혀 남과 다를 바가 없었다. 자수성가를 하여 하인 십여 명을 거느리고 있는 처지인데 늙마에 고기반찬이나 먹게 되니 새삼스레 후사가 근심이었다. 부인이 아기를 낳지 못하여 그런대로 우물쭈물 돈벌기에만 한눈을 팔고 좇기듯 살아오는 사이에, 이제는 몸도 늙어서 첩을 들여도 생산을 못 할 처지였다. 하루는 차인이 어린 아들과 함께 인사를 왔는데 그 아이의 용모와 골격이 제법 눈에 들어서 방 안으로 불러들였다. 성과 본관은 물을 것도 없이 그 아비가 팔촌은 못 되는 이라서 목화장수는 은근히 그에게 아이에 대하여 물었다. 그러고는 아예 지방의 송방을 떠맡길 테니 아이를 양자로 줄 수 없겠는가 물었다. 차인은 마침 송방을 맡긴다는 것이 반갑고 형제도 그 아이 외에 넷이나 더 있는지라 오래 생각할 것 없이 쾌히 승낙하게 되었다. 목화장수 배씨는 차인의 아들 배소년을 양자로 삼았는데 아이가 차차 커가면서 양부모에게 정을 붙이니 자기 자식이나 다름없었다. 양자를 들인 지 오륙 년 뒤에는 관례를 시켜 며느리도 보았다. 그러나 그때까지는 아직 집안일을 떠맡기지는 않았으니 그의 취재 능력을 믿을 수가 없었던 것이다. 다만 재산 출납을 관장하는 경리의 직임을 맡겼는데 배서방은 부지런하고 치밀하여 배노인의 뜻에 맞았다. 배서방이 아이를 낳고 나서 양부에게 청하였다.

"저도 이제 장성했습니다. 매일처럼 서기사에 틀어박혀 주판이나 놓을 수 있나요. 수천 냥을 가지고 한번 평안도 도회지로 장사를 나가보겠습니다."

배노인은 배서방의 말을 듣자 과연 송상답게 쾌락하였다.

"우리 송도 사람은 소싯적부터 돈벌이로 나서는 게 예사다. 네 말이 옳고말고."

하며 오천 냥을 내주었다. 배서방은 평양으로 가서 기생에게 반하여 수삼 년 사이에 오천 냥을 구름처럼 흩어버리고 눈 녹이듯 날려버렸다. 그러고는 집에 돌아갈 면목이 없어서 기생집에 붙어서 사환 노릇을 한 것이었다. 배노인은 이 기별을 듣고 양자인 배서방을 다시는 자식으로 보지 않겠다고 결심하여 그의 처자를 집에서 내쫓았다. 며느리와 자식은 성문 밖 토막(土幕)으로 쫓겨나와 유리걸식할 지경이 되었다. 배서방은 떨어진 옷에 부서진 갓을 쓰고 기생집에 얹혀 있으면서 종내 돌아갈 기약이 아득하였다. 사람이 어려운 일에 닥쳤을 때 그것을 경난(經難)해 나아가는 사이에 능력 있는 이가 되듯이, 배서방도 그때의 수삼 년이 평생의 이재 능력을 키웠던 것이다. 이로부터 기생어멈의 심부름으로 받은 잔돈푼이며 취객과 기생들의 궂은 뒷바라지로 얻은 선사품들을 차곡차곡 모으기 시작하였다. 그리하여 백여 냥이 되었을 때 마침 헌옷 구걸을 다니는 자가 있어, 그와 함께 돌아다니며 헌옷과 면화를 거두러 다녔다. 북관의 벽지에는 포목이 희귀하여 거의가 피물이나 짚으로 감싸고 지내는데 배서방은 그곳으로 면화와 헌옷을 가져다가 흔천으로 깔린 피물을 몇곱절 비율로 바꾸었다. 마침 북관 연안에 수달피가 많이 나는데 겨울이면 남바위나 배잣감으로 불티나게 팔리니 수달피 바꾸는 일에 전력한지 삼 년 만에 만 전을 모으게 되었고, 이에서 그치지 않고 관서로 올라가 말총을 매점하여 수만 전을 벌었다. 배서방은 이제 부상대고로서 누구에 못지않은 실력과 금력을 갖추어가지고 귀향하게 되었던 것인데, 이는 벌써 그가 집을 떠난 지 여러 번의 석삼 년이 지나버린 때였다. 바야흐로 연말이었다. 대개 그때에는 송도의 원행 장사 나갔던 사람들이 거의 귀가하는데, 저마다 가족들이 성찬을 차려가지고 오리정(五里程)에 마중 나오는 것이었다. 배노인도 이때 귀환하는 차인들을 보기 위해서 마침 오리정에 나와 있었다. 배서방이 떨어진 두루마기에 짚신을 끌고 거기 나타나서 마주치게 되었는데, 배서방은 양부에게 나아가 내로라 인사도 못 드리고 한편 구석에서 웅크리고 있었다. 거기서 서로 맞이하는 허다한 차인들은 주객간에 모두 희색이 감돌았으나, 배서방에 이르러는 아비는 보고도 못 본 척, 자식은 뵙고도 감히 나서지 못한 것이다. 간혹 아는 사람들로부터 배서방은 빈정거림과 비웃음을 받을 뿐이었다. 배서방은 날이 저물어서 성문 밖 토막을 찾아가니, 그 아내와 친지의 원망하고 탓하는 소리가 귀에 따가웠다. 그는 일언반구의 말도 없이 입을 봉하고 코를 골며 태연히 잠을 잤다. 그가 수만 전을 들여서 해온 물건이란 바늘 백여 상자였으니 그만하면 팔도의 수요를 충분히 덮을 만하였다. 이튿날 바늘 한 상자를 편지와 함께 포장하여 아내에게 내주며 아버지에게 갖다드리라고 하였다. 배노인은 이른 아침부터 여러 차인들과 한창 회계를 하느라 방 안에 있었다. 배서방의 아내는 감히 방 안으로 들어가지 못하고 상노아이를 불러 배노인에게 통자하고 먼저 편지를 들여보냈다. 배노인이 받아서 편지를 펴보는데, 소자의 다년간 소득은 이것만으로도 지난날 제가 가져간 오천냥의 열 배는 되온데 또 이보다 몇곱절 있삽기 우선 아뢰옵니다라는 사연이었다.

당시의 바늘값이 제법 고가라서 방물 중에도 귀한 것이 되어 있었다. 배노인은 크게 기뻐서 여러 차인들과 미처 말을 끝내지도 않고서 곧 일어나 안으로 들어가 자부를 불렀다. 자부가 방으로 들어오자 배노인의 처가 역정을 내어 욕설을 하며 내쫓았다. 그러나 배노인이 아내를 진정케 하고는 며느리에게 전과 달리 물었다.

"네 남편이 어디 아픈 데는 없다더냐? 탈 없이 잠은 잘 잤으며 밥이나 잘 먹더냐? 너는 가지 말고 여기서 기다리고 있거라. 내 가서 그애를 보고 오마."

배노인이 성문을 나가 그 양자를 만났다. 양자가 절하고 나니 배노인은 대뜸 그의 상업 경영에 관하여 물었다. 배서방은 이제까지의 일을 하나도 숨김없이 대답하였고 그가 헌옷과 피물을 바꾸기 시작한 대목에 가서는 무릎을 치며 기뻐하였다.

"네가 가져온 바늘은 몇상자나 되느냐?"

배서방은 말없이 양부를 모시고 객주로 나가 맡긴 물건을 보여주었다. 백여 상자의 중국제 바늘이 차곡차곡 창고 안에 쌓인 것을 보자 그저 중도아 정도였던 양부는 놀라서 졸도를 할 지경이었다.

"상이 틀릴 수가 없지. 네 관상을 보니 만석꾼이 될 상이더구나. 그래서 양자를 삼았더니 오늘 과연 이 대화(大貨)를 가지고 왔구나. 이걸 팔면 우리집 재산의 열 배는 되겠다. 이 밖에 더 무엇을 바라겠니. 지난날 한때의 외도는 젊은이의 항용 있을 수 있는 일이니라. 다시 말할 것이 없다. 어서 집으로 돌아가자."

배노인은 즉시 돌아가 전부 솔가하여 다시 부자간이 처음같이 되었다. 이는 송상이 원래 친족혈육의 가치보다도 그 상업 경영의 능력에 따라 애정의 경중을 따지던 습속 때문이었다.

비록 야박하게 느껴지기도 하고 너무 계산을 하는 성싶지만 전국의 상권을 주름잡는 송도 상인이 이런 만큼의 매정하도록 경우 밝은 치가가 없다면 어찌 그러한 능력을 키웠겠는가. 따라서 세간에서도 당연하게 알고 비난하는 자도 없었으며, 오히려 그런 일로 왈가왈부하였다가는 비웃음이나 받기 맞춤하였다. 그는 어언간에 경난(經難)의 세월에 닦은 경륜으로 사대전과 임방의 좌장이 되는 데까지 이르렀던 것이다. 이러한 배대인이 박대근을 곁에 두고 보면서 흐뭇하게 생각하였던 것은 오로지 그의 차인 행수로서 보인 수완 탓이었다. 그가 막내딸 귀례와 박대근을 성혼시키고 가업을 부탁하게 된 것은 다 그럴 만한 계기가 있었다. 박대근이 과감하게 새로운 상품을 개발하는 것을 본 때문이었다.

대근은 어느날 아침에, 그날도 배대인 대신 임방에 나아가 회의를 하게 되어 새 옷을 갈아입는 중이었다. 마침 대문 밖에서 시끄러운 소리가 들리고 있었다. 대근이 사람을 시켜서 알아보게 하니 웬 걸인 하나가 잘못 찾아왔다가 혼찌검이 나는 중이었다. 원래가 송도에서는 사지가 멀쩡한 놈이 구걸이나 걸식을 하러 다니면, 우선 흠씬 때려준 다음에 하다못해 조기두름이라도 들려서 보내는 습속이 있었다. 다시는 걸식하지 말고 저자에 나가 행상이라도 하여 먹고살라는 이치였다. 대개 임방 계원들은 그런 약조로써 송도의 인심을 바로잡아나가고자 하였던 것이다. 다른 날 같으면 박대근도,

"그놈 궁둥이가 터지도록 두들겨서 뒤보기가 얼마나 힘들고, 먹고 살기가 얼마나 힘든가를 알려주어라. 그리고 닷 냥 주어서 보내라."

하였을 터인데 그날따라 마음이 쓰여서 내다보니 웬걸 작은 계집아이였다.

"허어, 그 참 저런 아이를 내보내어 앉아서 얻어먹는 부모가 있다

니 한심한 일이로구나."

중얼거리고는 하인을 시켜서 소녀를 불러오게 하였다. 소녀는 그가 주인임을 알고 엎드러지며 하소하였다.

"저는 천민도 아니요 선비의 후손인데, 다만 가산이 몰락하고 양식이 간데없어 이렇게 나왔는데, 오히려 동정은 못 하나마 패악무도하게 사람에게 봉욕을 줄 필요가 어디 있습니까. 그래 이 지방 인심은 이리도 해괴하단 말인가요?"

조금도 두려워 않고 또박또박 얘기하니 박대근도 은근히 속으로 감탄하였다.

"그래 너는 이 지방 사람이 아닌 모양이구나."

소녀는 그 말에 갑자기 읍소를 하며 말하였다.

"예, 이곳은 천리 객지올시다."

계집아이는 그제야 울음 섞인 목소리로 중얼거렸다.

"예, 일찍이 전라도에서 살다가 어머니와 더불어 아버지를 찾아 이곳에까지 오게 되었습니다. 집안이 기울자 아버지께서는 행상차 송도에 오르셨으나 삼 년이 지나서도 감감무소식이라 언니와 어머님을 모시고 찾아왔지요. 쉽게 찾아뵐 줄 알고 있었지만 워낙에 송도는 대처 중에 대처요 전국 각지에서 하루에 들고 나는 상단과 행상이 기백 명이 넘습니다. 그러니 어디 가서 아버지를 찾는단 말입니까. 우리가 여기서 호적도 없어 구휼도 받지 못하거니와 이 집 저 집 다니면서 아버지도 찾을 겸 걸식을 하고 있습니다. 상단에 사환이나 곁꾼으로 또는 점원으로 들어가려도, 이곳은 타관이요 아는 이라든가 보를 서줄 분도 안 계시고 나이도 어려서 마땅한 업을 구할 수가 없습니다. 그래 밥 한술을 빌어 어머니와 연명을 하려는 것인데 송도가 저자 대처라고 하여도 이렇게 풍습이 야멸차고 매정한 줄은 몰랐어요."

박대근이 아이의 말을 듣고 보니 과연 송도의 습속을 들어 이러쿵저러쿵할 계제가 아니었다.

"얘, 네 안색을 보니 몇끼니나 거른 듯하구나. 우선 요기를 해야겠다."

대근이 아이를 윗간으로 불러들이고는 하인을 시켜서 대궁상이 아니라 새 상을 차려 내오게 하였다. 아이가 수저는 들었건만 반찬은 이리저리 그릇 바닥이 보이도록 긁어먹고 밥에는 손을 대지도 않았다.

"시장하다면서 어찌 국과 반찬만 먹고 밥은 그냥 두느냐?"

아이가 울먹이며 말하였다.

"어젯밤에도 간신히 죽을 쑤어서 어머니를 드리고 남은 것이 두 그릇인데 한 그릇은 언니와 나누어 먹고 한 그릇은 두었다가 어머니의 아침 진지로 드렸지요. 저는 국으로 양을 채우고 저 밥은 가지고 가서 끓여서 식구들을 드리려고 그럽니다."

대근이 속에 생각해둔 바가 있으면서도 그저 이렇게만 얘기하였다.

"네 식구들 것은 따로 준비해줄 터이니 걱정 말고 요기나 하여라."

대근이 다시 하인을 불러 쌀 한 말을 가져오라 하여 아이에게 내주고 또한 일렀다.

"나도 소시에 노인을 봉양하여보았는데, 노인은 육식을 하여야 기운을 차리는데 밥도 없는 사람이 노인에게 육것을 드릴 수가 있겠느냐. 닭도 몇마리 가져다가 곰을 내어 드리도록 하여라."

아이는 금방 눈물을 솟구치며 백배사례하는 것이었다. 아이가 돌아간 다음에 시종 내다보기만 하였던 귀례가 대근에게로 건너와 말하는 것이었다.

"큰 일에나 작은 일에나 기왕에 손을 대려면 발본색원(拔本塞源)을 하셔야지요. 원래 송도에서 걸인을 때려 쫓는 이유는 한때의 자선이 그의 생업을 오히려 망치기 때문이지요. 서방님께서는 장차 어쩌시려고 그러십니까. 임방 좌장의 댁을 활인서로 만드시렵니까."

"아니오, 내게 생각이 있어 아이의 뒤를 밟도록 시켰으니 돌아오면 자세히 들어봅시다."

"예전 정나라의 정승 자산(子産)은 겨울에 찬물을 건너는 백성을 차마 볼 수가 없어서 자기의 수레로 건너게 하니 정나라 사람이 다 칭송하였으나, 뒤에 맹자(孟子)께서는 이것은 은혜나 인덕이 아니니 여름에 장마철이 지나거든 곧 다리를 놓으라는 주공(周公)의 법률이 있지 않느냐 하였지요. 주공의 정치대로 다리를 놓았으면 비록 그가 안 볼 적에도 백성들이 찬물에 발을 담그지 않아도 되었겠지요. 그게 바로 인덕이라고 맹자께서 말씀하신 걸 읽으셨겠지요. 한 마리의 닭이나 한 말의 쌀은 그 사람에게 잠시 은혜뿐이요, 그 사람을 아주 구원할 도리를 하지 않는 한 무슨 소용이 있나요. 그래서 우리 고장에서는 걸인이 오면 매우 치고 행상 밑천이라도 주어 보내는 거예요."

대근이 아내의 말을 들으니 과연 자수성가를 이룬 배대인의 따님답게 조리 있고 생각이 올바른 것이었다. 박대근은 고개를 끄덕이며 대답하였다.

"옳은 말이오. 내가 그 아이를 보아하니 아직 나이는 어리고 비록 구걸을 다녀도 행동거지가 떳떳하고 영리해 보여서, 문득 그 가족을 도와주고 싶은 마음이 들었소. 저런 아이라면 좌판장수라도 시키면 능히 제 가족을 먹여살릴 수 있겠구려."

"그러시다면 저두 찬성입니다."

귀례는 남편의 말에 곧 순종하였다. 그녀는 대근의 사람됨을 알 뿐더러 어려서부터 배대인의 규훈을 귀에 못이 박히도록 들은 터였다. 재물에도 의가 있으니 바른 덕을 갖춘 재물이라야 가치가 있는 것이요, 비록 만금이 쌓이더라도 친민을 저버리고 모은 것은 강도의 장물과도 같아서 곧 잃거나 누군가에게 빼앗기는 법이라는 것이었다. 송상의 일상사는 제아무리 부상대고라 할지언정 검소하고 절약하는 생활이어야 하였고 만약에 가무와 고기 굽는 냄새가 담장 밖을 넘어가면 손가락질을 받았다. 박대근이 일부러 임방에 나가지 않고 하인을 기다리는데 그가 헐레벌떡 뛰어와 아뢰는 것이었다.

"뒤를 밟아 따라가보니 서문 밖인데 집이랄 것두 없습니다. 낮은 움막을 파고 세 모녀가 사는 모양이지요. 그 아이의 언니는 이미 과년하여 나다니지 못하는 모양입니다. 헌데 이상한 것을 보구 왔습니다. 움막 뒤편에 한 대여섯 평짜리 묘포(苗圃)가 있었습니다."

"묘포라니……"

"글쎄요, 나지막하게 나무를 세우고 위에다 짚을 걸었더란 말이지요. 이상하지 않습니까? 걸식하며 움막에서 사는 사람들이 농사를 지을 리도 없고 또한 짓는대야 손바닥만 한 그루터기에 뭘 심었겠습니까?"

"음, 그 집은 잘 알아두었겠지."

박대근은 그저 그렇게 무심하니 중얼거리고는 그 길로 임방회의에 참석하였다. 회의 석상에서 대근은 다른 전의 임방 총대 되는 사람으로부터 아주 흥미 있는 소식을 전해듣게 되었다. 그의 상단에서 보부상으로 나갔던 차인들이 돌아와 전하기를 요즈음 삼남에서는 산삼의 소출이 부쩍 늘었다는 얘기였다. 그런데 삼은 같은데 웬일인지 굵기가 일정하다는 것이며, 그것으로 보아 누군가가 드넓은 삼밭을 발견해내어 조금씩 캐어다 내놓는 모양이라고 하였다. 좌중의 한 사람이 의견을 내어 산삼도 땅에서 자라나는 식물이고 보면 밭에다 심지 못할 게 무어냐, 혹시 그 누군가가 이미 경작법을 알아내어 삼을 기르고 있는지도 모르지 않느냐고 의견을 내었다. 그러나 대부분 반대하기를, 산삼이 산을 떠나면 영약으로서의 신통한 효험도 무효가 될뿐더러 약으로서의 쓸모가 없을 것이다, 그뿐 아니라 대외 무역의 주요 품목이 되어 있는 산삼이 무 자라듯 한다면 조선의 삼은 가치도 없게 되고 요즘처럼 현금과 같이 거래되지 않을 테니 상업 질서를 어지럽히는 행위라는 것이었다. 사대전회의가 끝난 뒤에 온면을 돌려 먹으면서 한담 중에 나온 얘기라 모두들 건성으로 듣고 흘려버렸으나 박대근은 순간적으로 가슴이 서늘해졌다. 만약에 산삼을 재배하기만 한다면, 조선의 상고가 문제가 아니라 연시(燕市)를 한 손에 쥘 수가 있을 것이었다. 그러다가 대근은 다시 하인이 말해주던 이상한 묘포에 생각이 미쳤고 계집아이가 전라도에서 이사 와 호적이 없다던 얘기가 얼핏 뇌리를 스쳤다. 지금 듣고 농담으로 나누던 얘기가 실상은 바로 코밑에서 벌어지고 있는 사실의 얘기가 아닌가 생각하니, 박대근은 갑자기 초조해지고 안달이 나서 견딜 도리가 없었다. 그것이 바로 삼포(蔘圃)가 아닌가. 더구나 전라도에서 이사를 왔다던 계집아이가 말하기를 제 아비는 행상할 사람이 아니었지만 송도를 찾아왔었다는 것도 딴은 이상스러웠다. 혹시 산삼 재배의 비법을 알고는 재정 지원을 해줄 물주를 구하려고 찾아왔던 것은 아닌가. 박대근은 혼자서 이리저리 망상 비슷하게 헤매다가 스스로 쓴웃음을 지었다.

“역시 장사치란 할 수 없구나!”
하고 나서도 마음은 개운치가 않았다. 일단 일어난 궁금증을 망상으로 돌려 웃어넘기기에는 너무나 중대한 일이었기 때문이다.

“어이구, 골치가 아파서 집에 들어가 한숨 자야겠군.”

박대근은 내색하지 않고 임방 총대들 사이를 빠져나왔다. 곧장 집으로 가서 하인을 앞세우고 계집아이의 움막을 방문하려는 생각이었다. 사랑 마당에 들어서려니 청지기가 쫓아나와 전하는 것이었다.

“웬 여자가 찾아와 서방님을 만나겠다구 하였습니다.”

박대근은 성급하게 물었다.

“아까 아침에 와서 요기를 하구 간 아이하구 함께 왔더냐?”

“모르겠습니다. 의복이 남루한 중년의 아낙입디다.”

“그래서…… 쫓아보냈는가?”

“아니오, 하도 막무가내로 버티길래…… 아씨께 여쭈었더니 아씨가 서방님 대신 만나보셨지요. 방금 돌아갔습니다.”

대근은 마음이 조급하여 옷자락을 펄럭이면서 안채로 들어갔다. 발걸음 소리를 듣고 그의 아내가 안방 미닫이를 빠끔히 열었다. 아내는 영리한 눈으로 대근의 기색을 살피며 방그레 웃었다.

“방금 누가 왔었다며?”

“왔었어요. 보시하려면 자리 찾아 던지라더니, 이런 수도 있군요.”

대근은 아내의 앞에 다가앉자마자,

“혹시 삼을 심었다구 안 그럽디까?”
하고 얼토당토않게 물었고, 아내가 오히려 놀랐다.

“아니, 그것을 당신이 어찌 아셨어요?”

대근은 벌린 입을 다물지 못하였으니, 스스로 물어놓고도 설마하였다가 들어맞으니 들뜬 감정을 대번에 눌러버리지 못한 때문이었다. 어안이 벙벙, 벌린 입을 다물지 못하던 대근이 드디어 한숨을 토해냈다.

"오늘 전회의가 어쩐지 시큰둥하고 예감이 이상한 게 자꾸 집에만 오고 싶더라니까…… 어서 자세히 얘기해보오."

"처음에는 또 무슨 구걸을 하러 이번에는 그 아이 어미가 나타난 줄 여겼지요. 그러다가 밖에서 옥신각신하는 말을 들으니, 하도 고마워서 이 댁 서방님께 좋은 것을 가르쳐드리려고 병든 몸을 끌고 왔다잖아요."

"그래 바로 삼을 심어놓았다구 그럽디까?"

"아이, 서두르지 마셔요. 아무리 취재가 중하다고는 하지만, 저쪽 사람들에게 무겁고 믿음성 있는 태도를 보여야지요. 문득 그런 말을 듣자마자 그 댁을 찾아나선다면, 아마도 함께 신중히 도모하지 못할 사람으로 여기겠어요."

박대근은 아내의 말에 분명한 조리가 있어 저절로 설레던 가슴이 진정되고 어쩐지 부끄러워졌다.

"나는 뭐…… 하도 믿기지 않는 일이라서, 그렇지 않아도 임방에서 사대전 총대들이 삼 얘기를 실컷 하였거든. 당신도 알지 않소. 조선의 상업 판도란 분 안의 난초와도 같아서 한계가 눈아래 보인단 말요. 우리가 한양을 꺾고 나라 밖의 상권까지 잡는다면……"

"어째요, 천도(遷都)하시게요?"

"쓸데없는 소리……"

귀례는 정색을 하고 단정하게 말하였다.

"아직 아버님께 허락을 받지는 않았으나 그 세 모녀를 우리집에 데려다놓아야겠어요. 제가 쓰던 별당이 비어 있으니 마침 잘되었군요. 깨끗이 치워놓고 그이들을 안돈시킬 때까지 머물도록 하지요."

"오늘밤에 당장 데려오도록 하겠소."

대근은 그저 오후 내내 무료하게 앉았기도 무엇하여 오랜만에 활터에 나갔다. 어찌된 일인지 화살이 자꾸만 과녁을 빗나가 그마저도 때려치우고 선술집에 들어가 탁배기를 들이켰고, 사방이 어두컴컴해질 무렵이 되어 그 모녀의 집을 아는 하인을 앞세워 청교방(靑郊坊) 쪽으로 나아갔다. 성내를 벗어나니 벌써부터 인적이 끊기고 송악산 계곡에서 흘러내리는 물소리가 밭둑 너머에 가득한데, 들판을 가로막고 진봉산과 덕적산 봉수대의 낮은 산봉우리만이 노적 낟가리처럼 봉곳이 솟았다. 그 주위로 안개가 엷게 깔려 달빛에 희부옇게 드러났다. 하인이 가리키는 곳을 바라보니 드문드문 낙락장송이 서 있을 뿐 헐벗은 비탈에 간신히 알아볼 정도의 불빛 몇점이 흩어져 있는 것이었다. 다가서자 그와 같은 불빛들이 산비탈 위의 여러 군데서 가물거리고 있었다.

"허, 이런 곳에 임집이 생기다니 송도가 과연 대처는 대처로다!"

박대근은 성 밖에 이런 유민들의 마을이 여러 군데 생겨난 것을 알았으나 청교방 쪽에는 오랜만이었다.

"바로 이 집입니다."

움집과 토막이 군데군데 모여앉은 곳을 지나 하인이 외따로 떨어진 낮은 움집 앞에서 손가락질을 하였다. 박대근이 옷매무새를 가다듬고 앞으로 나서며 헛기침을 하였고 안에서,

"게 뉘시우?"

묻는 소리가 들려왔다. 대근은 말없이 그냥 서 있었는데 이윽고 부인네가 거적을 들치고 밖으로 얼굴을 내밀었다.

"에구머니……"

부인은 얼핏 사내들의 모습을 보고 놀란 듯하였다. 대근은 공손히

말하였다.

“남산골 사는 박가 성 가진 상고외다. 오전에 부인께서 제 집에 들렀다는 말을 듣고는 이것이 예의가 아닌 줄 알면서도 찾아왔습니다. 용서해주십시오.”

부인은 당황하여 얼른 거적을 도로 내렸다.

“지금 시각도 시각이려니와 이 안은 누추하고 과년한 아이도 있어놔서 들일 수가 없습니다. 내일 밝아서 제가 찾아뵈오면 안 되겠습니까?”

박대근은 그냥 거적 앞에 가서 쭈그리고 앉았다.

“이렇게 밖이라도 좋습니다. 실은 뭣 좀 의논드릴 게 있어서요.”

“어머니, 뭐가 어때서 그러셔요. 점잖은 분이셔요. 어서 들어오시게 해요.”

계집아이의 높다란 목소리가 들리고 그 어미는 우는 모양이었다.

“이 댁의 딱한 사정을 듣고 저희가 힘이 돼드렸으면 하여 찾아온 것입니다.”

박대근이 할 바를 모르고 머뭇거리는데 계집아이가 쑥 나오더니 그의 옷자락을 잡아당겼다.

“어머니는 공연히 내외를 따지십니다. 이미 가문은 구몰하여 진창에 묻혔고, 가릴래야 가릴 울타리도 없는데 어르신네를 못 들일 까닭이 있나요. 아흔 칸 대가의 사랑이려니 여기시고 어서 들어오셔요.”

“허허, 그래두 이러면 못쓴다.”

대근이 버티는데, 안에서 부인의 낮은 목소리가 들려왔다.

“저애 말이 맞습니다. 몸가림도 못 하는 주제에 오히려 손님을 밖에 서 계시도록 하는 것이 예가 아니겠지요.”

대근은 못 이기는 체하고 허리를 굽혀 거적 안으로 들어섰다. 움집 안은 좁고 길었다. 맨땅에 너덜너덜한 거적을 깔았고 입구는 그대로 부엌이나 마찬가지라 아궁이가 있으며 그 위에 노구 하나 덩그러니 올려져 있었다. 빈 방에 관솔불이 켜져 있는데 안쪽에 등을 돌리고 앉은 처녀가 보였다. 부인은 안쪽으로 비켜나며 몸둘 바를 몰랐다. 대근이 구부정한 채로 인사를 올리고 이내 옆으로 돌아앉았다.

"식전에 댁에 가서 우리 아이가 폐를 많이 끼쳤지요. 잇달아 댁의 하인까지 찾아와 쌀과 닭을 놓고 갔습니다. 우리두 그리 넉넉히 살지는 못하였으나 가장이 계실 적에는 삼시 세때를 놓치지는 않았건만 이런 낯선 도방에 흘러와 천지가 막막합니다. 요즘 세상에 그렇게 고마울 데가 없어서 사람이 아무리 없이 살아도 어떻게든 인사는 드려야겠기에 무턱대고 댁을 찾아갔었지요. 저희는 일찍이 전라도 화순(和順)에서 살았습니다. 선대부터 글을 하는 학생이셨고 저희 주인께서도 땅마지기나 가지고 글을 읽으셨습니다. 그러나 농사는 돌보지 않아 남에게 맡기고 과거를 보러 한양 천 리 길을 몇번 오르내리는 동안 가산이 차츰 줄어든데다, 삼의 재배를 연구하시는 바람에 더욱 탕진이 되었지요. 저희 이웃 고을인 동복(同福)에서는 어떤 이가 벌써 산삼 모종을 내었습니다. 바깥어른도 재배법을 익히셔서 삼포를 마련하시고는 다달이 적어놓으셨어요. 드디어 첫 재배에 성공하셔서 열 뿌리를 견본으로 골라 지니고 송도로 떠나오셨습니다. 그렇지만 하루가 한 달이요 한 달이 일 년이 넘어 어언 삼 년이 넘도록 종무소식이라, 저 혼자 저것들을 데리고 무작정으로 송도엘 왔지요. 아마 노상에서 앓다가 돌아가신 게 분명합니다. 그래서 제가 주인의 어깨너머루 보아두었던 묘포 재배를 해보구 있었습니다. 가장이 돌아오지 않으니 우리두 살 방도를 찾아야지요. 그러나 피땀으로 이루어놓은 비법을 아무에게나 알릴 수도 팔아넘길 수도 없었습니다. 절대로 남에게 알려서는 안 된다는 주인의 부탁이었거든요. 그래서 이렇게 다 죽어가면서 어린것을 구걸을 시켜가면서도 저 묘포가 한 가닥 희망이었습니다. 오늘 저것이 돌아와 울며 하는 말이, 그까짓 묘포만 바라고 있다가 언니는 처녀 귀신이 되고 어머니는 돌아가시면 아무 데도 쓸데없는 재배의 비법은 함께 사라지지 않느냐구요. 차라리 믿을 만한 분을 만나서 도움을 받는 것이 낫겠다는 생각을 저두 하루에 수십 번 해보았어요. 저 큰애가 금년에 스물둘인데 배필은커녕 옷가지 하나 없습니다. 그래서 가장의 말씀을 어기더라도 그 댁을 찾아가 도움을 청해보리라 작정하게 된 것입니다."

부인은 얘기하면서 숨이 차는지 몇번이나 말을 끊고는 하였다.

"비록 아이의 말을 듣고 인자하신 분이라 여겨 찾아가 발설은 했습니다만, 어쩐지 세상살이가 허무하여 이렇게 심란하게 앉았던 참이지요."

박대근은 이런 경우에 차라리 솔직하게 털어놓는 것이 이 가족에 대한 진정을 표하는 것이 되리라 여겼다.

"저는 어쨌든 장사아치임에 틀림이 없습니다. 이문이 되는 일이라면 염라대왕의 수염이라도 베어야겠지요. 허나 저는 이날까지 이문도 중하지만 무엇보다도 사람이 가장 귀한 것으로 알고 살아왔습니다. 이문이 쌓여서 재물이 되는데 그것은 어떠한 경우에도 사람을 위하여 쓰여져야 하리라고 믿지요. 우리 송상은 비록 사대부의 반열에도 들지 못하고 벼슬길에 나아가 귀한 지체도 누리지 못하지만 모두들 도주공(陶朱公) 범여(范蠡) 같은 경륜을 지니고 있습니다. 하늘을 등지고 사민을 짓밟는 짓으로는 결코 큰 재물을 바랄 수가 없지요. 저는 이제 겨우 차인 행수를 면하고 임방 일을 보고 있습니다. 전국 각지를 상단을 이끌고 돌아다니면서 보았는데 좁은 팔도의 저자만을 왕래하여서는 절대로 국법의 간섭을 벗어나지 못하고, 국법의 간섭 아래서는 언제나 문어가 제 다리 끊어먹듯 할밖에 없지요. 의주와 동래를 이어서 청과 왜를 상대로 다리 구실을 해야 합니다. 그런데 여기서 가장 유리한 상품은 뭐니뭐니 하여도 역시 인삼입니다. 산삼의 소출은 때에 따라 불규칙하여 믿을 수가 없어서 가장 유리한 품목임에도 무역상들은 꺼리고 있는 실정입니다. 그러니 산삼을 밭에다 재배할 수만 있다면 청왜의 물산은 모두 우리 송상의 것이올시다. 저는 이런 말씀을 듣고 처음에는 너무도 놀라서 마음을 진정할 수가 없었습니다. 그래서 일부러 방문을 늦추고 찬찬히 생각해보았던 것입니다. 우연히 저 아이에게 인정을 보인 것은 잊어주십시오. 설혹 제가 한 푼도 취하지 않더라도 부인의 소망이 이루어져 삼의 다량 소출이 가능해진다면, 그리하여 대외 무역의 활로가 열린다면 장사꾼으로서 그에 더한 보람이 없을 듯합니다. 제 힘 닿는 데까지 도와드릴 것이니 삼포를 계속 가꾸어나가십시오."

대근의 힘 있는 어조에 세 모녀는 서로 부둥켜안고 소리 없이 울었다. 오랜만에 든든한 사내의 목소리를 들은 때문이었을까. 부인은 윗목에서 보퉁이에 여러 겹으로 싸두었던 책을 꺼내었다.

"저희 주인께서 다달이 적어놓으신 재배법이 여기 있습니다. 만약에 제가 병이 회복되지 않으면 우리 큰아이와 상의하시고 이 책을 살펴 재배를 계속하십시오."

박대근이 작은딸의 손목을 잡고서 속삭였다.

"어머니와 언니를 모시고 우리집에 가서 함께 지내자. 우선 어머니의 병환이 나으신 뒤에 따로 집을 내줄 터이다. 그런 뒤에는 언니의 혼처도 어디 알아보자꾸나."

딸이 먼저 제 가족에게 대근의 뜻을 알렸고, 그도 덧붙여 청하였다.

"저희 집 별당이 세 분 쓰시기에 별로이 불편하지는 않을 것 같습니다. 부인께서는 몸도 정양하시고 저희 실인에게도 많이 가르쳐주십시오. 이곳은 습기도 많고 외진 곳이라 아녀자들끼리는 지낼 곳이 못 됩니다. 어서 가시지요."

작은딸이 또한 조르니 처녀와 어미도 더는 사양하지 못하였다. 대근이 움막에서 나오는데 큰딸은 어머니를 부축하였고 작은딸이 책보퉁이를 옆구리에 끼었다. 뒤로 솥 하나 달랑 얹히고 세간이라야 다 터진 고리짝에 세 모녀 누울 적이면 한구들 꽉차는 반칸 움막이긴 하였어도 막상 떠나자니 아쉬워서 부인은 자꾸만 서성이며 둘러보는 것이었다.

"염려 마십시오. 나머지 세간은 아이들을 시켜서 가져다놓겠습니다."

박대근이 말하니 부인은 그제야 안심이 되는 모양이었다.

"저것들은 그래두 화순에서 떠나올 제 모두 팔아버리고 끝까지 남은 거올시다. 저의 가족들의 손때가 묻은 것이라 차마 버릴 수가 없군요."

세간이랬자 등짐 한 짐이면 족하도록 이미 거덜난 살림이었다. 대근이 지시하여 하인은 주섬주섬 도구며 식기 나부랭이를 고리짝에다 처넣고 헝겊으로 멜빵을 걸어 짊어지고 움막을 나섰다.

"애들아, 저것들을 그냥 두고 가서는 안 된다. 묘포를 없애야지."

"옮겨다가 심어보십시다."

큰딸이 제의하여 위에 덮은 거적을 들어내고 삼의 모종을 캐내었다. 아직은 실뿌리에 지나지 않았으나 모양은 제법 인삼에 가까웠다. 그들이 남산골에 돌아오니 하녀가 나는 듯이 안방에 알리고 귀례가 버선발로 쫓아나와 반기며 부인의 손을 마주 잡았다.

"어서 오십시오. 늦어지길래 저는 못 오시는 줄 알고 속을 태웠습니다. 자, 이리로 드시지요."

"정말 염치가 없군요. 서방님이 어찌나 강하게 청하시는지……"

"이제는 한식구가 되었으니 그런 말씀일랑 하지 마십시오."

역시 아녀자들인지라 오가는 말들이 부산스러운데 박대근은 바깥 주인으로 그 속에 끼이기도 멋쩍어서 슬그머니 아내에게 맡기고는 별당 일에는 참예치 아니하였다. 별당은 연못을 쳐놓고 정원수를 다시 이리저리 전지하여 말끔해졌고, 부랴부랴 도배를 서둘러서 마치니 신혼방과도 같았다. 작은딸은 눈을 빛내며 별당 안에 걸린 현판과 시서(詩書)를 둘러보았다. 모두들 방에 가서 둘러앉으니 큰딸이 일어나 귀례에게 정중히 큰절을 드렸고, 귀례는 황급히 답례하였다.

"이렇게 환란 중인 저희 모녀를 도와주셔서 백골난망이올시다."

큰딸이 얼굴을 들어 똑바로 바라보면서 말하는데 귀례와 거의 같은 또래요 의복은 남루하나 태가 점잖고 기품이 있어 보였다.

"보아하니 나하고 비슷한 연배인 듯한데 그냥 동기간처럼 지내지요."

귀례가 말하니 부인이 극구 만류를 하였다.

"안 됩니다. 아무리 그렇다 하여도 주객은 엄연히 다른데 우리는 어디까지나 귀 댁의 식객입지요."

"아주머니도…… 저는 시집 식구 중에 아무도 없으니 고숙주(姑叔主)라 부르겠어요. 저희 서방님의 고모인 셈치시고 편히 계셔요. 이 방에는 작은동생과 아주머님이 계시고 건넌방은 큰동생 혼자 쓰면 되겠어요."

하고는 귀례가 밖에 대기시켰던 하녀에게 뭐라고 속삭이니 이내 의원이 들어와 부인의 진맥을 짚고 처방을 내리는데 빈혈을 보하는 대보탕을 달이도록 하였다. 세 모녀는 박대근 부처가 그들을 친족혈육처럼 봐주려는 뜻을 실감하게 되었던 것이다.

전라도 화순에서 왔다는 세 모녀가 박대근네 별당채로 이사 온 뒤로 대근은 사람을 시켜 음습하고 토질이 좋은 야산을 낀 집터를 구해보도록 하였다. 그것은 그들 가족의 거처와 묘포를 마련하려는 생각에서였다. 또한 별당 앞에도 작은 묘판을 마련하여 이사 올 때 뽑아왔던 삼을 옮겨 심었다. 만약 재배에 완전히 성공만 하게 된다면 박대근은 송도 상단의 판도를 하루아침에 바꾸어놓게 될 터였다.

드디어 송악산(松岳山)의 후미진 골짜기에 터가 준비되어 조촐한 기와집 한 채를 짓고 송림의 한가운데를 벌채하여 삼전을 갈도록 하였다. 이제 곧 가을이니 내년이나 가서야 착수하게 되어 있었다.

어쨌든 그런 단계까지 나아갔으니 박대근은 배대인에게 이 일을 알리지 않을 수가 없었다. 대근의 아뢰는 말을 곰곰이 듣고 앉았던 배대인은 역시 만금을 이룬 부가옹답게 절대로 흥분하지 않았다.

"그것이 사실이라면 참으로 좋은 일이군. 이제는 돈이 없는 사람들도 위급할 적에 인삼을 먹을 수가 있을 것이고, 청왜의 무역에서도 유리해질 것이다. 다만 나라에서는 그냥 내버려두지 않겠지."

"인삼으로 청의 물산을 바꾸어 왜에 비싸게 넘기고, 왜의 물건 또한 인삼으로 바꾸어 청에 넘기면 결국 이재를 보는 것은 우리 쪽입니다. 나라에서 말릴 까닭이 없지요."

배대인은 고개를 흔들었다.

"아니지…… 나라에서는 독점을 원한단 말이야. 송상의 재화가 너무 커가는 것을 내버려두지 않을 게야. 여하튼 중대한 일이다. 아마 내가 죽기 전에 송도가 바뀌는 것을 보게 될 모양이다."

세 모녀가 현신하여 배대인을 직접 뵈었고, 배대인이 재배법이 적힌 책을 대강 살피고 묘판의 삼까지 확인하고는 그제야 놀라는 양이었다. 배대인은 따로 대근을 불러 행상단의 운영은 물론 전국으로 나가 있는 차인 송방의 실태를 묻고 나서 전 재력을 기울여 대외 무역의 통로를 뚫으라고 당부하였다. 그러고는 끝으로 모든 재산의 관리권은 사위인 대근에게 위임한다는 것을 밝혔다. 그는 모든 장부와 연말에 계산할 각처의 어음이며 물품대장이 들어 있는 문서 궤와 인장과 상단의 표신(標信)을 찍을 좌장인을 넘겨주었다. 처음에 대근은 극구 사양하였으나 배대인이 말하였다.

"내 이제 와서 하는 말이지만, 아들 하나 있는 것이 지금도 코흘리개들과 제기나 차고 다니며, 다른 사위들도 있건만 모두들 부화(浮華)하여 일시에 환로에 나가 고관대작의 반열에 들고 싶어 하거나, 아니면 상고에는 뜻이 있으되 경난도 싫고 고생도 싫어서 입으로만 수천 수만금을 벌어들일 수 있듯이 자본 타령이나 하구 있네. 자네는 내게 와서 묵묵히 곁꾼으로부터 차인 행수로 지방 저자를 안 다녀본 데가 없고 실제로 이재의 능력도 보였지. 오늘 나는 아예 결정을 내렸네. 아직 모르는 일이긴 하지만 인삼을 재배할 수 있다면 송도 사대전의 판도가 뒤바뀔 게야. 아마도 생각컨대는 이게 바로 시절이 바뀌는 조짐인데, 시절이 바뀌니 사람도 바뀌어야지. 내 할 일은 끝났어. 이제부터는 자네가 맡아 해야지. 이 집 재산을 구워먹든 삶아먹든 자네 마음대로 하게."

이런 계기로 대근은 배대인에게서 사업권을 물려받게 되었다. 세 모녀가 송악산 골짜기로 옮겨간 뒤에, 대근은 수시로 찾아가 묘판을 잡을 터를 몸소 그들 모녀와 함께 갈고 엎었다. 어언간에 대근은 부인에게 자연스레 고모님이라 부르며 지내게 되었고, 그들도 모두 한 식구같이 대하였다. 큰딸 언실이는 과묵하고 무뚝뚝하였으나 인삼에 관해서는 모르는 일이 거의 없었다. 송악산 골짜기로 이사 온 뒤부터 부인의 빈혈은 날로 사라져 건강하게 되었다. 작은딸 탄실은 주로 가사를 돌보고 있었다. 대근은 이 집에 사내가 꼭 필요하리라고 여겼고, 부인도 은근히 사위는 대근이가 보아오겠거니 바라는 눈치였다. 귀례도 수소문하는 모양이었으나 그들 집안에서 알려진 낭재라는 것들이 모두 전형적인 송도인이거나 아니면 같잖은 지체를 내세울 자들이었다. 송도인은 싹싹하고 예의 바르고 경우는 있으되 장사치 기질이 있어 경박하고 매정한 구석이 있었다. 도방 대처 사내들이 어디라고 다르겠냐마는 엇구수한 데가 없기로는 송도인이 으뜸일 것이었다. 대근은 그런 혼처보다는 차라리 강직하고 성실한 촌부라도 맺어주고 싶었다. 대근은 막연히 그런 생각을 하면서 선뜻이게 댁네 만사윗감이라고 내대지는 못한 채로 그해 겨울을 나게 되었던 것이다.

하루는 전포(錢浦) 나룻가에 갔다가 돌아오는 길인데 두문동(杜門洞) 고갯마루에서였다. 마침 북문 밖에는 나무장이 날마다 서게 마련인데, 성내 장사치들이 떼어가기도 하고 대가에서는 하인들이 거기까지 나와서 직접 지고 가기도 하였다. 대근이 가는 앞에 어떤 총각이 참나무 장작을 두어 키가 넘도록 지고 내려가고 있는데 걸음이 전혀 무거워 보이지도 않고 어찌나 빠른지 맨몸으로 걷는 그들보다 훨씬 앞질러 내려가는 것이었다.

"짐, 짐요, 비킵시다."

외치며 가다가 미처 못 알아듣고 머뭇거리는 사람이 있으면 두 손으로 허리를 잡아 번쩍 치켜서 옮기며 나아가니 사람들은 조금도 항거하지 않고 비켜나는 것이었다. 대근은 처음에는 우락부락하게 생긴 자가 참나무짐을 산처럼 지고 가는 모양을 신기하게 보다가 그저 무심코 하인에게 저 녀석이 어떤 놈인가 알아보라고 일렀다. 하인이 그 또래의 나무꾼들에게 한참이나 무엇인가 묻고 돌아와서 말하였다.

"그 아이는 만수산(萬壽山) 물머리 사는 최윤덕이라는 녀석인데, 과부 어미를 모시고 산에서 화전갈이와 약초 채취를 하여 살고, 장날이면 장작이나 숯을 구워, 지고 나와 팔아서 찬거리며 일용품을 사간다 합니다. 일에도 억척이고 알려진 효자인데 눈매는 어찌나 밝고 빠른지 귀한 약재를 철철이 캔답니다. 송도 바닥을 싫어하여 장사치들을 가끔 두들기고 관가에 잡혀가 혼찌검도 났다지요. 그렇지만 일단 만수산 기슭에 돌아가면 바보처럼 온순하다지요."

대근은 어쩐지 귀가 솔깃하여 그 최윤덕이라는 총각놈의 거동이나 살피려고 나무장을 비집고 돌아다니다가 다른 자들과 뚝 떨어져 앉아서 곰방대에 담배를 태우고 있는 총각을 찾게 되었다. 대근은 천변에 멀찍이 떨어져 쭈그리고 앉아서 장작과 숯이 팔려나가는 모양을 보고 있는데 다른 사람의 장작은 차츰 팔려나가고 석양 무렵이 되도록 총각의 장작은 값을 묻는 사람도 없었다. 그도 그럴 것이 나뭇짐이 무지막지하게 큰지라 값이 비싸겠거니 여기는 모양들이었다. 대근이 바라보노라니 털벙거지에 검정 더그레 입은 관노놈이 탁주잔깨나 좋이 들이켰는지 볼따구니가 불콰하여 건들거리며 총각 앞에 머물렀다.

"그 장작짐이 과연 송악산만 하구나. 얼마를 내랴?"

총각은 일어서지도 않고서 곰방대만 빨아대며 대답하는 것이었다.

"꼭 일곱 푼은 내셔야겠수."

"아니, 일곱 푼이 어디 봉놋방의 살몽둥이냐, 마구잡이로 들이대는구나."

"어허, 공연히 심화 돋구네. 이건 뭘 화냥년 흥정인 줄 아슈? 다른 이들은 한 짐에 세 푼씩 받았수. 내 것은 석 짐도 더 되는데 지금 파장이라 내키는 대루 넘기구 가는 게요. 짚신값두 안 나오우."

그러나 관노 녀석 털벙거지 자세만을 믿고서 우겨대었다.

"가는 똥은 똥이 아니라더냐. 작으나 크나 한 짐은 매일반이니 네 푼만 주마."

이때 최총각 화가 나서 다른 사람의 장작짐을 사정없이 가로막아 지겟작대기를 걷어차고 제 것도 깻박치기로 엎어놓았다가 다시 지게 위로 쌓았다.

"저 장작은 가늘어도 이백 가지요, 내 것은 굵고도 육백 가지인데 애비가 다른 자식을 한 대롱 타구 나왔다구 억지쓰기가 일반이지 어찌 매일반이우. 나는 여기서 불을 싸질르구 가지 그렇게는 못 팔겠수. 술냄새 피우지 말구 집에 가서 구들이나 지시우."

대근이 바라보니 고지식하고 우락부락하여도 생업에 대한 자랑스러움이 있어 티끌만큼도 굽힘이 없어 보였다. 그야말로 너는 너대로 하려무나, 내 등으로 짊어진 짐이니 포도대장이 온다더라도 이것은 내 몫이다, 하는 기개가 엿보였다. 길가에 나앉아 평생 지낼 행상좌고라면 몰라도 대저 큰 장사치는 배포의 싹수나 근본이 저래야 옳은 것이라고 대근은 빙긋이 웃었다. 그런 배포를 모를 리가 없는 관노가 공연히 오기로 나온 것이다.

"나는 다른 장작은 싫고 네 장작이 좋구나. 두말 잔소리 더 보태지 말고 네 푼을 줄 터이니 지고 나서라."

최총각은 볼을 씰룩거리고는 우선 발바닥에다 곰방대를 탁탁 털어 허리춤에 지르고 나서 슬그머니 일어났다.

"아래위로 보아하니 관아치인 모양인데 산에 나무도 육모방망이로 넘길 줄 아슈?"

총각은 손바닥에 퉤, 하고 침을 뱉었다.

"도끼로 찍어온 게여. 그저 도적놈에게는 몽둥이가 약이랍디다."

관노는 술김에 팔을 부르걷고 총각의 멱살을 잡으러 달려들었다.

"이놈, 너 말 다했것다. 관아치가 어쨌다고? 역적놈의 자식 같으니."

다짜고짜로 총각의 뺨따귀를 처얼썩 후려갈겼다. 또 한번 치려고 손을 번쩍 쳐드는데 총각은 그 손목을 틀어잡고 껌벅이는 눈으로 올려다보았다.

"응, 무고한 양민을 두들기라구 털벙거지를 씌워준 모양인데, 관아치는커녕 어사또라두 참을 수가 없수."

그대로 팔을 비틀어 개천가로 끌고 가 발길로 내지르니 관노 녀석 털퍼덕 쇠똥 퍼지듯이 진흙에 주저앉았다.

"이놈, 나를 치구 네가 이 고을에서 밥 빌어먹구 살 줄 아느냐."

행악을 떠는데, 장 모퉁이로 관노들 서넛이 나오다가 그런 꼴을 보았다.

"아니, 저 친구가 나무 사러 나왔다가 뒤가 급했나, 아니면 술안줏감을 구하려고 천렵 중인가."

"저놈이 발길로 내질렀네."

손가락으로 위에 섰는 총각을 가리키며 외치니 관노들이 잠깐 어이없이 총각을 보다가, 아무래도 산골짝에서 내려온 어수룩한 불상놈이 분명한지라 열을 내어 달려들었다.

"이런 고약한 놈을 보게. 감히 우리에게 덤비다니."

총각은 뭇놈을 상대할 길이 없어 뒤로 엉거주춤 물러서고, 대근은 끼여들까 말까 주저하며 일어나는데 총각이 재빠르게 장작개비를 집어들었다. 그러고는 이놈을 치고 저놈을 패며, 저놈을 후리고 이놈을 두들기니, 다른 사람들은 등골이 서늘한 가운데 시원하고 재미가 있어서 둘러서서 구경들 하였다. 박대근이 더이상 두었다가는 이 일로 그치는 게 아니라 총각이 살인을 하게 될까 염려하여 앞으로 나서기로 하였다.

"송도 저자에서 홍정 싸움은 금률이니 그만들 두게나."

가운데 끼여든 자에게 관노들은 덮어놓고 욕을 하였다.

"남이야 싸우든 말든 네 코가 성하려면 물러서지 왜 나서는 게여. 별놈이 다 있군."

대근이 서슬이 퍼렇게 꾸짖었다.

"이런 주제넘은 놈들 같으니…… 나는 사대전의 임방원이다. 유수께 너희들의 난잡한 일을 여쭈어야겠다. 누가 양민의 생업을 방해하고 저자에서 매매하는 것을 방해하라 하더냐."

좌장은 영위(領位)의 표장을 가지게 되어 있고 임방 참석자는 반수(班首)의 표를 가지게 되는데, 대근이 배대인의 임직을 위임받았으니 영위의 표장을 내보일밖에. 영위란 사대전 상고들 중에도 으뜸이요 유수까지도 신연 때에는 꼭 순시하도록 되어 있었다. 대근의 표장을 보고 관노들은 기가 죽어 물러가면서 으르대었다.

"대인이 아니드면 너는 입을 봉하구 거꾸로 먹었을 게다. 다음에 걸리면 다리 몽갱이를 분질러다 불쏘시개를 할 테니 아예 장거리로 나올 생각 마라."

"이놈들, 그래두 법석이냐. 저 아이는 내가 버릇을 가르칠 터이니

어서 물러가거라."

관노들이 쥐며느리 흩어지듯 사라지고 나서 대근이 땀범벅이 된 총각의 등을 두드렸다.

"총각도 그만 돌아가보게."

"우리야 먹구살려니 당연히 빼앗기지 않으려구 이러지요. 일수가 사나워서 나무도 못 팔았고 어머니가 기다릴 터인데 쌀 한 톨 못 사고 어찌 가오."

울먹이더니 두꺼비 손으로 눈시울을 쓱 씻었다. 대근이 처음부터 눈여겨보고 있던 차라 열 푼을 꺼내어 주면서,

"장작은 내가 사지. 헌데 이미 해가 저물었으니 어찌 범 나오는 고개를 넘을 것인가. 우리집에 가서 쉬구 가지."

하였더니 총각이 열 푼을 성큼 받아 세 푼을 떼어 내밀었다.

"처음부터 일곱 푼 흥정을 염두에 두었으니 더는 받을 수가 없수. 시방 시간이 늦었고 손님의 인정이 그렇지 않으니 나무는 댁에까지 져다드립지요. 헛간이건 마루에건 재워주셔도 좋습니다."

대근이 남산골 집으로는 데려가지 않고서 점포들 가운데 가장 가까이 있는 데를 찾아 차인들 방에 들었다. 방에 앉아서도 총각은 멋대로 곰방대를 내어 맞담배질을 하는 것이 거침이 없었다. 대근은 으레 그러려니 여기고 물었다.

"총각, 술도 좀 먹는가?"

"내 돈으로는 아까워 마시지 못합니다."

대근은 어쩌는가 보려고 차인을 시켜서 주막에서 개 뒷다리에 탁주 한 동이를 가져오도록 하였다. 동이가 찰찰 넘치도록 담긴 술을 보고 총각 녀석은 제법 목젖이 땅기는지 입맛을 다시는 것이었다. 대근은 우선 제가 먼저 한잔을 떠서 요란하게 넘기고는 내밀었다.

웬걸, 총각은 잔 받기를 사양하고 뒤로 물러나 앉았다.

"왜 안 먹나?"

"이 술에 아무 내력이 없소이다. 내 장작값으로 치면 모자랄 지경인데, 다음번에 장작을 져다드리지는 않을 테요. 또 팔아서 먹구살아야지요."

"허허, 참으로 벽창호 같은 총각이로다. 이 술은 아무 값도 없고, 자네를 재우고 또한 나 혼자 심심하여 대작이나 하자는 것이니 무슨 내력이 따로 있겠나."

그제야 총각이 바가지잔으로 달게 퍼마시는데 넉 잔을 연거푸 들이켜고 나서야 대근을 바라보고 내밀었다.

"손아랫놈이 염치가 없어 미안허우. 내가 이담에 일진 좋을 제 꼭 찾아와 한잔 사지요."

그러고는 고기를 덥석 베어 찢어서 대근이께로 내밀고 한편 제 입에다 아귀아귀 처넣었다. 한참이나 먹고 나서 벽에 기대앉아 씩씩거리더니,

"잠이 와서 못 견디겠수. 나는 말주변도 없고 하여 얘기 상대도 못되고 뭐 심부름할 일이나 있으면 지금 다녀와서 자구 싶우."

하는 것이었다. 대근이 그저 끄덕이며 말하였다.

"괜찮네. 어서 자게."

대근의 말이 떨어지자마자 총각은 그대로 옆으로 늘어지더니 잠시 후에 코를 드높게 골면서 잠이 들었다. 대근은 그가 잠이 든 것을 확인하고 머리 밑에 목침을 베어주고는 밖으로 나왔다. 대근이 한번 마음먹으면 바닥을 보고야 그치는 성미인지라 집에도 돌아가지 않고 거기서 유하고는 총각의 집으로 뒤밟기를 할 작정이었다. 이튿날 아침 동이 트자마자 마당에서 우렁우렁하는 소리가 들렸다.

"어르신네, 어르신네, 저 이만 돌아갑니다."

대근이 잠이 설깨어 눈살을 찌푸리고 미닫이를 열었고, 총각은 빈 지게를 지고 섰다가 꾸벅해 보였다.

"종종 나무장으루 나오시면 가장 좋은 나무로 드리겠습니다. 재워줘서 고맙수."

"그래, 잘 가게."

대근은 대문 소리가 나자마자 혼자서 총각의 뒤를 멀찍이 따라갔다. 총각은 성큼성큼 산길을 올라갔고 대근은 나무 뒤에 몸을 숨기곤 하면서 뒤를 좇았다. 깊은 산으로 들어가 물머리에 이르니 사방은 고요한데 물소리와 산새 소리뿐이었다. 골짜기 속에 통나무 귀틀집이 박혀 있고 지붕은 너와요 문에는 거적이었다. 대근이 바위틈에 숨어서 내려다보는데 총각은 어머니를 찾았다. 제 아들과는 반대로 작고 오종종하게 생긴 쉰 남짓 되어 보이는 노파가 나왔다.

"윤덕아, 네가 어째서 이제사 오느냐. 한밤중에도 오던 사람이 오지 않길래 어디 범에 물려갔나 하구 한숨도 못 잤다."

"에이 어머니두, 내 고기를 범이 먹나요. 날이 저물어 장터 점포에서 자구 왔어요. 앞으로는 아무리 저물어도 돌아올 테니 염려 마셔요."

대근이 보기에 두 모자의 정이 두텁고 다정하여 훈훈한 느낌이 들었다. 숨어서 살피던 대근은 슬그머니 일어나 귀틀집으로 내려갔다. 최총각이 먼저 발견하고는 그가 따라왔으려니 여기지는 않고 신기하게만 생각하는 모양이었다.

"아니, 장터에 사시는 줄 알았더니 물머리 근처에 사시우?"

대근은 그저 고개만 끄덕이고 총각의 등을 밀며 자기도 신발을 벗었다.

"잠깐 들어가 앉지. 내 자네와 모친께 드릴 말씀이 있네."

총각은 눈을 둥그렇게 떴다.

"뭐요…… 나뭇짐을 물르러 왔소, 아니면 술값을 내라는 게요."

대근은 하는 수 없이 크게 웃어버렸다.

"허허 그 사람 참, 내 어제는 호기로 보아 대금을 쥘 사내로 알았더니 이제 보니 좀스럽기가 참빗장수로구먼."

"그럼 어째 예까지 왔느냔 말이우. 우리네는 갓 쓰고 도포자락 날리는 이들은 믿질 않우. 관차들이야 두들기면 그만이지만 한량어른들은 마음만 먹으면 대물림으로 밑을 쭉 뽑아놓는답디다."

"걱정 말게. 내가 자네 장가를 보내려고 중신을 선다면 어쩌겠는가?"

대근이 운을 떼는데 밖에서 궁금하여 엿듣고 섰던 총각의 모친이 문을 벌컥 열며 말하였다.

"우리 윤덕이 장가를 보낸다구요?"

"뵙겠습니다. 저는 송도 사대전 좌장으로 있는 박아무올시다."

그러나 노파는 사대전이 무엇인지, 좌장이 어느 만큼의 직함인지 전혀 알아듣지도 못하고 관심도 없는 양 되묻는 것이었다.

"그래, 손님네 여식이 있으시우?"

윤덕이는 대근이 장가 이야기를 꺼냈을 때 할 말을 잃고 두리번거리다가 노모가 다시 쫓아들어와 새겨 물으니 몹시 쑥스럽고 부끄럽던지 토방 위에 깔아놓은 거적때기를 자꾸만 뜯어냈다.

"얘야, 그만 뜯어라. 짚 날린다."

"장가는 무얼…… 어디 색시가 있담."

최총각은 벌써부터 볼이 벌게져서 고개를 숙이는데 색시 소리를 하는 꼴이 딴에는 몹시 땅기는 눈치였다.

"제 친척 중에 아직 여의지 못한 여식이 하나 있어 제가 오래 전부터 신랑을 물색하느라고 사방에 매파를 구하던 참이올시다."

하고 나서 대근은 장터에서 최총각을 보게 된 것이며, 데리고 가서 함께 술을 마시며 사람됨을 자세히 뜯어보고 찾는 신랑감이라 여겼다는 말을 하였다. 최총각은 더욱 거적을 뜯고 앉았고 모친은 땅이 꺼지게 한숨을 쉬었다.

"저것이 그래도 삼대독자인데 가장도 없는 집구석에서 혼사 치르자니 혼수 비용은커녕 세간살이며 땅뙈기며 집도 없으니 어찌 보내겠소. 어느 아이가 들어와 살겠다고 하겠소."

"그런 염려는 놓으십시오. 제가 다 알아서 조처하겠습니다. 요즈음 재상 댁에서도 인물만을 보고 사위를 삼는 예가 한둘이 아니올시다. 아드님은 제가 보기에 큰 대상부고가 될 인물입니다."

잠잠히 듣고 있던 최총각이 무슨 용기가 났는지 벌떡 일어났다.

"나 장가가겠수. 어디 색시가 어떤가 보러 가십시다. 까짓 제 따위가 고작해야 계집인데 마음에 들면 데려다 살지요. 나뭇짐을 하루에 스무 짐씩 해다가 늘어난 식구를 먹이고 차차 땅도 장만하지 뭐."

대근이 하도 어이가 없어 앉으란 말도 않고 혀를 찼다.

"장가가는 일이란 인륜대사라 참나무에 도끼 날리는 일하고 다르네. 어머님 말씀이나 들어보게나."

"가장이 벌써 십오 년 전에 돌아가신 뒤로 남의 행랑에 얹혀지내다가 그래도 우리가 양인인데 배를 곯더라도 저 아이 장가갈 때쯤에는 남의 아랫것 소리 듣지 않겠다고 이 산골루 찾아들어와 사는데, 이제는 저 아이 약초 캐는 일거리와 나무장수 일이 없으면 하루도 밥을 못 넘긴다우. 겨울에는 숯을 굽고 봄 여름에는 약초를 캐며 요즈음은 장작을 패다가 팔지요. 내가 애달캐달 모아놓은 돈이 약간 있어요."

노모는 오종종한 얼굴에 눈물이 글썽하여 돌아앉더니 거적을 들추고 한참이나 더듬어서 엽전을 집어올리는데 오십 푼 반 냥은 좋이 되어 보였다.

"이거면 비단은 못 되어도 상목은 살 수 있을 테니 하다못해 무명치마라두 해 입히지요."

"혼수는 염려 마시라니까요."

대근이 말하였으나 노파는 막무가내였다.

"아니우, 혼수는 재물이 아닌 정성인데, 이것은 저 아이가 산과 재를 몇씩이나 넘고 헤매며 캐온 약초를 팔아 내가 모아둔 것이니, 우리로서는 이보다 더한 정성이 없습네다."

"잘 알겠습니다."

대근이 두말 않고 받아서 챙겨넣었다.

"저희 집으루 가시지요."

대근이 일어서며 청하니 윤덕의 어미는 상냥하게 거절하였다.

"아무리 가난하다 할지라도 남의 여식을 데려오려면 이 집의 고집은 서 있어야 옳습니다. 그쪽에서 매파를 데리고 와서 선을 뵌 뒤에 우리가 색시 집으루 가지요."

대근은 적이 놀랐다. 이렇듯 그 어미가 떳떳하고 심기가 서 있으니 총각이 과연 어떻게 자랐는가를 짐작할 수 있었다. 대근은 그 말에도 승복을 하고 말았다.

"과연 아드님을 알아본 제 눈이 어긋나지 않은 듯합니다. 말씀이 모두 옳습니다. 예를 갖추어 다시 오도록 하겠습니다."

대근이 나오려니 최총각은 벙글대는 기색을 감추지 못하고 따라나왔다.

"내가 어르신네 댁에서 대접을 잘 받았는데, 조밥이라도 한술 드시구 가시지요."

"아닐세…… 다음에 와서 술이나 한잔 하지."

대근이 물머리를 나서며 이제까지의 일을 되새겨보노라니 역시 잘되었다는 느낌이라 마음이 흐뭇하였다. 인삼을 재배하는 일은 우선 근력이 필요하고 무엇보다도 밖으로 알려져서는 안 될 일이었다. 또한 약빠르고 탐욕스러운 자는 틀림없이 대금을 염두에 두고 등을 돌릴 수도 있는 일이었다. 우선 강직하고 정의감이 있으며 신의가 있는 송도 사람이어야 했던 것이다. 인물도 저만하면 서글서글하게 잘생겼고 배포도 있으며 꾸밈이 없이 솔직하여 간교한 것과는 거리가 먼 위인이었다.

대근은 물머리에서 나오는 즉시로 세 모녀가 살고 있는 송악산 골짜기를 찾아갔다. 마침 둘째딸 탄실이는 부엌에서 점심을 짓고 있었으며 큰딸 언실이와 부인은 묘포를 돌보고 있었다. 대근은 방에 들어가 앉자 서슴없이 말을 꺼내었다.

"실은 따님의 혼인 자리가 있어서 의논을 드리자구 왔습니다. 그동안 이곳 저곳으로 낭재(郎材)를 알아보았으나 마음에 꼭 맞는 사람이 없더니 고모님이 찾으시던 인물을 만났습니다."

"박서방이 보았다면 틀림없겠지……"

부인은 희색이 가득하여 언실이 쪽을 돌아보았고 언실이는 슬그머니 자리를 떠서 밖으로 나가버렸다. 대근은 최윤덕이란 아이의 사람됨을 한 가지씩 꺼내어놓았다.

"훌륭한 신랑감일 뿐만 아니라, 거금을 쥐고 흔들 부상감입니다."

"내야 뭐 박서방 의견과 같겠지마는 저 아이의 생각이 어떤가도 물어보아야지. 집안은 어떻던가?"

"양인이지요. 나뭇짐을 져다 파는 살림이니 가난하기야 이루 말할 수가 없습니다."

"우리는 그렇다구 부자였던가. 박서방이 아다시피 구걸로 연명하였는데. 어서 그 총각 선이나 좀 보았으면 좋겠네."

이렇게 의논이 정해졌고 언실이도 장터에서의 최총각의 행동을 듣고는 과히 싫지 않은 기색이었다. 먼저 언실이 모친이 윤덕이를 보고 와서는,

"처음에 보니 철딱서니 없는 더펄머리이더니 얘기를 시키니까 아주 사내답고 대범하더구만. 눈매도 총기가 있고 비록 글은 모른다지만 우리 언실이가 차차 가르치면 될 것이고…… 하여튼 늦복으루 장부 사위를 얻게 되었네."

하면서 입에 침이 마르도록 사위 될 총각의 자랑이 한창이었다. 혼수의 택일단자가 오고 가는데 중간에서 귀례와 박대근이 끼여들어 양가를 모두 돌보았다. 귀례는 언실이네의 제반 잡사를 정돈해주었고 대근은 윤덕이네 일을 맡아주었다. 최총각 모자와 언실이네 모녀가 한집에서 살기로 작정되었으니 시댁과 친정이 따로 없어 혼례에서 신행까지를 모두 송악산 상수리골에서 치렀다. 대근은 길산이 구월산에 돌아왔다는 소식이 전해지기까지 그런 일에 분주해 있었던 것이다. 지방에서 소집해 들인 송방들과 더불어 각 산지의 사정을 청문하고 돌아와보니 강말득이 와 있었던 것이다.

"평안합쇼?"

"네가 웬일이냐…… 구월산에는 별일들 없겠지."

말득이는 목소리를 낮추었다.

"별일이 없다뇨, 길산이 성님이 오셨단 말이우."

대근이는 싱긋 웃었다.

"음, 맞춤한 때에 왔구나."

"감동이, 만석이 성님들하구 선흥이 성님이 계신 달마산에 갔다가 하마터면 큰일 날 뻔하였지요."

대근의 눈썹이 곤두섰다.

"왜…… 무슨 일이 생겼다더냐?"

"달마산과 불타산에 토벌이 시작되어 가까스로 빠져나왔습니다. 선흥이 성님은 다리를 조금 다쳤습니다."

"그래, 어쩐지 불타산 쪽이 형세가 불리하더구만. 방금 떠날 수는 없고 새달 초하룻날 가도록 허지."

"대용이 성님께도 전갈을 해야겠습니다. 지금 어디 계신가요?"

"음, 그건 내가 알아서 사람을 보낼 터이니 너는 집에서 푹 쉬고 있거라."

7

길산은 마감동과 오만석이 함께 산채를 비웠으므로 김기와 더불어 된목이골에 머물러 있었다. 길산과 동행하여 구월산 인근 사읍(四邑)을 돌아보고 온 김기는 감회가 새삼스러웠다. 그들은 함께 밤을 새우며 여러가지 의견과 경륜을 주고받았다. 송도에서 강말득이 예상 밖에 빨리 돌아와 한꺼번에 여러가지 소식을 전하였고, 길산은 특히 강선흥의 달마산 산채가 실함되었다는 말을 듣고는 걱정하는 한편으로 기왕에 잘된 일이라고 말하였다.

박대근과 우대용이 새달이 되어 구월산으로 온다는 전갈에는 그들이 별일 없음을 알고 한시름 놓으면서도, 오직 그 자리에 참예치 않을 갑송이의 일로 서운해하였던 것이다. 며칠 지나서 달마산에서 빠져나온 선홍의 식구들이 당도하였는데, 오만석이 이끌고 왔다. 변가와 업복이와 산채를 수비하다 생존하게 된 자들과 아녀자들이었다. 길산은 일단 졸개들의 집을 비워 그들을 안돈시켰다. 열흘이 지나서야 신천 주막에서 다리의 총상을 치료하던 선홍이와 마감동이 된목이골에 올랐다. 길산이 마중을 나가니 지팡이를 짚고 절뚝거리며 산채 경내로 들어서던 선홍이가 아예 지팡이 내던지고 깨금발로 뛰어왔고, 길산이도 달려들어 그를 붙잡았다. 길산은 선홍의 무거운 체중을 두 팔로 버티었다. 선홍이는 어린애처럼 길산의 팔에 매달려 울음을 터뜨렸다.

"아이구 성님, 어디 갔다가 이제 왔수. 이런 꼴이 되구 말았지요."

길산은 선홍이의 바위 같은 등판을 연신 두드렸다.

"선홍이두 많이 늙었구나, 허허. 그래 부모님들은 모두 안녕하시냐?"

"예, 봉산에다 안돈을 시켜두었기로 이번 화는 피했습니다."

"갑송이가 있었드면 얼마나 반가워했겠느냐."

이어서 선홍이는 김기와 다시 정의를 표시하고 길산과 함께 상방에 들어갔다.

"두 성님들께 문안인사 올립니다."

선홍이는 나란히 앉은 김기와 길산을 향하여 큰절을 올렸고, 두 사람도 일어나 마주 절하였다. 예전 같으면 선홍이 성미가 이까짓 예의범절 따위는 웃고 넘겼겠지만 그도 어느결엔가 정을 표하는 데도 세상살이의 방식이 있음을 깨닫게 되었던 것이다. 선홍이는 내수사 노비를 두드리고 부역터를 떠났다가 태형을 받게 된 일이며, 첫봉이 형제들과 달마산 수돌이, 불타산 심백이 패거리를 내쫓던 일이며, 재령의 집강 동춘만네 집을 우대용과 함께 털어냈던 일들을 상세히 얘기하였다. 길산이도 지나온 일들을 얘기하는데 밤이 이슥하도록 끊일 줄을 몰랐다. 오만석과 마감동도 그들이 함께 달마산 호림의 포위망을 천신만고 끝에 빠져나온 얘기를 하였다. 길산이 넌지시 선흥이에게 물었다.

"그래, 이제 네 식솔들을 수습하여 어디로 가겠느냐?"

선흥이가 막상 생각이 없었는지 눈을 껌벅이며 감동이와 만석이를 돌아보다가 자신이 없는 듯 말하였다.

"성님들하구 함께 지내면 안 되겠습니까?"

길산이 크게 웃었다.

"관군이 내가 온 줄 알구 너를 이리루 내몬 게로구나. 잘되었다, 이제부터 우리 선흥이하구 부지런히 도적질을 해야겠구나."

"에이 성님, 같은 말이라두 도적질이란 또 무엇이오?"

선흥이가 기분이 상하여 심드렁히 말하니 길산이 대꾸하였다.

"그러면 네가 도적놈이지 아직두 여염 행상인 줄 알구 있느냐?"

"말이라두 활빈당이라구 하든지 녹림당이라구 하십시다."

길산은 그 말이 나오자 농담 기색을 일시에 거두고 한참이나 기다렸다가 얘기를 꺼냈다.

"이제껏 우리가 살아온 길은 그저 작은 도적떼에 지나지 않는다. 활빈을 했던 적이 있느냐. 백성들과 더불어 탐관오리를 징치하고자 하였느냐. 이제 우리가 모여 다시 다짐을 하게 되겠지만 구월산 인근 사읍부터 우리의 판도 안에 넣어야 한다. 여기 성님하구두 돌아보았는데 지금 관아는 병기가 녹슬고 군기는 수숫대처럼 허약하며 수령은 탐욕이 하늘을 찌를 듯하다. 이미 백성들이 마음 붙일 데가 없어 하늘을 우러러 탄식만을 하구 있다. 이때야말로 저들의 돌아선 마음을 우리에게로 이끌어올 때가 아니고 무엇이냐."

김기가 다시 곁에서 말하였다.

"이제 우서방과 박서방이 당도하겠지만, 기실 한 사람은 이미 수적으로 나아가 우리들과 뜻은 같다 하나 실지로 일에 부딪쳐서는 따로이 도모할 사람이고, 또한 박서방만 하더라도 본색이 상인이니 우리들 일의 뒷바라지라든가 나라 일의 동향을 알려준다든가 하는 일은 몰라도 길은 다른 사람이오. 그렇다면 여기 장두령을 위시하여 마두령, 오두령, 강두령이 합심 전력할밖에 없지. 아마도 활빈행을 해나가려면 우리가 다른 녹림처사들처럼 강탈한 재물을 분배하여 사복을 채운다거나 호의호식할 생각은 버려야 할 테지. 아무래두 군비나 전력은 박서방과 우서방에게서 도움을 받아야 할 게요."

길산이 다시 말하였다.

"이번에 성님과 내가 대강 짧은 일정으로 돌아보았는데, 무엇보다도 백성들의 가장 가까운 적들을 하나씩 처단해나갈 일이 급하다. 곡괭이와 호미로 할 수 없는 일이니 우리가 미리 경고하고 기간을 두고 본 연후에 가차없이 징치한다. 그래서 다른 토호나 관리들에게도 두려움을 주어야지. 대개 반수가 당하고 나면 나머지는 죽어 있는 거나 진배없을 게다."

선홍이가 거칠게 말을 꺼내었다.

"먼저 장연을 들이치도록 해주오. 첫봉이의 원수를 갚아야지."

김기가 만류하고 나섰다.

"사사로운 감정으로 거병하였다간 낭패를 보구 마네. 우리가 일을 거듭해가노라면 틀림없이 알려지게 될 것이고, 알려진 연후에는 감영 이 문제가 아니라 조정에서 들고일어나 우리를 토벌하려 하겠지. 우선 민심을 얻는 쪽으로 신중하게 일을 벌이고 세력을 키워나

가야 할 게야. 내 의견으로는 모두들 모인 다음에 특히 박서방의 요즈음 돌아가는 세상사에 대한 소문을 듣고 나서 일의 규모와 대상을 정하기루 하는 게 좋을 듯싶소."

길산이 말하였다.

"아직도 인근에 부자들이 많이 사는가?"

마감동과 오만석이 차례로 대답하였다.

"근년에 많이 늘었습니다."

"특히 안악, 문화 일대에 부자들이 많이 살구 있는데, 송화에는 장리 부자와 토호가 많지요."

길산이 말하였다.

"그렇다면 먼저 징치하고 뒤에 활빈하는 것이 좋겠군. 우리의 위세를 어느 정도는 알려두어야 할 테니까."

마감동은 역시 산채의 오랜 주인 노릇을 해왔는지라 걱정이 한두 가지가 아니었다.

"아무래두 겨울철이 문제입니다. 여름에는 구월산이 깊고 험한 산이지만 겨울에 접어들면 나뭇잎도 다 떨어지고 골짜기도 얼어붙어 산이 휑하니 드러나고 산곡을 오르내리거나 길을 찾기가 쉽지요. 그리고 벌이도 쉽지 않습니다. 제 생각에는 징치와 활빈과 또한 따로이 벌이두 해야 될 듯싶소이다. 어찌 이렇게 궁색한 녹림처사로 옳은 일만 할 수가 있겠습니까."

길산이 고개를 끄덕였다.

"물론이지. 우리 일의 시초는 관이나 권세가를 치는 일과 부자들의 것을 약탈하는 일이다. 징치도 하고 약탈도 하며 활빈도 하는 것은 때에 응해서 변화시킨다. 다만 재물을 다룸에 있어서 우리가 검소하게 생활할 만큼만 취하고 나머지는 모두 활빈에 쓸 것이다. 탑고개의 식구들도 차차 생업을 갖도록 하고, 우리도 자생할 방도를 찾아야 할 게다."

"너무 한꺼번에 징치할 필요는 없습니다. 별로 표나게 활동하지 않은 달마산도 토벌을 받지 않았습니까."

오만석의 말에 김기가 결연히 말하였다.

"그 말은 맞기도 하고 틀리기도 하네. 우리가 비록 구월산의 천험 요새지에 근거를 잡고는 있으나 사방이 적이며 팔도의 관군에 둘러싸여 있다고 여겨야지. 우리가 주변 백성들의 마음을 잡는다면 약자인 우리를 같은 약자가 도와줄 것이고, 강자인 관군은 백성들의 미움을 받으니 강자는 남에게서 원한이 집중되는 까닭이오. 부드러움과 단단함과 약함과 굳셈이 이해와 선악의 양면을 갖고 있으므로, 우리는 산속에 앉아서도 관군의 움직임을 알 수가 있고 어느 쪽이 허하고 실한지 어느 쪽이 강하고 약한지를 상세히 살필 수가 있소. 우리는 감추어 졌고 저들은 드러났으니 엎드린 승냥이가 양떼를 덮치는 것과도 같지. 달마산이 실함된 것은 천험의 요새지이기는 하였으나 내실이 약하여 안으로 배신한 자가 나왔고, 밖으로는 민심을 얻는 일을 전혀 돌아보지 않은 탓으로 관군의 동정을 몰랐기 때문이지. 일단 거병할 때엔 과감하게, 은거할 때엔 깊이 숨고, 마을마다 심복을 두고 하리들 중에 내통자를 얻어야 하며 산채를 굳게 지킬 필요도 없고 산중에만 머물 필요도 없소. 따라서 식솔들도 차차 여염 마을에 스며들어 살게 해야지. 지난 몇해 동안에 마을에 사는 이들 중에서 우리와 투합한 사람도 몇이 있을 텐데."

"한 칠팔 인이 됩니다. 그리고 아전과 장교 중에도 우리 물건을 받은 자들이 있지요."

마감동이 대답하였고 김기는 계속해서 말하였다.

"탐욕스런 자는 뇌물로 잡아두고 불만이 있는 자는 그에 동조해 주며 협기가 있는 자는 마음으로 잡을 일이오."

"자, 이제 병담(兵談)은 그만두기루 하세. 우리가 된목이골에 자리 잡을 적부터 여태껏 그럴듯한 말만을 해오지 않았던가. 여하튼 맨 처음에는 백성을 괴롭히는 자들부터 차례로 징치한다."

길산의 말처럼 병담은 장황하지 않게 요점만 논의되고 끝이 났는데, 이제껏 참고 있던 선흥이가 물었다.

"성님, 그전에 갑송이 성님한테 들으니 맏상주를 보셨다면서요?"

길산은 그저 빙긋 웃을 뿐이었고, 김기는 갑송이 생각이 나서 침울한 빛이 되었다.

"이서방은 지금쯤 뭘 하구 있는지, 중으로 오래 배길 사람은 아니건만……"

"저두 감동이 성님이 얘기해서 알았어요. 패가하시구 탑고개를 떠났다지요. 그럴 바에야 장가는 뭣 하러 가누."

선흥이의 시큰둥한 말에 길산이 나섰다.

"갑송이가 우리에게서 아예 떠나버린 것은 아닐 게다. 금강산의 운부 큰스님을 찾아갔으니 앞으로 만나게 되겠지. 그래, 너는 장가 안 갈 셈이냐?"

"번거롭게 장가는 들어 뭘 해요."

"그 헛상투 꼴보기 싫으니 명년에는 아낙을 얻도록 하렴. 내가 좋은 처자를 중신해주마."

길산이 말하면서 김기를 돌아보니 그도 슬쩍 눙치는 것이었다.

"저어기 안악 배고개 마루턱에 좋은 주막이 있는데 그 댁에 과년한 처녀가 있네. 인물도 반반하고 궁량이 깊기로는 웬만한 사내보다 낫지."

김기의 말에 감동이와 만석이도 모두 알아듣고는 실실 웃기 시작하였다. 뒷전에 앉았던 강말득이 참지 않고 실토를 해버리는 것이었다.

"허, 산이라구 상피두 없는가베. 성님, 성씨는 같은 줄 알지만 본이 어디요?"

선홍이는 미처 알아채지 못하고 얼결에 중얼거렸다.

"배천이라던가, 본은 무에 말라비틀어진 게야."

"우리는 해미라구 하니 상피는 되겠구먼."

말득이의 중얼대는 소리에 선홍이는 그제야 얼굴이 불그레해져서,

"나 원 참, 사람 앉혀놓고 이리 팔구 저리 빌리구……"

하면서 입맛을 다셨다. 길산이가 말하였다.

"언제 선홍이하고 배고개에나 내려가봐야겠다. 우리 끝춘이가 좋은 술을 담가놓을 테지."

"끝춘이요? 어디서 꼭 사타구니에 밥알 묻히구 다니는 계집아이 이름이로구먼."

선홍이가 내뱉는 바람에 말득이도 발끈하였다.

"누가 주기나 한대. 저런 뚜껑눈에 순대 입술 닮은 조카를 보았다간, 나까지 두꺼비 항렬에 들게?"

시시털털하게 농이 오가는데 뒤이어 변가와 업복이도 명색이 달마산 두령인지라 상방에 찾아와 구월산 식구들과 인사를 나누었다. 막걸리가 나오자 분위기는 더욱 무르익었고, 워낙에 세상 풍파를 다양하게 겪은 사내들인지라 모두들 별의별 얘깃거리가 끊임없이 풀려나왔다. 동이 부옇게 틀 즈음해서야 그들은 이리저리 끼여서 함께 잠들었다.

새달 초하루가 되자 길산은 일부러 수렛고개까지 박대근과 우대용의 마중을 나갔다. 토막의 정탐꾼이 먼저 발견하고 알렸다.

"누가 말 타구 옵니다. 다른 말에 짐을 실었는데요."

"뒤따르는 자가 없느냐?"

토막의 소두령이 묻자, 없다는 대답이 되돌아왔다. 길산은 고개 아래를 살폈고 잠시 후에 말 탄 사람이 지나갔다. 틀림없는 박대근이었다. 길산은 반가움을 억제하고 졸개에게 일렀다.

"저분을 모셔오도록 하여라."

졸개가 익숙하게 잡초 사이로 난 샛길로 몸을 감추더니 어느틈에 고개 가운데 서 있었다. 졸개가 읍하며 물었다.

"어디로 가시는 길입니까?"

"된목이골에 가려네. 나는 송도에서 오는 사람일세."

"예, 기다리고 있었습니다. 어서 오르시지요."

대근이 말에서 내리자 졸개가 고삐 수습을 하였다. 길산은 토막의 툇마루에 앉아서 대근이 올라오기를 기다렸다. 대근은 토막 앞마당에 들어서다가 앞에 우뚝 선 길산을 마주 바라보았다.

"장……두령!"

박대근은 몇년 사이에 한결 성숙하고 침착한 모습으로 변한 길산을 대하자 차마 아우님이나 장서방이라 부르지 못하였다. 길산은 그를 바라보다가 고개를 숙였다.

"성님, 평안하셨소?"

"잘 있었소?"

대근이 다가와 손을 잡았다. 길산은 저도 모르게 선흥이를 만났을 때와는 다르게 그를 대하고 있음을 깨달았다. 선흥이에게는 거리낌

없이 친혈육처럼 대하였으나, 이제 박대근에게는 무엇인가 서먹서먹한 느낌이 들었다. 그것은 그의 도포나 갓 때문이었을까, 그가 전보다 더욱 확실하게 부상의 태를 보여서였을까, 아니면 똑같은 성인의 사내로서 상대하고 싶었던 탓이었을까.

"이게 몇년 만이오?"

길산이 먼저 툇마루에 걸터앉았고 대근도 그의 곁에 다가와 앉았다.

"금강산에 쭉 있었소?"

"금강산에 두 해, 그리구 한 해 동안은 운봉산에 있었습니다. 금강산에 있을 적에 한번 소식을 전했지요."

"최만상이란 의원과 고성 산다는 정서방이 들렀던 일이 있소. 그때에 들었지. 이서방까지 구월산을 떠났다는 소식이 들려서 걱정했더니…… 잘 돌아왔소."

"행수 일은 그만두셨다지요."

"사대전 임방의 좌장이오."

하면서 대근은 껄껄 웃었다.

"그러나 이제부터는 그 직함도 번거로워서 물려야겠소."

"송도의 상권만 잡으면 된다는 뜻입니까?"

대근도 그의 이런 모습을 길산이 별로 좋게 생각하지 않는다는 것을 느꼈다.

"너무 나무라지 마오. 내게두 깊은 생각이 있소. 앞으로 할 일은 차차 의논하기로 하고, 우서방두 왔습디까?"

"기다리는 참입니다. 같이 오실 걸로 알았습니다."

"사람을 보내어 알려주긴 하였는데."

길산은 고개를 숙이고 짚신코만을 노려보는 듯하더니,

"전에는 행수였지요. 난장을 트러 다녔으니 우리나 매일반이었으나, 지금 뵈오니 배대인의 상권을 물려받은 부고의 모양이 역력하오. 우선 아우들을 만나러 왔다면 건성으로라두 그 갓과 도포를 벗어버리슈."
하였다.
길산이 갓과 도포를 벗어버리라는 얘기의 참뜻은 그 겉보다 안에 숨긴 의미가 있었건만, 대근은 어두운 표정이 되더니 한숨을 길게 내쉬고 나서 갓끈을 끌렀다. 길산은 대근이 갓을 벗고 도포를 벗어 마루에 놓는 것을 내버려둔 채 지켜보기만 하였다. 두 사람은 잠시 말이 없었다. 대근이 먼저 입을 떼었다.
"이젠…… 되었소?"
길산이 나직하게 말하였다.
"아니우."
길산은 천천히 일어나더니 대근의 발 앞에 무릎을 꿇고 큰절을 올렸고, 대근은 갈피를 잡지 못하여 자기도 쭈그리고 앉았다.
"성님, 아우가 문안인사 올립니다. 아무리 세월이 지났다 한들 손가락을 베어 맺은 형제지의를 잊었겠소. 다만 풍편에 듣자하니 성님이 부상대고의 데릴사위로 확정되어 구월산의 아우들과도 그간 뜨막하였고 임방에 나가서 좌장으로 소일하신다기에 이렇게 만나자마자 경계삼아서 투정을 해보았소이다. 사람이란 아무리 굳게 지어먹은 마음이라도 세상살이가 변하면 따라서 변하게 마련이지요. 아침의 주림을 저녁의 다담상으로 잊어버리고, 쓰지 않는 칼은 녹슬기 십상이외다. 내가 성님을 대하는 것은 예전 무더리 장터에서 악소패로 만났을 적의 행수로 여기는 것이오니 명심해주시우."
대근은 콧날이 시큰하여 뭐라고 할 말을 찾지 못하고 얼른 일어나 툇마루에 걸터앉으며 우물쭈물 말하였다.

"낙백시절에 품었던 마음을 아직껏 버리지는 않았소. 그러나 장가를 들고 여식까지 본 뒤로는 잊어버리구 있었지. 장두령이 잘 가르쳐주었소."

대근은 벗었던 도포를 걸치고 다시 갓을 머리에 얹었다. 길산이 선흥이를 두 팔로 얼싸안은 것과 다시 박대근을 만나 은근히 질책한 연후에 예를 차린 것은, 그 속의 정을 표하는 형식이 달라야 함을 느꼈기 때문이다. 사람과 더불어 세상살이를 바꾸겠다는 자가, 어찌한 사람인들 그 관계를 소홀하게 할 수가 있으랴. 오후 늦게야 우대용이 도착하였는데 그의 검은 얼굴은 바다에서 오랫동안 머문 탓으로 아예 반들반들 윤이 났고 주름살이 많은 눈매는 더욱 살기가 있어 보였다. 맨머리에 두건 동이고 등에 느슨히 괴나리봇짐과 짚신 두 짝을 매어달았는데 역시 뭍의 행보에 서투른지라 발바닥이 부르텄는지 절름거리고 있었다. 길산과 대용은 해주감영 옥에서부터 함께 고생하고 탈옥하여 도주행까지 같이 하였던지라, 성님 아우보다는 동무가 더 걸맞은 사이였다. 그들은 서로 어깨를 치고 가슴을 때리며 반가워하였다. 된목이골에 이르니 가장 반가워하는 사람은 역시 선흥이었다. 마침 저녁때라 기다란 상을 연이어 붙이고 모두들 둘러앉아 밥을 먹었다.

"이번에 우리는 벌이가 좋았어."

우대용이 뒤늦게 털어놓자 대근이가 덧붙였다.

"요즈음 청국 가는 사행선이 결딴났다고 황당선 기찰에 해서 수역이 시끄럽다더군. 혹시 우두령 짓이 아닌가 몰라."

"남이 말하는데 홍을 잡치면 어떡허우. 전선을 때려잡구 사행선 한 척을 고스란히 먹었지요."

"소문에는 청인들이라던데."

"그게 다 둔갑술이오."

길산이 귀가 트이는지 재빨리 물었다.

"그 집에 화포가 있어?"

"화포가 두 대에 화승총이 열 자루쯤 된다네."

길산이 다가앉았다.

"화포야 필요없겠지만, 우리두 화승총을 구할 수 없을까?"

"몇자루나 쓰려고?"

"우선 다섯 자루쯤…… 많아도 좋고."

"그래, 나하구 형제처럼 지내는 이가 있으니 곧 사람을 보내도록 허지."

우대용은 이경순을 생각하였고, 길산은 매우 기뻐하였다.

"우선 다섯이지만, 더 부탁할 수 있겠지. 비용은 얼마나 들까?"

"까짓 돈이야 내가 알아서 하겠네."

우대용이 대근이를 돌아보며 말하였다.

"실은 이번에 장서방허구 선흥이두 만날 겸 왔는데, 아예 나선 김에 우리가 자리 잡을 마을이 있는가 알아볼 참이우."

대근이 물었다.

"그러면 돛점 산채는 버리게?"

"사행선 일이 잠잠해질 때까지는 그 근처에두 얼씬하지 말아야지요. 배와 아이들은 때에 따라서 강화나 연평 어장으로 흩어져 숨어 지내게 하면 되겠으나, 소문이 나기도 쉽고 관의 기찰에 걸려들지도 모르오. 이번에 나선 김에 서해 쪽을 둘러볼 셈입니다."

대근은 잠시 생각하였다.

"대동강 어귀가 어떻겠소. 그곳은 밀무역선도 많이 드나들고 경강, 송도, 해주로 오가는 상선 미곡선들이 헤일 수도 없다는데."

"우리두 그쯤을 생각하구 있수. 해서 어름에서 털고는 조금만 위로 오르면 곧 관서 경계로 넘어가게 되거든요. 역시 수군은 해서가 가장 세고, 관서라면 무엇보다도 북변 방비가 위주겠지요. 또한 그곳이라면 그대로 강을 타고 거슬러올라 위쪽은 평양에 이르고, 급수문(急水門)에서 남으로 꺾어지면 대동강의 지류인 월당강이 되고, 동선령과 자비령, 봉산, 황주의 턱앞에까지 이르는 셈입니다."

길산이 그의 말에 주의를 모으고 있더니 끼여드는 것이었다.

"역시 우리와 닿는군. 아무래도 구월산으로는 형세가 옹색하여 자비령에도 산채를 둘 생각인데……"

"내가 선상을 따라서 돌아다닌 적이 있어서 그쪽은 손금 보듯 하오."

박대근이 설명하였다.

"초도(椒島)가 너무 크고 돛점은 진영에 가까우니 임시 기착지는 몰라도 거점으로 정하기엔 불리하지. 아까 말대로 조금만 오르면 대동강 어귀인데, 그중 한적하고 동떨어진 고장이 바로 삼화(三和)요. 삼화 지경에만 알려진 섬이 자그마치 스물셋이고 큰 섬은 여덟이 된다오. 그러니 일일이 섬을 뒤지거나 살필 수도 없지. 특히 적당한 데가 호도(虎島)와 가도(椵島)인데 두 섬이 모두 적당한 포구와 만을 가지고 있고 숲이 울창하지. 근처에는 내쳐진 놈들이나 사는 부곡마을이 셋씩이나 된단 말이지. 여차직하면 그 틈에 끼여도 숨을 방도가 생길 게요. 특히 가도는 영에서는 바다로 오십 리 길이나 떨어져 있고, 가까운 해변은 제암(帝岩)과 마지산(馬池山)인데 한적하고 인적 없는 갯벌이니 산속에 마을을 이루어놓고 어촌 비슷이 해놓으면 누가 거들떠보지도 않겠지."

"가도라면 나두 염두에 두고 있던 곳이우. 일단 숨어 있다가 명년에는 꼭 근거지를 만들어놓아야지."

대근은 일단 길산에게도 귀띔했던 인삼의 재배에 관하여 이야기하였다.

"재배에 성공만 한다면 나두 송도에 머물 이유가 없소."

"아마 큰 힘이 될 겝니다."

길산이 말하였고 김기도 반가워하였다.

"인삼으로 무엇이든 살 수가 있소이다. 화약, 유황, 병기, 동철 등등의 구하기 힘든 것들을 사들일 수만 있게 되면 한 오천여 명이 무장을 할 수도 있겠지."

"그런 규모야 지금 생각할 틈이 없고……"

길산은 설왕설래하는 말이 차차 부황해지자 답답한 모양이었다. 그러나 김기는 줄곧 병서와 사기(史記)를 읽어왔는지라 곧 그치지 못하였다.

"호마(胡馬)도 북관에 가서 사들여야겠지. 전격하려면 기마병이 으뜸이니까."

길산과 박대근이 서로 눈을 맞추고 나서 허허 웃어버리고 말았다. 길산이 얼굴을 바꾸어 말하였다.

"좌우간에 이제 우리가 결의한 지도 어언 네 해가 지나갔소이다. 오늘 이렇게 만난 뜻은 그날을 잊지 않고 앞으로도 더욱 결속하여 큰일을 하고자 함이오. 첫째로는 우리가 활빈당이요 둘째로는 백성들의 병졸이며 셋째로는 어지러운 나라를 평정하고 새로운 세상을 만들자는 것이오. 우리는 첫 번째의 일조차 제대로 해오지 못했소이다. 백성의 병졸이 되려면 이런 식으로 도적질에 그쳐서는 아니 될 줄 아오. 우리 구월산에서는 곧 일어나 우선 구월산 사읍에 우리 힘을 보일 작정이오. 그리고 겨울 동안에는 선흥이하구 감동이하구 나 이렇게 셋이서 자비령 아이들을 찾아가 합치기를 설득하여보고 안 되면 무력으로라도 점령해둘 셈입니다. 요즈음 감영과 조정의 분위기가 어떤지 대근이 성님이 잘 정탐하여 전해주시고, 우서방은 앞서 말한 대로 총포를 구해주게. 그리구 이제 병담은 그치구 이렇게 만난 것을 기리는 제사나 드리구 나서 실컷 놉시다."

이제 갑송이만 빠지고 나머지 형제들이 모두 모였으니 산신에게 제사를 드리기로 하여 김기가 탑고개에다 준비를 시켰는데, 이튿날 아침에 탑고개의 괴뢰배 광대 하나가 올라왔다. 제가 오정부터 시작된다는 것이었다. 그들은 모두 탑고개로 내려갔고 마을 사람들이 나한암 앞에 하얗게 모여들어 있었다. 제주(祭主)는 김기로 되어 있었고 집사를 길산의 아버지 장충 노인이 맡도록 정해져 있었다. 그들이 들어서니 용기(龍旗)를 흔들며 풍물이 잡혀지고 모두들 길을 비켜주었다. 길산은 못 본 체하고 있었으나 그의 모친은 머리에 흰 띠를 질끈 묶고 통장고 앞에 앉았고 색동옷에 붉은 철릭옷을 입고 주립(朱笠)을 쓴 봉순이가 한 손에 방울 들고 다른 손에는 부채 쥐고 경정경정 뛰며 마당씻이를 하고 있었다. 무복을 입은 봉순은 어느 때보다도 아름다웠다. 볼에는 홍조가 가득 차 있었고 눈가에도 불그레한 기가 번져서 이상스런 열기를 띠고 있었다.

장충은 잽이를 다른 광대에게 맡기고 자기는 다른 이들에게 제물이며 새옹밥이며를 준비하게 하고 술상 주변에다 술을 뿌렸다. 제상 앞에 통돼지를 올리고는 청룡 황룡 기를 든 사람들이 앞장서서 나아가고 등롱이 따라가고, 그 뒤로 대금, 피리, 해금, 제금, 장고를 갖춘 광대들이 짓치며 가고 구월산 형제들과 마을 어른들이 나란히 서서 뒤를 따라갔다. 그들은 나한암에서 출발하여 동네를 한 바퀴 돌고 길산네로 가서 종이로 만든 연꽃을 흰 것 붉은 것 둘씩 받아서 깃대에 달아 나한암으로 돌아갔다. 봉순이가 그 깃대를 받아 양손으로 휘저으며 춤을 추듯 돌아갔다. 김기가 형제들을 대표하여 술잔을 올리고 삼배한 연후에 축문을 읽고 소지하였다.

봉순이 방울과 부채를 흔들며 춤추고 돌고 나서 부정거리를 읊었다.

"시위들 허소사. 선대루 할아버지도 할머니 양위말명, 이대루 할머니 할아버지두 양위말명, 삼대루 아버지 업제장 어머니 복말명에 삼사춘 양위말명요, 사륙춘 양위말명이며, 청춘두 양위말명, 소년두 양위말명, 이내외(內外)말명에 삼내외말명이오. 양가두 말명에 수양(收養) 가두 양위말명, 행길마루는 꽃밭 되고 썩은 손목을 마주 잡고 유금노에 패문 놓고 읍시사 청작허니 갑시사 패문 오니 한잔 술에 흠향허시구 두 잔 술에 거천(擧薦)하여 아무쪼록 정성 덕 입혀주소사. 시위들 허소사 부리망인은 신에망인 상산망인은 본향망인 부리망인은 신에망인 열망인 뜬망인에 곽각 선생은 이순풍네 홍계관이 상통천문(上通天文)에 하달지리(下達地理) 풀어내시구 선생망인이 식구대루 애삼두 저치구 열삼두 저치구 와다락지 쌍다락지 가시눈이면 개씨바리 다 저차주시구 식구대루 면경(面鏡)에 체경 같구 어르세세경 같구 닦으니 방울같이 눈 밝구 띠 맑게 점지를 허소사."

봉순이 눈은 먼 곳을 보고 있었다. 동네 아낙네가 수복이를 데리고 나왔는데 그 아이는 제 엄마가 뭐라고 소리 지르며 뛸 적마다 깔깔대고 웃었다. 길산은 제 가족들에게는 얼굴도 돌리지 않고 묵묵히 서 있었다.

"시위들 허소사. 부리서낭은 신에 서낭 동두길진은 배고개 서낭님 북두길진에 탑고개 서낭님 서두길진은 장림 서낭님과 남도길진은 모도리 서낭님과 재재봉봉을 넘든 서낭 거리 거리는 노제(路祭) 서낭 안으루 들어가서 수구군 서낭에 긴대는 목신 서낭이요, 문도지 색도지 빌도지 선전 백묵전 거쳐다가 문도지 서낭두 저처시구 밤이면 진으루 낮이면 샌너루 요물사물을 부리던 뜬 서낭은 저차내시구 부리 서낭은 아누허시구 아무쪼록 정성껏 입혀주소사."

봉순이가 계속하여 부정거리를 해나가는데 그들은 자리를 물러나와 멍석 위에 상을 놓고 앉아서 탁주를 들었다.

"거, 형수님 신명이 대단하우."

선흥이가 감탄을 하며 말하였고, 김기도 말했다.

"우리 아주머니께서 장두령을 뵙지 못하여 늘 한숨과 눈물이시더니 이제 춤추는 것을 뵈오니 바로 선녀 하강에 화색이 눈이 부십디다."

길산이도 김기가 공연히 부추기느라고 하는 소리인 줄을 알고 있었다. 길산은 구월산에 돌아온 뒤 하룻밤도 집에서 묵지 않았던 것이다. 그는 김기와 더불어 줄곧 된목이골에 머물러 있었다. 그의 귓전에는 저 옛날의 재인말에서 출행제를 지내던 날의 소리들이 겹쳐져 들리고 있었다. 그리고 그의 핏속에는 탈을 쓰고 모닥불을 뛰넘던 광대의 신명이 꿈틀거리고 있었으며 어느결에 묘옥의 춤추던 손짓과 발짓이 떠올랐다.

"신상문(新喪門)에 구상문(舊喪門)에 해가 묵은 상문에 철이 묵은 상문이요, 날루두 무색허구 달루두 까끄른 상문이며 재수에 꺼린 상문 몸수에 꺼린 상문 몽사에 꺼려 있던 상문이며 구석구석 끼여 있던 상문에 봄편지 통보사에 따라온 상문이며, 머리끝 백나비 쇠나비 따라온 상문이며 소대상 곡성에 따라든 상문에, 침방에서 거닌 상문 내방에서 동한 상문 마루 대청에 거닐던 상문이며 팔만 제주왕에 꺼렸던 상문이며 마당 지신 네 귀에 헤매던 상문이며, 위 행랑 위 처소에 꺼려 있던 상문이요, 네 행랑 네 처소에 꺼렸던 상문이며 또 팔만 수문장 대문간에 꺼렸던 상문, 영정 뒤를랑 울리구 부정 뒤를랑 허물을 마오. 영정가망 놀아나오, 부정가망 놀아나오, 열두부정두 놀아나오, 뜬부정두 놀아나오, 피부정두 놀아나오, 돈부정두 놀아나오, 사세당당 구비전적 대활예루 놀아나소사."

봉순의 청아한 목소리가 계속해서 들려오고 있었다.

"우리 이럴 게 아니라 소리도 하고 춤도 추며 놀지."

마감동이 제의하였고 선흥이도 보채는 것이었다.

"성님, 이럴 제 광대 근본 잊어서는 아니 되우. 쫓아나가서 굿거리 장단에 맞춰 춤이나 한판 추어보시우."

"뭘 그냥…… 술이나 먹지."

길산은 일어나지 않았다. 곧 부정거리가 가망청배로 바뀌는 모양이었다. 이번에는 봉순의 목소리가 아니라 다른 처녀 무당의 앳된 목소리인 듯하였다. 정오부터 시작된 굿이 황혼 무렵에도 부정거리, 신장거리, 말명거리, 조상거리, 상산거리, 별상거리, 대감거리, 창부거리, 제석거리, 군웅거리, 황제풀이 그러고는 뒷전거리와 무감나서기로 끝날 모양이었다. 저녁이 되어서도 굿은 계속되었고, 구월산에서 내려온 여러 형제들은 김기네 집에 둘러앉아 얘기를 하며 술을 마셨다.

"자, 이렇게들 모였다가 흩어지면 서로 상면하기가 또한 쉽지 않으니, 이렇게 하면 어떨까. 석 달에 한 번씩은 서로 방문을 하든지, 못 오면 사람을 보내든지."

박대근이 안을 내놓았다.

"그러지요, 구월산에서는 주로 강서방이 나돌아다니니 철마다 들를 겝니다."

"이제 내일쯤 헤어지면 내년 봄에나 만나게 되겠구먼."

김기가 박대근에게 물었다.

"요즈음 감영은 형편이 어떠합디까?"

"글쎄요, 이세백(李世白)이란 이가 관찰사인데 청렴하다고는 하나 무능하고, 덕이 있다고는 하나 우유부단하여 아랫것들이 앞에서는 두려운 체하고 뒤로 속이며 존중하는 척하면서 멸시하지요. 흔히 있는 관리인데 다만 사람됨이 온건하니 시강(侍講)에서 어사 노릇을 하여 감사에까지 이른 게요. 아마 임기나 마치고 무사히 떠나려 할 것입니다. 우리 송도유수란 자도 마찬가지인데 다만 융통성이 있어서 세사에 밝은 편이지요. 대저 유능하고 수완 있는 관리란 오래 배겨나지 못하거나 조정의 높은 직임에 오르지 못하는 듯합디다. 아무래도 그런 이는 돌출하게 마련이고 적이 많아질 테니까요. 어쨌든 우리 송도 쪽에서는 해서감영에 별다른 변화가 없을 게라구 믿구 있습니다."

대근의 말을 듣고 김기는 한결 마음이 놓이는 것 같았다. 소음이 차츰 커져가는 것이 뒷전도 끝나 무감으로 들어가는 모양이었다. 마감동, 오만석, 우대용은 나한암 굿터로 가겠다며 일어섰고 길산이도 일어났으며 김기와 박대근만이 남아 대작하였는데 선흥이와 말득이는 먼저 곯아떨어져 있었다.

"어디들 가려구?"

"이거 뭐 맨숭맨숭하여 재미가 있어야지. 우리는 굿터에나 가볼라우."

김기의 말에 감동이가 대답하고 우대용도 말하였다.

"나두 갯것이라서 당제 지내는 건 한 번두 구경하지 못했으니 가서 춤판에라두 끼여야겠수."

"제주가 이러고 앉았으니 우리가 염치가 있어야지……"

김기가 쾌히 웃었다.

"다 한번 풀어헤치구 놀려구 저러는 게여. 우리 핑계루 지내는 굿인데, 끼여봤자 동네 사람들 흥이나 깨지. 장두령은 뭐…… 춤이라두 한바탕 추려는가? 아무래두 신명이 가라앉지 않는 게요."

길산이 말하였다.

"바로 지척에 집을 두고 여기서 잘 수도 없고 해서…… 가서 자렵니다. 내일은 모두 어울려 사냥이나 가든지……"

"나두 내일은 송도루 돌아갈 거요. 술이나 더 드오."

대근이 권하였으나 김기가 말렸다.

"아니…… 마침 부정을 피하다가 오늘부터 풀린 날이니 가서 수복 엄마하구 회포나 푸시우."

길산은 그저 빙긋하면서 돌아섰고 두 사람이 뭐라고 더 농을 거는 것을 못 들은 체하며 나왔다. 집으로 가보니 아무도 굿터에서 돌아오지 않아서 불 없는 집안이 캄캄하고 적막하였다. 길산은 기웃이 안방 쪽을 살피다가 마루에 걸터앉았다. 밤하늘에 또롱또롱한 별들이 나직하니 빛나고 있었고, 조각달은 훨씬 기울어 앞마당의 감나무 가지 끝에 비스듬히 걸려 있었다. 길산은 저절로 취흥이 일어나서 흥얼흥얼 소리를 하였다.

"내 돌아왔네 돌아를 왔네. 못 올 길을 내 어이 왔나 이별에 두 자를 깨치러 왔구나. 우리 인생 죽어지면 만수 장림에 운무로구나. 만첩 청산 썩 들어가니 잔디 잎으로 이마를 삼고 두견 접동으로 벗을 삼고 석침 베고 누웠으니 송풍은 거문고요 두견성은 노래로구나. 살은 썩어 물이 되고 뼈는 썩어 황토가 되고 삼혼칠백이 흩어질 제 어느 동무가 불쌍타 할까 생각하면 맘성이 좋질 않아 못 살리로구나. 횅뎅그레 빈방 안에 홀로 앉았으니 임이 오며 누웠으니 잠이 올까. 수다하니 몽불성이라 잠을 이뤄야 꿈을 꾸고 꿈을 꾸어야 임 만나보지. 임 사는 곳과 나 사는 곳은 남북간 수십 리에 멀지 않건만 어이 그다지 못 본단 말가 춘수는 만사택하니 물이 많아서 못 오는가. 하운이 다기봉하니 봉이 높아 못 온단 말가. 봉이 높거든 쉬어서 넘고, 물이 깊거든 일엽선 타려무나. 쳐다보니 만학천봉 내려 굽어살피니 백사지로다. 허리 굽고 늙은 장송 광풍을 못 이기어 반춤을 춘다. 건각천봉에 올라서서 좌우 산천을 바라보니 송림 취중에 뭇새들은 벗을 찾느라고 다 날아들고 연상에 나는 백구는 산천경개에 어리었구나. 도화 남수 깊은 물은 침침한 자취뿐이로구나. 황릉 묘상에 두견이 울고 창파 녹림에 잰나비 파람 불고, 소상야반에 시시때때로 오는 비는 아황녀의 눈물이요, 요내 시시로 흐르는 눈물은 눌로 연하여 눈물이더냐, 임으로 연하여 눈물이로다. 백일청천 뜬 기럭아 동으로 왕래더냐, 소상강수로 거래더냐, 일폭 화전지에 세세사정 기록하여, 네 발에 둥둥 실 매달아줄게 임 계신 곳 가거들랑 우리 임한테로 전하여라. 명춘 삼월 귀소시에 임의 소식 전해주길 주야로 고대로구나. 유유 창천은 호생지덕이요, 북망산천아 말 물어보자, 역대 대왕과 영웅 열사가 모두 네게로 가더란 말이냐. 우리 같은 초로 인생이야 단불에 나비 몸이 말 다하여서 무엇 할까. 창천은 불로 일생이요 북망산천은 일사로구나 천생지률을 어느 누가 맘대로 할쏘냐."

길산은 문득 노래를 그쳤다. 방 안에서 아이 우는 소리가 들린 때문이었다. 혼자 잠들었던 수복이가 그의 노랫소리로 하여 깨어났던 것이다. 어미와 할머니와 할아버지가 모두 굿터에 나갔으니 누군가에게 맡겼을 터인데 잠이 들어 풀어놓고 간 듯하였다. 수복이는 발발 기어서 마루로 나왔다. 길산은 저도 모르게 아이를 끌어안았다. 수복이는 울다가 길산이 위아래로 추스르자 차츰 울음을 그쳤다. 길산은 아이를 가슴에 안고 저고리 자락으로 아랫도리를 감싸고는 천천히 몸을 흔들었다.

"우리 애기 착하다……"

아이가 홍얼거리며 길산의 굵은 손가락을 솜 같은 손아귀에 쥐었다. 길산이 더욱 위아래로 거세게 부추겨주니 수복이는 깔깔대며 좋아하였다. 길산은 다시 아이를 저고리에 감싸고 마당을 거닐었다. 아이의 물처럼 녹아버릴 듯한 살의 온기가 길산의 가슴팍에 전해져 왔다. 아이를 잠재우고 있는 그에게는 이상스런 감동이 번져오는 것이었다. 만삭의 몸으로 쫓기시다 저를 낳고는 길에 묻혔던 어머니, 그이의 피를 받아 이렇게 또다른 생명이 태어났고 바로 제 가슴에 안겨 있다는 감격이 목구멍을 죄도록 넘쳐왔다.

"우리 수복이 착한 애기……"

아비가 그 자식의 잠을 재우는 일이 당연하기는 하여도 원래 어미가 하는 일이라, 모처럼 아이를 재우거나 업어본 사내들은 모두들 전에 느끼지 못하던 사랑과 슬픔을 동시에 갖게 마련이다. 길산이 아이를 조심조심 방 안에 누이고 나오니 그의 등뒤에 누군가 다가선 인기척이 느껴졌다. 그제야 돌아보니 시커먼 옴탈이 서 있었다.

"아버지, 언제부터 거기 계셨어요?"

"응…… 방금이다."

장충은 건넌방 문을 열더니 선반 위에 얹혔던 고리짝을 끌어내렸다. 그러고는 통장고를 어깨에 걸머지고 마당으로 나서는 것이었다.

"어디 한바탕 해보아라."

길산은 머뭇거리다가 고리짝을 열고 케케묵은 탈박들 중에서 취발이의 탈을 집어들었다. 이마에는 혹이 돋았고 노총각의 머리타래가 얼굴 위로 늘어지고 안면에는 깨곰보가 역력하며 눈은 놀란 퉁방울눈으로 홉뜨고 있다. 길산은 머리 위로 탈보를 뒤집어쓰고 나서 아버지 앞으로 나섰다. 아버지가 통장고를 두드리며 불림을 내었다.

"달아 달아 밝은 달아 이태백이 노던 달아……"

길산은 저절로 어깨가 으쓱여지고 무릎이 올라감을 느꼈다. 타령장단이 계속되자 길산은 힘차게 깨끼춤을 추며 돌아가기 시작하였다. 몇바퀴 돌아가는 사이에 길산의 장딴지와 팔뚝에는 어언 신명이 잡혀서 까마득하게 잊어버리고 있던 춤사위가 저절로 풀려나오기 시작하였다. 조각달은 거의 져서 서쪽 나뭇가지 사이로 빠져나가 서산머리에 쪽배처럼 걸렸다. 길산은 흥겹게 힘차게 취발이춤을 추며 마당을 돌아갔다.

"어어…… 옳지."

장충도 오랜만에 아들의 춤박자를 쳐주는 일에 신명이 잡히는 듯하였다. 그들의 사이로 하얀 것이 날아들어오는 듯하였다. 주립과 철릭을 벗어던진 봉순이가 길산의 앞에서 대무하고 있었다. 장충이 잦은박자에서 여섯박자로 바꾸면서,

"절쑤 절쑤 지화자 절쑤……"

하고 불렀다. 길산의 꺼떡거리는 춤과 차분하게 미끄러지는 듯한 봉순의 춤이 서로 엉클어졌다가 흩어져 물러나고 다시 합쳐 서로 돌고, 앞서거니 뒤서거니 그러고는 헤어졌다가 또 만났다. 길산은 돌연 춤을 멈추고 우뚝 섰다. 장충도 장고채를 멈추었다. 봉순이만 계속 춤을 추어나가고 있었다. 봉순이의 귀에는 혼자서만 들리는 어떤 가락이 있는 것 같았다. 길산은 탈박을 벗고 소매로 이마에 가득

한 땀을 씻었다. 그는 한참이나 빙글빙글 큰 원을 그리며 돌아나가는 봉순이의 춤을 바라보다가 장충에게서 통장고를 넘겨받아 두드리기 시작하였다. 장충은 슬그머니 그들의 시선을 피하여 마당 가녘을 돌아 바깥으로 나가버렸다. 길산은 계속 두드렸고 봉순은 우쭐우쭐하면서 그 앞을 맴돌았다.

길산이 북채를 놓고 그 자리에서 일어나니 봉순이가 그제야 멈칫서버렸다. 길산은 봉순이를 바라보았다. 봉순은 할 바를 모르며 몸을 돌릴 듯 주저앉을 듯 여러 태를 보이는 중인데, 바로 그때에 길산이 팔을 크게 벌렸다. 봉순이 춤사위이기나 한 것처럼 온몸을 던지며 미끄러져 와서 길산의 가슴에 머리를 묻었다. 길산은 아내를 두 팔로 가만히 힘주어 안았다. 봉순이도 그대로 움직이지 않았고 길산은 그냥 먼 데서 들려오는 송림의 사이를 헤치고 지나는 바람소리를 듣고 있을 뿐이었다. 어두운 방 안에서 다시 아이가 칭얼대는 소리가 들려왔다. 길산은 아내의 등을 가볍게 두드리며 그쪽으로 밀었고, 봉순이는 아쉬운 듯 길산의 품을 빠져나갔다. 이 집을 버릴 때가 언제일지는 알 수 없으되 그는 다시 돌아온 것이다. 그는 구월산 탑고개가 영원히 자기들이 살 곳이라고는 여기지 않았다.

때는 숙종 계해(癸亥) 구월이었고, 길산의 나이 스물아홉이었다.

제3부

| 제1장 |

황민
荒民

1

곡산 수안 방면에서 뻗어내려오는 큰 산령(山嶺)이 서흥 봉산을 지나서 황주 극성진(棘城鎭)에 이르러 끝나는데 서흥 쪽의 북방로는 절령(岊嶺)을 지나고 봉산 방면의 길은 동선령(洞仙嶺)으로 향하여 있었다. 원래가 절령의 통로를 국도로 썼으나 너무 험준하고 여름 장마철과 겨울의 강설기가 되면 행로에 매우 곤란하여 결국은 동선령으로 옮겨 절령역(驛)은 봉산의 검수역말과 합치게 되니 자연히 절령길이 두절이 되고 말았던 것이다.

절령은 봉우리가 높고 험하며 골짜기가 깊어서 병마(兵馬)가 접근하기 어려운 요새지였으니 그야말로 일부당관(一夫當關) 만부막적(萬夫莫敵)의 고장이었다. 이곳이 자비령(慈悲嶺)으로 불리게 된 것은 절령 북쪽에 나한당으로도 일컫는 자비사라는 절이 있기 때문이었다.

원행하는 사람들이 자비사에 들러 행로의 무사함을 기원하였고 절에서는 객주 비슷이 숙식처를 마련하여두었던 때가 있었다. 그러나 국도가 동선령으로 옮겨가게 되매 길은 모두 없어지고 인적도 끊기고 말아 자비사는 곧 폐허가 되었으며 절령에다 자비령이라는 이름만을 남겨주게 된 것이었다. 따라서 동선령에는 문루와 성벽에 높다란 관문이 세워지고 객사와 역사가 번듯하여 북관과 서북에서 해서로 들어오는 목구멍과도 같았다.

인적이 그리로 몰리게 되어 자비령 부근은 자연히 수상한 녹림처사들이 들끓게 되었다. 일찍이 조대립이 은거하였고 그뒤로는 훈련원 교련관 출신의 임태룡이 차지하였으며 마감동과 노가 등이 뒤를 이었던 것이다. 노가도 마감동의 손에 죽고 나서 그들이 구월산에 머무는 동안에 자비령에는 산채의 주인이 여러 번 갈렸다.

경신년부터 자비령 인근의 판도가 달라지게 되었으니 그것은 춘천 태생의 최흥복(崔興福)으로부터 비롯되었다. 흥복은 춘천 느릅나무골(楡谷)에서 농사를 짓고 살았는데 상민이었다. 키는 작고 뼈대도 가늘었지만 성품이 강개하고 민첩하여 제법 인근 동리에서 왈짜깨나 부릴 줄 알았다. 평소에는 쾌활하고 소탈하여 모두들 그와 벗하기를 꺼리지 않았으나 일단 성미가 치오르면 누구도 막을 자가 없어서 끝장을 보고야 마는 까닭에 그와 다투기를 두려워하였다.

양평의 장꾼 하나가 완력을 믿고 읍내 주막에서 중인환시 가운데 그의 코피를 터뜨린 적이 있었다. 최흥복은 그날부터 무려 두 달이 넘도록 장꾼의 집을 찾아가 날마다 싸움을 걸었고 힘이 부치는지라 혹은 이마도 터지고 팔이 삐기도 하며 눈두덩에 멍이 시퍼렇게 들기도 하였다. 장꾼은 드디어 아예 역증이 나고 견딜 수가 없어서 뒤란에 숨거나 이웃으로 피하곤 하였지만, 최흥복은 지치지도 않고서 그 사립을 지키고 앉았다가는 저녁이 되면 돌아오고 이튿날에는 다시 꼭두 새벽부터 나타나 싸움을 청하는 것이었다. 그야말로 삼경(三更)의 액(厄)을 만난 격인 장꾼은 그만 코를 땅에 비비고 빌지 않았다가는 생업은커녕 마누라 자식새끼를 간수도 못 할 판이었다. 제발 사람을 잘못 보고 건드렸으니 이만 거두어주십사 하는 말로 닭도 잡고 농주도 걸러서 사화를 청하였으나 홍복은 코방귀를 뀌었다. 바로 첫번 싸움이 일어났던 주막에 와서 사죄를 하라는 말이었다. 끝내 장꾼의 완력을 여럿 앞에서 꺾어놓았는데 그로부터 사람들은 홍복을 당초망(唐椒魍)이라고 불렀으니 고추처럼 독한 도깨비라는 뜻이었다.

최홍복이 고향을 등지고 세상에서 쫓기게 되었던 것은 느릅나무골의 민변(民變)을 주동한 때문이었다. 마침 때는 추수가 끝난 늦가을철이었다. 해마다 다가오는 위협이 있었으니 그것은 환곡(還穀)이라는 명목으로 수령이 공공연히 수탈해가는 일이었다. 느릅나무골은 삼십여 호가 되건만 일 년 농사 끝에 거둔 쌀이 많으면 열 섬, 적으면 고작 칠팔 섬이었다. 환곡제도의 의의는 애초에 흉년이나 천재지변 때에 백성을 구휼하기 위하여 춘궁기에 쌀을 내어주고 가을철에 거두어들이던 것이었으나, 임진 병자의 난리를 겪고 나서 국가재정이 피폐하여지자 환곡의 이식을 국비에 보태려고 매관(賣官)이나 이곡(移穀)으로 곡식을 확보하여 과세와 이식의 수단으로 삼게 되었다.

관청과 군영이 보유한 곡식을 빌려주고 이자를 강요하게 되니 구제의 방편이 아니라 착취의 수단이 되었던 것이다. 백성의 뜻은 무시하고 대부를 강요하였으며 이자도 엄청나게 높아 빚에서 헤어날 도리가 없었다. 특히 관료들은 지방의 토호들과 짜고서 그들의 재고미로써 마음대로 환곡을 조종할 수 있었다. 이자도 그렇거니와 마치 강도처럼 버젓이 훔치는 수법이 있었으니 그것은 바로 모곡(耗穀)을 받아내는 것이다. 소위 모라는 것은 새와 쥐에 의하여 축날 것을 예상하고 메우는 것인데, 전혀 백성들의 일방적인 부담이었다. 경모(京耗), 영모(營耗), 관모(官耗)가 곳곳마다 관청마다 있었으니 각기 정한 대로 거두어 일정하지 않았다. 언제나 곡식을 내주면서 미리 모곡을 제하니 손해는 백성들에게 지워지는 것이었다. 따라서 가을에도 다시 모곡은 모곡을 낳아 백성들이 부담하는 양이 점점 불어났다.

각처 아문(衙門)의 명색들이 번잡하고 어려워서 단서를 잡기가 어려운데, 더구나 양곡대장의 기록이 갖가지라 얼른 보아서는 좀처럼 분간하기도 힘들었다. 세밀히 파고들어 조목마다 따지면 앞뒤를 맞출 수 있을 듯하지만, 어쩌다가 실착하여도 양곡 계산을 정확하게 해내기가 어려워지는 법이다. 계산에 능숙한 관리의 눈에도 그러하거늘, 일반 무식한 백성들이야 속는 것을 번연히 알면서도 책잡을 수가 없어 눈뜨고 속아넘어가는 판이었다. 고금을 통틀어 관리나 지방 유력자가 백성의 눈을 속여 치부를 하던 일이 어디 한두 가지인가. 가난한 백성이 받아서 먹는 것도 애초에 제한한 양이 없고, 부유한 호에도 억지로 주어서 모곡을 받을 계책으로 하였다. 최홍복네 마을에서도 형편은 똑같아서 열 섬을 넘지 못하는 수확에 받아먹은 환곡은 수십 섬이 넘었다.

나라 곡식을 함부로 할 수 없다 하여 수령은 기어이 정한 수량대로 받아들이려고 장차(將差)를 많이 보내서 온 마을을 독촉하였으니, 백성들은 흩어지거나 호가 비게 되는 것이다. 지적하여 받을 곳이 없으면 침해하며, 혈속도 없을 듯하면 그 이웃에 와 책임을 묻는다.

채찍으로 낭자하게 치고 가장집물을 빼앗으니 난리를 만난 것과도 같았다. 가령 한 섬 벼의 값이 두 냥 돈이 되면, 먼저 한 냥은 받아서 착복하고, 남은 한 냥을 백성에게 억지로 주었다가 가을을 기다려서 한 섬 벼를 갖추어서 바치도록 하였으니 그것이 전환(錢還)이란 제도였다.

느릅나무골 사람들은 추수를 하자마자 그런 난리를 겪고 나서 작년의 환곡을 갚고 나니 막상 겨울을 지낼 일이 아득하였다. 마당에는 볏짚과 겨가 어지럽게 늘어져 있고, 논은 텅 비었건만 양식은 한 톨도 남아 있지 않은 집이 많았다. 흥복이네 집도 여덟 섬을 추수하였는데 석 섬밖에 남아 있지 않았다. 환자를 타가라고 창(倉)의 고지기와 사령이 나와서 일렀으니, 모두들 또 속는 줄을 알면서도 지게를 지고 나서는 것이었다. 흥복이도 환자를 타가지고 돌아왔다. 그의 형이 기다리다가 한 섬을 지고 돌아오는 흥복을 보고서 물었다.

"아니…… 그것뿐이냐, 더 안 준다던?"

"한 섬만 지구 왔수."

"애, 또 환자 타는 기한을 준다더냐?"

흥복은 쌀섬을 내려놓고 코를 헹 풀어서 마당에 뿌렸다.

"그런 소리 없습디다."

"헌데 왜 한 섬 지구 와서 그만두니? 넉 섬 가지고는 우리 식구 농량으루 어림두 없다."

"까짓 환자 타오기만 해서 뭘 하우? 내년에는 또 갚아야 되는데. 겨울 동안 장사라두 나갈라우."

그들이 앉아서 한숨을 쉬고 있는데 마을 사람 하나가 둥구미에다 한 되는 되어 보이는 쌀을 담아들고 오는 것이었다.

"여보게, 세상에 이런 법이 있나?"

그는 둥구미에서 쌀을 한 줌 쥐어서는 흥복이 형제의 눈앞에서 흩뿌려 보였다. 부스러진 싸라기거나 쭉정이뿐인 곡식이었다.

“이따위를 타려구 이십여 리 길을 점심도 굶어가며 오락가락하였네. 그리구 명년에는 다시 허리 부러지게 지은 기름진 곡식을 빼앗아가겠지. 그나마 모곡이라구 두어 되가웃이나 얹어서 받고 이자까지 받겠지.”

흥복은 흠칫하였다. 부리나케 제가 타온 환곡섬을 뜯어 쌀을 쥐어 살펴보았다. 보송보송하고 질 좋은 쌀이었다. 방아만 찧으면 백옥 같은 쌀이 될 듯하였다. 그는 입에 몇알 넣고 겨를 뱉어내고 씹어보았다.

“우리는 운이 좋았네. 쌀이 아주 고소한걸. 사람 봐가며 환자 내주나?”

그러나 마을 사람은 믿기지 않는 눈치였다. 그는 고개를 갸웃하더니 손을 섬의 복판에 깊숙이 찔러넣었다. 무엇을 잡았는지 그는 미간을 찌푸리며 혀를 찼다.

“그러면 그렇겠지…… 그놈들이 어떤 놈들인데, 아예 야차 같은 놈들인걸.”

흥복의 형이 달려들어 마을 사람처럼 손을 깊숙이 넣었다가 빼냈다. 그의 손에는 굵은 왕모래가 한움큼 쥐어져 있었다.

“노적가리 태우고 이삭 주웠구나.”

“풍년 거지가 더 섧다더니 이런 예미랄 놈들을.”

흥복이도 곁따라 손을 집어넣었다가 허탈하게 쌀섬을 발로 내지르고 주저앉았다.

“그래 어쩌려나?”

마을 사람이 물었으나 흥복이 형제는 쭈그리고 앉아 먼 산을 바라보기만 하고 있었다.

"내다가 팔든지 잡곡하구 바꾸든지……"

마을 사람은 혀를 찼다.

"허허, 눈앞이 명부전이로군. 시방 장터에 풀려난 게 순전히 환곡 내놓은 것들일 텐데 눈치 빠른 장사치들이 제값을 줄 리가 없지. 고작해야 네댓 돈이나 받을까 말까…… 아마 아전놈들이 사람을 풀어 도로 사들일 게야. 올해 들어간 성한 쌀과 바꾸어치겠지."

"팔긴 뭣 허러 파나. 이건 내 쌀이 아니니 임자헌테 돌려줘야지."

"사람을 모아오시우. 오늘 환자 타온 이들 형편이 모두 비슷할 테니까 혼자 가서 떠드느니 작당이 이로울 게여."

홍복이 안을 내어 느릅나무골 청장년들 이십여 명이 동구 앞으로 모여들었다. 그들은 한나절 내내 기다리다 타왔던 쌀을 지게에 걸머지고 있었다. 모두 소양강의 강창(江倉)으로 몰려갔으나 이미 관무가 끝났다고 하여 일단 창고 앞에다 환곡을 부려놓고 그냥 돌아왔다. 이튿날 몰려가보니 쌀은 간데없고 사령들이 풀려나와 무조건 그들을 오라에 얽어매는 것이었다.

"이놈들, 지난해의 환곡도 채 물지 못한 놈들이 감히 관곡에 까탈을 잡아 작당을 하느냐. 관명을 어기고 대드는 놈들은 역적이나 다를 바 없다. 너희놈들 환곡을 모두 갚기 전에는 풀려나가지 못할 줄 알아라."

이러는데 더는 버틸 수가 따로 없어 모두들 애걸복걸 사정하며 하루종일 빌어서 귀쌈이나 몇대씩 맞고 풀려나게 되었는데, 물론 창고 앞에 부려놓았던 환곡은 다시 찾지 못하였다.

"배가 불러서 하는 짓들이니 명년 춘궁기에 어쩌나 두고 보자. 환자 탄다고 얼씬거렸다가는 모가지를 뽑아줄 테다."

느릅나무골 사람들은 모두 코가 석 자나 빠져서 터덜터덜 밤길을 돌아왔다. 홍복이가 비록 성미가 좀 있다 하나 땅 파먹고 사는 쥐뿔도 없는 상놈인지라 관차를 당할 도리가 없었다.

"에라, 잘되었다. 이참에 논배미는 팔아치우고 북방으로 올라가 장사나 해볼까?"

홍복이는 제 형처럼 농사에만 매달리지 못하였으니, 원래가 무뢰한의 성정이 있었기 때문이어서, 인근 장터를 나돌며 산에서 채집한 잣이나 오미자, 석이버섯 등속을 팔기도 하며, 소양강에 나가 쏘가리를 잡아 주막에 대어주고 용채를 얻어 쓰기도 하였다.

이렇게 느릅나무골의 인심이 울혈하여 건드리면 터질 지경이었는데 뇌성에 벽력이라고 잡부금을 거두게 되었던 것이다. 홍복이는 강에 나가고 집에 없었는데 집강(執綱)과 마을 약정(約正)이 찾아왔다. 호구를 조사한다는 것이었다. 일일이 성명과 나이를 적어내려가니 홍복의 형이 몹시 궁금하여 물었다.

"우리 호적이 안에 오른 지 하루이틀이 아닌데 무엇 때문에 호적을 다시 정리하고 그럽니까?"

"그냥 별게 아니라네. 부사나리께서 갈려가시고 새로 오신다네."

"갈려가실 적마다 호적이 정리되는가요."

"신관 쇄마비가 나올 것이라네."

"그게 무어요."

"허허, 이 사람 송곳 항렬인가. 왜 자꾸 파고들어…… 우리 고을을 위해서 부임하시느라고 사비를 축내어 노자를 하시니 마땅히 우리가 물어야지."

비용을 받는데 장정이 많은 집은 자연히 더 받는다는 것이었다. 모두들 관리들의 토색질에 불만을 억누르고 있던 참이었지만, 집강의 조사에 억지로 응하면서 대들 틈만 엿보고 있었다. 나중에 약정이 돈을 거두러 다니는데 어찌된 일인지 호적장부에는 성이 바뀌어버린 자, 이름이 바뀐 자도 있었으며 죽은 자가 살아 있기도 하였다. 원래가 호적정리가 목적이 아니라 빠짐없이 쇄마비를 거두려는 데 뜻이 있었던지라 장부기록에 소홀하였음이 틀림없었다. 또한 도감(都監)이란 자가 나중에 밥술깨나 먹는 자들의 인정전을 바라고 호적 고칠 구실을 만든 것이었다. 홍복은 드디어 이것이 관리들 쪽의 허를 보인 짓이라 믿었으며, 더구나 수령의 사삿돈에 관계되었으니 강하게 나갈 만하다고 믿었다. 그들은 호적일을 물고늘어져서 환곡수납 때 받은 수모를 갚아보려 하였다. 도감과 색리(色吏)가 돈을 받으려고 호적대장을 가지고 나타나니 느릅나무골 장정들이 떼지어 빈터에 모여섰다가 그들을 막아섰다.

"이 동네 약정은 어디 있느냐?"

약정이 귀띔을 해준 일이라 그는 미리 피해버렸으니 나타날 리가 없었다. 대신에 홍복이가 팔뚝을 걷어붙이고 앞으로 나섰다.

"내가 약정이나 마찬가지요."

색리가 귀찮다는 듯이 홍복의 아래위를 내리훑었다. 당초망 최가임은 누구나 아는 터였다. 둘러선 젊은이들의 붉으락푸르락하는 기색을 보니 심상치가 않았다.

"쇄마비 내기 전에 그 대장이나 좀 구경합시다."

홍복이 색리가 옆에 낀 장부를 빼앗으려 하니 도감이 제지하며 제법 서슬 푸르게 호통을 쳤다.

"감히 어디다 손을 대느냐. 관가로 끌려가서 곤장에 다리 부러지구 싶냐."

우르르 몰려들어 도감의 갓을 벗겨 짓밟고 색리의 대장을 빼앗았다. 홍복이 호적대장을 얼른 글 아는 이에게 넘겨주니, 그는 일일이 짚어가며 일러주는 것이었다. 아비를 할아비로 바꾸고 아들을 아비로 바꾼 것도 있고, 혹은 노(奴)를 주인으로 바꾼 것도 있었고, 성을 쓰지 않은 것도 있고 또는 성은 썼으되 이름이 없는 것도 있었다.

"하늘 보고 사람이라고 서서 다니는 것들이 남의 조상을 욕보이고 집안을 망치면서 쇄마비란 또 무엇이냐. 너는 니 에미 애비도 없이 솟았니?"

홍복의 발길질 한 번이 신호나 되는 듯, 마을 장정들이 제각기 달려들어 차고 때리고 짓밟는 중에 그만 살변이 일어났던 것이다. 대강 분풀이가 끝난 연후에 내려다보니 이미 두 관리는 식어 있었다.

"본관(本官)이 와서 아직 검시하지 않았으나, 만약 와서 시신을 가져가면 우리는 모두 장하에 죽네."

"마을은 부곡으로 떨어져 영영 천대를 받게 될 게야."

나이 든 축들이 탄식하고 술렁대는데 홍복이가 나섰다.

"삶은 콩에 싹나우? 나중 일은 모두 내게 미루시우. 이것들을 끌구 강으로 갑시다."

그들은 관리의 시신을 새끼로 묶어서 소양강 사장으로 끌고 갔다. 때는 황혼녘이라 남은 노을이 제법 장하게 강변에 드리웠는데, 마른 나무와 짚을 쌓고는 시신을 올려두고 불을 질러버렸다. 생존의 위협을 받은 무리처럼 힘세고 무서운 것은 세상에 없는 법이다. 완전히 캄캄해져서 사장에는 불길이 더욱 음산하게 피어올랐고 사람들의 마음도 비장하게 끓어오르기 시작하였다. 환곡에 부역에 조세에 그렇게 시달리면서도, 거친 손으로 코 한번 힁하니 풀며 돌아서던 농투성이들이 눈에 불을 켰다.

"이대로 관가로 짓쳐들어가서 사또에게 따지고, 수리(首吏)를 끌어내어 죄상을 밝혀야 한다."

최흥복이 작은 체구에 제 키만이나 한 작대기를 집어들고 앞장을 서니 마을 사람들이 하나둘씩 그의 뒤를 따랐다. 중도에서 여러 곳의 다른 촌민들이 합세하여 근 오십여 인이 넘었다. 두런거리는 소리와 서로 찾고 부르는 고함소리, 개 짖는 소리들이 마치 대보름에 석전(石戰)에라도 나가는 양이라, 사람들은 차츰 두려운 기가 풀려갔다. 취한 자들도 끼여 있게 마련인데 그들은 지나는 사람들을 막무가내로 끌어들였다. 마침 관리를 타살하였다는 말을 듣고는 관아에서 무장한 사령배가 풀려나왔으며 그들은 보안(保安)역 앞의 공터에서 부딪쳤다. 백성들은 조용했지만 무서운 덩어리가 되어 어둠속에서 있었고 병졸을 인솔한 장교도 질려버린 것 같았다. 그들 쪽은 관솔 횃불을 쳐든 자들이 있어서 훤하였고 창검이 차갑게 번쩍였다. 백성들 쪽은 어둠속에 희끗한 옷자락만 서로 얽혀 있을 뿐이었다.

"작당하여 관문(官門)을 어지럽히는 죄는 참형(斬刑)을 당한다는 것을 알고 있는가. 더구나 관리를 타살하였다니 수모(首謀) 되는 자는 살아남지 못하리라."

장교가 앞으로 걸어나와 외쳤고, 백성들은 잠잠하였다.

"관리로서 나라에는 해를 끼치고, 백성들은 못살게 하는 데서 나아가, 이제는 강상의 도리를 깨뜨리고 환부역조(換父易祖)하고 귀신을 살려놓고 갓난 늙은이를 만들어 쇄마비까지 걷어주면, 그런 짓으로 부임한 수령이 어느 정신에 선치를 할 것이오. 죽은 자는 그런 편법으로 혼란을 일으켜 사복을 채우려다 하늘의 뜻으로 죽었거니와, 이제 수리를 불러내어 이번 일의 자초지종을 따져야겠소."

"그렇다면 총대를 뽑아서 명일 조례 시에 사또께 현신하라. 모두 물러가고 관리를 타살한 죄인은 스스로 밝혀내어 관가로 끌고 오도록 해라."

"지금 사또께 아뢰고 수리를 잡아내야겠소."

"다시 말하지만 관문을 어지럽히면 모두 참한다."

그때 누군가가, 아마도 취중이었겠는데 돌팔매를 날려서 장교의 가슴팍을 맞혔다. 장교가 에쿠 하면서 두 손으로 가슴을 감싸자마자 마침 천지는 캄캄칠흑이것다, 머릿수도 많것다, 분은 났것다, 그대로 땅바닥을 더듬어 돌멩이건 흙덩이건 집어들어 어림짐작 횃불빛을 바라보고 던지니 강풍에 땡감 떨어지듯 하였다. 창검이 무슨 소용이랴, 비록 털벙거지 썼으되 정수리 돌릴 틈바구니 없이 빼곡 들어차서 쏟아지는 돌팔매를 당하지 못하고서 사령배는 어깨를 쳐올리고 궁둥이 뒤로 빼고 물러나기 시작하였고,

"야, 달아난다. 아예 삼문을 부수구 들어가자!"

외치며 범새끼 잡은 포수처럼 기세가 등등해진 사람들이 밀려들어가니, 십여 명의 사령들은 창검을 꼬리 삼아 뒤로 사리고 뛰기 시작하였다. 진이 무너지면 일정한 거리까지는 수습 불가능이라 하물며 어둠과 분노한 무리를 무엇으로 당할까. 그들이 관가 앞에 이르니 관노에 육방관속들까지 하다못해 육모방망이 없는 자는 곤장이라도 치켜들고 빽빽이 서 있었다. 새벽까지 멀찍이 지켜섰던 사람들은 동이 훤하게 터오자, 시장기에 피로에 무엇보다도 싱겁고 또한 후환이 두려워져 누가 제 얼굴이라도 알아볼까 하여, 소피 보는 척 빠지고, 부르러 가는 듯 새고, 첩 들어온 뒤 뒤주 밑창 드러나듯 휑뎅그레 줄어들고 말았다. 드디어 관졸들이 함성을 지르며 달려들자 그들은 뿔뿔이 흩어져 달아나기 시작하였다. 다른 마을 사람들은 몰라도 느릅나무골 사람들은 기왕에 화냥년 소리 듣기는 마찬가지라서, 저지른 짓이 있고 보니 마을로 돌아갈 수는 없게 되었다. 그들은 작대기

를 버리지 않고 대룡산(大龍山)으로 밀려올라갔고 관군들은 사방의 활로를 끊고 그들과 대치하였다. 반나절쯤이나 족히 되었을까, 그들의 가족들이 마을에서 하나둘씩 끌려나와 자식이나 형제나 지아비를 부르면서 애소하니 더는 견디지 못하고 반수 이상이 제 발로 걸어내려와 관가로 끌려갔다.

그때 홍복은 칠팔 인의 장정들과 함께 최후까지 남았다가, 간신히 산을 빠져나가 양구의 깊은 숲속에 숨었다. 소문에 그들 가족이 옥에 떨어지고 그중에는 난장에 맞아죽은 이들도 있다는 얘기를 듣고는 더이상 고향을 기대하지 않고 세상을 등지기로 작정하였다. 그들은 일단 인적이 드문 북관에 올라가 자리 잡고 기회를 엿보아 고향의 가족들에게 소식을 전하기로 작정하고 산협을 타고 오르기 시작하였다. 금화, 철원 등지에서 셋이 빠지고 나머지 다섯이 평산, 서흥을 거쳐서 드디어 자비령 심원사(深源寺) 지경에 이르렀다.

노자도 없고 관에 쫓기는 몸이라 몰골이 말이 아닌데 일단 주지에게 겨울 지날 나뭇짐이나 장만하겠으니 며칠 숙식을 시켜달라고 하소하여 달포쯤 지내었다. 그 안에 최홍복은 황주계를 넘나들며 재물을 털 부잣집을 물색하였다. 황주는 바로 대동강 어귀가 지척이라 미곡상과 주상들이 많았는데, 드디어는 나루로 나가는 상인들의 행로가 몇군데 정해져 있음을 알아냈다. 이른 새벽에 다섯이 나가서 삼지포(三支浦)로 나가는 어초내 가를 지키고 있었다. 마침 평양으로 오르는 포목짐이 나룻배에 실려지는 것을 덮쳐서 간신히 첫해 겨울의 기한을 면하게 되었다.

그들은 심원사 부근 계곡에 작은 오두막을 짓고 살았는데, 자비령에 오래 전부터 진치고 있던 임태룡의 잔당들과 부딪치지 않을 수 없게 되었다. 그것은 의주로 올라가는 대상들을 검수역로인 적암고개에서 덮치던 때였다. 최흥복은 그의 오른팔 격인 매삼(賣三)이를 데리고 고개 아래 오수내에서 포교 차림을 하고 숨어 있었으며, 나머지 셋은 봇짐을 메고 행상인 듯이 오수원 부근을 어슬렁거리고 있었다. 상대는 마필이 여섯에다 행상은 여남은 명이나 되어 좀처럼 작은 도적은 넘보기가 어려운 형세였다. 그들이 오수내에 이르러 해빙으로 불어난 시냇물을 건널 채비를 하는 중에 맞은편에서 포교 두 사람이 나타나 입가에 손을 대고 외쳤다.

“여보시오, 거길 건널 생각 마오. 가운데 깊은 곳이 있어서 해마다 이맘때가 되면 인마가 함께 휩쓸리곤 하였소.”

상인들이 물을 바라보니 흐름이 빠르고 깊이를 측량할 수가 없어 과연 위험해 보였다.

“우리는 적암고개를 지키는데, 어제도 사람이 빠져죽어서 아예 이리로 내려온 거요.”

“다른 곳은 길이 없습니까?”

상인들이 물으니 포교가 동북방을 가리키며 외쳤다.

“냇가를 따라서 위로 쭉 올라가시오. 건널 만한 자갈바닥이 나올 게요.”

상인들은 포교 지시에 따라서 위로 올라갔고 행상 가운데는 흥복의 일당 세 사람도 끼여 있었다. 상인들이 건너다보니 포교들은 마음이 놓이질 않는지 그들과 나란히 개천가를 거슬러올라오고 있었다. 두어 마장 올라가니 개천이 북쪽과 동쪽의 지류로 각각 갈라지면서 너른 자갈밭이 나왔고, 맑은 물은 겨우 발목쯤에 찰까 말까 하였다. 그러나 길에서는 먼 곳이라 적암산이 들판 가운데 빈집처럼 썰렁하니 서 있었다. 포교들은 그들이 차례로 모두 건너올 때까지 지켜보고 서 있었다. 상인들이 모두 한마디씩 고맙다고 치하를 하고 지나는데 포교가 행상 중의 하나를 잡아세웠다.

"이 사람도 일행이오?"

"아니…… 우리 일행이 아니라……"

상인들은 원에서 제각기 끼여든 세 사람을 그렇지 않아도 꺼림칙하게 여기던 참이었다. 그래서는 일행이냐고 묻자 자연스레 저희끼리 몰려서니 남은 것은 그들 셋이라 대답이 없어도 누구나 알아볼 만하였다.

"댁네 일행이오?"

둘 중의 하나가 고개를 저었다.

"이 사람은 우리두 잘 모릅니다. 우리는 임방의 체장을 지니구 있습니다."

"보여주오."

다른 포교가 두 사람의 체장을 받아 살피고 돌려주었다. 포교는 잡힌 자의 가슴을 더듬더니 짤막한 비수를 찾아냈다.

"그렇지…… 내가 바로 보았다. 이놈, 너 자비령 화적의 일당이지? 너희를 잡노라구 우리가 이 고생이다."

주먹으로 면상을 쥐지르고 곧 포박을 하는데 도둑은 순순히 무릎을 꿇는 것이었다.

"살고 싶으면 바른대로 고하라. 너희 패거리가 시방 이 사람들을 노리구 있겠지?"

도둑은 두 손이 뒤로 묶인 채 고개를 푹 숙이고 말하였다.

"그러하오."

상인들은 서로 놀라서 눈짓을 하며 주위의 숲이나 산을 둘러보는 것이었다.

"네가 정탐꾼인 줄 벌써 눈치를 챘다. 보아하니 먼 길 갈 사람들은 발을 버리지 않으려고 일일이 감발 풀고 행전을 벗고 바짓가랑이 걷고서 월천을 하는데, 이놈만 그냥 내를 건넜소이다."

포교가 손짓하는데 상인들이 바라보니 도둑의 발이 젖었는지라 역시 그렇겠다며 고개를 주억거렸다.

"너희 패가 어디서 지키고 있느냐?"

"적암고개 마루 양편 숲에 매복하여 있습니다."

포교의 심문에 도둑은 순순히 자백하였고 상인들은 다시 동요하기 시작하였다.

"수가 얼마나 되는가?"

"모두 열다섯입니다."

포교는 혀를 차며 상인들을 돌아보았다.

"저들은 모두들 병장기를 가졌고, 우리는 맨손이오."

당하기가 어렵겠다는 얘기였다. 포교가 다시 물었다.

"무엇을 노리는가?"

"말짐을 노리구 있습니다. 평산서부터 기별이 와서 기다리구 있었습지요."

포교가 제 동료를 불러 잠시 의논하는데 산을 가리키기도 하고 뒤편 숲을 가리키기도 하다가 상인들에게로 돌아왔다.

"아무래도 안 되겠소. 화주는 나서우."

화주가 나서니 포교는 속삭였다.

"먼저 보상들을 떼지어 보내고 도적들의 눈을 속입시다. 같은 길로는 갈 수 없으니 돌아가는 안전한 길을 내가 안내하겠소."

"고맙습니다. 검수역말까지만 호송해주시면 인정전이 없겠습니까. 덕분에 적환을 방비하게 되었습니다."

포교가 제 동료를 불러 일렀다.

“자네는 보상들을 끌고 고개를 넘게. 나는 마필을 호송하여 갈 테니까.”

다른 포교는 행상들에게로 돌아가 일렀다.

“도적들과 부딪칠지도 모르니까, 뭐 작대기라두 하나씩 꺾어 쥐시오.”

“우리두 돌아가는 길을 택하겠소.”

“도적들이 지키는 길로 꼭 가야 할 필요가 없겠수.”

행상들이 떠들어대니 화주가 펄쩍 뛰었다.

“그러다간 봉패하구 마네. 도적들이 떼지어 가는 우리를 곧 알아볼 게여.”

“마필만 보전하면 되니까 별 걱정들 마시오. 도적들은 말짐을 기다리노라고 여러분께는 나타나지 않을 테니까.”

포교 중의 하나가 행상들을 이끌고 먼저 출발했는데, 체장을 보였던 행상 두 사람은 일행을 만나러 차라리 원으로 돌아가겠다며 다시 시냇물 건널 채비를 하였다. 화주와 그의 차인이나 되는 듯한 사내가 마필과 함께 남았다. 포교는 앞장서서 그들을 데리고 북쪽 지류의 시냇가를 따라서 올라갔다. 얼마만큼 올라가니 제법 널찍한 길이 나왔는데 다만 마른 갈대가 무성하였고 인마가 걷기에는 별 지장이 없었다. 한참 가다가 화주가 뒤를 돌아보니 냇물을 건너간 줄 알았던 두 행상이 그들을 따라오고 있었다.

“저기 보시우, 저 사람들이 우리를 쫓아옵니다.”

포교가 허리에 차고 있던 환도를 쑥 뽑았다. 뒤로 따라오던 행상이 댓 발짝 거리로 가까이 다가서자 화주는 이제 포교가 칼을 휘둘러 그들을 잡으려니 여겼다. 두 사내 역시 품에서 짧은 비수를 꺼내 들었다. 포교가 말하였다.

"꼼짝 말아라!"

화주는 입을 벌리고 멍청한 얼굴로 그에게 곧추 내밀어진 칼끝을 내려다보았다.

"앉어…… 얼른."

칼끝이 그의 배 위로 지그시 밀어올 제에야 화주는 알아채고 뭉그적이며 주저앉았다. 두 사내가 차인의 목덜미를 눌러 꿇어앉혔다. 그들은 하나씩 끌어다가 나무 밑에 붙잡아 결박하였다. 서로 농을 던지고 반말을 나누는 것이 애초에 한통속이었다.

차인이 역시 고지식하고 미욱하게 중얼거렸다.

"여보, 포교가 도적이랑 손을 잡는단 말요?"

포교가 입을 길게 찢고 웃음을 참더니 대꾸하였다.

"구복(口腹)이 원수라는데, 포교건 도적이건 가리게 되었나. 다음부턴 털벙거지 믿지 말게. 다 우리 사촌이여."

이어서 짐뒤짐을 하더니 값나가고 부피 작은 것만 골라서 세 보퉁이를 만들어 한 놈씩 짊어지고는 말은 멀찍이 매어두고 휑허케 사라져버린다. 그들은 여계산(如界山)을 거쳐서 심원사 골로 들어가는 산마루에서 포교 시늉하던 자를 기다렸고, 한 식경도 못 되어 그들이 헐레벌떡하며 쫓아올라왔다.

"어찌…… 장물은 어떤가?

"육주비전이 한보따리여. 봉이 세 마리."

"우리는 적암고개에서 도적들의 숨은 행적을 살핀다며 숲으로 슬그머니 들어가 내뺐지."

그들이 횡재한 일은 상인들의 입을 통하여 검수역 바닥에 자자하게 나돌았으니, 여계산 산채의 정탐꾼은 이것을 즉시 산에다 알렸던 것이다. 임태룡의 잔당 중에 자비령 산채를 물려받은 자는, 예전 노가의 수하요 마감동의 동무였던 엽사(獵師) 문점손(文占孫)이었다. 그는 심원사 계곡에서부터 여계산 연봉에 이르는 여덟 갈래의 골짜기에 네다섯씩 무리를 이룬 소당(小黨)들을 모두 수하로 잡았으며, 무초령(茂草嶺)을 근거지로 동선령에까지 진출하고 있었다. 정탐꾼의 전갈에 의하여 심원사 부근에 새로운 적당이 생겨나 적암고개에까지 나와서는 행상대를 털었다는 것을 알고서 그는 격노하였다.

"도둑 고양이가 범의 먹이를 채간 격이로구나. 만일 이놈들이 봉물을 모두 게워내면 또 모르거니와, 도리어 대항하여오면 산에서 쫓아내든지 어육을 만들어야겠다."

문점손은 곧 졸개들과 의논하여 심원사 패거리를 들이치기 전에 일단 전령을 보내 귀순할 것을 권유해보기로 하였다. 최흥복과 그들 패거리는 심원사 계곡의 오두막에다 장물을 은닉해두었다가, 바로 이웃에 있는 황주 패거리들과 의논하여 평양으로 물건을 먹이기로 하였던 것이다. 탈취한 물건이 나간 뒤에 여계산 문점손의 전령이 당도하였다. 가파른 산길에 희끗한 사람의 형체가 보이자 최흥복은 오두막에서 나와 왼편 벼랑으로 나아갔고 다른 하나는 오른편 벼랑에서 활을 겨누었으며 나머지 둘이 환도를 빼어들고 그를 맞을 준비를 하였다. 그가 산채로 올라오는 마지막 굽이를 돌아들자마자 흥복이가 돌을 굴려내렸다. 어른 몸집만 한 바위가 벼랑 위에서 우당탕거리며 굴러 전령이 다가든 산굽이를 치고 아래로 휩쓸고 내려갔다. 만약에 그의 뒤에 사람이 있었다면 맞고 부딪쳐서 목숨을 잃었을 것이다. 간담이 서늘하고 오금이 저린 전령은 간신히 모면하고 나서 나무숲 사이로 들어가 엎드렸다.

"밖으로 나와라! 그 밑은 절벽이니 달아날 길이 없다. 안 나오면 또 바위를 굴려주랴."

외치는 소리가 있어 머리를 드니 오솔길로 두 사람이 환도를 휘두르며 뛰어내려오고 있었다. 전령은 벌떡 일어섰다.

"까마귀도 동류끼리 먹이를 다투지 않는데 이 무슨 인사가 이러하우?"

달려오던 자들은 환도를 겨눈 채로 우뚝 멈추었다.

"무슨 소리냐…… 어째서 네가 우리하구 동류란 말이냐?"

"여계산 문두령의 전갈이오."

마주 달려들던 자가 위에 있는 홍복이에게다 외쳤고 홍복이가 말하였다.

"데리고 올라오라."

최홍복은 여계산 문두령이 어느 시러베아들놈인지 알 까닭이 없었다. 끌려온 자를 바라보니 두건 질끈 동이고 행전 날렵히 쳤는데, 허리에 작은 칼을 질러넣었고 눈빛이 졸연치 않아 보였다. 어느 골짜기에 저희처럼 어울려지내는 무리겠거니만 여기고는 홍복이 물었다.

"여계산에 문두령이란 사람이 있다니 무슨 말인가 들어보자."

문점손의 전령이 그들의 하는 태도를 살피고 비로소 이 자들이 아직 자비령 일대의 판도에 전혀 어두운 신출내기들임을 알아차렸다.

"골마다 맹수가 있고 봉마다 범이 있으며 산맥의 정기를 받은 산신이 있는 것을 아시오. 우리 두령이 바로 그런 사람이외다. 우리는 조대갑 두령에서 임태룡 두령의 뒤를 이어내려온 무리요."

최홍복이 여계산 졸개의 말을 듣자 그만 어이가 없는지 싱겁게 웃음을 터뜨렸다.

"허허, 뒷간 개구리가 측신(廁神) 노릇 한다더니 별놈의 소리를 다 듣겠도다. 골짜기 하나 쥐구 사는 좀도둑 신세에 산신이란 다 무어란 말이냐. 나는 칠성님이시니 천지의 변화하는 속이나 알아가지구 가거라."

둘러선 흥복이네 식구들이 따라서 웃었지만, 여계산 사람은 눈 하나 까딱 않고 그들의 웃음이 그치기를 기다렸다.

"우리가 자비령의 터주요 임자나 마찬가지요. 멀리는 신계지방에서 가까이로 황주까지가 우리들의 판도입니다. 우리 당이 십 오(十伍)에 이르고, 일대의 소당들이 모두 팔을 벌려 복속해왔으니 해서 동쪽의 판도는 우리 여계산에서 쥐고 있소이다. 그런데 댁네들이 여기 들어와 현신하여 인사도 드리지 않았고, 더구나 적암고개가 바로 우리 지척에 있는 중요한 길목인데 군계까지 넘어와 우리 일을 훔쳐갔소이다. 그래서 두령께서 댁네를 징치하기 전에 녹림의 경우가 있으니 말이나 넣겠다고 나를 보낸 것이우. 가져간 봉물을 모두 가지고 여계산에 와서 사죄한 뒤에, 우리에게 복속해오면 지난 일은 묻지 않을 게요."

"남의 집 제사에 와서 절하지 말구 어서 돌아가보시게."

곁에 섰던 자가 냉소하였으나, 흥복은 무슨 생각이 들었는지 장난기를 거두고 정중하게 대답하였다.

"이거 우리가 낫으로 눈을 가린 격이라 잠깐 몰라뵈었소이다. 우리가 약하고 어리석은 백성으로 나라에 죄를 짓고 살 길이 없어 녹림에 들었더니 앞뒤를 모르고 결례가 이만저만이 아니었수. 식구들을 데리고 문두령을 찾아뵙고 사죄를 빌 터이나, 지금 봉물이 손에 없으니 어찌할 것이오. 바로 평양으로 장물을 처분하기 위하여 사람을 딸려 내보냈소이다."

전령이 강경하게 말하였다.

"우리 두령께서는 사흘 말미를 준다 하였으니 더 지체할 생각 마오. 안 그러면 자비령서 잔명 이을 길이 없을 게요."

"이렇게 하면 어떻겠소. 기왕에 봉물을 돈으로 바꿀 것이니, 우리 식구가 환전하여 돌아오면 그것을 가지고 여계산으로 나가겠소. 정 못 믿겠다면 우리와 함께 여기 머무르시든지……"

"안 되오, 짬은 사흘뿐이오."

"그렇다면 댁네와 내가 함께 여계산에 가서 두령을 뵙고 사정을 말씀드린 연후에 거기 머무르면서 돈이 오기를 기다리는 게 어떻겠소?"

과연 그제야 문점손의 전령은 쾌히 응락하였다. 흥복의 생각으로는 아직 자비령의 세력 판도를 모르고 있었으며, 우선 지금 형세가 불리한데 환난을 불러들일 수는 없는 일이었다. 상대가 위세를 부리려고 열 오에 오십여 명의 도당을 자랑하지만 그것은 과장일 것이었다. 그러나 워낙에 여기서 기반이 튼튼하고 수가 여럿인 점만은 분명한 듯하니 자기네가 불리할 것은 틀림없었다. 최흥복은 식구들과 더불어 잠시 의논하였다. 세 불리할 제 져주고 나중에 실해진 연후에 도모하는 것이 병법의 순서라 하여 의논이 정해졌고, 흥복과 문점손의 전령은 함께 여계산으로 나아가게 되었다. 여계산은 자비령 연봉의 허리나 마찬가지라서 예전에는 산성이 있던 곳이다.

흥복은 여계산 산채로 올라가 문점손에게로 안내되었다. 문점손은 작은 키에 어깨가 다부지게 벌어지고 눈썹과 구레나룻이 시커먼 사십대의 사내였다. 그는 전령을 따라온 최흥복의 모습을 보자 그만 코웃음을 쳤다. 아무리 소당을 거느린 좀도둑의 우두머리라고는 하나 사내로서 별다른 특징이 없어 보인 때문이었다. 키도 작고 팔다리에는 힘이 없어 보였으며 어깨와 가슴도 얄팍해 보였다.

"비록 눈은 있었으되, 어른을 몰라뵙고 경우 없는 짓을 하였습니다. 우리 식구가 환전해와서 두령께 바칠 때까지 노염을 일단 거두십시오."

최흥복이 마루 아래 무릎을 꿇고 앉아 용서를 비는데, 발길로 한 번 내지르면 피를 쏟고 고택골로 직행할 듯이 보여서, 문은 그만 지나치게 격노했었다는 싱거운 생각이 들었다.

"어서 일어나시게. 녹림의 법도를 몰랐다니 더이상 탓하지 않으려네. 우리 산채의 상객으로 며칠이건 묵으면서 사귀도록 허지."

복속을 맹세하고 털었던 재물까지 모두 바치겠다 하여 문점손은 그를 윗방에 머물도록 해주고 함께 사냥도 다니면서 그와 사귀었다. 사나흘 지내면서 보니 최흥복은 얌전하고 말수가 적으며 아주 소심하여 마치 대갓집의 청지기처럼 순종하는 양이었다. 문점손은 그를 경계하거나 미워하기는커녕 매우 예의 바르고 고분고분한 부하가 생겼다고 여기게 되었다. 반면에 최흥복은 문에게로 와서 수하가 되기를 자청해 보이기는 하였으나, 당초망 최흥복의 본성을 저버린 것은 아니었다. 산채의 형세를 보아하니 자비령의 가장 깊숙한 곳에 들어앉았으며 봉산과 서흥과 황주 경계에 있어서 유리하였고, 판도 안에는 모든 상로를 장악하고 있어서 역시 해서의 대적굴이 될 만하였다. 문점손은 흥복이 보기에는 이러한 산채를 손에 넣고 휘두를 만한 위인이 못 되었다. 사나흘 동안 함께 지내며 조심스럽게 얘기도 걸고 행동거지도 살펴본 바로는 그는 천성이 각박한 자였다. 자기 외에는 아무도 산채의 지휘권을 행사하지 못하게 하였고, 끊임없이 주위의 부하들을 의심하였다. 검수역로에 벌이 나갔던 소두령이 혹시나 자기 모르게 재물을 숨기지 않았는가 하여 몸소 매를 휘두르는 것도 보았다. 들리는 얘기로는 부두령 되는 자의 식솔이 서흥에 산다는데 쌀 한 톨을 도와주지 못하게 한다는 것이었다. 얘기인즉 녹림과 여항이 자주 연결되면 관의 기찰이 미친다는 것인데, 그러면서도 문점손은 평양에다 객주인을 시켜 집과 땅을 장만하였다는 얘기였다. 그는 온정이 없는 자였다.

그저 날것에 불과한 기러기의 우두머리도 제 식솔의 안위를 위하여는 늘 먹을 것과 쉬는 일에 절제를 하는 법이거늘, 혼자 탐욕하고 규율에 가혹한 자가 어찌 삼십여 명의 사람을 통솔하겠는가. 다만 그에 대적하지 못하여 눌려지낼 따름인지라, 항간에 나가 굶주리기보다는 그래도 이밥을 먹고 따뜻한 방에 잠잘 수 있는 산채생활을 어쩌지 못하고 지내는 졸개들이 대부분이었다. 문점손은 엽사요, 따라서 긴창 쓰기와 활쏘기에 능하였고 화승총 두 자루에 각기 장약을 재어 곁에 두고 지냈다. 마감동이 한양에서 도망쳐 철원 지경에서 만나게 되었던 사냥꾼 일행 중의 하나인 문점손은 원래가 두령의 자질이 있던 게 아니라, 모두 구월산으로 옮겨가고 잔당만이 남게 되어 저절로 두령이 된 자였다. 관군의 토포가 한 차례 가시자 인근에서 모여든 백성들이 다시 머릿수를 채워갔던 것이다. 황주를 거쳐서 평양까지 나아갔던 흥복의 졸개가 물건을 환전하여 은자로 바꾸어 가지고 산채로 올라왔고 최흥복은 그것을 문점손에게 바치며 공손하게 말하였다.

"이것이 재물의 전부는 아닙니다. 장물아치와 나누고 중간에 다리를 놓은 황주 패거리와 나누고 보니 겨우 절반이 될까 말까 합니다. 하오나 삼백 냥은 실히 되오니 이것을 받으시고 저희 식구들도 산채로 받아주옵소서."

문점손이 여태 벌이도 많이 겪었으나, 워낙 소심하고 묘책이 없어 대번에 백 냥의 세 배나 벌어들인 적이 드물었다. 그는 속으로 생각하기를 흥복이란 자가 얌전하고 별반 무예도 없는 듯하며, 제법 꾀는 있어 보이니 수하에 두고 용병에나 써먹으리라 여겼다.

"내가 최서방을 두고 보니 과연 예의를 알고 마음이 곧은 사람이다. 기왕에 뜻이 그러하다면 아이들을 데리고 무초령에 들어와 함께 지내도록 하자."

최흥복은 내심으로 이젠 되었다 싶었다. 만일에 반년만 지낸다면 무초령 산채 졸개들의 마음을 자기에게로 모두 모을 수가 있다고 믿었던 것이다. 흥복은 자기의 내심을 심원사 패거리에게 알리고는 곧 무초령으로 손들고 들어갔고, 문이 의심하지 않도록 충심으로 받들어모시는 체하였다. 부두령 을량(乙良)이란 자도 어언간에 흥복과 가까워져 서로 하게를 놓고 지내게 되니 자연히 속내를 털어놓을 만하게 되었다. 흥복이 점손을 제거할 뜻을 비치노라고,

"곰사냥 해봤나?"

하며 서두를 떼었다.

"때아니게 사냥 얘긴 왜 물어?"

"곰이란 놈은 잡을 적에 제 기운을 이용하여 잡거든. 긴 창대 하나면 잡을 수가 있지. 곰이 다니는 길목에다 팽팽하게 줄을 매어두고 창대를 곧추세워두거든. 곰이 지나가다가 창날에 부딪친단 말이야. 이게 뭔가 하고 창을 잡아당겨보거든. 튼튼한 삼바로 매어두었으니 좀처럼 당겨질 리가 있나. 화가 난단 말이야. 힘을 써서 제 앞으로 당기지. 곰이 힘을 쓰면 고목 뿌리도 뽑히는데 밧줄이 무슨 소용인가. 줄이 뚝 끊어지면서 남은 힘으로 창날이 가슴에 꽂힌단 말이야. 아프지, 더욱 화가 치밀지, 창대는 길지, 곰은 자꾸만 창을 끌어당기거든. 맞창이 뚫리고 기진해서 쓰러지게 되지. 그러면 산 아래 주막에서 슬슬 투전이나 하다가 올라가 양쪽 창끝을 둘러메고 내려오면 되는 게야."

"허허, 재담이로군. 세상에 그런 곰이 있을까?"

"말하자면 그렇게 미욱하다는 얘기여. 어리석고 미욱한 자가 저를 해치는 일이 그렇단 얘기지. 점손이가 사람 무서운 줄을 모르고 제 마음대로 행사를 하는데, 우리는 창대 하나만 준비하면 될 걸 가지구 늘상 죽어지내거든."

"우리 둘이만 그런 불평을 해서 뭘 하나. 모의라두 하다가 누가 귀띔만 해보아. 저 사람이 그냥 둘 성싶은가. 지난번에 부담을 털어서 마른안주로 감홍로를 마셔버렸다구 반죽음이 되도록 두들기는 걸 보았지?"

"바로 그게 곰이 창날 받듯 한다는 거여. 내게 좋은 안이 있네."

최흥복이 가슴에 품었던 계책을 말하였고 부두령 을량이 곧 기뻐하며 동의하였다. 을량은 점손에게 찾아가서 말하였다.

"이제 우리 형세는 해서뿐만 아니라, 관북과 관서에까지도 미칠 만하게 되었습니다."

겨우 삼십여 명 남짓한 서투른 작당에 지나지 않는데, 구월산의 길산 일당들 같은 정예도 아니면서 형세를 말한다는 것은 과장이었다. 그러나 을량은 두령 문점손의 자만을 북돋워줄 필요가 있었다.

"이제 돌아오는 아흐레가 두령의 생신이시니, 우리 산채의 식구들에게는 긍지를 갖게 하고 자비령 일대의 다른 소당들에게 위엄을 보일 필요가 있습니다. 서흥 봉산 황주지계까지 통문을 돌려서 소당들의 두령들이 하객으로 참례하도록 이르십시오. 저들이 우리에게 겉으로는 복속한 듯해 보이지만 철마다 들이던 공물도 요즘은 끊긴 형편입니다. 비록 우리 경계를 넘보지 않는다고는 하여도, 저희끼리 벌어들인 재물을 한 귀퉁이도 떼어보내지 않으니, 이는 우리가 징치를 게을리하였던 탓입니다. 하객으로 참례할 적에 각 무리마다 포목

스무 동과 돈 백 냥씩을 바치도록 하고, 만약에 오지 않는 자가 있으면 엄중히 문책하여 자비령에서 쫓아내도록 하십시오. 그냥 두었다가는 그런 자들이 범의 새끼와 같은 화근덩어리가 되어 감히 대적하여 올까 근심입니다."

문점손이 흡족하여 무릎을 치며 기뻐하였다.

"과연 을량의 말이 맞다. 내 이번에 위엄을 보이지 않는다면 어찌 자비령의 산신을 자처할 수가 있겠는가."

그리하여 통문을 여섯 군데로 보내게 하였는데, 이 일을 최흥복이 자원하였다. 최흥복은 우선 산채로 찾아가 말없이 통문을 내밀고 그들이 당황하거나 성내는 마음의 움직임을 세밀히 살핀 연후에, 의기소침한 자는 불러일으키고, 분노하는 자는 더욱 돋워 점손을 제거할 안을 내놓았다.

"우리가 모두 관을 피하여 산간에서나마 마음대로 살고자 모였거늘, 공물이란 다 무엇이며 귀빠진 날의 하객이란 또 무엇이오. 이는 모두 점손이가 방자하여 녹림의 분수를 모르는 탓이외다. 비록 우리가 안에서 그를 제거하고 싶기는 하나, 그럴 뜻이 있어도 한식구인지라 서로 믿기지 못하여 망설이고 있소이다. 오히려 여섯 패가 모이게 되면 한 작당이 되오니 술자리에서 힘을 합하여 그자를 처치할 수가 있지요. 일단 내응이 있었음을 알면 부하들도 우리의 말을 따를 게요."

여섯 파의 소두령들은 모두 기뻐하며 흥복의 안을 받아들였다. 점손의 잔치가 벌어지기 전날에 모여들기로 작정하였는데 을량이 미리 여계산 입구로 나아가 그들과 모의를 하기로 되었다. 그들은 모두 공물을 준비하여 왔고, 품에는 쇠몽치와 비수를 간직하여 왔다. 술자리에 오르기 전에 몸수색을 하기로 되었으나 이를 을량이 모른 체하였으니, 점손은 자객들 가운데 떨어진 셈이었다. 홍복이 문가에 앉았고 을량은 미리 병장기 갖춘 부하들을 산채 건너편 숲에다 숨겨 두었다. 술판이 거나해졌을 무렵 홍복이 점손에게로 술을 따라 전하였다.

"자비령 산신께 만수주를 부어 올립니다."

큰 대접에다 술을 부어놓으니, 모두들 한마디씩 하였다.

"과연 호걸이십니다. 단숨에 드옵소서."

"우리네야 그저 월천(越川)꾼에 끼여든 난쟁이 격이니, 어디 축에나 들겠습니까?"

"대호(大虎)가 출림(出林)하니 만산이 쥐 죽은 듯합니다."

점손은 거나하여 껄껄대며 잔을 들었다. 이때 홍복이 슬그머니 자리를 떴고, 군호는 그가 잔을 다 비우고 상 위에 내려놓을 찰나를 노리게 되어 있었다. 점손이 두 손으로 대접을 치켜들고 코를 박은 채 술을 마시는데, 그래도 호걸 시늉을 내느라고 잔을 모두 비우도록 입을 떼지 않았다. 그동안에 여섯 명의 소두령들이 품에서 비수와 쇠몽치들을 꺼내어 상 아래 움켜쥐고 있다가, 그가 잔을 내려놓으며,

"커, 취한다!"

하자마자 일시에 그를 덮쳤다. 상 위로 건너뛰는 자, 그의 가슴을 차고 달려드는 자, 그의 곁으로 파고드는 자로 점손은 찍짹 소리 못하고 당하였다. 밖에서 이를 지켜보던 최홍복이 신호를 보내어 무장한 채 지키고 섰던 을량과 무초령의 일당들이 그들을 둘러쌌다. 그러고는 더도 두말 없이 여섯 파의 우두머리들을 도륙하여버렸다. 최홍복은 안으로 점손을 제거하여 무초령 일파의 내실을 다지고 밖으로 다른 패거리의 두령들을 처치해서 후환을 막았던 것이다. 이것이 경신

년에 자비령 화적당의 판도가 바뀌게 되었던 전말이다. 그뒤로 사 년여에 최흥복은 명실공히 자비령의 주인으로 군림하였고 가끔씩 만동이네 식구들과 황주 어름이나 수안 근처에서 충돌하는 일이 있었다. 흥복은 당초(唐椒)두령이라고 불렸는데 그에게도 구월산 두령들에 관한 풍문이 전해진 것은 훨씬 뒤의 일이었다.

2

때는 갑자(甲子)년 정월이었다. 안악에서 봉산으로 나가는 길의 가운데를 가르는 월당강(月唐江)은 두껍게 얼어붙었고, 풀나루에는 인적이 끊겨 백설이 분분한 가운데 매서운 바람이 휘몰아치고 있었다. 나그네 세 사람이 눈발 날리는 강변을 향하고 있었다. 한 사람은 도포 차림에다 남바위 쓴 위에 갓을 쓰고서 점잖게 말 위에 올라앉았고, 또 하나는 말고삐를 잡았는데 털토시에다 개가죽 조끼를 입었다. 그 뒤로 수행원인 듯 패랭이에 등짐을 멘 사내가 따라왔다. 마상의 양반 차림이 눈이 펄펄 내리는 강변을 바라보며 중얼거렸다.

"이제 가뭄은 좀 면하겠군. 이게 아마 첫눈이지요?"

뒷전에서 등짐을 지고 따라오던 사내가 받았다.

"예, 첫눈으로는 너무 늦었습니다. 금년 농사가 걱정이올시다."

이렇게 이상한 주종의 언사로 보아 가반(假班)이 분명하였다. 마부가 또한 말하는데,

"성님, 나룻가 주막에서 중화 할려우, 아니면 건너가서 황뱅이곶서 쉬어 가실라우."

"아예 건너가서 하지."

또한 말본새가 이러하니 도무지 하고 있는 꼴과 예의가 걸맞지 않은 노릇이었다. 그들은 바로 김기와 길산과 말득이었다. 마감동과 김선일과 강선홍이 장사치로 꾸미고 이미 사흘 전에 봉산으로 떠났으며, 그 뒤로 칠팔 인의 졸개들이 역시 뒤를 따랐는데, 그들 세 사람은 안악 배고개의 말득이네 주막에서 뒤늦게 출발하였던 것이다. 그들은 만동이와의 약속을 지키기 위해서 구월산에는 오만석만을 남겨두고 모두 떨쳐나오게 되었던 것이다. 봄이 오기 전에 그들은 동선령에다 산채를 차려야 하였고, 그전에 할 일이 있었다. 나루터에는 예상했던 대로 군관이 보이질 않았다. 때가 정월이고 일기가 좋지 않아 행객이 뜸하여 모두 자리를 떠난 모양이었다. 그들은 굳게 얼어붙은 월당강을 쉽사리 건널 수가 있었다. 황뱅이곶에서 봉산까지가 망망한 벌판이었다. 들 가운데 나직하니 엎드린 고개를 지나니 곧 봉산 오리정인데 길가에 하인배로 보이는 사내가 시퍼렇게 얼어서 떨고 서 있었다. 김기와 길산이 자세히 보는데 그자가 마주 달려오며 애고, 소리부터 내지르고 보았다. 만동이네 하인 중의 하나였다.

"그렇지 않아도 우리가 그리로 가는 중인데 뭣 하러 나와서 서성대느냐?"

길산이 물으니 하인은 재빠르게 말하였다.

"말씀 맙시우. 가내에 우환이 생겨서 모두 법석입니다. 저희 큰서방님께서 몹시 상하셨습니다."

"우리 식구들 가지 않았던가?"

"예, 이틀 전에 두령님들 몇이 들러서 주무시고는 곧장 동선관으로 나가셨지요. 거기서 머무르고 계십니다."

마상의 김기가 물었다.

"너희 주인이 어디를 어떻게 다쳤단 말이냐?"

"곡산(谷山)에서 무슨 일이 있었던갑디다. 구월산 식구들 몇이서 나귀에 얹어 모셔왔는데, 머리를 얻어맞아 정신이 혼미하고 오늘내일 하는 중입니다. 작은서방님께서는 뒤따라서 구월산 큰서방님들이 오시기로 되었다니 어서 나가서 기다렸다가 모시구 오라구 하셨습니다. 행여 안 들르시구 동선관으루 나가시면 낭패라구요."

길산이 김기에게 말하였다.

"무슨 사단이 난 게로군. 이번 길에 만동이하구 곡산까지 다녀오려구 했더니……"

"산천 경개나 둘러보구 가십시다."

"성님은 봉산 나오기가 싫지요?"

"아뇨, 전혀 아무 느낌이 없소이다. 어디나 똑같은 산천인데요."

"도림골에 가보구 싶지 않습니까?"

길산은 그의 딸을 염두에 두고 말하였으나 김기는 덤덤하게 대답하였다.

"이다음에 볼일이 생기면 장두령과 같이 가지요. 이 골은 내 손바닥처럼 훤히 아는 곳이니 두령을 돕기두 수월해지겠소."

최근에 만동이는 평안도까지 올라가던 잠채터를 폐하고 그 대신에 새로이 곡산에서 은줄을 찾아냈던 것이다. 구월산 졸개들 중에 너덧이 나가서 행로를 호송하고 다녔다. 곡산에서 황주 거쳐서 동선관을 지나는 길이었는데, 그들은 들판에서 몇몇 무리와 작은 충돌을 일으킨 적이 있었다. 길산이네는 동선령에 산채를 내기 전에 자비령 기슭에 최가 성을 가진 자가 새로이 일어나 판도를 잡고 있음을 대략 눈치채고 있었다. 길산이네는 드러내놓고 벌이는 도적질보다는 관의 눈을 피하여 세간의 이를 도모하는 것이 훨씬 유리함을 알고 있어서, 만동이의 잠채업에도 꽤 적극적으로 협력해오던 편이었다. 재화가 될 일이라면 무엇이나 하기로 의논이 되었던 것이다. 물론 때에 따라서는 상고나 토호의 집을 터는 일도 할 것이었다. 그러나 되도록이면 스스로 무리의 힘을 써서 다른 방도로 취재할 작정이었다. 난전도 벌일 수가 있으며 사주(私鑄)도 하며 변지로 나가 밀상(密商)도 할 것이었다.

그들이 읍내 장터 가까이 있는 만동이네 풀뭇간으로 가보니 모두들 아예 초상이나 만난 듯 침울하였다. 김기가 말에서 내리기도 전에 울상이 된 천동이가 신을 거꾸로 신고 뛰쳐나왔다. 그는 우선 길산의 소매를 부여잡고는 인사는 김기에게 하였다.

"샌님도 오십니까."

김기는 포선(布扇)으로 얼굴을 가리우고 있었으니, 장터가 한산하기는 하여도 혹시나 누가 얼굴 알아보는 이라도 있을까 해서였다. 남바위로 뺨을 가리우고 포선까지 펼쳐들었으나 김기는 봉산에 나다니는 것이 종내 불안한 듯하였다.

"아이구, 저희 언니가 생명이 경각에 달했습니다."

"의원은 보였나?"

"예, 모두 고개를 흔듭디다."

그들은 안채로 들어갔다. 밖에는 눈이 퉁퉁 부은 부녀자들이 할 바를 모르고 서성대고 있었으며 사랑 툇마루에 걸터앉았던 구월산 졸개가 일어나 허리를 굽신해 보였다.

"자네두 들어오게."

방에 들어가보니 눈까지 덮이도록 천을 싸맨 만동이가 죽은 듯이 누워 있었다. 안면은 알아볼 수 없이 부어올랐고 천 겉으로 검은 고약과 핏빛이 배어나와 있었다.

"골을 깊숙이 상하여서 정신을 되찾기도 어려우려니와, 백비탕도 못 마실 정도로 쇠약하여 회생할 가망이 없답니다."

천동이가 소매로 눈물을 씻어냈다.

"어떻게 된 일인가?"

김기가 물었고 천동이가 길산에게 말하였다.

"성님, 이 포한을 좀 갚아주시우. 우리 형제가 몇번이나 말씀드렸지요. 자비령에 오시려면 최가를 소탕해야 된다구 그랬지 않습니까. 드디어 후환을 그냥 키웠다가 이런 횡액을 만나게 되었습니다."

"곡산에 함께 갔었나, 얘기해보게."

길산이 곁에 따라 들어온 구월산 졸개에게 물었다.

"예, 이번 철에는 두 번째올시다. 요즘은 거의 채은을 하지 않고 있습니다. 해토가 되기 전까지는 별루 할 일이 없으니까요. 그러니까 지난 가을에 채은한 것을 몇차례로 나누어 실어내오는 셈이지요. 지난번에 호송을 갔을 적에 우리를 노리는 자들이 있었지요. 성재를 지나 서흥계로 들어서면 가는벌이 나오는데, 산기슭에 대여섯이서 기다리고 있다가 우리 일행이 뒤처진 것은 모르고 앞선 말짐을 습격하더군요. 우리가 곧 당도해서 싸움을 벌여 쫓아버린 적이 있습니다. 헌데 이번에는 만동이 성님을 모시구 곡산까지 갈 때에, 서흥으로 해서 신계를 지나 바루 곡산 가는 길을 잡았는데 누군가 뒤를 밟은 것 같습니다. 신계에서 묵었지요. 우리가 묵은 건넌방에 하인을 넷이나 거느린 양반 하나가 있었지요. 신계에서 곡산까지가 백여 리 하룻길인데 거기서는 길이 별루 험하지 않은 편입니다. 재를 세 군데만 넘어가면 다른 데는 별반 어렵지 않으니까요. 그보다는 읍에서 하루 자고 외진 산협으로 꼬박 하루를 들어가야 하는데 곡산의 산길 험하기가 해서에 으뜸입니다. 읍에서도 또한 그 양반이 우리가 묵는 주막에 들었습니다. 우리가 이튿날 식전에 떠나 잠채터에 이르러 산막에서 자고 이튿날 저녁에 다시 읍내의 그 주막에 돌아왔는데, 그때까지 양반은 머물러 있었습니다. 그자가 몸살을 앓는다기에 그런 줄로만 여기고 대수롭잖아하였더니, 아침밥 먹을 때가 되도록 만동이 성님이 일어나질 않아서 방문을 열어보았지요. 윗목에 싸두었던 짐도 모두 없어지고 성님은 머리에 피가 낭자하여 쓰러져 있었습니다. 주인에게 물으니 아뭇소리도 못 들었다는데, 앓던 양반은 새벽에 떠났다는 것이었지요."

"틀림없이 내막을 소상히 꿰는 자가 미리 계획하였군."

김기가 고개를 끄덕이며 말하였다. 졸개가 다시 말을 이었다.

"급히 의원을 데려다 보이니, 원행하다가는 목숨을 잃는다기에 주막에 그대로 눌러앉아 며칠을 묵으며 차도가 있기를 기다렸습니다만…… 제 소견으로는 가는벌에서 우리를 노리던 자들이 아니었나 싶습니다. 은을 신구 온다는 걸 그때에 알았을 테니까요."

"세평(細坪)이라면 바로 지척에 자비령 맥이 있지 않은가."

김기가 말하였고, 천동이가 덧붙였다.

"글쎄 따져보나마나 최가네 일당이 분명하다니까요. 수년 전에 문가가 몰락한 뒤에 춘천놈 최가가 자비령의 산주가 되었다는 소문이 있었습니다. 우리네는 남에게 상관 않고 부지런히 재물을 모아 사는 사람이지만, 그놈들은 도모할 노릇이 도적질밖에 없으니 그런 곳으로만 꾀가 돌아가겠지요. 우리 처지가 이러니 관가에 발고할 수도 없고, 최가의 수족들이 봉산 읍내에도 박혀 있을 겁니다."

김기와 길산은 서로 마주 보았다. 길산이 말하였다.

"만동이가 이렇게 되지 않았더라도 그 최서방인가를 만나볼 참이었는데, 곧 만나게 되겠군."

"성님, 부탁입니다. 온 재산을 털어서라도 그놈들을 잡구 말겠습니다. 동선관 성님들이 데려온 식구들두 당분간 머물게 하시지요."

"허, 이 사람 너무 속끓이지 말게. 우리는 포교하군 다르다네. 공연히 떼지어 몰려다닐 수는 없지. 좌우지간에 동선령에 터를 보아 겨울 동안에 역사를 벌이기루 작정이 되었으니, 일하는 사이에 짬을 내어 최서방 잡을 궁리를 하십시다."

길산이 말하자 김기가 안을 내었다.

"겨우내 이 집에서 책이나 읽으며 소일하는가 보다 했더니 바라지도 않던 사냥을 하게 되었구먼. 아무래도 그 최씨 성 가진 산주와 만나지 않고는 동선령서 역사를 시작하기가 좀 귀찮아지겠소. 내가 우선 구경해보구 오지요."

"직접 가시게요?"

"강서방하구 같이 설경두 즐길 겸 하여 그 위인됨이나 살피지요."

그날 밤이 이슥하도록 김기와 길산은 머리를 맞대고 의논하였다. 이튿날 그들은 사람들 눈에 띄지 않게 새벽녘에 천동이네 집을 나섰다. 천동이네서 미리 사처로 잡아둔 동선관의 민가로 가니 마감동과 강선흥은 일찌감치 산채 자리를 본다며 나가고 없는데, 두어 명의 졸개와 김선일이 집을 지키고 있었다. 그들은 제각기 봉산에 물주를 둔 장사치나 사냥꾼으로 행세하였고 탑고개서 동행한 부녀자 둘이 주모 노릇을 하고 있었다. 다른 손님이 찾아오면 간혹 술과 밥을 팔기는 하였으나 방은 모두 찼다고 거절하였다.

저녁이 되어 산에 올라갔던 사람들이 내려왔는데, 내친 김에 노루를 두 마리나 꿰어 왔으므로 저녁감으로 맞춤하니 잘된 일이었다. 그들도 만동이의 불행한 일을 알고 최가인가 하는 자를 몹시 불쾌하게 여기고 있었다.

"검수역말을 지나 적암고개를 지나면 필경은 제놈들을 만나게 될 터이니, 내가 한 사나흘 손님 노릇을 하다가 오겠소."

김기가 식구들에게 이리저리 하라고 상세히 일러놓으니, 모두들 그 얘기를 듣고는 배를 잡고 웃었다.

밤새껏 눈이 내리더니 아침이 되자 활짝 개었으며, 햇빛을 받은 세상은 온통 새하얗게 변하였고 하늘은 차갑게 푸르렀다. 무초령에서 뻗어내린 적암의 산줄기가 너른 들판을 가로막아 있는데, 눈을 가득 얹고 섰는 나무들은 가지가 축 늘어져 있었다. 동선령에서 검수역말로 나가는 길에는 해가 높이 떠서 정오가 다 되어가건만 인적이 뜨음하였다. 구종배 하나 거느린 양반이 말 궁둥이에 부담과 찬합과 술병을 달고 마상에 올라앉아 건들거리며 오고 있었다. 백설에 뒤덮인 강산을 보고 시흥이 일어났는지 천천히 곡조를 붙여 읊조리면서 가는데, 목소리가 맑고 은은하게 산속에 퍼져나갔다.

적암고개는 별로 길거나 후미진 길은 아니었으나 워낙에 행인이 많아서, 목을 지키는 홍복이네 패거리들이 늘 대여섯씩 나와 있는 곳이었다. 어떤 날은 아예 나오지 않는 때도 있었고, 또는 나와서도 적당한 벌이 상대를 잡지 못하여 하루종일 목만 지켰다가 허탕을 치고 돌아갈 적도 있었다. 그러기에 그들은 검수역말과 동선관에 정탐꾼을 박아두고, 오가는 상고들 중에 적당한 자를 가려서 털어오던 것이었다. 부두령 을량이가 네 명의 부하들을 데리고 친히 나서서 누구인가를 기다리고 있었으니, 동선관에서 연락이 왔던 것이다. 을량은 등덜미에 환도를 차고 있었으나 다른 졸개들은 맨손이거나 고작해야 몽둥이 따위를 들고 있을 뿐이었다. 그것은 상대가 도무지 대적해서 싸울 만한 자가 아니라는 것을 미리 들어서 알고 있기 때문이었다. 동선관에 방이 나붙었는데, 평양 아문에서 오백 냥을 가지고 오는 비장은 객주 우물집에 있는 한양 김초시에게로 전해달라는 내용이 씌어 있었다. 그런 글을 본 최흥복이네 정탐꾼이 객줏집 앞을 지키는데 과연 짐을 실은 마필이 도착했고, 구종배가 서둘러서 짐을 꾸리고 마필을 보살피는 꼴을 보고는 명일에 출발하리라 믿고서 산에다 연락을 했던 것이다.

"어이 추워. 이놈의 자식은 동선관에서 아마 기어오는가 보다."

"혹시 잘못 알아본 게 아닐까요. 돈 가진 놈이 팔도의 도적에게 날 잡아잡수오 하고 광을 친 배나 다름없는데, 세상에 그런 아둔한 친구가 어디 있겠습니까. 요사이 벌이가 없으니까 관에 나간 놈이 낯을 세우려고 그러는 게지요."

"한양의 먹물 먹은 자라 하니 세상 물정에 어두울 수도 있겠지. 아마 평안감사하구 친척붙이거나 동문수학한 동접인지도 모르지."

목을 지키는 자들이 눈 속에서 얼어붙는 발을 동동 구르며 기다리고 있는데, 먼 곳에서 시를 읊어대는 소리가 들려왔다.

"가만있어…… 어떤 놈이 소리를 하나."

"오는 모양입니다."

나뭇가지 사이로 보니 고개 굽이를 돌아나오는 선비 일행이 보였다. 짐을 짊어진 구종배 하나뿐이고 마상에 올라탄 선비가 전부였다.

"뭐야, 두 녀석 아니냐."

"뒤에 누가 따라오는지 자세히 살펴봐라."

"아무도 없습니다."

그들은 이미 수중에 대금을 넣은 기분이라 가슴이 두근거렸다.

"먼저 내려가서 마부나 묶어놓아라."

을량은 졸개들부터 내려보내고 저는 슬슬 미끄럼을 타면서 눈비탈을 내려갔다. 견마를 잡고 오던 구종배가 먼저 길 아래로 뛰쳐내려오는 도적들을 보고 펄쩍 뛰더니 고삐를 버리고 달아나기 시작하였고, 선비는 말을 돌려 재빨리 되돌아가려고 하건만 말은 좀처럼 돌아서지 못하고 좌우로 굽을 찰 뿐이었다.

"고삐를 잡아라!"

을랑이 먼저 달아난 마부의 뒤를 쫓아가며 외치니 졸개들 둘이 달려들어 말고삐를 잡았고 다른 자들은 선비를 아래로 끌어내렸다. 을랑이 쫓아가는데 마부는 몇번이나 미끄러지면서도 잘도 뛰었다.

"그 자리에 서지 않으면 잡아서 목을 쳐버릴 테다."

을랑이 환도를 시르렁 소리가 나도록 뽑아 휘두르며 쫓아가니, 마부가 뒤를 핼끔 돌아보고는 아예 오금이 저렸는지 그 자리에 털썩 주저앉아 두 손을 머리 위로 쳐들고 싹싹 비벼댔다.

"제발 한 번 목숨만 살리시우……"

을랑이 마부의 뒷덜미를 움켜쥔 뒤에 으름장을 놓았다.

"네 이 고얀놈, 아랫것이 주인을 버리고 달아나는 의리도 있느냐. 단칼에 베일 것이로되 내 묻는 말에 잘 대답하면 살려줄 것이로다."

"예예…… 모두 말씀 올립지요."

을랑이 마부의 목덜미를 잡아흔드는데 보통 놈 같으면 앞뒤로 거세게 흔들리고 비틀거릴 터인데, 놈이 제법 뚝심이 있는지 꿋꿋이 버티는 것이었다. 뿐만 아니라 시늉은 연상 빌면서 사정하고는 있으되 전혀 무서워하지 않는 듯하였다. 슬쩍 바라보는 눈에 웃음기가 실려 있는 듯하여 공연히 화가 치밀었다.

"너 이 칼이 보이느냐?"

"아무렴이오, 두 눈에 똑똑히 보입니다."

"죽기 싫으면 말해라. 돈 오백 냥은 가져왔느냐?"

마부가 눈을 껌벅거렸다.

"돈이라니요. 그런 것은 없습니다. 가서 뒤져보십시오."

"말에 실은 부담은 그럼 무엇이냐?"

"헤헤, 그것은…… 선화당에서 내린 용문단이올시다. 저희 큰마님의 치맛감입지요."

"만약에 돈이 나오면 너는 눈 속에다 파묻어버릴 테다."

하면서 을랑이 마부의 등을 밀어대니 그가 더 걷지 않고 버티면서 재빨리 말하였다.

"돈은 없고…… 한양 경주인(京主人)께로 가서 찾아 쓸 오백 냥짜리 어음은 가지구 있습니다."

을랑이 마부의 등을 밀며 재촉하여 물었다.

"그래 어디에 감춰두었느냐?"

"바지 허리끈의 전대 속에다 넣어두었을 겁니다."

두 사람이 고개 위로 오르니 졸개들은 모두 시무룩해 있고, 선비는 눈바닥에 꿇어앉은 채 무덤덤하였다.

"부담에는 비단 한 필뿐이고, 찬합에 육포와 이것 한 병뿐입니다."

졸개들은 이미 싱겁게 육포나 씹고 있었다. 을랑이 더 묻지도 않고 선비를 일으켜 도포를 헤치니, 그가 낭패한 기색이 되어 허리를 구부리며 빼앗기지 않으려 하였다. 더듬어서 전대를 풀어 뽑아내고 뒤집어보자 종잇조각 한 장이 떨어지는데, 그들이 저자에서 보아오던 반조각짜리 어음이었다. 전문 오백 냥 출급인(錢文五佰兩出給印)이라 쓴 백지를 똑바로 자른 반쪽인데 지불한 연후에 그것을 발행한 곳에 보내어 맞추고 계산하게 되어 있었다. 평양 아문의 인이 찍혀 있었으나 녹림에서는 종이쪽지에 불과한 것이었다.

"제미랄, 이것 한 장을 바라고 여계산에서 삼십 리 길을 조반도 설치고 달려왔군……"

을량이가 칼을 뒷전에 꽂아넣으며 중얼거렸다.

"이놈들을 어찌허우?"

나란히 꿇어앉은 주종을 가리키며 졸개가 묻자, 을량이 마부의 궁둥이를 내질렀다.

"일어서라…… 산채로 돌아가야지."

선비가 아무렇지도 않게 무릎의 눈을 툭툭 털고 일어나더니 말에 오르려고 안장을 짚었다. 을량이가 눈을 부라리며 꽥 소리를 질렀다.

"뭐 하는 게여?"

"나는 다리가 약해서 먼 길은 못 걷네. 들으니 삼십 리 길이라며?"

을량은 아무리 목털이를 여러 번 해보았으나 이렇게 겁없이 엉뚱한 피탈자는 본 적이 없었다.

"쳇, 아주 송화색(松花色)일세. 여보, 댁네는 이젠 서리 맞은 구렁이요, 날 샌 올빼미 신세인데, 마상에 앉아 견마 잡힐려구 그러나?"

을량이 씨부려주건만 역시 선비는 태연자약하였다.

"허 그 사람, 아무리 호전걸육(虎前乞肉)이라 하나, 저러다가는 칡뿌리 캐어먹다 산도깨비 되겠군. 나 같은 전주(錢主)를 잘 다루어야 돈 먹을 게 아니오."

하면서 선비가 말에 오르고 마부가 고삐를 잡자 을량은 어처구니없는 중에도 더이상 말리지를 못하였다. 을량이 비록 돈을 얻지 못하였다 하나, 수중에 관서 감영 발행의 어음이 있으니 이 먹물을 데리고 가면 무슨 수가 나겠거니 여겼던 것이다. 또한 두령 최흥복에게 확실히 돈이 없었음을 알려야 하였다. 적암산은 들판 가운데 성(城)처럼 솟아 있는데 검수내 옆으로 우회하여 다시 산길을 올랐다. 여계산이 가까워질수록 길이 험하였고, 선비는 말에서 내렸다. 도적들 틈에 끼여 건던 마부가 속삭였다.

"산줄기가 길고 굽이만 많았지 별루 험하지는 않습니다."

"여하튼 강서방은 먼저 내려갔다 오게나. 나는 오랜만에 자비령의 설경이나 구경할 테니까."

"에이, 그저 아까는 자고 두어 대 날려서 눈알이나 터쳐주구 싶더니만 이제 끌려가면 갖은 봉욕을 치를 테지요?"

"나중 생각하구 참아둬야지."

김기와 강말득이 한양 선비 일행으로 가장하였으니 그들은 먼저 범을 보기 위해 굴로 들어가려는 것이었다. 여계산 산채에 당도하니 산골짜기에나 흔히 있을 법한 와전부락 비슷한 집채가 산속 분지에 옹기중기 모여 있었다. 최흥복은 마치 동헌에라도 나와 앉은 듯 마루 위에 올라앉았고, 두 사람은 아래 꿇려졌다. 을량이 쫓아올라가 반쪽짜리 어음을 내보이며 말하였다.

"몸뒤짐을 해보니 이것뿐이었습니다."

흥복이 잠시 들여다보더니 물었다.

"꼭 한양에 가서 경주인을 통해야만 이 돈을 찾을 수 있느냐? 만약 그렇다면 너희는 둘 다 살아남지 못한다. 평안도로 넘어가 객주에다 환전을 위탁할 수도 있겠지……"

김기가 흘낏 고개를 들어 최흥복의 위인됨을 살펴보니 몸은 비록 작고 평범해 보였으나 음성이 또렷하고 강건하였다. 눈빛이 총명하고 위엄도 제법 있어서 예사 조무래기로는 보이질 않았다. 김기가 최흥복을 정면으로 바라보며 부드럽게 말하였다.

"여보게, 아무리 산간에서 세상을 등지고 산다고는 하나 이런 예의가 어디 있는가. 내 구태여 반상의 구별은 따지지 않으려니와 장유(長幼)가 엄연한데 두령은 아저씨나 삼촌도 없단 말인가. 눈 위에 꿇어앉히고 당상에서 호통이니 여기가 무슨 관부라도 되는가?"

김기의 말을 듣자 최흥복은 머리를 쳐들고 껄껄 웃었다.

"네가 사민(四民)의 으뜸이라는 자로서 반상의 구별을 따지지 않겠다니 매우 그럴듯한 얘기인 듯하나, 여기서는 모든 것이 거꾸로다. 이곳은 한양 종루나 감영 저자와는 반대의 세상이다. 갓 쓰고 도포 입고 글 읽은 자가 가장 천하게 대접받는 곳이니라. 너희들이 만들어놓은 세상을 여기 와서도 시행한다면야, 차라리 분재나무에 목을 매든지 물개똥에 이밥 말아 먹겠다. 너희는 우리가 세간에 있을 적에 가세와 문지(門地)가 좋다 하여 갖은 흉한 욕을 주고 세세연년 벼슬자리를 독차지하여 한 번도 우리와 바뀐 적이 없으니, 새삼 반상은 무엇이며 장유는 또한 무슨 금박 올린 개뼉다귀냐. 내 아저씨는 육십객이 넘도록 똥장군을 지느라고 허리가 눌러앉았고, 내 삼촌은 작료를 물어내느라고 궁둥이 살점이 아물 날이 없었다. 네 어찌 감히 혈족을 들어 꾸짖느냐. 우리가 너희 동류의 사가에 잡혀가 수염을 뽑히고 코에 잿물을 받아 처먹던 자들이며 이제야 그 값을 받는 것이다. 이곳은 산간에 비록 은거하여 있으되, 너희를 징치하는 백성들의 헌부(憲府)이니 엄숙하게 대하라. 만일 다시 참새처럼 재재거리면 장비 군령처럼 다스리겠다."

김기가 흥복의 물 흐르듯 하는 꾸짖음을 듣자하니, 그 기개가 써늘하고 앞뒤가 맞아서 절로 가슴이 시원하였다. 과연 자비령 인근의 두령 노릇을 할 만한 자였다. 김기가 곁을 돌아보니 강말득이 히죽이 웃고 있었다. 김기는 다시 말하였다.

"어음은 감영에서 나온 것이니 바꾸기는 어렵지 않을 게야. 한데 오백 냥이란 대금인데 수취인을 확인하지도 않고 내주겠는가. 내가 평안감사와 막역지우라 집안이 기울어 장사밑천이라도 하려고 이자 없이 빌려가는 터에, 만약 자네들이 이것을 빼앗으면 나는 앞으로 갚을 능력도 없거니와 환고향도 못 하게 되니 차라리 예서 죽는 게 낫겠네."

최흥복이 대답하였다.

"식구가 몇인가?"

"노모에 어린것들까지 모두 일곱이라네."

흥복이 낯을 붉히며 발끈하였다.

"겨우 일곱 식구에 한양에 집칸이라도 있는 놈이 글 읽는 선비로서 출사한 고관을 찾아다니며 돈을 빌려? 네 이놈, 오백 냥이 무슨 서속 두어 되 값인 줄 알았더냐. 한 마을의 구황을 해낼 만한 대금이다. 백 냥으로 시전에 구문을 내면 네 어미 죽을 때까지 세 때 고기반찬은 해드릴 수 있을 게다. 마누라를 삯바느질이라두 시켜서 호구할 생각을 하든지, 네놈이 경강에 나가 열립군이라두 해처먹어라. 좌우간 백 냥은 남겨줄 터이다."

김기는 너무 그들을 가벼이 알았다고 느끼기 시작하였다.

"그래, 나는 그렇다 치고 자네는 그 어려운 돈을 빼앗아 무엇에 쓰려나?"

"무엇에 쓰든 네가 알 바 아니지만 논설에는 앞뒤가 있으니 대답한다. 우선 우리 산채 식구들이 먹고살 것이며, 느이놈들을 대적하려면 병장기도 많이 있어야 하니 화승총이라도 구해야겠다."

김기는 나중에 더 얘기를 나누기로 작정하고 지금은 거짓으로 잡혔으니 양반의 구실이나 잘해내리라고 생각을 고쳐먹었다.

"좌우지간 내가 저자로 다시 나가야만 환전할 수가 있을 것이다. 어찌할 터인가?"

“그것은 염려하지 않아도 좋다. 우리가 황주에 거래하는 자가 여럿이니 달포만 기다리면 될 터이다. 그동안 먹여주고 재워주는 데 사백 냥이라면 너무나 싸군. 생각해보아라. 선화당에 종놈을 재우고 먹인다면 꿈이나 꿀 일이겠는가?”

홍복이와 둘러섰던 그 식구들이 소리를 내어 요란하게 웃었다. 김기가 말하였다.

“달포까지 기다릴 건 없다. 감영에서 온 비장이 어음을 주며 말하기를, 급하면 동선관에서도 환전할 수 있다 하였으니, 나는 여기에 남고 우리 아이를 보내어 즉시 가지고 올라오도록 함이 어떻겠는가?”

“음, 하루라도 여기서 빨리 나가구 싶겠지. 좋다, 만약에 돈이 올라오지 않으면 너는 죽는 몸이다. 오늘은 기왕에 늦었으니 명일 날이 새자마자 내려가도록 해라.”

홍복이 손짓을 하자 졸개들이 김기와 말득이를 일으켜세웠다. 김기는 무릎이 시리고 뻣뻣하여 잠시 걸음을 떼지 못하였다. 그들이 기거할 방으로 데려갔는데 장작을 푸짐하게 때는지 방은 후끈거렸고 장판도 깨끗하여 지낼 만하였다. 곧 저녁 밥상이 들여지는데 쌀과 서속을 알맞추 섞었고 나물에 건어도 올라 객줏집 밥상에 뒤지지 않았다. 산골이라 해 저물자 어두워져 밖으로 덧문이 닫히고 누군가 번을 서는지 오가는 발걸음 소리가 들려왔다.

“들이치고 목을 베기에는 아까운 위인이다.”

“까짓 놈, 제가 자고라도 한 두어 대 지니고 왔으면 대번에 소경을 만들었든지 목에다 바람구멍을 내주었을 텐데요.”

김기는 고개를 저었다.

“아니다, 저 사람은 꼭 사로잡아야 되겠다.”

밤이 이슥하여 그들이 잠을 청하려는데 밖에서 덧문의 고리를 벗기는 소리가 들리고, 이어서 문이 열렸다.

"손님, 주무시오?"

제법 말씨가 공손한데 어두워서 누구인지는 알아볼 수가 없었다. 김기가 부스스 일어나니,

"나는 부두령 되는 사람이오. 맥 짚을 줄 아오?"

하였다. 부두령이라면 적암고개에서 자기네를 잡아온 자였다.

"의서를 약간 읽은 탓으로 잘은 못 보지만 대강 눈치는 있네."

"그렇다면 어서 나와서 우리 식구 좀 보아주오. 지금 되우 앓고 있소."

김기가 따라가니 졸개들이 머무는 기다란 일자의 초가였다. 사내 서넛이 둘러앉았는데 그 틈에 최흥복도 보였다. 복통을 일으켜 제비알 같은 땀을 흘리며 신음하고 있는 것은 아직 앳된 소년이었다. 김기가 들어서자 사내들이 그에게 앉을 자리를 내주었다. 김기가 보아하니 널브러져 신음을 하는데 낯빛이 새까맣게 죽고 입으로는 거품이 부글거리고 있으니 곽란(霍亂)이 분명하였다. 맥을 짚어볼 필요도 없이 우선 막힌 것을 뚫어 토하게 하고 피를 통하게 할 것이 급선무였다. 손발을 만져보니 얼음처럼 차가웠다. 습곽란(濕霍亂)이니 토하거나 아래로 뚫리면 쉽게 기력을 회복할 것이라 별로 자신이 없던 김기는 적이 안심이 되었다.

"우선 더운 물에 소금을 타오게."

"어찌, 살아나겠수?"

곁에 앉은 을량이 물었다.

"저녁에 뭘 먹었길래 이 지경인가?"

"번을 서고 와서는 찬밥을 먹었습니다."

그와 함께 산채 어귀로 파수를 보러 나갔던 졸개가 말하였다. 최흥복이 혀를 차며 부두령 을랑을 꾸짖었다.

"추운 데서 얼어가지고 돌아오는 사람에게 찬밥을 먹게 하다니, 자네는 뭘 하고 있었나?"

"급식은 서흥댁이 하지 않습니까?"

"서흥댁을 불러라."

소금물이 들여지고 김기는 그것을 앓는 자에게 억지로 마시게 하였다. 울컥이며 밖으로 넘쳐흐르는데 김기는 그의 목을 젖혀 모두 비우도록 하고 나서 구들목에다 데운 손바닥으로 손과 발을 주물러 보았다. 거뭇하게 변한 부분을 눈여겨두고는 바늘을 가져오게 하였다. 바늘을 등잔불 속에 집어넣었다가 서너 군데를 따주고 여럿이 비벼주도록 하였다.

"솥 밑 검정을 두어 돈 긁어내어 더운 물에 타서 마시게 하오. 아랫목에다 배를 지지도록 하면 차츰 기혈이 돌기 시작하겠지."

"부르셨습니까?"

밖에서 아낙네의 목소리가 들리자 최흥복이 문을 열고 꾸짖었다.

"서흥댁이 산에 오른 지 어언 일 년이 되어가는데, 아이들께 찬밥을 먹인다니 이게 어찌된 일인가?"

"예…… 그것은 제 잘못이 아니올시다. 번을 들러 가는 이는 차례가 바뀌어야 내려와서 식사에 참예하는데 늦어지면 저는 설거지를 끝내버리지요."

곽란을 일으켰던 졸개가 항아리에다 한참이나 토하고 나더니 이번에는 전신을 떨기 시작하여 두껍게 이불을 들씌워주었다.

"음, 그렇다면 이제부터는 파수보러 나간 아이들이 돌아와 식사할 때까지 늦추도록 하게. 오두(伍頭)와 양서방은 군령에 의하여 장십 도를 내리도록 하고 부두령이 곧 집행하게."

을량이 명을 받고 나갔으며, 최홍복과 김기는 함께 일어섰다.

"고맙소. 어서 돌아가 주무시우."

최홍복은 처음으로 존대를 썼는데, 더이상 말을 걸지는 않았다. 그 대신에 서홍댁에게 일렀다.

"손님이 무료하실 테니 건포와 송화주로 간단히 술상을 보아 내가도록 하게."

김기가 방으로 돌아오니 말득이는 그를 불러가는 것이 염려가 되어 잠들지 않고 기다리던 참이었다.

"무슨 일이우?"

"좀도적의 두령으로 섣불리 볼 위인이 아니더라. 제 부하를 생각하고 군령을 세우는 일이 자상하고 엄정하니, 이 산채를 힘으로 덮칠 생각은 말아야 되겠구나."

김기가 방금 보고 온 얘기를 전하니 말득이도 고개를 끄덕였다. 방문이 열리면서 조촐한 술상이 들어왔다. 이윽고 밖에서 곤장을 때리는지 철썩이는 소리와 어이구 데이구 하는 소리가 잠깐 들려왔다.

"번의 교대를 늦게 시킨 소두령과 산채 살림을 맡은 자를 벌주는 모양이다. 헌데…… 이곳의 허를 대강 짐작하겠구나."

"잠깐 주위를 둘러보고는 저물 때까지 방에 갇혀 지냈는데 무엇을 보셨다구 그러시우?"

말득이가 말하니 김기는 빙긋이 웃었다.

"대저 사람의 일에는 치우친 것은 모두 약점이 되느니라. 열 소경에 한 막대(十瞽一杖)라는 말이 있으나 또한 반대로 독불장군(獨不將軍)이라고도 한다. 최홍복의 인물됨이 출중한 것은 사실이나 그 주위에 그를 보필할 자가 없으니 최가가 없으면 무리는 곧 혼란에 빠질 것이다. 부하가 찬밥을 먹고 배탈이 난 것을 두령이 알아 조치함은 자애를 보이는 일이기는 하나, 너무 세심한 데까지 미치니 다른 자가 주의할 틈이 없다. 최흥복이만 산채를 비운다면 오전에 밥을 먹고 와서 여기 노구에다 쌀 안쳐 점심 짓기 전에 점령할 수가 있을 것이다."

김기는 말득이에게 다시 주의를 주었다.

"내일 내려가거든 즉시 은자 오백 냥을 준비시켜 틀림없이 올려보내도록 하여라. 최가와 같은 사람에게는 우선 신의를 보여주는 점이 긴요하다."

그들이 처음 작정하기로는 일단 어음을 미끼로 말득이와 김기가 사로잡힌 뒤에 말득이가 그 산채의 허실을 보고 돌아가면 야습을 하기로 되었던 것이다. 그들이 어음을 환전하기 위해 말득이를 내려보낼 것이 뻔하겠기 때문이었다. 김기는 신중을 기하기로 하고서 일단 돈 오백 냥을 최흥복에게 틀림없이 전달하기로 마음을 먹게 되었다.

이튿날 아침에 그들은 다시 끌려나갔고 이번에는 마당에 꿇리지 않고 마루 위로 올라 최흥복과 대좌하였다. 최흥복이 가운데 앉았고 주위에 을량이와 졸개들이 몇사람 둘러앉았다.

"댁네가 환전할 객주가 있다 하니 어음에 수결하여 건네시오."

김기는 흥복의 요구대로 두말 없이 수결하여주었고, 을량이와 세 사람의 졸개가 말득이를 데리고 일어섰다.

"한 사날 걸릴 게요. 오백 냥을 끌어모으자면 봉산이 아무리 대처라지만 쉽진 않을 테니까."

김기가 말하니 최흥복이 소리내어 웃고 나서 말하였다.

"처음에 약속한 대로 당신이 귀향하여 쓸 돈 백 냥은 남겨주겠소. 그러니 앞으로 나흘 동안에 숙식비로 사백 냥을 받는 셈이로군."

김기도 입맛을 쩝쩝 다시면서 대꾸하였다.

“천사(天使)가 모화관(慕華館)에 든다 하여도 이런 호강이 없겠구먼. 하루 세 끼 서속밥에 비단 금침 없는 잠자리가 백 냥씩이나 된다니……”

“턱짓으로 아랫것들 부리며 대물림하여 공밥 먹은 것을 당대에 갚으려니 백 냥도 너무 싸지.”

최흥복이 거침없이 받고 나서 졸개들에게 일렀다.

“얘들아, 어서 손님을 모셔라. 그리고 뒷간 가는 일 말고는 한 걸음도 밖으로 나오게 하지 마라.”

김기는 별수 없이 빈방 안에서 세 때 밥이나 죽이며 앉아 있을 수밖에 없었다.

동선관의 구월산 패가 빌려 임시로 차린 주막에는 길산을 비롯하여 마감동, 강선흥, 김선일 등이 모두 모여 있었다. 산으로 올랐을 김기의 하회가 궁금한 때문이었다. 중화참이 되어서 말득이가 낯선 사내들과 동행하여 술청으로 들어섰고, 그들이 의심을 품지 않도록 모두들 말득이에게 모른 척해두었다. 김선일이 나서서 주막 주인 행세를 하는데, 말득이를 보고 아는 체를 하였다.

“아니, 어제 한양으로 떠나시더니 샌님은 어쩌고 당신 혼자요?”

“예, 저…… 그만 봉산서 검수역말을 나가다가 낙마하셔서 지금 객사에 누워 계십니다. 사인교라두 구하든지 해야겠는데 노자도 모자라고…… 어음을 환전할 수 있겠지요. 감영 것인데……”

말득이가 눈을 꿈쩍하니 김선일은 영문을 모르는 채로 우선 받아두었다.

“글쎄요, 한번 알아보지요. 동행들이시우?”

“예, 워낙 대금이려니와 나으리도 불편하셔서 곁꾼을 샀습니다.”

말득이가 그럴듯이 둘러대니 김선일이 쓸모없는 어음쪽지를 들고 길산이들이 묵는 안채의 끝방으로 찾아갔다.

"강서방이 자비령 패를 데리고 온 모양인데, 이걸 환전하랍니다."

"몰라서 묻나, 그따위 종이쪽지를 바꿀 돈이 어디 있어?"

마감동이 말하였고 길산이 물었다.

"몇이나 따라왔던가?"

"네 놈이우."

"까짓 지금 당장에 때려잡읍시다."

선홍이가 소매를 걷으며 일어서려는 것을 길산이 제지하였다.

"삼촌이 뭐라고 전하던가 듣구 나서 해야지. 자네 가서 의논하자구 말득이를 데려오게."

김선일은 다시 술청으로 나와 말득이에게 말하였다.

"잠깐 나 좀 보세나."

말득이 대신 을량이가 눈을 부라렸다.

"뭣 땜에 그러우. 어음 보구 돈 내주면 될 터인데."

선일도 놈들의 정체를 아는지라 곧 성깔을 올리며 맞서 대꾸하였다.

"상여 메고 가다가 귀창 후비든 말든 임자가 무슨 참견이여. 이게 무슨 동네 송사인 줄 아나. 언제 봤다구 나서구 지랄인가."

"뭐라구, 아니 누구 보러 행역질이야."

"그렇잖소. 댁네는 곁꾼으로 고용되었으면 고분고분 시키는 일이나 하면 되는 거여. 댁네가 무슨 화적이 아닌 바에야 환전하는 일에 나서긴 왜 나서."

김선일의 끝마디에 붙은 화적 소리가 그들을 뜨끔하게 하였던지 일시에 바람을 삼키고 입을 다물었다. 을량이 가보라며 말득이에게 눈짓을 하며 속삭였다.

"만약 섣부른 짓 했다간 산에 있는 느이 주인이 살아남지 못할 줄 알아라."

말득이가 알았다고 굽신거린 뒤에 술청을 빠져나와 뒤꼍으로 가며 투덜거렸다.

"이런 제미, 어디서 지렁이 갈빗대 같은 놈들한테 덜미질을 당하구 있네."

"곁에서 보아하니 자네 아예 추풍선(秋風扇)이 신세일세."

말득이는 김선일이 놀려먹는 것도 모른 체 구월산 패가 들어 있는 방에 툴툴대며 들어앉았다.

"나 같은 놈은 성미가 급하여 술수질에 끼웠다간 지레 애간장이 말라버리겠수."

"그래, 어음을 정말로 바꾸라니 무슨 뜻이냐?"

길산이 물었다.

"삼촌께서 그리하라십니다. 최가란 자에게 먼저 신의를 보여주어야 하겠다구요. 그리고 급습하지 말고 일단 내려오신 다음에 따로이 도모하신답니다."

길산은 말득이의 얘기를 듣자 더이상 따지지 않았다.

"오백 냥이라면 그저 내주기에는 큰 돈인데, 나중에 찾을 수가 있겠지. 기한은 얼마나 잡았느냐?"

"예, 나흘입니다. 헌데 그 최가놈이 백 냥은 생계를 위하여 남겨주겠답니다."

선흥이와 감동이가 함께 소리내어 웃었다.

"쥐 죽은 데 고양이 눈물이로군."

"허, 그놈 도적놈치고는 보살이 들어앉았구나."

길산이도 싱겁게 웃어버렸다.

“나흘에 사백 냥이라니 밥값을 받는 셈이로구나.”

“그놈이 그리 말합디다.”

“우리두 한 열흘 잡아두었다가 천 냥 갚으라구 그럽시다.”

길산이 마감동의 말을 듣고 고개를 끄덕였다.

“그래, 삼촌은 그놈이 마음에 든 모양이다. 사로잡으려는 생각이시군.”

말득이도 하는 수 없이 털어놓았다.

“위인이 제법이라구 그러십디다.”

“천동이에게 가서 오백 냥 주선해달라구 그래라. 그리구 저놈들이 의심을 할 테니 너는 다른 집에 가서 묵도록 하고, 하루 한 번씩 김서방을 보낼 테니 전할 말이 있으면 김서방에게 말해주어라.”

“어이구, 또 저놈들에게 가서 하정배 드리란 말이우?”

말득이가 투덜대니 선홍이가 말하였다.

“염려 마라. 내가 나중에 네 원풀이를 실컷 해줄 테니.”

“내 원풀이를 왜 성님께 시킨다우. 이놈들 거꾸로 세워두고 오줌장군을 부어줄 테다.”

마감동이 천동이에게 돈을 돌리러 가기로 하였고, 말득이는 하는 수 없이 술청으로 되돌아갔다. 자비령 패거리들이 잔뜩 의심이 깃들인 눈초리로 말득이의 안색을 뚫어지게 살피는 것이었다.

“무슨 쑥덕공론이 많아?”

“돈 오백 냥을 척척 내어줄 세상이우? 아무튼지 쉽사리 되었소. 주인이 봉산 객주에 사람을 보내어 바꿔주기로 하였소. 우린 사처를 잡아 기다릴 일만 남았지요.”

김선일이 다시 나와서 말득이가 했던 얘기를 되풀이하였고 사처는 빈 방이 없으니 동선관의 다른 주막으로 나가보라 일렀다. 그 말에는 자비령 패거리도 쉽게 동의하였으니 아무래도 낯선 주막이 꺼림칙한 까닭이었다. 김선일과 졸개 하나가 맡아 그들을 감시하기로 되었는데, 그들은 동선관의 군막과 임시 저자가 훤히 내려다보이는 어느 마방으로 들어갔다. 숙박인은 받지 않고 말만 맡아서 먹이도 주고 손질도 해주는 집이었는데, 그 주인이 바로 자비령의 정탐꾼이었던 것이다. 마당에 칸막이 세운 마구간이 기다랗게 지어지고 한편에 편자나 마구를 수선하는 대장간이 있었다. 여물을 쑤는 냄새와 말똥 냄새가 집안에 가득한데 말털을 빗기고 있던 사내가 반색을 하였다. 그들은 저희끼리 쑤군덕거리고 나서 말득이만 골방 속에 처박아두고 따로이 점심을 먹었다.

사흘을 기다리는 사이에 말득이는 몇번이나 제 맡은 소임이 사나워서 빼쳐 달아나고 싶은 것을 참느라고 애꿎은 소주잔깨나 들어부었다. 사흘째 저녁에 어김없이 은자 오백 냥이 당도하였다.

김기가 아침을 먹고 무료히 앉았으려니 상방에 오르라는 최흥복의 영이 떨어졌다. 은자가 도착했던 것이다. 그들은 이미 확인을 끝내고 그를 기다리고 있었다. 방으로 안내되어 들어가니 최흥복이 혼자서 술상을 놓고 기다리고 있었다.

“이리 앉으시오. 그동안 심려가 많았겠지요. 약속대로 돈이 들어왔으니 당신을 놓아드리겠소.”

최흥복은 완전히 태도를 바꾸어 정중하고 은근하게 그를 대하였다. 그는 잔을 내밀고 술을 찰찰 넘치도록 따랐다.

“비록 대금을 강탈하였으나, 본시 예의는 있는 사람이니 너무 포한을 갖지 마시오.”

최흥복은 웃었으나 김기는 짐짓 얼굴을 굳히고 단호하게 말하였다.

"내가 밑으로 내려가자마자 관가에 적경을 고하고 댁네를 토포하도록 한다면 어쩔려고 그러시오?"

"그래서 애초에는 돈이 올라오면 당신을 죽일까 생각했었소. 그러다가 생각을 바꾸기로 하였소. 우리 아이의 곽란을 보살펴주던 날 변심을 하게 되었지. 그리고 가만히 보자하니 실로 인물이시오. 한양 가거든 부디 환로에 나가 곧은 관리가 되시우. 물론 하산하여 관가에 발고하여도 좋습니다. 우리 같은 녹림처사가 자비령에 숨어 있음은 온 세상이 다 아는 일이오. 댁네 하나 때문에 선불리 거병하여 우리를 토포하게 될까 모르지. 군수가 갈릴 적이면 가끔씩 토포군 스물 남짓이 공연히 이골 저골 시늉으로만 뒤지는 척하다가 날만 지면 모두 범에 물려갈까 내려가버리는 판이우. 또한 이러한 골이 한두 군데가 아니요, 수백 처가 되는데 댁네가 앞장서서 되찾아온다 하여도 하룻길로는 안 되지. 범은 포수가 오는 걸 아는 한 잡히지 않지요."

김기는 그가 따라주는 대로 연거푸 석 잔을 들었고, 흥복이 또한 말하였다.

"목숨을 살려주고, 이제 돈 백 냥까지 내어주니, 시세 궁박하여 피하여 살고 있으되 분수는 아는 사람이라 여기시오."

김기는 슬쩍 어조를 바꾸었다.

"나도 오죽하면 어릴 적의 동무를 찾아다니며 돈을 빌리러 다닐 것이오. 내가 보아허니 산에서 썩기는 참으로 아까운 사람이오. 내가 지난 사흘 밤을 이리저리 수심 걱정으로 새우며 보내던 중에 내게도 좋고 당신께도 좋은 일 한 가지를 생각해냈소그려."

최흥복이 눈을 빛내며 그를 바라보았다. 김기는 말하였다.

"만약에 이 돈이 네 배가 되어서 돌아온다면 어떻겠소?"

최홍복은 한바탕 웃었다.

"그러면 배로 불려서 돌려드리지요. 천 냥을 드리겠습니다."

"농이 아니오. 대금을 벌 방도가 있소. 다만 내가 꺼리는 것은 이것이 국법을 어기게 되고 화적과 공모하는 일이라서 그러오. 허나 박복한 놈에게는 계란에도 뼈가 있더라고, 도무지 이 돈 내놓고는 돌아가지 못할 형편이 되었구려. 내 평생 처음으로 뒷길로 지나갈까 생각하였소."

최홍복은 적이 궁금하였으나 일부러 상 밑에 두었던 백 냥은 지그시 눌러두고 술만 들이켰다.

"너무 그러지 마시우. 누구는 녹림당이 되고 싶어 되었는 줄 아시우. 다 벼슬하는 것들이 가르쳐주어 한 노릇이우. 듣자하니 글줄 읽고 초시나 한 모양인데 거 다 소용없는 일이우. 돈 있으면 두억시니도 부린단 말이오."

최홍복은 무슨 대수가 났는가 하여 김기를 냅다 흔들어놓느라고 자꾸만 부추겼다. 김기는 어렵게 입을 떼는 시늉을 하였다.

"기왕에 내 어음으로 환전을 하였으니, 거기 찾아가 감영을 팔고 무역은을 내라 하고 의주까지 동행하여 백사(白絲)로 지불하겠다면 틀림없이 대금을 장만하여 따라나설 게요. 그것을 댁네서 도모하고 내게 돈을 돌려주면 될 게 아니오?"

최홍복이 감탄하는 한숨소리를 내고는 술잔을 탁 내려놓았다.

"허…… 그 생각을 못 하였군! 봉산서 은자가 나올 곳은 꼭 한 군데뿐이오. 혹시 봉산 만동이네 수철전을 아십니까?"

김기는 속으로 그러면 그렇지, 하면서 하마터면 느긋하게 웃음을 지을 뻔하였다.

"내가 난생 처음 원로에 나왔는데 그 강산이 이 강산이라, 어느 골에 김좌수인지 알 게 무어요?"

"하하, 모르셔두 상관없소이다. 객주에서 아마 만동이네를 통하여 환전했을 게요. 만동이 천동이가 겉으로는 수철전과 풀뭇간을 열고 있지마는, 관서나 이쪽의 산골에 잠채터를 가지구 있는 걸 우리두 잘 알지요."

김기가 말머리만 퉁겨주었는데 과연 최흥복은 꾀가 있는지라 스스로 꼬리까지 끌어내는 것이었다. 김기는 어수룩하게 되물었다.

"그렇다면 몰래 캐어내는 잠채꾼들인가?"

"바로 그렇습니다."

"거 참 묘한 일이로다. 일테면 나라의 땅에서 훔친 재물을 가로채는 일이 되겠구먼."

김기가 선비의 처신으로도 그리 거리낄 일은 아니라는 것을 은근히 비췄다.

"물론입니다. 먼저 말씀하신 대로 환전해준 것을 치하하고, 되도록이면 묵으면서 무역은 말을 꺼내십시오."

"여하튼 내 궁리로 할 터이니 걱정 말고…… 댁네가 도모하기 좋도록 끌어내기만 하면 되잖는가?"

하고 나서 김기는 혀를 찼다.

"집을 떠나 몸가짐을 잘못하여 내 이런 곤고한 지경에 이르렀구나. 그런데 당신이 내게 돈을 내어줄 것을 어찌 믿는단 말이오?"

"강상(綱常)의 도리가 세상에 있듯이 녹림에도 언약은 피와 같소이다."

흥복이 정색하여 대답하였고 김기는 조용히 말을 잇는다.

"절반이든 분배든 나는 다 필요없소. 당신들끼리 한(漢) 초(楚)의

자웅을 겨루든지 내 알 바가 아니오. 다만 원하는 것은 내 돈 오백 냥만 되돌려주시오."

홍복은 기뻐하면서 밀쳐두었던 부담롱을 끌어다 열어 보이는데 은자가 차곡차곡 들어 있었다.

"소식만 전하시고 사처를 정하여 머물러 계시면 성사를 하자마자 이것을 고스란히 보내드리겠습니다. 마음 같아서는 이대로 돌려드리고 싶지마는 순서가 그렇질 않아서……"

겉으로는 김기와 최홍복이 이해가 맞아떨어진 듯하나, 기실은 김기의 함정에 홍복이 걸려든 것이었다. 홍복은 김기가 다른 술수를 쓰지 못할 줄 알았다. 돈 오백 냥이 걸려 있기 때문이고, 이것은 나라를 등진 무리들끼리의 다툼이니 그로서도 도움을 주기가 훨씬 편하겠거니 여겨서였다. 홍복은 스스로 흡족하여 생각하였다.

책상물림 따위의 돈을 삼키고 만족한다면 언제나 좀도둑을 면하지 못할 것이었다. 그의 묘책을 얻어낸 것은 천금을 얻은 것과도 같았다. 그는 김기와 동행할 졸개를 따로이 불러서 일러두었다.

"만약에 선비가 배신할 기미를 보이면 서슴지 말고 해치워버려라."

그러나 김기가 일단 자기네들과 공모한 뒤에는 관에 발고하지 않게 되리라는 것을 홍복은 믿었다. 그는 일전에 친히 곡산까지 만동이네 일행을 뒤쫓아가서 비록 광석이기는 하나 거의 칠백여 냥에 달할 은을 탈취하여 왔던 터이다. 이번 일에 성공만 한다면 천여 냥 이상은 거뜬히 손에 들어올 것 같았다. 부두령과 그의 부하들 중에는 강원도 쪽이나 평안도 접경에 식솔들을 데리고 마을을 이루어 살아가기를 원하는 자들이 많이 있었고, 홍복이 자신도 춘천에 남겨두었던 식구들이 걱정이었다. 소문에 듣기로는 그의 형은 장하에 죽었고 형수와 조카들은 노비로 박혀버렸다는 것이다. 그는 일당의 가족들이 어디엔가 안돈이 되는 것을 바랐지만, 함께 산채에서 사는 것은 꺼려하고 있었다. 그는 자비령을 떠나고 싶지가 않았으며, 이제부터 새삼스럽게 농사꾼이나 장사치로 살아갈 수는 없는 노릇이었다.

흥복과 굳은 약조를 하고 나서 김기는 말득이와 최흥복의 오두(伍頭)를 데리고 자비령을 내려왔다. 그들이 구월산 패가 벌이고 있는 동선관의 주막에 당도하니, 마침 중화참에 술청에 나와 앉았던 선흥이와 길산이 반가이 맞으며 일어났다.

"고생 많으셨지요?"

"고생은 무슨…… 낮잠만 자다 오네."

곁에 따라왔던 흥복이네 졸개가 당황하여 고개를 두리번거리는데,

"이분을 모셔다가 광에다 처넣어두시게."

하며 김기가 아무렇지도 않게 일렀다. 졸개는 얼른 돌아서서 술청 밖으로 나가려는데 말득이가 잽싸게 막아서며 가슴을 턱 밀었고, 선흥이가 뒷덜미를 가볍게 잡아챘다.

"소피 보러 가느냐?"

그자가 기우뚱하며 뒤로 넘어가려는 것을 선흥이가 다시 세워주더니 양 어깻죽지를 잡아 돌이켜세웠다.

"어서 안으로 들어가거라. 이랴 끌끌."

졸개는 도무지 힘을 쓰지 못하고 저절로 뜰안에 밀려들어갔고, 얼떨떨한 중에도 그 우락부락한 사내들이 포교나 관차가 아닌 것을 알아챈 모양이었다.

"뭐…… 뭣 땜에 이러시우?"

선흥이 대꾸 않고 그를 광으로 데리고 가 다리와 손목을 묶었다.

"이거 왜 생사람 잡으시우?"

선흥이는 껄껄 웃었다.

"허, 그놈 되우 말이 많다. 산 위에서 우리 삼촌을 손님으루 모셨다길래 보은하느라구 이런다."

"보아허니 관리두 아니구……"

"착한 백성두 아니란 말이지?"

"나중에 큰코 다치지 마슈. 우리는 자비령 패요."

선흥이가 어이없어 졸개의 코를 우악스런 손가락으로 짓눌렀다.

"그래 코 다쳐봐라. 우리가 바루 귀신 잡는 소경이고, 꿩 잡는 매고, 범 잡는 담비에, 소적 잡는 대적이다. 세상에는 어디나 윗길이 있는 법이다. 구렁이 위에 이무기, 이무기 위에 용이 있고, 닭 위에 꿩, 꿩 위에 매, 매 위에 봉황이 있으렷다."

선흥이가 수다를 떨고 술청으로 나오니 김기와 길산은 마주 앉아 점심을 들고 있었다. 길산이 선흥에게 말하였다.

"먼저 입막음을 해둬야겠다. 저기 언덕 위에 마구간 보이지? 그 주인놈을 묶어두고 아이들 남겨놓고 오너라."

"날 따라오우."

말득이가 앞장을 서고 선흥이가 졸개 둘을 데리고 나갔다. 길산과 김기가 안으로 들어간 뒤에 선흥이와 말득이가 돌아와서 알렸다.

"주인놈과 마부 둘을 잡아서 처박아두었습니다."

김기가 말하였다.

"이제 홍복이네 산채에서는 동선관 소식에 깜깜절벽이 되었군."

저녁이 되자 동선령에 올랐던 마감동과 졸개들이 시퍼렇게 얼어서 되돌아왔다. 그들은 겨우 마땅한 골짜기를 찾아내어 축대도 쌓고 터도 고르고 있었던 것이다.

"당분간 일은 쉬도록 하지. 우선 토왕(兎王)부터 잡아놔야겠으니."

"예, 날씨가 좀 풀려야지 원…… 요즘 같아서야 어디 목수일이라두 제대루 하겠습니까?"

길산은 감동에게 아랫목을 내주며 다시 말하였다.

"최가부터 잡은 뒤에 온 식구가 모두 올라가서 빨리 지어놓지. 봄이 되면 얼른 이사를 해야 할 테니까."

"터는 아주 그만입디다. 햇볕도 잘 들고 사방으로 바위가 둘러서 있어 철옹성입지요."

"자, 이젠 홍복이 잡을 안이나 궁리해보지."

그들은 둘러앉아서 우선 관서로 가는 가짜 행렬을 꾸밀 의논을 하였다.

"오랜만에 엄파를 휘두르게 될 줄 알았더니 거 참 따분하게 되었는걸."

선흥은 아예 최가의 산채를 급습하는 게 아니라 꾀어내는 것으로 계획이 바뀐 것을 알고는 재미가 없어진 모양이었다. 김기가 말하였다.

"천동이에게는 홍복을 사로잡게 된다구 얘기해주지 말고 말을 끌고 거짓 짐을 싣고 오도록 하게. 그 사람은 꼭 최홍복이를 죽이려 할 게야."

"만동이는 차도가 좀 있던가?"

길산이 선일에게 물었다.

"정신은 돌아왔는데 아직 기동은 엄두도 못 내는 모양입니다."

"관서로 가는 행렬에는 나 혼자 끼이도록 하지. 말득이가 먼저 산채로 올라가서 관서로 가는 짐이 동선관으로 출발하였다고 이르게. 그 뒤로 강두령이 아이들 서넛 데리구 쫓아갔다가 최가가 산채를 비우자마자 점령해버리게."

김기의 안에 의하면 그가 완전히 마음을 내던져 복속해오기를 바란다면, 도저히 당할 수 없다는 생각이 들 때까지 힘과 꾀를 소모시켜서 진을 뽑아놓아야 한다는 것이었다. 일격에 뒤통수를 치는 게 아니라 천천히 딴죽도 걸고 이마빡도 지르고 메어치기도 하고 달음박질도 시켜서, 드디어 갈데없이 사지를 뻗고 날 잡아잡수 하도록 만든다는 것이었다. 먼저 근거지를 점령하여 그가 돌아갈 곳이 없도록 해두고, 일단 가짜의 짐을 빼앗겨 그가 방심하고 돌아서도록 한 뒤에 끈질기게 뒤를 위협하며 요소마다 매복해 있다가 거의 저항 못 하도록 혼을 내고, 드디어는 제 집에 돌아가 몸 붙일 데가 없음을 알게 한다는 것이었다. 김기가 말하였다.

"먼저 꾀어내고 집을 빼앗고, 뒤를 찌르고 기운을 빼는 법이니, 무릇 짐승을 사로잡을 적에는 모두 이 협공책(挾攻策)을 쓰는 게여."

천동이가 말 다섯 필에 자갈을 넣은 짐을 나누어 싣고 장정들 세 사람과 함께 동선관 주막에 도착하자, 말득이를 앞세우고 선홍이 일행이 먼저 자비령의 여계산으로 출발하였고, 뒤이어 길산이 감동이 선일이 등이 따라갔다. 그들이 출몰할 곳은 대강 동선령 고개를 넘어 사인암을 지난 직후가 될 터이니, 퇴로는 사인암과 천진산 사이의 골짜기로 하여 상산령(商山嶺)을 타고 여계산 기슭으로 빠질 것이 분명하였다. 퇴로가 대략 삼십여 리 길이나, 오며 가며 육십 리요, 산길이라서 평지 백 리를 걷는 것보다 더욱 힘이 빠질 것이었다. 더구나 그들은 은자가 들어 있는 짐이 자갈이라는 것을 알기 전까지는 버리려 하지 않을 것이라 산을 타느라고 온종일 허우적거릴 터였다. 말득이와 선홍이 일행이 먼저 무초령 기슭에 이르렀고, 뒤따라 오르는 길산의 일행을 기다리고 있었다. 말득이가 끝없이 이어져나가고 있는 자비령의 연봉들 가운데 네 봉우리가 정자관처럼 솟아 있는 곳을 가리켰다.

"여기서 길이 갈라집니다. 내가 눈여겨두어서 소상히 알지요. 성님들은 여기서 기다렸다가 최가네가 무리지어 지나가면 슬슬 따라붙으시우."

"착오 없이 하여라. 중화 때까지는 사인암으로 내려가야 된다."

말득이와 선흥이 일행은 내쳐서 여계산으로 올랐다. 드디어 산채로 오르는 소로가 나오자, 선흥이와 구월산 졸개 네 사람은 숲 사이에 몸을 감추고 말득이만 산채로 올라갔다. 말득이가 입구에 이르자 벌써 파수보던 자들이 알아보고 마중을 나왔다. 그는 곧 홍복에게로 안내되었다.

"새벽에 저희 나으리와 잠채꾼들이 은을 싣고 동선관으로 떠났습니다. 나으리께서는 아무래도 사인암 근처까지는 가게 될 터이니 한 시바삐 연락을 하라십니다."

홍복이가 서둘러 을량에게 식구들을 모으라 이르고는 이미 손안에 대금이 들어오기나 한 듯이 마루를 서성거렸다.

"그래 은이 얼마나 되더냐."

"얼핏 보니 말짐으로 다섯입디다."

"수고하였다. 천동이놈이 제 언니처럼 감쪽같이 속아넘어갔구나."

"헌데 은을 지킨다며 장정들을 십여 명이나 샀으니 그게 걱정이올시다."

말득이가 슬쩍 떠보는데 홍복은 자신만만하였다.

"염려 없다. 열 명이 아니라 백 명이라두 그따위 누런 입(黃口) 가진 밥주머니들은 호통소리 한 번에 흩어질 테니까."

을랑이가 산채의 서른 남짓 되는 자들을 마당에 모아세웠고, 최흥복은 그중 늙고 힘없는 자들 열 명을 추려내어 산채에 남도록 하였다.

"어서 서둘러야겠다. 이럴 줄 알았으면 동선령을 지키고 있을 것을, 자칫하여 황주로 들어서버리면 낭패로다."

말득이가 흥복에게 말하였다.

"제 주인께서 말씀하시기를 만약에 두령이 지체되면 앓는 시늉을 해서라도 사인암에서 머물며 기다린다 하십디다."

최흥복은 환도와 창을 든 졸개들을 몸소 이끌고 산채를 나섰다. 말득이는 머뭇거리며 말하였다.

"나으리께서 절더러 여기서 기다리라구 하셨는데요……"

"그래라. 네 주인 모시고 예서 며칠간 푹 쉬었다가 한양으로 떠나도록 해라."

최흥복은 의심 없이 쭉정이가 되어버린 산채를 뒤에 두고 떠났다. 그들이 완전히 산채가 있는 골짜기를 벗어났을 즈음하여 말득이는 마루로 나왔다. 그는 졸개들이 머무는 초가에 너덧이 남아 있고 서흥댁의 식구 두엇에다 나머지는 방심한 채로 파수에 임하고 있는 셋뿐임을 확인하였다. 먼저 바깥에 나와 있는 다섯을 치워버려야 할 것이었다. 선흥이는 흥복이 지나간 뒤에 산채 가까이 바짝 접근해와서 기다리고 있을 듯하였다. 말득이는 우선 허리춤의 자고를 쓸어보고는 한 손에 큼직한 돌멩이를 주워서 소매 사이로 감춰넣었다. 산채에 오르는 길 양편에 두 사람이 있고 반대편에 한 사람이 있는데 우선 이쪽 녀석부터 해치울 셈이었다. 그는 집 뒤로 돌아가 낮은 목소리로 번 드는 자를 꾀었다.

"여보, 두령이 나 먹으라구 술상 들여주고 갔는데 같이 안 자시려우?"

"번 끝나구 가야지."

"어이, 누가 보기나 한다구 그러우. 혼자 벽 보구 마시려니 영 술맛이 맹물이라 그러지. 권커니잣거니 해야 취흥이 나겠수."

"되게 추운데."

"속이나 뜨뜻하게 어한하고, 발 좀 녹이구 가면 될 거 아니우. 젠장할, 그동안에 어느 도깨비가 이 까마득한 골에 기어들어온다구 그러우."

"허긴…… 어디 목 좀 축여볼까."

그자가 병장기 세워두고 내려오는 기색을 보자 말득이는 얼른 돌아서서 방으로 들어갔다. 그러고는 문을 빠끔히 열어두고 기다렸다. 그자가 마루에 와서 머뭇거리는지,

"이 사람 어디 갔나……"

어쩌고 하며 올라서는 기척이 들렸고 말득이는 크, 하는 소리를 냈다.

"거 술 한번 독하다."

다급해진 파수꾼이 방문 안으로 고개를 들이미는데 말득이는 지체없이 그의 멱살을 안으로 잡아끌면서 단번에 정수리를 돌멩이로 내리쳤다.

"요게 바로 벽력주(霹靂酒)라구, 풍도(酆都) 염라국 야차들이 즐겨 마시는 술이니라."

그는 넙죽하니 뻗어버린 자의 발목을 잡아 질질 끌어다 구석에 뉘어두고, 밖으로 다시 나왔다.

말득이는 그제야 허리에 한 손을 찔러넣고 산채 어귀로 슬슬 내려갔다. 양편 바위에 섰던 자들이 그에게 물었다.

"어디 가려구 그러나."

말득이는 대꾸 없이 무조건 길 아래로 외쳤다.

"성님, 올라오슈."

"어…… 누굴 불러?"

하는데 몰이라도 하는 듯이 선흥이와 네 사람이 화닥닥 뛰어오르고 있었다. 번 드는 자들이 어이없는 중에 적경을 알리려는 참인데 말득이가 잇바람 새는 소리와 함께 자고를 연달아 날렸다. 둘이 모두 허벅지와 정강이에 자고를 맞고 넘어져 아래로 굴러떨어졌다. 그들은 산채로 쉽게 들어갔고 아랫목에 등 지지며 쾌적하니 낮잠을 자던 자들을 오소리 사냥하듯 하였다. 모두 줄줄이 꿰어서 서흥댁의 초가에 몰아넣으니 최가는 이제 굴혈을 잃은 뱀이었다.

최가가 무초령으로 하여 북편으로 내려갈 제 숨어 있던 길산의 일행 중에서 선일이와 마감동이 두 사람 데리고 그 뒤를 따르고 길산은 식구 하나와 더불어 남았다. 밥에 뜸들일 각이 두어 차례 지났을 즈음 하여 말득이가 내려와 산채가 손에 들어왔음을 알렸고, 길산은 말득이와 함께 일단 자비령 산채로 올라갔다.

동선관에는 천구백칠십여 걸음에 이르는 성채가 있었고 요새지였으나 태평성세라 몇사람의 진군을 거느린 장교가 나와서 관문을 관리할 따름이었다. 관을 지나 십 리를 내려가면 사인암인데 한눈에 북편 황주벌의 수림이 내려다보이고, 자비령에서 갈라져나와 뭉뚱그려진 글씨의 적(趯)과도 같이 그 남은 산세가 흘러 뭉쳐진 천진산이 동북편에 서 있었다. 절벽마다 얼어붙은 바위를 비집고 속으로 흐르는 물소리가 골짜기에 투명하게 울렸고, 벌판에는 해오라기의 떼가 점점이 날아다녔다. 바로 사인암과 천진산 사잇길이 오 리쯤 되는데 마치 신선이라도 살 듯이 후미진 곳이었다. 최흥복이 천진산을 따라서 내려가는데, 그제야 골짜기 맞은편의 한길에 느릿느릿 움직여 가고 있는 마필들을 발견하였다. 듣기보다는 별것이 아니라서 고삐 잡은 마부가 말 수만큼 다섯에다, 맨 앞에 인솔하는 자가 환도를 찼는데 그게 천동인 듯싶었고, 몽둥이 가진 자가 둘이요 맨 뒤에 자기네와 내통하였던 한양 선비가 따르고 있었다. 흥복이는 바짝 긴장을 하고서 치달려왔다가 그만 어이없어 웃고 말았다.

"헛, 모기 보구 칼 뽑을 뻔하였다."

"당장 건너가서 덮칩시다."

을량이 서두르는 것을 말리고 흥복은 골짜기 입구에 소나무가 띄엄띄엄 섰고 여름철에는 술 파는 좌고들이 나와 앉는 경천림을 찍었다.

"바로 저기다. 우리가 먼저 가서 기다리구 있어야지."

그들은 바삐 시냇물을 건너고 저쪽 눈에 뜨이지 않도록 질러서 경천숲에 당도하여 좌우로 갈라져 숨었다. 가끔씩 나무 위에서 눈 떨어지는 소리만이 들렸고, 송림을 헤치는 바람소리가 가득 찼다. 천동이를 비롯한 일행들은 모두 김기에게 들어서 사인암을 지나자마자 자비령 패거리가 자기들을 습격할 것을 미리 알고 있었다. 그들은 도적이 나타나면 병장기 가진 자는 모두 뿔뿔이 달아나고 나머지는 그 자리에 엎드려 목숨을 애걸하기로 되어 있었다. 김기는 앞에 보이는 경천림을 두고 일렀다.

"제놈들이 미리 왔으면 저기서 기다릴 테고, 아직 당도하지 않았으면 우리가 기다릴밖에 없군."

바짝 긴장하여 숲으로 들어가려니 아니나다를까 양쪽에서 자비령 패거리가 우르르 뛰어나오며 소리쳤다.

"살구 싶으면 꼼짝 말고 엎드려라!"

"말짐부터 잡아두어라."

사람과 말이 이리저리로 뛰니 도적들은 달아나는 자들을 내버려두고 말고삐부터 잡기 바빴고 몇몇만이 마부들과 그 틈에 섞인 김기를 한데 모아 꿇어앉혔다. 최흥복은 칼을 그들에게 겨누었는데 김기가 고개를 들더니 눈을 연신 끔쩍여 보였다. 아는 체하였다간 낭패라는 뜻으로 알아듣고서,

"모두 나무에다 묶어놓도록 하여라."

지시하고 둘러보니 말 다섯 필을 고스란히 탈취하는 데 성공한 것이었다. 흥복은 졸개들을 모두 수습하여 마바릿짐을 끌고 재빨리 시냇물을 건너 얼른 천진산 기슭으로 빠져나왔다. 칼끝에 피 한 방울 묻히지 않고 은자 다섯 궤를 털어냈으니, 금년 첫 마수걸이로는 배통이 뻐근한 과식이었다. 골짜기로 들어서는데 졸개 하나가 뒤를 가리켰다.

"보십시오, 꼬리가 붙었수."

돌아보니 장정 넷이서 그들을 따라 개천을 건너는 중이었다.

"두어라, 아마 은자를 잃어 간이 함지박만 해진 모양이다. 우리 뒤를 밟아봤자 산 밖에 난 범이요, 물 밖에 난 고기지 별수 있겠느냐?"

뒤에다 망보기를 붙이고 그들은 무초령을 향하여 깊숙이 들어갔다. 가끔씩 돌아보면 그들은 없어지기도 하고 나타나기도 하면서 줄곧 놓치지 않고 따라오고 있었다. 아무래도 말을 끌고 가기까지는 길이 평탄했으므로 별문제가 없었으나, 차츰 길이 가파르게 되니 짐을 끌어내려 각자가 짊어져야 하였다. 한데 뒤에 따라붙는 자들이 있어 걸음을 늦출 수도 없고 내버려두자니 문 없는 측간에 앉은 듯이 영 꺼림칙하였다. 드디어 비탈진 산길로 오르는 초입에 이르자 흥복은 등에 차고 있던 환도를 뽑아들고 돌아섰다.

"절반은 여기서 짐을 지키고 나머지는 모두 내려가서 베어버리자."

을량 이하 칠팔 인이 따라붙는데 금방 보이던 자들이 자취없이 사라졌다. 한참이나 조심조심 내려가도 흔적이 없어 홍복이 안을 내어 길 좌우에 벌려 숨고 기다리기로 하는데, 이윽고 저편 길 위에 한 놈이 나타나 외치는 것이었다.

"얘, 거기 숨은 거 우리가 모르는 줄 아느냐. 너희 소굴을 알아내어 토포군의 선봉이 될 참이다. 우리 재물을 고스란히 와식할 줄 알았니?"

내다보니 천동이가 칼 빼어들고 서 있는데 과연 꼬리를 내놓은 꿩 꼬락서니라 그들을 잘라버리지 않고는 이제 더이상 발을 뗄 수가 없을 지경이었다.

"잡아라!"

홍복이 외치며 앞장서서 뛰고 모두들 우우하니 몰려가는데 천동이는 연신 뒤를 돌아보며 달아났다.

짐을 내려놓고 쉬고 있던 자들은 갑자기 두엇이 얼굴을 감싸쥐고 나뒹구는 바람에 모두들 벌떡 일어났다. 살펴보니 둘 다 뭘로 얻어맞았는지 얼굴이 꼭두서니 빛깔로 환칠이 되었고 이미 뒤로 반듯이 넘어져 있었다. 서로 얼굴을 마주 보기도 하고 고개 위와 숲 사이를 두리번거리는 중인데 뭔가 쌩 하며 바람 가르는 소리가 들리고 다시 하나가 에이쿠, 소리 내지르며 주저앉아버린다. 또한 안면이 단청이다. 그제는 더이상 뚤레거리지 못하고 제각기 머리를 잔뜩 숙이며 눈에다 몸을 던졌다.

"이놈들, 달아나지 않으면 해골 샌다. 또 맞아볼 테냐?"

찌렁찌렁한 고함이 들렸고, 그중 담 있는 자가 삐죽이 고개를 들어보니 언덕 위에 웬 사내가 서서 한 손으로 뭔가 빙빙 돌리고 있었다. 아마 저걸 던지는 게 아닐까. 그렇다면 고개를 빼는 것이 별로 유리하지 않다 싶어 숙이려는 참인데 불이 번쩍, 하면서 그만 기가 빠져나가는 것이었다. 벌써 넷이 땅냄새를 맡아놓으니 다른 자들은 아예 사지에 쥐가 나서 감히 일어나 대꾸할 수도 없었다. 사방이 괴괴한데 바람에 눈덩이 떨어지는 소리에도 놀라 뒤털을 세우며 옴찔거렸다.

최흥복이 완전히 헛걸음치고 되돌아와보니 모두들 눈 위에 코를 박고 엎드려 있는 것이 곰 만난 꼴이었다. 달려갔다 온 뒤라 연신 턱에 닿는 숨을 내리누르면서 중얼거렸다.

"산신께 고사드리나……"

"갔습니까?"

하나가 고개를 내키지 않게 쳐들고 묻는데 흥복은 뒤늦게야 면상이 터져 기절한 자들을 둘러보고 사태가 불리함을 알았다. 을량이 쓰러진 자의 근처에서 이상스런 물건을 주워올렸다. 원달구(石杵)처럼 생긴 작은 무쇠에다 잘록한 곳에 명주실을 맨 물건이었다. 흥복이 손에 쥐고 핑핑 소리가 나도록 돌려보며 날카롭게 사방을 둘러보았다.

"팔매 솜씨가 무서운 놈이로구나."

을량이 쓰러진 자들을 수습하여 끌어올리니 거의 인사불성이고, 가까스로 기력을 돌이킨 자도 머리에 천근을 올려둔 듯이 고개를 가누지 못하였다. 흥복이 머리를 들어 하늘을 보니 좁은 골짜기 사이로 해가 비스듬히 걸려 있었다. 들판이라면 아직 석양은 이르겠으나 산간에서는 노루꼬리만 한 겨울빛이라 얼마 후에 어두워질 듯하였다. 해만 지고 나면 이쪽이 유리한 것이다. 최흥복 일당은 지리에 익숙하여 눈을 감고도 길을 찾아갈 것이고, 뒤따르는 자들은 초행이고 숫자도 적으니 곧 자취를 잃거나 이쪽에서 매복하기만 하면 잡을 수가 있을 것이었다. 홍복은 설마 산채에서부터 그의 뒤를 쫓아왔다가 바로 코앞에서 자기들의 일동일정을 살피면서 따라붙은 자들이 있을 줄은 꿈에도 짐작 못 하였다.

"여기서 어두워질 때까지 기다리자. 그동안에 다친 식구들이 기력을 찾도록 보살펴두어라."

이제 싸울 수 있는 자들은 열 사람도 못 되었고 나머지는 짐을 챙기고 머리가 터진 동료들을 부축하여 가기에도 벅찰 것이다. 홍복은 차츰 불안하였다. 여하튼 짐을 호송하던 자들이 그냥 촌에서 씨름깨나 한다는 뚝심꾼들만은 아닌 게 분명하고, 제법 싸움깨나 치러본 자들이 틀림없었다. 그러나 상대는 고작해서 네 사람 정도였으니 맞춤한 장소에서 매복할 참이었다. 그는 을량을 불러 머리를 맞대고 의논하였다.

"아무래두 패를 나누어야겠다. 자네는 다친 아이들과 짐을 맡아서 내처 거북이골(龜山谷)까지 가서 우리가 당도할 때까지 기다리게. 우리는 산길을 타고 저놈들을 깊숙이 끌어들여 해치울 테니까."

"어두워지면 곧 출발하겠수."

차츰 숲이 어두워지기 시작했는데 하늘은 아직도 짙은 반물빛이었다. 눈 때문에 나무들의 삐죽삐죽한 자취가 한결 돋보였다. 그들은 일단 말에서 부담을 내려 나누어서 짊어지고 산길로 올랐다. 숲속에 들어가자마자 그들은 홍복과 을량이 인솔하는 패거리로 각각 갈라졌다. 다섯 짐에 부상자가 넷이니 홍복과 함께 남은 자는 불과 일곱 명이었다. 그러나 그들은 자비령 산채에서도 가장 날래고 용감한 자들이라, 웬만한 장정들쯤은 서너 배와 대적하여도 겨룰 만하였다. 홍복은 눈 위의 발자국으로 그들이 쫓을 것을 미리 알았으므로, 을량이 헤어져서 갔던 자취를 따라가다가 일단 양편에 잡목이 눈을 쓰고 있는 후미진 곳을 발견하고는 들어가서 숨었다. 모두들 잡담을 금하고 이제나저제나 하면서 추적하는 자들이 나타나기를 기다렸으나, 들리느니 산협에 가득 찬 겨울바람 소리요, 깃을 찾아 숲으로 모여들기 시작한 멧새들의 지절거림뿐이었다. 아무리 엎드려서 기다려보아도 사람의 자취가 없어 그들은 오한과 시장기로 눈밭에 앉아 있기가 차츰 지겨워졌다. 홍복은 졸개 하나를 가려냈다.

"나가서 산길 아래를 살피고 오너라."

그러나 홍복은 뒤쫓던 자들이, 선일의 팔매에 맞아 우왕좌왕하는 혼란을 틈타서 우회하여 먼저 산으로 올라, 훨씬 뒤쪽에서 오히려 기다리고 있을 줄은 전혀 알지 못하였다. 산길 아래를 살피러 갔던 졸개가 돌아와 말하였다.

"아무런 기척이 없습니다."

"어두워지니 겁이 나서 되돌아간 게로구나. 어서 거북이골로 올라가 합세하여야겠다."

홍복은 매복을 풀기로 하고는 부하들을 일으켜 서둘러 그 자리를 떠났다. 차가운 밤바람이 눈을 날려서 얼굴에 사정없이 몰아쳐왔고, 추위와 허기로 창자 속까지 얼어붙는 듯하여 모두가 총총걸음이었다. 거북이골은 건지산의 줄기가 천진산까지 닿아서 상산령과 무초령을 가로막고 있는 마지막의 구석진 골짜기였다. 거북이골을 지나면 곧 무초령의 초입이고 이어 자비령의 중봉인 여계산 지경에 이르게 되어 있었다. 그들은 계속해서 산줄기를 따라 걷고 있었다. 멀리 가로막힌 산등성이 너머로 자비령의 연봉들이 희끗희끗 보이는데 거북이골은 다시 한 고개를 넘어가서 있었다.

"이제 다 왔다. 거북이골에 가서 불을 피우고 잠시 쉬었다가 산채로 돌아가기로 하자."

최흥복이 부하들을 격려하였고 모두들 고생이 끝나는 것 같아 걸음이 빨라졌다. 그들은 일단 계곡으로 내려갔다가 상수리나무들이 울창한 산비탈을 바라고 올라가야 했는데 그 아래가 거북이골이었다. 계곡에는 눈이 쌓여 바위와 개천과 움푹한 곳이 모두 평평해져서 어느 구덩이에 빠질지 위험하였다.

그들이 거의 산비탈에 당도했는데 앞서 걷던 졸개가 어이쿠, 하며 얼굴을 감싸쥐고 넘어졌다. 연이어 바로 뒤에 섰던 자도 머리에 뭔가 얻어맞아 눈 위에 나뒹굴었다. 흥복과 나머지 졸개들이 주춤하는 판인데 온 산천이 찌렁찌렁 울리도록 고함소리가 들려왔다.

"이놈들, 기다린 지 오래다. 모두들 이 골에 장사 지내줄 테다."

뿐만 아니라 뒤켠에서 고함소리가 들려왔다.

"너희 두령 최가만 잡을 테니 살고 싶은 놈들은 모두 다 달아나도 좋다."

그들은 어둠속을 이리저리 둘러보았다. 희끗희끗한 눈과 검은 수림과 바위들이 보일 뿐이었다.

"웬놈들이냐?"

흥복은 부하들을 생각하여 제법 대담하게 호통을 쳐보았으나 다시 잠잠하였다. 우선 골짜기에서 발을 떼려다가는 팔매가 날아올 듯싶어서 옴짝할 수가 없었다. 이런 어둠속에서 사람의 자취를 어림짐작으로 겨냥하여 맞히기란 아무리 솜씨가 귀신 같다 할지라도 가까운 거리여야 할 것이다. 그러나 상수리숲 안은 컴컴하여 들어갈 엄두가 나질 않았다. 흥복은 일부러 큰 소리로 웃으면서 말하였다.

"좋다. 우리에게 은이 있는 줄 아는 모양이지만 벌써 다른 곳으로 빼돌렸다. 싸울 생각이라면 앞으로 나서라."

다시 목소리가 들려왔다.

"너희 식구들은 벌써 짐을 버리고 사방으로 흩어져 달아났다. 남은 건 너희들뿐이다."

홍복은 목소리가 자기들이 서 있는 오른편 숲속에서 들려오는 것을 알아냈다. 그는 부하들에게 나직하게 속삭였다.

"머리를 낮추고 일시에 숲속으로 뛰어들어가자."

홍복은 두 팔로 머리를 감싸쥐고 나무숲 사이로 뛰어들며 환도를 뽑았고, 졸개들도 몇발짝씩 떨어져서 앞뒤로 뛰어들어왔다. 다시 숲 안은 괴괴한데 비탈의 위쪽에서 버석대는 소리가 들렸다. 홍복은 이를 악물고 미끄러지며 엎어졌다 일어나기도 하면서 뛰어올라갔다. 그때 뒷전에서 에쿠 지쿠 하는 소리가 들리고 졸개들이 누구인가와 싸움을 벌이는지 소란이 일어나고 있었다. 홍복이 돌아서려는데 바로 코앞의 나무들 사이에서 사람의 희끗한 자태가 우뚝 일어섰다. 그뿐 아니라 홍복의 오른편에서도 사람의 모습이 나타났다. 홍복은 칼을 휘두르며 달려들었고, 상대방은 옆으로 슬쩍 비켜나며 맞받는데 챙컹하는 쇳소리가 들리니 그쪽에서도 환도를 가진 모양이었다. 홍복이 비록 환도를 휘두른다고는 하지만, 여태껏 같은 환도로 대적해오는 상대를 만난 것은 처음이었다.

대개의 장사치들은 몽둥이 정도에도 짐을 버리고 달아나는 것인데, 이러한 진기살전(眞器殺戰)은 그가 일찍이 검을 다루어본 적이 없으니 이미 승패가 결정된 일이었다. 어둠속을 아무렇게나 베며 이리 뛰고 저리 달려들고 하건만 상대는 능숙하게 몸을 피하였고 뒷전에 나타났던 자가 헛기합 소리를 내지르는 바람에, 최홍복은 멈칫 몸을 돌렸다. 익숙한 솜씨라면 앞의 상대와 대적하면서 동시에 뒤를 방어

할 터이나 홍복은 그만 옆구리를 훤히 드러내놓고 말았다. 날카로운 타격이 허리를 후려쳤고 홍복은 숨이 콱 막혀서 칼을 떨구고 상반신을 꺾는데 그의 머리꼭뒤에 또 한번의 타격이 가해졌다. 그는 눈 위에 떠밀리듯 처박혔다.

"묶어서 끌고 가지요."

뒷전에 섰던 선일이 말했고, 감동은 환도를 꽂으며 대답하였다.

"제 집에 기어들어갈 때까지 놓아두라구 했네. 칼등으루 가볍게 후려쳤으니 곧 깨어나겠지."

선일이 아래에다 대고 휘파람을 불어주었고, 눈 밟는 소리가 들리더니 이곳 저곳에서 구월산 패거리 둘과 네 사람을 거느린 천동이가 올라왔다.

"하나는 베었고 또 하나는 혼절했습니다. 나머지는 사방으로 흩어져 달아났지요."

"오늘밤에 산짐승들이 놀라겠다. 산중을 헤매는 놈들이 한둘이 아닐 테니."

김선일이 웃으며 말하였다. 그들은 거북이골에서 먼저 와서 기다리던 자들을 고함소리 몇마디로 흩어져 달아나게 하였던 것이다.

"누가 베었나?"

마감동이 물었고 구월산 식구가 말하였다.

"총각이 먼저 달려들며 뒤에서 베었습니다."

"최가놈의 모가지를 베어가야겠수. 우리 언니에게 갖다드릴랍니다."

천동이가 아무 거리낌없이 대답하면서 어둠속을 두리번거리는 것이 홍복을 찾는 모양이었다.

감동이가 천동이의 손목을 잡아 허리 뒤로 바짝 비틀었다. 그러고는 칼을 빼앗아 구월산 졸개에게 넘겨주었다.

"최가의 처분은 자네가 할 일이 아니다. 나중에 죽이든 살리든 우리 성님께 여쭈어보구 해라. 자, 어서 여계산으루 가야지."

그들은 기절한 홍복을 눈밭에 버려두고 바삐 거북이골을 지나갔다. 얼마 후에 홍복이 정신을 차렸을 때에는 이미 사방이 괴괴하고 먼 데서 짐승의 울부짖음만이 가끔씩 들려올 뿐이었다. 온몸이 뻣뻣하였고 뒤통수가 깨어지는 듯이 아파서 홍복은 신음을 하며 상반신을 일으켰다. 목을 쳐들기가 너무도 고통스러워서 그는 다시 뒤로 넘어졌다. 몸을 뒤집어 팔을 받치며 가까스로 일어나 뒷덜미를 만져보니 끈적끈적한 것이 머리가 터진 듯하였다. 그는 우선 눈을 한움큼 집어서 이마를 문지르고 상처 주위에다 지그시 눌렀다. 비틀거리며 일어나 둘러보니 캄캄한 어둠속에 혼자 서 있을 뿐이었다.

"아무도…… 없느냐……"

홍복은 비틀거리며 고개를 넘어 거북이골로 내려가보았지만 역시 먼저 떠났던 을랑의 일행도 보이질 않았다. 그는 눈 위를 여기저기 살피다가 아무렇게나 나뒹굴어 있는 부담을 발견하고는 눈속에서 돌멩이를 뽑아내어 뚜껑을 부수기 시작하였다. 판자가 빠개지고 틈이 벌어지자 그는 부리나케 손을 집어넣고 안에 들어 있는 것을 움켜쥐었다. 그는 손에 쥔 것을 다시 자세히 살펴보고는 맥없이 던져버리고 말았다. 다른 부담을 부숴서 다시 한번 살피니 마찬가지였다.

"그랬구나……"

부담마다 가득 들어 있는 것은 은이 아니라 자갈돌이었다. 그들은 자갈을 짊어지고 허겁지겁 달아나느라고 괜한 전력을 모두 소모해버렸던 것이다. 홍복은 드디어 자기가 함정에 빠졌음을 깨달았다.

누구일까, 관군인가. 관군이라면 그를 내버려두었을 리가 없었다. 그렇다면 봉산의 잠채꾼 만동이 천동이 형제들의 짓인가. 그때 산채로 잡혀올라왔던 한양 선비에 생각이 미쳤고 도무지 궁금하고 통분스러워서 가슴이 오그라드는 것만 같았다.

"어디서 온 자들일까……"

홍복은 만동이 형제가 이런 묘책을 벌일 위인들이 아니라는 것을 잘 알고 있었다. 그들의 앙갚음을 해주기 위해서 어딘가에서 데려온 자들인가. 그렇다면 천동이에게 자기가 죽음을 당했거나 사로잡혔을 것이지 이렇게 기절한 채로 눈 위에 버려두진 않았을 터이다. 저들은 누구이며 무엇을 바라고 이러는가를 도저히 생각해낼 수가 없었다.

"산채로구나!"

홍복은 그제야 제 무릎을 두드리며 벌떡 일어섰다. 영리하고 재빠르게 보이는 하인이라는 자의 얼굴이 떠올랐다. 그가 와서 선비의 출발을 알렸고 그는 분명히 산채에 남아 있기로 하였던 것이다. 이제 홍복은 갈 곳이 없었다. 세간에 그의 몸 붙일 마을이 없고 산속에도 그는 다만 눈과 헐벗은 나무숲 사이에 맨주먹으로 혼자였다. 이제는 죽으나 사나 매일반이었다.

"좋다. 어떤 놈들인가 낯짝이라두 보구 죽어야겠다."

다시 다른 희망이 한 줄기 빛처럼 지나갔다. 흩어진 식구들이 여계산 부근에서 모여 자기를 기다리고 있을지도 몰랐다. 이대로 굴혈을 빼앗기고 근거 없는 경계로 내몰려나갈 수는 없는 노릇이었다. 홍복은 문점손의 최후를 떠올리고는 어금니를 꽉 물었다. 갈 곳은 꼭 한군데뿐이다. 산채를 다시 빼앗든가 아니면 여계산 골짜기에서 죽을 뿐이었다.

"어이…… 거기 아무도 없나?"

홍복은 나무숲이나 골짜기에다 연신 외치며 걸었다. 이제는 상대가 몇명이 나타나더라도 겁날 게 없었다. 홍복은 새벽녘에야 완전히 기진맥진하여 여계산 어귀에 이르렀다. 그는 다시 한번 온 산이 울리도록 외치며 자비령 식구들을 불러보았다. 메아리가 한참이나 길게 울려퍼지고 나자 산속은 보다 더 적막해진 듯하였다. 홍복은 헐떡이며 산채로 오르는 소로에 접어들었는데 아주 가까운 곳에서 웬 사내의 껄껄대는 웃음소리를 들었다. 홍복은 뒷등으로 소름이 훑어 내려 지나가는 것을 느꼈다. 그는 버티고 서서 외쳤다.

"웬놈이냐, 앞으로 나서라!"

연이어 사방에서 여러 사내들의 죽겠다고 웃어대는 소리가 들리고 나서 한 목소리가 응답해왔다.

"애, 그놈 깃 빠진 황새요, 도인 앞에 새벽 도깨비 꼴이로다."

홍복은 아무거나 잡히는 대로 돌을 집어 소리나는 쪽으로 어지럽게 내던졌다.

"도대체 누구냐, 뭣 때문에 이러느냐."

다시 여럿의 웃음소리가 들리고,

"어서 산채 방비나 해두어라. 네 졸개들이 두령이랍시고 목이 빠져라 기다리겠다."

하는 조롱의 말이 들려왔다. 홍복이 달려올라가자니 언제 흩어졌는지 아무도 보이지 않았다. 그는 숨이 턱에 닿아 산채가 들어앉은 골에 들어섰는데 사방은 고요하고 아무 일도 없었던 듯하였다. 온몸에 식은땀이 흘러 한기가 났다. 하늘에는 차디찬 새벽별 몇점이 떠 있는데 그가 쓰는 상방에는 불이 켜져 까물대고 있는 게 보였다. 홍복은 허겁지겁 뛰었다.

“모두 나오너라. 내가 왔다.”

외쳤으나 캄캄한 초가에서는 그 누구도 내다보는 자가 없었다. 산채에는 아무도 없는 모양이었다. 홍복은 자기 방 쪽으로 달려가 마루로 올라섰다. 문을 벌컥 열었다.

“이제 오는가?”

홍복은 가슴이 철렁 내려앉을 정도로 놀랐다. 방 안에는 눈매가 날카로운 사내 혼자 술상을 마주하고 앉아서 그를 바라보고 있었다. 홍복이 얼결에 뒷덜미로 손이 가는데 빈 칼집뿐이었다.

“누…… 누구냐?”

“이 사람아, 누군지 알구 싶으면 서루 인사를 나눠야지.”

낯선 사내는 자세를 흩트리지 않고서 비워두었던 맞은편 잔에 술을 따랐다.

“자네 기다리느라고 술이 다 식었군. 한잔 들게.”

홍복은 문을 연 채로 차마 들어서지도 못하고 뒤를 돌아보았다. 아무도 없는 텅 빈 마당뿐이었다.

“어서 문 닫게. 불 꺼지겠네.”

사내의 말씨는 동기간에 하듯이 부드럽고 여유가 만만하여, 홍복의 상한 짐승 같던 결기가 사그라지는 듯하였다. 홍복은 방 안으로 들어서며 아직도 그의 어디를 칠까를 노리면서 물었다.

“나는 여기 주인인데……”

“우선 한잔 하세.”

사내가 술잔을 들어 마시려는 찰나에 홍복은 놓치지 않고 사내의 면상을 노리며 휘둘러 찼다. 사내가 한편 마시며 왼손을 가볍게 휘둘러 걷어내면서 홍복의 발목을 잡아 슬쩍 힘을 가하여 밀어주자 홍복은 공중에 떴다가 머리를 벽에 부딪고 뒤로 넘어졌다.

흥복은 머리를 흔들어대며 일어나 앉았다. 그는 분하여 눈물을 흘리고 있었다. 흥복은 꼼짝 않고 상 앞에 앉아 있는 사내에게 물었다.

"내가 졌수. 도대체 왜 이러시오. 댁은 뉘시오?"

"많이 아픈가. 이리로 다가앉게."

사내는 덤덤하게 말하였고, 이제는 흥복이 쪽에서도 더이상 싸울 뜻이 없었으므로 슬금슬금 앉은걸음으로 상 앞에 나아갔다. 아무리 독하고 매운 당초망 흥복이라 할지라도 옴치고 뛰는 재주와 기량이 미치질 못하는데야, 그 낯선 사내의 말을 거역할 수가 없었다.

"밤새 고생이 많았겠네. 어서 쭉 들구 나서 내게두 한잔 따라주게나."

밖에서 두런두런 인기척 소리가 들리더니 누군가 마루 앞에서 말하였다.

"성님, 거기 계십니까?"

"음, 집주인과 한잔 하는 중이다."

저희끼리 낄낄 웃어대는 소리가 들리고는 또 말하는 것이었다.

"우리두 들어가서 마셔야겠수."

"잠깐 기다려라. 내가 이 사람과 인사라두 나눠야지."

하고 나서 사내는 흥복을 바라보며 말을 이었다.

"이것 참 남의 집에 와서 결례가 이만저만이 아닐세. 나는 구월산 사는 장서방이란 사람이야."

흥복은 내심 놀라서 하마터면 술잔을 떨어뜨릴 뻔하였다. 전에 몇 번 구월산 패거리 중에 장가 성 가진 두령에 대한 소문을 들은 적이 있었고, 그의 수하에는 해서에서 난다 긴다 하는 자들이 모여 있다는 말도 들은 적이 있었다. 소문에는 그가 감영에서 목이 잘리고도 되살아난 재주를 가지고 있다는 것이었으나, 흥복은 대수롭지 않게 여기고 있었다. 사내가 다시 말하였다.

"이렇게까지 괴롭힐 일은 아니로되, 산간에서는 사람을 사귀기가 쉽질 않아 권도(權道)로 해본 일일세."

홍복은 전신에서 맥이 탁 풀려버리는 것을 느꼈다. 그는 한숨을 끙 하니 쉬고 나서 고개를 끄덕였다. 그러고는 일어나 두 손을 모았다.

"죽든 살든 처분에 맡기겠습니다. 먼저 인사나 받으시지요."

홍복이 큰절을 올리니 길산이 쪽에서도 맞절을 하였다. 그러고는 손을 잡고 말하였다.

"잘되었네. 이렇게 만나게 될 것을 공연히 툭탁거렸으니 피차에 쑥스러운 노릇일세."

길산이 밖에 섰던 식구들에게 말하였다.

"어서들 들어오너라."

밤새도록 홍복이를 골리느라고 쫓아다녔던 마감동, 김선일 등은 안색이 꺼칠하였다.

"어이, 춥고 배고파서 두 절의 개 같은 꼴일세."

"나두 한잔 먹어보세."

진저리를 치며 상 앞으로 다가앉는데 선흥이는 잠을 설쳤는지라 연방 하품이었다. 선흥이와 말득이가 여계산 어귀에서 기다리며 쫓겨 올라오는 졸개들을 잡았고, 이어서 홍복이를 산채로 몰아댔던 것이다. 그들 중에도 감동이와 선일이가 가장 고생을 하였다.

"아이들은 모두 별일 없겠지?"

길산이 물으니,

"예, 모두들 저 아래서 지쳐 떨어졌습니다."

감동이가 대답하였다.

"여기 아이들도 잘 호궤하고 뒤늦게 산채로 올라오는 자가 있을 터이니 말득이와 선홍이가 수습해두어라. 그리고 너희들은 몸 좀 녹이고 어서 한잠 붙여두고."

감동이와 선일이는 졸려서 눈이 반쯤 감겼는데 길산이 홍복이를 그들에게 소개하니 다 끝났는데도 서로 감정이 좋지 않아서 서먹서먹해 보였다.

"칼은 아무나 휘두르는 물건이 아니우. 허기야 무 토막이나 붕어 모가지 끊어내는 데엔 괜찮겠지만."

마감동이 하품을 하면서 중얼거리자 홍복은 그가 바로 칼등으로 꼭뒤를 내리쳐 기절시킨 장본인이었음을 알았다.

"내가 원래 농투성이로 쥐어본 것은 호미와 낫이 고작이요, 몽둥이 한번 제대로 휘둘러본 적은 없으나 여태껏 남에게 지지 않고 살았소. 언제든 기회만 준다면 한번 맨손으로 해봅시다."

강선홍이 곁에서 껄껄 웃었다.

"비록 병장기 쓰는 법은 배우지 않았지만 싸움에는 자신이 있다는 얘기로군."

다시 말득이가 덧붙였다.

"얼핏 들으니 조대갑, 임태룡 두령들의 뒤를 이은 자비령 산주라는데, 저이가 누군고 하니 바로 임두령에게서 검을 배운 마두령이란 사람이우."

홍복은 놀라지 않으면서 대꾸하였다.

"들은 적이 있습니다. 팔매를 던진 것은 어느 분이시오?"

하는데 정작 선일이는 겸연쩍게 웃으며 돌아앉았고, 선홍이가 그의 무릎을 두드리며 말하였다.

"이 사람 짓이지. 아마 소싯적에 참새깨나 잡은 모양인데…… 어디 볼태기라두 터졌소이까?"

길산과 흥복이만 웃지 않았다. 길산이 좌중의 농기를 거두려는 듯 조용히 말하였다.

“선흥이허구 말득이는 나가서 돌아오는 자들을 수습하고, 자네는 식구들을 여기 데려와서 서로 얼굴이나 익히도록 하게.”

길산이 흥복이네와 일당이 되었음을 은근히 비추자, 흥복은 잠깐 동안 망설였다. 힘과 꾀가 모자라 무참하게 점령을 당하였으나, 구월산의 두령들 틈에 끼여 조롱을 받고 나자 선뜻 나서기가 창피하였다. 길산이 눈짓하니 선흥이와 말득이가 먼저 남겨둔 파수들에게로 돌아갔고, 감동이와 선일이도 이만 쉬겠다며 슬그머니 나가버렸다.

“최서방……”

길산이 똑바로 흥복을 바라보았다.

“자네 뭣 하러 산에 올라왔는가?”

“예…… 저…… 고향에서 살 수가 없었지요.”

“농사를 지었다면서?”

“동네 사람들과 더불어 관리를 살해하였지요.”

길산은 천천히 고개를 끄덕였다.

“식구들을 남겨두고 왔는가?”

“소문을 들었소이다. 형님은 관가에 끌려가 장하에 돌아가시고, 형수와 조카들은 관비와 사노비로 떨어졌답니다.”

둘 사이에는 잠깐 침묵이 지나갔다.

“여기서 작당하여 재물이나 조금씩 털어 살면서 구차한 목숨을 이으려는가, 아니면 자네가 고향에서 농사짓고 살 수 없었듯이 지금도 허덕이고 있는 수많은 백성들을 위하여 좋은 일을 해보겠는가?”

“어떤 일이 좋은 일이 됩니까?”

“자네가 죽였다는 관리들은 하리배인가 도백인가 정승인가……

그들도 양반과 고관의 지시를 받는 자들이 아닌가?"

"그렇습죠."

"그들도 가엾은 백성의 한 사람이다. 만약에 자네와 입장이 바뀌었다면 그자들도 자네를 죽이려 했겠지. 이제는 그저 피하여 숨어 살면서 연명하는 게 아니라 자네와 같은 백성들이 억눌려 살지 않도록 끊임없이 잘못된 제도와 싸우고, 드디어는 백성의 세상을 세워야 할 것이다. 사나이가 제 집과 마을을 잃고 파가하여 세상에서 숨은 것도 사나운 팔자려니와, 그것을 제 혼자의 욕심에만 급급하여 이겨내지 못한다면 얼마나 처참한 인생이겠느냐. 출발은 스스로 살기 위하여 일어났으되, 가는 곳은 여럿이 함께 사람다웁게 살아가는 세상을 세우는 길이다. 약한 백성은 모두가 사람답게 살아가기를 원하나 그 마음이 모이지 않은 때문이다. 식솔들이나 손바닥만한 땅뙈기나 하늘을 가릴 지붕이 있어 대개는 거기에 얽매여 평생을 한탄하며 죽은 듯이 살아간다. 네 일찍이 분심을 일으켜 썩은 세상을 박차고 나왔으니 얼마나 훌륭한 기회이냐? 나는 당연히 자네와 같은 사람이 우리 식구가 될 것이라고 믿고서 산채에 올랐다. 만약에……"

길산은 날카로운 눈을 들어 흥복을 노려보며 손가락으로 그의 가슴을 가리켰다.

"자비령의 좀도적으로 남아 허술한 장사치나 괴롭히고, 모은 재물로는 술과 고기로 느긋한 부가옹의 생활이나 누리겠다면, 당장에 내 손으로 토멸을 하리라!"

흥복은 절로 가슴이 뜨거워지고 길산의 말 한마디 한마디가 폐부를 찌르는 것 같아 솟아나는 눈물을 금치 못하였다. 그는 소매를 들어 얼굴을 씻었다.

"비록 제가 배운 것이 없고, 형세는 궁색하게 몰렸다고 하나 그러한 토멸을 받을 때까지 살아 무엇 하겠습니까? 여태껏 자비령에 올라온 뒤로 큰 뜻을 깨닫도록 해줄 동무나 언니를 만난 적이 없고, 다만 교만방자하게 이런 생활에 흡족하여 살았더니, 성님께서 내 좁은 가슴과 새 같은 머리를 찢고 터뜨려서 어리석음을 깨우치는 듯합니다. 내 비록 재주도 힘도 없으나, 다만 고지식하게 뜻을 밀고 나가는 진심은 있사오니 아래 거두어주십시오. 이 산채와 식구들과 저는 모두 성님께 복속하여 올 겁니다."

"내게 복속하는 것이 아니라 우리가 함께 할 큰 뜻에 바쳐지는 것이다. 어서 가서 아이들을 데려와 이 사실을 알리도록 해라."

당초망 최흥복은 혼자서 나갔고 산채에 돌아와 갇혀 있던 부하들을 선흥이와 함께 인솔하여 왔다. 길산이 마루 위로 나왔고 흥복이 앞으로 나서며 말하였다.

"오늘부터 우리는 구월산에서 오신 장길산 두령님의 식구다. 인사 올려라."
하고는 흥복이 털썩 무릎을 꿇었고 자비령의 식구들도 우르르 꿇는데 길산이 손을 저어 만류하였다.

"모두들 일어나시오. 우리가 여기 온 것은 생각을 모으자고 온 것이지, 여러 식구의 집터를 강제로 빼앗으려 온 게 아니오. 우리는 따로이 동선령으로 나아가 산채를 이룰 것이로되, 녹림의 도리로 보아 생각이 맞지 않으면 서로 빈번히 다투고 힘을 소모할 것인즉, 온 세상이 우리를 대적하여 없애려 하고 잡으려 할 제 우리가 서로 다툰다면 마치 쌈닭처럼 가마솥에 들어가는 수밖에 더 있겠소. 서로 이웃하여 있으면서 무슨 일에든지 한가지로 돕고 힘을 합치자는 것이오."

길산이 말을 마치고는 흥복이에게 모두 데려가 쉬도록 이르니, 간혀서 호된 경을 치리라 두려워하던 졸개들이 모두 안심하고 형세가 든든해졌음을 기뻐하였다. 홍복이 사양하는 것을 길산이 함께 이끌고 상방에 들어가 나란히 누워 잠을 청하자, 일시에 긴장이 풀린 홍복은 대번에 죽은 듯이 잠이 들었다. 길산은 혼자 일어나 산채의 이곳 저곳을 둘러보는 가운데 날이 훤하게 밝았던 것이다.

다음날 모두들 늦은 아침을 먹었고 길산이 홍복을 불러 조용히 물었다.

"산채 식구가 무려 삼십여 명이 되는데, 모두들 여기 눌러앉아 있기를 원하는지 한번 물어보도록 하게."

길산이 보기에는 그들의 대부분이 흉년에 고향을 떠나 헤매어다니다가 입산한 사람들인 것 같았으며, 홍복을 빼놓고는 거의 반수 이상이 거추장스러운 사람들이라 여겨졌던 것이다. 공연히 놀고 먹기 위하여 모여든 불한당의 무리가 되어서는 안 될 것이었다.

"전부터 자비령의 여러 골에 흩어져 있던 사람들을 제가 모았습지요. 실상 군식구가 많아서 벌어먹기가 여간 힘드는 노릇이 아니지만 인정상 떼쳐버리기도 어렵습니다."

"원하는 자들이나 늙고 쇠약한 자들은 세간으로 나가 살도록 하게. 이 산채에 재물이 얼마나 있는가?"

홍복이 손을 꼽으며 궁리해보고 나서 말하였다.

"전번에 오백 냥과 곡산에서 만동이에게서 빼앗았던 은이 대략 칠백여 냥 되는 듯합니다. 미곡이 삼십 석, 포목이 이십 동쯤 됩니다."

"허허, 꽤 많이 모아두었구나. 그만하면 우리보다두 부자네. 재물은 모두 자네가 가지려는 것은 아니겠지."

"원, 천만에요. 그런 생각을 하다니요…… 언제 어떻게 될지 몰라서 비축해두고 있습지요. 대개는 여기 식구 중에 여염에 남아 있는 가족을 도우려는 자들이 있어 이만 재물도 얼마 안 가서 식량과 고른 분배로 다 없어지게 될 것입니다."

"몇차례나 분배를 하였는가?"

"예, 두어 차례 하였습니다. 대개는 섣달 그믐께에 모두 모여서 의논을 정하지요."

"그렇게 하였다면 한 사람에 백여 냥의 차례는 돌아갔겠지?"

"아마 이십여 냥씩 돌아갔을 겁니다. 포목으로 받은 자나 미곡으로 받은 자들도 그쯤은 될 게요."

"그만함 책력 보아가며 밥 먹는 팔자는 면하였것다. 이제 산채의 재물 중에서 사백여 냥을 내어 떠나려는 자들에게 나누어주도록 하여라."

흥복은 길산의 지시를 듣고 광을 열어 재물을 낸 뒤에 을량을 시켜 자비령 식구들을 모두 모이도록 하였다. 흥복이 먼저 얘기를 꺼내니 몇몇 사람들은 기다렸다는 듯이 이제는 그만 여염 생활로 돌아가고 싶다는 뜻을 말하였다. 또 어떤 자들은 변지에 나가 함께 농토를 마련하여 모여 살기를 원하기도 하였는데, 을량과 네댓 명의 여계산 문점손의 남은 식구였던 자들은 자기네가 토박이임을 주장하고 힘이 모자라 밀려나기는 하여도 이런 법은 없다며 버티었다. 흥복은 우선 떠나려는 자 십여 명을 추려내어 똑같이 이십 냥씩 나누어주고 나서 을량의 의견에 찬동하는 자들과 자리를 따로 하였다. 흥복은 새로운 안을 내었다.

"장두령께서는 이미 밝혔지만 우리를 식구로서 여기 남아 있어도 좋다 하였고 새 산채를 동선령에다 짓는다고 하였네. 아무래도 식구가 서로 섞일 터인즉, 남을 사람은 남아도 좋으나 진정 복속할 뜻이 없는 사람은 여기를 떠나야 하겠지."

몇몇 사람들이 다시 남아 있고 싶다는 의견을 표하였고 홍복이는 이 산채에서 구월산 패와 동당이 되고자 함을 밝혔다. 그러나 을량은 서너 명의 자기 지지자와 함께 반대하였다.

"좌우간 우리는 여기를 떠나겠수. 그러나 이십 냥을 가지고는 물러날 수 없지."

그러니까 을량의 뜻은 이 산채에 기득권이 있었으니 순순히 물러날 수는 없고, 대신에 산채의 재물을 모조리 가지고 나가 자립하겠다는 것이었다. 또한 그것은 뒷날을 보아 도모해보련다는 의미도 포함되어 있는 말이었다. 홍복은 그때 몹시 괴로웠다. 비록 모자란 기량이었으나 그는 이들을 여러 해 동안 통솔하며 두령 노릇을 해왔다. 이제 와서 길산의 수하로 들어가기를 자청하기는 하였으나 을량의 주장이 그르다고만은 할 수 없었다. 그러나 한편 돌이켜 생각해본다면, 문점손이나 을량이나가 한결같이 여염의 제 식구들과 자신의 이득만을 추구하는 자들임에는 틀림이 없었다. 그들은 한 번도 대의가 없었고 이제는 최소한도 생존하겠다는 뜻에서마저 벗어난 자들이 아니던가. 오직 재물을 모아 토호나 양반들 못지않게 어느 구석진 곳에 가서 여생을 호강하며 살겠다는 자들이 아닌가. 을량과 그의 지지자들이 산채를 놓고 복속되기를 거부하는 것은 그들의 뜻이 구월산 패와 다른 까닭이었고, 이권을 놓친다는 생각 때문이었다.

"좋아, 재물을 모두 가져가도록 하게나. 부족한 두령 구실로 낭패하게 되어 면목이 없네."

그렇게 말하면서 홍복은 마음속으로 자신은 분명히 구월산 장두령 쪽이라고 선택을 하였다. 을량과 네 사람은 즉시 돈과 포목을 나누어 꾸려가지고 황급히 떠날 채비를 차렸다. 흥복은 상방으로 돌아갔는데 아무도 떠나는 자들을 막으려 하지 않았다. 상방에는 길산과 마감동 강선흥이 둘러앉았고 다른 식구들은 이 산채가 마지막으로 정돈될 때까지 엄중하게 사위를 경계하고 있었다. 흥복이 여태까지의 경과를 얘기하고 나서 을량에 관하여 의견을 말하였다.

"제가 비록 성님들께 복속하였다 하나, 을량의 태도를 그르다고는 하지 못하였습니다. 다만 그가 너무 소견이 좁아서 제 눈앞의 이익만을 바라는 다라운 언행을 보고는 스스로 결정하고 모든 재물을 내주어버렸지요."

"아주 잘하였네."

마감동이 나직하게 말하였다.

"슬그머니 쫓아내려가다가 해치워버리겠수."

흥복이도 덧붙였다.

"그는 틀림없이 후환이 될 겝니다. 언제든지 산채를 다시 도모할 생각입니다."

그러나 길산은 빙그레 웃으며 고개를 저었다.

"아니다, 그냥 가도록 두어라. 그자의 언행은 앞뒤가 서로 맞지 않는 점이 몇가지 있다. 첫째로 대의를 모르는 자가 의기를 위하여 산채를 찾으려고 할 수는 없기 때문이다. 그는 원래가 도둑질하는 재미로 녹림을 찾은 것이지 세상에서 쫓겨난 자가 아니다. 다만 그가 자네에게 복속을 조롱하며 제 주장을 내세우는 것은, 자네가 순순히 재물을 내어주기를 바라고 하는 짓이다. 여태껏 함께 고생한 다른 식구들은 거의 따돌리고 저희 몇몇이서 남은 재물을 차지하려고 오히려 스스로의 탐심은 의기를 내세워 감추는 것이다. 그냥 떠나도록 버려둘지라도 그들은 쥐새끼임에 분명하니 고작해야 구멍을 파고 숨거나, 저희끼리 싸워서 죽고 상하겠지. 잘되었다. 이제는 실로 남을 식구만 남았으니 여기서 얼마 동안 함께 지내며 사냥이나 하도록 하자."

홍복은 길산의 대범하고 정연한 말에 스스로 감복하였다. 을량이 짐을 짊어지고 부리나케 산채를 벗어났으나 구월산 식구들은 그냥 바라보며 내버려두었다.

3

저녁때 김기까지 자비령 산채로 올라왔고, 그로부터 닷새 동안 구월산 패거리는 거기 머물며 사냥으로 날을 보냈다. 사냥은 부근의 지세를 익히고 새로운 은신처와 알맞은 산길을 찾아내기에는 좋은 방도가 되었다. 짐승이 다니는 길은 그들에게도 관군을 피하는 훌륭한 통행로가 되었기 때문이다. 연봉에는 잣나무와 전나무가 대삼림을 이루고 있었으며 분지에는 울창한 소나무숲이 빽빽이 들어차 있었다. 늘 푸른 숲이 밀생하여 있어서 아무리 동절이라지만 눈 덮인 가지 사이로 들어가면 좀처럼 눈에 띌 것 같지 않았다.

능선을 주로 타고 연봉의 맥을 따라서 이동하는 노루 사슴의 목은 그들에게도 훌륭한 통행로가 될 것이었는데, 일찍이 최홍복이 천진산까지 나아간 길이 바로 그러한 길이었다. 또한 계곡과 분지를 어슬렁대는 곰의 길은 위급한 때에 잠복할 수 있는 장소를 많이 가지고 있었으며, 마을을 내려가 눈 덮인 밭고랑을 뒤적여 지난 가을의 남은 열매를 뒤적거리는 멧돼지는 산에서 여염으로 나가는 지름길을 잘 알고 있었다. 때때로 녹림에 사는 자들의 겨울철 사냥은 일종의 군사조련이 되었던 것이다. 대개 범이나 곰과 같은 크고 사나운 짐승들은 계곡으로도 출몰하게 마련이었고 겁 많은 짐승들은 짙은 관목숲이나 험준한 산등성이를 뛰고 숨고 하는 법이었다.

양지바른 남향받이 비탈은 눈이 녹아 축축하고 기름진 낙엽이 드러났고, 골짜기의 굳게 얼었던 시내도 얼음장 밑으로 가냘픈 소리를 내며 움직여가는 따스한 날씨였다. 그러나 숲 안에는 아직도 눈이 깊숙이 쌓인 위에 나무에서 녹아 흘러내린 젖은 눈으로 다시 얼어붙어 몹시 미끄러웠다. 길산은 구월산이 해서의 가운데 외롭게 솟아올라 사방이 읍치 가까이 포위되어 있으며, 동쪽은 그 맥이 안악의 면전에서 끊기고 퇴로는 대동강의 지류인 월당강에 막히는데, 서쪽으로는 풍천에서 고작해야 야산이 바다에 먹히었으니, 그들이 오랫동안 웅거할 장소가 못 된다고 진작부터 생각해왔던 것이다. 그에 비하면 자비령 맥은 북으로 곡산 수안으로 통하며 관서 관북의 찌를 듯한 고원지대로 닿을 수가 있고, 동으로는 관동의 주름살 같은 조밀한 협곡의 회랑으로 이어지고 있었다.

더구나 산줄기의 끝인 극성진에서 오 리 못 미쳐서는 관서의 드넓은 벌판과 인적 없는 하구에 이르는 대동강의 하류가 입을 벌리고 있었다. 구월산에서는 오래 전부터 전하여 내려오는 말이 있으되 범이 오래 머물지 않는다는 것이었다. 잠시 쉬어 가거나 어쩌다 어긋나서 호환의 법석을 치르는 적은 있어도 쉬이 사라진다는 것이었다. 원래가 해서 도중에 호환이 자심하여 감영에서 포수들이 포살하러 출동하는 곳은 수안, 곡산, 서흥, 평산 방면이었다. 이것은 대륙에서부터 스며드는 맹수가 산세를 타고 동북방으로부터 내려와 자비령과 멸악산 일대에까지 닿고, 이어서 다시 동북의 산악지대로 하여 중부 산악에까지 이르는 것을 미루어서도 대략의 지세를 알만하였다.

길산은 모든 퇴로와 출입로와 은신처가 구비된 자비령을 한시라도 빨리 그들의 생활에 익숙하도록 할 필요가 있었다. 따라서 최흥복네 산채는 동선령의 새 산채를 이루기 위한 훌륭한 숙영지가 되었다. 이 두 산채는 이제 서로 등을 대고 동서편의 양끝에서 적을 안전하게 방비하게 될 것이다. 모처럼의 사냥은 실상은 놀이가 아니라 지세를 몸에 익히기 위한 조련에 더욱 그 의의가 있었다.

그들은 우선 사냥의 범위를 무초령과 여계산 사이의 산봉우리와 계곡으로 한정하였다. 아침 일찍 밥을 든든하게 먹고서, 길산 이하 모든 형제들과 구월산 자비령의 졸개들이 모조리 산으로 풀려나갔다. 마감동은 이런 때에 사냥에 익숙한 오만석이 구월산에 남은 것을 탄하였고 달마산 이래로 처음 사냥길에 나선 선흥이는 눈 만난 검둥개처럼 이리 뛰고 저리 내달으며 좋아하였다. 모두들 병장기로는 장창과 몽둥이와 환도가 전부였고, 산채에 있던 예전 문점손의 화승총 두 자루는 화약이 없는데다 손질한 지 오래되어 쓸모가 없었다. 길산은 대수롭지 않게 생각하였으나, 자비령의 졸개들은 가끔씩 노루를 잡곤 하던 옛적의 엽사 문가의 총솜씨를 기억하는지라 몹시 아쉬워하였다. 역시 총을 보다 아쉬워한 것은 그것에 혼이 나고 부상까지 당한 선흥이었다.

길산이 화승총의 위력을 깊이 느끼고 그것을 스스로 습득하게 된 것은 아직은 훨씬 뒤의 일이었다. 흥복이는 그때에 얼핏 생각하기를, 만약에 문가의 방포술을 자기가 습득했더라면 어둠속의 팔매 치던 자를 쉽게 잡았을 것이라 생각하며 쑥스럽게 웃음을 짓기도 하였다. 그들은 일단 거북이골 못 미쳐서 있는 너른 빈터에 모였다. 드문드문 아름드리 자작나무와 오리나무가 서 있었으며 양지바른 곳이라 눈이 알맞추 녹아 있었다. 그들은 지고 온 술항아리와 노구와 쌀 섬을 내려놓았다.

"여기가 복판입니다. 어디서나 쉽게 되돌아올 수가 있지요."

최흥복이 안내를 하는데, 한편 노구를 걸고 성급한 자들은 짐승을 구울 모닥불 터를 고르려는지 돌을 운반하고 법석이었으며 사냥에서 빠진 자들은 숙영할 임시 움막을 짓기 시작하였다. 길산이 그들을 세워놓고 대를 나누었다.

"감동이 선흥이는 아이들을 데리고 북편 골짜기로 나아가고, 말득이 선일이는 남은 아이들을 모두 인솔하여 무초령에서부터 튀기며 몰아 내려오너라."

김기는 산채에 남았는데 천동이가 모시고 있었던 것이다. 말득이가 저희들은 고작 몰이나 하라는 뜻을 알아듣고 입술이 비죽이 나왔다.

"우리가 무슨 쥐 포수요, 낮에 나온 도깨비요, 하릴없이 고함만 지르구 쏘대란 말이우?"

"이놈아, 커도 한잔이요 작아도 한잔이다. 토끼든 다람쥐든 자고를 던져 잡으려무나."

선흥이가 놀려대고는 앞질러 웃음을 터뜨렸다. 길산이 말하였다.

"어쨌든 튀기다가 적당한 놈을 보면 잡도록 하여라. 나하구 홍복이는 거북이골에 내려가련다."

아침햇살이 비탈 위에 가득한데 산정의 눈이 햇빛을 받아 되쏘는 듯한 백색 머리를 하고 있었다. 말득이와 선일이도 하는 수 없이 장창을 들었고 감동이는 환도를 엇비슷이 찼으며 선흥이는 달마산 이래로 지니던 엄파 쇠몽치를 허리에 찼다.

"이따가 중화참까지 빈손이면 아예 술도 밥도 먹을 생각 마라."

길산이 말해주었고 모두들 저희 패가 큰 짐승을 잡는다며 각자의 방향을 따라 흩어져갔다. 홍복이와 길산은 뒤처져서 술항아리에 표주박을 담가 슬슬 취기를 올려두고 있었다. 홍복이 말하였다.

"성님, 우리는 여기서 항아리나 몽땅 비워버릴까요?"

"아니, 저애들 짐작하여 알맞추 나서지."

북풍이 제법 몰아치는가 싶더니 산정으로 오를수록 귓가를 지나는 바람소리가 수천 개의 화살이 스치듯이 날카로이 곤두서 있었다. 바람을 등에 지고 오르는 길이라서 한결 나은 편이었다. 그들은 일단 불규칙하게 올라가서 내려올 때 횡대로 진을 벌일 셈이었다. 위로 오를수록 낮은 쪽의 전나무와 잣나무들이 눈 사이로 바늘끝처럼 촘촘히 박혀 있는 꼴이 보였다. 선일이는 일행에서 가장 가녘 쪽을 걸어올라가고 있다가 나란히 모아져 찍힌 발자국을 우연히 발견하게 되었다. 왼쪽의 것이 한뼘쯤 앞이었고 오른쪽은 그 바로 뒤에 찍혔는데, 눈 위에 인두 자국처럼 보이는 것이 굽 달린 짐승인 듯하였다.

"어이, 여기 뭔가 있는데……"

다가와 살펴본 졸개 하나가 말하였다.

"사슴이우, 방금 인기척에 놀라 달아난 게요."
하더니 그는 눈짐작하여 거의 열 발이나 가서 똑같은 자취 둘을 가리켰다.

"저기서 예까지 건너뛰었수. 소리내지 말구 쫓아갑시다."

그들은 발자취를 따라 올랐고 산정에 거의 다 가서 발자취는 우회하여 비스듬하게 등성이를 타고 있었다. 그들은 등성이를 타넘었다.

"여기서부터는 내리막이니 잘 뛰지 못하지요. 큰 소리를 지르면서 뛰어내려갑시다."

그들은 크게 벌려서서 소리를 워이 워이 내지르면서 뛰어내려가기 시작했다. 과연 그들의 왼편 등성이에 우뚝 서서 고개를 돌린 사슴이 보이더니 눈을 뒷발로 차면서 높이 솟아올라 나무숲 위를 뛰어넘어 사라졌다. 그들은 예상대로 비탈길에 내몰았다고 좋아하며 산 아래로 몰려갔다. 가끔씩 놀란 장끼가 날아올랐고 산토끼가 그들의 사이를 뚫고 산 위로 미친 듯이 뛰어올라갔다. 그들은 무초령의 다른 계곡으로 내려갈 때까지 다시는 사슴을 볼 수가 없었다. 어쨌든 그저 배회할 수는 없는 노릇이라 여전히 벌려선 채로 소리를 냅다 지르면서 계곡으로 내려갔다. 그때 뭔가 시커먼 것이 덩굴 사이에서 나오더니 눈을 뽀얗게 일으키며 질주하여 사라졌다. 걸음이 빠른 말득이가 장창을 서투르게 끼고서 달음박질을 치는데 눈 위로 어지럽게 흩어진 발자국이 보이는 것이었다. 계곡 아래쪽에는 선홍이와 감동이가 방심하고 앉았다가 위에서 들리는 말득이의,

"그쪽으로 간다! 놓치지 말우."

다급하게 외치는 소리에 벌떡 일어났다. 그것은 검은색과 잿빛이 드문드문 섞인 멧돼지였는데, 황급한 겨를에 보기에도 거의 조랑말이나 되어 보일 만큼 큰 덩치에 코앞으로 휘어져 솟은 흉한 어금니가 실히 두어 뼘은 되어 보였다. 거친 콧김소리가 아주 가깝게 들리면서 숲 사이로 사라지는 게 보였고, 감동이와 선홍이는 좌우로 흩어져서 우우하는 건성 소리를 지르며 달려갔다. 말득이가 먼저 짐승의 뒷전으로 뛰어가는데 앞에서도 달려오는 적을 본 멧돼지가 잠깐 멈추더니 머리를 설레설레 흔들고는 돌아섰다. 말득이는 그 자리에 주춤 섰다. 멧돼지의 흰창 드러난 눈이 그를 노리더니 곧장 머리를 숙이며 달려왔다.

"아이구나……"

자고 없는 말득이가 어찌하랴. 당황한 김에 어설프게 던진 장창이 날아가 눈 위에 맥없이 꽂혔고 그는 등을 돌려 달아나기 시작하였다. 말득이가 걸음이 빠르고 동작이 잽싸기 망정이지 다른 자 같으면 어림도 없는 노릇이었다. 말득이는 촘촘히 들어선 전나무숲을 바라보고 뛰는데 뒤에서 콧김소리가 차츰 가까워졌다. 멧돼지가 고개를 숙이고 억센 이빨로 그의 궁둥이를 내지르려는 찰나에 말득이는 둥치 굵은 나무의 뒤로 빠져나가 착 붙어섰고 짐승은 방향을 놓치고 몸을 돌렸다. 킁킁거리기도 하고 짧은 다리로 눈밭을 헤쳐보며 두리번거리더니, 밑에서 뛰어올라오는 마감동과 강선홍을 보자 이내 목표를 정했다는 듯이 곧장 뛰어갔다.

정면에는 감동이가 있었고 보다 아래편에는 선홍이가 있었는데, 감동이는 환도를 쥐고 오르다가 그를 바라고 달려오는 멧돼지를 보자 주춤하였다. 그는 순간적으로 달아날까 옆으로 샐까를 눈가늠해보다가 너무 늦은 걸 알았다. 짐승이 감동이의 사추리를 받아넘기려고 달려들 적에 감동이는 옆으로 피하면서 환도를 내리그었다. 짐승이 울부짖으면서 감동이의 허벅지께를 들이받고 빠져나갔고, 이어서 선홍이가 한 손에 엄파를 치켜들고 섰다가 부상당한 멧돼지와 맞섰다.

둔중한 어깻죽지에 칼을 맞아서 짐승도 피를 흘리고 있었는데 상처는 치명적이긴커녕 대수롭지 않아 보였다. 멧돼지는 흉포해져서 선홍이를 허공으로 날려보내려는 기세로 달려들었다. 선홍이가 뚝심이 없었으면 그대로 짐승의 날카로운 어금니를 가슴에 받고 뒤로 나가떨어졌겠지만, 일찍이 남대천에서 황소의 뿔을 뽑았다는 역사인지라 당황하지 않았다. 선홍이의 우악스런 손이 멧돼지의 두어 뼘 어금니를 움켜잡는데 발을 디딘 곳이 젖은 눈밭이라 그는 옆으로 미끄러졌다. 멧돼지는 일단 성을 내어 공격하기 시작하면 좀처럼 노기를 가라앉히지 않는 짐승이었다. 어금니로 받을 뿐만 아니라 억세고 날카로운 이빨로 물어뜯기도 하는 것이었다. 음산한 울부짖음과 노기로 퍼렇게 된 눈알이 제법 맹수다운데 선흥이는 한쪽 무릎을 꿇어 버티고 왼손으로 짐승의 어금니를 붙잡아 힘을 쓰면서, 오른손에 들었던 엄파 쇠몽치로 멧돼지의 머리를 강타하였다.

이어서 짐승이 외마디 소리를 지르며 머리를 거칠게 흔들었고 선흥이가 왼손을 놓치면서 다급한 김에 짐승의 허리를 안았다. 멧돼지는 짧고 억센 사지를 버둥대며 머리를 돌려 두어 번 선흥이의 몸을 박으려고 애썼고 선흥이의 가슴팍과 옷자락이 찢기고 살이 긁혀서 피가 흘렀다. 선흥이는 노기가 탱천하여 짐승의 허리를 죄며 한 손에 치켜든 엄파를 연거푸 세 번이나 휘둘러 멧돼지의 머리를 타격하였다. 멧돼지는 마지막으로 끊긴 비명을 내지르고는 전신의 힘을 뽑고 축 늘어졌다. 선흥이가 짐승을 밀어내고 일어서는데 절명하면서 내갈긴 똥이 왼쪽 바짓가랑이에 묻어 김을 내고 있었다. 감동이와 말득이가 다가왔고 선흥이는 투덜거리면서 눈을 한 움큼씩 집어서 오물로 더러워진 옷자락을 닦았다.

"어이구, 거의 송아지만 하군."

새삼 놀랐다는 듯이 감동이가 넘겨다보며 혀를 내둘렀다.

"이 녀석아, 우리가 아녔으면 너는 아마 평생 뒷간에도 못 다녔을 게야."

선흥이가 땀을 씻으면서 꽁무니를 돌려 달아났던 말득이를 놀려 대었다.

"끼리끼리 모인다더니 과연 제 기량에 걸맞은 물건들끼리 만나는 모양일세."

말득이가 맞받으니 곧 선홍이가 사실은 멧돼지와 사촌지간이라는 소리였다.

김선일과 다른 식구들이 산에서 내려왔다. 모두들 널브러진 멧돼지의 몸집과 흉측한 이빨을 보고 놀랐다. 처음에 감동이의 칼을 받은 곳은 비록 치명상은 아니었으나 두꺼운 비곗살을 비집고 깊숙이 상처를 내었으니 동작을 둔화시킨 것만은 틀림없어 보였고, 더욱이 선홍이가 얼마나 호되게 내려쳤는지 귀 사이의 불쑥 튀어나온 두개골이 아예 주저앉았고 두 눈은 뭉개져 있었다.

그들은 모두들 헉헉대고 땀을 씻으면서 한참이나 쉬고 나서 짐승의 네 발굽을 묶고 긴 나무에 꿰었다.

"우리는 이제 사냥 그만할란다. 느이들은 어서 가서 토끼라두 몇 마리 줏어오렴."

마감동이 선일이와 말득이에게 말하면서 노획물을 운반하려는 그들을 쫓았다.

선홍이도 짐승을 꿰단 막대를 어깨에 걸머지고 말하였다.

"이건 우리 둘이서 통째로 그슬려서 술안주할 테니 얼씬할 생각 아예 마라."

말득이와 선일이를 비롯한 몰이꾼들은 모두 풀이 죽어서 투덜대고 구경만 할 뿐이었다.

"좋아, 우리두 한 마리 잡기 전에는 산에서 안 내려갈 테요."

선일이가 침을 내뱉으며 결연히 중얼거렸다.

그들은 자비령의 토박이 식구들을 앞세워, 노루나 사슴이 왕래하는 등성이로 멧돼지를 메고 숙영지로 내려갔다.

아직 떠나지 않고 술을 마시고 있던 길산과 홍복은 중화참도 되기 전에 노획물을 지고 내려오는 그들을 놀란 눈으로 맞았다. 홍복이 길산에게 말하였다.

"성님, 우리두 슬슬 일어납시다. 내가 좋은 곳으로 안내할 테유."

"서두를 것 없다. 밥이나 든든히 먹고 일어서지."

선흥이와 감동이는 아예 사냥에서 손을 놓으려는지 불을 지피고 말뚝을 세우고 법석대었다. 홍복이와 길산은 대충 점심 요기를 하고 나서 거북이골로 향하였다.

"범이 다니는 길목을 알고 있습니다. 전에 우리 산채 아이들이 여러 번 먼발치서 마주친 적이 있고 두엇이 호환으로 끔찍하게 죽은 적도 있지요. 그리로 나갑시다."

홍복이 안내를 하는데 거북이골의 가장 구석지고 가파른 북령 계곡을 뒤지려는 것이었다. 나무숲이 빽빽하더니 얼어붙은 시내 양편에 찌를 듯이 우뚝우뚝 서 있는 암벽이 나왔다. 여러 형상의 바위에 눈이 덮여서 사방에는 기괴한 산귀가 가득히 늘어선 것 같았다.

그들은 계곡의 안쪽으로 더욱 깊숙이 들어갔다. 한참을 오르던 홍복이가 문득 손가락질을 하며 외쳤다.

"저기 보십시오. 발자국입니다."

둘이 내려다보니 우묵한 계곡 위에 외줄기의 흔적이 보였다. 원래가 범의 걸음걸이는 모둠발로 찍혀지는데 네 개의 발이 일렬로 모아져 딛게 되어 발자국이 외줄로 나타나는 법이다. 그들이 가까이 가서 살펴보니 발자국은 간격이 매우 넓었고 거의 손바닥의 두어 배는 될 만큼 컸으며 앞쪽에 국화 무늬 같은 자취가 또렷하였다.

"얼마 안 되었습니다."

"저쪽에서 이미 알았겠구나."

길산이 긴장을 하며 주위를 둘러보았다. 맞은편으로 발자국을 따라 올라보니 끝없는 숲인데 먼 곳에까지 연결되어 있었다. 그들은 말하지 않고도 이 발자국의 반대편에 굴이 있으리라는 것을 짐작할 수가 있었다. 그들은 서로 마주 보고 나서 되돌아 계곡을 건너 바위가 늘어선 암벽 사이로 올라갔다. 발자국의 간격은 더욱 넓어지고 있었는데, 길이 가파르게 되면서 널찍한 바위가 능선 위로 삐죽하게 내밀어진 아래편에 비좁은 터가 내려다보였다. 길산은 벌써 찬바람 속에 섞인 짙은 노린내를 맡을 수가 있었다. 바로 그 바위 아래 범의 굴혈이 있었던 것이다. 흥복이 귀를 대고 엎드려 바위를 토닥이며 말하였다.

“이 밑에 새끼들이 있습니다.”

“아마 먹이를 찾아나간 모양이군.”

“저것들을 돌멩이로 박살을 시키고 올까요?”

“놓아두어라.”

흥복을 말리면서 길산은 조심스럽게 물러났다. 그는 문득 살덩이로 내버려졌던 자신에게로 생각이 닿았는지도 몰랐다. 흥복이 다시 아쉽다는 듯이 중얼거렸다.

“자라나면 사람을 해칠 겁니다.”

“무릇 정(情)을 상하게 하는 일은 상서롭지가 못한 것이다. 그만 돌아가자.”

“범을 잡지 않으시렵니까?”

의아하여 흥복은 묻고 나서 이 자가 겁을 먹었다고 생각하고는 무심결에 픽 웃고 말았다. 어쩌면 눈치가 빠르고 말깨나 그럴듯이 씹어뱉는 것이 이 자의 유일한 재주인지도 모른다. 사람을 잘못 본 게 아닐까. 길산은 흥복의 노골적인 불만의 기색은 아랑곳하지 않고 아무렇게나 말하였다.

“새끼가 없는 범을 잡았으면 했는데…… 어디 길 잃은 토끼나 노루나 얻어가지구 가든지."

"쳇, 세상에 어미 없이 태어나는 새끼가 있으며, 새끼 없는 어미가 어디에 있단 말이우."

"그런 게 있기도 하느니라."

길산은 앞장서서 걸으며 혼잣말 비슷이 중얼거렸다.

"무엇이든 어린것은 가엾지."

홍복은 골짜기의 툭 트인 곳으로 걸어나가는 길산의 뒤를 따랐다. 그의 손에는 지금 장창이 쥐어져 있었고 길산은 등을 돌리고 방심하여 걷고 있었다. 당초망 최홍복은 스스로 그 언행에 감복하였던 자신을 비웃으며 창대를 고쳐잡았다. 차라리 이 자를 죽여버리고 자비령을 떠나버리면 욕스러운 생각도 잊혀질 듯하였다. 그러나 그의 무방비한 등은 어찌된 노릇인지 너무도 당당하여 찌를 수가 없었다. 홍복은 창을 고쳐잡으며 두 팔을 뒤로 뻗았다. 그러다가 길산의 걸음이 비껴져 노리던 곳이 어긋나자 다시 창을 내렸다. 이러기를 서너 차례 하고 나니 두 손에는 미끈한 땀이 배었고 결심은 더욱 굳어졌다.

그가 이번에는…… 하면서 창을 겨누었을 때 문득 길산이 걸음을 멈추었다. 그러고는 어느 곳을 노려보는 모양이었다. 홍복도 멈추어서서 길산이 바라보는 오른편 위를 바라보니 높은 바위를 딛고 서 있는 누릿누릿한 짐승이 보였다. 어깨를 바싹 올리고 앞다리를 구부리고 입을 위로 젖혀 나직하게 짖고 있는 것은 바로 범이었다. 홍복이 얼결에 창끝을 그쪽으로 돌렸으나 길산은 칼을 빼지도 않았다. 범이 바위로부터 훌쩍 뛰어 계곡 위로 날렵하게 내려섰고 그것은 겨우 스무 걸음이 될까 말까 한 거리였다. 범이 크게 포효할 적에는 별로 두려워할 이유가 없으나 지금처럼 소리를 죽이고 고요히 접근할 때에는 매우 위험하였다. 맹수는 공격할 기세를 곤두세우고 적에게 집중할수록 침잠되는 법이다. 오로지 고요한 가운데 살기만을 내뿜는 것이었다. 범은 어깨와 머리를 낮추며 앞다리를 바짝 구부렸다.

"물러가거라."

길산이 조용하게 타이르듯이 말하였다. 범은 그대로 움츠린 채 도약을 준비하며 이글이글 타는 눈으로 그들을 노려보았다. 아마도 제 굴혈이 가까운 곳이라 대단한 위험을 느끼고는 공격하려는 기색이었다. 길산은 그저 덤덤하게 섰더니 다시 이번에는 단호하게 말하였다.

"물러가지 못할까."

범이 으르렁거리며 꼬리를 빳빳이 치켜들었고 길산은 천천히 앞으로 걸어나갔다. 홍복은 길산을 믿을 수가 없었으며 따라서 이 좁은 곳에서는 피할 데가 없음을 깨닫고 연신 입술을 핥으며 창을 고쳐잡았다. 그는 이제 길산의 등 같은 것은 다 잊어버리고 있었던 것이다. 길산은 조금도 주저하지 않고 한 걸음 두 걸음 다가갔다. 범이 도약하려던 자세를 풀고 옆으로 비켜나 높은 바위로 훌쩍 뛰어올랐다. 범은 바위 위에서 그들을 내려다보고 있었다. 길산은 바로 그 바위 아래까지 다가섰는데 범이 대번에 내려뛰기만 하면 그의 면상을 한입에 물어버릴 것만 같았다.

"어서 돌아가거라."

길산이 손아래 사람에게 이르듯이 중얼거리며 무심하게 바라보자, 범은 다시 훌쩍 뛰어 그들이 오던 길의 뒤편으로 넘어가더니 재빨리 뛰어서 암벽 사이로 올라갔다. 그러고는 한 발을 들고 바위에 버티고 서서 온 산이 찌렁찌렁하게 울리도록 포효했다. 홍복은 사지가 오그라붙는 듯하여 자꾸만 뒤를 돌아다보았다.

"어서 내려가자. 술이 다 깼구나."

길산은 빙긋 웃는 낯으로 뒤처진 홍복을 돌아보며 재촉하였다.

"아니…… 어찌된 노릇이우."

"염려 마라. 아마 해 지기 전에 저것은 새끼들을 다른 굴혈에다 물어 나를 것이니라."

"그 말이 아니라, 범을 잡으시겠다더니 어찌 그냥 둡니까?"

길산이 다시 앞장서서 걸으며 껄껄 웃었다.

"그럼 너는 어째서 나를 찌르지 않았느냐?"

최홍복은 가슴이 덜컥 내려앉았다.

"무슨 말씀이온지……"

"내가 금강산의 스승에게서 듣기를, 대장부가 마땅히 남을 용납할지언정 남에게 용납된 바 되지 말라 하셨다. 너의 별호가 당초망이라면서."

홍복은 저지른 짓이 있는지라 코가 쑥 빠져서 그의 뒤를 말없이 따라갔고, 길산은 계속 이야기하며 앞서 걸었다.

"맵고 독하게 끝장을 본다 하여 그런 별호가 붙었다고 네 아이들이 말하는 것을 들었다. 이제는 그 별호를 떼어버리도록 하여라. 작은 배에 큰 짐을 실을 수 없고 너그럽지 못한 자가 머리가 될 수는 없다. 그런 자가 분수를 모르고 억지로 남의 위에 행세하면 일도 그르치고 스스로의 몸도 망치는 것이다."

길산은 더 말하지 않았으나 홍복은 몹시 부끄러웠다. 그들이 숙영지로 돌아가니 아직도 선일이와 말득이 일행은 산속을 헤매는지 돌아오지 않았고 감동이와 선흥이는 느긋하게 취기가 올라 있었다. 길산과 홍복이가 빈손인 것을 보자 선흥이는 취한 김에 슬슬 놀려댔다.

"말짐장수 십 년 만에 기생을 만나 빈 채찍뿐이라니, 중화 자시고 띠만 잔뜩 품고 오십니다그려."

길산은 그저 빙그레 웃으며 모닥불 앞에 다가앉아 잔을 잡았으며, 홍복이가 대신 말하였다.

"범을 보았건만, 새끼가 있다 하여 그냥 배웅만 했지요."

마감동이 술을 따르며 말하였다.

"적선(積善)하셨구려."

"오늘은 이것이 있으니 모두들 걸게 먹을 수가 있고, 내일 또 나가 보지."

길산은 선홍이가 베어준 멧돼지고기를 받으며 대꾸하였다. 그때 감동이는 홍복이를 넌지시 건너다보고 나서 주위에 둘러앉은 자비령 식구 몇명을 바라보았다.

"성님, 이 아이들이 우리 솜씨를 보자고 조릅니다."

그는 사실 선홍이와 더불어 길산이 나가서 범이라도 한 마리 끌어오기를 바라고 있었다. 정작 길산이 맨손으로 터덜터덜 돌아오자, 구월산 패나 자기네는 길산을 환히 알고 있어서 별문제가 없지마는 자비령 식구나 최가는 은근히 실망하지 않겠는가 걱정이 되었던 것이다. 과연 이름 없는 졸개로부터 시작하여 구월산 패의 두령이 되었던 마감동의 생각은 정확하였으니 이미 홍복이가 창을 겨누었던 터이다. 녹림에서는 우선 비범하고 강한 것이 최초의 질서이며 그것이 일단 인정된 후에야 의기라든가 호협이라든가 하는 덕목이 통하는 것이었다. 그러나 길산은 웃으면서 감동이를 부추겼다.

"오랜만에 네 검무나 한판 구경하자."

"글쎄 한 판이구 두 판이구 이처럼 좋은 자리에 못 할 바 없지만, 아까 멧돼지에게 허벅지를 받혀서 제법 상처가 났지요. 절름발이춤은 못 추겠수. 성님, 한번 해주시우."

"그만두자."

길산은 한마디로 밀어내고는 돌아앉았고, 하는 수 없이 감동이가 일어났다. 그는 불편한 다리를 딛고 일어서며 얼굴을 약간 찡그렸다가 칼을 뽑았다. 감동의 칼은 원래부터 예도(銳刀)이니 활동적이고 변화가 많은 형(型)이 그의 장기였다. 그는 아까부터 노려보고 있던 전나무를 바라보고 걸어갔다. 둘레가 서너 뼘이 될 만한 나무인데 키는 여러 길이요 꼭대기 쪽에만 잔가지들이 다북히 눈을 쓰고 있었다.

"이것을 단칼에 베리다."

도끼를 쓰더라도 수십 번 쳐야 할 만큼 보였으나 감동은 칼자루 잡은 손에 침을 탁 뱉고는 나무와 마주 섰다. 거리는 칼 길이보다 세 걸음쯤이나 멀어 보였다. 모두들 그를 주시하고 있었고, 길산은 문득 박대근과 처음 만나던 날 갑송이가 나무를 뽑아내던 일이 생각났다. 그때의 부질없던 객기가 그리웠다. 그 시절에는 산다는 것이 아직도 꿈이었으며 단순한 몇가지의 감정만으로도 온 세상을 나돌아 다닐 수가 있었다. 그때의 고통과 기쁨은 요즈음의 것과는 전혀 다른 것이었다. 불자가 되어 떠난 갑송이와 그때의 여러가지 일들이 여울물의 가랑잎처럼 스쳐지나갔다.

감동이는 호흡을 고르고 오른발 끝을 세우고는 거리를 재었다. 감동이가 참사세(斬蛇勢)를 취하며 위로 치켜든 뱀의 머리를 베는 동작이 되어 앞으로 세 걸음을 디디면서 칼날을 날리며 몸을 왼쪽으로 돌리면서 창룡출수(蒼龍出水)로써 상반신을 꺾으며 뛰어나갔다. 그 두 동작의 가운데는 깃털 하나 끼여들지 못하도록 빽빽하였으니 나무둥치를 이미 통과해버린 것이다. 역시 전나무가 바람 방향을 따라

오른쪽으로 무너져내렸다.

"과연 감동이의 칼이 녹슬지 않았구나."

길산이 추켜주었으나 선흥이는 엄파를 움켜쥐며 투덜거렸다.

"쳇, 나는 저것보다 두어 배 되는 나무를 날려보낼 수가 있수."

"이젠 되었다. 그만 해두어라."

길산이 만류하는데 감동이가 호흡을 흐트러뜨리고 돌아왔다. 그의 뺨에는 기를 쓴 탓인지 홍조가 번져 있었다.

"이젠 성님 차례유. 아무 재조가 되었든 한 가지만 보여주시오."

길산이 망연하여 생각은 무더리 장터와 재인말로 달리는데 선흥이가 그를 깨우쳤다.

"성님, 뭘 하우."

"응?"

길산은 얼결에 일어섰다. 그러나 기왕에 일어선 김이라 다시 주저앉을 수도 없어 자신이 늘 가지고 다니는 짧은 칼을 뽑았다. 그는 허참, 하면서 멋쩍게 주위를 둘러보고는 앞으로 나아갔다. 일단 판 안에 들어서니 길산의 본색이 원래 광대라 한바탕 놀아보고 싶기도 하였다. 그는 역시 나무 한 그루를 바라고 천천히 걸어갔고, 마치 그것이 놀이마당의 오리목처럼 보이기도 하였다. 길산은 가볍게 두 발을 굴러보고 나서 나무 바로 밑에까지 번개곤두로써 몸을 공중회전하여 다가갔고, 여선참사(呂仙斬蛇)로 칼을 던졌다가 다른 손으로 바꿔 쥐면서 칼살판을 뛰는데 나무의 전후좌우로 눈보라가 뽀얗게 일어나 그의 몸이 보이질 않았다. 마치 독수리가 나무 주위에서 힘차게 퍼덕이는 것과도 같았다. 그는 살판으로 허공에서 떨어져 발이 땅에 닿자마자 연이어 용틀임으로 공중에 솟았는데 칼날은 보이지 않았으며, 그런 동작이 서너 번 계속되다가 취익(鷲翼)으로 날개를 벌리고 내려앉은 수리처럼 칼날을 겨드랑이 아래쪽으로 엇갈려 비끼며 가볍게 땅 위에 내려섰다. 나무에서는 가지에 내려앉았던 눈가루가 흩날렸을 뿐 아무런 변화가 없었다. 나무는 가지마다 눈을 수북이 쓰고서 고요히 섰을 뿐이었다. 그것은 얼핏 보기에 살판놀이를 겸한 칼춤인 듯이 여겨졌다. 길산은 취익의 자세를 취한 채 얼어붙은 듯이 구부리고 있었다. 그때 그의 머리 위에서 눈과 나뭇가지가 일시에 떨어졌고, 길산은 돌아떼기로 몸을 돌리면서 칼을 농풍(弄風)으로 허공에다 어지럽게 흩뿌리고는 동작을 끝냈다.

그의 키로 두 배쯤 되는 높이에서부터 나무의 가지들은 말끔하게 잘려 있었으며, 또한 그 가지들은 한 팔꿈치 길이만큼 여러 토막으로 잘라져서 길산의 주위에 흩어져 있었다. 시작부터 끝막음까지가 일사불란하고 유연한데 감동이가 보여주었던 절도 있는 동작들은 보이질 않고, 다만 바깥의 물건과 모든 기가 그의 몸에 찰싹 붙어 돌아가는 듯이 보였던 것이다. 여러 동작은 경쾌하고 아름답게 연결되어 있어서 마치 미풍에 오화(五花)가 나부끼는 것 같았다. 그러나 이 비단끈과 같이 연결된 부드러운 동작 사이에는 힘과 기술이 치밀하게 절제되어 있었다. 그 절제가 너무도 적확하여 잘라진 나뭇가지가 낙하되는 일각이 지체되었던 것이다. 길산은 몸 위로 솟은 흥겨움이 복부를 간질이는 것을 느꼈으나, 길게 한숨을 토해내고는 신명을 날려보냈다. 그가 모닥불 가로 돌아올 때까지 좌중은 모두 벙벙하였고,

"이제 그만 놀고 저녁이나 짓도록 해라."
하는 길산의 말이 떨어지자 모두들 그가 자신의 신명을 쑥스러워하는 양을 엿볼 수 있었다.

닷새 동안 머물며 사냥을 하였던 구월산 패거리들은 무초령과 여

계산에서 동선령에 이르는 연봉과 골짜기들을 대략 익히게 되었던 것이다. 자비령 산채에서 다시 하룻밤 쉬고 나서 흥복이까지 끼여 동선령의 새로운 산채를 짓는 곳으로 나아갔는데 자비령 식구들은 이젠 이미 서로 자연스럽게 섞이게 되어 졸개들끼리 농지거리도 하고 반말도 나누게 되었다.

이제는 날씨가 포근하여 산정만 남기고는 소나무, 잣나무 들이 푸른빛을 드러냈고 골짜기의 음지에만 눈과 얼음이 보였다. 시냇물도 거의 녹아서 계곡을 흘러가는 물소리가 경쾌하게 들려왔다.

동선령의 집터는 활모양으로 굽어진 산줄기 안쪽의 깊숙한 곳에 있었는데 동북향이라 햇빛이 들지 않는 점이 흠이긴 하였으나, 녹림의 무리가 은거하기에는 여러가지 조건이 구비되어 있었다.

서북편으로 뻗어나간 산줄기가 계곡 위로 드높이 솟았고, 남동편의 산줄기는 구부러져 무초령과 잇닿았는데 가파르고 숲이 빽빽하여 통행이 어려웠다. 그리고 툭 트인 북동쪽의 바로 산채 앞에까지 찌를 듯한 삼림이 서 있어서 바람길과 사람의 시야를 막아주고 있었다.

그들은 세 군데에 집터를 보아두었는데 왼쪽 봉우리의 정상 못 미쳐서 돌과 흙으로 튼튼한 토막을 세우고 오른쪽에도 비슷한 망대를 세우기로 하였다. 그리고 산채 앞에는 삼림의 이곳 저곳에다 호랑이 함정 비슷한 허방을 파놓고 숲이 가장 잘 내려다보이는 곳에는 두어 길 정도의 토벽을 쌓을 작정이었다. 그리고 산채는 통나무로 널찍하고 튼튼한 귀틀집을 여러 채 지을 것이었다.

이 모든 것은 김기가 먼저 와서 지형과 산세를 살피고 정해놓은 일들이었다. 그들은 공사할 동안에 기거할 움막을 파고 우선 패를 갈라서 벌목을 시작하였다. 모두들 김기와 길산에게 동선관 주막으로 내려가라고 일렀건만, 두 사람은 이러한 역사가 벌어지는데 빠질 수가 없다며 나무도 자르고 흙도 파는 등 식구들과 똑같이 일을 하였다.

거의 산채 외곽의 공사가 끝나갈 무렵에 때아닌 봄 우박이 쏟아져 사나흘 동안 움막 안에서 웅크리고 지내게 되었다. 최흥복은 제 식구들과 기거하고 있었는데 밤늦게 김기와 길산이 기거하는 움막으로 찾아왔다.

"성님께 의논드릴 말씀이 있어서 왔습니다."

"어서 들어오시게. 아이들 중에서 어디 아픈 사람은 없는가?"

"모두들 원기왕성하지요. 제 집안일을 하는데 탈이 있겠나요. 헌데 산채를 다 짓는 데 며칠이나 걸릴까요?"

김기가 손을 꼽아보고 나서 말하였다.

"글쎄, 재목은 다 마련돼 있고 귀틀집 네 채니까 앞으로 한 보름이나 스무 날쯤 걸리겠지."

"구월산서 이사 오지 않습니까?"

"아직은 어려운 일이지. 식솔들이야 자주 이사 다닐 수도 없고."

길산이 말하고 나서 흥복을 살피는 것이었다.

"왜, 무슨 걱정이라도 있는가?"

"아니오, 저…… 춘천에 있는 형수님과 조카들 일이 걱정입니다. 벌써 두어 달 전에 인편에 전해듣기로는 형수께서 몸을 붙여 있는 선전관이 조보에 올랐다는데 곧 움직이게 될 모양입지요. 혹시나 그곳을 떠나 종적을 모르게 될까 하여……"

"그런 일이 있었다면 왜 진작에 말하지 않았는가?"

최흥복은 머뭇거리며 말하였다.

"전에는 부두령 을량이의 눈치도 있고, 아이들도 모두 저와 같이 고향을 떠난 지가 오래되었는데, 두령 체면에 혼자서 가족들 걱정만 하는 것 같아 내색을 못 하였지요. 가형께서 농사를 짓고 계신다면 모르거니와 이미 장하에 돌아가셨고 형수님과 조카들은 각각 관비와 사노비로 떨어져 있어, 늘 큰 죄를 지은 듯하여 잠자리가 편안치 않았지요. 기왕에 성님네 일속이 되었지만, 어찌 감히 입 밖에 낼 수가 있겠습니까?"

길산이 부드럽게 일렀다.

"그래, 걱정이 많았겠구나. 네 가족들의 불운한 처지는 곧 우리네 가족들이 진작부터 겪었던 일이다. 하루라도 버려둘 수는 없는 일이니 어서 누구와 동행하여 다녀오도록 하여라. 그간에 형수씨와 조카들이 각기 다른 곳으로 흩어져버렸다면 어떻게 수소문을 해서라도 건져내야지."

길산은 홍복을 데리고 움을 나와, 선홍이와 마감동이 묵고 있는 곳으로 갔다. 두 사람은 짚더미에서 늘어지게 자고 있었다.

"어서 일어나거라."

감동이가 먼저 일어났고 선홍이는 아직도 잠에 취하여 투덜대면서 돌아누웠다. 길산이 선홍이의 어깨뼈를 잡고 힘을 주어 흔드니 그제야 자지러지면서 일어나 앉았다.

"아니, 이렇게 날씨가 고약한데 무슨 수가 났다구 깨우고 야단이슈."

최홍복은 안절부절못하며 뒷전에 앉았고 길산이 대충 이야기를 하였다.

"그러니 한시라도 빨리 데리고 와야 하지 않겠느냐? 나는 아무래도 선홍이가 가는 게 좋겠는데…… 감동이는 곧 구월산으루 돌아가야 할 테고……"

선흥이는 연신 입맛을 다셨다.

"젠장할, 나두 우리 식구가 봉산 사는데 코빼기를 못 본 지가 일년이 넘었는데, 이놈 저놈 식구만 찾아다녔다간 아예 산채 살림을 폐하는 게 낫겠네."

길산이 은근히 힘주어 말하였다.

"안 되겠다. 그러면 너는 잠이나 자구 있거라. 그대신 내가 다녀올 때까지 일어나서 뒷간에라두 다녔단 봐라."

"그냥 곱게 추운 데서 불알이나 얼려 돌아오라구 그러시우. 다녀오지요."

선흥이가 하품을 하면서 고개를 끄덕였고 길산은 빙긋 웃었다. 날씨가 풀리지는 않았으나, 그들은 그대로 출발하여 동선관에서 하룻밤을 지내며 길 떠날 채비를 하여 명일 새벽에 나서기로 하였다.

"나 때문에 미안허우. 내게는 혈육붙이가 그 조카들뿐이우."

"미안허긴 뭐…… 갑자기 단잠을 깨워서 그랬지. 헌데 예서 춘천까지가 도계를 넘는 길이니, 이런 날씨에 동장군 살맞은 영산의 동무가 되겠고만."

강선흥과 최흥복은 동선관 주막으로 나아가 한잠 자고, 노자를 취하여 작은 봇짐 하나씩 꾸려 지고 봉산을 떠났다. 평산을 거쳐 연천, 가평을 지나 춘천까지 주막 밥과 봉노 잠을 자면서 내려가는데, 예성나루를 지날 적엔 벌써 봄볕이 완연하여 볕이 따사한데, 낮에는 등거리에 땀이 돌도록 덥고 밤에는 살을 에는 듯한 북풍이 불어와서 그런 변덕이 없었다. 모두들 올해에는 가뭄들겠다고 걱정들이었다. 그들이 가평에 당도한 것은 떠난 지 닷새가 되던 날이었는데, 일단 거기서 흥복은 뒤로 처지고 우선 선흥이 먼저 춘천의 느릅나무골로 들어가 형편을 살피기로 하였다.

선흥이가 느릅나무골에 들어가니 쇠락한 초가지붕에 스산한 바람이 지나는데 양지볕에는 헐벗은 아이들이 나와서 해바라기를 하고 있었다. 어른들은 보이지 않는 것이 산에 뿌리를 캐러 갔거나 언 땅이 녹으며 솟아난 풀을 뜯으러 간 모양이었다. 때는 바로 춘궁의 초입이었던 것이다. 선흥이는 흥복이 일러준 대로 어림짐작하여 가다가 놀고 있는 아이들에게 물었다.

"얘들아, 깨복이 집이 어디냐?"

"그 댁의 뉘를 찾으시는데요?"

"박서방을 찾는다."

아이들이 저희들끼리 수군수군하는데 심상치가 않았다. 선흥이가 아이들께로 다가들며 다시 물었다.

"그런 사람을 모르느냐?"

한 아이가 작심이 되었는지 대번에 말하였다.

"죽었어요."

"누가 죽었단 말이냐?"

"박서방이죠 뭐."

선흥이가 돌아설까 하다가,

"그래, 남은 식구들은 없느냐?"

그러는데 아이들의 뒤에서 방문이 슬그머니 밖으로 열리면서 펑퍼짐하게 부황이 뜬 아낙네의 얼굴이 나왔다.

"무슨 일로 그 댁 식구를 찾으시우?"

선흥이는 제 봇짐을 한번 추스르고 나서 말하였다.

"예, 박서방에게 갚아줄 돈이 있어서 왔는데 이거 낭패올시다."

"돈이라구요?"

아낙네가 더욱 문을 밖으로 밀쳐내는데 목이 가늘게 야위고 손과 얼굴만 부어 있었다. 아낙네는 흐린 눈으로 선흥이를 물끄러미 내다보았다.

“박서방은 작년에 죽었지요. 그리고 그 아낙이 아이들과 살구 있는데 얼마 전에는 큰아이가 죽었다우.”

선흥이는 이 마을이 기근에 싸여 있음을 눈치챌 수가 있었다.

“아니, 보아하니 춘궁이 모진 모양인데 관가에서는 구황도 아니 하고 뭘 하는고. 환자도 타지 못허우?”

“환자가 다 무엇이오. 우리는 벌써 사흘째나 곡기를 넘기지 않았어요. 지금 주인이 읍내로 죽을 얻으러 나갔는데 우리는 거기에다 송순을 썰어서 다시 끓여서 나누어 마십니다. 이제는 읍내의 죽가마 앞에까지 걸어갈 기력이 없어 두 양주가 가지 못하고 주인만 나가셨지요. 우리네두 박서방에게 갚을 돈에서 제발 몇푼만 돌려주시면 강변에 나가 외지의 양식을 구하겠는데요.”

아낙네는 몇번이나 쉬어가며 마른 입술을 핥는 것이었다. 선흥이는 더 말도 않고 봇짐에서 무명 끝동을 떼어주었다.

“옜소, 노자 하구 남은 거라 과히 많지는 않으나 몇끼니는 넘기겠지.”

아낙네가 두 손으로 무명을 받아드는데 부푼 뺨 위로 아무 느낌이 없는 듯한 눈물이 저절로 흘러내렸다. 선흥이가 비록 뚝뚝하고 거친 사람이긴 하여도 문득 코허리가 시큰하여 돌아서며 중얼거렸다.

“관장의 목을 베어 나무에 달구 돌아갈까 부다.”

그는 아낙네가 자세히 일러준 대로 죽은 박서방의 식구들이 남아 있다는 집을 찾아갔다. 삽짝을 뜯어 땠는지 울타리가 쥐 뜯은 자리처럼 듬성듬성하였고, 세간은 보이질 않는데 마당에 적막이 빈틈없이 들어찬 듯하였다.

"주인 계시오, 아무도 없습니까?"

선흥이가 불러보았으나 건넌방의 열린 문짝이 바람에 건들거리는 소리뿐이었다. 선흥이가 다시 한번 마당과 집 주위를 둘러보고 나서 굳게 닫혀진 안방문을 잡아당겼다.

"누…… 누구요?"

하는 희미하고 나약한 소리가 컴컴한 방에서 들려왔다.

"박서방의 동무 되는 사람이올시다."

"들어오시지요."

여인이 간신히 상반신을 일으키는데 머리는 산발이고 볼과 눈이 움푹 꺼져서 한꺼번에 늙어버린 듯하였다. 선흥이가 비례를 무릅쓰고 방 안에 들어가 앉으니 불기라고는 조금도 없었다. 여인의 옆에는 자그마하게 웅크린 앙상한 아이가 큰 눈을 뜨고 바라보고 있었다.

"춘궁이 이 마을만 이렇게 심합니까?"

"환자 때문에 연전에 말썽이 난 뒤로 우리 동네에는 환곡을 내주지 않습니다. 이서배들이 느릅나무골이라면 역적의 마을이라고 치를 떤답니다."

"혹시 최서방의 식구들이 어디서 어떻게 지내는지 아시나요?"

여인은 놀란 모양이었다.

"그이네를 잘 아셔요? 지금 그 안댁은 관가의 급수비(汲水婢) 노릇을 하고 작은아이를 함께 데리고 있지요. 큰아이는 송암(松岩)골 생원 댁에서 사노가 되어 있습니다."

선흥이가 제 봇짐을 들어 보이며 말했다.

"실은 제게 노자가 좀 있습니다. 어디서 곡식을 살 수 있을까요?"

“이 근방에는 없고 읍내까지 나가면 웃돈을 주어 구할 수가 있습니다. 이렇게 남은 기운이 없어 송엽도 뜯지 못하고 백토마저 캐지 못합니다. 큰애가 얼마 전에 죽었을 적에도 묻지 못하고 그냥 뒷산에 버렸지요. 주인도 없는 저희들은 그저 죽는 게 낫겠다 싶어서 이렇게 누워서 기다리는 중이지요.”

“최흥복이를 아십니까?”

선흥이가 불쑥 물으니 아낙은 믿기지 않는 것 같았다.

“뭐라고 하셨지요?”

“흥복이를 아시느냐구요?”

“그이가 아직 살아 계신가요?”

아낙은 상반신을 앞으로 숙이며 되물었다.

“저하구 같이 와서 읍내에 있습니다.”

“맙소사, 최서방은 관가에서 매를 맞고 풀려나오던 날 밤에 운명하였지요. 느릅나무골에서 혈기 있고 총명한 이는 모두 그때 결딴이 났습니다. 우리 주인도 그로부터 시름시름 앓으며 나뭇짐도 제대루 못 지었어요. 우리 동네 사람들은 누구나 깊은 포한을 감추고 삽니다.”

아낙네가 소리를 죽여 울기 시작하였다. 관에서 민변으로 작당한 고장에 대한 보복은 당시에 매우 혹심하였던 것이다. 고장의 등급을 강등시키고 마을을 폐하여버리기도 했고, 아예 양민으로서 살아갈 모든 권리를 방기해버리는 수도 있었다. 춘궁기에 환곡 내주는 일로 말썽이 생겼다 하여 이서배들은 아예 이 마을을 외면하는 모양이었고, 그 보복이 몇년 계속되는 가운데 느릅나무골은 몰라보도록 황폐하게 변한 것이다. 강선흥은 장연에서 겪은 일이 있었는지라 그러한 내막을 짐작할 수가 있었다.

"제가 읍내에 다녀오지요. 그리구 홍복이두 데리구 오겠습니다."

"그이를 데려오면 안 돼요. 누구든지 그이를 보면 발고할 테니까요."

"저희 걱정은 마십시오. 아무의 눈에도 띄지 않도록 하겠습니다."

읍내 주막에서 홍복과 선흥이는 날이 어둡기를 기다렸다가 느릅나무골로 들어갔다. 마을 약정(約正)이나 그 측근 사람들의 눈에 띄지 않도록 그들은 마을 뒷산에서 인적이 완전히 끊기기를 기다렸다. 이윽고 마실꾼들도 끊기고 가끔씩 개들만이 짖는 가운데 두 사람은 박서방네 집을 바라고 동네로 스며들었고, 홍복은 어둠속에서도 낯익은 고향의 모습을 살피느라고 이리저리 삽짝 안을 기웃거리곤 하였다.

"뭘 하나, 어서 박서방네루 가야지."

선흥이가 주의를 주면 홍복은 귀를 기울이며 걸음을 멈추었다.

"가만있으슈. 목소리는 문식이 할아버지가 분명한데 아직 살아 계시구먼."

개 짖는 소리가 요란해지면 그제야 황급히 그곳을 떠나는 것이었다. 그들은 홍복이네 식구와 가장 자별하게 지냈던 박서방네 집으로 들어갔고 아까처럼 집안은 괴괴하였다. 선흥이가 먼저 와서 인사를 텄는지라 예의 차릴 것도 없이 문을 열고 들어갔다.

"낮에 왔던 사람이올시다. 곧 죽을 쑤어드리지요."

"홍복이두 왔는가요?"

홍복이가 더듬거리며 부시를 찾았다.

"아주머니, 제가 홍복이올시다."

"그 위에 관솔이 있을 텐데……"

홍복이 불을 켜서 관솔에 붙였다. 아낙네는 여전히 누워 있었으나 낮보다는 훨씬 정신이 맑은 듯해 보였다.

"아이구…… 이게 누구요. 최도령 아니오."

아낙이 손을 내밀었고 흥복이는 여자의 손을 잡아주었다. 아낙네 옆에서 아이가 나약하게 칭얼대고 있었다.

"오냐, 내가 죽을 쑤어오지."

선흥이가 밖으로 나가더니 불을 지폈는지 방문이 훤해졌다.

"그 댁 서방님이나 우리 주인이나…… 한을 품고 원혼이 되어버렸어요."

아낙은 흥복이의 손을 움켜쥐고 젖은 눈으로 중얼거렸다. 사실 아낙이라고는 하여도 연배는 흥복이와 비슷한 옆집 며느리라, 내외가 엄정하니 흥복은 어색해져서 슬그머니 손을 놓고 말았다.

"소문은 대강 들었지만, 성님까지 이리되었을 줄은 몰랐습니다. 여기 와서야 저 사람이 전하는 말을 듣고는 어찌 가슴이 막히던지."

"우리 주인이 그 댁 서방님과 가장 친한 동무인 것은 온 동네가 다 알구 있잖아요. 거기가 큰일을 치고 대룡산에서 버티고 있을 제, 애 아버지나 성님두 같이 끌려가셨어요. 모두들 내려오라고 떠들면서 관군이 시키는 대루 했지만, 성님이나 우리 주인이나 입을 꾹 다물고 아무 말씀이 없으셨어요. 내심으로는 어서 달아나기만 바라구 계셨지요. 거기가 남은 사람들과 밤을 타고 대룡산을 빠져나간 뒤에, 마을 사람들 태반이 관가로 끌려갔어요. 처음에는 호적문제로 도감과 색리를 살해하게 된 경위를 따지다가 환곡 얘기가 나왔어요. 강창(江倉)에 떼지어 몰려갔을 적에 누가 주모했느냐는 것이지요. 그래서 그 댁 서방님과 우리 주인이 지목되었어요. 성님은 곤장을 맞은 위에 밤새껏 압슬까지 당하고는 관가 앞뜰에서 새벽녘에 운명하셨고, 우리 주인께서는 곤장을 맞고 업혀 돌아와 오랫동안 앓으셨지요. 제대로 잡숫지도 못하고 병고에 시달리다 돌아가시며 마지막 남기신 말씀이 있어요. 처자가 있어 고향을 떠나 사람답게 살지 못하고 구차한 목숨을 이어왔다구 자꾸 뇌셨지요. 어찌 이 포한을 말로 다 할 수가 있겠나요."

"우리 형수님과 조카를 찾으러 왔습니다."

홍복의 말에 박서방댁은 한참이나 주저하였다.

"무슨 일이 있습니까?"

"저어…… 아이들이야 별일이 없지마는 여자란 가장 약한 것이랍니다."

박서방댁이 자세한 이야기를 꺼리고 있는데 선홍이가 죽을 쑤어 돌아왔다. 아낙네와 아이는 정신없이 먹기 시작했고, 홍복은 얘기를 붙일 틈이 없었다. 끼니를 에우고 나서야 그들의 얼굴에 화색이 돌았다.

"내 아니할 말이지만, 거기 형수 되는 이에게는 안타까운 생각이 한두 가지가 아니에요. 비록 일시에 관비로 떨어졌다 하나 어디 그럴 수가 있나요. 소문을 들으니 권관(權管)의 소실 노릇을 하여 목숨을 부지한 모양이지요."

"아니, 관청에서 급수비를 한다는데, 곧 떠날지도 모른다는 소문을 듣고 이렇게 서둘렀습니다."

아낙네는 돌아앉으며 그제야 사내들을 의식하였는지 흐트러진 머리를 뒤로 쓸어넘겼다.

"먼저 떠났지요. 벌써 달포가 넘었어요. 지금은 신관이 부임하여 있답니다."

홍복은 얼결에 볼이 화끈 달아올라 선홍이 쪽을 돌아보았다.

"이번에는 새로 온 자와 살구 있단 말입니까?"

아낙네는 딱히 그렇다 아니다 내색을 않고 있었다.

송암골의 큰조카를 묻자 박서방댁은 쉽게 대답하였다.

“그애는 아이가 총명하여 그리 미움은 타지 않는 모양이지요.”

대강 얘기가 끝나고 나서 홍복은 재삼 부탁하였다.

“어떤 일이 있어도 형수와 조카를 데려갈 작정입니다. 우리가 여길 떠날 동안 이 집에서 지낼 수가 있을까요?”

“사람들 눈에 띄지 않도록만 하여주십시오.”

“그 대신에 사례는 충분히 하겠습니다.”

아낙네가 물었다.

“헌데…… 최도령은 그간 어디서 뭘 하며 살았길래 안색이 훤하구, 또한 상투를 올렸으니 혼인도 하였나요?”

“아직 미장가이올시다. 저어기 북관에서 장사를 나다니구 있습니다.”

“그때 대룡산서 함께 달아났던 우리 마을 사람들두 있나요?”

“예, 저하구 같이 살구 있지요.”

박서방댁은 정색을 하고 애소하였다.

“우리 집안이 구몰한 것은 애초에 주인과 댁네 형님이 작당하였기 때문이지요. 최도령 탓에 죽은 거나 진배없지요. 내가 모른다면 어쩔 수 없으나, 살 만한 고장으로 식솔을 데려가는 일을 안 이상은 그냥 있을 수 없어요. 우리두 데려가주셔요. 장사를 다니든 수수나 기장을 심든 물고기를 잡든 우리는 다른 고장으로 떠나야지, 여기서 관의 등쌀에 시달리며 살지는 못합니다.”

“알겠습니다. 그럼 우리 식구가 모여 떠날 때까지 몸조리나 잘해두십시오.”

이튿날 홍복은 상을 만난 듯이 널따란 삿갓을 깊숙이 내려쓰고 진

(鎭)으로 찾아갔고, 강선흥은 송암골 생원 댁으로 그의 조카를 찾아 떠났다. 춘궁이 비록 느릅나무골에만 닥친 것은 아니라, 다른 마을도 기근에 시달리고 있었으나 환곡이 있어 비교적 덜해 보였다. 선흥이가 송암골을 찾아가 생원 댁 부근을 배회하며 흥복의 조카아이와 닿을 기회를 노리는데, 무턱대고 아무에게나 얘기를 붙일 수도 없는 노릇이었다. 그는 생원 댁 대문이 바라다보이는 길가 돌 위에 걸터앉아서 다리쉬임을 하는 척하였다. 이슥고 웬 사내가 어디 심부름이라도 가는지 망태를 메고 대문을 나서는 게 보였고 맨상투에 동저고리 바람이 행랑것이 분명해 보였다.

"여보시우, 나 좀 봅시다."

선흥이가 뒤를 쫓으며 외쳤고, 사내는 의아해하며 입을 벌리고 돌아보았다.

"나를 불렀수?"

"당신말고 이 들녘에 또 누가 있단 말이우."

선흥이는 사람 좋게 웃어 보이면서 그에게로 다가갔다.

"말 좀 물읍시다. 이 댁에 느릅나무골 최서방의 큰아이가 있다는 게 정말이우?"

사내는 우선 선흥이의 아래위를 훑어보았다.

"그건 왜 물어."

사내가 버티고 서면서 싸늘하게 다시 말하였다.

"댁이 최서방과 어떤 사이인지 모르나 얼른 입단속하고 다른 고장으로 새어버리는 게 살 길이여."

선흥이는 미리 짐작하고 있던 판이라 고의춤에서 엽전 한꿰미를 끌러내어 그의 손아귀에 쥐여주었다.

"자, 받으시우. 어차피 당신도 남의집살이 하는 터에 양반 편들 건 뭐 있수. 사실 나는 막역지우인데 여기 와서 딱한 소문을 듣고 그 혈육붙이나 만나보고 가려는 게요."

"이 사람이 왜 이래……"

하면서도 그는 선흥이가 내어민 돈을 강력히 뿌리치지는 못하였다.

"별로 어려운 부탁을 하는 건 아니우. 다만 지금 되돌아 들어가서 그 아이를 잠깐만 불러내어 나하고 만나도록 해주오."

"허, 이것 참……"

"잠깐 얘기하고는 곧 떠나리다."

"저어기 산 위에 올라가 있으슈."

사내가 결심하였는지 돈을 제 허리춤에 찔러넣으며 송암골 뒷산을 손가락질하였다. 선흥이는 그자가 되돌아 대문 안으로 들어가는 것을 확인하고 나서 산중턱까지 올라갔다. 잠시 후에 소년이 나타났고 두리번거리는 그의 등을 사내가 밀어주고는 바삐 헤어져 가는 것이 보였다. 소년이 아직도 두리번대면서 산 위로 올라왔다. 선흥이가 불쑥 나서면서 말을 걸었다.

"네가 홍복이 조카냐?"

"아니, 우리 삼촌을 아십니까?"

"이리 앉아라."

선흥이는 소년을 낮은 소나무 관목 사이에 앉혔다. 소년은 안색이 창백하고 눈에는 물기가 가득 찼다.

"느이 삼촌하고 같이 온 사람이다. 삼촌은 네 어머니를 만나러 진으로 나갔다."

"삼촌이 아직 살아 있단 말인가요?"

"그래, 느이들을 데리러 왔다. 고생스럽지는 않느냐?"

"저에게 막일을 시키지는 않습니다. 지금은 상노 노릇을 하고 있는데 서기사에 있지요. 모두들 제가 이렇게 나간다면 앞으로 청지기 소임은 틀림없을 게라구 그럽디다. 그러나 아무리 왕후장상의 사냥매라 할지라도 마음대로 하늘을 훨훨 날아다니는 참새보다는 못하겠지요. 저는 삼촌을 꼭 따라가겠어요."

아이는 역시 최흥복을 닮았는지 야무지고 똑똑하였다. 보통 녀석 같으면 오히려 느릅나무골에 살 때보다도 생원 댁 같은 호농의 집에서 배불리 먹고 편히 지내어 고생과 천시투성이였던 집생각을 잊었을 터이었다. 또한 남의 노비로 떨어진다는 일이 죽는 일 다음이지만, 다행하게도 너그러운 이들을 만나 도련님 같은 생활을 보내고 있었던 것이다.

"역시 최서방네 식구가 속이 찼구나. 아무렴 그래야지. 남의 종살이 하며 배부르느니 차라리 장바닥의 각설이가 낫다. 우리는 지금 느릅나무골 박서방네 머물고 있는데 사흘 뒤에 떠날 것이다. 모레 자정까지 오면 함께 갈 수 있겠지."

"꼭 가겠습니다. 헌데…… 어머니두 삼촌을 따라가신다구 하셨답니까?"

"그건 아직 모르지. 최서방이 그쪽으루 찾아갔으니까."

아이는 소매를 들어 눈시울을 닦았다.

"아마 못 가실 겁니다."

"못 가다니……"

"그냥…… 어머니와 다시 만나고 싶지 않아서 그럽니다."

선홍이가 제법 자상하게 말하였다.

"세상 일이 그렇게 말루 쉽게 되는 게 아니다. 여하튼 모레 느릅나무골로 오너라. 사람들 눈에 띄면 너두 위험하구 느이 삼촌두 잡혀 죽는다."

“잘 알겠습니다.”

그들은 일어서서 재삼 약속을 다지고는 헤어졌다. 선흥이는 이런 일에 자기를 보낸 길산을 잠깐 원망하였다. 도무지 세상은 정과 원망이 얽힌 명주실처럼 복잡하게 돌아가는 곳이라서, 자기 같은 신경이 굵은 자는 감당할 도리가 없었다.

진의 군사라는 것들은 이 같은 태평성세에는 모두들 허수아비나 다름이 없었다. 장교나 군사라는 것이 빈말이요, 다 산골의 나무꾼이나 농투성이인데 문서로는 장교가 열 사람에 군사가 이백여 명이지만 실상은 스무 명도 채 못 되고, 병장기라야 녹슨 창칼 십여 자루와 총 이십여 정뿐이었고, 관사도 돌담에 초가였다. 최서방의 처이며 흥복의 형수인 임씨는 남편이 죽은 다음날 관명에 의하여 진의 급수비로 떨어지는 신세가 되었는데, 마침 혼자 와 있던 권관이 옷이나 빨아주고 식사라도 마련해줄 여인을 찾고 있었던지라, 관사 곁의 삼간초가에서 시중을 들도록 되었다. 권관이 아침 저녁으로 들락거리며 집안일을 하는 여자를 보매 생김이 얌전하고 제법 촌여자치고는 깔끔해 보였다. 소문에 들어 관가에 거역한 죄인의 가족이라 하니 씨내리로 이어온 종은 아닌 셈이었다. 하루는 무료한 밤을 지키며 공연히 병서를 뒤적이고 있는데 이웃에서 다듬이 소리가 들려왔다. 문득 단정한 여자의 몸매와 흰 소복이 눈에 어른거려 권관은 참지 못하고 아랫것들 몰래 이웃으로 슬그머니 다가들어 방문을 열었다. 비록 관비라 하여 그 관장이 생살여탈권을 쥐고는 있으되, 범법자의 아내를 마음대로 할 수는 없는 노릇이었다. 임씨도 그것은 알았지마는 여생을 이미 포기하고 있던 터였다. 이렇게 진의 관비 노릇을 하다 보면 어느 누가 건드려도 말릴 사람 하나 없고 임자 없는 계집이니 아무나 넘볼 것을 각오하였다. 임씨는 권관에게 말하기를, 내가 아무리 관비라 하나 여염에서 지아비를 섬기던 여자이니 떠날 때 떠나더라도 진에 있을 적에는 실인의 대우를 하여야 동침하겠다는 것이었다. 그로부터 임씨는 권관의 실인처럼 살았다.

권관은 내심으로 이런 곳에서 무료한 수자리 생활을 달랠 수가 있고 또한 과만(瓜滿)하여 떠나게 되면 그뿐이거니 여겨서, 그에게로 나오는 녹봉을 모두 이웃의 임씨에게 맡겼다. 그뒤로 임씨를 감히 진의 물종이라 하여 업수이여기는 자가 없게 되었다. 임씨는 이전에 양민의 아내라고는 하여도 절기마다 양식이 떨어지고 관차에 시달리던 일을 겪지 않게 되었으며, 무장의 부임지 첩으로서 비록 대가의 살림은 아니로되 유족하고 끼끗한 생활을 하게 되니, 차츰 남편의 횡사된 일과 천역에 떨어진 자기 신세를 잊게끔 되었던 것이다. 물론 그들은 어엿한 부부라 군무가 끝나면 권관은 아예 아랫집으로 내려가 저녁을 먹고 함께 동침하였고, 임씨도 저녁때가 되면 으레 아이를 재워놓고 지분을 바른다, 옷을 갈아입는다 하여 모실 채비를 차렸다.

대개 선달에서 권관으로 임관이 되면 한십오삭(限十五朔)이라 하여 그것을 꼭 치러야 승진을 하게 되어 있으니, 모두들 임기가 차기만을 기다리지만 이 권관은 임씨와의 살림 재미를 붙여 스스로 모르는 결에 달수가 찼다. 권관이 진을 떠나 한양으로 돌아가게 되는 일은 기뻤으나, 그래도 살을 비비고 살아온 여자를 다시 급수비로 떨구어두고 빠져나갈 염치가 없었다. 그가 워낙 가세도 없는 터에 장원으로 권관 자리는 얻어 하였으나, 벼슬 초임에 외방에서 소실부터 얻어 돌아갈 수는 없는 일이라고 넌지시 자르는 시늉을 하였고, 임씨는 이미 내친 몸이라 쑥스러워하는 빛도 없이 말하였다. 즉 자신은 일찍이 관재수와 도화살이 있어 남편을 장하에 여의고 관비로 박혔는데, 기왕에 일부종사를 못 하는 년이 나으리 까닭에 수절할 수는 없다. 그러니 나으리가 떠나시면 자기는 다시 신관으로부터 물종 취급을 받게 될 터이다. 바라는 바 있으니 부디 속량되도록 하여주고, 신관에게도 나리와 같이 모시도록 천거해주었으면 한다.

이렇게 되어 구관은 떠나면서 신임 권관에게 임씨를 천거하여 객고를 달래도록 하였고, 신관도 일단 그 여자를 보고는 쾌히 응낙하였다. 주위에서는 모두 쑥덕거렸으나, 진의 장교와 사졸들은 때때로 여자에게 술이나 과육을 얻어먹는지라 여전히 진장의 안댁으로 대우하였다.

최흥복이 진으로 나가니 관사는 쇠락하였고 수직 군사도 보이지 않아 말이 진일 뿐이지 을씨년스러운 절터와도 같았다. 아마도 관사 안에는 권관과 장교가 들어앉아 집무할 것이요, 군사 한 명쯤이 아래 일을 볼 것이었다. 과연 박서방댁의 말대로 관사에서 이백여 보 떨어진 곳에 사립을 두른 초가 한 채가 보였다. 그곳이 바로 그의 형수 임씨가 몸담고 살고 있는 집이었다. 흥복은 주위에 행인이 없는가를 살피고 삿갓을 내리누른 다음에 바삐 그 집으로 향하였다. 밖에서 하님을 청하고 자시고 할 것도 없이 막바로 삽짝을 밀고 안으로 들어가니, 마당에서 흥얼거리며 놀던 어린것이 제 어미를 부르며 툇마루로 뛰어올라갔다. 임씨는 마침 살림에 보태느라고 바느질품을 팔았는데, 그때도 바느질을 하느라고 밖에 누가 들어왔는지도 모르고 있었다. 흥복이 잠깐 사이에 한눈으로 둘러보니 마당에는 백옥 같은 빨래가 널려 봄바람에 나부끼고 있었으며, 장독대에는 양광이 내려앉아 깨끗이 손질한 독과 항아리가 반짝거렸고, 부엌에는 이리저리 마른반찬거리와 전어가 걸려 있었다. 아이의 소리를 듣고 여자가 안방문을 열었다.

“에구머니나, 누구신데 소리도 없이 남의 집엘 들어오셔요?”

여자가 깜짝 놀라서 상반신을 내밀며 말하였다. 홍복은 삿갓 아래로 얼굴을 숨긴 채 중얼거렸다.

“절에 가면 중인 체 촌에 가면 속인인 체하는 사람이올시다. 마음이 흔들 비쭉이라 남의 댁에 울타리가 있는지 없는지 내외 구분이 어떠한지를 모르오.”

임씨는 홍복의 비양거림을 채 알아듣지도 못했고 그가 시동생인 것도 몰라보는 모양이었다.

“아마 잘못 알고 들어온 모양인데, 이 집은 진보(鎭堡) 안전의 사택이니 잡혀서 경을 치기 전에 어서 나가오.”

“허허, 산소의 흙이 마르기를 기다린다는데, 동헌 뜨락의 원혼은 구천에서 떨고 댁은 권관의 안방마님이 어인 일이오?”

그제야 형수의 눈이 가느스름해지면서 입술이 떨렸다.

“누구신가요?”

홍복이 삿갓을 벗었다. 임씨가 놀라서 문지방을 잡는데, 홍복은 안으로 들어가 우선 정중하게 인사를 올렸다.

“아주머니, 문안드립니다.”

“어인 일이셔요……”

임씨는 시동생을 제대로 바라보지 못하고 옆으로 돌아앉아 있었다. 작은조카가 들어와 홍복을 빤히 올려다보았고, 그는 아이를 끌어다 무릎에 앉혔다. 아이는 극성스럽게 울더니 홍복이 놓아주자 제 어미에게로 가서 안겼다.

“소문을 듣고 아주머니와 조카들을 안돈시키러 찾아왔습니다.”

임씨가 한숨을 내쉬었다.

“이젠…… 늦었습니다.”

"고생이 많으셨지요?"

"벌써 오래된 일이어요. 삼촌이 이렇게 건장하게 살아 계실 줄은 몰랐어요."

흥복은 제 형수를 뚫어지게 바라보았다.

"아주머니가 여기서 편히 계실 줄은 저두 몰랐습니다."

여자는 눈을 치뜨고 흥복을 쏘아보았다.

"그러면 절더러 혀를 깨물고 형님을 따라 죽으라는 말씀인가요. 관가에 함께 잡혀가서 형률에 따라 관비로 떨어질 제 나는 죽은 거나 매한가지였어요. 여기 와서 이 년 동안을 물긷기와 표모질로 허리가 부러지는 줄 알았어요. 저것을 업고 엄동에 얼어붙은 시냇가를 헤매다닌 날이 하루이틀이 아니에요. 이제는 나두 살아야지요. 관장의 살림을 맡게 되니 내가 왜 농사꾼의 아낙이 되었던고 후회가 되었어요. 나는 내 힘으로 속량할 거예요. 살림에서 따로 떼어 속량전도 모으고, 이 고장을 떠날 거예요. 다시는 고생하고 싶지 않아요. 그런데 집안을 망쳐놓고 식구들을 죽게 내버려두고 달아났다가 이제 와서 나를 핀잔 주는 거예요? 나는 아무 데도 가고 싶지 않아요."

흥복은 고개를 숙이고 여자의 말이 다 끝나기를 기다렸다.

"아주머니, 저는 하루라두 돌아가신 형님과 아이들을 잊어버린 적이 없습니다. 그래서 언제든지 식구들을 거두어 다시는 고생시키지 않고 모시리라 생각하구 있었습니다. 큰놈은 송암골에서 남의 상노가 되어 있고 저애도 다만 짐스러운 천덕꾸러기로 자라구 있지 않습니까? 지금은 아주머니가 비록 젊다 하나 관장은 임기만 차면 돌아가게 되는데 누구 하나 아주머니를 거둘 사람은 없을 겝니다. 이렇게 욕스럽게 사느니 제가 숨어 산다 할지라도 차라리 떳떳할 듯합니다. 저하구 떠나십시다. 조촐한 집도 장만하고 농토도 마련하겠습니다. 아이들 생각을 하셔야지요."

홍복의 형수는 다만 치마폭 위에 눈물을 떨굴 뿐이었다.

"형님의 산소가 어딥니까?"

"저어기…… 보안역로에 나가는 산길에다 모셨어요. 우리는 끌려 다니노라고 경황이 없었고 동네 사람들이 떠메어다 상여도 관도 없이 묻었지요."

홍복도 비분하여 주먹으로 눈을 씻었다. 그는 차라리 이런 모양의 식구를 만나는 것이 안타깝고 분하여 가슴이 찢어지는 듯하였다. 세월처럼 무서운 것은 없다. 그것은 아무리 곧고 뜨거운 사람의 마음이라도 조금씩 조금씩 헐어내고 식혀서, 드디어는 한 줌의 식은 재처럼 만들어버리는 것이다. 이런 상심의 세월을 확인하려고 홍복은 달아났던 고향을 다시 찾아온 것이었다. 그 확인은 참혹하거나 감격스런 것도 아니었고 다만 쓸쓸하고 슬픈 것이었고, 마음의 무력함을 보는 일은 끔찍하달 수도 있었다. 홍복은 벽 위에 걸린 무변들의 네 갈래로 벌어진 전복(戰服)을 보자 전신에서 힘이 스르르 빠져버렸다. 어떤 사내가 형수와 더불어 밥을 먹고 같이 자고 소곤거리는 양이 떠올랐다. 이곳은 남의 집이었다. 임씨가 돌연 갈라진 목소리로 부르짖으며 방문을 열어젖혔다.

"어서 나가셔요. 안 나가면 소리를 질러 군졸을 부를 테에요."

홍복은 일어섰다. 그는 나가기 전에 아이놈을 다시 덥석 안아서 품에 안아보았다.

"느릅나무골 박서방댁에서 기다리겠습니다. 잘 생각하시고 모레 자정까지 그리로 오십시오."

돌아서 나오는 홍복의 등뒤에서 그의 형수가 바느질감 위에 엎드러지는 것이 느껴졌다. 홍복은 돌아서자마자 그의 형수가 오지 못할 것을 느꼈고, 작은조카를 안고 나올까 생각하였다. 그러나 그는 삿갓을 썼고 천천히 삽짝을 나섰다. 그는 잘못 돌아온 것이다. 이미 그가 생각하고 있던 정이 사라져버린 세상이었다. 그가 세상에서 숨어버린 사이에도 다른 사람들은 또한 다르게 살아가고 있었던 것이다.

마을에는 밤이 되기를 기다렸다가 들어갔고, 선흥이는 벌써 돌아와 있었다. 아낙네가 기운을 차렸는지 저녁에 백옥 같은 쌀을 씻어 이밥을 그득히 지어놓았다. 박서방댁은 머리도 단정히 빗어넘기고 헌옷이나마 갈아입고 있었다. 처음 볼 적에는 마치 유령과도 같더니, 얼굴은 굶주림으로 야위었으나 눈이 어글어글하고 살결이 희어서 젊은 아낙의 기색을 되찾은 듯하였다. 선흥이와 홍복은 마주 앉아 저녁밥을 먹었다. 아낙은 아이를 먼저 재우고 윗목에 얌전히 앉아 있었다. 선흥이가 대강 송암골에 다녀온 얘기를 하고 나서 큰조카의 칭찬을 하였다.

"아이가 아주 총명하고 심지가 있더구만. 이담에 크면 두령감이더라."

홍복이 수저를 멈추고 얼핏 아낙네를 돌아다보았다. 그는 선흥이의 두령감이라는 말이 걸렸기 때문이고 박서방댁에게 경계하는 마음이 일어났던 것이다.

"근심하지 마셔요. 만약에 거기서 우리집에 있다는 걸 관가에서 알기만 하면 온 부내(府內)의 군사들이 떨쳐나설 거예요. 그러면 저희들두 어육을 면치 못할 거예요. 대강 저두 눈치로 알구 있답니다. 여염을 떠나 숨어 사는 곳이 산속밖에 어디 있겠나요."

홍복은 대꾸 않고 여자의 새로워진 모양을 눈여겨보았다. 전에 이동네 살 적에는 울타리 하나 사이로 박서방댁이 닭의 모이를 주면서 맑은 소리로 불러대는 것이며, 물레를 자으며 부르는 잡가를 듣기도 하였다. 열일곱의 어린 신부가 시집오던 날에 홍복은 나뭇짐을 지고 오다가 먼발치서 본 적이 있었다. 신행도 가마도 없이 그의 아비의 뒤를 따라서 작은 보퉁이를 들고 오던 노랑 저고리의 새댁이 그렇게 조그맣게 보일 수가 없었다. 가난한 홀어머니의 노총각에게 시집오던 색시가 저렇게 천연덕스러운 아낙네로 된 것이다. 그는 춘궁기를 견디며 아사의 문턱에 서 있던 박서방댁이 어쩐지 목구멍이 막히도록 대견해 보였고, 그것은 아까 형수 앞에서 느끼던 무력감과는 정반대의 것이기도 하였다.

"보안역 가는 길에 형님의 산소가 있다던데 잘 아시오?"

홍복이 물으니 박서방댁이 자세히 가르쳐주었다. 홍복은 이참에라도 얼른 다녀올 생각인데 모처럼이고 마지막인 성묘에 아무런 제숫거리가 없어 걱정이었다.

"여기 어디 술 받을 데가 없을까요?"

"성묘 가게?"

아뭇소리 없이 밥을 푹푹 떠넣던 선홍이가 물었다.

"이젠 고향에 돌아올 일이 없는데 인사라도 드려야지요."

"낼 하지. 만상주가 올 테니……"

선홍이가 말하자 홍복이도 그게 옳다고 생각하였다. 박서방댁이 재치 있게 끼여들었다.

"무명 끝동이 있거든 저를 주셔요. 내일 주육이라두 약간 장만을 해보게요."

저녁이 끝나 아랫방으로 내려가 홍복과 선홍이는 나란히 누웠다. 엎치락뒤치락하던 홍복이 불쑥 말을 걸었다.

"성님, 자우?"

"응, 졸린걸."

“성님, 고맙수. 이렇게 번거로운 행보를 같이 해주셔서.”

그러나 선흥이는 아무 대꾸가 없더니 엉뚱한 말을 하였다.

“저 사람두 데리구 가지.”

“누구요…… 박서방댁 말이우?”

“그래. 큰조카를 데리구 간 뒤에 수소문할 게 아닌가. 그러면 우리 때문에 저 아낙은 굶어죽지도 못하게 되어.”

“형수가 오지 않으면…… 그럴 참입니다.”

선흥이가 돌아누우며 중얼거렸다.

“자네 형수는 오지 않아. 아전의 새댁도 사흘만 되면 길청 문밖에 와서 갖신 사달라고 조르는 법이여. 사람이 세도를 알면 고기반찬이 문제가 아닐세.”

“우리 아주머니는 그런 사람이 아닙니다.”

“그전에는 그랬을 테지…… 시방은 아냐. 대갓집의 비부(婢夫)가 정승보다도 자세가 심한 게여.”

두 사람은 잠시 말이 없었다. 선흥이가 자는 것 같더니 혼잣말 비슷이 중얼거렸다.

“하여튼 세상에서 가장 어려운 일이 혈육 거두는 일이지. 이건 어떻게 마음 내키는 대로 후딱 해치웠다간 각박해지기 쉽고, 너무 마음을 쓰면 영 다른 짓은 못 하게 되어버린단 말이야. 번거롭고 골치 아픈 일이지만 성의껏 해내지 못하면 상심이 깊어지거든. 이번 길에 좋은 걸 배웠네. 남 나 할 것 없이 고르게 취하면 옳은 길이 되는 게야. 형수 대신에 저 여자나 데리구 가서 같이 살든지 돌봐주든지 해여. 나 같으면 그러겠다. 에이, 나두 장가를 들든지 해야지 이거……”

선흥이는 흥복의 식구 찾아오는 길에 자기를 점찍어 보낸 길산에게 어떤 속내가 있을 듯이 여겨졌던 것이다. 자기가 소싯적부터 소금짐이나 지고 훨훨 싸다니면서 주먹질이나 하고, 여자 따위에는 눈길은커녕 아무 관심도 보이지 않는 게 딱하였는지도 몰랐다. 선흥이는 기실, 여자와 가정을 이루어 아이를 낳고 그 아이를 어르며 헤벌거리는 사내자식들을 볼 적마다 귀퉁이를 질러주고 싶을 만큼 울화가 치밀었다. 그래도 홀가분한 떠꺼머리 적에는 활기가 있고 거칠 데가 없어 웬만한 일에도 팔소매 걷어붙이고 나서던 놈들이, 일단 장가들어 여편네에 새끼들을 두게 되면 보따리부터 챙기는 꼴이 아니꼬웠다. 한데 사람이 제 집에 근심거리도 남겨두고 그것을 빌미로 마음도 써보아야 세상에 두루 널린 고통을 자상하게 자기 것으로 알 것이다. 아무 정 없이 무턱대고 황소의 뿔을 뽑아 어쩌자는 것인가. 이번에는 선흥이가 물었다.

"자나?"

"아니오. 공연히 돌아왔수. 그냥 자비령에서 먼발치서 생각이나 할걸."

"이번에 노자를 다 써버려서 돌아갈 일이 걱정이군. 까짓 것 가평쯤 가서 어느 양반의 행차라두 털어야겠구먼. 그래야 자네 식솔들 세마라두 태워서 편히 가지."

하루 밤낮을 박서방네서 죽치고 떠나기로 작정한 날 저녁이 되었다. 홍복이가 못내 조바심을 치며 앉았다 일어섰다 하더니 드디어는 삽짝 밖에 나가 큰조카가 오기를 기다렸다. 박서방댁이 선흥이에게 어서 들어와 있도록 해달라고 당부했건만 선흥이도 말릴 도리가 없었다. 밤이 이슥해서야 인기척 소리가 들리고 홍복이 마주 나서며 불러보았다.

"누구냐…… 나 삼촌이다."

아이가 달려와 그의 무릎에 매달렸다.

“삼촌……”

“그래, 누구 따라오는 사람은 없니?”

“일찍 잔다구 불을 꺼놓구 있다가 살짝 빠져나왔어요.”

홍복이가 소년의 손목을 이끌어 방으로 데리고 들어왔고, 불 밑으로 가까이 당기며 반가워하였다.

“어디, 어디 보자. 어릴 제 모습이 그대로구나. 너 나를 알아보겠느냐?”

“예, 여섯 살 적인데 왜 모르겠습니까. 아버님 생각이 납니다.”

그제야 아이는 선흥이에게 절을 하였고 박서방댁에게도 꾸뻑하였다. 홍복이는 따라나서려는 선흥이를 말리고 주육이 들어 있는 보퉁이를 들고는 아이의 손목을 잡았다.

“떠나기 전에 아버지 뵙구 가자.”

“아버지 묘는 아무도 가르쳐주지 않아서 못 가봤어요. 모두들 아버지 얘기가 나오면 외면하지요. 벌을 받는대요.”

“이제는 벌 줄 놈도 없다. 느이 아버지는 훌륭한 농사꾼인데 정승판서는 그이 발밑에도 못 따라온다.”

—3권에 계속

장길산 2
특별합본호

초판 1쇄 발행 • 2020년 12월 21일
초판 2쇄 발행 • 2022년 11월 24일

지은이 / 황석영
펴낸이 / 강일우
펴낸곳 / (주)창비
등록 / 1986년 8월 5일 제85호
주소 / 10881 경기도 파주시 회동길 184
전화 / 031-955-3333
팩시밀리 / 영업 031-955-3399 · 편집 031-955-3400
홈페이지 / www.changbi.com
전자우편 / lit@changbi.com

ISBN 978-89-364-3073-3 04810
ISBN 978-89-364-3290-4 (전4권)